D. LEOPOLDINA

D. LEOP

Paulo Rezzutti

OLDINA

A história não contada

A mulher que arquitetou a Independência do Brasil

Com os posfácios
"A primeira imperatriz do Novo Mundo",
por Viviane Tessitore
e
"Frühbeck e a redescoberta do Brasil",
por Cláudia Witte

2ª edição revista e ampliada

LeYa

TRADUÇÃO DO FRANCÊS
Marleine Cohen e Paulo Schmidt

TRADUÇÃO DO ALEMÃO
Cláudia Witte

PREPARAÇÃO
Bárbara Anaissi

REVISÃO
Eduardo Carneiro

PROJETO GRÁFICO DO CADERNO DE FOTOS E CAPA
Victor Burton

DIAGRAMAÇÃO
Alfredo Rodrigues

CIP-BRASIL. CATALOGAÇÃO-NA-FONTE
SINDICATO NACIONAL DOS EDITORES DE LIVROS, RJ

R22d
Rezzutti, Paulo
D. Leopoldina: a mulher que arquitetou a Independência do Brasil / Paulo Rezzutti; A primeira imperatriz do Novo Mundo por Viviane Tessitore; Frühbeck e a redescoberta do Brasil por Cláudia Witte. – 2ª ed. – São Paulo: LeYa Brasil, 2022.
480 p. : il. (A história não contada)

Inclui Bibliografia
ISBN 978-65-5643-183-3

1. Leopoldina, Imperatriz, consorte de Pedro I, Imperador do Brasil, 1797-1826 2. Imperatrizes - Brasil – Biografia 3. Brasil - História - I Reinado, 1822-1831 I. Título II. Tessitore, Viviane III. Witte, Cláudia IV. Cohen, Marleine V. Schmidt, Paulo

17-0054 CDD 981.05
CDU 94(81)'1548/1808'

LeYa Brasil é um selo editorial da Casa dos Mundos.

Casa dos Mundos Produção Editorial e Games Ltda.
Rua Frei Caneca, 91 | Sala 11 – Consolação
01307-001 – São Paulo – SP
www.leyabrasil.com.br

A Viviane Tessitore
(*in memoriam*)

Fui testemunha ocular e posso asseverar aos contemporâneos
que a princesa Leopoldina cooperou vivamente dentro e fora do país
para a independência do Brasil. Debaixo deste ponto de vista
o Brasil deve à sua memória gratidão eterna.
Conselheiro Antonio de Meneses Vasconcelos de Drummond

A morte da Imperatriz me tem penalizado assaz.
Pobre criatura! Se escapou ao veneno,
sucumbiu aos desgostos.
José Bonifácio de Andrada e Silva

Sinto o meu coração quebrar de dor
O mundo não verá mais n'outra idade
Modelo mais perfeito, nem melhor
D'honra e candura, amor e caridade.
D. Pedro I

LÉOPOLDINE, ARCHIDUCHESSE D'AUTRICHE

princeſse royale de Portugal, du Brésil

et des Algarves, ducheſse de Bragance &.&.

VIENNE

Sumário

Prefácio à 2ª edição 15

Apresentação

Uma mulher interessante 21

Parte I: A.E.I.O.U. – *Austriae est imperare orbi universo*

Os Habsburgo 27

Uma infância entre a guerra e a paz 38

Viena, o esplendor absolutista 63

Parte II: Destino

A embaixada portuguesa à Áustria 89

Um drama italiano 117

Atrasos e intrigas 132

Atlântico 142

Parte III: Brasil – 1817-1826

D. Leopoldina portuguesa 157

A matriarca da Independência 208

Imperatriz do Brasil 244

As amizades dos imperadores 264

A "mártir de paciência" 285

Epílogo 341

Agradecimentos 347

Posfácio

Frühbeck e a redescoberta do Brasil 353
A primeira imperatriz do Novo Mundo 363

Anexo

D. Leopoldina da Áustria – Imperatriz do Brasil: doença e morte 399

Cronologia 407

Notas 414

Bibliografia 430

Créditos das imagens 443

Sobre o autor 447

Prefácio à 2ª edição

CINCO ANOS se passaram desde que esta biografia veio à luz, no verão de 2017. De lá para cá, a imagem de d. Leopoldina tomou uma dimensão muito maior para os brasileiros. Nascida em Viena, em 1797, e falecida no Rio de Janeiro, em 1826, d. Leopoldina chegou ao Brasil para se unir ao herdeiro do trono de Portugal e retornar com o esposo para a Europa. Em vez disso, acabou participando do processo de independência do Brasil, tornando-se sua primeira imperatriz.

Num mundo no qual o que é escandaloso e proibido chama muita atenção, a aparente fragilidade de d. Leopoldina, sua discrição com as infidelidades do marido e seu falecimento ainda jovem fizeram com que acabasse entrando para a história com a sua figura reduzida à de mãe extremosa e esposa exemplar. Como se o papel de uma mulher, mesmo no século XIX, pudesse se resumir apenas a essas duas áreas. Entretanto, os eventos e as produções culturais que marcaram os duzentos anos de sua chegada ao Brasil contribuíram para que os brasileiros pudessem ver outros aspectos da imperatriz, uma figura complexa como qualquer outro ser humano.

Documentários sobre nossa história e seus personagens, vinculados em canais de tevê a cabo ou no YouTube, a novela *Novo Mundo*, exibida pela TV Globo, onde a atriz Letícia Colin interpretou magistralmente a primeira imperatriz brasileira, a peça *Leopoldina, independência e morte*, do ator e dramaturgo Marcos Damigo, além de exposições, um selo comemorativo e esta obra, contribuíram para resgatar junto ao grande público essa mulher. Este livro, adotado pelo Programa Nacional do Livro e do Material Didático (PNLD) 2018, acabou levando a milhares de jovens em idade escolar a história dessa personagem singular.

Esta nova edição revista e ampliada traz imagens inéditas de d. Leopoldina que foram descobertas ao longo dos últimos cinco anos. Uma delas é uma miniatura inédita feita por Bernhard von Guérard que mostra a então arquiduquesa com 10 anos de idade, outra é uma gravura que foi publicada no livro *Vaterländische Immortellen aus dem Gebiete der österreichischen Geschichte*, que pode ser traduzido como "Imortais da pátria no âmbito histórico austríaco". O livro, publicado em 1840, mostra diversos heróis austríacos e eleva d. Leopoldina a esse panteão. Afinal, aos olhos de seu país natal, ela fez o sacrifício de deixar a Europa para se casar na América e com isso estreitar os laços entre a Áustria e o Brasil. A imagem que escolheram para celebrá-la foi o seu desembarque no Brasil ao lado de seu marido d. Pedro.

Também contribuiu para a presente reedição o dr. Pedro de Freitas. Médico formado pela Faculdade de Medicina da Universidade Clássica de Lisboa e com doutoramento na Maimonides University, na Flórida, nos Estados Unidos, o dr. Pedro de Freitas dedicou-se ao estudo dos boletins médicos divulgados durante a enfermidade e morte de d. Leopoldina. Esses boletins foram enviados para Viena pelo diplomata austríaco barão de Mareschal e, atualmente, o material encadernado encontra-se na Biblioteca Nacional da Áustria. O dr. Pedro de Freitas apresentou-nos um estudo apurado, com base nesses relatórios e nos relatos deixados por pessoas próximas da imperatriz nos seus momentos finais. Por meio de tais documentos, foi possível chegar à causa da enfermidade que a levou a óbito, e, mais uma vez, ela se distancia do mítico pontapé que d. Pedro I teria dado na barriga da esposa grávida antes de embarcar para a Guerra da Cisplatina e deixar d. Leopoldina como regente do Brasil pela segunda vez.

A vida de uma personagem histórica pode tomar guinadas surpreendentes quando ela é usada por parte da sociedade para criar suas próprias narrativas. A história do pontapé de d. Pedro é muito antiga. Surgiu pouco antes da abdicação do primeiro imperador ao trono brasileiro em abril de 1831, mais de quatro anos após a morte da esposa, e persistiu com força ao longo do tempo em que ele esteve vivo. O medo de que d. Pedro I retornasse ao Brasil e assumisse a regência do Império em nome de d. Pedro II tirava o sono de certos segmentos da elite brasileira.

Uma outra história envolvendo a imagem de d. Leopoldina, que surgiu com muito mais força a partir de 2017, é a assinatura dela na Declaração da Independência do Brasil. Hashtags surgem nas mídias sociais todo dia 2 de setembro, data que lembra a reunião do Conselho de Estado no Palácio de São Cristóvão, presidida por ela, dizendo que *#foiela* quem assinou a independência nesse dia. A ideia por trás disso é valorizar o protagonismo de uma mulher em detrimento ao "Grito do Ipiranga" dado pelo seu marido cinco dias depois em São Paulo. A história seria belíssima do ponto de vista histórico, primeiro, se a ata do Conselho de Estado de 2 de setembro de 1822, que é pública e pode ser lida em sites do governo brasileiro, trouxesse qualquer menção ao rompimento entre Brasil e Portugal; segundo, se nós tivéssemos uma Declaração da Independência. O Brasil não tem uma declaração formal de rompimento como os Estados Unidos. Nós temos um processo, que se inicia com o basta dado aos deputados da corte constitucional reunidos em Portugal, passa pelos atos de 1822 e será concluído com o Tratado de Paz e Aliança entre Brasil e Portugal no segundo semestre de 1825.

De forma alguma isso anula todo o mérito de d. Leopoldina, antes e depois de setembro de 1822, como articuladora política e diplomática dessa independência. Essa participação, como você verá neste livro, devido à época e ao espaço que seu papel na corte e junto ao marido lhe permitia, é muito mais sutil e complexa. Não cabe em narrativas imediatistas que pretendem entregar ao público leigo verdades prontas, fáceis de compreender.

Esta reedição continua com o mesmo objetivo da obra de cinco anos atrás: mostrar d. Leopoldina – por meio de cartas, documentos e informações acessíveis ao leitor em geral – como uma pessoa de carne e osso. Alguém que, como qualquer outro ser humano, viveu suas esperanças e dúvidas, alegrias e frustrações, e soube enfrentar todos os golpes do destino, que a transformaram de uma romântica incurável numa mulher realista e pragmática. A humanidade de qualquer personagem da história é a nossa própria humanidade, nossas próprias dúvidas, receios e anseios, em maior ou menor grau. Negar a humanidade de personagens históricas como ela é deixá-las eternamente num pedestal, imóveis, lavradas e cinzeladas, ou moldadas e fundidas, ao sabor do vandalismo de nossa própria história, de nossa própria memória como brasileiros.

Paulo Rezzutti
Janeiro de 2022

Apresentação

Uma mulher interessante

APAGADA, POUCO ATRAENTE, traída são alguns dos adjetivos que me veem a mente ao me lembrar da imagem que eu fazia da imperatriz Leopoldina há cerca de dez anos. Ao me debruçar sobre a história de um dos mais famosos casais de amantes brasileiros, d. Pedro e a marquesa de Santos, d. Leopoldina ainda me parecia sem muita vida. Como alguém poderia aguentar tanta humilhação e não se revoltar? Era o homem do século XXI vendo a questão com o olhar atual. Ao começar a escrever sobre a marquesa e, principalmente, durante os estudos para a minha biografia a respeito de d. Pedro, tudo mudou.

D. Leopoldina era uma estrategista, mais preparada e educada que d. Pedro. Teve a sua história diminuída e elevada a categoria de santa, mártir de paciência por tudo o que sofreu no Brasil. Aliás, coisa comum em nossa história são as mulheres entrarem nela ou como santas ou como devassas. Esse é o ponto que une d. Leopoldina à marquesa de Santos: o papel político de ambas foi apagado, afinal, a política é o campo dos homens há milênios, e geralmente são eles que escrevem a história, com raras exceções. Além do material que vinha coletando sobre ela desde a biografia da marquesa de Santos, muito mais surgiu durante as pesquisas para a obra a respeito de d. Pedro.

Primeiro foi o seu diário da época de sua juventude em Viena, que se encontra no Museu Imperial e que é praticamente desconhecido do público. Nele, vemos uma adolescente impetuosa, cheia de vida, que protegia o seu sobrinho predileto, a quem chamava de "meu tesouro", filho de sua irmã Maria Luísa com Napoleão. Divertida, descrevia de maneira caricatural os grandes reis, príncipes e até o czar da Rússia, com quem conviveu durante o Congresso de Viena, presidido pelo seu pai, o imperador da Áustria. Se essa documentação já era surpreendente, muito mais viria.

Os duzentos anos da chegada de nossa primeira imperatriz aproximavam-se, e, graças à informação fornecida pelo sr. Cássio Ramiro Mohallem Cotrim, a quem esta obra e seu autor muito devem, foi possível chegar ao arquivo da condessa Maria Ana von Kühnburg (1782-1824), nobre austríaca que acompanhou d. Leopoldina em sua viagem de Viena até o Rio de Janeiro, em 1817. Algumas das cartas do conjunto já haviam passado pelas mãos de Carlos H. Oberacker Jr., entretanto, pouco do material foi utilizado em seus escritos sobre a imperatriz. Oberacker não se debruçou sobre o diário da condessa para a sua amiga Ernestine, nem deu maior atenção às cartas escritas por "Nanny" ao pai. Faltou a ele agir, no dizer de Le Goff, como o "ogro historiador", o "amador da carne fresca da história que lhe é tão frequentemente recusada". Faltou a ele chegar ao tutano, ao cerne das missivas, que contam mais do que a superficialidade das palavras faz notar à primeira vista.

O conjunto arquivístico da condessa chegou ao Brasil em meados dos anos 1970. Inicialmente, era composto por diários e cartas dela relativos à viagem ao Rio e um álbum de desenhos feitos por Franz Joseph Frühbeck. O desenhista amador conseguiu um lugar na comitiva da princesa Leopoldina como auxiliar de bibliotecário, vindo junto com o grupo principal, diferentemente dos membros da missão científica e da embaixada austríaca. Franz Joseph acabou nos legando o único registro íntimo dessa travessia, que retrata o dia a dia da nau D. João VI e de seus ocupantes.

Esse conjunto documental havia sido adquirido em 1975 pelo dr. Erico Stickel. Após o falecimento deste, em 2005, os desenhos de Frühbeck pertencentes à coleção Kühnburg passaram, em 2008, ao Instituto Moreira Salles. Imaginando que os diários e as cartas da condessa houvessem também passado à instituição, entrei em contato com a sra. Julia Kovensky, coordenadora de Iconografia do IMS. Ela, porém, informou que o instituto havia comprado apenas as imagens e colocou-me em contato com a sra. Francis Melvin Lee, superintendente do Instituto Hercule Florence. Desde 2011, a biblioteca e o arquivo do dr. Erico Stickel, onde estava a parte manuscrita do arquivo Kühnburg, passaram ao IHF.

Além das imagens feitas por Frühbeck que se encontram no Brasil, já sabia, fazia tempo, das que se encontravam na Hispanic Society of America, em Nova Iorque. Essa instituição e o seu acervo são-me familiares. Foi lá que encontrei em

2010 a coleção de cartas inéditas de d. Pedro à marquesa de Santos que publiquei em 2011. Assim, neste livro, além das imagens do viajante austríaco que se encontram no Brasil, foi possível incluir as que estão na Hispanic Society.

Também nesta biografia de d. Leopoldina encontra-se pela primeira vez em português trechos de um dos livros do mercenário alemão Julius Mansfeldt. O relato deste, no que tange ao contato que teve com a imperatriz e às histórias coletadas pelas ruas na época, dá um colorido a mais no cenário do Primeiro Reinado, mostrando os seus costumes e bastidores.

Esta obra busca, mais que surpreender o leitor com documentação inédita, mostrar facetas quase desconhecidas sobre d. Leopoldina. Espero que, assim como eu, o leitor possa se surpreender com esta nova visão de uma estrangeira que abraçou o Brasil como seu país, os brasileiros como o seu povo e a Independência como a sua causa.

Paulo Rezzutti

L. Leopoldina

Parte I

A.E.I.O.U. – *Austriae est imperare orbi universo*

Os Habsburgo

NO FILME *O terceiro homem*, baseado na obra de Graham Greene, Orson Welles incluiu uma frase para o seu personagem:

> Na Itália, durante 30 anos sob os Bórgias, houve guerras, terror, assassinatos, sangue. Eles produziram Michelangelo, Leonardo da Vinci e a Renascença. Na Suíça, tiveram amor fraternal, 500 anos de democracia e paz, e o que produziram? O relógio cuco.

A irônica frase não sobrevive à constatação de que a Suíça produziu, além de tantas coisas, a família Habsburgo. Essa dinastia reinou por seiscentos anos graças ao fato de saber se renovar e se adequar aos novos tempos. Moldou-se para a própria sobrevivência, mas não sobreviveu às exigências dos Estados Unidos para discutir o fim da Primeira Guerra Mundial. As condições norte-americanas para o armistício culminaram na dissolução do Império Austro-Húngaro, dividindo-o em diversas repúblicas autônomas.

O nome da família teve origem por volta de 1020, quando o conde Radbot ergueu no cantão de Argóvia, na Suíça, o Castelo de Habichtsburg. O nome do local, "Castelo do Açor[1]", seria devido ao fato de o conde ter visto uma dessas aves pousada numa das paredes do edifício. De Habichtsburg para Habsburgo, a mudança foi rápida.

O neto de Radbot, Otto II, passou a acrescentar "von Habsburgo" ao seu título, originando dessa forma a nova casa dinástica. Um dos descendentes de Radbot, Rodolfo, devido à pouca expressividade política, como julgavam os príncipes alemães, foi eleito em 1273 rei dos germanos,[2] um cargo eletivo na época e não hereditário. A eleição de um quase desconhecido objetivava que os ciosos príncipes continuassem contando com o poder que detinham, mas eles se enganaram supondo que os Habsburgo não possuíam ambição. Poucos anos depois de eleito, Rodolfo I derrotou em batalha o rei Otakar da Boêmia, anexando em 1282 a Áustria aos territórios dos Habsburgo e fazendo da fortaleza Hofburg, em Viena, a sede de seu reino.

Tinham assim início os vastos domínios da família, que controlaria durante anos um dos pontos mais estratégicos na Idade Média: o passo de São Gotardo, a ligação entre a Europa Central e a Itália.

Mais antiga representação realista conhecida do Castelo Habsburgo, próximo ao rio Aar, na Suíça.

Áustria feliz

Guerras eram caras, e os Habsburgo desenvolveram ao longo de séculos um sistema de aquisição territorial por meio de alianças de casamento que tornaria as princesas da casa da Áustria, no século XIX, um artigo de primeira grandeza. Casar-se com uma não seria para qualquer um, afinal, tê-las por esposas era como possuir um artigo de luxo: uma mulher com instrução suficiente para ser uma estadista.

A ideia teria surgido após o Habsburgo Rodolfo IV, duque da Áustria e bisneto de Rodolfo I, ter anexado o Tirol em 1363 aos domínios da família. O estado acabou sendo incorporado como herança após o rei Meinhard III, cunhado dele, ter morrido sem deixar herdeiros.[3] A política de Rodolfo nortearia os próximos quinhentos anos da dinastia com o mote *Bella gerant alii, tu felix Austria nube/ Aliis nam quae Marte, dat tibi diva Venus*,[4] que significa: "Deixe que os outros façam a guerra, tu, Áustria feliz, casa-te/ O que Marte dá aos demais, para ti será um presente de Vênus." Tal expressão teria sido baseada numa das cartas das *Heroides*,[5] de Ovídio, em que Laodamia escreve para seu amor, Protesilaus,[6] implorando que ele se mantenha a salvo durante a Guerra de Troia: *Bella gerant alii, Protesilau amet!* (Os outros que façam a guerra, Protesilaus ama!)

Entretanto a história dos Habsburgo não está envolta somente em poesia e uniões para garantir terras, mas em muitas lutas, assassinatos, raptos e casamentos endógamos. As disputas internas e externas da família, suas diversas tentativas em ser reeleita – algumas com sucesso, outras não – ao posto de reis da Alemanha, além da política de expansão de seus domínios pessoais, cada vez mais para o norte e o sul da Europa, iria fragilizar sua base inicial na Suíça. Os Habsburgo foram expulsos de lá e tiveram seu castelo destruído em 1415.

A.E.I.O.U.

Poucos anos mais tarde, em 1452, outro Habsburgo, Frederico III, dirigiu-se a Roma para ser coroado imperador do Sacro Império Romano pelo papa Nicolau V. Antes, porém, ele foi até a cidade de Siena, onde desposou a infanta d. Leonor de Portugal, da dinastia de Avis. Frederico seria o primeiro Habsburgo a ser coroado imperador. A família conservaria o título de 1452 até a dissolução do Sacro Império, em 1806. Somente por um curto lapso de tempo, de 1742 a 1745, outra família, a dos Wittelsbach, foi eleita.

Antes de ser coroado imperador pelo papa, Frederico traçou o que seria o lema da família pelos séculos seguintes, "A.E.I.O.U.", em alemão: *Alles erdreich ist Österreich unterthan*; em latim: *Austriae est imperare orbi universo*; em bom português: "O destino da Áustria (e aqui no sentido de "a casa da Áustria", ou seja, os Habsburgo) é governar o mundo."

Por mais improvável que possa parecer, durante os séculos XVI e XVII, essa pretensão, a de se transformar numa monarquia universal, esteve a ponto de se tornar real. Por diversos períodos, a família quase alcançou a hegemonia na Europa. A elevada posição dos Habsburgo no cenário político foi arduamente construída, ou melhor, conquistada, inclusive por meio da criação do mito de que seriam predestinados a governar o mundo católico.

Um dos maiores golpes da família foi transformar três coroas eletivas em hereditárias: a do Sacro Império, a da Hungria e a da Boêmia. As reivindicações dos Habsburgo, sempre audazes em seu querer e na ampliação de seus domínios, iriam fazer com que mantivessem uma relação difícil entre a realidade e a ficção. Maximiliano, filho de Frederico III, construiu em Innsbruck uma rica capela onde foi enterrado. No local, mandou erguer estátuas dos governantes que antecederam os Habsburgo, entre elas, a do mítico rei Artur dos britânicos.

Um título falsificado

Rodolfo, o Habsburgo que conquistou o Tirol na base de aliança matrimonial, foi o criador de uma das maiores fraudes políticas da Europa medieval. Ele "descobriu" em 1359 um conjunto de cinco documentos, chamados *Privilegium Maius*. Despudoradamente falsificados, afirmavam a concessão de diversos privilégios a quem controlasse as terras da Áustria. Teriam sido concedidos por Frederico Barba Ruiva, imperador do Sacro Império duzentos anos antes.

Entre as diversas cláusulas, estava a designação de que os governantes austríacos usariam o título de "arquiduques" e com isso passariam a ter tanta importância quanto os príncipes eleitores. Tal falsificação vinha em resposta à Bula Dourada do imperador do Sacro Império, sogro de Rodolfo, que previa sete príncipes eleitores para escolherem o próximo imperador, e um deles não era o Habsburgo em questão. A bula foi discutida e em grande parte recusada pelo imperador. Anos depois, com o Habsburgo Frederico III no trono do Sacro Império, o *Privilegium Maius* foi reconhecido como legítimo. Dessa forma, o título de arquiduque passou oficialmente a ser utilizado pelos membros da casa da Áustria.

Pietas Austriaca

Como imperadores do Sacro Império Romano-Germânico, os Habsburgo convenceram-se de que à casa da Áustria foi dada uma missão divina: proteger o Sacro Império e a Igreja Católica da heresia. Os membros da casa adotaram uma piedade especificamente dinástica, instituindo um catálogo de virtudes morais e religiosas que deveriam constar da educação de seus príncipes.

Parte dessa ideia, a de campeões do mundo católico, foi externada ao unirem a ideia do direito divino à da legitimidade de seu império, ainda mais após incorporarem as coroas que pertenceram a dois santos: a de São Venceslau da Boêmia e a de Santo Estêvão da Hungria.

No que hoje poderia ser considerado uma estratégia de marketing, além dos símbolos sagrados, eles passaram a fundir os rituais católicos cada vez mais em torno de seus rituais de poder. Aos eventos estatais e dinásticos, acrescentaram serviços de ação de graças e procissões sacras, e os Habsburgo passaram a ser exemplos de devoção católica, papel esse que seria bem representado por d. Leopoldina no Brasil. Com isso, sustentavam por meio da religiosidade e da piedade cristã a sua aura imperial, em franco contraste com a ostentação secular dos reis franceses.

Os Habsburgo acreditavam ter obtido essa missão divina de governar os povos católicos devido aos méritos de seus antepassados, desde o fundador da dinastia, Rodolfo. Como ele, passaram a reverenciar a Eucaristia, a *Pietas Eucharistica*, e a honrar a Virgem Maria, a *Pietas Mariana*.[7] Por exemplo, Ferdinand II, no século XVI, e seus sucessores, até Francisco José, no século XX, promoviam procissões de Corpus Christi, frequentavam congregações marianas e encorajaram as peregrinações aos santuários marianos. Dentro dessa prática, se encaixaria d. Leopoldina, que, no Rio de Janeiro, de 1817 até 1826, estaria praticamente todos os sábados na Igreja de Nossa Senhora do Outeiro para louvar a Virgem e distribuir esmolas.

Os Habsburgo encarnaram, como demonstram diversos monumentos, entre eles a Coluna da Praga, em Viena, a função de peticionários de seu povo junto aos anjos e santos católicos. Prometida por Leopoldo I caso o império se visse livre de um grande surto de peste bubônica, vemos na coluna o imperador ajoelhado, implorando para que a Santíssima Trindade ajudasse o povo sob a sua proteção. Esse imperador nomeou, em 1676, a Virgem Maria generalíssima dos exércitos imperiais. Leopoldo teria uma filha, nascida em 1683, a quem daria o nome de Maria Ana Josefa. Essa arquiduquesa se casaria com um príncipe português, o futuro rei d. João V. Eles seriam avós de outra Maria, d. Maria I, mãe de d. João VI e avó de d. Pedro I do Brasil e IV de Portugal.

Muitos Habsburgo levaram a religiosidade a extremos, confessando-se mais do que o normal, além de realizarem jejuns radicais e praticarem diversos tipos de penitência, mesmo sem culpas a expiar. Ouviam missas três vezes ao dia e rezavam por muitas horas, chegando mesmo a dias, rogando pelo bem-estar do país em tempos de crise.

As mulheres Habsburgo encarnaram em sua vida cotidiana as ideias cristãs e diversos aspectos religiosos. Desenvolveram um modelo ativo de iniciativas piedosas em que puderam sobressair por meio da caridade. Com o tempo, esses modelos passaram a ser parte inerente da feminilidade das mulheres da casa da Áustria. Ao redor desse padrão, o de imperatriz caridosa, a imagem de d. Leopoldina se consolidaria após a sua morte.

O Império Universal

O filho de Frederico III, Maximiliano I, continuou o projeto dos Habsburgo em expandir seus domínios ao se casar, em 1477, com a herdeira do duque da Borgonha. Seu filho, Filipe, o Belo, casou-se com a igualmente belíssima Joana, filha de Isabel de Castela e Fernando de Aragão. Os pais dessa princesa haviam fortalecido a Espanha sob o mais rígido catolicismo e expulsado os mouros do sul do país. Mulher forte e de visão, Isabel de Castela foi a patrocinadora da viagem de Cristóvão Colombo, o que deu início ao Império Espanhol.

Joana entraria para a história como "a louca" – "rainha e falsa demente", acrescentaria Manuel Bandeira em seu famoso poema. Seria esquizofrênica, segundo uns historiadores; de acordo com outros, mais românticos, enlouquecera de ciúmes pelas traições do marido. Existe, porém, outra hipótese: Joana seria uma mulher dotada de temperamento forte, com ideias próprias e nada submissa.

A princesa acabou sendo preterida na subida ao trono espanhol. Primeiramente pelo pai, que se tornou regente do Reino de Castela, herdado por Joana com a morte da mãe, e, posteriormente, por seu filho Carlos I da Espanha e V do Sacro Império. Este manteve a mãe e a irmã mais nova, Catarina, encarceradas juntas. Catarina só saiu do confinamento para se casar com o rei de Portugal, d. João III.

Assumindo dessa forma os vastos domínios dos Habsburgo na Europa e na América, Carlos V dividiu a herança em duas partes: o trono espanhol ficou para o seu filho, Filipe II, e o irmão, Fernando, recebeu os territórios ancestrais da família na Europa Central, bem como o título de imperador do Sacro Império Romano-Germânico. Além disso, por falecimento de um cunhado, Fernando acrescentaria aos domínios dos Habsburgo as coroas da Boêmia e da Hungria.

O neto de Catarina, o rei português d. Sebastião, faleceria na Batalha de Alcácer-Quibir sem deixar herdeiros. Com isso, os Habsburgo espanhóis acabariam por unir a Península Ibérica e as Américas do Sul e Central a uma só Coroa entre 1580 e 1640.

Nunca um projeto de poder por meio de alianças matrimoniais dera tantos frutos para uma única família até então. Mas os custos foram enormes em mais de um sentido. O preço de manter tantos povos sob uma mesma Coroa envolvia um enorme gasto político e financeiro. As guerras e combates eram frequentes, e o ouro da América ajudou até certo ponto a manter os domínios unidos. Outro custo foi o genético. Segundo Andrew Marr, além de os territórios controlados pelos Habsburgo serem uma verdadeira mistura de poder político e militar:

> O princípio de infindável endogamia na família, para manter suas possessões, demonstrou o sentido do tabu do incesto – um alto preço em crianças mortas e adultos deformados ou incapazes. A esquisitice física dos últimos Habsburgos, de olhos saltados, com imensas mandíbulas inferiores e lábios salientes, foi bem registrada pelos mais bravos pintores da corte.[8]

Enquanto o número de abortos na época chegava a 20% nas aldeias espanholas, os Habsburgo da Espanha abortavam 30% dos seus bebês, sendo que 20% dos sobreviventes morriam antes de completar 10 anos.[9] Carlos II, o último Habsburgo no trono espanhol, foi um dos piores "espécimes". Além de achar que estava possuído pelo demônio, era incapaz de mastigar, pois suas mandíbulas não se encaixavam, babava constantemente e passava horas observando os corpos embalsamados de seus antepassados. Impotente, não deixou herdeiros, o que gerou a Guerra de Sucessão Espanhola. Isso pôs um ponto-final aos dias dos Habsburgo na península e, consequentemente, na América. Quarenta anos depois, ocorreria outra batalha envolvendo a herança da família: a Guerra de Sucessão Austríaca de 1740.

Lex Salica

A Lei Sálica foi a primeira tentativa dos povos germânicos em consolidar por escrito suas leis. Isso teria ocorrido entre 481 e 511, durante o reinado de Clóvis I. Além de recomendar que uma das formas de se comprovar ou não a culpabilidade do réu era colocar a mão dele em água fervente e depois de três dias verificar o estado da pele, a Lei Sálica instituía que a propriedade e as dívidas só poderiam ser herdadas por homens. Com o passar dos séculos, um dos poucos dispositivos da primitiva Lei Sálica que ainda continuava em vigor era a questão da herança masculina em detrimento da mulher. Se ela não podia herdar propriedades, que dirá suceder ao pai, esposo ou irmão como chefe de uma dinastia.

Devido a esse problema, o imperador Carlos VI, sem conseguir um herdeiro masculino legítimo, decretou em 1713 a Pragmática Sanção, pela qual declarava sua filha, Maria Teresa, sua sucessora. Em seguida, fez os príncipes dos territórios do Sacro Império e os monarcas de países vizinhos concordarem com a decisão. Enquanto o imperador viveu, todos mantiveram a promessa; quando morreu, o pacto foi quebrado, com Baviera, Prússia, Saxônia, Espanha e França não reconhecendo Maria Teresa como herdeira da coroa de seu pai. Esses Estados e reinos partiram como abutres sobre as partes dos territórios dos Habsburgo que lhes interessavam, iniciando a Guerra de Sucessão Austríaca, que durou de 1740 a 1748.

Ficou famosa a cena em que Maria Teresa, disposta a tudo para restabelecer o prestígio e o poder da dinastia e manter-se no trono, suplicou diante dos húngaros, em 1741, ajuda na Guerra de Sucessão tendo nos braços seu herdeiro, José, com quatro meses de idade. No final da guerra, a imperatriz, bisavó de Leopoldina, manteve-se no trono, mas não com a herança intacta. Parte de seus territórios foram absorvidos pela Prússia e pela França. Além disso, a dinastia "pura" dos Habsburgo terminava nela. Com seu casamento com o duque de Lorena, Francisco Estêvão, a dinastia passou a ser conhecida como Habsburgo-Lorena. O marido acabou sendo eleito imperador do Sacro Império Romano-Germânico, mas na realidade quem governava era Maria Teresa.

Imperatriz Maria Teresa, bisavó de d. Leopoldina (*circa* 1740).

A imperatriz levou a monarquia dos Habsburgo a se modernizar para os novos tempos que a aguardavam. Os nobres passaram a ser tributados, e, além da administração, o Exército também foi modernizado e ampliado. Ela própria instituiu o combate contra a varíola no império, recebendo em seu palácio 65 crianças para junto dela e de seus filhos serem vacinadas. Um dos seus planos mais ousados foi impor a educação ao seu povo, à força se necessário. Qualquer criança, menino ou menina, ao completar 6 anos, deveria ser matriculada numa escola, onde estudaria até os 12. O responsável que não cumprisse a lei seria preso.

A política austríaca dos casamentos dinásticos foi elevada a alto grau quando Maria Teresa conseguiu casar as filhas com três membros da casa dos Bourbon: o rei da França, o rei da Sicília e o duque de Parma. Somente uma das filhas de Maria Teresa, Maria Cristina, a sua predileta, conseguiu escapar de um casamento dinástico e convenceu a mãe a deixar que ela se casasse por amor. De todos os seus filhos, Maria Antonieta, a trágica rainha da França, seria a mais lembrada, até por ter se deixado levar pela frivolidade secular da corte francesa em detrimento da educação que recebera como uma Habsburgo.

Apesar de tudo o que Maria Teresa teve que enfrentar para suceder ao pai, ela conseguiu legar um Estado e um Exército modernos para seus sucessores. Isso até que os mesmos ventos que derrubaram sua filha do trono francês e a cabeça dela de seu pescoço vieram varrer os alicerces dos demais tronos europeus.

O segundo filho de Maria Teresa a ocupar o trono austríaco foi Leopoldo II, avô da arquiduquesa Leopoldina. Assim como a mãe, ele era um déspota esclarecido, um dos diversos governantes europeus que tentaram implementar as ideias iluministas e revolucionar de maneira positiva sua nação, uma "revolução" que partia do trono ao povo. O Iluminismo foi um processo social, político, cultural, econômico e filosófico que visava, entre outras coisas, ao uso da razão como o melhor caminho para se alcançar a liberdade, a autonomia e a emancipação do povo, dando a este amplo acesso à educação.

Leopoldo II, imbuído pelo espírito de seu tempo, viu com horror as ideias iluministas acabarem degringolando em 1789 durante a Revolução Francesa. Mais preocupado ficou quando seu cunhado Luís XVI foi obrigado a jurar obedecer à Constituição imposta pela Assembleia da França. Esse ato rompia definitivamente com a ideia, tão profundamente cultivada por gerações de Habsburgo, de que os reis haviam sido colocados em seus tronos e de lá governavam por direito divino.

Era o colapso do que ficaria conhecido como o Antigo Regime. O novo regime, o do povo, na realidade o da burguesia, fez irromper em diversos pontos da Europa, como nos Países Baixos, então controlados pelos Habsburgo, e em diversos locais da Itália, movimentos descontentes com o sistema absolutista. Muitos governantes, visando à garantia da ordem em seus domínios, acabaram aliando-se com a aristocracia e retrocedendo em suas reformas anteriores.

Em 1791, o avô de Leopoldina e o rei da Prússia fizeram a chamada Declaração de Pillnitz, na qual condenavam os acontecimentos na França e ameaçavam o país de invasão caso algo ocorresse com a Família Real francesa. Isso resultou não só na França decretando guerra contra eles, mas, em última análise, na deposição e na prisão dos seus reis. Maria Antonieta, tia-avó de Leopoldina, foi acusada, entre outras coisas, de conspiração contra a França. Declarada culpada, sem que houvesse provas, foi levada à guilhotina em 16 de outubro de 1793.

Uma infância entre a guerra e a paz

NA MANHÃ de 22 de janeiro de 1797, Viena jazia silenciosa, com suas ruas cobertas por uma grossa camada de neve, cujos flocos dançavam perante o sopro dos ventos glaciais que varavam a cidade e se chocavam contra a Hofburg. Centro do poder dos Habsburgo desde 1282, a antiga fortaleza medieval havia sido modificada, ampliada e modernizada, e acabou por se transformar em ícone da confusão de povos e línguas que era o império que de lá se governava. Até hoje ainda é possível verificar que cada um dos séculos e dos soberanos imprimiram nela a sua marca. Do estilo barroco ao Secession,[10] o local impressiona por sua arquitetura e sua história.

Naquele domingo, há mais de duzentos anos, aguardava-se o nascimento do quinto filho do imperador Francisco II do Sacro Império Romano-Germânico e de sua segunda esposa, Maria Teresa das Duas Sicílias, sua prima-irmã, já que ambos eram netos da imperatriz Maria Teresa.

A criança, uma menina gorducha, chegou ao mundo às sete e meia da manhã e foi batizada no mesmo dia. Porém, devido ao clima que congelava a cidade, o batismo não seria na imponente Igreja de Santo Agostinho, frequentada pela corte, mas sim na antecâmara do próprio palácio, às seis da tarde.

Segundo relata o jornal *Wiener Zeitung*, de 25 de janeiro:

> Para o batizado se reuniu a alta nobreza, de ambos os sexos, em grande gala, na vasta antecâmara. Logo em seguida, precedido pelos dignitários da corte, dava entrada no salão, Sua Majestade, o Imperador, acompanhado por cinco Arquiduques e cinco Arquiduquesas. Seguia o Primeiro Marechal da corte, o Príncipe de Starhemberg, acompanhado por dois Camaristas Imperiais, os Príncipes de Schwarzenberg e de Ligne, carregando sobre uma almofada dourada a recém-nascida. Sua Majestade e Suas Altezas Imperiais dirigiram-se para os genuflexórios preparados para a ocasião. Ao lado dos mesmos colocou-se, como de costume, o Núncio Papal, num oratório especialmente aprontado. O Primeiro Marechal da corte se colocou com a recém-nascida arquiduquesa diante do altar, que se encontrava debaixo de um baldaquim. A madrinha foi a arquiduquesa Maria Clementina, noiva do Príncipe Herdeiro de Nápoles. A pequena arquiduquesa recebeu os nomes *Leopoldina, Carolina, Josefa* [grifo do autor]. Após a cerimônia se entoou o *Te Deum*, ao som dos tambores, enquanto os canhões, colocados sobre os muros de cinta da cidade, salvaram três vezes. Realizou-se, da mesma maneira, como na vinda, o cortejo na volta, dirigindo-se para os grandes salões da Imperatriz. Em seguida Sua Majestade o Imperador e Suas Altezas Imperiais apareceram na grande antecâmara da Imperatriz, na qual se realizou a solene cerimônia das felicitações pela Alta Nobreza que ali se havia reunido.[11]

Vale ressaltar aqui o nome do bebê e a ordem em que ele surge inicialmente: Leopoldina Carolina Josefa. Tanto no jornal de 25 de janeiro quanto no extrato da certidão de nascimento da arquiduquesa, feito em 1909,[12] bem como no Protocolo das Funções Episcopais, feito em latim pelo cardeal Migazzi, encontram-se referências de que Leopoldina era, indubitavelmente, o primeiro nome escolhido e usado pela menina recém-nascida.

Futuramente, durante as tratativas de casamento dela, seu nome seria embaralhado pelos portugueses de tal forma que, a chegar à América, seria saudada como princesa Carolina. A confusão chegou a ponto de a letra "C" surgir entrelaçada com o "P" de seu marido, fazendo, hoje, os museólogos confundirem peças comemorativas de seu casamento no Brasil com pertences de sua sogra, d. Carlota Joaquina.

Vistas dos edifícios que compunham a Hofburg em 1797, ano de nascimento de Leopoldina.

O Corso

O nascimento de um bebê saudável seria motivo para comemoração, mesmo não sendo um herdeiro masculino, mas o clima não estava para festas. O ancestral trono dos Habsburgo estava ameaçado. Em 1792, primeiro ano do reinado de Francisco II, pai de Leopoldina, os Estados fronteiriços à revolucionária França – a Áustria, a Espanha e os reinos da Sardenha, da Prússia e de Nápoles, além da Inglaterra – declararam guerra aos franceses.

A união desses países não visava apenas dar uma lição a quem se aventurasse a depor seus governantes. Além de servirem de exemplo, punindo um povo e um governo insurgente, os aliados queriam sufocar os ideais de liberdade, igualdade e fraternidade que começavam a florescer nos campos franceses encharcados com o sangue dos aristocratas. Se, em meio ao processo, os vizinhos conseguissem abocanhar alguns trechos do território francês, não iria ser nada ruim.

Mas, surpreendentemente, não foi bem isso que aconteceu. A França, em meio ao caos interno, conseguiu se reerguer e estruturar um Exército que fizesse frente a essa coalizão de países invasores. Ironicamente, a primeira grande tentativa de se destruir o novo Estado francês fez surgir perante o mundo a figura de um militar nascido na Córsega, que havia feito sua carreira na França e assumido o comando das tropas na Itália.

Napoleão Bonaparte, recém-casado com Josefina de Beauharnais, partiu para a Itália em março de 1796 como um quase desconhecido e retornou a Paris um ano depois como herói, após derrotar as tropas austríacas e seus aliados. Além disso, ele havia conquistado grande parte da Itália Central para a França. O Reino da Sardenha fora subjugado, além de vários principados e ducados italianos, incluindo Estados papais. Milão, até então austríaca, passou a pertencer aos franceses. Em março de 1797, um ano após sair de Paris, Napoleão marchava contra a própria Áustria, chegando a 150 quilômetros de Viena em 9 de abril. O grão-duque Carlos, comandante do Exército austríaco e tio da recém-nascida arquiduquesa Leopoldina, enviou mensageiros para discutirem o fim da guerra. A paz entre a França e o Sacro Império foi oficializada pelo Tratado de Campo Formio, em 17 de outubro, no qual Napoleão assinava a paz com os austríacos em nome dos franceses.

Os pais de Leopoldina

Francisco II sofria uma das primeiras grandes perdas do território herdado e arduamente construído com sangue, mentiras e muito casamento de interesse ao longo de séculos pelos seus antepassados. De uma só tacada, a Áustria perdia parte dos Países Baixos e diversas possessões italianas, além de ser obrigada a reconhecer a República francesa.

O imperador Francisco foi descrito como um homem reservado, inseguro, lacônico e dado à melancolia.[13] Indivíduos melancólicos geralmente não encontram graça na vida, são pessoas para quem o meio-termo inexiste: ou está tudo bem ou está tudo ruim. Sua filha, Leopoldina, comungaria com o pai nesse aspecto ao longo de sua vida. Talvez isso explique algumas questões, como o fato de ambos quererem se refugiar no seio da própria família e não desfrutarem completamente da vida da corte.

Francisco era muito culto, falava diversos idiomas e, seguindo a tradição dos Habsburgo, era profundamente devoto e dado à caridade. Inteligente, era dotado de raciocínio rápido, o que facilitava piadas e gracejos espirituosos. Mas não possuía muita força de vontade nem visão de estadista. Esse ponto seria compensado pelos homens dos quais se cercou, como o chanceler Klemens Wenzel von Metternich.

Estudioso de ciências naturais e botânica, Francisco gostava de colecionar retratos de sua família, desde os mais antigos membros até os contemporâneos. Sua biblioteca deu início à Biblioteca Nacional da Áustria. O imperador – como os demais Habsburgo desde o tempo de seu tio José II – praticava um ofício burguês, no caso a jardinagem, que se transformaria numa paixão transmitida aos filhos.

Francisco acreditava que o melhor para o seu povo era o governo que herdara de seu pai. Era um déspota esclarecido, profundamente absolutista. Antiliberal convicto, um dos esteios de seu governo era o aparatado estado policial forte, que perseguia os liberais e lotava com eles as prisões austríacas, levando muitos a ser condenados à morte.

O imperador tentava se equilibrar num mundo de contradições: se por um lado desejava que seus povos usufruíssem de um estado de "bem-aventurança"[14] – desde que não tivessem direito de se manifestar, até mesmo contra a carestia e a inflação crescente que devorava as finanças austríacas –, por outro, sufocava o nacionalismo que começava a brotar no seio desses povos unidos sob a sua coroa. Entendia-se, não sem razão, que o nacionalismo seria um passo para que cada um desses povos reivindicasse mais direito e representatividade para influir no Estado. Apesar disso, e assim como seus sucessores, Francisco já havia começado a realizar mudanças profundas, como a reforma agrária em alguns pontos do império.

Dada a influência iluminista, Francisco II odiava o modo como via o povo e os servos serem tratados pelos latifundiários[15] e buscava fazer algo a respeito, mas todo cuidado era pouco: seu próprio governo havia sido tachado de jacobinista[16] por conta da reforma agrária. Perder o amor do povo e o apoio da aristocracia, como demonstrado pela Revolução Francesa, era um péssimo negócio. Assim, tentando fazer o possível para governar, e bem, Francisco acabou "adotando" o povo como uma grande família. Viajava muito, dava audiências e ouvia a população, chegando ao extremo de ler pessoalmente cada processo da enorme e burocrática máquina governamental que fazia o império funcionar. Por um lado, tentava ser o mais justo possível e fazer o melhor que podia; por outro, seu controle sobre tudo causava mais lentidão ao governo.

Num arranjo feito por seu tio, o imperador José II, Francisco casou-se em 6 de janeiro de 1788 com Isabel, a filha do duque de Württenberg. O casamento durou pouco mais de dois anos. Grávida, Isabel ficou muito abatida quando, em fevereiro de 1790 teve início a agonia de José II. A arquiduquesa acabou tendo um parto prematuro, durante o qual faleceu, e a criança sobreviveu à mãe por um ano. O imperador faleceu dois dias após Isabel.

Francisco, viúvo, casou-se em segundas núpcias com sua prima, a princesa Maria Teresa das Duas Sicílias. De temperamento completamente oposto ao do marido, ela era uma mulher vivaz, enérgica e bastante inteligente. Tinha traços bem marcantes, como os retratos e gravuras demonstram. Seus lábios cheios, uma das características dos Habsburgo, foram herdados por sua filha Leopoldina, assim como os olhos azuis e os cabelos louros.

A imperatriz, bastante alegre e sempre buscando diversões, quer no seio da família ou fora dela, na corte, com bailes, mascaradas e outras brincadeiras, seria acusada de perdulária. Em certas ocasiões, chegava a trocar mais de duas vezes de vestido numa única noite. O período era de recessão e alta inflação em todo o império.

Como a primeira família da nação, os Habsburgo deveriam dar o exemplo. Mas o mote dela, pelo visto, era se divertir de qualquer maneira, tanto num baile faustoso na corte quanto na convivência íntima, como as surpresas que preparava com os filhos para os aniversários do marido. Podia ser a apresentação de uma peça, com as crianças como atores, ou mesmo um concerto familiar, no qual todos, incluindo o imperador, participavam tocando algum instrumento.

A mãe da arquiduquesa Leopoldina, assim como os demais Habsburgo, foi uma incentivadora das artes de seu tempo. Dedicava-se à pintura e tinha bom ouvido musical, chegando a atuar como cantora em eventos na corte, como missas e oratórios. Foi protetora dos irmãos Michael e Joseph Haydn. Joseph dedicou a Maria Teresa uma missa, a que chamou de *Theresienmesse*. A própria imperatriz cantou-a como soprano solista na apresentação privada à corte vienense em maio de 1801. Ludwig van Beethoven, que dedicou a ela o *Septeto em mi bemol maior*, e o poeta Friedrich Schiller eram patrocinados pelo cunhado de Maria Teresa, o arquiduque Rodolfo. A prática dos Habsburgo como fomentadores da arte era tão arraigada a eles como seu apoio à filantropia.

Uma influência que Maria Teresa incutiu nos filhos foi a falta de preconceito social. Num dos divertimentos que preparou num dos aniversários de Francisco II, por exemplo, a filha mais velha, a arquiduquesa Maria Luísa, divertiu-se dançando com o filho do cozinheiro.[17] Certos tipos de preconceito são adquiridos na infância, no seio familiar, e o de se achar superior a pessoas de classe, cor e posição social diferentes das suas não foi passado a Leopoldina por sua família. Esse fato iria fazer uma grande diferença no modo como o povo brasileiro veria, anos depois, aquela princesa loura e de pele bem clara sempre disposta a parar para conversar com os necessitados, independentemente de suas condições sociais ou da cor da pele.

A imperatriz Maria Teresa teve ao todo doze filhos durante os dezessete anos de casada: Maria Luísa (1791-1847), Fernando I (1793-1875), Maria Carolina (1794-1795), Carolina (1795-1799), Leopoldina (1797-1826), Maria Clementina (1798-1881), José Francisco (1799-1807), Maria Carolina (1801-1832), Francisco Carlos (1802-1878), Maria Ana (1804-1858), João Nepomuceno (1805-1809) e Amália (1807).

A irmã mais velha, Maria Luísa, seria para sempre a grande confidente de Leopoldina, como se depreende das cartas trocadas entre elas. Além dela, Leopoldina foi mais ligada aos quatro irmãos sobreviventes mais próximos de sua idade: Fernando, Maria Clementina, Maria Carolina e Francisco Carlos. Os meninos seriam os mais afetados pelo casamento entre os dois primos-irmãos, que era, na longa e incestuosa história genética dos Habsburgo, apenas mais um caso. Fernando, nascido com hidrocefalia, chegaria a reinar como Fernando I, mas sua inteligência afiada era anulada pelos problemas neurológicos e pela epilepsia. Chegou a ter vinte ataques epilépticos por dia, cinco quando tentou consumar seu casamento. Abdicaria em 1848 em favor do sobrinho Francisco José, filho de Francisco Carlos, que, fraco e sem ambições políticas, abriu mão do trono.

Leopoldina, junto da família, passou grande parte da infância e da juventude entre a Hofburg, no centro de Viena, o Palácio de Schönbrunn, na época localizado fora da cidade, e, eventualmente, no Palácio de Hetzendorf. Um dos locais preferidos, longe da corte e bastante utilizado no verão, era o Castelo de Laxenburg, especificamente seu enorme parque, que acabou sendo transformado numa espécie de Disneylândia do século XIX.

Ao contrário dos jardins franceses de Schönbrunn, os de Laxenburg seguiram o modelo inglês, com amplos gramados, florestas, grutas e ilhas artificiais. Neles, foram instalados pavilhões e até um espaço para torneios medievais. Numa das ilhas, Maria Teresa mandou que fosse construído um refúgio idílico para sua família, o Castelo de Franzensburg. A construção seguiu o estilo medieval, com direito até mesmo a uma masmorra na qual um prisioneiro mecanizado arrastava suas correntes. Completavam o complexo um labirinto e um teatro ao ar livre, no qual representavam os filhos dos imperadores.

O Anticristo

Mas a infância de Leopoldina estaria longe de ser totalmente idílica. Em 1799, com a expansão da França em direção à Itália, à Suíça e ao Egito, as potências aliaram-se mais uma vez contra os franceses na chamada Segunda Coalizão. Novamente o desfecho foi favorável à França, que, após a Paz de Lunéville, em 1801, passaria a dominar novos territórios que antes pertenciam aos Habsburgo na Itália, na Toscana e em Mântua, além de diversos estados germânicos, até então sob o controle do Sacro Império. Era o princípio do fim. Napoleão, graças ao seu gênio militar e estratégico, além de tomar rapidamente novos territórios para a França, levava aos antigos domínios dos Habsburgo na Europa um novo modo de vida.

Como herdeiro que se achava dos ideais da Revolução Francesa, Napoleão modificou social e comercialmente os antigos domínios do Sacro Império. O Código Napoleônico, implantado em 1804 e válido para todos os territórios ocupados, era revolucionário em vários aspectos. Por exemplo, regulava questões referentes a liberdade individual, direito de propriedade e heranças e separava definitivamente o Estado da Igreja. O Estado, e não mais a Igreja, nos territórios ocupados pelos franceses, passou a ser responsável pelas notações sobre casamento, nascimento e morte, transformando o divórcio num assunto civil e não mais eclesiástico. Também as medidas de comprimento, volume e capacidade foram unificadas pelo sistema métrico decimal em toda a Europa napoleônica. A servidão terminava com a chegada dos franceses. Não é de estranhar que muitos dos súditos do antigo Sacro Império vissem, a princípio, com satisfação e esperança a invasão francesa.

A escalada de Napoleão política e militarmente acabou levando-o a se proclamar imperador da França em 1804 e, depois, rei da Itália. Em paralelo a esses fatos, Francisco II estabeleceu como um império à parte os principais domínios ancestrais dos Habsburgo: a Áustria, a Boêmia e a Hungria, então pertencentes ao Sacro Império. Elevou o grão-ducado da Áustria ao status de império e proclamou-se seu primeiro imperador, passando a ser denominado Francisco I.

Em 1805, a Inglaterra, seguida pela Rússia e pela Áustria, formou a Terceira Coalizão, que entrou em confronto com Napoleão. Uma vez mais, a guerra foi catastrófica – principalmente para a Áustria, que logo foi invadida pelas tropas francesas –, obrigando os Habsburgo a fugir de Viena. Napoleão instalou-se no Palácio de Schönbrunn. Grande parte da Família Imperial austríaca buscou refúgio em Ofen, na Hungria. Maria Teresa, acompanhada de Leopoldina, então com 7 anos, foi se juntar ao marido no seu quartel-general em Brünn, na Morávia.[18] Lá, a imperatriz procurou injetar a coragem necessária que faltava ao desanimado imperador, que via a capital do império ancestral de sua família tomada e todos os seus territórios sob perigo iminente.

A esperança chegou ao fim em 2 de dezembro de 1805, quando a Áustria e a Rússia foram derrotadas por Napoleão na Batalha dos Três Imperadores, ocorrida perto de Austerlitz. A irmã mais velha de Leopoldina, a arquiduquesa Maria Luísa, então com 14 anos, quando soube da derrota de seu pai na batalha, irrompeu num choro convulso e descarregou o ódio em seu diário, afirmando que Napoleão era a "Besta do Apocalipse" e que desejava ardentemente que ele morresse naquele ano.[19]

Com a derrota austríaca, Maria Teresa fugiu com sua filha Leopoldina do acampamento do imperador em direção à Silésia Austríaca, onde se refugiou na cidade de Friedeck. Só retornariam a Viena no início de 1806.

Com a Paz de Pressburg, a Áustria perdeu novamente possessões na Itália e na Alemanha. Napoleão, ainda mais fortalecido, reorganizou sob a sua proteção os Estados germânicos, que até então formavam o Sacro Império Romano-Germânico, na chamada Confederação do Reno, o que levou a Assembleia Legislativa do Sacro Império a exigir que Francisco II devolvesse a coroa de imperador. Sem mais forças para lutar e completamente abatido com a perda de grande parte de sua herança ancestral, em 6 de agosto de 1806 Francisco abdicou a coroa do Sacro Império, passando a utilizar o título de imperador da Áustria.

Napoleão recebendo as chaves da cidade de Viena em 13 de novembro de 1805.

Napoleão, ao refazer o mapa da Europa de acordo com o seu projeto de poder, ia destituindo reis, duques e príncipes, em grande parte parentes dos Habsburgo. Essa realeza destronada seguia em procissão a Viena, como foi o caso da única filha sobrevivente da rainha Maria Antonieta e do rei Luís XVI, Maria Teresa Carlota, que encontrou refúgio junto ao primo Francisco da Áustria. A situação, que já era grave antes, tornara-se desesperadora depois de Napoleão ter atingido diretamente os Habsburgo, diminuindo o tamanho de seus domínios e tomando uma de suas coroas ancestrais. A imperatriz Maria Teresa, no seio da família, passou a chamar Napoleão de "Anticristo", "Personificação do Demônio", "Corso Sanguinário", "Grande Fera" e "Monstro".[20] Os pequenos arquiduques e arquiduquesas ganharam um novo brinquedo: um grande boneco, de aparência horrível, chamada de Napoleão, o qual espancavam e alfinetavam.[21]

A Dama Branca

Uma das inúmeras lendas medievais germânicas diz respeito a uma mulher de branco que aparece para membros de casas da alta nobreza, como os Hohenzollern[22] e os Habsburgo. Vista durante séculos, até mesmo servindo algumas vezes de mensageira para que seus descendentes não cometessem erros fatais na condução de seus governos, a Dama Branca também foi avistada por membros dessas casas, significando que algum de seus familiares morreria em breve. Ela teria sido vista na Hofburg quando da morte de Maria Antonieta na França e teria continuado aparecendo para membros da casa de Habsburgo até a derrocada da dinastia, no final da Primeira Guerra Mundial.

Leopoldina teria sido um dos Habsburgo que a avistaram num dos soturnos corredores da Hofburg em abril de 1807, quando tinha 10 anos.[23] Suas aias tentaram racionalizar dizendo que o que a arquiduquesa vira na realidade era uma dama da corte, que, vestida de branco, deixava a Igreja de Santo Agostinho por uma passagem pouco utilizada. Mas certos momentos de nossa vida, ainda mais da nossa infância, não são possíveis de ser encarados com a razão: Leopoldina estava para perder a mãe e sabia disso.

A imperatriz Maria Teresa, por ter fugido de Napoleão no meio do inverno de 1805, rumado para o acampamento do imperador e depois fugido novamente com a derrota austro-russa em Austerlitz, acabou com a saúde abalada. No inverno de

1806, grávida, contraiu pleurisia tuberculosa. Pressentindo a morte, chamou todos os filhos para junto do seu leito e despediu-se deles, dando-lhes sua última bênção.

Em 6 de abril de 1807, a imperatriz sofreu um aborto, falecendo no dia 13.[24] O pai de Leopoldina, num surto, agarrou-se ao cadáver inerte da esposa, de onde só foi retirado à força pelo irmão, o arquiduque Carlos. Durante o funeral, Francisco manteve-se afastado junto com seus dois herdeiros.

A madrasta

Depois de restabelecido e passado o período de luto, Francisco logo procurou uma terceira esposa para poder ajudar na educação dos filhos e ampará-los, senão como substituta da mãe morta das crianças, como uma figura feminina na qual pudessem se inspirar. A escolha da nova imperatriz recaiu, como de hábito, em outro membro da enorme família Habsburgo, numa de suas dezenas ramificações.

A escolhida foi Maria Ludovica d'Este, filha do arquiduque Fernando Carlos, que era irmão da rainha Maria Antonieta e filho da imperatriz Maria Teresa da Áustria. O arquiduque e a família foram expulsos pelos franceses em 1796 do ducado de Milão, pertencente ao Sacro Império e que ele governava. Acabaram exilados em Viena, onde Fernando morreu em 1806. Sua filha havia se tornado protegida de seu sobrinho, o imperador Francisco, que a desposou em 6 de janeiro de 1808.

Maria Ludovica era dezenove anos mais moça que o imperador. A filha mais velha de Francisco, a arquiduquesa Maria Luísa, era somente quatro anos mais jovem que a madrasta. De temperamento diferente de sua antecessora, Maria Ludovica era mais econômica e mais refinada intelectualmente. Entretanto, tinham ao menos dois pontos em comum: o poder que exerciam sobre o marido e o ódio de ambas a Napoleão.

Maria Ludovica tomou a educação das crianças para si. Mas, longe de se dedicar apenas a essa função, a nova imperatriz, entusiasta do movimento romântico alemão, imiscuía-se na política. Era partidária de que se devia enfrentar novamente Napoleão para retomar os estados ancestrais dos Habsburgo. Na corte, aliou-se ao chanceler Johann Philipp von Stadion enquanto tentava insuflar ânimo, vontade e decisão em seu marido.

Bloqueio Continental

Desde 1806, Napoleão havia decretado na Europa o Bloqueio Continental na tentativa de asfixiar comercialmente a principal rival da França: a Inglaterra. Mas para que o bloqueio desse certo, além dos portos que estavam sob o comando da França e dos seus aliados e estados fantoches, era necessária a colaboração de Rússia, Espanha e Portugal, que não se encontravam então dominados por Napoleão. A aliança com a Espanha formou-se rapidamente, ainda no início das Guerras Napoleônicas, com a esperança dos espanhóis em tomar toda a Península Ibérica sob sua Coroa.

Essa história de esperanças de conquistas territoriais só terminou bem para uma única pessoa, ao menos por um tempo: Napoleão. Portugal, aliado da Inglaterra, transferiu a capital para o Rio de Janeiro, na distante colônia brasileira, a salvo das garras do Corso. Este, apesar de possuir um poderoso Exército, não contava com uma esquadra com capacidade bélica para fazer frente à Marinha Real britânica, que reinava soberana nos oceanos do mundo.

Tido como "fujão", d. João, o príncipe regente português que reinava no lugar da mãe, a rainha d. Maria I, interditada com problemas mentais, conseguiu, ao transferir a capital de seu reino para o Brasil, salvar a mais rica colônia portuguesa. Diferentemente do que acabou ocorrendo com as demais colônias europeias na América Latina, o Brasil terminou por ficar unido, enquanto os vice-reinos da Espanha desmoronaram e acabaram se transformando em dezenas de Estados militarizados guerreando interna e externamente com seus vizinhos. Os reis da Espanha e seu filho, que, aliados a Napoleão, haviam tramado contra d. João, acabaram sendo presos em maio de 1808, e no trono espanhol foi colocado José Bonaparte, irmão do imperador francês.

O que Napoleão não previu foi a onda de patriotismo espanhol que culminou na insurreição do povo e das tropas contra os franceses. Em 19 de julho de 1808, o Exército napoleônico conheceria a sua primeira derrota na cidade espanhola de Bailén, onde soldados franceses e o seu comandante foram aprisionados. Esse seria o primeiro de diversos levantes ocorridos na Península Ibérica, inclusive com o auxílio do Exército inglês, que ocupou Portugal em nome do príncipe d. João VI e fortaleceu as defesas do país.

A primeira grande derrota de Napoleão e o levante da população contra os franceses causaram uma onda pela Europa já farta de tanta guerra. A população dos territórios que antes aplaudiam a chegada dos franceses agora queriam se livrar desse fardo. Se antes, com a inicial ocupação, o modo de vida havia melhorado, com leis e igualdade para todos, agora os tributos ficaram mais pesados. Chegavam a taxar o número de portas, janelas e móveis que a casa possuía. Outro fator de descontentamento era o alistamento obrigatório, muitas vezes forçado, em que o soldado era obrigado a servir ao Exército por cinco anos.

Além do dinheiro e dos homens para alimentar sua máquina de guerra, as cidades por onde o exército napoleônico passava eram obrigadas a dar pensão, comida e vinho para os soldados. Somado a isso, ainda havia o Bloqueio Continental, que impedia os camponeses de exportar o excedente de sua colheita. Produtos como café, chá e açúcar, além de tecidos, somente eram possíveis de obter por contrabando, com valores abusivos.

Quinta Coalizão

O sucesso do levante espanhol, que obrigou Napoleão a ir pessoalmente para a península, e o descontentamento contra os franceses na Europa Central fez com que o chanceler Stadion, da Áustria, se animasse e tentasse levantar as populações dos Estados germânicos oprimidos pelos franceses. A chamada Quinta Coalizão foi a menor de todas e baseada em esperanças de alianças com a Rússia e a Prússia, que não ocorreram. Napoleão, retornando às pressas para Paris a fim de abafar uma revolução palaciana que tentava a sua deposição, chegou a tempo para assumir pessoalmente seus exércitos contra os austríacos.

A guerra teve início em abril de 1809, com o Exército austríaco sendo comandado pelo arquiduque Carlos, irmão do imperador Francisco, responsável pela modernização da força. Não obstante as pesadas perdas que Carlos infligiu aos franceses e das grandes vitórias, como a de Aspern, um ataque de epilepsia forçou-o a se retirar de Wagram[25] no início de julho. A guerra terminou com a capitulação dos austríacos e com Napoleão novamente se instalando em Viena.

O imperador francês acabou sendo convencido pelo príncipe de Talleyrand, seu ministro das Relações Exteriores, a poupar a casa real da Áustria e seu império. Segundo o ministro, "sua majestade pode agora eliminar a monarquia austríaca ou restabelecê-la. Este conglomerado de Estados deve ficar junto. É absolutamente indispensável para o futuro bem-estar do mundo civilizado".[26] Talleyrand, uma verdadeira raposa diplomática que sobreviveria aos três monarcas a que serviu e à Revolução Francesa, era regiamente subornado pelos austríacos havia anos.

Em 14 de outubro, foi assinado o Tratado de Schönbrunn. Apesar de a casa da Áustria permanecer no trono, ao contrário de grande parte das casas europeias, seu território seria novamente expropriado. Seriam obrigados a pagar uma indenização de 85 milhões de francos e limitar o Exército a 150 mil homens.

A virgem sacrificada ao Minotauro

Napoleão, casado com Josefina desde 1796, alegava que ela era a sua estrela da sorte. Apesar disso, fidelidade não era o forte de nenhum dos dois, e a família Bonaparte odiava a imperatriz, tentando por diversas vezes livrar-se dela. Até que o próprio destino deu o seu jeito. O declínio de Josefina teve início devido a uma descoberta importante: Napoleão podia gerar herdeiros.

Josefina era mais velha que o marido e já tinha dois filhos do primeiro casamento com o visconde Alexandre de Beauharnais, decapitado durante a Revolução Francesa. Eugênio e Hortênsia foram adotados por Napoleão e colocados em tronos pela Europa. A Eugênio, casado com Augusta, filha do rei da Baviera, coube o posto de vice-rei da Itália. Hortênsia foi casada com o irmão de Napoleão, Luís, feito rei da Holanda. Entretanto, apesar do amor aos filhos postiços, o Corso queria a sua própria descendência e descobriu que poderia tê-la quando engravidou a condessa polonesa Maria Walewska. Ao contrário das outras amantes, Napoleão tinha certeza de que Maria havia se entregue apenas a ele. O marido da condessa tinha mais de 70 anos, 52 a mais que a esposa, e praticamente a deu ao imperador francês na expectativa de este conceder liberdade política aos poloneses.

Walewska engravidou em Viena, quando acompanhava o amante na invasão de 1809. A partir desse momento, Napoleão começou a aventar a hipótese de se casar com alguma princesa europeia e gerar um herdeiro. Inicialmente, seus olhares voltaram-se para a grã-duquesa Ana, irmã do czar Alexandre I da Rússia. O czar tergiversou. Agindo por trás, o príncipe de Talleyrand dava a entender à Rússia que uma aliança dinástica entre Alexandre e a Prússia seria mais vantajosa, enquanto insuflava em Napoleão o seu antigo plano de transformar a Áustria em aliada da França.

O chanceler Klemens Wenzel von Metternich, quando embaixador da Áustria em Paris, propagandeara aos quatro cantos a beleza, a educação e a cultura da filha mais velha do imperador Francisco I, Maria Luísa, a mesma que havia desejado a morte de Napoleão em 1805 e o chamado de "Besta do Apocalipse". Leopoldina definiria muito bem, devido à sorte dela e da irmã, que princesas de casas reinantes eram como "dados, que se jogam e cuja sorte ou azar depende do resultado".[27]

Napoleão separou-se de Josefina no final de 1809 e pediu oficialmente a arquiduquesa em matrimônio. Assim como Maria Walewska foi entregue a Napoleão pelo próprio marido na esperança da independência polonesa, Francisco I cedeu a filha na esperança de que a aliança entre a França e a Áustria desse fôlego à última. A penúria em que o Estado austríaco ficou por conta das indenizações ordenadas por Napoleão foi tanta que tiveram que se contentar com um exército ainda menor do que o estipulado pelo tratado de paz. Com a debilitação do Estado nacional, foi feito tudo o que se pudesse fazer para poupar a Áustria e o que sobrava de suas possessões, até entregar uma virgem para ser sacrificada ao Minotauro, como ironizou o secretário de Assuntos Estrangeiros britânico lorde Castlereagh.[28]

O casamento foi um choque geral. Napoleão, com sua aliança com os Habsburgo, em vez de se tornar o pai do Novo Mundo que a Revolução Francesa anunciara, acabou se tornando genro do velho. A família Habsburgo não ficou menos chocada com a decisão do até então vacilante imperador Francisco. Uma de suas próprias filhas seria dada em casamento a Napoleão, responsável por todas as guerras e revoltas intestinas e partilhas do território da família. Criados ouvindo primeiramente a mãe e depois a madrasta chamando-o de demônio, o que deve ter passado pela cabeça dos irmãos ao saberem que a mais velha seria oferecida em sacrifício ao Corso? Eles haviam brincado juntos insultando, espancando e alfinetando um boneco travestido de Napoleão!

Maria Luísa estava apaixonada por Francisco d'Este, irmão de sua madrasta, Maria Ludovica. Esta via com bons olhos e incentivava o casamento. Mas tudo cessou com a ordem paterna, ditada pelos planos do novo chanceler Metternich e do príncipe de Talleyrand. Todos calaram e obedeceram, afinal, "a educação moral e religiosa, a disciplina e a obediência vinham em primeiro lugar. Os filhos da casa imperial deviam ser educados para serem instrumentos submissos e úteis da política de Estado".[29] Ou quase. Um dos poucos registros de revolta partiu da arquiduquesa Maria Carolina das Duas Sicílias, tia e sogra de Francisco I, além de avó das crianças: "É justamente o que me faltava, tornar-me agora ainda avó do diabo."[30] A indignação de Maria Carolina era compreensível. Em 1806, ela e o marido haviam sido derrubados do trono napolitano pelo agora novo "neto".

Era inconcebível para esses reis depostos o fato de alguém, em tão curto espaço de tempo, ter destruído tudo o que os Habsburgo haviam demorado tantos séculos para construir. Poucos conseguiam compreender que eram os ideais da Revolução Francesa por detrás desse homem, além de seu gênio militar, que faziam o mapa da Europa mudar com tanta frequência. Mudanças seriam inevitáveis para se manter no poder. A Prússia, por exemplo, entendeu isso após perder a guerra para os franceses em 1806 e, sem revolução, instituiu dezenas de reformas internas para fazer frente ao Novo Mundo que se iniciava.

A Áustria pretendia, com o casamento de Maria Luísa com Napoleão, ganhar tempo para se levantar. Mesmo assim deve ter sido um duro golpe, até para o mais pragmático dos pais, dar a filha a um plebeu que coroou a si mesmo, alguém sem o mínimo pudor em dispor de tronos e coroas ancestrais e distribuí-las entre generais sem estirpe e seus familiares, como Napoleão fizera. Francisco I transformava sua filha em imperatriz da França, cujo novo trono havia sido alicerçado sobre os corpos de seus tios, os reis Luís XVI e Maria Antonieta. Além disso, o imperador austríaco entregava Maria Luísa em casamento a um homem divorciado e excomungado pelo papa. Mas, no final, Francisco I não estava fazendo nada que seus ancestrais não teriam feito para manter a dinastia no poder.

Em 11 de março de 1810, foi realizado o casamento de Maria Luísa por procuração na Igreja de Santo Agostinho em Viena. Dois dias depois, ela partia em direção a Paris. Impossível não nos atrevermos a imaginar quanto Maria Luísa deve ter pensado na sua tia-avó, a rainha Maria Antonieta. Ela percorria a mesma trajetória que sua ancestral havia feito quarenta anos antes. Para complicar ainda mais toda a questão, Napoleão teve a suprema falta de tato de enviar sua irmã, Carolina Bonaparte, para se encontrar com a noiva no seu caminho até Paris. Carolina ocupava o trono que havia pertencido à avó da princesa, Maria Carolina das Duas Sicílias. Realmente, ser uma arquiduquesa austríaca requeria, além de ser bem-educada, ter sangue-frio acima de qualquer limite tido como normal.

Sobre a educação de uma princesa

O mote inventado por Rodolfo IV para a casa de Habsburgo em 1363, quando da anexação do Tirol – *Os outros que façam guerra, tu, Áustria feliz, casa-te* – havia sido elevado a uma verdadeira arte. A cultura e a educação formal de uma arquiduquesa austríaca faziam com que essas princesas fossem o que existia de melhor para um príncipe ter ao lado de si na hora de governar.

Leopoldo II, filho da imperatriz Maria Teresa, avô da arquiduquesa Leopoldina, havia instituído as linhas da educação dos príncipes da casa de Habsburgo. Ele acreditava que as crianças deveriam ser desde cedo inspiradas a ter qualidades elevadas, como humanidade, compaixão e desejo de fazer o povo feliz:

> É preciso começar estudando cabalmente o caráter das crianças, formá-las segundo as suas tendências, mas antes de mais nada é necessário conseguir-se a confiança dos filhos, torná-los sinceros e francos e inculcar-lhes a aversão à mentira, à dissimulação, às artimanhas, às bisbilhotices, etc.[31]

Leopoldo II não reformou o sistema educacional de sua casa sem uma razão. O mundo mudava, e com ele deveriam mudar também os príncipes que quisessem manter seus tronos, suas coroas e as cabeças em seus devidos pescoços. Nas instruções para educação dos príncipes, o imperador alertava:

> Hoje em dia, quando um dos nossos herda um trono, já não se trata, como outrora, de uma propriedade devidamente adquirida, mas sim de um cargo, de uma pesada incumbência e é preciso quebrar-se a cabeça para reinar tanto quanto possível de acordo com os desejos dos seus súditos.[32]

O programa de ensino dos arquiduques incluía disciplinas como leitura, escrita, alemão, francês, italiano, dança, desenho, pintura, história, geografia e música; em módulo avançado, matemática (aritmética e geometria), literatura, física, latim, canto e trabalhos manuais.[33] Após a partida de Maria Luísa para Paris, a correspondência de Leopoldina para ela ganharia fôlego. Saudosa e buscando encurtar a distância, a irmã mais nova descrevia todos os detalhes do seu dia a dia. Dessa forma, sabemos como era o cronograma de estudos de Leopoldina, conforme ela própria narra em carta de 11 de outubro de 1810:

> Quero te descrever brevemente meu programa diário: levanto-me às sete e meia, às oito e meia vou à igreja, às nove chega Felβenber,[34] todos os dias; às segundas, quartas e sextas, vem Jung das dez às onze, e às terças, quintas e sábados, faço minhas lições; das onze às doze todos os dias vem Obernauβ.[35] À tarde, das três às oito, tenho todos os quatro e nos outros dias Darnaut[36] e Eibler e todos os dias Ridler.[37] Depois leio.[38]

Aos 14 anos, as lições já eram diferentes, como podemos ver por esta outra carta, datada de 11 de abril de 1814:

> Tenho três novos mestres: 1. abade Rogier, como mestre de geometria e matemática, que estudei durante o outono e inverno e onde fiz meus maiores progressos; agora estou repetindo-as; 2. o abade Neumann, como mestre de numismática, três vezes por semana das dez às onze, que me diverte muito; 3. o abade Stelzhamer, três vezes por semana, das oito às nove da noite que me aborrece muito e com quem não faço grandes progressos.[39]

Desde cedo, Leopoldina mostrou maior inclinação para as disciplinas de ciências naturais, interessando-se principalmente por mineralogia.[40] A arquiduquesa herdou do pai o hábito do colecionismo: montou acervos de moedas, plantas, flores, minerais e conchas, que eram alimentados por Maria Luísa. A irmã, agora imperatriz dos franceses, mandava-lhe exemplares da França e de outros pontos da Europa, além de novidades do mundo da moda.

Em 1810, durante uma estada na Boêmia, Leopoldina visitou a Universidade de Praga, onde conheceu a biblioteca, a mesa onde se dissecavam os cadáveres e o laboratório de química, cujo cheiro achou horroroso. O que mais lhe agradou foi a parte dedicada à mineralogia.

> [...] Fomos para o gabinete dos minerais, que contém exemplares raros e mais de 51 vitrines. Eu poderia passar o dia inteiro lá dentro sem comer nada; desde que estive em Praga aumentei minha coleção com algumas pedras e exemplares lindos.[41]

Ao que parece, a liberdade em que viviam, conhecendo as redondezas da cidade sem uma escolta adequada, acabou levando-a a ser assaltada. Ela mesma narrou o fato com bastante naturalidade:

> [...] Durante um passeio de Praga a Lieben, fomos assaltadas por um habitante de Praga e tivemos que esperar pelas carruagens numa cabaninha precária perto de Troja, que fica entre Praga e Lieben; meus pés ficaram totalmente molhados.[42]

Por mais que alguns pesquisadores afirmem que o mundo dos arquiduques era fechado e restrito a um círculo íntimo, mantendo-os alheios ao que ocorria ao redor dos príncipes, isso não parece corresponder inteiramente à realidade. Diversos indícios nas cartas trocadas por Leopoldina mostram que essa proteção não seria tão restritiva. Por exemplo, esse relato tranquilo a respeito do assalto ou ainda o pedido que ela fez ao pai em setembro de 1809, consciente da crise econômica que assolava a Áustria:

> Os filhos da falecida camareira Handel me pediram que lhe transmitissem a súplica de não abandoná-los agora, porque os pobres órfãos estão numa situação muito difícil, com a horrível carestia de Viena. Posso esperar de sua misericórdia, bom papai, que atenderá ao meu pedido? Meu coração diz que sim, e certamente ele fala a verdade.[43]

Outro hábito cultivado pelos Habsburgo desde o século XVII era a participação em récitas teatrais, óperas e balés. Além da diversão, as crianças eram, desse modo, treinadas para falar em público. Procurava-se com isso que perdessem a timidez de estarem diante de uma plateia, além de exercitarem a fala e a impostação de voz, artes que, como figuras públicas, precisavam dominar.[44]

O dia a dia dos filhos do imperador era minuciosamente planejado, incluindo aulas, orações, escrita de cartas e visitas a membros da família, como quando se reuniam com a avó materna, Maria Carolina:

> No domingo passado a querida vovó nos ofereceu um almoço turco; tivemos que nos sentar em almofadas baixinhas e comer carne de carneiro com arroz; deu de presente a cada uma de nós um vestido como o que as mulheres usam no serralho e ao irmão Francisco um estojo completo de apetrechos de viagem.[45]

Essa apreciação da família pelo exotismo de terras distantes iria alimentar em Leopoldina o gosto pelo novo. O interesse dos Habsburgo pelo estrangeiro não era apenas voltado ao Oriente, cujas sucessivas invasões otomanas haviam deixado uma marca indelével em Viena. Também América, Ásia e África despertavam a curiosidade da família por meio da fauna e da flora, esta última estudada e cultivada por eles em jardins e estufas. Os Habsburgo apreciavam o trabalho com a terra. Tanto na residência de verão de Laxenburg quanto no Palácio de Schönbrunn, havia jardins onde os príncipes podiam cultivar até quatrocentos tipos de planta. Leopoldina tinha especial prazer em descrever como estava ficando o seu jardim no Castelo de Laxenburg para a irmã Maria Luísa:

> Empenho-me bastante para passear, principalmente em meu jardim, meu predileto, cheio de frutas, em particular maçãs, peras, um abrunho amarelo, e ameixeiras, uma cerejeira, vinte e quatro pessegueiros, doze parreiras, quatro ginjeiras, e dois damasqueiros, depois muitas árvores exóticas e plantas perenes, além disso há canteiros com brotos [...] e frutas silvestres.[46]

Em outra ocasião, informou que ela e os irmãos se encontravam com o pai das duas e meia às quatro e meia da tarde no terraço de um dos palácios. Aí trabalhavam transplantando flores e tirando mudas, inclusive de flores enviadas por Maria Luísa de diversos lugares.[47]

Mas nem tudo eram estudos e visitas protocolares. As crianças também se divertiam: "[...] Aconteceram bailes no castelo do conde Wallis e no nosso. O nosso foi um baile para crianças onde dancei muito. Pensei muito em ti porque também gostas tanto de dançar."[48] Ou ainda: "Todos os dias após o almoço jogo bastante e, quando o tempo está ruim, também bilhar à noite; a consequência, é que voam bolas em todas as direções [...]."[49] E, conforme Leopoldina informa diversas vezes, ela gostava de rir: "[...] Gostaria de ter visto as peças de teatro, pois gosto de rir."[50]

Cada arquiduque tinha a sua própria corte. No caso de Leopoldina, duas mulheres ocupavam em seu pequeno mundo papéis importantes. Uma era Maria Ulrica, condessa Von Lazansky, camareira-mor, responsável pelo ensino de boas maneiras, etiqueta e cerimonial e pela supervisão dos estudos. A outra era Francisca Annony, responsável pelas roupas da arquiduquesa, por sua higiene e cuidados corporais. Annony foi sua criada desde pequena e era muito afeiçoada à "sua" arquiduquesa.[51]

Essas duas mulheres permaneceriam toda a infância e parte da juventude de Leopoldina junto a ela. A arquiduquesa, como era comum na nobreza e nas altas classes, não ficaria sozinha nem mesmo ao dormir. Isso pode nos parecer estranho hoje, mas a ideia que temos atualmente de intimidade não se aplica à época, muito menos ao status de uma nobre da posição de Leopoldina, que estava sempre acompanhada. Até mesmo durante os momentos de escrever suas cartas, que tinham horários para ser redigidas, permanecia com mais alguém.

Percebemos a presença de outras pessoas junto a Leopoldina nos pós-escritos de suas cartas. Neles, a arquiduquesa informa ao pai ou a outros parentes, por exemplo, que a condessa Von Lazansky e, mais tarde, a condessa Kühnburg enviavam lembranças ou cumprimentos. O que consideramos hoje falta de intimidade era tanto da parte de Leopoldina quanto de sua corte, como mostra a condessa de Kühnburg. Esta, em carta ao pai em 1817, afirmava: "Eu não posso escrever, de outro modo o faria longamente, nem posso manter meu diário, estou sozinha com a arquiduquesa e ela está acostumada a ter alguém junto com ela."[52]

Toda a vida de Leopoldina seguia regras e um cronograma preestabelecido, assim como uma ordem de precedência clara, como quando a condessa de Kühnburg finalizava apressadamente uma carta escrevendo que assim o fazia porque a arquiduquesa já terminara as dela.

A madrasta de Leopoldina foi uma boa esposa e mãe extremosa com os filhos que herdara do casamento anterior do marido. Chegava a tomar ela própria a lição das crianças e impor-lhes castigos quando não queriam estudar. Foi a responsável pela introdução de Leopoldina ao *Pietas Austriaca*. A imperatriz Maria Ludovica cuidou da preparação dela no catecismo e levou-a à sua primeira eucaristia. Logo após a partida de Maria Luísa em direção ao seu destino na França, Leopoldina ingressou, em 3 de maio de 1810, na Ordem da Cruz Estrelada, uma ordem exclusivamente feminina e aristocrática. Seus membros deviam se dedicar à oração, à adoração da Santa Cruz, a levar uma vida de virtude e a praticar obras de assistência espiritual, além de se envolverem em trabalhos de caridade. A ordem foi criada por uma antepassada de Leopoldina após um incêndio na Hofburg, quando uma das relíquias dos Habsburgo, um pedaço atribuído como sendo da verdadeira cruz de Cristo, sobreviveu milagrosamente ao fogo.

Assim como ocorrera com a mãe de Leopoldina, a madrasta sentiu os efeitos da fuga de Viena e de todos os horrores da guerra, bem como o choque de ver Maria Luísa casada com Napoleão. Tentando recuperar a saúde, foi com a enteada e sua corte para a cidade balneária de Karlsbad. Em maio de 1810, Leopoldina escreve para a irmã:

> Ontem a querida mamãe não se sentiu bem, ficou indisposta durante a refeição, por isso retirou-se aos seus aposentos e à noite esteve de cama com fortes dores de cabeça. [...] Estou convicta de que compartilhas todas as tuas alegrias comigo, por isso quero dizer-te que vou para Karlsbad com a querida mamãe, partimos no dia 5 de junho.[53]

Lá Leopoldina conheceu o escritor alemão Johann Wolfgang von Goethe, que havia inaugurado simbolicamente o movimento romântico com a obra *Os sofrimentos do jovem Werther*. Essa escola viria a se contrapor ao Racionalismo e ao Iluminismo, favorecendo os sentimentos humanos, a emoção, o sentimentalismo, a supervalorização do amor, o nacionalismo, a busca pelo exótico e pelo selvagem, entre outros pontos, e teria na imperatriz Maria Ludovica uma de suas maiores defensoras.

A imperatriz ficou amiga do grande escritor e convidava-o quase diariamente para ler suas obras para elas. Goethe e Maria Ludovica chegaram a escrever e encenar pessoalmente uma peça teatral na estação de águas. Logo que retornou a Viena, Maria Ludovica procurou se inteirar mais a respeito da produção literária de Goethe, apresentando-a à enteada, e assim Leopoldina se veria imersa no ideal romântico, em sua melancolia e em suas paixões idealizadas.

Até mesmo essas férias para Leopoldina eram utilizadas como forma de melhorar o seu aprendizado. Acompanhada pela imperatriz e pela condessa Von Lazansky, a arquiduquesa fazia excursões de estudos, visitava plantações, criações de gado, fábricas, estufas, fundições e minas, além de museus, jardins botânicos e gabinetes de curiosidades. Após as visitas, realizava relatórios de estudos. Dessa forma, ia ampliando e expandindo o seu mundo, não apenas cientificamente, mas conhecendo outros tipos de pessoa: trabalhadores, agricultores e até mineiros. Em 15 de julho, ela informava ao pai suas viagens ao redor de Karlsbad:

> Há três dias estive em Grauppen; o príncipe Clary estava lá à minha espera. Vi o forno onde o estanho é derretido, um espetáculo muito bonito. Os mineiros se colocaram em fila, tocaram e cantaram para mim. [...] Anteontem estive em Billin, cidade famosa por sua água mineral gasosa. Visitei a fonte e a fábrica de água mineral. Ali também se fabrica um tipo de magnésia. Que dizem ser tão boa quanto a inglesa.[54]

Das cartas de Maria Luísa para ela, depreende-se que a ortografia não estava ainda boa em 1811. A imperatriz da França ralhava com a irmã mais nova afirmando ter vergonha de mostrar os rabiscos que ela lhe enviava. As duas reviram-se novamente em julho de 1812, em Praga, quando Leopoldina pôde admirar Maria Luísa em elegantes vestidos de seda.

A queda de Napoleão

Dois anos depois, Leopoldina e Maria Luísa teriam bastante tempo para matar as saudades. Os reveses políticos de Napoleão, iniciados na Espanha e terminados com a trágica Campanha da Rússia, levaram novamente os povos a se unirem contra o imperador francês.

Em 1813, numa verdadeira convulsão nacionalista embalada pelo movimento romântico alemão, os cidadãos dos Estados germânicos começaram a doar voluntariamente seus bens para o Fundo de Libertação. Uma figura que ganhou muito destaque foi Ferdinande von Schmettau (1797-1877) da Prússia. Ferdinande, diferentemente de seu pai, um coronel reformado que entregou a sua melhor capa, e dos irmãos, que tinham algumas joias, não possuía nada para doar pela causa. Lembrando-se dos constantes elogios de sua avó a respeito de seu longo cabelo dourado, cortou-o e vendeu-o a um peruqueiro. O dinheiro apurado, ela doou para a causa da pátria contra Napoleão. Exemplos como esse do desprendimento por uma causa não faltaram na Prússia e em outros Estados germânicos e devem ter chegado ao conhecimento de Leopoldina. A Prússia, aliando-se à Rússia, passara a dar combate a Napoleão.

A Áustria, aliada de Napoleão, para quem chegou a ceder 30 mil homens à Campanha da Rússia, acabou fazendo a paz em separado. Metternich tentou, sem sucesso, negociar uma paz duradoura. Napoleão não aceitava ser visto como fraco e achava que isso seria o fim do seu poder. Por fim, a Áustria juntou-se à Rússia, à Prússia e à Suécia contra os franceses, derrotando-os na Batalha das Nações, em outubro de 1813. Napoleão foi definitivamente expulso dos Estados germânicos, e os Estados da Confederação do Reno, criada por ele, voltaram-se contra os franceses e aliaram-se à Sexta Coalizão. Em março de 1814, os aliados marchavam em Paris, e Napoleão partiu para o exílio na ilha de Elba.

Leopoldina, em carta ao pai, datada de 28 de outubro de 1813, de Viena, conta como ela e toda Viena receberam a notícia da derrota do cunhado:

> Querido papai!
>
> O senhor pode bem imaginar, querido papai, que alegria nos deram as gloriosas notícias da vitória [...] não paro de agradecer a Deus por tudo ocorrer tão bem. Para comemorar a feliz notícia, a querida mamãe nos levou ao Teatro [...] o povo não se cansou de expressar sua alegria batendo palmas. [...] O senhor não pode imaginar a multidão e quantos vivas! ecoaram por todos os lados. [...] À noite houve iluminação e também uma aglomeração como nunca vira antes; os meninos das ruas corriam com tochas junto aos nossos coches. As rotundas das casas na esquina da [Praça] Kohlmarkt com a rua Wallner estavam enfeitadas de veludo

> vermelho e com o retrato do senhor em tamanho natural. Quase não se podia passar e os gritos de viva! continuaram sem parar [...].[55]

Maria Luísa havia amado Napoleão, dado-lhe um filho e ficado ao seu lado até a sua derrota, porém não o seguiu para o exílio, foi enviada com a criança para Viena. Curioso é notar nas cartas de Leopoldina que quase não existem menções a Napoleão, nem durante o casamento de Maria Luísa com ele nem durante a guerra final. Quando ela fala no cunhado, trata-o por "imperador", sem qualquer juízo de valor, afinal, agora ele era da família.

Leopoldina afeiçoou-se muito ao seu sobrinho. Mesmo após partir para o Brasil, sempre se lembraria dele e o chamaria de "meu tesouro". Em março de 1813, a tia coruja escreveu para a irmã: "[...] Estou muito ansiosa, assim como pelos retratos de teu filho, que deve ser o mais querido de todos; ah, como gostaria de conhecê-lo, queria brincar com ele e fazer-me de boba até."[56]

Na perspectiva do retorno de Maria Luísa a Viena e de conhecer o sobrinho pessoalmente, escreveu ao pai em maio de 1814:

> Estou extremamente feliz, aguardando o momento em que reencontrarei a boa irmã Luísa; estou contando com impaciência todas as horas para que isso logo aconteça; estou feliz também por encontrar o filho dela, com quem quero brincar muito. A querida mamãe esteve indisposta por dois dias, com tosse e forte rouquidão.[57]

A saúde da imperatriz Maria Ludovica continuava inspirando cuidados. Com a chegada de Maria Luísa a Viena, a alegria de Leopoldina foi mais que genuína. A empolgação com o sobrinho nas cartas, que poderiam ser simples comentários de pura educação, transformou-se em verdadeiro afeto na presença da criança, a quem dava atenção e com quem brincava. Isso era muito mais do que outros parentes Habsburgo, que evitavam Maria Luísa e o pequeno herdeiro de Napoleão, que, em breve, seria separado da mãe.

A "querida mamãe", como Leopoldina se referia à madrasta, era fonte constante de menções na correspondência da arquiduquesa desde 1810. Como na carta em que anunciava a primeira viagem a Karlsbad para Maria Luísa. Em abril de 1814, às vésperas de a irmã retornar a Viena, relatava:

> Graças a Deus estamos todos bem, exceto a querida mamãe, que está doente há algum tempo; há oito dias vomitou mais de sessenta vezes das nove às onze da manhã [...]. O

irmão Francisco está ficando cada vez mais malcriado, mais sujo e relaxado; acho que ele vai te escrever logo, pois é o que lhe recomendarei.[58]

Maria Ludovica estava sofrendo dos pulmões e morreria em 1816 na Itália, vítima de tuberculose. O exemplo que ela daria a Leopoldina, o modo de se comportar perante a corte durante sua doença, deveria marcar profundamente a consciência da arquiduquesa, assim como fortalecer a sua predisposição à melancolia com essa segunda grande perda de sua vida.

Leopoldina aprenderia com dois modelos, a irmã Maria Luísa e a madrasta Maria Ludovica, a aceitar o que o destino, suas obrigações e seu marido lhe impusessem, além de se comportar de forma digna e precisa como uma imperatriz, independentemente de seu temperamento e vontade.

Viena, o esplendor absolutista

APÓS A QUEDA de Napoleão, as grandes potências reuniram-se em Viena, entre maio de 1814 e junho de 1815, para realizar o "Conserto da Europa" quebrada, partida e distribuída pelo Corso a seu bel-prazer. Nesse período novas fronteiras foram demarcadas, casas reinantes voltaram aos seus tronos e países e alguns dos reinos criados por Napoleão foram mantidos.

Viena encheu-se de alegria e festas, mesmo ainda vivendo uma alta inflação, para receber os vencedores. Reis, príncipes, a Família Imperial russa e diplomatas do mundo todo reuniram-se na capital do Império Austríaco. Como não havia reunião geral dos Estados envolvidos, mas conselhos pontuais, Metternich e Francisco I prepararam diversos bailes, nos quais surgia pela primeira vez uma nova dança austríaca: a valsa. Também houve mascaradas, piqueniques, desfiles, peças e óperas, enfim, tudo para entreter os convidados. Quem melhor sintetizou a morosidade dos trabalhos do Congresso foi o príncipe de Ligne: "Por Deus! Se o congresso não anda, pelo menos dança bem."[59]

Somente 93 anos após o Congresso de Viena surgiria em Haia, na Holanda, um brasileiro, o advogado Rui Barbosa, que defenderia o princípio da igualdade dos Estados. Em 1814, esse princípio não existia. Dessa forma, os países menores acabavam sendo tutelados e tendo seus interesses discutidos pelas grandes potências, que tratavam esses Estados como satélites.

Durante a intensa vida social e frívola, enquanto uns dançavam e se divertiam, outros usavam os salões e seus corredores para conspirar. Assim, os governantes dos Estados alemães, o rei da Dinamarca e diversos outros que não tinham voz ativa nas negociações acabaram conseguindo influenciar de alguma forma seus interesses no Congresso.

Leopoldina, tanto em carta quanto no diário, mostrou que as festividades chegavam a ser estafantes. Em 28 de setembro de 1814 escreveu para Maria Luísa, afastada do cenário do Congresso:

> [...] Nossa vida atual não me agrada em nada: das dez da manhã às seis da noite estamos continuamente em vestido de gala, de pé, passando o dia em cumprimentos e ociosidade. Todos os dias temos um jantar de 34 pratos, que começa às quatro e dura três horas, já que o czar da Rússia deixa-nos esperando durante duas horas; gosto muito do rei da Prússia, pois é um príncipe muito bonito e bem educado. A czarina da Rússia também tem todo o meu aplauso, é um tanto embaraçada, mas de resto tem bom coração. Hoje chegaram o rei, a rainha, o príncipe herdeiro e o Príncipe Carlos da Baviera, que me agradam muito. Estamos todos muito cansados e confesso que não consigo me alegrar, como as outras pessoas, vendo todos esses soberanos. Fico bastante desolada quando tu, querida irmã, tem frequentemente aquelas dores d'alma e podes ter certeza de que me solidarizo contigo. Não vejo mais teu filho; [...] há pouco, quando a Princesa Taxis e o rei da Dinamarca o viram do escritório, o acharam a criança mais adorável e linda do mundo; a princesa me pediu que eu te apresentasse seus respeitos e te dissesse como se solidariza contigo na tua situação [...].[60]

O fausto da corte, as joias, os soberanos, as festas, os bailes, as recepções e os jantares tentavam criar uma falsa sensação de que tudo voltaria como antes da Revolução Francesa e de Napoleão. O afastamento de Maria Luísa desse cenário era proposital, assim como a presença do herdeiro de Napoleão.

Baile dado por Francisco I na Escola de Equitação Espanhola, na Hofburg, durante o Congresso de Viena.

A virgem sacrificada pelos Habsburgo agora se tornara um incômodo que precisava ser contornado. Quanto ao pequeno príncipe Francisco Carlos José Bonaparte, era a mais importante das presas de guerra. O rei de Roma, título dado por seu pai, era mostrado pelos Habsburgo para as velhas e novas cabeças coroadas da Europa como mais um híbrido de sua coleção que Metternich esperava poder usar em algum momento no futuro. A criança, então com 3 anos de idade, passaria sua curta vida – morreu aos 21 anos – afastada da mãe e nunca veria o pai. A tia Leopoldina jamais se esqueceria dele.

Se, à primeira vista, o modo enfadonho de Leopoldina descrever os eventos para a irmã pode ser interpretado como uma forma dela de não querer ofender Maria Luísa, uma análise do diário[61] que manteve corrobora o seu estado de espírito durante todo o período:

> Setembro, 22
>
> [...] Cedo, às 8h30, já fomos para a cidade; às 10 horas estávamos vestidas com vestidos ricamente bordados de prata que me pareceu ficar ridículo, pois era o primeiro que eu vestia e me era extremamente pesado; fomos para junto da querida mamãe onde esperavam o Rei de Württenberg [...]. [Ele] contra toda a polidez estava sentado à direita, não tirava o chapéu para saudar, apesar do querido papai estar descoberto; parecia um vitelo que se levasse a vender em carro aberto.

Leopoldina achou o rei horroroso: "[...] Ele é pequeno, tem a fisionomia dos württenberguenses, usa ainda uma trança, que é amarrada de um modo singular na nuca e tem dois rolos de cabelos de cada lado." Porém o que ela considerava mais horroroso nele era a barriga, a qual, "na parte de cima, é extremamente larga e saliente e na de baixo pontuda e descia por entre os pés meio côvado.[62] Ele não nos saudou e se sentou no canapé ao lado da querida mamãe e falou muito pouco e logo despediu-se". Após o jantar, ocorreu uma cena que, pela sagacidade de Leopoldina em descrever, chega a ser hilária: "Rei de Württenberg sentou-se no sofá e quase não coube a tia Beatriz e quando ele se virou com o seu enorme ventre tirou fora da mão da tia Beatriz o leque." Então, o rei, na despedida, forçando para se levantar do sofá onde estava, "tropeçou na cauda [do vestido] da tia e rolou no chão. Tivemos que tomar toda a nossa força de espírito para não arrebentarmos numa terrível risada [...]". O senso de humor era familiar, pois "a tia quase me fez sair do sério querendo chamar a minha atenção para a barriga do Rei de Württenberg que conjuntamente com suas coxas parecia a cabeça e a tromba de um elefante".

Melhor impressão teve do rei da Dinamarca. Leopoldina achou-o "extremamente polido e amável". Além disso, só falava "alemão, apesar de saber falar todas as línguas, pois considerava uma vergonha para um alemão, e com razão, não falar por toda a parte a sua língua nativa". Segundo ela, o rei era muito bom, e o seu povo estimava-o muito, mas o que lhe importava mesmo era a consideração com que ele se referiu a respeito do "Imperador Napoleão e da minha irmã Luiza, os quais nunca o abandonaram [...]".

Em várias partes do diário, ela informa a respeito do sobrinho ou de considerações feitas à irmã ausente ou ao cunhado. Por exemplo, quando relata que, durante um jantar, a grã-duquesa Catarina de Oldemburgo disse que seu desejo era de que "nascesse um vulcão na ilha de Elba e engolisse Napoleão e todos os seus adeptos". É interessante notar o espírito de clã de Leopoldina, que acabava por mostrar predileção pelos soberanos, senão completamente simpáticos, ao menos respeitosos em relação ao sobrinho, a Napoleão e à irmã. Como a princesa de Thurn e Taxis, que pediu para ela apresentar a Maria Luísa "seus respeitos e te dissesse como se solidariza contigo na tua situação; falei com ela após o almoço um dia desses durante meia hora".[63] Essa consciência, não apenas de família, mas de espírito de casta, de proteção e defesa dos seus, iria aparecer diversas vezes ao longo de sua vida futura no Brasil.

O Congresso sacramentaria a decisão de Napoleão continuar com o tratamento de imperador e governar a ilha de Elba. Ele permaneceria nesse exílio por onze meses antes de conseguir fugir e chegar ao litoral francês, onde a população o conduziu novamente ao trono. Seu novo período como imperador duraria cem dias. Napoleão governou novamente até perder a Batalha de Waterloo para a nova coalizão que se formou contra ele. Depois disso, foi desterrado para Santa Helena, onde faleceu anos depois. Quanto a Maria Luísa, esta receberia o ducado de Parma, na Itália, como indenização por sua situação e se afastaria definitivamente de Viena e do filho, que ali ficaria sob a tutela do avô.

Apesar de demonstrar exaustão a respeito dos cortejos e dos longos jantares e da etiqueta da corte, Leopoldina tinha ciência de sua posição e conhecia perfeitamente as regras que, apesar de detestar, deviam ser seguidas à risca. Em 23 de setembro, ela mencionou em seu diário: "[...] A condessa Stackelberg [...] se apresentou a nós como antiga relação nossa, sem dizer o seu nome, apesar dela bem saber que nós ainda não lhe tínhamos sido apresentados."

Todos os dias havia desfiles, banquetes, jantares de gala; em 25 de setembro, houve uma parada militar: "[...] Vestimo-nos depressa e ao primeiro tiro de canhão disparado estávamos ao lado dela [da imperatriz]. Tivemos que esperar muito. Só à uma hora começou o desfile." Tratava-se de uma parada com a participação de diversos regimentos de vários países. Fechando-a, vinham "[...] os altos generais, a figura de estátua do querido papai entre o Imperador da Rússia e o Rei da Prússia, o velho tio e os príncipes presentes com seus séquitos. O entusiasmo foi extraordinário, tudo isto firmava um belo espetáculo".

O imperador da Rússia, segundo Leopoldina, era "[...] de estatura mediana, cabelos castanhos, gordo, postura um tanto defeituosa, rosto vermelho, olhos pequenos, nariz pequeno um pouco arrebitado, rosto redondo de lua cheia e muito surdo". Inicialmente, ela o achou atencioso, porém a postura dele não lhe agradava: "Tem andar oscilante e está sempre com a mão direita atrás das costas."

Outro detalhe do seu diário era como ela gostava dos uniformes e de descrevê-los. O do czar da Rússia, por exemplo, era um uniforme "verde-noite com gola vermelha sobre a qual estão bordadas folhas de carvalho e espada dourada [...]".

Pelo rei da Prússia, ela teve alguma simpatia: "É muito alto [...] tem olhos grandes, azuis, fisionomia alongada na qual estão expressas a bondade e a compreensão, tem belas cores vermelhas." Já quanto ao rei da Baviera – reino criado por Napoleão e que seria mantido pelo Congresso de Viena –, Leopoldina achou-o "muito gordo e da altura do tio Carlos, parece antes um burgomestre [prefeito] do que um rei". O rei Maximiliano José, assim como o pai de Leopoldina, Francisco I, dera uma de suas filhas à família de Napoleão. A princesa Augusta da Baviera desposara em 1806 o enteado do imperador francês, Eugênio. Com a queda do Corso, os dois saíram da Itália, onde eram vice-reis, e foram morar na Baviera, tornando-se príncipes de Eichstätt e duques de Leuchtenberg. Eugênio e Augusta tiveram muitos filhos; uma das meninas, nascida em 1812, era a princesa Amélia Augusta, que viria a ser a segunda imperatriz do Brasil.

Leopoldina divertiu-se em diversos bailes do Congresso, como no que ocorreu em 5 de outubro. Sobre ele, comentou no diário: "[...] Foi muito animado; eu dancei seguramente 20 *polonaises* com quase todos os príncipes. As duas *polonaises* alemãs dancei com o Kronprinz [príncipe herdeiro] de Württenberg e com o Príncipe Carlos da Baviera; ambos dançam bem." No dia 10, novo baile, "para 4 mil pessoas [...], foi um bonito aspecto ver todas as pessoas reunidas e bem vestidas".

Em 29 de setembro, ela registrou a rara presença de sua irmã em determinado evento:

> [...] Às 6 horas fomos passear no Prater[64] em carro puxado por 6 cavalos. O carro da querida mamãe estava lindo com 6 cavalos brancos atrelados com arreios dourados no qual

> estavam sentados lacaios vestidos de corpete de veludo preto e casquete bordado a ouro; nele estavam o querido papai, Louise, O czar, a czarina da Rússia e a querida mamãe [...]

Atrás da carruagem deles, desfilava "uma série de 30 carros [...]. Estava muito bonito, certamente estavam reunidas cerca de 30 a 40 mil pessoas". Durante o evento, ocorreu um acidente: "Um foguete caiu na galeria onde estavam as duas grã-duquesas, o imperador Alexandre, cheio de cuidados, correu logo para lá."

> [...] No fim a canhoada era tão forte, até a terra tremia quando voltamos para casa, a iluminação era a habitual e deve-se ter chamado toda a garotada para gritar viva; somente às 8h30 chegamos a Schönbrunn. O desfile no Prater agiu de tal forma sobre o meu estômago fraco que fiquei toda a noite enjoada e tive que vomitar.

Em 6 de outubro, ocorreu uma verdadeira apoteose, e pelos detalhes do evento vale a pena deixarmos Leopoldina narrá-lo:

> Houve um grande banquete na cidade e depois do mesmo, às 4 horas, houve um passeio nos jardins externos na mesma ordem que no Prater; descemos todos e fomos a uma galeria armada no estilo gótico antigo e enfeitada com veludo azul e laços de prata. Havia um grande circo rodeado por cavilhas onde cantavam os melhores cantores. O préstito aproximou-se: em primeiro lugar vinha a música turca do Regimento Hiller, com os seus tambores de campo, todos os componentes tinham barba longa; então vieram 12 cavalarianos armados, 8 corredores, 6 cossacos e 6 tártaros em cavalos turcos para apostarem corridas; depois Bach com a sua sociedade e por fim os 400 inválidos que desfiavam irrequietamente com um oficial que andava de muletas e os guiava. Foi um momento comovente, ver estes jovens que por amor à Pátria tinham se tornado tão aleijados. Antes eram homens jovens e ativos, usavam a Cruz do merecimento por motivo de guerra. Agora começavam nos gramados os jogos, os corredores e em seguida os cavaleiros turcos com suas bandeiras; iam até o fim da aleia e voltavam ganhando como prêmios bandeiras de diversas cores [...]. Quando escureceu fomos ver a mesa dos inválidos onde foi bebido à saúde das altas autoridades; fomos a um campo próximo onde tinham sido levantados palcos nos quais executavam danças nacionais das diversas nações que formam o Império da Áustria; a iluminação não havia ainda começado, o que foi grande pena, pois mal podíamos ver; nos 4 cantos estavam armados troféus das batalhas ganhas, que escondiam a banda turca; daí atravessamos a grande aleia pisando em tábuas tão finas que poderíamos quebrar o pé.

Festividade militar ocorrida no Prater, durante o Congresso de Viena, descrita por Leopoldina em seu diário.

Depois houve fogos de artifício por detrás de uma construção em forma de gruta, onde "um grupo de homens-deuses em vez de água jorravam fogo". Completando o espetáculo, foram mostrados quadros vivos, num dos quais aparecia uma rosa "onde estava o retrato do querido papai e da querida mamãe". Após apreciarem as demais cenas criadas, passearam por obras de arquitetura efêmera, como um Arco do Triunfo, e os Portões de Brandemburgo e de Vitória.

> [...] Ainda visitamos o arco-íris iluminado [...] tinha todas as cores e é o símbolo da família, pois ele brilha demorado e fortemente sem atrito. [...] A festa foi linda; havia certamente 60 mil espectadores. Fomos todos muito empurrados e tio Fernando com a espada abria caminho para o arquiduque Alberto, doutro modo teríamos sido espremidos.

De todos os ambientes criados para essa festa, Leopoldina não gostou de um deles: "Fomos à sala dos canhões que vão ser construídos em Moscou; foi o que menos me agradou. Havia um grande quadro representando o Imperador Alexandre coroado pelas Musas." Talvez sua implicância com a cena dos canhões e do czar russo deva-se ao fato de ela ter ficado desgostosa com o czar. Durante uma das diversas recepções, ocorreu uma cena: "O imperador da Rússia queria, penso eu, dizer-me uma amabilidade, falou na minha gulodice [...]. Se eu não estivesse sentada tão longe dele teria lhe dado uma boa resposta, fiquei com raiva por não poder fazê-lo."

No meio de tantas cabeças coroadas e com tempo ocioso, houve até uma tentativa de dois príncipes baterem-se num duelo pela honra de uma mulher. No dia 9 de outubro, Leopoldina registrava a fofoca. A briga "se deu no baile na casa do príncipe Maurício Liechtenstein", quando o "príncipe de Württenberg permitiu-se conversar inconvenientemente a respeito da sua esposa separada, que é filha do rei da Baviera". Ex-cunhado de Guilherme de Württenberg, o príncipe Luís da Baviera estava presente ao baile, escutou-o falando mal da irmã e tirou satisfações. No final, "felizmente [o duelo] foi impedido pelo Príncipe Carlos".

Carolina Augusta foi mais uma das vítimas da passagem de Napoleão pelo trono francês. Para fugir de um casamento arranjado pelo imperador, seu pai casou-a com o herdeiro de Württenberg. O casal vivia em quartos e alas separadas no palácio, e o casamento de seis anos nunca foi consumado, sendo anulado pelo papa em 1814. A segunda filha de Maximiliano viria a ser futuramente madrasta de Leopoldina.

Talleyrand

Em 30 de setembro, Leopoldina anotou em seu diário: "Eu vi pela primeira vez o Talleyrand, que realmente parece que se pode perguntar: se é Lúcifer ou o Demônio em pessoa." O príncipe de Talleyrand, um dos responsáveis diretos pelo casamento de Maria Luísa com Napoleão, era realmente uma figura curiosíssima. E Leopoldina deveria seu futuro, em parte, a ele e ao seu trabalho diplomático.

Charles-Maurice de Talleyrand-Périgord, príncipe de Bénévent (1754-1838), foi um exímio estadista e diplomata. Reconhecidamente um homem pragmático e astuto, era um sobrevivente político espertíssimo de capacidade ímpar. Devido a um problema no pé, acabou sendo destinado à vida religiosa em vez de à militar. Subindo os degraus do poder eclesiástico, mesmo tendo sido expulso do seminário por não honrar o celibato, chegou a ser representante da Igreja durante o governo de Luís XVI, defendendo seus direitos e privilégios.

Às vésperas da Revolução Francesa, assumiu o bispado de Autun, onde ficaria pouco tempo. Conforme a revolução se aproximou, ele demonstrou ser um verdadeiro camaleão, mudando de cor de acordo com a necessidade do ambiente. Passou a defender a nacionalização dos bens da Igreja e a perda dos privilégios de seus membros, o que acabou por lhe valer a excomunhão do papa. Ingressou na diplomacia durante uma desastrada tentativa de evitar que a Inglaterra se aliasse à Áustria e à Prússia contra a França e foi para o exílio durante o período do Terror.

Com a queda de Robespierre em 1794 e o consequente término do Terror, Talleyrand retornou a Paris e tornou-se chanceler, cargo que deixou em 1799 por alguns meses, quando foi acusado de corrupção. Com a subida de Napoleão ao poder no mesmo ano, recuperou o antigo posto, no qual permaneceu até 1807, quando se demitiu. Enquanto Napoleão mostrava ao mundo o seu gênio militar e estratégico, Talleyrand tentava desenvolver um sistema diplomático de contrapesos políticos e de alianças matrimoniais que preservasse e fortalecesse o novo Império Francês.

Apesar de fazer oposição a Napoleão após a sua demissão, Talleyrand foi consultado diversas vezes por este. Enquanto isso, nos bastidores, armava a deposição do imperador e realizava conchavos visando ao retorno dos Bourbon ao trono da França. O retorno da antiga dinastia ocorreu em 13 de maio de 1814, sendo o príncipe levado novamente à pasta de ministro das Relações Exteriores. Futuramente, ainda serviria ao rei da França seguinte, Luís Filipe, que subiria ao poder com a queda de Carlos X.

O Reino Unido de Portugal, Brasil e Algarves

Antes do Congresso de Viena, houve um pré-congresso em Paris. Nele, ficou estabelecido que somente algumas potências teriam direito a voto, sendo os demais Estados tutelados pelos seus aliados mais fortes. No caso de Portugal – cuja sede do governo havia se estabelecido na distante colônia do Brasil –, a mais importante aliada do país, a Inglaterra, representaria seus interesses à revelia de qualquer manifestação dos portugueses.

Isso soou um alerta no Rio de Janeiro. Dependentes da Inglaterra, os portugueses temiam ver a supressão do tráfico de escravos inserida na pauta do Congresso por seus aliados e negociado por estes em nome dos lusitanos. O interesse da Inglaterra em acabar com o tráfico não era apenas humanitário. Desde 1807, com a proibição da escravidão nos territórios ingleses, seus produtos perderam competitividade no mercado internacional. Mas, para Portugal, tal ideia era uma catástrofe. Não só as suas exportações dependiam da produção feita por mão de obra escrava, como a própria economia interna brasileira, diferente da inglesa, estava ligada à escravidão.

Portugal não era o único a antever a possibilidade de o Congresso ser catastrófico aos seus interesses. Talleyrand pensava o mesmo com relação à França, a grande perdedora do conflito. Afinal, as principais aliadas contra os franceses – Inglaterra, Áustria, Rússia e Prússia – tinham peso nas votações do Congresso e não morriam de amores pela França e seus ideais. Uma prova disso seria a instalação da Santa Aliança entre a Áustria, a Rússia e a Prússia – deixando a França de lado. As três juntas interviriam em qualquer país que se voltasse contra o absolutismo de seu governo e se deixasse "contaminar" pelas ideias liberais.

O velho diplomata francês encontrou no fato de as principais potências deixarem os Estados menores de fora do Conserto da Europa um modo de manipular estes pelos bastidores, voltando os países menores contra os Estados principais. Fez isso inclusive com Portugal. Conforme a correspondência diplomática da época mostra, Talleyrand intrigava os portugueses contra os ingleses e achava que convinha mais para Portugal, e não somente a ele como a toda a Europa, que o rei se mantivesse no Brasil por

> [...] um prazo tão longo quanto possível for [...]. O transtorno que causou no edifício europeu a revolução da América inglesa, que nós tão imprudentemente auxiliamos, vai-se já experimentando agora, e experimentar-se-á cada dia mais. As colônias espanholas, pelo mau governo atualmente daquela monarquia, podem-se contar quase como perdidas para a Europa, e em tais circunstancias eu consideraria como uma fortuna, que se estreitasse por todos os meios possíveis o nexo entre Portugal e o Brasil; devendo estes pais, para lisonjear os seus Povos, para destruir a ideia de Colônia, que tanto lhes desagrada, receber o Título de Reino, e o vosso Soberano ser Rei do Reino Unido de Portugal e do Brasil.[65]

Assim, o Brasil passava de anfitrião de um governo em fuga que deixara a sua metrópole europeia em 1808 para surgir como parte importante no Conserto da Europa. O novo Reino Unido de Portugal, Brasil e Algarves, criado em 16 de dezembro de 1815, começou a ser visto com outros olhos pela Áustria, pela Rússia e pela Prússia, que haviam firmado em setembro de 1815 a Santa Aliança.

Mas ainda restava a pressão inglesa para a supressão do tráfico negreiro, que, com muita diplomacia, incluindo o apoio de Talleyrand, ficaria em aberto para ser decidido no futuro. Este, para a Inglaterra, seria o mais breve possível. Logo no início de 1816, o gabinete inglês tentou levar para Londres as negociações sobre o término do tráfico. Entretanto, além de contar com algumas simpatias da França a respeito do assunto, Portugal passou a ter um aliado muito mais forte, a Áustria. O príncipe de Metternich dera instruções para que o embaixador austríaco Esterházy, presente nas negociações, auxiliasse Portugal a resistir à pressão inglesa.[66]

Bondade dos austríacos? Nem tanto: em política, ainda mais internacional, bondade e gentileza são meros detalhes casuais, sobras, quando existem, de jogos de interesses maiores. A Áustria, sobretudo Metternich, via o novo império lusitano então instalado oficialmente nos trópicos como um importante aliado transatlântico que se inseria perfeitamente nos ideais reacionários da Santa Aliança.

O Brasil parecia para eles o único baluarte absolutista em meio a uma América republicana que ia contra os princípios "bons e verdadeiros" que os três grandes monarcas cristãos – o imperador da Áustria, católico; o rei da Prússia, protestante; e o czar da Rússia, ortodoxo – pretendiam defender na Europa e, por que não, no mundo inteiro.

A Santa Aliança visava, basicamente, à manutenção do *status quo* de antes da Revolução Francesa que o Congresso de Viena tentara restabelecer. Os monarcas cristãos consideravam-se os guardiões desse mundo e fariam de tudo para impedir o aparecimento de um novo Napoleão e a disseminação de novas ideias liberais que provocassem o desequilíbrio de seus poderes e levassem novamente a Europa ao caos.

Ao encontro dessas ideias, foi ressuscitado um plano português de 1806[67] visando à união dinástica entre a casa dos Bragança e a dos Habsburgo. Uma nota do príncipe regente d. João, emitida do Rio de Janeiro em 15 de março de 1816, demonstra que os preparativos para a negociação do casamento estavam avançados:

> Não escapou à perspicácia de S.A.R. [D. João], um embaraço que pode ocorrer nesta negociação e o desejo de S.M.I. [Francisco I] antes de decidir-se, saber com certeza se S.A.R. conta regressar ou não a Portugal; e para remover este embaraço, manda-me o mesmo Senhor participar confidencialmente a vmc. [vosmecê] (para fazer discreto uso, segundo as ocorrências) que o Seu Real Intento é regressar à Europa, logo que haja conseguido preservar este Reino do Brasil do contagioso espírito revolucionário que conflagra pelas Colônias Espanholas; [...] e acrescendo que, no entretanto que S.A.R. completa com a possível brevidade esta grande obra (que pode mesmo talvez utilizar ao Sistema Político da Europa pelos tratados de Paris e de Viena); e por conseguinte o mesmo Senhor poderá então sem sustos de futuras subversões restituir-se à

sua corte de Lisboa. Tais são as graves e atendíveis razões que vmc. alegará (se preciso for), para dissolver qualquer hesitação da parte de S.M.I a esse respeito.[68]

Ao mesmo tempo que justificava a permanência da corte no Brasil, mas deixava claro que era para explicar somente se fosse necessário, d. João cantava a melodia que os membros da Santa Aliança, da qual a Inglaterra não fazia parte, desejavam ouvir: *Preservar o Reino do Brasil do contagioso espírito revolucionário.*

Ao se aproximar da Áustria – como anteriormente já havia tentado em 1814 se aproximar da Rússia, com o casamento do príncipe d. Pedro com uma das grã-duquesas[69] –, d. João lutava para sair da esfera de influência dos ingleses. Estes, além da questão da escravidão, eram contrários também à ideia imperialista lusitana na América espanhola. As constantes admoestações de lorde Strangford, embaixador britânico no Brasil, sobre esses pontos, além da insistente cobrança do retorno da corte a Portugal, haviam feito o príncipe regente solicitar ao governo inglês a retirada desse embaixador do Brasil.

Desde a expulsão das tropas francesas em 1808 pela expedição militar inglesa, o marechal britânico William Beresford havia transformado Portugal num virtual protetorado de sua nação. O país, abandonado pela corte, não passava de uma terra arrasada pela guerra, pelos saques dos franceses – e até das tropas inglesas – e pela carestia. Cerca de um sexto da população desapareceu: quem não morreu e tinha algum recurso acabou fugindo do país.[70] Não é difícil imaginar o porquê de d. João não ter pressa alguma de retornar para a Europa e desejasse continuar a criação do seu novo império americano.

Tratativas para um casamento

O início de 1816 para a arquiduquesa Leopoldina não foi dos melhores. Primeiro ela viu-se sem a irmã Maria Luísa, que partiu para a Itália em 6 março:

Viena, 7 de março de 1816[71]

Amada, caríssima Luísa!

Como posso descrever a dor que senti quando voltei ontem para casa; quase mergulhei em um mar de lágrimas já no jantar, mas não quis aumentar tua dor; só

> hoje, ao não te ver mais, solto as lágrimas e me entrego a todas as emoções de meu coração partido [...]

A veia religiosa de Leopoldina grita neste trecho: "[...] Meu Deus não te abandona, já sofreste muito neste mundo; confia Nele e Ele te fará feliz, pois é a recompensa pelas virtudes, das quais és tão ricamente dotada; Ele, como juiz justo, certamente não tolerará que a depravação se levante contra ti."

Apesar da dor da separação da irmã mais velha, Leopoldina nutria esperanças de revê-la em breve. "[...] Espero que meus pais me levem à Itália no outono, quando lá forem; então implorarei a eles que me deixem contigo enquanto fazem as outras viagens." Aproveitava e dava também notícias do pequeno sobrinho: "Teu filho está bem, mas, podes imaginar, desolado; ele não estará abandonado pois quero visitá-lo com frequência e protegê-lo dos comentários maldosos que infelizmente o atingem." E, como uma zelosa tia, assim o fez, muitas vezes se indispondo com os parentes Habsburgo por provocarem a criança. Outro ponto que a afligiria seria perceber que, assim como ela na infância, o menino mentiria algumas vezes, o que a deixava apreensiva a respeito da qualidade da educação moral que o sobrinho estava recebendo.

Leopoldina ainda reencontraria a irmã na Itália, para onde viajaria no futuro, porém não com os pais. Logo após a partida de Maria Luísa, Francisco I e a imperatriz Maria Ludovica viajaram também para o país, visitando os antigos domínios da família restituídos após o Congresso de Viena. Na capital, Leopoldina recebia notícias cada vez mais alarmantes a respeito da saúde da madrasta. A doença malcurada nas cidades termais e o desgaste causado pelas festas e recepções a que fora obrigada a comparecer durante o Congresso cobravam um alto preço à sua saúde. Acompanhando o imperador, Maria Ludovica procurava manter as aparências e cumprir com suas obrigações, porém, segundo uma de suas camareiras, a imperatriz, ao desempenhar o papel que esperavam dela, e não querendo que o marido a achasse uma inútil, ia da "cama ao coche e do coche à cama".[72]

Em 7 de abril de 1816, falecia em Verona, aos 30 anos, a imperatriz Maria Ludovica. No dia 11, de Viena, escreveu Leopoldina ao pai:

> [...] Senti plenamente a dimensão da minha perda e seria extremamente ingrata se não reconhecesse que devo tudo ao amor e esforços da boa falecida mamãe; como sinto falta de seus bons conselhos e advertências, que compensavam minha inexperiência [...].[73]

Para Maria Luísa, em carta do dia 12 de abril, afirmava:

> [...] Sei bem a perda que sofri, porque perdi a mais terna e compassiva das mães; seria muito ingrata se não estivesse convicta de que devo a ela o que sou; esse pensamento aumenta minha dor tanto mais porque nunca tive oportunidade de lhe demonstrar minha gratidão [...].[74]

Com a morte da madrasta, sem o pai e sem a irmã mais velha, a arquiduquesa viu-se sozinha em Viena e passou a se queixar de sua saúde, alegando que se ressentira com a perda da imperatriz. Talvez uma doença psicossomática, adquirida pelo abandono do pai, depressivo em meio ao seu processo de luto. Francisco demorou-se na Itália, perturbado com a morte da terceira esposa. Enquanto isso, Leopoldina, sozinha em Viena, lutava contra a melancolia e a solidão, que buscava diminuir, assim como a distância que a separava novamente de Maria Luísa, enviando-lhe diversas cartas e ansiosamente cobrando respostas.

Pouco antes do falecimento da madrasta, em março de 1816, Leopoldina havia recebido outro golpe. Em carta à irmã mais velha, contou ter sido preterida pelo tio, Leopoldo de Bourbon-Duas Sicílias, príncipe de Salerno. Este havia escolhido a irmã mais nova de Leopoldina, Maria Clementina, como esposa. "Que dizes sobre o casamento da Maria com o tio Leopoldo? Sabes o que penso; desejo-lhe de coração felicidade e estou contente que ele não me quis."[75] Em outra carta, informa a Maria Luísa: "[...] Invejo-a [a Maria Clementina] apenas pela felicidade de estar perto de ti."[76]

Ninguém, em tempo algum, hoje ou no passado, gosta de ser desprezado. Apesar do desdém aparentado pela arquiduquesa, ela com certeza se importou por não ter sido a escolhida. Não que ela gostasse do tio – na realidade não o suportava –, mas devido ao amor-próprio ressentira-se.

Nos meses seguintes, Leopoldina pediria conselhos femininos para Maria Luísa. A ex-imperatriz dos franceses tratou a irmã mais nova com dureza. Segundo ela, Leopoldina devia ter mais cuidado consigo mesma, "pois então você seria uma jovem bem linda e agradável".[77] Em carta de junho, Maria Luísa advertiu:

> [...] Acredite que tão ridículo é tornar-se vaidosa demais, quão errado é uma mulher não possuir aquele grau de vaidade que a faz dar alguma atenção ao seu exterior. Quando é casada, deve isso ao seu marido, quando não, é bom para o seu futuro, pois infelizmente, neste mundo, a primeira impressão é sempre dada pelo exterior e nesse sentido, perdoe-me, você se descuidou terrivelmente de si no último congresso.[78]

E não apenas nele. No Rio de Janeiro, diversos diplomatas e viajantes teriam o mesmo tipo de opinião sobre Leopoldina que as lançadas nessa carta por Maria Luísa.

Francisco I retornou para junto de sua família em Viena em junho de 1816, a tempo dos preparativos do casamento da arquiduquesa Maria Clementina. Em 22 de junho, Leopoldina, ansiosa com o matrimônio da irmã e assombrada com a possibilidade de se ver solteira, desabafou com Maria Luísa: "Então ontem o querido papai me confortou com a promessa de me nomear a mineralogista da corte, caso eu fique em casa; parece-me que há pouca perspectiva de decisão, e garanto-te que já me resignei totalmente à vontade divina."[79]

Francisco não falava a sério quanto à proposta de nomear a filha mineralogista da corte. Era uma piada: o casamento dela já estava sendo tratado, mas ela ainda não tinha sido informada. Leopoldina só sabia aquilo que lhe era permitido saber, e aos poucos ia tendo algumas revelações, esporádicas, sobre o seu futuro. Dezessete dias depois, confidenciava para a irmã mais velha: "Acho que as perspectivas quanto à minha definição são favoráveis, porque o querido papai há pouco disse: 'Não acredito que a Leopoldina ainda esteja aqui no próximo inverno', mas pelo amor de Deus não reveles que te confiei isso [...]."[80]

Saxônia ou Portugal?

Começavam a gerar frutos as consultas diplomáticas realizadas no princípio de 1816 pelo encarregado de negócios portugueses na corte de Viena, Rodrigo Navarro de Andrade. Os portugueses não contavam com a morte da imperatriz durante a viagem à Itália, o que contribuiu para que Francisco I demorasse em suas considerações. Mas, em 29 de julho de 1816, sabemos que as coisas, ao menos entre Francisco e o príncipe de Metternich, já estavam bem claras. Este último, numa de suas mensagens ao imperador, fez menção de ter que desfazer os arranjos de um outro casamento entre Leopoldina e o príncipe da Saxônia.

> [...] Já discutido por mim e o sr. conde de Schubeburg, será necessário chegar a um entendimento com a corte da Saxônia. Se V. M. tencionasse casar sua terceira filha na Saxônia a questão estaria *ipso facto* liquidada. Parece-me absolutamente necessário não fazer menção da proposta portuguesa a pessoa alguma, antes de

ter-se escrito à Saxônia, o que só poderá ser feito depois da apresentação oficial do pedido pelo Sr. Navarro.[81]

E assim as coisas realmente aconteceram: a arquiduquesa Maria Carolina se casaria com o príncipe da Saxônia em 1819. Entretanto, sem o pedido oficial de Portugal, devido em grande parte à morosidade das consultas entre Navarro de Andrade em Viena e a corte no Rio de Janeiro, a Saxônia enviou um embaixador para fazer uma proposta de casamento a Leopoldina.

Em 25 de julho, ela escreveu novamente para Maria Luísa. As missivas entre elas eram redigidas em seu idioma natal, o alemão, entretanto, essa especificamente continha um parágrafo em inglês. Nessa língua, incomum nas cortes europeias da época e que Leopoldina só aprenderia melhor no futuro, ela informou, além do próximo casamento do pai: "O ministro da Saxônia foi enviado para fazer proposta em meu nome, mas não houve acordo, necessidade de dinheiro, e meu pai disse para não fazer nada. Peço que mantenha isso em segredo."[82]

A Áustria vivia, desde José II, num déficit crônico. A guerra contra Napoleão em nada ajudou. Pelo contrário, os gastos militares, primeiro contra a França e depois como aliada desta, só pioraram a situação. A inflação austríaca ficou incontrolável, e a carestia tomou conta das ruas de Viena. Em 1811, o governo austríaco viu-se obrigado a decretar a falência do Estado, que não conseguia mais pagar os juros da dívida pública, e a desvalorizar a moeda. Somente em 1817 as finanças do império seriam saneadas.[83]

A Saxônia, durante as sucessivas guerras, havia escolhido o aliado errado: Napoleão. Devido a esse fato, acabou sendo punida no Congresso de Viena e teve que ceder parte de seu território à Prússia. Desde 1815, fazia parte da Confederação Germânica, organismo internacional sob influência direta da Áustria que restabelecia em parte a união dos Estados alemães do antigo Sacro Império Romano-Germânico. Uma união dinástica com a Saxônia seria muito mais vantajosa para este do que para a Áustria.

Já com Portugal, a união entre os Habsburgo e os Bragança abria não apenas à Áustria, mas para os demais Estados germânicos, os portos do Brasil, até então controlados exclusivamente pelo comércio com a Inglaterra. Comercialmente, ter uma Habsburgo como rainha desse novo Reino americano era muito interessante, afinal, isso poderia vir a ajudar na retomada do crescimento econômico austríaco.

Em 24 de setembro de 1816, a arquiduquesa, em carta a Maria Luísa, conta a conversa que Francisco I teve com ela:

> [...] O querido papai me disse no dia do casamento da Maria que ele me deixaria escolher entre aquele sobre quem já te escrevi anteriormente [Saxônia] e o atual [Portugal], mas que eu teria que me decidir em dois dias; pelo primeiro teria que esperar dois anos e ele [ainda] escolheria entre todas as princesas alemãs; além disso sabia-se que eu não lhe havia agradado; em resumo, o querido papai então me falou de tal forma que percebi logo que ele preferia o último e então fiz o que ele desejava, na firme convicção de que quando cumprimos a vontade de nossos pais seremos felizes em qualquer situação, pois sabes por experiência própria que uma princesa nunca pode agir como quer; o emissário virá neste ou no próximo mês, mas partirei só em abril; portanto eu te verei de qualquer forma, e esse pensamento me traz muita, muita alegria [...].[84]

É interessante notar neste trecho da carta dois pontos. Primeiro, o pai jogou com a própria filha. Ofereceu duas opções, como se ela realmente tivesse alguma, e fê-la pender para a que ele queria. A resolução a respeito da preferência dos austríacos pelos portugueses já era clara desde julho, como se compreende pela carta que Metternich escreveu ao imperador no dia 29 daquele mês tratando sobre o caso. O segundo ponto é que Leopoldina não menciona na carta o príncipe, nem mesmo a nação, para onde ela iria. Provavelmente, por ordem do pai, ela poderia revelar que ficaria noiva em breve, mas ainda não podia revelar o país a que ela se destinava.

As regras políticas, não apenas a etiqueta, norteavam a vida de uma princesa. Essa questão fica clara neste trecho específico: "[...] Sempre poderei te escrever, já que aquela corte aprovou tua posse de Parma, o que me fez gostar ainda mais dela." Caso Portugal não tivesse reconhecido e aceito Maria Luísa como duquesa de Parma, as duas irmãs não poderiam se corresponder quando Leopoldina se casasse com o príncipe herdeiro português.

A família Bragança

As mentiras também faziam parte do jogo do lado português: "[...] além disso diz-se que toda a família tem muito senso e bom coração e graças a Deus nunca tive aversão àquela nação, por mais que não suporte seus vizinhos", dirá Leopoldina para Maria Luísa. Os vizinhos republicanos e democráticos, norte e sul-americanos, seriam o último dos problemas com que a arquiduquesa viria a se preocupar no futuro. Viver no seio da Família Real portuguesa estava além da formação, do preparo e da educação recebida por qualquer arquiduquesa austríaca. Os Bragança pareciam uma reedição caricata da família Bórgia.

D. João VI e d. Carlota Joaquina.

Sua futura sogra, Carlota Joaquina, havia tentado dar um golpe no marido, o príncipe regente d. João, em 1805, ainda quando viviam na Europa. Carlota pretendia se tornar regente no lugar do esposo, uma vez que a rainha de fato, d. Maria I, sua sogra, estava incapacitada de governar devido a problemas mentais.

Carlota vivia fazendo intrigas contra o governo e seus principais políticos. Levada para o Brasil praticamente à força em 1808, considerava o país uma terra de escravos e de macacos. Porém, sua pública ojeriza à América era menor que sua ânsia por poder, o que a levaria a tentar tomar para si as terras sul-americanas da Coroa espanhola, pertencentes ao Reino de seu irmão, então prisioneiro de Napoleão. Isso aumentaria o racha familiar, pois d. João desejava que se alguém viesse a controlar os domínios espanhóis na América do Sul fosse o seu sobrinho, d. Pedro Carlos, neto do antigo rei da Espanha.

Tecendo seus sonhos imperialistas, d. João casou sua filha mais velha, d. Maria Teresa, com o sobrinho, acalentando uma futura união entre Portugal e Espanha, ou ao menos entre as terras sul-americanas dos dois países. Em pé de guerra viviam d. João e d. Carlota, que, se não compartilhavam mais quarto, que fará residências. O príncipe morava com os filhos no Palácio de São Cristóvão, nos arrabaldes do Rio de Janeiro, enquanto d. Carlota, com as filhas menores, dividia o seu tempo entre uma residência na Praia de Botafogo e chácaras no Andaraí e em Mataporcos.

D. Pedro, o noivo

No meio desse casal problemático, estava d. Pedro, o príncipe herdeiro do trono português, nascido em 12 de outubro de 1798, um ano e oito meses depois de Leopoldina. D. Pedro foi criado longe dos pais, sem a atenção e a supervisão que a arquiduquesa teve por parte de Francisco I, da mãe e da madrasta, com uma preceptora sempre presente. O príncipe foi deixado entregue aos cuidados de criados, aias e amas de leite e depois de preceptor e mestres no Palácio de Queluz, onde nasceu e continuou a morar com a avó, a rainha louca d. Maria I.

D. Pedro media[85] entre 1,64 metro e 1,67 metro, pouco mais alto que a média dos homens de sua época. Tinha tórax e ombros largos, braços fortes e mãos grandes. Diferentemente do costume dos europeus de se banharem o mínimo possível, o príncipe adorava água. Tomava banho constantemente, até mais de uma vez por dia. Gostava de nadar nu nas praias cariocas, hábito que cultivava não por recomendações médicas e terapêuticas, como era habitual na época, mas para exercitar o corpo.

Vaidoso, seguindo a moda masculina, usava costeleta na época do noivado. Mais tarde, cultivaria um bigode, posteriormente o arrancaria e ainda voltaria a tê-lo. Com as costeletas, ocultava um pouco a pele do rosto, marcada pela varíola. Seus cabelos, densos e ondulados, eram castanho-escuros. Tinha pele naturalmente clara, porém a prática de escaladas nos morros cariocas e as cavalgadas diárias deixaram suas maçãs do rosto bastante rosadas. Com o tempo, acabou se tornando bronzeado com o sol que tomava nesses exercícios. Grandes olhos negros, lábios bem-feitos, dentes alvos e um nariz aquilino completavam sua aparência máscula.

Tanto d. Pedro quanto seu irmão d. Miguel mantinham-se em constante atividade. Gostavam do ar livre, eram cavaleiros intrépidos e ousados, e suas cavalgadas não respeitavam nem climas nem horários. A obsessão de d. Pedro por velocidade e resistência levou-o a aventuras desastrosas. Ele próprio afirmava que, quando jovem, havia caído do cavalo 36 vezes.[86] Isso sem contar quando tombou, devido à imprudência, a carruagem de quatro cavalos que gostava de conduzir a toda pelas ruas e arrabaldes do Rio de Janeiro. Por diversas vezes foi obrigado a ficar de cama devido aos acidentes. D. Pedro também era afeiçoado à caça, paixão que compartilharia com Leopoldina.

A postura ereta e arrogante dava-lhe um porte marcial. Sofria, como grande parte da família da arquiduquesa, de epilepsia. A doença poderia ser a causa de sua impulsividade e hiperatividade. Era muito simpático, tinha uma personalidade encantadora, porém seu gênio era instável. Ia da ira a uma sonora gargalhada em segundos. Se algo lhe parecia engraçado, ria daquilo; ao perceber que magoava a pessoa objeto de suas risadas, desculpava-se sinceramente pela brincadeira.

D. Pedro não tinha nenhuma paciência com cortesãos bajuladores e com os intrigantes membros da corte. Era homem de ação, e tanto como político quanto como diplomata, se as coisas se estendessem além de sua vontade e paciência, sua tendência era tratá-las como um déspota. Leopoldina viria a ser um trunfo nesses pontos: muito mais equilibrada e educada para essas questões que o marido, seria o equilíbrio do casal. Enfim, d. Pedro era praticamente uma força da natureza, desregrado e provocando acidentes por onde passava, quando não fisicamente, emocionalmente. Sua masculinidade podia ser perturbadora, e ele tinha consciência disso.

Sobre a educação do príncipe

Diferentemente da recebida por Leopoldina, a educação dos Bragança, em especial a de d. Pedro, deixou muito a desejar. O programa de estudos fora interrompido com a vinda da Família Real portuguesa para o Brasil por conta da iminente invasão francesa a Portugal, sendo retomado em outubro de 1808, no Rio de Janeiro, quase um ano após terem deixado a Europa.

Encarregou-se dela, inicialmente, o diplomata João Rademaker, que se esforçou em se tornar um excelente preceptor para o jovem príncipe. Além deste, outra figura marcaria a vida de d. Pedro: o ex-bibliotecário real do Convento de Mafra, frei Antônio de Arrábida. Desde a travessia do Atlântico, vinha selecionando literatura e ensinando latim ao príncipe. Arrábida assumiria as aulas de religião, permanecendo por anos como confessor do pupilo.

A educação formal do príncipe era realizada, em teoria, todos os dias durante duas horas. Porém, se d. Pedro achasse algo melhor ou mais interessante que lhe despertasse a atenção, simplesmente dispensava o professor. O príncipe, além de indisciplinado, estava envolto por cortesãos fiéis ao Antigo Regime, num ambiente em que o direito divino ditava as regras, o que era o bastante para qualquer um lhe acatar as vontades sem discussão. A luta deve ter sido árdua, mas existem indícios de que Rademaker conseguiu iniciar e aprofundar um pouco o príncipe em matemática, lógica, história, geografia e economia política.[87] Além do latim, que continuava a aprender, passou a ter aulas de francês e inglês com o novo mestre.

D. Pedro, como ditava a educação dos príncipes da época, incluindo a dos Habsburgo, também teve instruções em artes manuais, tomando gosto pela marcenaria e pela escultura. Chegou a construir um modelo de navio de guerra e uma mesa de bilhar completa.[88] Em 1811, a fragata *Príncipe Dom Pedro*, lançada na Bahia, levava uma figura de proa representando o príncipe, executada pelo próprio.[89]

Também se dedicou a música, poesia e desenho. O reverendo irlandês Robert Walsh, capelão da embaixada britânica no Brasil de 1828 a 1829, afirmava que d. Pedro havia desenvolvido uma forte predileção pela música em idade precoce e acabou demonstrando talento nesta área. O príncipe

> [...] não apenas aprendeu a tocar uma variedade de instrumentos, mas compôs, eu fui informado, muitas das músicas para a capela de seu pai; e a peça mais popular agora no Brasil, tanto as palavras quanto a música, são de sua composição, atestando seu talento.[90]

Marcos Portugal, maestro real e compositor de óperas e de música sacra, passou a dar aulas para d. Pedro em 1811, quando chegou da Europa, e encorajava o príncipe a elaborar suas próprias composições. D. Pedro dominava diversos instrumentos musicais, como clarim, flauta, violino, fagote, trombone e cravo. Para as distrações de adolescentes, tocava guitarra clássica. Com esse instrumento, acompanhava canções e danças populares em voga no Rio de Janeiro da época, como o fado luso-cigano, a modinha luso-brasileira e o lundu angolano.

O lundu era dançado com movimentos considerados lascivos. A sexualidade dessa dança, de acordo com o historiador Neil Macaulay, poderia ter despertado os primeiros desejos carnais do jovem príncipe:

> A iniciação sexual do príncipe, que, com menos de quatorze anos, declarava que já devia ser visto como um homem, pode muito bem ter se seguido a algum baile clandestino num terreiro entre as casas dos escravos, na Quinta da Boa Vista ou na fazenda de Santa Cruz.[91]

Após a morte de Rademaker, em setembro de 1814, frei Arrábida assumiu como mestre do príncipe. Com o padre irlandês John Joyce, d. Pedro continuou a estudar inglês; o emigrado francês padre Boiret instruiu-o em seu idioma; seu professor de desenho e pintura foi o pintor da corte Domingos Sequeira; e, na arte de adestrar e da equitação, foram seus mestres João Damby e Joaquim Carvalho Raposo.[92]

D. Leopoldina

Parte II

Destino

A embaixada portuguesa à Áustria

D. PEDRO José Joaquim Vito de Meneses Coutinho, oitavo conde de Cantanhede e sexto marquês de Marialva, era membro de uma das famílias mais aristocráticas e poderosas de Portugal a serviço do rei. O último marquês de Marialva havia se destacado na vida militar ao servir durante a chamada Guerra das Laranjas, embate entre portugueses e espanhóis ocorrido em 1801.

Não apenas pelos seus serviços e por sua família Marialva seria lembrado. Segundo comentário que corria à boca pequena e que era corroborado por afirmações do próprio príncipe regente, o infante d. Miguel, nascido em outubro de 1802, não seria filho de d. João. O *London Observer*, em 1802, assim como outros jornais ingleses, chegaram a relatar que d. João havia afirmado a vários membros do corpo diplomático que não era o pai do caçula, porque já ia para mais de dois anos que não mantinha relações sexuais com d. Carlota.[1] O pai seria o marquês de Marialva. Talvez por isso a inauguração de sua carreira diplomática tenha sido um tanto quanto espinhosa.

D. João já havia, aos olhos de Napoleão, tergiversado o suficiente quanto ao ultimato para que Portugal fechasse os portos ao comércio com a Inglaterra, integrando-se dessa forma ao Bloqueio Continental. Em 27 de outubro de 1807, cansado de ser ludibriado pelo príncipe regente, Napoleão expulsou o embaixador português de Paris, ao mesmo tempo que a França e a Espanha assinaram o Tratado de Fontainebleau, no qual planejavam dividir Portugal entre si.

D. João, ainda buscando ganhar tempo, tentou uma última e desesperadora cartada: enviou Marialva para tratar com Napoleão o casamento de seu filho, d. Pedro, com uma sobrinha do imperador. Mas, devido a complicações diplomáticas na fronteira entre Portugal e Espanha, onde ficou retido até fins de novembro, o plano malogrou, com a partida definitiva da corte portuguesa para o Brasil no dia 29.

Marialva permaneceu na Europa durante os anos em que a corte se estabeleceu no Brasil. Em julho de 1814, recebeu a nomeação de embaixador extraordinário em Paris, com a incumbência de apresentar, em nome de d. João, os cumprimentos a Luís XVIII, novo rei da França, e ao czar Alexandre I, que ali se encontrava após a derrota de Napoleão. Desde 1801, tentava-se uma aliança com os russos, e d. João pretendia casar d. Pedro com a grã-duquesa Ana Pavlovna, irmã do czar.

O interesse da aproximação com os russos era, além de político, comercial. D. João queria ter acesso ao comércio com a Turquia, além de manter as ligações com os domínios portugueses na Índia, depauperados pelo controle do Atlântico Sul por franceses, ingleses e espanhóis. A influência da Rússia no Leste Europeu e sobre o acesso ao Oriente era vista como nada desprezível para os interesses portugueses.[2] Marialva seguiu para o Congresso de Viena, regressando ao término deste para Paris.

D. Pedro José Joaquim Vito de Meneses, marquês de Marialva (1775-1823).

Em fevereiro de 1816, foram despachadas do Rio de Janeiro novas ordens para o marquês de Marialva. Devido a uma nova disputa entre a Turquia e a Rússia, além da dificuldade de se finalizar algum acordo de casamento entre o príncipe herdeiro português e a grã-duquesa russa, foi ordenado ao embaixador que tomasse outro rumo: a Áustria. Tendo apresentado suas credenciais em Paris a Luís XVIII em 30 de junho, o marquês de Marialva, em outubro, preparava-se para regressar a Viena.

A real função do marquês, como membro da alta nobreza portuguesa e da aristocracia europeia, era ser um representante à altura de seu rei. A maior parte das tratativas para o casamento já havia sido realizada previamente pelo encarregado português em Viena, Navarro de Andrade. Marialva iria oficializar e sacramentar tudo em nome de d. João VI.

Leopoldina e a ilusão do Brasil

Em julho de 1815, logo após o Congresso, Leopoldina encontrou-se com Maria Luísa na cidade termal de Baden. No dia 14, escreveu ao pai contando sobre seus passeios:

> [...] Na primeira tarde fomos ver a mina Krainer; a irmã nos deu a alegria de mandar buscar uma família de negros que mora defronte a ela e pertence à criadagem do emissário português, acho-os muito amáveis e espirituosos e me dei muito bem com eles; nasceram no Brasil e falam sua língua materna, que soa esquisita.[3]

Esse seria seu primeiro contato com os brasileiros. Um ano depois, em compasso de espera, procurando se ocupar enquanto o marquês de Marialva não chegava e o tratado de casamento não era assinado, Leopoldina estudava preparando-se para a sua nova terra.

Em carta a Maria Luísa, podemos observar quão sonhadora, ansiosa e iludida Leopoldina estava em outubro de 1816. Parecia alguém que acabara de se entreter com o mito do "Bom Selvagem", criado por Jean-Jacques Rousseau em 1755, em que o filósofo francês defendia que o homem era bom por natureza, mas sua maldade surgia da sociedade opressiva em que vivia:

> [...] o Brasil é um país magnífico e ameno [posteriormente Leopoldina em carta para a família, já no Brasil, diria que o país seria o paraíso, se não fosse o calor infernal e os mosquitos], terra abençoada que tem habitantes honestos e bondosos [...] logo a Europa estará insuportável e daqui a dois anos posso viver aqui novamente, mas esteja convicta de que meu maior empenho será corresponder à confiança que toda a família e meu futuro esposo em mim depositam, através de meu amor por ele e meu comportamento. [...] Agora estou mais empenhada na música, que é muito apreciada no Brasil, e quero aproveitar todas as oportunidades para me tornar popular no meu futuro país. [...] acabei de ler uma esplêndida descrição, de 1810, daquele país realmente magnífico, de Lobo da Silveira, um português.[4]

Outro trecho que chama a atenção: "Daqui a dois anos posso viver aqui novamente." De fato, a partir de 1817, haveria da parte da Áustria interesse em que ao menos o príncipe d. Pedro retornasse para Portugal com Leopoldina e assumisse como regente de seu pai a parte do Reino Unido na Europa, o que acabou não acontecendo. Onze dias depois dessa carta, ela já não parecia muito segura do retorno: "Esteja convicta de que, se me for permitido retornar para cá do Brasil, serás a primeira para cujos braços voarei."[5]

Quanto ao ambiente para onde iria, além do clima "ameno", ela equivocava-se mais uma vez: "Estou certa de que a nobreza será linda e agradável; graças a Deus, a nobreza e os costumes da corte portuguesa são como em Paris, prefiro algo mais leve e agradável ao aborrecido e formal."[6] Leopoldina não poderia estar mais errada quanto à previsão. Assim como a sua tia-avó Maria Antonieta foi apelidada pela corte francesa de *L'Autre Chienne* (A Outra Cadela), uma paronomásia de *L'Austrichienne* (A Austríaca), Leopoldina, com sua cultura, sua criação e seus costumes diversos dos ibéricos, seria chamada de A Estrangeira pelos cortesãos portugueses. Mas a corte vienense estava longe de ser um local onde só existiam pessoas cultas, como demonstra a própria Leopoldina:

> Tens razão em lamentar os nossos cavalheiros, mas o que te visitou é um poço de sabedoria perto dos tolos que acompanham o Conde Eltz [embaixador austríaco para o Brasil]; o rei terá uma boa prova da cultura que caracteriza a juventude da Áustria, pois acho que os selvagens no Brasil sabem tanto quanto eles [...].[7]

A respeito de uma conhecida, confidenciou a Maria Luísa: "Pois ela disse-me diante de um grupo de 22 pessoas: *Espero que me envies antiguidades gregas e romanas do Brasil.* O que acha disso?"[8] A educação que tanto ela quanto as irmãs tiveram colocava-a intelectualmente acima da maioria das pessoas ao seu redor e, por isso, num mundo isolado, quase sem interlocutores.

Seu pendor para o estudo pode ser visto na sua aplicação para aprender o idioma de sua nova pátria: "Hoje terei minha primeira aula de português, que é muito difícil, principalmente por causa da pronúncia pela garganta e o cecear",[9] escreveu à irmã. Maria Luísa, percebendo a empolgação juvenil de Leopoldina e a ilusão inicial que demonstrou quanto ao novo país, os súditos e a Família Real portuguesa, tentou aconselhá-la em carta de 9 de outubro de 1816:

> Só posso aprovar o teu passo, cara Leopoldina, o maior sossego é ter feito o que possa ser útil ao teu pai e ao bem do Estado – rogo-te, no entanto, em nome do nosso amor de irmãs, não imaginar o futuro demasiadamente belo. Nós que não podemos escolher, não devemos nem olhar para as qualidades do físico nem para as do espírito – quando as encontramos, é sorte (não se deve acreditar naturalmente em tudo que a gente diz), quando as não encontramos, também podemos ser felizes. A consciência de ter cumprido o seu dever, múltiplas e variegadas ocupações, a educação das próprias crianças, dão certo sossego de alma, ânimo sereno o que é a única verdadeira felicidade no mundo [...][10]

Leopoldina entendeu parcialmente a questão, mas continuou entoando loas ao povo brasileiro e à sua nova família:

> [...] Esteja certa de que não imagino as coisas tão lindas como se contam; mas tenho certeza de que, embora cada ser humano tenha seus defeitos, também tem qualidades boas e magníficas e os habitantes daquele país ainda são, graças a Deus, os menos corrompidos [...]. Quanto aos hábitos, mudá-los-ei tanto quanto possível e necessário, principalmente se for do agrado de minha nova família e de meu esposo, pois meu maior empenho será viver para levar alegria e satisfação a meu esposo e meus filhos; nisso consistirá todo o meu trabalho e felicidade. [...] Entendo que o calor deva ser incômodo; posso me preparar para isso, porém espero suportá-lo com alegria [...][11]

Quanto ao português: "Minha cabeça está melhorando, pois o idioma vai entrando bem; já comecei a ler, mas é difícil de entender porque é meio árabe, italiano e francês, apesar disso é uma língua com uma boa sonoridade."

Em 7 de novembro o marquês de Marialva chegou a Viena: "Ontem chegou Marialva, mas absolutamente incógnito, e o acordo não pode acontecer antes de três semanas, a assinatura do rei não antes de quatro meses e eu não posso embarcar antes de abril."[12]

O diplomata havia chegado a tempo para o novo casamento de Francisco I com a filha do rei da Baviera. Leopoldina achou a segunda madrasta "muito atenciosa [...] conquistando o meu coração de tão boa que me parece".[13] Mas, durante a cerimônia de núpcias e no banquete que se seguiu, ela parece ter dado atenção somente ao marquês português, arauto do seu destino:

> O embaixador está aqui e me distraiu muito ontem na igreja [...] pois não consegui tirar os olhos dele; a fisionomia não é muito espirituosa, contudo tem muito bom senso e cultura; ele virá me ver nos próximos dias, o pedido será em algumas semanas [...]. Trouxe-me uma porção de livros portugueses para eu ler e quero concentrar-me neles.[14]

Marialva foi recebido por Metternich e pelo próprio imperador no dia do casamento deste. Oficiando ao Rio de Janeiro, o marquês informava que Francisco I lhe afirmou ser a aliança um "pacto vantajosíssimo entre a Europa e o Novo Mundo".[15] Na ocasião, o imperador solicitara livros em português para Marialva, informando ao embaixador que a filha estava estudando o idioma e que havia poucas obras em português em Viena. Ainda no despacho, o embaixador falou a respeito do casamento na igreja e das cerimônias de cumprimentos e do beija-mão à nova imperatriz que se seguiu.

Na ocasião, Marialva teve a oportunidade de ver pela primeira vez a noiva de d. Pedro: "Tive ocasião de ver S.A.I. a Sereníssima Senhora Arquiduquesa Leopoldina em cuja presença resplandece a soberania a par da mais rara bondade."[16] Nenhuma menção a seu aspecto físico, que seria a primeira coisa a ser notada num olhar. O embaixador fixava-se nas qualidades que ele imaginava que ela possuía. Sem um contato mais íntimo, somente por um dom mediúnico ele poderia "ver" a bondade de Leopoldina. A baronesa de Montet assim recordaria a princesa:

> A arquiduquesa Leopoldina certamente não era bela: era pequenina, muito branca, cabelo louro desbotado; não possuía graça, nem curvas, e sempre detestou corpetes e cintas; parecia talhada numa peça só; tinha o lábio austríaco bem pronunciado, olhos azuis passavelmente bonitos, porém uma fisionomia séria e pouco amável; era uma princesa estudiosa.[17]

Leopoldina não era de estatura baixa para a média da época. Como se provou em sua exumação ela tinha entre 1,54 metro e 1,60 metro de altura.[18] Mas, independentemente da fidelidade ou não da descrição de Montet, a verdade é que Marialva não estava em busca da vencedora do concurso Miss Áustria 1816, e sim de sua nova soberana. Essa não era obrigada a ser bela: esperava-se que fosse boa parideira e pudesse ser digna e suficientemente instruída para ocupar o posto de rainha.

Em 13 de novembro, durante uma festa na casa do conde de Ruhberg, Marialva encontrou-se novamente com o imperador, que

> [...] teve a bondade de dizer-me logo, para meu sossego, que Sua Augusta Filha, achando-se algum tanto incomodada quisera ficar na sua câmara a fim de se achar em estado de me poder admitir a sua presença no dia seguinte. Esta tão grande honra, que segundo a etiqueta da corte não devia ser-me concedida senão depois de declarado solenemente o principal objeto da minha missão, muito lisonjeou o meu ânimo.

Durante a festa, Francisco I aproveitou para tratar com Marialva algo que não fora explicitado:

> S.M.I. se dignou falar-me sobre as vantagens recíprocas que aos seus estados e aos d'El-Rey Meu Senhor deveriam provir de um Tratado de comercio concluído entre as Suas Respectivas Cortes; e perguntando-me o imperador se El-Rey Meu Augusto Amo estaria disposto a isso, tive a honra de lhe responder: [...] Os extensos domínios de S.M.I. oferecendo tanta variedade de produções, seja de natureza, seja de arte, cuja importação nos Estados Portugueses, em troca dos produtos destes mesmos Estados, tão útil poderia ser a ambas as coroas, sem dúvida moveria isto a El-Rey meu Senhor, para fazer organizar, logo que fosse possível, as importantes relações comerciais que deveriam existir entre os seus estados e os d' El-Rey meu Amo. Satisfeito o imperador com esta resposta, continuou dizendo-me que na ocasião em que mandasse ao Rio de Janeiro o seu embaixador [...] faria partir algumas amostras dos gêneros e produtos das fábricas dos seus estados, para assim se poder averiguar quais destes gêneros teriam melhor consumo aí; trocando-os por gêneros do Brasil a fim de fazer aqui uma semelhante experiência. Passou depois a inquirir de mim quais eram os gêneros que mais vulgarmente se exportavam do Reino do Brasil, e quais aqueles de que este Reino carecia para o seu consumo.[19]

Em nenhum momento do relatório o pai de Leopoldina questiona sobre o caráter da família e do futuro genro. O interesse fica sempre pautado pela economia e pelo futuro tratado de comércio que se esperava entre ambas as nações. Por outro lado, é de imaginar que um diplomata enfeitasse a realidade para que tudo se encaminhasse para a concretização dos planos de sua nação, e Marialva, como veremos, seria mestre nessa arte.

Para informações a respeito da família e do noivo, Francisco I e Metternich tinham espiões. Eles estavam conscientes tanto do estado de saúde de d. Pedro, de seus ataques epilépticos, quanto da moral da nova família a que Leopoldina passaria a pertencer em breve.[20]

No dia seguinte, 14 de novembro, Marialva e Navarro de Andrade foram admitidos à presença de Leopoldina após terem recebido o aviso do conde Edling, mordomo-mor da arquiduquesa:

> Sua Alteza Imperial, depois de me haver dito com aquela afabilidade e modéstia que a caracterizam, o quanto ela apreciava o enlace que a Divina Providência lhe destinara se informou de mim, com o mais vivo interesse, de tudo quanto dizia respeito ao bem estar do nosso Amo e ao da Sua Alteza Imperial, que a ideia da imensa satisfação que a Sua Augusta Presença na Corte d'El-Rey meu Senhor, ia ali causar, tanto a este senhor como á Sua Real Família e aos seus fieis vassalos, poderia servir de compensação ao cansaço da jornada que Sua Alteza Imperial passaria a fazer. Esta senhora me respondeu mui prontamente que desde menina tivera sempre os maiores desejos de ver o Continente da América, e que agora, tendo uma tal ocasião de satisfazer estes desejos, se reputava extremamente feliz. [...][21]

Tanto para Marialva quanto para a tia, a futura rainha Maria Amélia da França, Leopoldina menciona essa questão de sonhar com a América. Em 10 de dezembro de 1816, escreveu a Maria Amélia: "A viagem não me assusta. Creio que se trata de predestinação, já que senti sempre uma inclinação singular pela América e, até mesmo, quando era criança eu dizia frequentemente que gostaria de ir até lá."[22]

Marialva, em seu relatório, continuou descrevendo o encontro em que alimentou em Leopoldina a ilusão de ser d. Pedro um príncipe que compartilharia os mesmos interesses que a futura esposa:

> Passou depois a perguntar-me, quais eram os estudos a que Sua Alteza Real o Sereníssimo Senhor Príncipe D. Pedro era mais afeiçoado, e como eu sabia que a

Sereníssima Senhora Arquiduquesa, grandemente o é ás ciências naturais, e com especialidade á Mineralogia, e a Botânica, não hesitei em responder-lhe, que Sua Alteza Real, posto que mui aplicado àqueles estudos que mais convém a um príncipe, não deixava, contudo de ter grande inclinação àquelas mesmas ciências, o que muito pareceu agradar-lhe [...].[23]

Leopoldina contaria a respeito dessa visita a Maria Luísa:

Ontem cedo suei, pois o marquês de Marialva e o conde [na realidade comendador] Navarro me fizeram uma visita; superei meu constrangimento e a condessa Lazansky ficou muito satisfeita comigo e ambos os senhores encantados; pedi que me descrevessem todas as belezas do Brasil, para aumentar minha vontade de ir para lá.[24]

Pouco depois, em carta à irmã em 21 de novembro, informava: "Estou bastante ocupada em reorganizar minha coleção mineralógica e escrever um catálogo francês de acordo com Haug, uma vez que meu futuro esposo também é mineralogista, assim minha alegria é duas vezes maior."[25] Os sonhos que teceu, em meio à excitação, à ilusão e à ansiedade, de um Brasil e de uma família fantasiosa viriam a cair por terra menos de um ano depois. É de imaginar a tragicômica cena dela, recém-desembarcada no Brasil, querendo conversar com d. Pedro a respeito de pedras e do método Haug de classificação. A ciência natural em que ambos se divertiram juntos seria outra.

Da educação prática de uma princesa

Também nessa carta, Leopoldina contou como descobriu, ou melhor, como a nova madrasta lhe explicou, questões íntimas e os deveres matrimoniais inerentes à posição de uma mulher casada. A imperatriz adicionou um pouco de praticidade em meio aos sonhos juvenis da enteada:

Ontem à noite estive em uma situação desgastante, uma vez que a querida mamãe me apresentou todos os deveres e transtornos do estado civil que em breve iniciarei; suei terrivelmente, mas mantenho-me firme e com satisfação, pois nada

> há no mundo sem alegrias e penas e estar casada é sempre muito mais agradável, principalmente quando se pode pensar na perspectiva de poder ser útil à querida pátria, pois então suporta-se a distância com alegria [...][26]

Em diversos países, ainda hoje, é comum as pessoas comemorarem o dia do santo do seu nome. Quase como um segundo aniversário, as pessoas nessa data recebem felicitações e presentes. Foi assim em 15 de novembro de 1816, o último onomástico de Leopoldina comemorado junto à sua família, de onde, aliás, vinha o santo do dia: São Leopoldo, antigo rei e padroeiro da Áustria.

Por essa ocasião, a nova madrasta deu a Leopoldina um quadro em que se via a Catedral de Santo Estêvão, com um relógio que imitava as batidas do da torre e o toque de seus sinos. Queria com isso a nova imperatriz que Leopoldina tivesse "uma recordação de Viena no Rio de Janeiro".[27] Maria Clementina deu-lhe seu retrato em miniatura, e Carolina lhe presenteou com o livro *Adéle et Theodre ou lettres sur l'éducation*, de madame Genlis.

Leopoldina, em carta a Maria Luísa, comentou sobre o que estava lendo: "Agora para aprender a me ocupar da educação dos filhos, mas a linha do livro não me agrada muito."[28] Não é de espantar que a arquiduquesa não tenha gostado da "linha do livro". Madame Genlis, preceptora dos filhos do duque de Orleans, tinha por método de educar trancar-se com as crianças numa área do palácio

> [...] de onde suprimiu os brinquedos, as bonecas, as brincadeiras e os jogos, instaurando em seu lugar lições sem um instante de intervalo: leituras em voz alta, cursos de italiano, inglês, alemão que se entremeavam ao latim, ao grego, à geometria e ao direito.[29]

Além disso, diferentemente das práticas anteriores, Genlis era completamente contrária a bater nas crianças, preferindo os chamados "castigos morais" aos "castigos físicos". Ou seja, em vez de surrar seus alunos por não se comportarem ou não acertarem a lição, ela matava de fome algum de seus animais de estimação ou rasgava alguma das roupas preferidas de seus pupilos. Leopoldina não seria afeita a nenhum dos dois métodos, nem o de Genlis nem o dos castigos corporais. Quanto a estes, ficaria horrorizada com o costume da sua sogra, d. Carlota Joaquina, de esbofetear os filhos, inclusive d. Pedro já adulto, e temeria, futuramente, que sua primogênita, ao se casar e mudar-se para Portugal, fosse pela avó criada a sopapos.[30]

Agora que a madrasta já havia lhe explicado a respeito de "todos os seus deveres", a ideia de criar os filhos frutos dessas obrigações parecia um caminho natural a ser seguido e, pragmática, Leopoldina logo se pôs a estudar e pedir conselhos a esse respeito. Outra pessoa bastante prática, e que iria lhe fazer falta, pois não seguiria com ela ao Brasil, era a sua antiga preceptora, a condessa Von Lazansky, que a presenteou com uma lanterna de bronze para que "durante a viagem de navio, encontre minha cama que fica pendurada vinte degraus acima do chão". Também da condessa, ela receberia uma lista de conduta, chamada "Minhas resoluções", uma espécie de guia de comportamento moral que nortearia a sua vida de casada.

Tanto Navarro de Andrade quanto Marialva foram cumprimentar a princesa pelo seu dia. Eles "se ajoelharam e me beijaram a mão para meu (não pequeno) constrangimento". Marialva, em seu despacho para o Rio de Janeiro, informou que, ao cumprimentá-la, encontrou-a "rodeada de mapas do Brasil e de livros que contém a História deste Reino, ou Memórias a ele relativas".[31]

Na carta de 19 de novembro para Maria Luísa, escrita em alemão, Leopoldina termina da seguinte maneira: "Por um tempo não pude estudar português, mas agora já estou nos verbos e para provar que faço progressos nessa língua, termino minha carta assim: *Eu abrazo ti, minha boma, mile vezes, io restu sempre com a intima amizade e amu.*" Impossível segurar o sorriso, mas para quem havia começado a estudar o novo idioma um mês antes, o progresso era surpreendente.

Em dezembro melhoraria ainda mais. Com permissão do imperador Francisco I, Leopoldina passou a receber os dois diplomatas portugueses todas as segundas-feiras pela manhã,[32] quando aproveitava para se inteirar de seu novo país e mostrar o avanço de seus estudos. Em despacho ao Rio de Janeiro, Marialva comentou:

> [...] Por várias vezes sido admitidos à presença daquela augusta princesa, que sempre nos recebe, e nos trata com a maior benevolência; e a última vez que tivemos esta honra, dignou-se Sua Alteza Imperial, de ler, diante de nós, em um livro português, vertendo depois em francês, com a maior facilidade e exatidão, o que havia lido.[33]

No dia 26 de novembro, Leopoldina, aproveitando a partida de sua irmã Maria Clementina para a Itália, entregou a esta uma carta confidencial para ser dada a Maria Luísa. Não apenas no Brasil a sua futura correspondência seria violada e espionada, também o era na Áustria. Nessa carta, vemos que de tola Leopoldina não tinha nada e sabia bem qual era a sua função nesse casamento:

> [...] Fica calma, conheço teu amor por mim, sou feliz, sou feliz, faço a vontade de meu amado pai, e posso ao mesmo tempo contribuir para o futuro da minha amada pátria, *com as oportunidades que surgirão de novos contratos comerciais;* além disso, na opinião geral, não apenas dos portugueses, mas de todos os viajantes, o príncipe tem muito senso, bom coração e amor por seus pais. Mas a única coisa que temo é a minha futura senhora sogrinha, que, segundo o querido papai, dizem ser desleixada, intrigante; porém o rei é, ao que parece, um excelente soberano, que a mantém nas rédeas e os filhos afastados dela o máximo possível [...].[34] [grifo do autor]

O pai, com o passar do tempo, e vendo que as negociações caminhavam para uma solução positiva, tratou de instruir a filha quanto ao que a Áustria esperava dela no novo país e o que o Brasil reservava a ela. A sogra, Carlota Joaquina, realmente era uma pessoa difícil, e d. João seria para ela como um segundo pai. Quanto a d. Pedro, ela demoraria para se decepcionar completamente com o esposo. Porém ainda a faziam acreditar, não por maldade, que Leopoldina voltaria à Europa: "[...] Daqui a dois anos poderei estar de volta à Europa, pois como o príncipe ou o rei voltará para Lisboa, e mesmo que seja este último, teremos o pretexto de fazer-lhe uma visita de tempos em tempos."[35]

Ao mesmo tempo que o pai instruía a filha, ele também a inseria em formalidades sociais que ela detestava, como se nota pelos comentários dela à irmã: "Teremos diariamente as festas e banquetes; a época não é para isso, com tanta miséria",[36] ou "Somos torturados diariamente com os grandes banquetes e isso é aborrecido e me rouba tempo muito valioso".[37]

Mas, apesar dos suplícios, ela acabaria por reconhecer a necessidade disso tudo: "Temos banquetes diários de duas horas, com um grande número de convidados da nobreza; com isso já me tornei mais amável e aberta, o que é preciso, já que futuramente não poderei viver como eremita."[38]

Entretanto, se ela achava as cerimônias enfadonhas, das festas ela gostava. Leopoldina compareceu ao baile oferecido pelo embaixador inglês Charles Stuart em Viena, onde teria se divertido muito.[39] Anos depois, eles se reveriam no Rio de Janeiro. Em 18 de fevereiro, registrou: "Dancei desvairadamente nos bailes de carnaval da corte."[40]

Intrigas

O marquês de Resende, Antônio Teles da Silva Caminha e Meneses, embaixador brasileiro na Áustria, em despacho de 25 de setembro de 1824[41] para o imperador d. Pedro I, relataria uma conversa que teve com o diretor do gabinete de antiguidades de Viena. O funcionário relembraria haver externado a Leopoldina a apreensão das pessoas que a viam partir para um país tão distante, ao que a arquiduquesa havia respondido: "Não lhes dê isso cuidado; para mim não podia haver maior gosto neste mundo que o de ir à América."

A baronesa de Montet, nas suas memórias, faria eco ao que Leopoldina teria dito ao diretor do gabinete, que deve ter espalhado a resposta da arquiduquesa à corte:

> Quando o casamento da arquiduquesa Leopoldina com o imperador dom Pedro foi divulgado em Viena, inicialmente lamentamos muito que a jovem princesa fosse condenada a tal afastamento de sua família e pátria; no entanto, logo soubemos pelas pessoas mais próximas à princesa que ela estava encantada. Era muito instruída e amava apaixonadamente a botânica; a ideia de um mundo novo, de uma natureza tão diferente à da Europa, sorria-lhe ao extremo; chegamos a saber que há muitos anos ela sonhava conhecer a América.[42]

Mas, muito além da fofoca, buscava-se assustar a jovem. Chegou-se ao ponto, como narra o arquiduque Luís a Maria Luísa, de espalharem que o príncipe d. Pedro seria baixo e corcunda![43] Em ofício de 14 de outubro de 1816, o encarregado de negócios portugueses na Áustria, Rodrigo Navarro de Andrade, informava ao governo português no Rio de Janeiro:

> A sereníssima senhora arquiduquesa Leopoldina continua a manifestar a maior satisfação por motivo do seu futuro e tão desejado consórcio, com o sereníssimo senhor príncipe da Beira [d. Pedro], e tem repetido constantemente as pérfidas e astuciosas insinuações sugeridas indiretamente por intrigantes com o fim de amedrontar o seu ânimo, em razão do clima e da distância; mas tem-se felizmente conseguido baldar o efeito de tão cavilosas sugestões, às quais sua alteza imperial, firme no seu propósito, não dá ouvidos; e busca, pelo contrário, instruir-se em tudo quanto diz respeito à história do Reino Unido, às nossas gloriosas descobertas. Os ministros da família de Bourbon que aqui residem

> encobrem mal o ciúme que o projetado enlace lhes causa, e que muito desejariam ver malogrado.[44]

Além do susto da Inglaterra ao ver diminuir sua área de influência sobre Portugal, a ameaça de retirar suas tropas do território português caso d. João não retornasse à Europa falhava. Metternich e Francisco I não criaram nenhum atrito a respeito da ida de Leopoldina para o Brasil, e, além disso, a Áustria assegurou proteger Portugal no caso de a Espanha, governada pelos Bourbon, tentar anexá-la.[45]

D. Carlota Joaquina tentara exercer influência quanto ao retorno da Família Real portuguesa à Europa. Em carta para o irmão Fernando VII da Espanha, solicitara que este interviesse junto aos austríacos para que as bodas entre d. Pedro e a arquiduquesa só se realizasse quando a família retornasse a Lisboa.[46] A Inglaterra, como veremos mais adiante, também tentaria prejudicar a ida de Leopoldina para o Brasil.

Havia realmente muita gente enciumada com o casamento, e várias histórias seriam espalhadas em Viena. Segundo conversa entre o príncipe de Metternich e Navarro de Andrade, o chanceler austríaco teria dito que a jovem arquiduquesa afirmara:

> Desde que a minha sorte seja ligada à do príncipe que o céu me destinou, teria dito d. Leopoldina, meu dever e meus sentimentos me ditarão a lei, a que me devo submeter sem pesar de segui-lo por toda parte, de permanecer onde ele estiver e de nunca desejar que por minha causa a política da monarquia portuguesa tenha outra direção a não ser a que possa convir ao bem e à propriedade do Estado.[47]

O tratado de casamento

Em 26 de novembro, após diversas tratativas entre os diplomatas austríacos e os portugueses, o tratado de casamento entre Leopoldina e o príncipe d. Pedro estava concluído. Depois de analisado por Francisco I, foi assinado em Viena em 29 de novembro de 1816, às sete da noite, na casa do príncipe de Trauttmansdorff, mordomo-mor do imperador.[48]

O tratado, conforme narra Marialva em seu despacho, seguiu a ordem recebida por ele de se basear no último contrato de casamento realizado entre uma Habsburgo e um Bragança. Isso ocorrera 108 anos antes, em 1708, quando do enlace de Maria Ana da Áustria e d. João V de Portugal, bisavós de d. João VI.

Como menciona o marquês de Marialva, havia sido difícil fazer os cálculos de quanto valeria em 1816 o dote que foi pago pela Áustria na época. Após muitos cálculos, ele conseguiu atualizar o valor que a Áustria teria que pagar a Portugal pelo casamento, que seria, aproximadamente, de 93 contos de réis. Porém, em 1816, o dote de uma arquiduquesa era de 200 mil florins, que, convertidos, ficariam em 67 contos, aproximadamente. O marquês resolveu deixar por esse valor mesmo, "prevendo que haveria mui grande possibilidade de se contrair um novo enlace entre as duas augustas famílias portuguesa e austríaca, e que nesse caso, os ajustes agora feitos seriam recíprocos".

Ou seja, se Portugal insistisse em receber mais pelo casamento, depois teria que pagar o mesmo dote para a infanta Isabel Maria, que d. João VI pretendia ver casada com o irmão de Leopoldina, o futuro Fernando I. Mas esse outro projeto de casamento não vingaria.

No tratado, ainda ficava estabelecido, em nome do príncipe real, o contradote garantido por hipoteca sobre a totalidade das rendas do Reino Unido de Portugal, do Brasil e Algarves e dos bens da Coroa portuguesa. Ainda segundo o contrato, a futura princesa do Brasil, antes do casamento, renunciaria por juramento a todos os bens e direitos à herança materna e paterna. D. João prometia, pelo tratado, pagar a ela uma soma anual de 60 mil florins do Reno,[49] moeda austríaca da época, em mesadas de 5 mil ao mês, comprometendo-se a entregar imediatamente 60 mil como presente de casamento. Também a cargo de d. João ficaria a manutenção do casal de príncipes, encarregando-se o rei de prover todas as suas necessidades. Leopoldina levaria consigo joias no valor de 200 mil florins.[50]

Caso d. Pedro falecesse o contrato dispunha que Leopoldina receberia anualmente 80 mil florins, pagos trimestralmente, mais um palácio, além de baixelas, roupas brancas e todo o equipamento e mobília. O artigo XI previa o contrário: em caso de viuvez do príncipe, caso Leopoldina não deixasse disposições a respeito da terça parte da totalidade de seus bens, dos quais poderia dispor como quisesse, tudo passaria aos seus descendentes.

O tratado em si visava beneficiar ambas as partes, mas a realidade seria outra. Leopoldina não receberia com regularidade o valor prometido, e, quando isso ocorria, d. Pedro acabava ficando com o dinheiro. Após 1822, com a independência do Brasil, o tratado feito entre Portugal e Áustria seria completamente desconsiderado quanto às pensões, e uma dotação à imperatriz seria somente discutida em 1826 para ser levada para aprovação da Assembleia em 1827.

Também nos acordos entre os diplomatas, foi acertada a viagem de Leopoldina de Viena até o porto de Livorno, na Itália. Dessa cidade, ela embarcaria para o Brasil a bordo de navios portugueses. A viagem até Livorno ocorreria por conta do imperador Francisco I. Após a entrega oficial da princesa aos portugueses, a despesa seria custeada por d. João VI. Além desses acertos, ficou estabelecido, por insistência do imperador,[51] que, diferentemente do costume austríaco, seguiria junto com Leopoldina uma corte formada por preceptora, que assumiria o posto de dama de companhia, e outras damas austríacas. Isso enfureceria as damas portuguesas inicialmente convocadas para a viagem, sobretudo a condessa de Linhares,[52] que já haviam recebido ordens anteriores para partir de Portugal acompanhando a princesa ao Brasil.

Marialva, no seu despacho a respeito do tratado de casamento, chama a atenção para o nome de d. Leopoldina que aparece nele. Afirma que a ordem correta seria: Carolina Josefa Leopoldina, e não Leopoldina Carolina Josefa, o que contradiz com o termo de seu batismo.[53] Isso fez com que, na época de sua chegada ao Brasil, fosse chamada de Carolina e não de Leopoldina. Parece que ninguém na capital brasileira prestara qualquer atenção ao restante do aviso de Marialva: "Esta diferença de nome, em nada influi [...] tanto mais que a dita Sereníssima Senhora é aqui vulgarmente conhecida debaixo do nome de Leopoldina."[54]

A grande entrada de Marialva

As "entradas", tanto as reais quanto as diplomáticas, já caíram havia muito em desuso. Na França, ficaram conhecidas as "entradas" dos reis nas cidades, cuja população, principalmente os políticos e os comerciantes, preparava grandes festividades para receber seu soberano. Procurava-se sempre ofuscar em magnificência e luxo as festas da cidade anteriormente visitada pelo monarca. Marialva, com toda a questão do contrato resolvida, faria uma entrada triunfal em Viena para pedir oficialmente a mão de Leopoldina para o príncipe d. Pedro.

Essa "chegada" era na verdade uma grande simulação: Marialva já estava na cidade fazia semanas negociando o tratado, mas só então iria mostrar que chegava "oficialmente". Ele representava o seu rei, o seu país e o príncipe d. Pedro, seu futuro governante; devido a isso, toda pompa seria pouca. A intenção era fazer a melhor figura possível e encantar a todos com o pedido oficial e, posteriormente, com a festa de casamento.

D. João, que não ficou propriamente conhecido por ser um estadista que gastava demasiado, abriu exceção para a embaixada do marquês de Marialva. O rei compreendia quanto era importante impressionar a Europa com as riquezas do novo Reino americano e a pungência do Reino Unido recém-criado. Se para o casamento em que levava uma Habsburgo para o Brasil a gastança era necessária, quanto mais quando projetava ver sua filha casada com o futuro imperador da Áustria.

Tanto a imprensa vienense quanto os comunicados do governo austríaco fizeram menção ao Brasil, e não a Portugal, durante o casamento e as festividades que se seguiram. Marialva conseguiria efetivamente deixar sua marca, fazendo crer a uma Europa arrasada pelas guerras que nenhum outro país poderia fazer frente às riquezas brasileiras em tamanho luxo e esplendor.

Em 17 de fevereiro, após três meses de preparos e ensaios, foi realizada a entrada oficial do marquês em Viena como embaixador plenipotenciário del Rey. Como parte de toda a encenação, o príncipe de Schwarzenberg emprestou a Marialva o seu palácio, localizado nos arredores de Viena, de onde o marquês recebeu o comunicado do marechal da corte austríaca, conde de Wilschek, de que este partiria às duas horas da tarde para encontrá-lo, junto com um gentil-homem da corte austríaca, para seguirem juntos ao palácio imperial.[55]

Um impressionante desfile de carruagens e de criados seguiu-se. Abriam caminho dois arqueiros a cavalo, seguidos pelas carruagens dos ministros, conselheiros de Estado e camaristas do paço, além de oito príncipes e nove condes. Todas as carruagens eram puxadas por seis cavalos e iam guardadas por criados a pé vestidos de librés.[56] Num coche da Casa Imperial, vinha Rodrigo Navarro de Andrade, com o mestre de cerimônias do marquês de Marialva e o gentil-homem que veio com o marechal da corte. A cada lado da carruagem, seguiam dois empregados com a libré da Casa Imperial; mais atrás, vinham os criados do mordomo-mor do imperador com librés de gala.

Ao final desse cortejo, tinha início o desfile do imponente séquito de Marialva: dois porteiros, dois volantes, dezessete criados, vinte guarda-roupas, dez oficiais, todos vestidos com os uniformes da casa do marquês, com galões e bordados em ouro e prata, barretes de veludo e chapéus com plumas. Atrás, vinha o coche do mordomo-mor, com Marialva sentado de um lado e o mordomo à sua frente. Nas laterais da carruagem, seguiam a pé quatro criados vestidos com a libré da casa imperial dos Habsburgo. Seguiam mais atrás, a cavalo, o estribeiro do mordomo-mor e o do marquês, em farda escarlate com galões em ouro. O veículo era guardado por seis pajens e dois criados, todos montados.

Atrás disso tudo, vinham dois belíssimos cavalos, cobertos de veludo vermelho com bordados em ouro, em que se viam o brasão de armas de Marialva. Ambos os cavalos eram levados pela mão de dois criados, seguidos de dois moços de estribeira. Ainda seguiam as carruagens dos embaixadores de Espanha, Inglaterra e da França e, mais atrás, duas carruagens do marquês, sendo uma delas de gala, que veio especialmente de Paris. Digna de um rei, recoberta de dourados, possuía ricas pinturas, e o interior era belamente forrado.[57]

Próximo à Porta de Carinthia, na casa do conde de Althan, encontravam-se o imperador, a imperatriz e Leopoldina, que dali assistiam ao show. Toda Viena, imitando seu soberano, afluiu para ver a passagem de tão magnífico desfile. Ao longo do trajeto, tropas austríacas guarneciam a passagem até a casa em que Marialva havia se estabelecido na Praça dos Minoritas.

No dia seguinte, 18 de fevereiro, foi realizado o pedido oficial da mão de Leopoldina. Marialva, conduzido ao palácio pelo conde de Zinzendorf, passou por diversos aposentos apinhados de diplomatas estrangeiros, guardas, oficiais, ministros e conselheiros. Além destes, a nobreza que se encontrava em Viena compareceu em peso, encabeçada pelos príncipes da Casa Imperial.

Por fim, Zinzendorf e o marquês chegaram à sala do trono, onde a Família Imperial o aguardava. Lá, Marialva fez o seu pedido formal e recebeu o aceite do imperador. Leopoldina, de viva voz perante toda a corte, confirmou a concordância dada pelo pai em seu nome com um discurso. Nesse mesmo dia, confessou a Maria Luísa que a cerimônia fora

> [...] um dos momentos mais angustiantes por que já passei, duas horas antes do meu pedido, podes imaginar minha querida, quantas ideias e sentimentos se impõem em minha cabeça, que está dividida entre a alegria de minha futura e feliz união e a dor de me separar de tudo que me é tão caro [...]. Graças a Deus o pedido já aconteceu, mas por constrangimento tive que ler a metade de meu discurso embora o tivesse decorado perfeitamente; todos ficaram satisfeitos comigo. O mesmo aconteceu com Marialva e com a querida mamãe em seus discursos.[58]

O espanto causado pela embaixada de Marialva a Viena só havia começado. O marquês, que recebia por esse trabalho um ordenado de 19 contos de réis, além de ajuda de custo, tinha a sua disposição, posto por d. João, um crédito de 10 mil libras esterlinas para todas as despesas que precisasse realizar. Para aumentar ainda mais o esplendor da embaixada, Marialva recebeu do Rio de Janeiro 167 diamantes, no valor de quase 7 mil libras, além de dezessete barras de ouro, condecorações cravejadas de pedras preciosas e diversos outros itens, como caixas com o retrato de d. João VI, relógios, anéis e caixas de ouro.

O pai de Leopoldina, o irmão, a nova imperatriz, a própria arquiduquesa e outros dignitários receberam as condecorações; o príncipe de Metternich e outros envolvidos nas negociações, além de comendas, receberam pagamentos em dinheiro. Ninguém foi esquecido, nem mesmo a preceptora, condessa Von Lazansky, e as damas e meninas de honra da arquiduquesa. Até mesmo os pajens e os criados mais baixos da hierarquia receberiam algum presente. O arcebispo de Viena, pela realização do casamento, ganharia uma cruz peitoral de ouro cravejada de pedras preciosas. Mas o que realmente causou espanto foi o presente que a arquiduquesa recebeu do Brasil.

Desde a chegada de Marialva se aguardava a vinda de um retrato do príncipe d. Pedro. Leopoldina, ansiosa em saber o aspecto do noivo, comentou diversas vezes para Maria Luísa sobre os navios recém-atracados que poderiam tê-lo trazido e das promessas de Marialva de que em breve ele chegaria. Finalmente, em abril, o retrato, na realidade uma miniatura, foi apresentado à arquiduquesa. Segundo o marquês, em ofício de 8 de abril de 1817:

> Por extremo agradou à Sereníssima Senhora Arquiduquesa a fisionomia de S.A. o Príncipe Real, dizendo-me a mesma senhora que muito coincidiam as feições que observava naquele retrato com a ideia que ela formava das virtudes morais possuídas pelo augusto original dele. Sem dúvida foi grande a impressão que fez no ânimo de S.A.I. a magnificência da cercadura que guarnecia o retrato; e ainda que a Senhora Arquiduquesa mais se atentasse, em afetação, a imagem de seu Real futuro esposo que ao riquíssimo ornato que a adornava, não deixou contudo de me expressar o quanto a enchia de satisfação e reconhecimento um tão magnífico presente. Porém a camareira-mor da mesma Senhora e o mordomo-mor, que se achavam presentes, estavam como surpreendidos de ver a beleza daquela joia, asseverando-me que jamais se tinha visto aqui, nem mesmo se havia formado ideia de tal riqueza.[59]

O pequeno retrato de d. Pedro veio emoldurado com brilhantes e acompanhado de um colar. De acordo com um inventário de suas joias realizado em 1827, aproximadamente, essa peça figurava como a mais cara pertencente a Leopoldina. Custando mais de 68 contos de réis, o que daria hoje cerca de 2,5 milhões de reais,[60] a peça foi assim descrita:

> Uma medalha com o retrato de S.M. o Imperador, cujo círculo tem dezessete brilhantes grandes quadrados, que não são muito iguais na cor nem em tamanho; tem mais três ditos empregados na coroa que servem de arremate a mesma medalha advertindo que um dos três é muito maior que todos os outros; tem mais outros muitos miúdos de vários tamanhos. Prende esta mesma medalha em um colar que tem oitenta e dois ditos brilhantes que seguem do meio para as pontas gradualmente de maior a menor [...].[61]

Futuramente, a viajadíssima e cultíssima inglesa Maria Graham, ficaria escandalizada com tal peça: "Os brilhantes, que circundam o retrato do Imperador que ela usa, são os maiores que já vi."[62]

Além de Graham, a riqueza da joia causou espanto à condessa Von Lazansky e ao mordomo-mor, conde Edling, conforme Marialva diria em despachos. Até o príncipe de Metternich teria observado que só nas fabulosas crônicas orientais é que se poderia encontrar a descrição de algum objeto semelhante.[63] Entretanto, Leopoldina parece não ter dado muita atenção a essa exuberância. Limitou-se num pós-escrito numa carta a Maria Luísa a mencionar que os "brilhantes na moldura do retrato são do tamanho do solitário que papai tem em seu chapéu da Toscana".[64] Gostara mais do retrato de d. Pedro, especialmente dos olhos e do "belo nariz". Quanto aos lábios, "são ainda mais grossos do que os meus".

Em 12 de abril, em carta à tia Maria Amélia, comentou: "[...] chegou o retrato do príncipe; minha impressão é de que ele é agradável, e sua fisionomia exprime muita bondade e bom humor; além disso, todo mundo garante que é muito amado pelo povo e bastante aplicado."[65] Após ter afirmado a Maria Luísa que o príncipe "não era excepcionalmente bonito", a paixão que passara a idealizar cegou-a:

> O retrato do príncipe está me deixando meio transtornada, é tão lindo como um Adônis; imagina uma bela e ampla fronte grega, sombreada por cachos castanhos, dois lindos e brilhantes olhos negros, um fino nariz aquilino e uma boca sorridente; ele todo atrai e tem a expressão *eu te amo e quero te ver feliz*; asseguro-te, já estou completamente apaixonada; o que será de mim quando vir o príncipe todos os dias?[66]

Por essa época, Leopoldina teve autorização de escrever à sua nova família, aos reis, ao príncipe e às cunhadas. Todas as cartas eram formais e protocolares, as chamadas "cartas de gabinete". Protocolares ou não, a arquiduquesa acabou passando mal de nervoso ao ter que escrevê-las.[67]

Em 16 de abril, Marialva e sua embaixada brilharam mais uma vez em Viena. Dessa vez, foi numa festa em sua residência para comemorar a ascensão de d. João VI ao trono português. Fazia um ano e meio que a rainha d. Maria I havia falecido no Rio de Janeiro. Foram convidados para o evento quatrocentas pessoas, além do imperador e família. Leopoldina diria a respeito da festa:

> [...] Foi esplêndida; nunca vira antes pompa e elegância como aquelas, pois tudo brilhava de ouro, prata e só se viam, graças a Deus, rostos alegres; para o meu maior constrangimento, ele [Marialva] dançou comigo a primeira polonaise e isso só nós, pois nenhum outro casal nos seguiu; a embaixatriz espanhola fez as honras de anfitriã [...] depois de ter atravessado todo o salão e de as damas quase terem me arrancado o retrato do príncipe, fiquei com ela e falamos um pouco, em português, para me informar direito sobre minhas cunhadas, pois as outras damas não precisavam saber dos detalhes; aliás, te asseguro que me senti muito melhor entre os portugueses do que em meio à nobreza vienense.[68]

D. Pedro em 1816
desenhado por Debret.

"Maria" Leopoldina

É curioso o seu comentário a respeito de se sentir melhor entre os portugueses do que com os seus conterrâneos. Talvez um modo de ensaiar o distanciamento natural que ocorreria, ainda mais com a perspectiva de, em breve, assinar o Ato de Renúncia. Por meio deste, ela deixaria de ser uma austríaca e de ter qualquer pretensão à herança e à coroa de seu pai.

A cerimônia da assinatura do ato ocorreu no domingo, 11 de maio, ao meio-dia e meia, na sala do Conselho Privado, na Hofburg. Presentes à cerimônia estavam oficiais de várias repartições da corte imperial, ministros de Estado, conselheiros, o arcebispo de Viena e o marquês de Marialva, além do imperador.

Diante da audiência, Leopoldina teve que jurar, com a mão nos evangelhos, que renunciava por si e por todos os seus descendentes masculinos e femininos a sucessão dinástica ao trono da Áustria. Também abria mão de qualquer bem móvel, imóvel ou de qualquer natureza que porventura pudesse herdar da parte de seus pais.

O ato, de doze páginas, foi assinado em primeiro lugar pelo marquês de Marialva, seguido de mais de cinquenta dignitários. Encerrando o documento, aparece a assinatura de Leopoldina, que, pela primeira vez, segundo consta, teria assinado o nome que viria a adotar como princesa brasileira e posteriormente imperatriz do Brasil: Maria Leopoldina.[69]

Após a conversa com a embaixatriz da Espanha e as cartas protocolares que enviou às cunhadas, deve ter percebido que todas as irmãs de d. Pedro levavam o "Maria" no nome: Maria Teresa (1793-1874), Maria Isabel (1797-1818), Maria Francisca (1800-1834), Isabel Maria (1801-1876), Maria da Assunção (1805-1834) e Ana de Jesus Maria (1806-1857). Era uma forma de homenagear a Virgem e invocar sua proteção às crianças portuguesas. Esse nome, até os dias de hoje, é um dos mais populares em Portugal.[70] Perdia Leopoldina uma família e uma pátria, recebia outra em troca e preparava-se da melhor maneira para agradar a todos com isso, conforme séculos de educação dos Habsburgo haviam ensinado.

Publicamente, Leopoldina fazia tudo o que esperavam dela e o que a haviam instruído a fazer. Mas, intimamente, tinha suas dúvidas e incertezas, e estas aumentavam à medida que encurtava o tempo de sua permanência em Viena:

> [...] Penso quantas despedidas ainda terei de suportar, não paro mais de chorar, mas a corajosa decisão está tomada e por isso tem que ser executada com as maio-

res audácia e firmeza que me forem possíveis e fica convicta de que, caso me horrorize diante dos perigos do mar, terei senso e conseguirei superar a mim mesma, para que nenhum dos companheiros de viagem perceba algo [...].[71]

O casamento

Terça-feira, 13 de maio, foi a data escolhida para o casamento de Leopoldina, por procuração. Era costume, quando os noivos estavam em lugares distantes, que a mulher se casasse perante a Igreja com um representante do futuro marido antes de seguir viagem para encontrá-lo. Marialva havia recebido duas procurações, uma em nome do arquiduque Carlos, tio da noiva, e o outro em nome de Fernando, o irmão mais velho de d. Leopoldina. Quem acabaria por representar d. Pedro seria Carlos, antigo generalíssimo dos exércitos austríacos que enfrentara Napoleão.

Aparentemente tomada por superstição, Leopoldina teria pedido que a data fosse alterada. O treze recordava-lhe acontecimentos ruins. Nesse dia, a mãe morreu, Maria Luísa partiu da Áustria para a França, e Napoleão invadiu Viena. Sem conseguir autorização de d. João para mudar a data, Marialva manteve-a. O ardiloso embaixador, que, como já visto, não tinha nenhum escrúpulo em mentir, pode mesmo não haver solicitado qualquer mudança. Afinal, 13 de maio era o aniversário do rei d. João VI, e homenagear seu amo e senhor devia ter uma precedência, no código de conduta de Marialva, sobre se deixar levar por superstições femininas.

Toda a Casa Imperial, a família, conselheiros e funcionários reuniram-se às seis e meia da tarde na Hofburg junto com o marquês de Marialva. Em cortejo pelo palácio, seguiram até a Igreja de Santo Agostinho. Primeiro, vinham os dignitários, seguidos pelos irmãos de Francisco I e por Fernando, herdeiro do trono. Depois vinha o arquiduque Carlos, ao lado do marquês de Marialva. Acompanhados pelos capitães da Guarda Imperial, príncipes Esterházy e Lobkowicz, seguiam Francisco I e a imperatriz. Ambos conduziam Leopoldina pela mão.

A noiva usava "um vestido terrivelmente pesado e adorno na cabeça",[72] e a longa cauda era carregada pelas damas da corte.[73] Segundo o jornal *Allgemeine Zeitung* de 22 de maio, a arquiduquesa estava linda, usando "uma tiara e o retrato do esposo, rodeado de diamantes, no peito. Seu traje estava enfeitado com brilhantes". Camaristas, ao longo dos corredores, formavam alas dos dois lados. Na entrada da igreja, foram recebidos pelo arcebispo de Viena e seus assistentes. A cerimônia iniciou-se às sete horas da noite, e, em seu término, foi cantado o hino ambrosiano em louvor.[74] Segundo a baronesa de Montet, presente ao evento:

> Assisti à cerimônia do casamento em Viena, na igreja dos agostinianos, paróquia da corte; o arquiduque Carlos, tio da jovem arquiduquesa, desposou-a por procuração em nome de dom Pedro. A corte cintilava de joias e adereços, uniformes e diamantes. O imperador bocejou durante toda a cerimônia; a augusta desposada parecia absolutamente calma.[75]

Após o serviço, a Família Imperial retirou-se para os seus aposentos particulares no palácio, onde Leopoldina recebeu os cumprimentos do corpo diplomático, dos ministros, dos conselheiros de Estado e dos cortesãos. Em seguida, foi servido o banquete de casamento nos salões de gala.

Toda a cidade e o palácio iluminaram-se naquela noite. O imperador e a família foram recebidos no salão de banquetes com música de trombetas e de timbale. À enorme mesa, montada em formato de ferradura, Leopoldina sentou-se ao lado direito do pai, enquanto o arquiduque Carlos sentou-se do lado esquerdo. Quando Francisco I brindou pela primeira vez à saúde dos noivos, um sinal foi dado, e ouviu-se uma salva de canhões vinda do lado de fora do palácio, que foi respondida do lado de dentro com o início da música tocada pela orquestra da corte, que acompanhou toda a refeição.

A festa do "Baile Brasileiro"

O grande baile para comemorar as núpcias reais estava marcado para ocorrer no dia 26 de maio. Marialva escolheu para cenário da suntuosa festa que preparara o Real Jardim do Augarten. O arquiteto Karl Moreau, membro da Academia Imperial de Belas-Artes, levou cerca de dois meses reformando, construindo e redecorando o local.

Para termos uma ideia de como era, vamos ver como um dos jornais de Viena, o *Österreichischer Beobachter* nº 180, de 12 de junho de 1817, descreveu o parque e o edifício:

> Da entrada desse jardim [o Augarten], uma ampla alameda conduz a um pátio quadrado. Em frente se encontra o velho Pavilhão de Recreio, uma construção térrea alongada, em cujo centro um corredor conduz ao jardim. À direita e à esquerda dessa passagem encontram-se duas salas e em seguida dois grandes salões. Atrás do Pavilhão encontra-se uma grande praça de forma semicircular limitada pelo jardim. À esquerda desse largo, o qual por sua vez, à sua direita é circundado por espessas árvores, uma alameda conduz até o Danúbio.[76]

Entre o pátio e a alameda, Moreau projetou e construiu para Marialva um templo com um pórtico sustentado por seis colunas. Na entrada do pátio, circundado por vasos, ergueu um portal em estilo dórico. O templo greco-romano era acessado por uma enorme escadaria ladeada por duas estátuas gigantescas. Na portada da entrada, estavam os brasões de armas dos Bragança e dos Habsburgo.

Pavilhão de Recreio no Real Jardim do Augarten transformado por Marialva para a festa de casamento de Leopoldina.

O templo e as salas eram iluminados por dezenas de milhares de velas, todas colocadas em cúpulas de vidro. O interior destas, revestido de dourado, fazia com que as luzes das lâmpadas brilhassem feito ouro. As carruagens deixavam seus ocupantes em passagens cobertas existentes nas duas laterais do templo. Ao desembarcar, os convidados entravam por uma antessala circundada de colunas da qual se chegava ao antigo pavilhão. Pelo corredor de ligação entre as duas edificações, havia uma floresta composta por milhares de flores exóticas que levava aos dois grandes salões do edifício, ligados a duas novas alas construídas por Moreau que serviam de salas de jantar. Nestas, foram instaladas nove enormes mesas redondas no centro, cada uma com uma imensa cesta de flores de onde saíam grandes castiçais dourados. Ao redor, foram colocadas dezoito mesas menores.

A ala direita do prédio foi reservada à Família Imperial, a esquerda, aos demais convidados. No salão onde ficaram os Habsburgo, a decoração foi feita para lembrar uma tenda. O espaço era dividido em dois. Num deles, iluminados por dois gigantescos lustres dourados, encontrava-se a mesa destinada à família. Seus assentos eram estofados em seda branca com franjas douradas. O tecido da tenda descia do teto e era ladeado por elegantes colunas pintadas de ouro. O restante do salão era reservado para os altos escalões da corte e para o corpo diplomático.

Atrás do velho pavilhão, Moreau construiu um grande salão de baile circular encimado por uma cúpula. Quatro edificações em formato de templos ao redor dessa tinham funções diversas: um funcionava como entrada e antessala do salão de baile, e os outros, para descansar os pés exaustos de tanto dançar, para jogar e para conversar.

Trinta e duas colunas com decorações florais sustentavam a cúpula do salão de baile, pintada com motivos idênticos. No alto, aberturas possibilitavam a renovação do ar. Ainda complementando a decoração, dez imensos espelhos colocados ao longo das paredes multiplicavam o público do salão, que variava entre 1.500 e 1.800 pessoas.

O marquês contratou Joseph Wilde para compor as danças. O compositor trabalhava na Redoutensaal, originalmente uma sala de ópera construída dentro da Hofburg pela bisavó de Leopoldina. Por ela, passaram Salieri, Mozart, Beethoven e Paganini. Nela, Wilde possuía o cargo de diretor musical dos bailes da corte. Afinal, Marialva queria o melhor.

Joseph Wilde, que havia composto diversas músicas para as festas ocorridas durante o Congresso de Viena, foi o responsável pela introdução de uma nova dança: a valsa. Para a festa de casamento, ele compôs as *Tänze des Brasilianischen Ballfestes* (Danças do baile brasileiro): uma *polonaise*, oito valsas e uma quadrilha. Toda a composição dessas peças e a leitura delas como um todo é bastante interessante.

A *polonaise*, ou polaca, como era chamada no Brasil, até hoje marca a abertura de diversos bailes na Europa. Na época de Leopoldina, e mesmo depois, a música acabou assumindo uma qualidade emocional exacerbada, com contrastes entre a majestade e a melancolia de seus acordes. Esses sentimentos passaram a identificar o espírito do povo polonês, que via o seu país ser constantemente dividido entre as diversas potências da época. Assim como os poloneses não perderam nunca a esperança e a dignidade, a noiva mantinha a pose, exibindo-se majestosa perante a dor da partida e o futuro incerto num Reino de um continente desconhecido.

As oito valsas, que ocuparam a maior parte do baile, marcavam a preponderância austríaca. A dança que começara a ser popularizada durante o Congresso de Viena passou a dominar todos os salões da Europa em pouco tempo, sendo tocada de São Petersburgo a Londres. Quanto à quadrilha, dança de origem francesa, na composição de Wilde, aparece descaracterizada, "reduzida à metade (em vários sentidos, incluindo o estrutural, o formal e o fraseológico) simbolizando o desprestígio merecido pela França".[77] Perante os vencedores de Napoleão, sobretudo os líderes do Congresso de Viena e cabeças da Santa Aliança, a nova monarquia francesa não passava de um arremedo, uma vez que o poder do rei havia sido parcialmente retirado por um parlamento eleito pelo povo.

Tudo na vida de um príncipe, no caso, na vida de Leopoldina, não era simples. Não era apenas um baile, não era apenas um casamento: eram oportunidades de se estabelecer alianças, fazer-se política e mostrar ao mundo o poder de dois países e duas dinastias. A festa de casamento de Leopoldina era só o pretexto para tudo isso ser externado publicamente e de maneira tão grandiosa.

O perfeccionista Marialva, que conseguia imaginar formas cada vez mais surpreendentes de encantar e deslumbrar Viena, não conseguia, porém, controlar o estado de saúde das pessoas, nem o tempo. Leopoldina, desde o início do ano, padecia de uma tosse e indisposição, talvez de fundo nervoso, que ia e vinha. Em 24 de maio, ela escreveu para Maria Luísa que uma "tosse horrível" vinha fazendo-a sofrer havia quatro dias, "principalmente no nariz".[78]

Outro problema com Leopoldina, apontado pelo seu principal biógrafo, Carlos Oberacker, era que a princesa tinha o "costume de reagir contra o nervosismo [...] comendo, e comendo muito, como meio de se distrair e vencer a melancolia".[79] E o corpo, posteriormente, cobrava essa entrada maciça de comida. Em diversos momentos, em suas cartas, ela diz sofrer com cólicas. Sua partida de Viena teve que ser adiada, devido a "uma cólica terrível [...] a qual me obrigou a obrar 27 vezes".[80]

Devido à indisposição de Leopoldina, o grande baile acabou tendo que ser adiado para 1º de junho, um domingo. O banquete só não foi completamente perdido para os doentes nos hospitais e para os pobres, que se refestelaram com as guloseimas que lhes foram doadas.

Esperado com ansiedade, finalmente o dia remarcado para o baile surgiu. E os céus desabaram dispostos a inundar Viena. Uma chuva torrencial desabou sobre a cidade por duas horas ininterruptas, das oito às dez horas da noite, impedindo os convidados de aproveitarem o jardim e a iluminação que chegava até o rio Danúbio. Às nove, chegou Leopoldina, com a família e a corte.[81] Estiveram presentes todos os arquiduques e arquiduquesas, o duque de Saxe-Teschen, o príncipe real da Baviera e sua esposa e todos os embaixadores estrangeiros.[82]

A duquesa de São Carlos, embaixatriz da Espanha, serviu novamente de anfitriã ao solteiro Marialva. O marquês e Leopoldina abriram o baile dançando a *polonaise*, em seguida, ela dançou com o embaixador da Espanha e com Rodrigo Navarro de Andrade. As danças continuaram até as onze horas, quando foi servido o jantar para 1.200 convidados. A "Família Imperial foi servida em baixela de ouro, e os outros convidados, em baixela de prata".[83] A corte ceou numa mesa de quarenta talheres.

O banquete, farto, terminou à uma hora da manhã, quando então retomaram as danças. A Família Imperial permaneceu até as duas, terminando o baile às quatro.[84]

Planejava-se uma festa para a população vienense para os dias seguintes, mas, depois do custo que Marialva teve ao cancelar o baile da primeira vez, esse projeto acabou sendo descartado. Entretanto, o pavilhão e suas construções ficaram abertos à visitação, e no local chegaram a ser dados bailes em benefício de instituições de caridade. Os acréscimos foram posteriormente desmontados, e o material, doado para instituições filantrópicas.[85]

Um drama italiano

EM 2 DE JUNHO, Leopoldina foi rezar de tarde na Igreja de Nossa Senhora Auxiliadora, suplicando por uma viagem tranquila. No dia seguinte, assistiu à missa das seis horas na igreja da corte e tomou uma refeição matinal com os pais e os irmãos, quando então se despediu. Por volta das sete, iniciou a viagem em direção à Itália. Seu destino era o porto de Livorno, onde, segundo informavam, os navios de guerra portugueses que iriam levá-la ao Brasil já estavam para chegar.

A perspectiva de rever a irmã Maria Luísa e outros familiares animava-a, mas a despedida foi dolorosa, conforme relatou o jornal *Allgemeine Zeitung*:

> Notou-se os olhos cheios de lágrimas, já quando saiu do quarto, conduzida pelo irmão, o príncipe herdeiro, enquanto suas majestades na saída do seu apartamento ficaram parados até que perderam de vista a querida filha. Todas as saídas do palácio eram abertas e os corredores cheios de pessoas que queriam desejar uma boa viagem a S.A.R. A bondosa princesa estava muito comovida. Muitos dos presentes tinham os olhos cheios de lágrimas e invocavam em voz alta, as bênçãos de Deus. As carruagens estavam prontas e a viagem iniciou cheia de esperanças.[86]

As mais de quarenta malas, que na realidade eram caixas enormes, da altura de homens, já haviam partido de Viena antes. Seguia Leopoldina com a sua comitiva particular, constituída pelo seu velho mordomo-mor, o conde Edling, seis damas, quatro pajens, seis nobres húngaros, seis guardas austríacos, seis camaristas, um esmoler-mor,[87] um capelão e um bibliotecário,[88] além de um secretário particular, um médico, ao qual se juntariam mais dois médicos portugueses, um professor de pintura e Franz Joseph Frühbeck, que atuaria como auxiliar de bibliotecário, além de pintor amador, como já visto. Somente parte dessa corte que Leopoldina levava embarcaria com ela para o Brasil. Os demais a seguiriam apenas até Livorno, onde aguardariam a sua partida.

Foram feitas diversas paradas no primeiro dia, para troca dos cavalos e para alimentarem-se. Às cinco da tarde, chegaram à cidade em que passariam a noite, Mürzzuschlag, na Estíria, de onde Leopoldina escreveu para o pai às oito da noite: "O senhor pode imaginar que ainda estou muito triste e não me acostumei com a ideia de ficar separada muito pouco e não seguidamente." Ao final da carta, como fizera sempre até então, informava que a preceptora enviava lembranças: "A condessa de Kühnburg[89] lhe apresenta os seus respeitos; estou muito feliz por o senhor tê-la escolhido para mim, porque gosto muito dela."[90]

A condessa de Kühnburg

Das 24 damas que se apresentaram para servir Leopoldina na viagem à Itália e em seguida ao Brasil, poucas foram as escolhidas, entre estas estava:

> [...] a condessa Kühnburg, cujo sobrenome de solteira é Kufstein, é que será minha preceptora superior e, em seguida, minha dama de companhia; além disso, terei a companhia da condessa de Sarnthein, assim como a condessa Lodron.[91]

A preceptora anterior de Leopoldina, a condessa Von Lazansky, não seguiu com a pupila. Permaneceria na Áustria, onde se tornou dama de companhia da imperatriz. Quem a substituiu foi a condessa Maria Ana von Kühnburg (1782--1824), apelidada de "Nanny". Maria Ana era filha da alta aristocracia imperial. Seu avô materno, Franz de Paula Karl, conde Von Colloredo, havia sido o último vice-chanceler do Sacro Império Romano-Germânico. O pai de Nanny, Johann Ferdinand III, conde de Kuefstein, e o marido dela, Karl Joseph, conde de Kühnburg, serviam ao imperador Francisco I.

Nanny teve o seu nome proposto e seguia com a arquiduquesa por interesse do marido e do pai, ávidos pelas graças que obteriam pelo serviço diretamente prestado por um membro de sua família aos poderosos Habsburgo. Entretanto, ela era uma mulher depressiva que fez a viagem a contragosto e, certamente, não foi uma das melhores companhias para Leopoldina. Até o último momento, a condessa alimentou a esperança de que pudesse ser substituída por alguma dama portuguesa em Livorno e não ser obrigada a seguir com a princesa até o Brasil.

Será ela, às vezes rabugenta, às vezes preocupada com o futuro de Leopoldina, que nos levará por essa viagem da Europa ao Brasil num relato até agora inédito. Nanny manteve correspondência com diversos membros da família, em especial com o pai. Muitas vezes, não escrevia ao marido, mas sim àquele, que era sua prioridade. Também fez um "grimório", como chama um diário de viagem, para presentear a sua melhor amiga e confidente Ernestine.

As narrativas, como era de esperar, são diferenciadas. Ao pai, a correspondência revela mais o dia a dia da viagem, os problemas ocorridos, as descobertas ocasionadas pelo longo percurso de navio e a chegada a um país muito diferente. Para Ernestine, ela guardará os desabafos mais íntimos, inclusive a respeito da princesa.

Logo no primeiro dia, a condessa, em carta ao pai, conta sobre a viagem e sua aproximação a Leopoldina:

> Meu bom e querido pai! Chegamos precisamente às 17 horas ao alojamento noturno, o dia estava lindo, a arquiduquesa passou muito bem e estava muito alegre; já no segundo posto[92] ela se mostrou tão boa, tão boa para mim; nós conversamos, discorremos, lemos muito; ao meio-dia, paramos em Neustadt, onde a arquiduquesa, que há alguns dias não se alimentava, comeu com muito bom apetite na sua carruagem, em público, havendo centenas de pessoas reunidas em torno [...]. O ar lhe fez um bem infinito [...]; às 17 horas nós chegamos, jantamos a quatro, a arquiduquesa, Edling, Floret e eu, em seguida escrevi para Marialva; à dona Lazànsky eu tinha escrito do terceiro posto; e em seguida outra leitura à arquiduquesa que tinha ido deitar, agora cá estou consigo pois ela já está dormindo, mas meu bom papai um instante só pois eu tenho de me deitar também para não fazer barulho [...]
>
> Sua Nanny.[93]

Maria Luísa

Continuando a viagem, Leopoldina passou por Indenburg em 4 de junho.[94] No dia 5, de Klagenfurt, escreveu ao pai revelando a sua crescente ansiedade: "[...] A ideia de estar cada vez mais me aproximando do lugar onde reencontrarei nossa boa Luísa me deixa feliz e ao mesmo tempo ansiosa, tanto, tanto que gostaria de chegar em Pádua mais rápido [...]."[95] Ainda levaria mais alguns dias. Após deixarem Klagenfurt, chegariam no dia 6 a Pontoba. No dia 7, ficariam em Conegliano e no dia 8 finalmente atingiriam Pádua,[96] onde Leopoldina passaria dois dias junto da irmã querida.

Durante os meses que antecederam o seu casamento, Leopoldina planejara a viagem, com os pontos turísticos e as paisagens que gostaria de conhecer no percurso entre Viena e o porto de Livorno. Mas atração alguma era preferível a rever a irmã visitando-a em Parma. Porém, em 9 de abril de 1817, as esperanças de Leopoldina se desfizeram: "Hoje recebe a carta de uma desesperada [...] todas as minhas belas esperanças de te ver em Parma foram destruídas, tenho a firme impressão de que o papai está implacável neste ponto."[97] E ainda temia que as coisas "fossem mais longe", com a proibição de ver a irmã também em outro local.

A arquiduquesa, em desespero, chegara até mesmo a expor a situação ao marquês de Marialva. Este a informou, dessa vez sem mentir, que da parte do rei d. João VI não haveria qualquer problema que as duas irmãs se revissem em Parma. Ao contrário, o sogro não poria qualquer empecilho em algo que pudesse fazer a nora feliz.

A proibição do encontro das duas em Parma foi determinada por Francisco I cerca de quinze dias após o príncipe Antônio receber certas "cartas de Parma", que Leopoldina tomara como piada. Esta escreveu à irmã a 16 de março de 1817:

> Quero te contar uma linda historieta. O príncipe Antônio me garantiu ter cartas de Parma segundo as quais tu casarás com um general *Nova Monte*, traduzido para o alemão; quase morri de tanto rir da asneira e no final briguei com ele, porque acredita firmemente nisso; não é uma bonita historieta?[98]

É de imaginar o susto que Maria Luísa recebeu ao ler a carta de Leopoldina. O que a irmã mais nova considerava uma piada era real.

Metternich havia designado em 1814 como mordomo-mor de Maria Luísa o general Adam Albert, conde de Neipperg, militar austríaco que lutou contra Napoleão. Por ocasião do casamento deste com Maria Luísa, Neipperg foi feito embaixador austríaco em Paris, onde recebeu a Legião de Honra das mãos do imperador francês. O conde seguiu com a arquiduquesa para Parma, onde continuou servindo Maria Luísa, em mais de um sentido.

Em 1º de maio de 1817, nasceria a primeira filha, fruto do adultério da esposa de Napoleão com o seu mordomo. Viriam mais três filhos, e todos receberiam o sobrenome Montenuovo, o título do conde vertido para o italiano: "novo monte", ou "monte novo", como havia sido predito nas cartas recebidas pelo príncipe Antônio. Maria Luísa, assim que soube da morte do marido em Santa Helena, em 1821, casou-se secretamente com o amante. Até hoje não se tem notícias de documentos que comprovem se Leopoldina sabia ou suspeitava de algo.

No início de outubro de 1816, Neipperg esteve em Viena,[99] provavelmente contando a Metternich e a Francisco I que Maria Luísa estava grávida fazia mais de um mês. Todo o cuidado foi tomado para que a informação não vazasse. A permanência de Leopoldina com sua corte em Parma tornaria impossível encobrir o "deslize" de Maria Luísa perante a irmã mais nova, que a idolatrava. Fora o fato de que as notícias acabariam por chegar ao conhecimento das várias pessoas de nacionalidades diferentes que acompanhavam esta na viagem, tornando o adultério e o fruto deste um escândalo internacional.

Somente a proibição de ir para Parma resistiu, porém foi feito um arranjo, e as irmãs se reencontrariam em Pádua. Em 9 de junho, seis dias após ter partido de Viena, Leopoldina escrevia ao pai: "Encontrei nossa boa Luísa [...] que me esperava no jardim. [Ela] me convenceu a ir junto com ela a Veneza hoje, para ver todas as atrações turísticas [...].[100]

No mesmo dia, às sete horas da noite:

> Veneza me agrada muito, nunca vi nada tão lindo; passeei durante doze horas, vi il Redentore, la Saluta, San Giorgi Maggiore, il Nuovo Palazzo, Palazzo Ducale, San marco e a Torre San Giaco e Paulo, l'Arsenale Santa Rocca, passei de barco, o Severo, afinal estou tão cansada que mal posso me movimentar.[101]

Outra pessoa exausta dessa corrida toda junto à sua arquiduquesa era Nanny, que escreveu ao pai:

> Veneza, às 5 horas da manhã.
>
> Bom e querido papai! Embora meus olhos ainda se fechem de sono, faço um esforço para lhe enviar algumas palavras antes que a senhora arquiduquesa desperte:

depois disso, o dia fica tomado; vamos voltar para Pádua, há 24 horas que a deixamos para vir para cá; a meia légua de Pádua, encontramos a arquiduquesa Luísa, que é a pessoa que a minha arquiduquesa mais ama no mundo, desde então elas não se largam mais [...]. Vimos anteontem igrejas, entre outras a de Santo Antônio e de Santa Justina, ontem pela manhã viemos a Veneza, a arquiduquesa conheceu o mar, pegamos uma barca juntas, em seguida pequenas gôndolas; vimos todas essas belas obras, todas essas belas igrejas onde as obras-primas estão amontoadas, fomos ao arsenal, apanhamos um barco de linha onde paramos em todos os lugares [...], às 8 horas e meia, jantamos, às 10 horas no teatro, que é bonito, mas ruim no que diz respeito à companhia,

Nós ficamos no belo palácio de Veneza, minhas janelas dão para a bela praça de São Marcos, vejo os 4 belos cavalos, [...] Metternich chegou a noite anterior e inicialmente acompanhou a arquiduquesa a Veneza e não nos deixará mais durante toda a viagem. Estou atordoada com esse tipo de vida e não vou me acostumar nunca [...]. Termino, a arquiduquesa levantou-se; sua Bênção.[102]

Conforme disse a condessa, era a primeira vez que Leopoldina via o mar, mas esse era o Mediterrâneo, não o Atlântico, que a levaria rumo ao seu futuro. A princesa estava feliz por ver tantos tesouros que até então só havia visto em livros e mais feliz ainda com a companhia da irmã e a expectativa de um futuro feliz numa terra distante.

Prosseguindo a viagem, passaram por Ferrara em 11 de junho, dia 12 estavam em Bolonha e em 13 chegavam a Florença, junto com a sua corte formada por cerca de 120[103] pessoas, incluindo conselheiros de Estado e o próprio príncipe de Metternich. Este viera fazer a entrega oficial da princesa aos portugueses que iriam levá-la ao Brasil. Leopoldina foi instalada em Florença por seu tio paterno, Fernando III, grão-duque da Toscana, no Palácio Pitti. O antigo palácio dos Médici era a casa ancestral de seu pai, que ali nascera. O local era recoberto de tesouros e objetos de arte, como ela contou em carta para Francisco I: "A galeria e a coleção de pinturas foram o que mais me agradaram, tenho a esplêndida Vênus de Canova em meu quarto e do outro lado um maravilhoso terraço onde tomo meu café todas as manhãs".[104]

Florença, depois de Veneza, onde ficara com a irmã, era a cidade que mais a havia agradado. Mas o humor de Leopoldina não estava dos melhores. Ao pai, confessou: "Estou aborrecida porque a frota ainda não chegou, o que me deixa desconsolada, e as assustadoras notícias do Brasil quase me causaram um ataque de nervos".[105]

A espera de Leopoldina

Leopoldina, assim que chegou a Florença, recebeu notícias desanimadoras: não havia ainda sinal da frota de navios portugueses que deveria estar esperando por ela. Além disso, teve informações a respeito da Revolução Pernambucana, que ocorrera de março a maio no Brasil. A província havia se levantado e tentara se emancipar criando uma república. Os revoltosos buscaram apoio norte-americano e pensaram até mesmo em libertar Napoleão de seu exílio e levá-lo ao Brasil. Com isso, alguns navios portugueses haviam sido enviados de Lisboa para patrulhar o Atlântico.

Esse foi o motivo alegado pelos portugueses para o fato de a frota não haver ainda chegado a Livorno. Porém a real causa era outra. Os navios *São Sebastião* e *D. João VI* eram navios de guerra, não de linha, que carregavam passageiros. Eles estavam sendo readequados à nova missão, principalmente o *D. João VI*, que tinha a incumbência de levar a princesa a bordo.[106] O trabalho foi moroso, e eles ainda não estavam prontos.

Para distrair Leopoldina, a condessa de Kühnburg conta que "o bom grão-duque" a acompanhava "a todos os lugares: a academia de Belas Artes, a Grande Galeria, as igrejas".[107] No dia 16 foram para Pisa: "Vimos [...] a torre inclinada, a catedral, o Campo Santo." Mas o que interessava mesmo era a Luminara di San Raniere, uma festa que ocorria, na época, apenas de três em três anos na véspera da data do santo. A cidade inteira iluminava as fachadas de suas casas. Todas as portas, janelas, torres, palácios e até pontes resplandeciam. Mas a chuva torrencial que desabou naquele ano prejudicou muito a festa.

Mas decididamente o espírito da princesa não era dos melhores: "A Luminara não é tão bonita e, enquanto a chuva forte não parava, tivemos que nos contentar com a companhia da duquesa de Chaplet",[108] que Leopoldina detestara. O resto da carta explica bem o que realmente a interessava e por que a pouca paciência com festivais estragados pela chuva e aristocratas aborrecidos: "Marialva e Navarro chegaram bem; hoje o primeiro me visitou [...] e serenou minha alma, que quase estava entrando em desespero."

Marialva, com sua lábia característica, havia prometido à princesa que a deixaria "iniciar a viagem ao Brasil, mesmo se perigosa, logo que a frota chegar; pois depois de estar separada do senhor, meu maior e único anseio é me unir ao meu esposo e, quanto mais cedo isso acontecer, tanto melhor". A referência que Leopoldina faz à "viagem ao Brasil, mesmo se perigosa" diz respeito à estação de viagens, que ocorria da primavera ao verão, às vezes chegando próximo do outono. Passado esse período, as travessias eram mais arriscadas devido às terríveis tempestades que se abatiam sobre o Atlântico.

A impressão que Leopoldina passava é que, se pudesse, ela mesma teria providenciado um barco, se livrado de todos os empecilhos e da comitiva e ido sozinha para o Brasil enfrentar o seu destino. Esse pragmatismo misturado com ansiedade seria uma de suas marcas, mas sua veia romântica também gritava: queria partir o mais rápido possível para Livorno para se "entregar à minha dor e melancolia sozinha, longe de todos os divertimentos e barulhos e divisar a frota que vem me salvar o mais breve possível".[109] Tudo lhe parecia horrível; meses de planejamento e nada de sair do lugar, seu futuro suspenso nas mãos dos outros e em eventos que não controlava.

Enquanto isso, Nanny também não estava bem: "Estou triste, triste. O estilo de vida na corte é terrível, a cada dia me enoja mais ao me dar a conhecer melhor os grandes; um único consolo ao qual eu me apego com as duas mãos, é a aprovação do Príncipe Metternich."[110] Em estado de espera, como Leopoldina, Maria Ana não se entregou ao desespero, pelo contrário, arrumou um passatempo. Aproveitando que todos os grandes do Império Austríaco estavam próximos, como o conselheiro de Estado Hudelist e o próprio Metternich, falou com eles a respeito do seu desafortunado irmão François, diplomata austríaco em Madri, e conseguiu para ele uma promoção que o retirasse da Espanha.

No dia 19, vendo que a ansiedade de Leopoldina só aumentava devido à demora dos navios, Nanny desabafou com o pai:

> Você verá qual o nosso destino; a arquiduquesa está continuamente agitada por causa desses atrasos, não sei mais agora quando partiremos; estão todos preocupados; ela já não se ocupa como antes; assim que estivermos nessa casa de campo do Grão-Duque, vou propor que distribua novamente as horas do seu dia, afim de distraí-la com ocupações.[111]

Mais tarde naquele mesmo dia, a condessa complementou a carta para o pai:

> Excelentes notícias bom papai! Há meia-hora que Metternich acabou de falar com a arquiduquesa sobre todas essas histórias do Brasil; agora mesmo chegou um despacho que anuncia que está quase tudo calmo no Brasil, os chefes dos insurgentes estão punidos, e os bravos negros fizeram o que era possível para apaziguar.[112]

Que ideia romântica os austríacos faziam dos negros... Talvez uma população feliz e fiel ao seu rei? Tirando o absurdo da ideia, Leopoldina explicou ao pai que recebera notícias tranquilizadoras do Brasil: "Embora eu nunca tenha receado por aquele país, estou muito feliz que os germes tenham sido sufocados, mas o que me dói muito é a chegada retardada da frota." Ainda confessava que sentia dor de garganta por ter se levado ao desespero e ter chorado pela sua má sorte em ver as "esperanças de estar logo no Brasil" destruídas.[113]

Apesar disso, segundo Nanny, as notícias do fim da revolução em Pernambuco animaram um pouco a princesa, que "está feliz, ela estava muito melancólica ainda esta manhã, e atualmente, ela está muito alegre. Pobre princesa! Entendo que seu destino a torne pensativa".[114]

Marialva, como já havia explicado para Leopoldina antes, disse que era comum as mulheres da Família Real montarem. Nesse ponto, não mentia: ao menos a sogra de d. Leopoldina, Carlota Joaquina, era uma exímia amazona, o que não a impediu de ficar manca devido a uma queda de cavalo. Assim, Leopoldina aproveitou o tempo na Itália para exercitar a equitação, uma vez que "meu esposo quer que saia a cavalo com ele logo que chegar ao Brasil".[115]

Enquanto esperavam algo acontecer, algum novo mensageiro com uma nova notícia da frota, tentavam se manter ocupadas. Enquanto isso, as intrigas na pequena corte de Leopoldina pululavam. Nanny abria-se ao pai:

> A arquiduquesa me dá demasiadas incumbências, pois quando me ausento um só minuto, ela manda me chamar, o que deve aborrecer a Sarenthein e a Lodron,[116] e por mais que faço o possível para gabar o mérito delas, ela só quer ter a mim em volta dela; tudo isso não me dá orgulho entretanto, pois sei que é da noite para o dia, os Príncipes não se apegam, percebo isso cada dia mais. Ontem a arquiduquesa me ofertou um lindo anelzinho.[117]

De acordo com Nanny, o calor que fazia na Itália era "tamanho que até mesmo os italianos não se lembram de ter tido algo parecido em anos, imagine o que deve ser para nós [...]". Devido a isso, o grão-duque da Toscana resolveu enviar Leopoldina para o campo, para a Villa del Poggio Imperiale, uma propriedade da família próxima a Florença que havia anteriormente pertencido aos Médici. No dia 24 de junho, estavam novamente na cidade para assistir a outras festividades. Nanny relata ao pai ter recebido uma de suas cartas no teatro,

> [...] aonde todo mundo estava em grande pompa e gala pois era uma grande festa da cidade de Florença: a de São João Batista; na véspera houve iluminação, fogos de artifício e corrida de carruagens no Corso, e no dia mesmo, corrida

de cavalos, onde toda a Corte assistiu em grande gala, e à noite, grande Ópera e Balé, o teatro maravilhosamente iluminado; a arquiduquesa voltou à cidade para todas essas festas, você sabe que estamos estabelecidos atualmente numa casa de campo do Grão-Duque: a Poggio Imperiale, que é magnífica; permanecemos na cidade ainda hoje, só a arquiduquesa e eu, o resto dos séquitos voltou, o Grão-Duque levou a arquiduquesa para passar o dia em uma outra casa de campo mais afastada.[118]

Provavelmente em algumas dessas andanças Leopoldina encontrou-se com a duquesa de Orleans, de quem ouviu "palavras elogiosas [...] sobre o caráter excelente do meu esposo; ele é bom, amado por seus pais e por todo o país, estuda muito, mas tem pouca instrução, o que não importa muito, porque se pode adquiri-la sempre que se o quiser".[119]

As mentiras a respeito de d. Pedro, junto com as fantasias tecidas por Leopoldina em sua espera, agarrada ao seu medalhão e banhada em lágrimas de desespero, angústia e ansiedade, teceram uma imagem pela qual ela já estava completamente apaixonada. Apesar de algumas verdades começarem a aparecer, como o comentário de que d. Pedro tinha pouca instrução, isso não era problema para Leopoldina. Afinal, ela esperava encontrar um marido mineralogista, lindo e garboso do outro lado do Atlântico!

Enquanto Nanny continuava sonhando em ser substituída por damas portuguesas que talvez viessem com os navios, evitando assim ter que se aventurar com Leopoldina Atlântico adentro, continuava enviando cartas regularmente ao pai. Numa delas, comentou como a filha de Francisco I passara a se encarar como sendo de outra nacionalidade após o casamento:

> O entusiasmo da minha arquiduquesa diante de tudo o que é português continua crescendo, estou bem contente por ela. Ela me valoriza muito apesar de eu ser austríaca e lhe digo diariamente que tenho orgulho do meu país. A arquiduquesa tem algo excelente no seu caráter, de perdoar a franqueza, e de apreciá-la mesmo quando ela poderia magoá-la, ela tem estima por mim pela minha sinceridade para com ela, que tornei como minha primeira obrigação e quando ela quer uma opinião sempre me procura.[120]

Nanny, em 5 de julho, informou ao seu pai que, para piorar o estado de ânimo geral, todos, menos ela, acabaram caindo doentes:

> Depois de ter ficado indisposta 2 dias, a arquiduquesa está melhor hoje; [...] O Príncipe Metternich esteve doente e poderia ter ficado mais ainda se ele antes não se tivesse poupado. Não tema por mim bom pai, não tenho tempo para ficar doente e bem sabe, aliás, que minha excelente saúde se mantém mais tempo que a dos homens mais robustos. Depois de amanhã a Duquesa de Parma, Marie Louise vai chegar aqui e ficará com a arquiduquesa até seu embarque.[121]

Não só Maria Luísa retornou para junto de Leopoldina, o que para esta foi uma bênção, mas também vieram a irmã Maria Clementina e o marido desta, príncipe Leopoldo, o que havia preterido Leopoldina. De Maria Clementina, a arquiduquesa só tinha queixas. Com Maria Luísa e com o pai, menciona diversas vezes a frieza da irmã mais nova, o que parece não exagerar, uma vez que Francisco I reclamava constantemente de falta de cartas dessa filha, que não lhe escrevia com frequência.

Maria Luísa chegou a Poggio Imperiale em 8 de julho, passando a residir junto a Leopoldina, o que influiu muito sobre o ânimo desta. Mas, para tanto, a arquiduquesa teve que enfrentar Metternich, por quem não morria de amores já em Viena. A convivência forçada, a ansiedade dela quanto ao futuro e o forte calor só pioraram a situação.

Metternich x Leopoldina

Em 28 de junho, Leopoldina desabafava com Maria Luísa: “Não posso escrever mais, aquele estorvo do príncipe de Metternich está chegando; onde pode me causar aborrecimento, ele o faz; não me importo que ele fique comigo, contanto que faça com que tu venhas, pois na América estarei livre, graças a Deus, de sua tutela.”[122]

No dia 1º de julho, Leopoldina recebeu uma carta da irmã. Nela, a duquesa de Parma informava que seu mordomo-mor, o conde de Neipperg, não havia recebido nenhuma autorização para que Maria Luísa se juntasse a Leopoldina. “Imediatamente chamei o Príncipe Metternich, que nunca está muito bem, e lhe pedi explicações, uma vez que me assegurara que havia escrito para que viesse.”[123]

A irritação era mútua. Em carta[124] à esposa, Metternich comentou de Florença sobre a arquiduquesa: “A minha pequena arquiduquesa, que, cá entre nós, é uma criança que eu, se fosse o pai, bateria, teve por estes últimos dias forte indisposição estomacal, e por que? Ofereceu ao tio um banquete; para festejá-lo [...]

mandou-lhe preparar um *Sterz*", uma espécie de polenta típica da região da Estíria austríaca, feita com farinha e gordura de porco. Após a refeição, Metternich diz que a arquiduquesa "fez um longo passeio de coche sob um calor de 26 a 28 graus e voltou com um pouco de febre".

Após o passeio, quando Leopoldina caiu doente, Metternich continuou narrando o acontecido à esposa:

> [...] Contou ela a mim: mandei vir duas cebolas cor de rosa e comi-as. Continuando a minha sede mandei aquecer de novo o *Sterz*, comendo um bom prato. Mas como a sede não queria desaparecer, ainda ingeri 12 damascos; com sede, todavia, como dantes, acabei por tomar uma garrafa de limonada, apanhando em seguida a febre.

Metternich diz que quase havia desmaiado diante da narrativa das peripécias gastronômicas da princesa na tentativa de acabar com a sede. O príncipe teria dito a ela que em países de clima quente um copo de água misturado com um pouco de vinho minimizaria qualquer sede, ao que Leopoldina respondeu que não estava acostumada a beber algo quando estava com sede sem antes "forrar o estômago".[125] Até que ponto essa narrativa toda de Leopoldina foi uma brincadeira dela com o príncipe que a irritava não é possível determinar ao certo. Mas é provável que haja exagero dos dois lados.

Entretanto, como já visto, Leopoldina, levada pela ansiedade, acabava descontando suas frustrações na comida. O próprio Metternich disse que o médico que foi examiná-la devido à indigestão recomendou que a princesa não "comesse 20 vezes por dia para não se prejudicar".[126]

Leopoldina realmente se descuidou, e não apenas a respeito da alimentação, mas também quanto ao calor. Nanny também se queixou em carta ao pai a respeito dos hábitos da arquiduquesa:

> Todos os dias vamos fazer compras demoradas nos horários em que todos se fecham nos seus aposentos para se proteger do calor, e voltamos quando essas mesmas pessoas saem; o calor é horrível; já às 6 horas da manhã ele é terrível; hoje estivemos pescando a uma hora daqui, desde as 7 horas até meio-dia mais ou menos; sempre ao sol; a arquiduquesa nunca sente incômodo na hora em que faz calor, mas duas vezes mais tarde [...].[127]

Leopoldina, infeliz, parecia querer torturar a sua corte, mas era mais que isso. Ela também sofria com o calor, como relatou para a sua antiga educadora, a condessa Von Lazansky. Chegou a ter até tremedeira nas mãos, segundo contou em uma carta. Mas por que não se proteger? Porque Leopoldina, apesar do calor e de sua irritação e ansiedade com a constante demora dos navios em chegar, estava usufruindo de algo que até então não possuíra: liberdade. Até então, a arquiduquesa vivera dentro da família, da qual o seu pai, Francisco I, era o chefe. Agora, como mulher casada, ela tinha uma liberdade de que até então não usufruíra.

Além do mais, estava sozinha, seguida por mais de 120 pessoas, é verdade, porém líder, chefe dessa corte e dona de suas vontades. Sem uma preceptora como a condessa Von Lazansky para controlá-la e aconselhá-la, passou a fazer o que queria, incluindo extravagâncias que lhe prejudicaram a saúde. Nesse ponto, a condessa de Kühnburg deixou um pouco a desejar com a sua falta de pulso.

Klemens Wenzel Lothar Nepomuk von Metternich, príncipe de Metternich (1773-1859).

Metternich, cada vez mais irritado com o que chamava de "educação cortesã" de Leopoldina, reclamava constantemente à esposa que tudo deveria ser do jeito como a arquiduquesa desejava. Segundo ele, a princesa queria partir assim que os barcos chegassem a Livorno, sem esperar ventos propícios,[128] ao que Metternich comentou: "Os ventos seriam ainda mais teimosos do que ela."

"Não posso dar meus parabéns ao imperador quanto à educação da arquiduquesa, confiada agora a mim. Nunca vi uma criança mais mimada e insensata",[129] disse Metternich em outra carta para casa. É interessante imaginar o construtor da nova Europa pós-Napoleão, o homem que negociara com imperadores, reis e diplomatas, sendo obrigado a servir de babá a uma arquiduquesa que experimentava um mundo novo naquele instante.

Em 9 de maio, Leopoldina havia escrito para a irmã: "Sabes que sou de temperamento forte, mas te prometo que com d. Pedro serei paciente como um cordeiro."[130] A mesma obrigação ela não devia a Metternich. Para a princesa, o chanceler não passava de um funcionário do seu pai. Ela deve ter lembrado isso a ele ao chamá-lo para prestar contas quando Maria Luísa foi informada de que nada sabia de autorização para se encontrar com Leopoldina em Florença. Podemos notar que a princesa estava bem longe do papel de mulher passiva que muitos historiadores atribuem a ela.

Mas o gênio de Leopoldina podia ficar ainda pior, e ela continuava não vendo graça em nada. Segundo Nanny, em 17 de julho, ouviram uma cantora que "cantou maravilhosamente bem, o que encantou a senhora Lousie [Maria Luisa]; quanto a minha arquiduquesa, ela não tolera a música, infelizmente!".[131] Leopoldina gostava, sim, de música, mas o espírito dela estava longe de tudo ali. Sofria com as informações desencontradas, cada mensageiro ou cartas diziam que os barcos já haviam partido, mas nada de a ponta de seus mastros despontar na linha do horizonte em Livorno.

Finalmente, no dia 22, surgiram novidades, como relata Nanny:

> Nosso destino acaba de ser definido, acabo de sair do quarto da arquiduquesa para lhe contar pois um mensageiro parte nesse instante, [...] Marialva acaba de anunciar a chegada do mensageiro de Lisboa que partiu depois da esquadra; dia 6 ela deixou o porto de Lisboa, ela pode chegar a qualquer instante se o vento for propício, e demorar mais 15 dias se não for; está tudo uma grande confusão, alguns choram, outros pulam e riem; Partimos sem mais dúvidas com a arquiduquesa; nenhuma Dama veio na frota.[132]

Provavelmente, Nanny era uma das que choravam. Ela tinha esperanças, agora reduzidíssimas, de não embarcar com Leopoldina para o Brasil. Fazia a vontade do pai e do marido, mas não tinha nenhuma sede de aventuras comparada a Leopoldina. Os navios chegariam finalmente a Livorno no dia 26. Para o pai, Nanny informava que a "travessia agora será um pouco mais longa por causa do adiantado da estação".

Atrasos e intrigas

NÃO FOI apenas a demora dos navios para ficarem prontos a causa de tanto aborrecimento. A 24 de julho, sem saber que os barcos estavam a dois dias de atracar em Livorno, Leopoldina escreveu ao pai: "Parece-me incrível que tenhamos sido impelidos a andar depressa em Viena porque a esquadra estava à nossa espera... e estejamos agora isolados de tudo que me é caro... Estou sem entender."[133]

O que Leopoldina não entendia é que Marialva mentira novamente. O marquês havia escrito para o Rio de Janeiro[134] justificando a partida da princesa de Viena, mesmo sabendo que a esquadra demoraria para chegar a Livorno. Marialva queria ver Leopoldina longe da Áustria. Na capital austríaca, ela estaria sujeita às intrigas do governo britânico para evitar que saísse da Europa. Seria mais difícil destruir uma viagem pela metade do que reter a viajante no ponto de início, evitando a sua partida.

Os ingleses, como sempre empenhados no retorno da Família Real para Portugal, nessa época tinham excelentes argumentos para tentar influir no destino de Leopoldina. Em 1817, duas revoltas estouraram nos domínios portugueses: a Revolução Pernambucana, no Brasil, em março, e a Conspiração de Lisboa, denunciada em maio.

Para os ingleses, a agitação no Brasil poria em risco uma nobre de tão alta estirpe levada para um ambiente revolucionário; era como quase que gritassem: "Lembram-se de Maria Antonieta?" Se Leopoldina ficasse em Lisboa, eles astutamente imaginavam que os portugueses – até então descontentes com a permanência da corte no Brasil e com a ocupação inglesa em Portugal – teriam esperanças de que a corte em breve retornasse. Com isso, os lusitanos alimentavam, em vão, a esperança de que a vida retornaria como antes da partida da corte e da invasão de Napoleão, incluindo no pacote o retorno do Brasil à condição de Colônia.

Além disso, achava-se que a presença, nem que fosse de um membro da Família Real portuguesa na Europa, poderia impedir a expansão e o enraizamento da ideia espanhola de unificar a Península Ibérica. Leopoldina, com o casamento, passara a ser da família Bragança, como esposa do herdeiro do trono português. Enquanto Londres fazia o seu jogo diplomático, os portugueses também faziam o seu, como demonstra o descontentamento de Leopoldina e da condessa de Kühnburg.

Em 7 de agosto, a arquiduquesa escreveu ao pai:

> Estou de novo muito triste, a frota está aqui, mas estão demorando para aprontá-la, embora queiram me fazer pensar que estão se esforçando. Receio que minha partida não aconteça antes do dia 12 de agosto, o que é muito desagradável para mim; além disso me enviam tantos relatórios e resoluções de Lisboa e Livorno para ler que em certos dias mal tenho tempo para descansar; parece que querem me forçar a ir para Lisboa, e na minha opinião seria uma atitude que poderia provocar sério desagrado de meu sogro.[135]

A condessa de Kühnburg, em carta ao pai em 2 de agosto queixava-se aflita:

> [...] Os portugueses levam em conta o pretexto do abastecimento, mas isso tudo acabou faz tempo, é portanto preciso que eles aguardem talvez outras ordens de Lisboa; mas se ao menos eles pudessem nos escrever algo definitivo, é incrível! A frota a dois passos e a gente na incerteza de quando vamos partir.
>
> Todas essas histórias me fazem acreditar mais que nunca que estão deixando passar intencionalmente a estação da viagem e que em seguida nos levarão para Lisboa aonde talvez o príncipe vá, mas são apenas conjecturas; espero ansiosamente [...] notícias de Marialva [...]. Esses contínuos mistérios não são mais suportáveis.[136]

Lorde Castlereagh, secretário de Assuntos Estrangeiros inglês, havia tentado atacar de todos os lados, tanto em Viena quanto em Livorno, e até em Londres. O secretário sugeriu ao embaixador austríaco na capital britânica o mesmo que o embaixador inglês na Áustria: que se detivesse a arquiduquesa nos territórios austríacos ou, ainda, que os navios que a levariam ao Rio de Janeiro fossem enviados para Lisboa. Metternich manteve-se impassível. Em despacho para o conde Eltz, embaixador austríaco que partiria para o Rio de Janeiro, deixou claro o pensamento sobre o assunto: "A solução desta importante questão doravante só pode caber ao soberano austríaco porque no dia em que se der a entrega de Leopoldina só ao rei de Portugal cabe o direito de tomar uma decisão."[137]

As respostas austríacas chegaram aos ouvidos de d. João VI no Rio de Janeiro. O cônsul francês J.B. Malet, em despacho para Paris,[138] informou que o rei, em conversa com ele, tinha comentado que sabia bem quanto o embaixador da Inglaterra em Viena havia tentado trabalhar contra a vinda da arquiduquesa. Mas que Francisco I havia respondido que Leopoldina passara a ser filha do rei de Portugal e cabia a este determinar-lhe o domicílio.

Por essa intervenção a favor de sua causa, d. João escreveria a Francisco em 17 de novembro agradecendo ao imperador por não ter aceito "a proposta que eu sei ter-vos sido feita, relativa ao preterido desvio da divisão naval pelo porto de Lisboa, a qual, além de retardar o prazer de conhecer pessoalmente a princesa, me teria sido extremamente penoso".[139]

Preparando-se para deixar a Europa

Ignorando parcialmente o fato de que seus sentimentos, anseios e esperanças eram irrelevantes no embate dos interesses das potências, Leopoldina agora se preparava para a partida, que ainda se prolongaria por vários dias.

Nanny, na tarde de 26, recebera informações a respeito das embarcações: "Os 2 barcos juntos tem 80 canhões, o da arquiduquesa leva 680 pessoas, o outro cerca de 540, estamos absolutamente sem os nossos no da arquiduquesa."[140] Naquela mesma noite, Leopoldina, inundada de felicidade e com as esperanças renovadas – sem saber que ainda demorariam mais vinte dias para seu embarque –, deu uma festa em que ofereceu a Nanny

> [...] um pequeno medalhão com seus cabelos presos a uma corrente de ouro, que me deu muito prazer! À noite voltando do passeio com a Corte, retornamos para Poggio Imperiale, em seguida depois da ceia da arquiduquesa ela ainda fez um passeio a sós comigo no jardim, este belo céu repleto de estrelas e esta bela Lua

me pôs lágrimas nos olhos, que linda passagem ela iluminava e por quanto tempo será preciso renunciar em ver esta bela vegetação.[141]

A partida era encarada de maneira diferente por uma e por outra. Enquanto Leopoldina não via a hora de chegar ao Brasil, Nanny suspirava com saudades antecipada da terra que ainda não deixara. Em 3 de agosto, em carta ao pai,[142] a condessa falava a respeito das embarcações conforme lhe narrara o marquês de St. Clair: "[...] Os barcos estão um pouco sujos, mas o apartamento da arquiduquesa está maravilhosamente bem mobiliado, há muita gente a bordo do barco, muitos padres dominicanos, uma capela maravilhosa [...]." Quanto à demora do embarque:

[...] Os portugueses agem como pessoas que querem estender sua estadia no tempo, é preciso que eles esperem mais alguma coisa; nenhum deles esteve aqui, eles dão a etiqueta como pretexto, mas me parece que a conveniência exigiria que eles viessem até a sua princesa, não tem mais um só português em Florença, todos estão e ficam em Livorno, creio que temem as questões com as quais seriam atormentados aqui. Deus queira que tudo isso se resolva antes!

Finalmente, em 4 de agosto, chegou-se ao fim do impasse:

Na maior pressa informo meu bom pai que está tudo decidido; amanhã parte para Livorno a arquiduquesa Clementina com seu marido, depois de amanhã Maria Luísa e sua Corte, e quinta-feira 7 minha arquiduquesa e eu, sexta-feira o resto dos seus séquitos, segunda-feira, exatos 8 dias de hoje, será a entrega e terça-feira, se Deus quiser, nós embarcamos [...].[143]

As irmãs e outros membros da família assistiriam à cerimônia de entrega de Leopoldina ao seu destino incógnitas.[144] Nanny relatara há alguns dias para o pai que todos estavam "unidos, como irmãos e irmãs desde que soubemos do momento de partir".[145] Fazia até elucubrações acerca de como um destino comum ou a percepção de um perigo podiam unir as pessoas. Mas esse momento já passara; agora Nanny só tinha tarefas e estava sobrecarregada:

Na correria e sempre na correria meu bom pai [...] lhe escrevi ontem algumas palavras, esta manhã perdi o correio para o meu bom Charles,[146] portanto tenho de lhe pedir para que lhe envie essa carta rapidamente, para que ele fique informado do que me diz respeito. Se aqueles que ralham da minha preguiça vissem a existência que levo, eles me pediriam desculpas imediatamente, eu mesma me surpreendo de ainda poder fazer tanto [...]. Como irei sozinha com a arquiduquesa não poderei deixá-la só em Livorno um instante, além disso a etiqueta terá início, portanto não terei um segundo, mas nem que seja à noite eu lhe escreverei.[147]

Enquanto lia suas cartas,

a arquiduquesa me viu aos prantos e me perguntou se eu tinha más notícias, eu lhe disse que não mas que uma carta do meu pai me havia tocado; ela não entende, a felizarda! Como se pode ficar triste por se afastar dos seus e pensa que todo mundo faz essa viagem por prazer!! [...] Então eu empacotei todas as minhas cartas como um avarento seu tesouro e fugi com ele para o meu quarto para poder lê-las livremente.

A educação e o respeito que Nanny tinha por Leopoldina não permitiam ir além de um desabafo ou outro, mas é clara a ideia de sentimentos conflitantes entre o dever e a vontade. A arquiduquesa também sentia a dualidade conflituosa dessas duas palavras. A condessa, além de companhia, passaria também a ser um elemento político. Segundo informava ao pai, no dia 7 havia recebido do conselheiro de Estado Hudelist "instruções" e sido alertada por este que Metternich, em Livorno, lhe daria outras: "Estou surpresa de ter me tornado um personagem diplomático."

A compreensão de forças maiores que suas vontades ficara clara para Nanny "desde que Hudelist falou comigo ontem [...]. Ele me mostrou como vale pouco o indivíduo quando se trata de um grande conjunto, sinto-me mais forte para suportar tal sacrifício". Mas, além de espiã, agora Maria Ana tinha outros problemas em mente. Esperava que Leopoldina, "e os portugueses também", fosse boa com ela, pois a ideia de estar sozinha com a arquiduquesa no mar por tanto tempo, em "meio a tantos estrangeiros [...] me amedronta".[148]

Mas, no fim, a condessa de Kühnburg se faria de forte por ambas. No dia 7, tinha início a grande aventura da vida das duas mulheres. Nanny narra os detalhes ao pai:

A arquiduquesa e eu partimos ontem de Poggio Imperiale aos três quartos para 3 horas da tarde, no maior calor; e chegamos aqui às 10 horas e um quarto da noite, portanto em sete horas e meia mais ou menos, o que nunca se ouviu falar até agora, assim os condutores voaram conosco; entramos como duas bombas na sala de jantar do grão-duque onde ele ceava com toda a sua Corte, ele quase se assustou ao nos ver pois não nos esperava antes de uma ou duas horas da madrugada e ele mesmo tinha ido de Florença a Livorno em dez horas, [...] todo o mundo do serviço da arquiduquesa ficou para trás, ela queria se deitar e nenhuma das suas damas, ninguém estava presente, peguei roupa de cama emprestada de uma das arquiduquesas, fiz a cama dela, a coloquei para dormir e fiquei no quarto dela, enfim a 1 hora as suas damas chegaram, fui para o meu quarto, mas também eu não tinha ninguém, minha Thérèse só chegou às 4 horas da manhã [...].[149]

Com a esperança de logo deixar toda essa época de incertezas e aflições para trás, Leopoldina estava com um humor bem melhor: "Minha arquiduquesa tão alegre e tão boa ontem ao longo de toda a estrada, nunca a vi assim, é verdade que a convicção de estar aqui para cumprir seu dever e alcançar o objetivo da sua viagem é um consolo."[150]

Livorno, seu destino final no continente europeu, finalmente estava ao alcance delas, e as duas foram conhecer a cidade e fazer compras. "Que confusão na cidade! É um formigueiro, é bonito de ver e de ouvir a atividade de uma cidade comercial." Em 8 de agosto, "fomos ao mole de onde se veem os barcos, vimos de longe nossa futura habitação, o *São Sebastião* deve ser mais amplo, mais espaçoso, os quartos maiores". Porém d. João queria que elas ficassem no navio *D. João VI*: "Vamos para lá; seu apartamento deve ser maravilhoso, o resto é bem, bem pequeno, enfim vamos nos acomodar [...]. Aos poucos vou conhecendo o elemento que vai nos proteger, espero [...]."[151]

O mar e além

[...] Não posso lhe dizer o efeito que geraram as palavras do mensageiro que está na frente da nossa carruagem, quando estávamos bastante perto de Livorno ele se aproximou de nós dizendo: Alcançamos nosso objetivo; sua alteza pode avistar daqui o mar à direita, efetivamente o quanto a noite permitia, vimos esse amplo horizonte, mas distinguimos melhor o farol iluminado no mar, de onde se percebem todos os barcos que estão no porto, os nossos estão a 8 léguas de distância da costa [...].[152]

Para a condessa Von Lazansky, Leopoldina comentou a sua reação ao ver o mar que enfrentaria pela primeira vez: "A primeira coisa que percebi foi o mui tenebroso mar, o que me fez tremer todos os meus membros; mas, entrementes, ganhei tanta força sobre mim que ninguém notou; a noite que reinava sobre mar dava-lhe um ar tão lúgubre [...]."[153]

Na tentativa de se acostumarem ao novo "elemento", Leopoldina e suas damas fizeram um longo passeio no mar, como narrou Kühnburg: "[...] Fomos até o farol de onde avistamos nossos navios, e vimos subir cada marinheiro, com a ajuda de um tubo; a arquiduquesa já passou mal essa primeira vez, agora ela teme o mar."[154]

Além do novo drama de Leopoldina, que descobria que teria problemas com enjoo marítimo, Maria Ana conheceu seus novos companheiros de viagem. No dia 9 de agosto, os

> [...] três senhores pertencentes à comitiva da arquiduquesa, as três damas esposas deles e 31 oficiais da marinha foram apresentados à arquiduquesa. Os três senhores são bastante agradáveis, o senhor de Louzã, grande-escudeiro, me agrada mais, um homem entre 40 e 50 anos. De abordagem muito séria, mas que inspira, todavia mais confiança que os outros dois. As damas parecem boas; [...] elas são obesas, uma delas é bonita, tem acima de tudo belos olhos, e fala algum francês; as outras não. Nosso almirante é um pequeno homem roliço [...]; os outros têm boa fisionomia, mas falam pouco francês [...]. O Príncipe Metternich chegou ontem à noite, amanhã às 11 horas é a entrega, gostaria que tudo já tivesse acabado!

Depois de tantas discussões entre Leopoldina e Metternich, este resolvera partir para Lucca no dia 26 de julho para fazer uma estação de águas termais, só chegando a Livorno em 10 de agosto, a tempo para realizar a entrega formal da arquiduquesa. A cerimônia oficial de entrega ocorreu em 12 de agosto, quando Metternich passou para o marquês de Castelo-Melhor a responsabilidade sobre a princesa. Era quase palpável o alívio do príncipe em se livrar da obrigação: "Reunimo-nos às 11 horas e um quarto [...]. Durou uma boa meia hora e o senhor de Castelo-Melhor recebeu a sua Princesa Real de minha mão, indigna deste momento em diante de tocar a dela, pois os portugueses, homens e senhoras, beijam-na sempre, pondo um joelho no chão."[155]

Leopoldina, sentada num trono e vestida de corte, com os brilhantes recebidos como presente de casamento, despedira-se também dos seus: "Invejo a minha arquiduquesa e a sua tranquilidade; de manhã a Corte austríaca inteira veio se despedir da arquiduquesa desde Metternich até o último homem da guarda, todos vieram lhe beijar a mão, foi tão triste!"[156]

O beija-mão, que Leopoldina teria que enfrentar a vida toda, era um hábito medieval que a corte portuguesa ainda não abandonara e que era estranho às demais cortes europeias. Entretanto, agora ela era uma portuguesa, membro da casa de Bragança, e como tal os austríacos tinham que seguir o protocolo português.

O que Nanny vira, uma Leopoldina "tranquila" na cerimônia da entrega, era apenas impressão. A princesa confessaria à condessa Von Lazansky no dia seguinte que não passara nada bem, tivera cólicas e diarreia. O momento de ela embarcar finalmente chegara, assim como a descoberta de que tinha medo do mar. Novamente, seu sistema nervoso, assim como já havia ocorrido em Viena por ocasião de suas núpcias, vira-se atacado.

Ainda, por uma última vez, jantou com a irmã Maria Luísa à noite em terra, antes de subir em definitivo para a nau *D. João VI*. Esse navio era uma das joias da frota de guerra portuguesa. Havia sido lançado ao mar um ano antes, em 14 de agosto de 1816. Possuía 96 canhões e media sessenta metros de comprimento. Parte de seus canhões foi retirada para sobrar mais espaço para os viajantes. Em 1833, esse navio participaria, contra d. Pedro – durante as Guerras Liberais entre os constitucionalistas e os absolutistas portugueses –, da Batalha do Cabo de São Vicente, na qual a esquadra constitucionalista sairia vencedora.

O embarque de Leopoldina ocorreu por volta das quatro horas da tarde de 13 de agosto. Será que a princesa ainda acreditava em presságios quanto a esse dia ou estaria muito ocupada com os pensamentos na viagem que teria pela frente?

Seguiram para se despedir numa barca guarnecida em seda as irmãs Maria Luísa e Maria Clementina, o marido desta, o príncipe de Salerno, e o tio, o grão-duque da Toscana. Eles foram saudados por salvas de canhão dos navios no porto. A tripulação do *D. João VI* aguardava-os e desfilou perante eles, enquanto que os marujos, em uniformes branco e vermelho, davam vivas do alto dos mastros a sua nova princesa.

Nanny comentou a respeito do dia com o pai: "Passamos todo o nosso tempo no convés, os dois navios foram iluminados o que gerou um efeito maravilhoso, a arquiduquesa jantou sozinha."[157] Pela primeira vez, fora servida pelos portugueses, seu mordomo-mor, o conde de Lousã, e seu veador, o conde de Penafiel.

Os aposentos de d. Leopoldina e de suas damas ficavam no castelo de popa. A entrada era marcada por uma grossa cortina de veludo vermelho com as armas portuguesas bordadas, ao lado da qual sentinelas faziam a guarda. Entrando-se pela passagem, deparava-se com um corredor para onde davam os quartos das damas de d. Leopoldina. Segundo a princesa em carta para a condessa Von Lazanksy:

[...] Meu apartamento [...] compõe-se de uma sala, toda enfeitada de branco e decorada de prata, uma sala de jantar, decorada de pano de cor e com diversos emblemas, de uma galeria, adornada de veludo branco e azul com gravações douradas e prateadas, muitas poltronas e um sofá da mesma cor; um magnífico piano; a poltrona foi fabricada em Bengala e a madeira é toda enfeitada de altos e baixos relevos, é uma mobília extremamente rara e curiosa, pois é tão fina como se fosse trabalhada a canivete. Acima do piano está pendente o retrato do meu esposo com moldura dourada. O dormitório é todo pintado de ouro enfeitado de branco representando numerosos cupidos. A cama está suspensa e tem 6 pés de comprimento por 4½ de largura. Três colchões muito bem preparados, uma mesinha com um magnífico lavatório de prata.[158]

Nanny, para a amiga Ernestine, descreveu o seu:

[...] Nossos pequenos aposentos estão dispostos para que nos vejam e ouçam a cada instante do dia e poderia quase dizer, da noite; [...]. Imagine então, minha amiga, um quartinho de seis passos talvez de comprimento, o mesmo de largura, forrado de cinza com pequenas folhas verdes, e uma bela pequena borda, é como se tivessem adivinhado minha cor predileta [...]; os móveis consistem em uma pequena cama muito limpa e apoiada na parede, em uma bela e pequena penteadeira que serve ao mesmo tempo de mesa para escrever, e está guarnecida do necessário, pentes, escovas, pomadas, óleos, sabonete, água de colônia, pó-branco, alfinetes, esponjas, tudo até os menores detalhes; [...] ele contém [...] três cadeiras, e um pequeno cofre, um outro está debaixo da minha cama, uma bela esteira de palha constitui meu tapete, e um "troninho" indispensável completa meu mobiliário; uma pequena prancha pregada acima da minha janela é um pequeno móvel bastante necessário para pousar mil pequenas coisas [...]; meu aposento é o primeiro na entrada, sou como o cão Cérbero[159] que a guarda, as sentinelas estão quase na frente da minha porta, todo o mundo tem de passar aqui em frente, e como não se pode fechar as portas sem sufocar, é preciso fazer tudo em público, surpreendo-me em ver como pude me acostumar a isso, mas quando a necessidade manda, não se tem o que dizer; mesmo à noite é preciso deixar a porta aberta, o calor é um inimigo terrível [...].[160]

D. Leopoldina era a felicidade em pessoa, ao menos enquanto o navio estava parado, sem navegar. Parecia não notar o que os demais austríacos viam: um barco sujo, cheio de animais, inclusive cães.[161] A princesa escreveu a todos os seus parentes antes de zarpar contando como eram os seus aposentos, como ficara emocionada pela recepção por parte dos oficiais, da tripulação e dos marinheiros.

D. Leopoldina, fechando os olhos para muitos dos aspectos da nau, notara porém a situação de quase miséria em que os marinheiros viviam. Frühbeck ilustrou em suas aquarelas o estado das roupas deles, além da embriaguez de alguns. Apiedada, ela mandou distribuir parte do dinheiro que d. João VI havia colocado a sua disposição como presente para os marinheiros do seu navio.

No dia 15 de agosto, às seis e meia da manhã, finalmente o vento favorável permitiu que os navios zarpassem. Como em dramas os poréns sempre existem, com tudo pronto para a partida, a âncora do *D. João VI* recusava-se a sair da água.[162] A dificuldade em erguê-la e a demora fizeram os marujos elevarem suas preces aos seus santos de devoção: aquilo não era um bom presságio. Quando, finalmente, a âncora do navio chegou à superfície da água, todos viram que com ela vinha outra, provavelmente etrusca, que jazia no fundo do oceano havia mais de dois mil anos.

Atlântico

LOGO NO início da viagem, Nanny começou uma longa carta ao pai que tinha intenção de enviar de Gibraltar, onde o navio deveria fazer a sua próxima parada. Nela, descreveu a experiência de estar pela primeira vez em alto-mar:

> [...] Estamos entregues a um elemento bastante inconsistente que nos provoca uma ou outra contradição de um dia para o outro; hoje, lhe escrevo na mais linda noite que existe, a lua prateia as ondas do mar, as estrelas aparecem uma atrás da outra, a música ecoa do alto do convés até o meu pequeno quarto, e a arquiduquesa fazendo sua ceia [...][163]

A idílica cena narrada pela condessa tinha até trilha sonora! Vinha de uma orquestra contratada por d. João para tocar durante as refeições da princesa. Mas nem tudo tinha sido tão calmo desde o embarque, como a condessa revela:

> [...] Nós atravessamos nos primeiros dias as Ilhas de Capri, Córsega e Elba, tivemos então o vento muito pouco favorável então só avançamos pouco do caminho, no quarto dia o vento soprou terrivelmente, o mar esteve agitado, as ondas cresceram, vimos o *São Sebastião* dançar sobre as ondas diante de nós e nós cambaleamos tanto quanto, quase todos nós ficamos com enjoo, fui tomada a ponto de vomitar vinte vezes em um dia [...].[164]

Quanto a Leopoldina, Nanny informa que esta passara o dia na cama, devido ao mau tempo. A princesa, para a irmã, narrou o seu drama:

> [...] Acordei às seis da manhã, e a primeira visão que tive foi céu e água da mesma cor, ondas da altura de uma mesa, escuras com espuma branca em cima; até às duas horas me senti bem, mas quando minha cama foi jogada para os quatro lados alternadamente, então veio o enjoo, uma forte cólica estomacal, dor de cabeça, vômitos por doze vezes, pensei que iria morrer [...] só suportei o sofrimento por amor ao príncipe e com a ajuda do Onipotente [...].[165]

Mas as coisas piorariam ainda, e muito, em 28 de agosto, diante da costa espanhola. Nanny desabafou com o pai:

> Ontem e anteontem foram seguidamente dois dias de tempestade, o mar se levantou, rugiu a cada instante mais, o vento assobiou, os próprios oficiais acostumados ao mar, tinham dificuldade para se mover no convés, nós estávamos muito mal, foi o pior dia, hoje o céu está limpo, o mar calmo e todos os males passados parecem um sonho; sofreríamos de bom grado se tão somente avançássemos, mas o vento está desfavorável quase o tempo todo, só precisaríamos [de] 24 horas de um bom vento para chegar a Gibraltar e nós não conseguimos chegar, eis o que há de mais desanimador numa viagem tão monótona [...].[166]

D. Leopoldina contava que nessa segunda tempestade, que durara dois dias, a sua cama suspensa por cordas ao teto "subia e descia como um balão e para não cair fiquei me segurando numa corda, mas mantive a coragem e o bom humor; os outros os perderam, pois não estão viajando por amor a um esposo [...]".[167] A princesa encarnava, cada vez mais, uma heroína romântica que, apesar das intempéries, continuava "viajando por amor". Mesmo com as conversas que Francisco I tivera com ela, do fato de que a própria Leopoldina dera a entender a Maria Luísa que encarava o casamento como um dever de Estado, a princesa sempre retomaria esse papel.

Gibraltar

Mais tempestades, mais contratempo. Agora o vento se recusava a soprar e, quando vinha, era contrário ao rumo que deveriam seguir para atingir o destino. Levaram quinze dias de Livorno até Gibraltar, aonde chegaram em 30 de agosto.

Gibraltar, possessão inglesa, era o portão para o oceano Atlântico. Nanny assim contou a respeito da aproximação da estreito:

> [...] Avistamos o grande monte de Gibraltar ao longe, foi interessante ver como todo mundo se armou de uma luneta e correu para o convés, para contemplar essas belas margens, e rever mais uma vez a terra da qual vamos nos separar agora por tanto tempo; é um espetáculo realmente magnífico avistar esse fantástico monte, essa fortaleza impenetrável e imponente, elevando-se do seio da onda e coroando-se de nuvens; que massas! Os Ingleses fizeram uma coisa incrível ao perfurá-lo de um lado e do outro [...].[168]

Finalmente, o vento ajudava. Segundo a condessa, na hora em que entraram no estreito, o vento tornou-se propício e não pararam um só momento. Atravessaram-no enquanto maravilhavam-se com o que se descortinava diante dos olhos dela e de Leopoldina. Estas se puseram a admirar as paisagens:

> [...] São tão bonitas, [...] há tanta variedade; montanhas, cidades, essa massa de rocha, esse belo porto, esses navios espalhados aqui e acolá, as baleias que nadam bastante perto do navio e, do outro lado, essas belas costas da África que se vê bem perto. Essas belas formas montanhosas, algumas cobertas de florestas, outras queimadas de sol, essas pedras, por fim a ideia da África em si, nos viramos involuntariamente mais uma vez na direção da Europa, onde está nossa pátria, onde estão os nossos, estendemos-lhe os braços e nos vemos arremessados no oceano para fora desse pérfido Mediterrâneo [...]. [169]

Agora era o Atlântico que enfrentariam. A condessa assim o descreveu:

> [...] Como esse grande mar é bem mais imponente e belo, suas ondas são bem maiores, suas águas mais negras, vamos padecer mais ainda dias de tempestade pois seremos chacoalhados por essas massas de água, mas finalmente começamos nossa verdadeira viagem, até aqui nada mais era que prólogo; o oceano nos acolheu com uma calmaria que durou o dia todo ontem, hoje em contrapartida temos um bom vento, avançamos muito.[170]

D. Leopoldina ao pai afirmava: "Estamos em Gibraltar; após muitos ventos desagradáveis e enjoo, estou cautelosamente contente por ter atingido o primeiro objetivo da viagem, mas não descansarei nem terei grande alegria enquanto não chegar ao Rio de Janeiro."

Missão Austríaca

Em Gibraltar, Nanny comentou:

> [...] Hoje de manhã de repente tiros de canhão nos anunciaram nosso *Augusta* que nos havia seguido e ido ao nosso encontro, ao passo que acreditávamos revê-la somente em Madeira, fiquei tão feliz! Agora, ela navega ao nosso lado o tempo todo, e embora seja reconhecido que o nosso *Dom João* é o melhor veleiro que existe, esta bela fragata austríaca não nos deixa, e entretanto tem todas as suas velas, todos os portugueses estão surpresos e a admiram [...].[171]

O príncipe de Metternich[172] organizou uma missão de cientistas para estudar o Brasil. O desconhecido interior brasileiro, com seus animais, sua população, paisagens, riquezas naturais, flora e fauna, passou a despertar interesse nos germânicos, bem como de toda a Europa, impedida até então de pisar na ex-colônia portuguesa. A oportunidade aberta com o casamento da arquiduquesa era imperdível. Assim, cientistas e sábios seguiram junto com as embaixadas que se estabeleceriam no Brasil devido ao casamento entre d. Pedro e d. Leopoldina.

Metternich deu ordens para que o diretor do Museu de História Natural de Viena, Karl F.A. von Schreibers, escolhesse os membros que participariam da expedição. Do Império Austríaco, foram enviados: Johann Christian Mikan, médico e professor de botânica da Universidade de Praga e chefe da missão; Thomas Ender, pintor que acompanharia a expedição como paisagista; e Johann Natterer, assistente do conservador do Gabinete Imperial de História Natural, criado pelo bisavô de d. Leopoldina em 1748. O encarregado da parte zoológica era Dominik Sochor; o botânico Heinrich Wilhelm Schott, chefe dos jardins do Palácio do Belvedere em Viena, coletaria plantas vivas para o parque do Palácio de Schönbrunn. Também seguia o médico Johann Emanuel Pohl, mineralogista e botânico da Universidade de Praga, além do pintor naturalista Johann Buchberger.

Na comitiva particular de d. Leopoldina, estava o conservador do Gabinete de Mineralogia da Corte, Roque Schüch, a quem a princesa deu o encargo de ser o seu bibliotecário, e o pintor da corte Frick. Como agregados, iam também o zoólogo Spix e o botânico Martius, que ingressavam na expedição por pedido do rei da Baviera, sogro de Francisco I, assim como Joseph Raddi, incluído a pedido do grão-duque da Toscana.

Em 10 de abril de 1817, quatro meses antes de d. Leopoldina conseguir sair da Europa, partiram duas fragatas austríacas de Trieste: *Augusta*, a que Nanny se referiu, e *Áustria*. Este último levava, além de parte da missão científica austríaca, diplomatas, como o barão Von Neveu, encarregado de negócios da Áustria, o secretário Von Hügel e o adido comercial Von Kast. Assim que saíram do Golfo de Trieste, os navios foram apanhados por uma forte tempestade. Segundo o *Allgemeine Zeitung* de 3 de junho, o *Augusta* foi o que mais sofreu e teve que se dirigir para Veneza, onde foi consertado, depois se reabasteceu no Marrocos e ficou aguardando em Gibraltar a chegada da frota que transportava d. Leopoldina. Enquanto isso, o *Áustria* seguiu para o Rio de Janeiro. Assim, eram quatro navios em direção ao Brasil: além do *D. João VI*, do *São Sebastião* e da fragata *Augusta*, um navio mercante português pediu proteção em Gibraltar, seguindo com os demais pelo Atlântico.

Logo após o desembarque no Rio de Janeiro, as viagens pelo Brasil tiveram início. Mikan, Schott e Buchberger seguiram pela mata do litoral até Cabo Frio. Ender, Spix e Martius partiram para São Paulo. Natterer, junto de Sochor e Pohl, explorou a província do Rio de Janeiro e a Ilha Grande.

Ender, por conta da saúde, e Buchberger, devido a um acidente de cavalo, foram as primeiras baixas da expedição. Embarcaram para a Europa em 1º de junho de 1818 junto com Mikan, que levava diversos animais vivos que haviam sido coletados. Desembarcaram em Trieste e seguiram de lá para Viena. O imperador Francisco I tomaria Buchberger sob seus cuidados até o falecimento do pintor no Palácio de Schönbrunn, em 1821, sendo ele a primeira vítima da expedição.

Schott permaneceu por mais algum tempo no Rio de Janeiro, preparando as plantas colhidas nos arredores da cidade e trazidas de outros lugares a fim de expedi-las para Viena. Pohl seguiu para as províncias de Goiás e Minas Gerais no intuito de realizar pesquisas mineralógicas. Natterer foi para o Mato Grosso.

Pohl, após cinquenta meses de viagens, regressou ao Rio de Janeiro em fevereiro de 1821 com 111 caixotes de material coletado, embarcando para a Europa em abril do mesmo ano. No *Northumbria*, navio em que partiu, foram despachados cerca de duzentos animais vivos e quase 1.600 espécies de plantas que haviam sido cultivadas por Schott no Rio de Janeiro. O mineralogista chegou a Viena em outubro de 1821 e causou alarde com os dois botocudos que trouxe consigo: João e Francisca, ele com 20 anos e ela com 21.

Natterer e Sochor continuaram a expedição e foram desbravar todo o sudeste. Sochor faleceu em 13 de dezembro de 1826 em São Vicente, onde foi sepultado numa capela. Natterer chegou à Amazônia, subindo o rio até a fronteira com a Venezuela. Por três anos, explorou o território do rio Branco até a Guiana Francesa e desceu o Amazonas até o Pará, onde a violência entre os brancos e os índios acabou vitimando os animais que colecionara – foram mortos e devorados pelos nativos.

Em 15 de setembro de 1835, retornou a Viena, chegando no outono de 1836 após dezoito anos de exploração. Levava consigo 37 grandes caixas com materiais coletados, Maria do Rego, sua esposa, e três filhos. Apesar do nome, Maria era uma índia Mura com quem Natterer se casara na Amazônia. Ela e duas das crianças não sobreviveriam ao primeiro inverno europeu. A filha mais velha, Gertrud, anos depois se casaria na aristocracia austríaca, tornando-se baronesa Schröckinger von Neuenberg.

Museu Brasileiro de Viena

Já com a chegada das primeiras espécies e dos materiais coletados, o imperador Francisco I decidiu criar o *Brasilianeum*, ou Museu Brasileiro. O diretor do Gabinete de História Natural, Karl von Schreibers, escolheu uma casa na rua Johannesgasse, onde, no primeiro andar, foram expostos os animais, as plantas e os minerais. Numa das salas, encontrava-se toda a coleção etnográfica coletada por Natterer, assim como 567 aquarelas e desenhos feitos por Thomas Ender, além de mais de mil desenhos de plantas, parte realizada pelo pintor vienense Miguel Sandler, seguindo orientações de Pohl. O Museu Brasileiro foi fechado em 1836, e a coleção etnográfica de Natterer foi exposta por este em outra casa. O restante do material foi incorporado ao Museu Vienense de História Natural, representando um acréscimo de um terço ao seu patrimônio.

A expedição austríaca revelou ao mundo uma série de espécies, animais, minerais e vegetais até então desconhecidos. O imperador da Áustria pessoalmente investiria em obras de luxo, como os dois volumes da obra de Pohl *Plantarum Brasiliae Icones*, publicada entre 1827 e 1829. O material de Natterer evidenciou novas espécies de pássaros, borboletas e peixes de água doce descobertas por ele em suas viagens pelo Brasil. A riqueza do material indígena coletado pelo austríaco, como potes, enfeites com penas, tacapes e zarabatanas com flechas envenenadas, apresentou à Europa uma face completamente desconhecida do país: sua identidade anterior à chegada dos europeus.

Madeira

Após a passagem por Gibraltar, era prevista a chegada da esquadra à ilha da Madeira em 5 de setembro, perto do anoitecer,[173] para que os navios fossem reabastecidos. Em vez disso, os ventos e novas tempestades jogaram com eles. No dia 6, pela manhã, Nanny desabafou com o pai:

> O homem propõe e Deus dispõe! Em lugar de colocar o pé em terra, tivemos um dia bem ruim; durante a noite inteira, o vento foi contrário, fomos um pouco para trás, houve um barulho, um estrondo horrível, nosso pequeno mastro quebrou-se, estão ocupados agora em consertá-lo. Cá estamos na frente da ilha da Madeira sem ousar nos aproximar, com este vento contrário nenhum barco ousaria se aventurar no mar. Hoje não podemos atracar, portanto nosso navio vai ficar dançando na frente da Madeira o dia todo [...]. Todos os nossos navios estão numa contradança.[174]

No dia 8, ainda estavam no mesmo lugar, e o clima não era dos melhores. No dia anterior, com a queda do mastro, um "pobre marinheiro que trabalhava [...] caiu de bem alto e fez um buraco no crânio, quiseram operá-lo com uma serra, mas retiraram os ossos sem ela, o pobre infeliz morreu; Deus, que vida tem um pobre marinheiro!".[175]

Finalmente, em 11 de setembro pela manhã, conseguiram ancorar. Era a primeira e única vez que d. Leopoldina colocaria seus pés em terras portuguesas na Europa. Nanny informou a respeito da recepção oficial: "Ontem logo pela manhã a arquiduquesa recebeu no navio a visita do bispo, do governador, dos seus oficiais. Como foi bonito de se ver todos esses barcos, todos esses navios. [...] Às três horas, embarcamos no nosso barco e viemos para a terra."

Os caminhos eram repletos de flores, as janelas estavam apinhadas de gente. Dos balcões das casas, jogavam flores sobre d. Leopoldina e sua comitiva. A princesa, andando sob um dossel, foi levada até a igreja, onde foi cantado o *Te Deum*, após o qual houve a cerimônia do beija-mão, que durou cerca de meia hora. Não acostumada à etiqueta da corte portuguesa, d. Leopoldina escreveu ao seu pai afirmando que faltaram mãos para dar a beijar. Após o evento, saíram para conhecer a cidade em meio à multidão que se acotovelava pelas ruas para ver de perto a sua nova princesa e futura rainha. D. Leopoldina ficou bastante surpresa com a maneira pela qual foi recebida pela população: o entusiasmo dos madeirenses foi tanto "que me comoveu".[176]

A condessa afirmou ao pai que a cidade de Funchal era tão bela quanto estranha. Para a excursão pela cidade, na falta de carruagens, a opção era os visitantes serem carregados em liteiras. D. Leopoldina descartou a hipótese, para desespero de Nanny, que teve de aguentar o "calor horrível".

A natureza esplendorosa da ilha encantou e surpreendeu tanto d. Leopoldina quanto Nanny. Para Maria Luísa e para Francisco I, d. Leopoldina mencionou camélias, iúcas, jambos, magnólias e goiabeiras que cresciam selvagemente pelo local, além de diversas outras plantas que "somente conheci em estufas" e que no Funchal cresciam "selvagemente aos milhares".[177] Quanto ao famoso vinho da Madeira, Leopoldina afirmou a Francisco I: "A vinicultura é bem intensa e o vinho daqui é excelente, as uvas têm um sabor próprio."[178]

Mais tarde, foram conhecer o interior da ilha, e aí não houve escapatória. O caminho montanhoso obrigou que as damas e demais interessados pelo passeio, incluindo membros da Missão Austríaca que desembarcaram do *Augusta*, fossem transportados nas liteiras. Mas Leopoldina, usando dos ensinamentos de equitação transmitidos por Marialva, seguiu montada no seu cavalo Schnürl. A condessa assim descreveu a cena:

> [...] Uma profusão de liteiras tal como as vemos nas pinturas chinesas conduziam a marcha; numa delas também estava deitada a sua Nanny, em seguida vinham 20 a 30 cavalos que traziam a arquiduquesa, duas damas portuguesas, e um número de oficiais, fizemos assim seis a sete milhas, sempre subindo [...]. É cômico ver como os carregadores dessas liteiras correm levando sua pesada carga, nesse calor horrível parece que vão cair mortos a qualquer instante, o suor escorre do rosto e do corpo deles, eles se alternam mutuamente 2 a 2 ou 4 a 4 correm assim o dia inteiro [...].[179]

Depois seguiram pelo campo até outra quinta, esta pertencente ao bispo, onde passearam pelo jardim. Para ocupar o tempo, foram tocadas músicas, e por fim desceram para a cidade novamente, aonde chegaram às nove horas da noite. Zarparam em 13 de setembro, dessa vez com rumo ininterrupto ao Rio de Janeiro.

A travessia

Durante a travessia, d. Leopoldina inteirou-se melhor a respeito do Brasil. Em carta a Francisco I, disse que, ao conversar com a tripulação, em específico com o chefe da esquadra, Henrique de Souza Prego, "que deixou o país há somente quatro meses", descobriu que as coisas poderiam ser muito piores do que as impressões que eles tiveram até então.[180] Quanto às damas portuguesas, tanto Nanny quanto d. Leopoldina haviam considerado educadas, apesar de falarem pouco francês, mas depois de algum tempo ambas passaram a achá-las estranhas. A princesa queixou-se de que as damas "são muito fechadas e não permitem sequer que me relacione com elas".[181] Quanto à etiqueta do navio, d. Leopoldina informou que só podia andar pelo convés com o seu camareiro-mor e seu escudeiro-mor. Isso não foi bem compreendido por Nanny, como pode ser observado em seu desabafo para sua amiga Ernestine:

> Nós vivemos na Corte ainda que em um navio, e a Corte, mesmo a Corte em pleno mar, afasta toda ideia de franqueza e de confiança [...]. Fazer passeios com a princesa seria um crime; suas damas a aborrecem, a começar por mim, ela vai com um ou outro desses senhores que ouvem e respondem com a maior complacência cem mil vezes a mesma coisa; o passeio termina subimos ao convés, sentamos em círculo, alguém tenta começar uma conversa, ela morre, ele retoma – novamente reticências, por fim segue um monólogo, e mais um passeio, e depois outro monólogo e assim de manhã até de noite, pois não se trata aqui de se ocupar, de música, de desenho, etc.[182]

Nanny tentava se ocupar escrevendo para sua família e criando diários de bordo para presentear diversos parentes e amigos quando regressasse. Para Ernestine seu desabafo era bem mais íntimo. Pensava, entre outras coisas, o que ambas aprontariam se estivessem juntas, chegando até mesmo a imaginar a amiga fazendo algum jogo de sedução, um flerte com algum oficial só para elas se divertirem e assim passarem o tempo. Nanny deixava a sua penteadeira fechada, transformando-a numa pequena mesa secretária: "Eu encho sua gaveta com a minha papelada, todo o mundo ri de mim porque me veem rabiscar todas as noites, ainda se supõe que a cabeça de uma mulher não pode conter nenhuma ideia que valha a pena colocar no papel."[183]

Com o passar do tempo, o tédio foi tomando conta delas a ponto de Nanny desabafar com a amiga o cenário em que estava imersa:

> [...] Esse tipo de vida é desesperador, esses círculos mudos em torno da princesa, são lamentáveis, não se sabe o que fazer, – você não acreditaria, seria preciso vê-los. Imagine um círculo de sete ou oito pessoas sentadas em volta dela, além de três damas, cada qual com seu trabalho na mão e as ideias sabe Deus onde, sem

> a menor vontade de dar uma palavra. Perto de nós os dois ou três senhores cada qual com um livro, uma ou duas outras damas portuguesas de braços cruzados olhando em volta sem falar porque estamos mudas, e a princesa ela mesma com um livro em mãos, mas que só fixa os olhos momentaneamente, normalmente eles passeiam fora dele sobre tudo o que acontece em volta dela; a alguns passos dali um grupo de oficiais que parecem zombar do nosso círculo silencioso ou então um outro grupo se refugia perto do quarto do chefe, para jogar ou conversar em voz baixa, para não interromper esse profundo silêncio, e por fim mais longe ainda, um macaco acorrentado, que faz suas caretas e dá suas voltas e uma dupla de homens que o fazem brincar, o silêncio só é interrompido por uma gargalhada que arranca algumas vezes uma de suas macaquices, ou por uma ou outra das suas palavras insignificantes pronunciadas com a ponta dos lábios onde o pensamento não tem lugar algum, – é como se temêssemos levantar a voz, eu mesma reconheço, sinto um incômodo terrível à ideia de interromper esse silêncio.

Algumas festividades irrompiam o marasmo da travessia, como os aniversários da Família Real, o de d. Pedro, em 12 de outubro, por exemplo. No dia seguinte, outra comemoração animou o navio. D. Leopoldina teve a oportunidade de presenciar, e Franz Frühbeck retratar, a Festa de Netuno. Nessa tradicional comemoração, quando se cruzava a linha do equador, um marinheiro fantasiava-se de Netuno, o rei dos mares, com direito a coroa e tridente, e junto com a corte toda do oceano presidia um tribunal onde a tripulação e os passageiros tinham que pagar uma espécie de imposto pela travessia. Quem não tinha dinheiro era mergulhado numa tina com água. No final, todos acabavam sendo molhados de qualquer forma, tendo pago ou não o imposto, por um marinheiro fantasiado de diabo.

Na imagem feita por Frühbeck, Leopoldina assiste do alto do castelo de popa à festa: é óbvio que os marinheiros não se atreveriam a molhar a sua princesa na brincadeira. Segundo Frühbeck, no folheto que escreveu a respeito da viagem, Netuno havia chegado em seu carro e ordenou a todos que estavam atravessando a linha do equador pela primeira vez que tinham que lhe pagar pela travessia ou fazer a barba. Dois grumetes, igualmente fantasiados, cobravam de todos a taxa da passagem. Enquanto isso, três marinheiros pintados de marrom com penas na cabeça representavam os brasileiros e dançavam, segundo Frühbeck, uma dança nacional típica. A festa, realizada à noite, teria durado cerca de duas horas. No dia seguinte, pediram mais presentes, em dinheiro, pela apresentação da véspera.[184]

Festa de Netuno a bordo da nau *D. João VI* retratada por Frühbeck.
D. Leopoldina está ao alto, à esquerda, sentada no centro.

Mas, passando esses raros momentos de diversão, o que quebrava mesmo a monotonia da viagem eram as tempestades, algumas chegando a durar mais de um dia. Nesse período, ondas de formato e altura de montanhas desabavam sobre os navios, que pareciam que seriam tragados pelos vales abertos pela água. Os barcos inclinavam-se ora para um lado, ora para outro. Nesse movimento, pratos, talheres, e até mesmo cadeiras com pessoas sentadas, parecendo ter adquirido vida própria, deslizavam pelos salões.

Passadas as tempestades, a monotonia e o tédio imperavam novamente: "[...] Esse tipo de vida da arquiduquesa me mata, não se faz nada de manhã até de noite a não ser se olhar e criticar, maldizer e mentir, bela ocupação não é mesmo?", [185] desabafava Nanny.

Havia noites em que, quando a lua não estava muito brilhante, elas saíam para o convés a fim de observar as constelações, tanto as últimas que ainda podiam ser vistas no hemisfério norte quanto as novas do hemisfério sul. E o mar, quando estava calmo, dava um espetáculo à parte segundo a condessa:

> Se você visse o mar numa dessas belas noites! Como é majestoso! Às vezes parece enrolar ondas de fogo, está sempre coberto desse material fosfórico, e desses vermes luminosos; às vezes veem-se peixes muito brilhantes a alguns pés debaixo d'água.[186]

Finalmente, em 4 de novembro Nanny narrava agradecida:

> [...] Logo de manhã um grito: terra, terra, martela os ouvidos de todo mundo, e todos os olhos se viraram para o Cabo Frio, estávamos em trajes de gala para o dia do nome da rainha.[187] [...] Com que sensações diferentes cada um ouviu esse grito: terra! uns encantados de estar ao cabo de uma vida entediante, de sofrimento, ser devolvidos à terra, outros de rever seus compatriotas [...], outros ainda de regressar às suas famílias – esses felizardos! – [...], vários imaginando as honras e as recompensas pelo seu sacrifício, nossa princesa encantada e em êxtase de ver seu esposo e sua nova família, e eu [...] preocupada e triste pela nossa arquiduquesa.

Finalmente, estavam a um grau do Rio de Janeiro, para onde avançaram a noite toda e chegaram no dia seguinte diante da barra. Lá, esperava-se que a corte fosse recebê-las e Nanny finalmente mostrava alguma excitação: "O rei, a rainha, toda a corte virá ver nossa princesa aqui [...], quem acreditaria! Eu, [...] me encontrar na América, [vir] para esta Corte brilhante e déspota do Rio Janeiro, é como um sonho para mim, ainda não consigo acreditar."[188]

Parte III

Brasil – 1817-1826

Imagem idealizada do desembarque de d. Leopoldina no Brasil.

D. Leopoldina portuguesa

EM 8 DE NOVEMBRO, a *Gazeta do Rio de Janeiro*[1] informou que, no dia 5, pela manhã, chegou à cidade a notícia de ter sido avistada a esquadra que trazia "Sua Alteza Real e Sereníssima Senhora Princesa Real do Reino Unido de Portugal, do Brasil e dos Algarves".

A cidade alvoroçou-se. Os morros "começaram desde logo a cobrir-se de imenso povo, que, com os olhos pregados no horizonte, aguardava impaciente a chegada da afortunada nau".[2]

D. Leopoldina assim descreveu a primeira vista do Rio de Janeiro:

> [...] Nem pena nem pincel podem descrever a primeira impressão que o paradisíaco Brasil causa a qualquer estrangeiro [...] na entrada da baía há três belos fortes, além de vários grupos de ilhas, ao longe vislumbram-se altíssimas montanhas cobertas de palmeiras e muitas outras espécies de árvores.[3]

Nanny assim contaria:

> [...] Um vento contrário nos sacudiu por muito tempo diante da costa, por fim no dia 5 chegamos às 6 horas da tarde, a entrada desse porto é maravilhosa, dois rochedos enormes, duas grandes massas de granito protegem a entrada, um chamado Pão de Açúcar por causa dessa forma, parece tocar as nuvens, as duas costas

> estão cobertas com as mais belas plantas; montanhas, ilhas; palmeiras, bananeiras, todos os tipos de árvores da América formam o mais belo e estranho cenário. Um número infinito de barcos de todos os tipos navegava em torno dos nossos navios, eram curiosos de Rio Janeiro que vieram nos ver de longe, meus olhos se pousaram sobre o nosso *Áustria* que nos tinha ultrapassado e que repousava ali no porto; gritos de alegria ecoaram em nossos ouvidos, trombetas, canto, era a voz dos nossos compatriotas [...] O rei enviou um camareiro[4] [para] cumprimentar nossa princesa e avisá-la que ele viria com toda a sua família à noite.[5]

Assim que o mastro despontou no horizonte e o pavilhão do Reino Unido foi avistado, por volta das cinco horas da tarde, uma salva de 21 tiros de canhões de todas as fortalezas e navios de guerra saudaram a nau *D. João VI*. Novos tiros foram dados assim que o navio soltou âncora no porto.

A nova família

D. João veio com d. Pedro na galeota real de São Cristóvão até o cais do Arsenal Real da Marinha, onde já se encontrava a rainha d. Carlota Joaquina, acompanhada das infantas. A fortaleza da Ilha das Cobras, logo que avistou o estandarte real, deu uma salva, o que imitaram as embarcações de guerra.

Às oito horas, Nanny observava a chegada da galeota até junto à nau *D. João VI*:

> [...] Meu coração bateu forte, a princesa ia ver pela primeira vez aquele que devia decidir o destino da sua vida toda; como o rei havia anunciado que ele não poderia subir no nosso navio por ter dor numa das pernas, nossa princesa seguida da sua corte desceu as escadas e veio até o barco do rei que estava rodeado de toda a sua família, nós ficamos na porta dessa pequena galé e vimos tudo o que aconteceu ali [...].

O rei, no barco, após cumprimentar d. Leopoldina, apresentou a arquiduquesa ao filho, e d. Pedro entregou à esposa uma caixa de ouro repleta de diamantes lapidados. Diante do espanto da princesa, d. João teria dito: "Vossa alteza vem para o país das pedras preciosas."[6] E que pedras preciosas! Segundo a descrição da condessa de Kühnburg, nada inventada, pois confere com a descrição do inventário das joias deixadas por d. Leopoldina, tratava-se de "diamantes montados em buquês, em nós de fitilhos, em penachos, em socós, entre outros há um pássaro do paraíso em diamante cuja cauda forma uma pluma, e que carrega no bico uma pequena Coroa de Louros".[7]

A família Bragança que recebeu d. Leopoldina era, segundo a descrição de Nanny ao pai, formada por um rei

> [...] alto e forte, a bondade está presente em todos os seus traços, ele recebeu e tratou nossa princesa como um pai, a rainha é uma mulher bem franzina, cheia de vivacidade e de espírito [...] felizmente todos falam francês um pouco, a jovem princesa viúva[8] e seu filho, uma criança adorável,[9] são bastante interessantes também, e a mais velha das três princesas não casadas, Isabel Maria,[10] chamou particularmente minha atenção. Ela é tão bonita, tem uma fisionomia tão doce e bondosa, ela é o charme dessa Corte e a felicidade dos seus pais [...].

Nanny deixou o mais esperado para o final: "Por fim o príncipe Dom Pedro, marido da nossa princesa: ele tem uma bela fisionomia, é ainda melhor que seu retrato, belíssimo homem."[11] A reação de ambos, d. Pedro e d. Leopoldina, ao se encontrarem pela primeira vez não poderia ser mais contemporânea. Quantos adolescentes não passaram por algo semelhante? "Ele estava sentado diante da nossa princesa, os olhos baixos os levantavam furtivamente de vez em quando sobre ela, e ela fazia o mesmo, naquele dia ela estava realmente bem."[12]

Após ficar algum tempo na galeota, a família toda subiu ao navio *D. João VI*, com exceção do rei, que recebeu os comandantes da nau e da frota. Instalaram-se no salão dos aposentos de d. Leopoldina e por lá ficaram até as dez horas da noite, quando "todo o mundo foi embora e nós descemos novamente à galeota do rei para lhe desejar boa noite; ele anunciou que no dia seguinte viria às onze horas da manhã buscar a princesa e sua Corte, na maior das pompas [...]".[13]

D. João e d. Pedro retornaram com a galeota para São Cristóvão, e d. Carlota e suas filhas permaneceram na cidade. À noite, todas as fortalezas e os navios no porto iluminaram-se, assim como a cidade, em comemoração à chegada de sua nova princesa. Após a partida dos soberanos e o relaxo da guarda, vários curiosos do Rio de Janeiro afluíram em direção ao cais do Arsenal da Marinha. A *Gazeta do Rio de Janeiro* descreveu que o cais havia sido ampliado algumas semanas antes para receber a princesa. A ponte de desembarque agora oferecia mais segurança. A parte que dava para o mar recebeu um novo parapeito, que foi recoberto por ricas tapeçarias, em cima das quais foram colocados lampiões para a iluminação noturna. Também diversas palmeiras foram plantadas.

nay Pinx: et direx:

Desembarque de S. A. a Princeza

na cidade do Rio de Jane

l.ᵃˢ do Reino Unido, Portugal, Brazil e Algarves,
Arsenal Real da Marinha

Finalmente em terra

Na quinta-feira pela manhã, dia 6 de novembro, o amanhecer no Rio de Janeiro foi espetacular. Depois de tantas tempestades marítimas, o tempo parecia risonho, como definiu um jornal da época.[14] Os moradores logo afluíram às ruas para ver a passagem do rei d. João VI e da real comitiva. Muitos ornaram suas janelas com cortinas e colchas de sedas de diferentes cores e com diversos matizes. As ruas foram atapetadas por folhas aromáticas.

Às onze da manhã, do Paço da Cidade, saiu um cortejo de carruagens em que iam a rainha d. Carlota Joaquina, suas filhas e sua corte. Dirigiram-se ao Arsenal, aonde pouco depois do meio-dia chegou d. João VI em sua galeota, juntamente com a sua corte e o príncipe d. Pedro. Quando estes partiram no barco para a nau *D. João VI*, onde receberiam a princesa, o Arsenal, as fortalezas e a esquadra ancorada deram salvas de tiros novamente.

> [...] Já às nove horas da manhã estávamos prontas com o melhor traje e sentadas no convés, o dia estava bonito, as laterais e o lugar do desembarque pululavam de gente, o Rei veio, a Princesa entrou na sua galeota, nós na galé seguinte onde estavam todas as grandes camareiras e damas do Palácio [...].[15]

D. Leopoldina usava um vestido de gala em seda branca, com bordados de prata e ouro.[16] No pescoço, usava o colar de brilhantes com o retrato do marido, além de outras joias, como o pássaro de diamante que recebera na véspera. Ainda, segundo Nanny, d. Leopoldina "se penteou à moda da terra, com uma grande quantidade de plumas, o que lhe cai maravilhosamente bem". Além das plumas, da fronte pendia um fino véu de seda branca, que não impedia de ver seu rosto.[17] Eram duas da tarde quando a galeota retornou ao Arsenal trazendo a princesa a bordo junto com a sua nova família. Nesse momento, ouviram-se novas salvas de tiros.

Ao desembarcarem, montou-se um cortejo com a corte engalanada. À frente, seguia um contingente de cavalaria, depois quatro moços de estribeira a cavalo; mais atrás, uma banda militar igualmente montada. Depois, oito porteiros da cana, os reis de armas, arautos, passavantes, demais porteiros, moços de estribeira, guarda-roupas, mordomos-mores, estribeiros-mores, camaristas, veadores e o pessoal do Conselho. Todos estavam devidamente paramentados, com seus chapéus de veludo com plumas e suas fardas de veludo vermelho bordadas a ouro e veludo azul bordado a prata, completamente inadequados ao verão carioca.

Mais atrás, finalmente, vinham os veículos trazendo a Família Real. O primeiro, o maior e mais rico de todos, puxado por oito cavalos com arreios de veludo e ouro, conduziam o rei e a rainha, sentados diante de d. Leopoldina e d. Pedro. Em cada lado do veículo, vinha, a pé e sem chapéus, uma ala de moços de câmara. Ao lado destes, seguiam arqueiros, acompanhados por quatro moços de estribeira.

Após o coche dos reis, vinham o capitão da guarda a cavalo, seguido do coche com o infante d. Miguel e algumas irmãs. Logo atrás, outro veículo com o restante da Família Real: tias e filhas de d. João VI. Um regimento de cavalaria fechava o desfile principal, mais coches seguiam com as camareiras-mores, onde estava Nanny com a condessa de Linhares, além das demais damas austríacas e portuguesas.

Arquiteturas efêmeras, interesses reais

Para os festejos, foram construídos alguns elementos de arquitetura efêmera, como dois arcos do triunfo e uma alegoria criada com palmas e estandartes, que lembravam os dos romanos, fincados no chão. O primeiro, e maior de todos, que d. Leopoldina viu naquele dia foi pelo qual o cortejo passou na rua Direita, atual Primeiro de Março. Ele foi projetado pelo arquiteto francês Grandjean de Montigny e decorado por Jean-Baptiste Debret, membros da Missão Artística Francesa. Esse arco era uma encomenda da Junta de Comércio do Rio de Janeiro. Os portugueses Joaquim José Pereira de Faro e Francisco Pereira Mesquita, representantes da junta, supervisionaram a sua construção.

Nesse arco, dois dos pedestais representavam o Rio de Janeiro e o Danúbio. O Rio era simbolizado pelas armas do Reino Unido de Portugal, Brasil e Algarves, e o Danúbio, pela águia heráldica dos Habsburgo. O grande arco do meio era sustentado por oito colunas dóricas. Entre elas, estavam dois pedestais, sobre os quais foram postos dois meninos ricamente vestidos, com os emblemas do Amor e de Himeneu, o deus do casamento. Estes apresentaram aos reis e aos príncipes uma grande coroa de flores, que descia do teto do arco no momento da passagem do coche, ao mesmo tempo que caía sobre a Família Real uma chuva de flores.[18]

Os baixos-relevos que enfeitavam o arco representavam os emblemas do Velho e do Novo Mundo, reunidos sob o caduceu do Comércio. Do lado da rua Direita, uma estátua depositava sobre o altar de Himeneu os monogramas do príncipe e da princesa.

Por baixo da grande cornija que coroava o arco, lia-se "À Feliz União, o Comércio". Sobre os três degraus que ela sustentava, havia um grupo de duas figuras sentadas e aladas, com símbolos de paz, que reuniam numa coroa o monograma dos príncipes. Todos os baixos-relevos eram executados em ouro sobre mármore branco. Como se não bastasse, o monumento também era ornado por festões compostos por flores, e o monograma de Pedro e Leopoldina foi feito em rosas, apresentadas em medalhões revestidos de cor de ouro, além de outros de seda azul com grandes letras de ouro formando as iniciais dos noivos. À noite, mais de 1.500 velas, protegidas por globos e mangas de vidro, iluminaram essa construção por três dias.

Não era apena a Áustria que investia nesse casamento prevendo os ganhos em comercializar com o Brasil. Os comerciantes portugueses e brasileiros, principalmente os do Rio de Janeiro, estavam ávidos pela abertura de outra linha de comércio com a Europa que não passasse obrigatoriamente pela esfera inglesa. Todo esse enorme monumento para honrar o casamento dos príncipes, futuros governantes, era uma clara demonstração dessas intenções.

As bênçãos nupciais

Às duas e meia da tarde, a comitiva chegou à Real Capela, onde foi recebida pelo bispo capelão-mor com todo o seu cabido paramentado e os membros do Senado da Câmara. D. Pedro desceu primeiro do coche, apressando-se em dar o braço a d. Leopoldina para ajudá-la. Ao entrarem na igreja, acompanhados da corte e de diversos bispos, a música composta e regida pelo maestro Marcos Portugal irrompeu dentro do templo, executada pelos músicos da Real Câmara. Após ocuparem seus lugares e a música terminar, d. Miguel pegou d. Pedro pela mão enquanto d. Carlota Joaquina fazia o mesmo com d. Leopoldina e conduziram o casal para se ajoelhar diante do bispo, que lhes deu as bênçãos nupciais. Após o ritual, foi entoado pelo coro um *Te Deum Laudamus*, ao fim do qual todas as fortalezas e os navios da baía deram salvas de canhões.

Então, segundo Nanny,

> [...] cada camareira-mor se apoderou da cauda da sua princesa e fomos ao palácio que era pequeno e nada bonito. Era antigamente um convento de monges, ali beijamos as mãos de toda a família real pois aqui todo mundo e todas as Damas beijam a mão do Rei e dos Príncipes.[19]

A Família Real e a corte então atravessaram a rua e recolheram-se ao Paço da Cidade, onde, após descansarem um pouco, apareceram na "janela do paço mais próxima ao mar".[20] Então, as tropas de infantaria, que guarneciam as ruas, a cavalaria, que os acompanhara no cortejo, e a artilharia, que estava postada no Largo do Paço, formaram-se em grande parada, comandada pelo governador de armas da corte. À primeira descarga e salva do parque de artilharia, responderam as embarcações e a fortaleza da Ilha das Cobras, e, assim, a tropa e o povo que estavam no largo deram repetidos vivas aos reis e ao novo casal.

A primeira noite

Às nove e meia da noite, os reis e os príncipes saíram do paço em cortejo idêntico como de manhã. Embarcaram no Arsenal, chegando a São Cristóvão por volta das onze. No desembarque, outro arco do triunfo e um batalhão de infantaria aguardavam-nos. Daí foram conduzidos ao Real Paço da Quinta da Boa Vista, onde d. João havia mandado preparar uma ala para o novo casal. Segundo Debret,[21] o rei não descuidou de um único detalhe, fez tudo para que d. Leopoldina se sentisse bem, chegando a encomendar em Paris os móveis para o apartamento da nora. A cena que se passou nos novos aposentos da princesa no dia 6 de novembro foi assim descrita por Debret:

> [...] A primeira coisa por ela observada foi o busto do imperador da Áustria, seu pai, que o rei mandara vir de Viena. Vendo-o, a princesa não pode reter lágrimas de alegria, então o rei, tomando-lhe a mão, disse: "como vós sois muito instruída, não tenho a pretensão de oferecer-vos algo inédito, estou persuadido entretanto, de que tereis prazer em percorrer este volume, que vos peço aceitar. A princesa, ainda comovida com o busto do pai, abriu o livro; era uma soberba coleção de

todos os retratos de sua família, encomendada em Viena juntamente com o busto. Cedendo aos seus sentimentos de gratidão, a princesa precipitou-se sobre a mão do rei, que lhe disse ainda: "minha querida filha, a felicidade de meu filho está assegurada, bem como a de meus povos, pois terão um dia, como rainha, uma boa filha, que não pode deixar de ser uma boa mãe".

No quarto do casal, Leopoldina afirma em carta para Maria Luísa: "[...] Na primeira noite, para meu constrangimento, me despi ajudada pela rainha e pela cunhada, o príncipe diante do rei e do cunhado Miguel."[22] Nanny também presenciou a cena pela qual a princesa teve que passar: "A rainha e todas as princesas assistiram à sua higiene noturna, tive de lhe tirar a roupa, colocá-la na cama, e esperar até que o príncipe estivesse do lado dela na cama, então felizmente me deram autorização de sair."[23]

Em carta aos familiares, d. Leopoldina comentou, provavelmente acerca da noite de núpcias e das subsequentes, que d. Pedro "não me deixa dormir, até que lhe disse sinceramente que estava abatida".[24] O afoito noivo não seria realmente conhecido por suas boas maneiras.

No dia 7, d. João recebeu na Quinta da Boa Vista, em São Cristóvão, todo o corpo diplomático.[25] Na presença da Família Real, da corte e dos embaixadores estrangeiros, houve uma serenata na Sala de Audiência, ainda como parte das comemorações do casamento de d. Pedro e d. Leopoldina. Primeiro, ouviu-se uma sinfonia composta para a ocasião por Ignácio de Freitas. Em seguida, o príncipe d. Pedro cantou uma ária, sendo seguido depois por suas irmãs, d. Maria Teresa e a infanta Isabel Maria. Esta última, tanto d. João quanto d. Carlota projetavam ver como imperatriz da Áustria. Depois, "Augurio di Felicitá", composta pelo maestro Marcos Portugal, foi executada pelos músicos da Real Câmara, seguida de um elogio, também em italiano, cantada por um membro da Câmara Real.

Não só d. Leopoldina teve uma entrada triunfal no Rio de Janeiro. Isso também ocorreu com o conde Eltz, embaixador da Áustria, que foi recebido em audiência tanto pelo rei d. João VI quanto pela rainha d. Carlota Joaquina em 8 de novembro. Eltz tinha vindo com a esquadra, mas não no mesmo navio que transportava a princesa, e sim no *São Sebastião*.

A diferença entre a recepção do diplomata austríaco e as das demais nações foi gritante a ponto de entrar para a crônica de outros estrangeiros no Rio de Janeiro.[26] O oficial mais graduado da Secretaria de Negócios Estrangeiros foi a bordo do *São Sebastião* cumprimentá-lo. Logo que o embaixador desembarcou, foi levado por um coche da casa real, seguido de aparatoso cortejo para a sua apresentação. Depois, ainda foi honrado com um baile, dado pelo barão de Itaguaí, primeiro-ministro de d. João VI, em sua fazenda, onde forças de infantaria estavam postadas desde a grade do parque até a porta de entrada e piquetes de cavalaria, formados pelo caminho.

O dia 8 foi o último de comemoração das bodas. O empresário que arrendava o Real Theatro, que se localizava no Centro do Rio de Janeiro onde hoje está o Teatro João Caetano, ofereceu um espetáculo gratuito em honra do casamento de d. Leopoldina e d. Pedro. Para lá toda a corte acorreu, assim como o povo, que não perdia uma chance de tentar conhecer mais de perto a sua nova princesa.

Noemi Thierry

A viajante inglesa Maria Graham ouviu no Rio de Janeiro a história de que nessa ocasião, de alguma maneira, a princesa teria sido magoada publicamente pelo esposo. Segundo Graham,[27] "pessoas que reparam nessas coisas" teriam notado que, no camarote real, na primeira vez que aparecem em público, a rainha d. Carlota teve que chamar constantemente a atenção do príncipe para que desse atenção a sua esposa. D. Pedro, com relutância e mau jeito em atender à vontade da mãe, teria acabado por magoar a princesa, fazendo "cair lágrimas dos olhos da arquiduquesa".

O teatro talvez lembrasse d. Pedro a sua primeira grande paixão, a atriz francesa Noemi Thierry. A lembrança mais antiga desse relacionamento é do francês Eugène de Monglave, que, em 1827, mencionava a "queda" de d. Pedro pela artista "jovem, bela, sensível, tendo o grau supremo de todos os encantos que são prerrogativas do belo sexo de nossa pátria".[28]

Noemi Thierry, e também sua irmã,[29] teriam sido alvo das atenções do impetuoso d. Pedro. Ainda dando créditos ao relato de Maria Graham, o príncipe teria chegado a se casar secretamente com a artista e com ela tido um filho.[30] D. João e d. Carlota teriam se unido para remover a amante do herdeiro da corte antes da chegada de d. Leopoldina. É de imaginar o escândalo que ocorreria, ainda mais com os reis acalentando o sonho de um duplo casamento entre os Bragança e os Habsburgo.

Quem teria tomado a frente em tentar resolver o drama foi d. Carlota. Esta se avistou algumas vezes com a atriz, que, tão apaixonada quanto d. Pedro, parecia irredutível. A rainha prometeu tudo, mas ela não queria trocar o amante por nada; até que d. Carlota apelou para o bom senso da moça afirmando que o príncipe acabaria deserdado se essa situação não tivesse um fim.[31] Finalmente, Noemi capitulou. Foi-lhe arrumado um oficial português como marido, e ela teria recebido um dote do rei, e o oficial, uma promoção, obrigando-os a partir para Pernambuco, bem longe do Rio de Janeiro.

Já Melo Morais narra duas versões para o mesmo episódio. Numa delas, o caso entre d. Pedro e Noemi ocorreu já com d. Leopoldina no Rio de Janeiro.[32] Ele levaria a esposa para passear na casa de Pedro José Caupers, para onde a atriz também ia. Enquanto a família Caupers entretinha a princesa, o príncipe entretinha a amante. A gravidez de Noemi teria feito d. João tomar as medidas a que Maria Graham se refere.

A outra versão[33] é que, quando d. Leopoldina desembarcou no Rio de Janeiro, a francesa, ainda na capital, estava grávida de seis meses de um filho de d. Pedro.

D. João, sabendo do caso, a teria feito se casar com um oficial português enviando-os para Pernambuco. D. Leopoldina nessa versão saberia do ocorrido, da gravidez, e teria dado uma "memória de brilhantes e um conto de réis"[34] pelo seu infortúnio. Em qualquer dos relatos, o bebê – como que para dar mais credibilidade e lembrar a maldição[35] que se abatia sobre os primogênitos dos Bragança – acabou falecendo criança.

De qualquer forma, d. Leopoldina, em cartas para a família, não menciona, direta ou indiretamente, nada a respeito dessa primeira aventura do marido. Provavelmente, não o faria se realmente acabasse sendo inteirada do assunto. Entretanto, Maria Graham afirma que a princesa soube, sim, do ocorrido e teria usado o seu bom senso tratando bem d. Pedro e até o consolando pela perda dessa sua primeira grande paixão. "A determinação [de Leopoldina] em não magoar ou chocar uma alma recém-ferida, obteve, senão a mais calorosa afeição do marido, ao menos sua total confiança e completa estima."[36]

O que se sabe, por contar Melo Morais, é que, devido à relação muito próxima que o camarista Pedro José Caupers mantinha com d. Pedro e suspeitando que este agisse como alcoviteiro do marido, a princesa teria pedido ao sogro que o banisse do Rio de Janeiro,[36] no que foi prontamente atendida pelo rei. Entretanto, essa vitória de d. Leopoldina lhe custaria caro. O seu médico pessoal, que havia vindo da Europa com ela, dr. Johann Kammerlacher, acabaria sendo afastado da corte pela camarilha palaciana e teve que retornar para o Velho Continente quase às vésperas do primeiro parto da princesa. Isso deixou d. Leopoldina nas mãos dos médicos portugueses, de quem ela não gostava e que lhe fariam sofrer muito durante os sucessivos partos. Futuramente, ela enviaria um brasileiro para estudar obstetrícia na Europa.

Apesar de ter começado a vida no Brasil de maneira tão problemática, seus futuros súditos parecem ter gostado dela logo de início. O bibliotecário real, Luiz Joaquim dos Santos Marrocos, em carta a seu pai, datada de 12 de novembro, assim descreveu a primeira impressão que a princesa lhe causou. Essa reação deve ter sido a de grande parte das pessoas do Rio de Janeiro que puderam vê-la e falar com ela:

> A Seren.ᵐᵃ S.ʳᵃ D. Carolina tem agradado em extremo a todos: muito discreta, desembaraçada e comunicável; fala, além de sua língua pátria, o francês, o inglês e italiano; alguns conhecimentos de Belas Letras, e não menos de Botânica, além daquelas prendas que são próprias de uma senhora, em que dizem ser eminentes: mui fértil na conversação e mui aguda em respostas; mestra na arte de agradar e fazer-se estimável; e, para ser mais notável, até tem medo de trovoadas.[38]

O Palácio de São Cristóvão

Toda a pompa e ostentação com a qual d. Leopoldina foi recebida no Rio de Janeiro não podiam, entretanto, esconder a verdade. A cidade não era a mais limpa do mundo, isso se na época existisse alguma efetivamente limpa e cheirosa. Devido aos alagadiços que disputavam espaço com morros no centro da cidade, era um local insalubre. Unindo esse fato à poluição do porto e à falta de infraestrutura urbana, o lindo cenário que se descortinava à vista de quem olhava o Rio de Janeiro do cais caía por terra ao se chegar mais perto e sentir o seu cheiro. Logo que chegou ao Rio de Janeiro, em 1808, a família procurou lugares para se instalar bem longe da cidade. O então príncipe regente, d. João, foi morar numa propriedade rural, a Quinta da Boa Vista, distante seis quilômetros do centro.

A Quinta da Boa Vista, onde ficava o Palácio de São Cristóvão, atual Museu Nacional, havia sido anteriormente uma vasta fazenda jesuíta chamada São Cristóvão. Quando da expulsão desses religiosos pelo marquês de Pombal, no século XVIII, a propriedade passou a pertencer à Coroa. Com o passar do tempo, o terreno foi sendo loteado, e uma grande área, arborizada e elevada, foi adquirida por Antônio Elias Lopes, nome aportuguesado do comerciante sírio-libanês Elie Antun Lubbus, traficante de escravos. Elias cedeu a casa a d. João em troca de dinheiro, postos e condecorações.

> Esta casa era extraordinariamente grande para um particular solteiro, pequena para a residência de um soberano. É de notar que em 1803, sendo perguntado este Elias por que razão edificava uma casa tamanha, respondeu (talvez baseado em certas profecias, que o povo supersticioso cria deverem-se realizar por aquela época) que era para residência do príncipe regente de Portugal, e com efeito em 1808 a ofereceu ao príncipe que a aceitou.[39]

Obviamente, para d. Leopoldina, acostumada com a Hofburg, pertencente à família havia séculos e acrescida a cada geração, com o espetacular Schönbrunn e a pequena joia de Laxenburg, as únicas coisas que devem ter compensado eram a vista e a decoração de seus aposentos. O nome do local, Quinta da Boa Vista, fazia jus ao cenário que se descortinava diante dela. À frente da residência, localizada no topo de uma elevação, era possível avistar o mar ao longe e, numa de suas laterais, o morro do Corcovado e a floresta da Tijuca, que até hoje dominam a paisagem.

A casa, que seria residência dos Bragança no Brasil por quase noventa anos, formava, segundo o pintor Manuel de Araújo Porto-Alegre, um quadrilátero de 240 palmos de lado. Enquanto a rainha d. Maria I ainda vivia, d. João habitava o local durante o dia e retornava à cidade para dormir. Depois da sua morte, ele passou a morar permanentemente na Quinta. O quarto de d. João, ainda segundo Porto-Alegre, media "24 palmos quadrados e tinha por adjacência um outro um pouco menor [...]. Tinha o rei um pequeno gabinete de trabalho, uma sala para diplomatas e uma sala do trono", onde recebia o beija-mão.

D. Leopoldina, em carta para Maria Luísa, assim descreveu os seus novos aposentos no palácio:

> Minha casa tem seis aposentos, com magnífica vista, de um lado para a serra e muitos povoados, do outro para o mar, ilhas e a Serra dos Órgãos. Começo com 1) a sala de bilhar, que é pintada simplesmente de verde e tem uma magnífica mesa de bilhar. 2) A sala de música, que tem nas paredes pinturas de todos os pássaros e árvores do Brasil, as poltronas e mesas de *bois du Brésil*, com bronze e junco, por causa do calor; três lindos pianos e duas arcas sobre as quais há vasos de alabastro e porcelana com paisagens, além de um magnífico relógio de bronze. As portas e sacada são de pau-brasil com trabalhos em bronze. 3) A sala de festa, com quatro colunas com trabalho em bronze, representando cenas mitológicas, além de vasos de alabastro e porcelana com paisagens e candelabros de bronze. As poltronas e mesas de madeira amarela de Macau, com figuras entalhadas, que são muito valiosas e singularmente belas. As tapeçarias são de veludo branco, as cortinas de musselina com franjas douradas. O teto é maravilhoso, com uma cena da mitologia pintada por um francês. 4) O gabinete de toalete, de musselina branca com tafetá rosa sob dois cortinados, no meio de dois Eros de bronze adornados com guirlandas de flores, segurando de um lado um toalete masculino, do outro um feminino de platina, feito na Inglaterra, que é muito bonito, mas tão pesado que não consegui manejá-lo [...]. 5) O quarto de dormir de musselina branca e rosa, adornada com guirlandas de flores e enfeites dourados e cortinados, uma cama como uma casa com um cortinado todo bordado em ouro, segurado pela águia real e Eros. Temíamos que desabasse, mas nos garantiram que não há perigo; a cama tem uma colcha de renda de Bruxelas, que custou quarenta mil francos e é maravilhosa; agora temos uma bordada com um tecido escarlate, uma vez que as noites aqui geralmente são frias; além disso, tenho nesse quarto o retrato do querido papai, dois armários com relógios e vasos, além de escrivaninha e canapé de musselina, para dormir a sesta ou para o príncipe dormir quando tem seus

> ataques de nervos; além disso há um gabinete, que é bastante necessário e onde está tudo que é de prata. Depois o guarda-roupa e um gabinete; logo em seguida quatro aposentos para o pessoal de meu esposo, e um onde se veste; em todos os quartos há sacadas e quatro portas, onde temos um pequeno corredor em que ficam pássaros e os cães de caça durante o dia, para que o calor não lhes faça mal. Embaixo há quatro quartos para minhas duas açafatas e duas retretas, que são feias como a peste; além delas minhas moças do lavabo, que são duas negras.[40]

Pela descrição, percebe-se que, nos primeiros momentos, d. Pedro e d. Leopoldina dividiam o mesmo quarto. Afinal, existia até mesmo um canapé destinado ao príncipe caso ele tivesse um dos seus ataques de epilepsia, a que a princesa se refere como "ataques de nervos". Posteriormente, com a partida da Família Real portuguesa para a Europa, d. Pedro e d. Leopoldina passaram a ter aposentos separados.

Nos jardins do palácio, abundavam pés de laranja, café, banana e grande variedade de espécies de flores. No pátio, havia chorões. Atrás da construção, ficavam as plantações, com uma vila de escravos e uma igreja. O entorno da edificação, em estilo mourisco e com molduras brancas, não possuía calçadas, transformando o espaço exterior todo em lama quando chovia. As cozinhas situavam-se do lado de fora, e a comida chegava em caixotes de madeira forrados com folhas de flandres para preservar o calor. Mas existiam fogareiros nos quartos e nos corredores, onde uma ou outra refeição rápida era preparada ou aquecida.

Do lado de fora, as estrebarias causavam enorme mau cheiro, que só era dissipado na época das chuvas, quando o estrume acumulado era levado pela enxurrada em direção à baía próxima ao palácio. Quando isso não acontecia, as estrumeiras atraíam nuvens de insetos, que atormentavam os habitantes da Quinta.

D. Leopoldina e suas cartas do Brasil

Mas d. Leopoldina, pelas cartas trocadas com seus familiares, demonstra não se incomodar muito com o fato de o palácio ser pequeno, como ela mesma observa. Diz frequentemente preferir esse do campo ao da cidade. A natureza que abundava em seu entorno compensava tudo. Ou quase tudo. Durante sua vida no Brasil, suas cartas para a família, do mesmo modo que revelam, encobrem. Quem as lê de um fôlego só, sem entender como elas foram escritas, em qual situação, e como deveriam ser enviadas, acha que d. Leopoldina poderia sofrer de algum distúrbio mental. Ora chora sua sorte, é melancólica algumas vezes, ora entoa loas à nova família, ao marido e aos portugueses. Quem era ela na verdade? A das cartas de sua juventude na Áustria ou essa no Brasil? Todas elas refletem um pouco da princesa. Porém, para cada olho, uma linha. Para Maria Luísa, sempre contava tudo, desabafava (quando sabia que as cartas seguiam por portador seguro e não seriam violadas); para o pai, contava a sua versão melhor das coisas, pedia conselhos sobre como agir na corte e com a Família Real e defendia, quase sempre, o marido; para os outros parentes, como a tia Maria Amélia, pintava tudo em cor-de-rosa. Tudo era lindo, e a sua vida, tirando o calor abrasador do Rio e os mosquitos, era o paraíso.

Com o passar do tempo, após o arrefecimento do entusiasmo com a chegada e com todas as novidades, ela percebeu que a sua liberdade não era mais a mesma de que gozara até então com sua família na Europa. Aqui, suas cartas eram lidas, e foi-lhe determinado que se comunicasse com sua família por meio dos caminhos diplomáticos oficiais portugueses.

Ela deveria enviar a correspondência que quisesse fazer chegar à família em Viena para Rodrigo Navarro de Andrade, desde 1817 nomeado embaixador plenipotenciário de Portugal junto à corte de Francisco I. Apesar de dizer o contrário, d. Leopoldina não confiava nele plenamente, e, como veremos depois, estava correta em agir assim. A princesa usará pessoas de fora dessa linha de comunicação estatal para enviar mensagens ao pai, Maria Luísa e outras pessoas da família. Nesses casos, realmente se abriria, desabafaria e contaria a verdade sobre o que ocorria no Rio de Janeiro. Isso quando tinha coragem para ser completamente franca. Com frequência, d. Leopoldina menciona em suas cartas que não chega a confiar seus pensamentos e alguns dos seus problemas para o papel, preferindo um dia falar de viva voz, o que, infelizmente, nunca viria a ocorrer.

No início de sua estada junto à corte de seu sogro, tudo ocorreu da melhor maneira possível. Não podia ser diferente: ainda se acalentava a ideia de um casamento duplo, e não só d. Leopoldina, mas até mesmo Nanny, a condessa de Kühnburg, receberam tratamento especial. Esta última via-se encantada com a atenção dispensada a ela pela rainha d. Carlota Joaquina, que até permitia que se sentasse diante dela. Nanny, deixando-se levar pela teia de intimidade da rainha, passou a achar Carlota Joaquina a mais encantadora das criaturas e uma pessoa extremamente boa e carinhosa para com os filhos. Ou d. Carlota tinha uma veia dramática ainda não descoberta ou Nanny estava cega pela bajulação.

A imagem da nova família para d. Leopoldina foi se desmontando aos poucos. Para o pai, na primeira carta que enviou, falou a respeito dos Bragança que eles “todos são anjos de bondade”[41]. Isso em 8 de novembro, dois dias depois do seu desembarque. Um mês depois, já afirmava: “Estou muito feliz, só preciso de muito cuidado e paciência, paciência que nunca tive na Áustria e que estou muito feliz de receber com o sagrado sacramento do matrimônio.”[42] Em 20 de janeiro, desabafava: “[...] Meu maior empenho é ser simpática e agradável a minha nova família, embora isso me custe um pouco! Não obstante, observo nos mínimos detalhes os hábitos do país, que são um tanto esquisitos.”[43]

Esta carta foi escrita logo depois de uma série de comemorações que d. João VI mandou fazer em honra a d. Leopoldina. Aliás, com a chegada da princesa ao Rio de Janeiro, a vida da corte havia assumido ares mais europeus. D. João e d. Carlota concorriam para fazer festas à nora. A rainha deu um jantar esplendoroso ao novo casal. Ministros, diplomatas e nobres de outras nações eram vistos constantemente nos eventos do Paço de São Cristóvão, que, para o aniversário de d. Leopoldina, havia sido todo engalanado com novas construções.

Diante do palácio, utilizando parte das sacadas, foi construída uma linha contínua de camarotes, que transformou o pátio de honra num anfiteatro. D. João declarou três dias de festas para comemorar o primeiro aniversário da princesa no Brasil. Em 15 de janeiro, diversos títulos, condecorações e patentes foram dadas, principalmente ao comandante da esquadra que trouxe d. Leopoldina ao Brasil. Souza Prego foi nomeado vice-almirante.

Entre os eventos oficiais da celebração, estavam as tradicionais touradas. Elas assim são descritas por Nanny:

> Os quatro cavaleiros que lutavam contra esses touros por assim dizer usavam o antigo traje espanhol, roupas fartamente bordadas, o traje dos lanceiros ou combatentes a pé era bem mais bonito especialmente o dos agricultores, esses irritavam o animal, lhe lançavam dardos com os quais ele ficava às vezes todo alfinetado sem que isso o deixasse furioso, quando estava enfraquecido por causa do sangue que estava perdendo, ou que não se conseguia torná-lo intrépido, então soltavam os cães que se ocupavam dele ou então lhe enfiavam um cutelo na garganta como golpe de misericórdia. [...] Esse espetáculo não agradou a nenhuma das princesas infantes que saíram várias vezes da galeria, o rei ele mesmo não o aprecia, mas como é espetáculo nacional o tolera, nossa princesa foi a única a se divertir, a rainha também, mas ela enquanto princesa espanhola está acostumada então é mais natural.[44]

Na realidade, d. Leopoldina não se divertiu nem um pouco com esse evento, que, além de touros mortos, que mal lutavam devido ao calor, teve um homem ferido, que foi retirado da arena coberto de sangue. Sobre esse dia, a princesa comentou com o pai: "Ontem assisti a uma tourada, e é um tanto repulsivo."[45] Mas mais repulsivo para ela seria ser deselegante e sair da tribuna, como suas cunhadas. Note-se que Nanny informa que o rei só tolerava as touradas por serem um "espetáculo nacional", ou seja, por tradição. D. Leopoldina também deveria apreciá-los. A sua posição assim exigia, e a educação que ela recebeu na Europa preparou-a para tais provas que ela enfrentaria com galhardia.

As damas austríacas que vieram com d. Leopoldina, entre elas a condessa de Kühnburg, ficaram maravilhadas com a natureza, porém acharam o clima insuportável, assim como a própria princesa. A presença constante da condessa de Kühnburg junto de d. Carlota Joaquina, a quem o rei mal suportava, acabou colocando-a numa má posição perante a corte de São Cristóvão. Além do mais, sua má vontade em permanecer no Brasil e ao serviço da princesa realmente não lhe granjeou simpatia.

O projeto inicial de d. João VI em segurar essas damas no Brasil até que o casamento de Isabel Maria com o irmão de d. Leopoldina estivesse arranjado, para as austríacas levarem a infante para Viena, foi descartado. As damas foram dispensadas. A condessa caiu no desagrado geral, conforme informa d. Leopoldina a Maria Luísa, "[...] porque o meu sogro não confia nela, já que está constantemente com a querida cara-metade dele, a qual se comporta de forma vergonhosa [...]".[46]

Mas esse desagrado não foi notado pela própria Nanny, que guardaria boas lembranças de d. João VI. Do rei português, ainda na Itália, antes de partir, recebeu por intermédio do marquês de Marialva um medalhão com a letra "J" rodeada de diamantes. Logo após sua chegada ao Brasil, e na falta de perspectiva de ser ordenado que as damas austríacas partissem, a condessa pediu uma audiência ao rei e assim deixou registrado o encontro:

> [...] Ele me recebeu com uma bondade muito especial, eu lhe pedi autorização para ousar me retirar do serviço imediato da Princesa, e de ceder meu lugar às Damas portuguesas, pois o Imperador me havia dado tal ordem, e que a delicadeza me obrigava a não dar a parecer que eu queria aspirar a um lugar que não me pertencia mais, ele foi tão gracioso e bom, mas não quis atender meu pedido, eu a reiterei ao sair, ele me disse que jamais me daria uma ordem, mas estava pronto a executar as minhas (que Rei galanteador) [...].[47]

Não somente d. Carlota decepcionava a nora. A condessa de Kühnburg e as demais damas austríacas também. Após a chegada ao Brasil, passaram a ser vistas por d. Leopoldina por outro prisma. Segundo a princesa, elas não eram mais de confiança nem para enviar uma carta particular para à família:

> [...] Pelas demais damas só posso enviar uma breve carta, já que ridicularizam todos os hábitos e também meu esposo em todas as ocasiões, conquistaram o desagrado da família real, com toda a razão, e como membro da mesma tenho que compartilhar a mesma opinião e desgosto.[48]

Em meados de março, após a aclamação de d. João VI como rei de Portugal, Brasil e Algarves no Rio de Janeiro, as damas austríacas receberiam, com muita felicidade, a notícia de que estavam dispensadas e podiam voltar à Europa. Elas embarcariam em abril de 1818. Junto com elas, partia também a querida Francisca Annony, a babá de d. Leopoldina. Ela havia sido a única pessoa que conhecera a "sua arquiduquesa" desde pequena a empreender a viagem com a princesa. A essa servidora fiel, d. Leopoldina confiou cartas que não entregaria a mais ninguém.

Detalhe da gravura feita por Jean-Baptiste Debret por ocasião da aclamação de d. João como rei de Portugal, Brasil e Algarves. D. Leopoldina aparece no alto, à direita.

Para o arquiduque Rainer, seu tio, d. Leopoldina comenta na carta que lhe enviou pela babá: "Encontrei tudo muito pior do que o senhor, querido tio, havia bem-intencionado, profetizado quando ainda estava na minha pátria." Segundo d. Leopoldina, ninguém podia ou queria confiar nela. Além disso, "seguem todos os meus passos e têm a bondade de levar a mal a mais bem-intencionada das atitudes".[49]

Ao pai, desabafa seu desespero com uma questão que seria o seu "calcanhar de Aquiles" durante a sua vida no Brasil: a falta de dinheiro. O marido, d. Pedro, proibia-a de pagar pensão a quem ela devia. Informava a Francisco I que o príncipe só queria que o dinheiro português fosse gasto com portugueses. Pedia assim que o pai ajudasse sua boa Annony a ter uma velhice despreocupada "após tantos serviços prestados com fidelidade".[50] O projeto de ela própria dar a pensão para a antiga babá "era uma alegria autêntica para mim e vê-lo destruído me doeu amargamente". E continuava confidenciando o modo como o marido a tratava:

> Seria totalmente feliz se não sofresse frequentemente com as ralhações de meu esposo temperamental e desconfiado, isso me magoa, já que sou sempre tranquila, paciente e condescendente, não acredito que seu coração seja ruim, mas provavelmente são calúnias de duas pessoas que me odeiam porque ajo corretamente.

A carta ao pai, em que pedia ajuda para a sua velha babá, foi escrita um dia depois da que seguiu para Maria Luísa, na qual ela descreve d. Pedro para a irmã. Pela franqueza de ambas as cartas, provavelmente a decepção com o marido a respeito da aposentadoria de Annony deu-se entre uma e outra missiva.

> [...] Encontrei em meu esposo um verdadeiro amigo e um ser nobre, em poucas palavras quero descrevê-lo com toda a franqueza, convicta de que esta carta nunca cairá em outras mãos que não as tuas [...] Ele me diz tudo o que pensa com franqueza e mesmo com certa rudeza, acostumado a que se lhe faça sempre sua vontade, tudo tem que se adaptar a ele e, até tenho que aturar algumas grosserias, porém vê que me magoam e assim chora comigo, além disso, estou convicta de que com toda sua impetuosidade e maneira de pensar, me ama sinceramente, embora seja (devido a muitas circunstâncias infelizes em sua família) muito reservado e teimoso; conheço cada um de seus pensamentos; para mim, contudo, o que o torna querido e digno de proteção é o fato de continuar sendo amigo de seus amigos, mesmo que caiam em desgraça, e não poupar sacrifícios por eles, ao passo que é implacável com seus inimigos; além disso, se comporta impecavelmente para com seus pais, o que é muito difícil naquela situação infeliz em que um é contra o ou-

> tro; honro e prezo muito meu sogro, uma vez que me demonstra muita bondade e amizade; o que me custa mais é estar todos os dias com certas pessoas que seriam muito atuais no tempo de Henrique III, rei da França, o que é terrível; respeitarei minha sogra sempre como mãe de meu esposo, mas seu comportamento é vergonhoso, e infelizmente se vêem as tristes consequências em seus filhos menores, que tem péssima educação e com dez anos já sabem tudo como gente casada.[51]

Uma amizade abortada

Uma das pessoas da Família Real com quem d. Leopoldina mais simpatizou e que pareceu a princípio que poderia ser a sua confidente e guia, no meio dessa corte em que a princesa tropeçava, era a sua cunhada Maria Teresa. Viúva do primo, o infante espanhol d. Pedro Carlos, dele tinha um filho, d. Sebastião, que fazia a alegria de d. João VI. Diferentemente das filhas solteiras de d. João e de d. Carlota, a viúva morava em São Cristóvão com o pai.

Em carta para Maria Luísa, d. Leopoldina informou que Maria Teresa tinha uma ótima formação, era séria em consequência do seu "triste destino, já que perdeu seu marido, que idolatrava, e agora é a queridinha de seu pai, sendo odiada e caluniada pela família, exceto por mim, porque a conheço e vejo seu coração, que infelizmente sofreu demais".[52] A Francisco I, um mês após o seu desembarque, comentava sobre essa cunhada: "Fico bastante em companhia da cunhada, que é muito boa e culta, e acredito encontrar nela uma de minhas boas irmãs, o que me deixa muito feliz [...]. Até agora não conheci outra mulher que me interesse e com quem simpatize."[53]

Durante algum tempo, o rei acalentou, por meio de seu neto, um Bragança e Bourbon, o sonho de ter a América Latina unida a uma só coroa. Assim como d. Leopoldina acertou a respeito da predileção de seu sogro pela sua cunhada, também acertou quando disse a Maria Luísa que d. Pedro era uma pessoa desconfiada. Ao contrário do irmão, herdeiro da coroa, a Maria Teresa era permitido, entre outras coisas, acompanhar o rei nas reuniões do Conselho de Estado e nos passeios que d. João fazia de carruagem ao redor de São Cristóvão. A corte, repleta de intrigas, não era um local de paz e harmonia familiar duradoura. Logo, certa animosidade tomou conta dos irmãos, e d. Leopoldina sofreu com isso.

> Minha cunhada Maria Teresa é uma verdadeira amiga e a amo muito, porém, sabe Deus por que, meu esposo não me permite ter com ela. Sua sina tão infeliz, seu filho

encantador, sua boa educação, tudo a torna estimável e preciosa, sua amizade e confiança para comigo me lembram de minha vida feliz em minha amada pátria.[54]

A vontade do marido era lei para d. Leopoldina. Fora criada dessa forma e, mesmo contrariada, acabava tendo que lhe obedecer.

D. João VI

Ao longo de toda a correspondência de d. Leopoldina, podemos notar que somente uma pessoa não a desapontou: d. João. Diversas vezes para Francisco I ela afirmou que o rei só não era mais pai dela do que o pai de sangue. A todo momento, muito antes até de d. Leopoldina pôr os pés no Brasil, d. João tentou fazer de tudo para agradá-la. Da contratação de uma orquestra para tocar durante a travessia do Atlântico e da oferta de dinheiro à disposição da nora para a viagem pela Europa até os mínimos detalhes de seu novo quarto na Quinta da Boa Vista, tudo o sogro fazia por ela.

Ciente da defeituosa educação de d. Pedro, de sua impetuosidade, de suas maneiras bruscas, d. João encontrou na nora um bálsamo. D. Leopoldina sabia se portar, era educada e tinha uma visão mais ampla de sua posição perante seus súditos. Devido à educação que recebera, compreendia bem quais eram os seus deveres perante o trono e os sacrifícios inerentes a ser uma princesa de uma casa real e uma futura rainha. D. João poderia contar com ela para contrabalançar a impulsividade e a falta de maneiras do filho. D. João e d. Leopoldina eram o oposto de d. Pedro e de d. Carlota, e acabaram se aliando num entendimento mudo.

A Francisco I, d. Leopoldina desabafou a respeito da corte: "Sigo seus conselhos, comporto-me tranquilamente e calo em tudo que posso, o que custa muito aqui."[55] Na sequência dessa frase, como se um pensamento ligasse a outro, comenta a respeito do sogro: "Não tenho palavras para elogiar a bondade e a solidariedade de meu sogro em tudo o que me diz respeito, acho que só o senhor, querido papai é mais bondoso e indulgente que ele; minha gratidão e consideração para com sua pessoa tão querida não tem limites."[56] Em outra carta ao pai, é ainda mais aberta e comenta a respeito de sua relação com d. João: "Estou frequentemente com o rei, que amo e prezo como um pai; [...] é muito benevolente comigo e sempre valorizo tudo que lhe dá alegria e o faz ficar satisfeito comigo."[57]

D. Pedro

O príncipe não era mais uma imagem idealizada, era de carne e osso, pensamentos, gestos e ações, que a seduziram e encantaram, ao mesmo tempo que a surpreendiam, agrediam e magoavam. Enfim, ela era agora obrigada a lidar com sua cara-metade real e não como o príncipe romantizado. Precisava enfrentar a realidade de suas vontades, desejos e frustrações, além de sua epilepsia. Logo de início teve que, sozinha, lidar com a doença do marido. Acudiu-o num dos primeiros ataques que d. Pedro teve depois de casado, deixando-a aterrorizada.

Uma vantagem do relacionamento entre d. Pedro e d. Leopoldina é que o desencanto foi paulatino, veio aos poucos, não foi de uma vez só que ela se deparou com o pior lado dele. O início foi idílico. Numa de suas primeiras cartas ao pai, ela solicita que Francisco I faça do marido oficial de um regimento austríaco e ao fim pede desculpas pela letra feia, justificando: "Meu infantil esposo está empurrando a minha mão."[58] A dois dias de estar junto com d. Pedro ela contava para a irmã na Itália: "Não é apenas lindo, mas também bom e compreensivo."[59] Ao pai, pedia que não desse ouvidos a mexericos e só prestasse atenção ao que ela própria diria:

> [...] Meu esposo tem bom coração e muitos talentos e boa vontade de se instruir, pois não é sua culpa se algumas pessoas acham que deveria ser diferente; isso é porque não o conhecem bem pois, quanto mais se conhece ele, tanto mais parece melhor; por isso peço ao senhor que não acredite no que contam sobre ele, mas apenas no que lhe escrevo.[60]

Em janeiro de 1818, d. Leopoldina novamente tentava desfazer más impressões que o pai poderia ter devido a notícias que chegassem a ele em Viena, por meio da nova embaixada ou cartas dos austríacos que a acompanharam: "Tenha certeza de que sou muito feliz em meu casamento pois espalham-se alguns boatos falsos, como o senhor bem sabe, e como meu esposo tem um caráter e temperamento muito peculiares, as pessoas que não o conhecem bem podem julgá-lo erroneamente."[61] Em abril, d. Leopoldina pintou ao pai um retrato de d. Pedro como o seu herói salvador diante das intrigas da corte. O marido, segundo ela, seria seu "verdadeiro amigo e protetor de todos os perigos", aos quais muitas vezes eles ficavam "expostos aqui e dos quais nos tornamos vítimas".[62]

Um ponto de conforto para d. Leopoldina dizia respeito aos livros que ela poderia ler. Segundo o índex dos livros proibidos pela Real Mesa Censória, tanto

Rousseau quanto Voltaire estariam longe do seu alcance, entretanto, "meu esposo tem opinião mais sensata sobre todas essas proibições tolas".[63] Mas nem tudo era idílico, e nem sempre eles estavam em compasso. D. Leopoldina, referindo-se aos problemas que a irmã Maria Clementina vinha passando em seu casamento, desabafou em outubro de 1818 para Maria Luísa:

> [...] Homens continuam sendo homens e nós mulheres devemos nos distinguir por paciência, virtude e conselhos serenos, dados na hora oportuna; eles sempre voltam e então nos prezam ainda mais e a pedra fundamental da verdadeira felicidade está na serenidade, virtude, paciência e força interior.[64]

Fazia três meses que se descobrira grávida, enquanto estava de férias com o marido e o sogro na Fazenda de Santa Cruz, e datariam dessa época as primeiras decepções com d. Pedro. Talvez alguma descoberta de uma nova infidelidade? Ele andara tendo um caso com Ana Sofia Schüch, filha do bibliotecário de d. Leopoldina.

> [...] Quanto mais conheço o mundo, tanto mais nos fechamos, confiando apenas em nós próprios e em ninguém, ninguém mais. Sei o que é separação, sinto-a profundamente, creio que ninguém a sentiu ou sente tão bem como eu. Pátria, continente, toda a minha família, deixei tudo, tudo e a uma distância de cinco mil milhas; minha perspectiva é nunca mais revê-los [...]. Poderia dizer também que estou sozinha aqui, pois vejo tantas atitudes contraditórias que não consigo dormir direito, e não sei se tenho um amigo em meu esposo e se sou realmente amada, e sabes que uma maneira de pensar igual e sentimentos genuínos fazem a verdadeira felicidade; entretanto prossigo no governo da casa, nunca negligenciando meus deveres [...].[65]

A vida no Rio de Janeiro

Leopoldina, nos seus primeiros anos no Brasil, ia levando a vida como podia. Tentava conviver da melhor maneira possível com os humores vacilantes do marido, cercada por uma família cheia de intrigas e por uma corte que era o espelho dessa família. Logo nos primeiros dias, d. Pedro levara-a para conhecer uma tribo indígena, o que lhe causou surpresas:

> [...] As diversas cores de pele dos selvagens, sua compleição e suas danças também são singulares, porém não devem ser vistas por solteiros, principalmente o lardo; é impossível de se ver algo tão indecente, fico suando e quase morro de vergonha.[66]

Mal havia desembarcado e começaram os seus problemas de digestão: tinha frequentes dores no estômago. Esse estado durou aproximadamente três meses, de novembro até o aniversário dela, em janeiro de 1818. D. Pedro, entusiasmado, e pelo visto escandaloso, pois até a condessa de Kühnburg o citou, achou que a esposa ficara grávida dele em questão de dias após a chegada. Mas a realidade era bem diferente: ou a ansiedade de d. Leopoldina atacou novamente, levando-a a se descuidar da alimentação, ou, ao se confiar no que ela diz, o problema com o estômago seria referente à "apimentada comida portuguesa".[67]

As diversões no Rio de Janeiro, comparadas às de sua vida em Viena, eram restritas. A liberdade que ela tinha em, por exemplo, levar o sobrinho, filho de Napoleão e Maria Luísa, ao teatro, no Brasil seria impossível. Ao pai, escreveu em dezembro de 1817: "Nada conheço da cidade, porque meu esposo e o rei têm bons motivos para não querer que eu vá lá [...]."[68] Na sequência, acrescentou que preferia assim. Mas não era verdade. Na mesma época, para Maria Luísa, ela confessou o seu tédio:

> Embora esteja muito feliz, o estilo de vida em que nunca se vai ao teatro, nunca a uma festa em que pessoas não sejam as mesmas todos os dias, vai se tornando mortal para alguém acostumado a um pouco de distração, e até meu esposo reclama disso [...] à noite vou dormir às oito horas, porque infelizmente é mais fácil a pedra virar leite do que se receber permissão para ir ao querido teatro.[69]

As reclamações dela eram semelhantes às da condessa de Kühnburg. Nanny, ao pai, também se queixava do estado da corte:

> O tipo de vida que levamos aqui é bem uniforme, não há nenhuma ou bem poucas reuniões de sociedade, fazemos visitas às 19, 20 e 21 horas e até depois, antes nos fechamos nos nossos quartos, os espetáculos são ruins, tem-se a mania de exibir comédias portuguesas longas, cansativas e tristes, a maioria representando algum traço da história da Áustria; o Imperador José e a Imperatriz Maria Teresa aparecem a todo instante em cena [...] algumas vezes nos obrigam a ver coisas desagradáveis como, por exemplo, a cabeça cortada de um criminoso ainda nojenta de sangue. O balé é bom graças a um dançarino francês: senhor Toussaint e sua mulher, e uma pequena espanhola, esse senhor Toussaint é preferível, na minha

opinião, ao senhor Duport; a sala de espetáculo é muito bonita, mas raramente vamos até lá [...].[70]

A amiga da condessa de Kühnburg, a baronesa de Montet, recordaria:

Era muito divertido escutar a condessa de Kühnburg em seu retorno, embora não pelas coisas que ela viu, pois a etiqueta da corte do Rio era constantemente contrária a que as damas austríacas da comitiva da imperatriz tivessem o prazer de fazer passeios pela cidade ou excursões ao campo, para sua imensa decepção e profundo pesar! Ter estado no Brasil sem nada ver além dos trajes exóticos das damas portuguesas da corte, semelhantes à plumagem de papagaios, com anágua azul e cauda vermelha, anágua verde e cauda amarela! Não ter trazido um diamante como presente imperial! Pois era contra a etiqueta! [...] Um papagaio, presente da encantadora infanta Isabel, e tufos de plantas marinhas recolhidos durante a travessia, são praticamente os únicos objetos curiosos que ela trouxe, bem como algumas chinesices[71] que as damas teriam desejado poder ir escolher às lojas (mas isso também era contra a etiqueta, e elas foram obrigadas a se contentar com o que os vendedores lhes traziam). [...] Ao viajar, sobretudo para tão longe, as pessoas se iludem, achando que causarão grande impressão ao retornar. Os que regressaram do Brasil não causaram impressão alguma em Viena: não é um país de surpresas nem de entusiasmos.[72]

Quando d. Leopoldina desembarcou no Brasil, a Europa julgava já haver terminado em sua sociedade o seu "processo civilizatório". Porém tal processo só teve início no Brasil nove anos antes, com a chegada da Coroa portuguesa. Uma das primeiras decisões do príncipe regente em relação ao novo espaço ocupado pela corte foi acabar com os muxarabis, treliças que fechavam as aberturas de janelas de forma que quem estivesse dentro pudesse olhar para fora sem ser visto. Esse seria apenas um dos inúmeros "orientalismos" do Rio de Janeiro, denotando a sua pouca civilização aos olhos dos europeus.

A cidade, na época um dos principais portos do mundo, recebia grande influência do Oriente. Além dos muxarabis, havia as finalizações curvas dos telhados e os leões chineses em pedra ou porcelana montando guarda às portas das casas, onde vasos e aquários chineses completavam a decoração. As cariocas, para tentar se livrar um pouco do calor, usavam sombrinhas de seda chinesa. Se os ocidentais "civilizados" gostavam das "chinesices", essas eram para ser apreciadas dentro de suas bem mobiliadas salas europeias.

Dos avanços culturais instituídos por d. João, sempre lembrados estão a criação da Faculdade de Medicina da Bahia, a Biblioteca Real, o Banco do Brasil, a imprensa e a vinda da Missão Francesa. Entretanto, em paralelo a esses avanços, o extermínio de diversas nações indígenas do norte ao sul do país foi esquecido. O povo brasileiro ainda demoraria a absorver intimamente os novos padrões de comportamentos vindos com a corte dita civilizada. Inicialmente, esses hábitos seriam copiados de maneira caricata e artificial.

A condessa de Kühnburg reclamou do teatro, porém não presenciou cenas do péssimo comportamento das plateias cariocas daquela época, que chegavam a apedrejar e, algumas vezes, invadir o palco e surrar os atores. Os novos espaços de sociabilidade que a corte criou no Rio de Janeiro não levaram automaticamente a população a adquirir novos comportamentos em relação a eles. Pelo contrário: eram novos cenários para eventos antigos e corriqueiros das ruas. Assim, o teatro, por exemplo, era mais um lugar de assaltos. Em setembro de 1822, José Bonifácio, como ministro de Estado, ali seria "aliviado" de seu salário.[73]

Isso, somado à quantidade de negros escravos pelas ruas, ao comércio deprimente dos escravos novos, ao estado deplorável das vias, onde o esgoto corria a céu aberto e as marés altas traziam de volta o lixo jogado ao mar, não era o cenário que d. João e sua corte estavam ansiosos para apresentar aos austríacos. Ao menos não aos da alta aristocracia. Aos membros da Missão Austríaca, o Brasil era todo novidade e encantamento, mas esses não faziam parte do círculo social da baronesa de Montet.

Além de ser praticamente confinada no palácio e só sair na companhia da família para pontos específicos e já transitados por esta, d. Leopoldina teve que mudar seu comportamento, uma vez que lhe era "vedado falar com animação e entusiasmo".[74] Quanto ao país, o pouco que vira dele desde a sua chegada ela amava, excetuando o calor.

Em pleno outono de 1818, a princesa suspirava: "Deus, como seria feliz se pudesse sentir nossa querida neve e ar fresco."[75] Ela comentava que o tempo no inverno no Rio de Janeiro era mais quente que a canícula da Itália.[76] A umidade, o calor e o abafado, tanto dentro quanto fora de casa, geravam diversas reclamações. Ao clima, ela atribuía a sua falta de vontade de escrever, ou mesmo de passar a limpo uma carta na qual ela havia deixado derramar um pouco de tinta. Mas, como havia sido educada para não deixar transparecer seus problemas particulares em público, tentava ao máximo disfarçar o seu desagrado com o calor. O bibliotecário real, Marrocos, é um que se deixou levar pelo exterior da princesa. Em carta ao pai, mencionou que, apesar de grávida em 1818, d. Leopoldina

> [...] tem desfrutado muito boa saúde, sem estranhar o clima, nem o seu novo estado, em que com satisfação se sabe ter já dado a conhecer a sua fecundidade [...], passeia muito e com aproveitamento, mostrando nestes recreios não só um método singular, nascido de uma regular educação, mas o estudo que tem tido em Ciências Naturais.[77]

Apesar do calor, ela não se fez de indolente. Exercitava-se com o marido: saía diariamente com ele às oito horas da manhã para caçar, muitas vezes a cavalo, quando então podia se aventurar pelo lodo do pântano e pela água.[78] De tarde, passeava novamente. Durante essas incursões, d. Leopoldina aproveitava para coletar animais, minerais e vegetais, além de sementes, para enviar para seus familiares na Europa. Assim, despachava macacos, urubus, papagaios, além de periquitos e até mesmo uma preguiça, para os seus e para o Museu de História Natural de Viena.

A descoberta da nova paisagem pela qual agora se movia causava-lhe surpresas e admirações. Ao irmão, Fernando,[79] afirmou ser o Brasil um verdadeiro paraíso, pois havia nele uma incontável quantidade de plantas, arbustos e árvores, especialmente de palmeiras, que d. Leopoldina afirmava nunca ter visto em nenhuma estufa. Em maio de 1818 fez uma excursão à floresta da Tijuca, que assim descreveu:

> [...] Fui visitar a Tijuca, vale rodeado por montanhas escarpadas e florestas de palmeiras, acácias e laranjeiras; no centro da floresta encontra-se uma cascata, única por sua largura; ela cai de uma altura superior a 800 pés em um riacho que desliza até o mar, numa paisagem que é feita para nos encantar.[80]

Mas nem isso a agradava completamente. Conforme confessou à tia Maria Amélia, a paisagem, para além de ser linda, acabou por transportá-la a sua pátria, e as saudades dela e dos seus quase a fizeram cair numa profunda melancolia. Para Maria Luísa, ela explicou o que realmente acontecera. Lembrou-se dos passeios que fazia com a irmã mais velha e o desespero de não ter uma amiga com quem contar no Brasil lhe havia abatido o espírito.

Sem esquecer seu dever para com sua antiga pátria, procurava informações para transmitir a Francisco I, por exemplo, a respeito da "venda da marinha", ou seja, dos navios que haviam trazido a Missão Científica Austríaca e a sua embaixada. Segundo d. Leopoldina, a proposta para os portugueses adquirirem os navios havia sido "recebida com alegria [...] em especial agradam [os navios] *Áustria* e *Augusta*, que são realmente bem construídos; acredito e espero que sejam bem pagos e por essa proposta o comércio colonial da minha querida pátria progrida".[81]

Estava sempre ocupada, com leituras, desenhando ou ainda escrevendo. Também fazia música com d. Pedro. Tinham como professor o maestro Neukonn, que era um espião do príncipe de Talleyrand. Pela manhã, nos primeiros anos, ocupava-se ainda com o estudo de português, latim e canto. O português, ela falaria fluentemente no Brasil, usando, quando não havia escapatória, o francês em público. A condessa de Kühnburg, ao conversar uma das últimas vezes com d. Leopoldina, ilustra bem o porquê:

> Falei ainda hoje um bom tempo sozinha com a nossa princesa Leopoldina, que foi bem boa e calorosa comigo, reencontrei nossa boa arquiduquesa tal como ela falava comigo durante a viagem e em Florença. Até agora eu me tinha estabelecido por aqui o princípio de nunca falar com ela sozinha e sempre na língua francesa que várias pessoas entendem para nunca dar a pensar que queríamos lhe dizer o que não poderia ser ouvido por todo mundo.[82]

O primeiro filho

Às cinco horas da tarde de 4 de abril de 1819, d. Leopoldina deu à luz no Palácio de São Cristóvão uma menina. Esta recebeu o nome de d. Maria da Glória Joana Carlota Leopoldina da Cruz Francisca Xavier de Paula Isidora Micaela Rafaela Gonzaga. No nome, constam, como de praxe, homenagens ao avô d. João (Joana), à avó d. Carlota, à mãe, a São Francisco Xavier e de Paula, a Santo Isidoro, ou Isidro, de Sevilha (Isidora), cuja data de morte é 4 de abril, dia do nascimento da menina, aos arcanjos Miguel e Rafael (Micaela e Rafaela) e a São Luiz Gonzaga.[83] A menina recebeu o título de princesa da Beira, herdeira do Reino Unido de Portugal, Brasil e Algarves, e subiria ao trono português com o título de d. Maria II.

Batizada no Rio de Janeiro, d. Maria da Glória foi consagrada pelo avô, d. João VI, a Nossa Senhora da Glória do Outeiro, para cuja igreja levou a menina nos braços, inaugurando uma tradição na família dos Bragança. D. Leopoldina e d. Pedro iriam praticamente todos os sábados assistir à missa nesse templo, localizado num outeiro aos pés do qual, naquela época, o mar chegava.

Novamente, diversas festas e comemorações seguiram-se, não só no Rio como em todo o mundo lusitano, que recebeu indultos, liberdades e graças por ocasião do nascimento real.

Duas semanas após o parto, d. Leopoldina relatava ao pai que ainda estava muito machucada. O trabalho durara seis horas, a cabeça da filha era muito grande, e a posição da criança dificultou seu nascimento. Além disso, a cadeira de parto não era das melhores, e semanas depois do nascimento a princesa ainda tinha dor nos braços devido aos esforços feitos. Somente pôde amamentar a filha por oito dias; depois disso, foi providenciada uma ama de leite, pois o de d. Leopoldina secara. Contava que a filha "se parece com meu esposo, só que tem olhos azuis". Posteriormente, desejaria que a irmã Maria Clementina tivesse um parto melhor que o seu e esperava que ela não houvesse sido "tratada por um cirurgião tão cruel como o meu, que quase me dilacerou".[84]

O trauma deve ter sido muito grande, pois dois meses após o nascimento de Maria da Glória ainda se queixava a Maria Luísa que as "fortes dores duraram apenas seis horas; o que me fez sofrer (até dois meses depois) foi a crueldade do cirurgião português, que me retalhou horrivelmente com suas lindas mãos".[85]

A primeira filha, segundo d. Leopoldina, representou "um novo laço para a suprema felicidade, muito necessário aqui com os estados de espíritos um tanto instáveis".[86] A criança teve o dom de unir mais o casal. Em fevereiro de 1820, para o pai, por portador seguro, d. Leopoldina informou:

> Minha pequena se torna mais amável a cada dia [...] Gosta muito de seu retrato [...] para o qual aponta; está começando a andar e falar e fazendo a meu esposo e a mim muito felizes; posso lhe garantir, caríssimo papai, com toda a franqueza, que sou felicíssima, já que graças a Deus tenho um esposo que tem uma mente justa, aberta, séria e um bom coração [...].[87]

No mesmo período, para a irmã, ela desabafou. Novamente, a cada interlocutor uma fala específica:

> [...] Se ficasse livre hoje não mais me casaria, pois embora a lua-de-mel seja um período lindo, o sagrado estado do matrimônio traz consigo muita preocupação, aborrecimento e sacrifício, e suportar tudo isso com paciência já é o suficiente.[88]

Não existe nenhuma informação que d. Pedro tenha se aborrecido por o primeiro filho com d. Leopoldina ser uma menina. Ao contrário de muitas casas dinásticas, na dos Bragança não era vedado a uma princesa ocupar o trono. O que sabemos é que o príncipe se divertia muito sendo pai. Tanto d. Pedro quanto d. Leopoldina revezavam-se em embalar a menina nos braços quando estavam em casa. Até mesmo a cavalo d. Pedro levava a filha para passear. D. Leopoldina desdobrava-se em desvelos pela primeira filha, cruzando várias vezes por semana a baía de Guanabara para ver a menina enquanto a corte estava estabelecida em Vila Real da Praia Grande, atual Niterói.

Em meados de 1820, d. Leopoldina, após dois abortos,[89] estava novamente grávida. Em carta para Maria Luísa, podemos notar a sua fina ironia: "Minha família daqui está bem de saúde e eu no quarto mês de gravidez, portanto superei a fase crítica; sofro muito do estômago, mas fico feliz quando meu esposo diz que quer ter trinta filhos."[90]

Mas o estômago e a perspectiva de mais 28 gestações no calor do Rio de Janeiro seriam, em 1820, a menor das preocupações de d. Leopoldina.

Revolução do Porto

No início de 1820, estourou na Espanha uma revolução contra o absolutismo do rei d. Fernando VII. O Exército e o povo obrigaram o monarca a restaurar a Constituição de Cádiz – apelidada de *La Pepa* –, criada pelas Cortes (Parlamento) em 1812, quando o monarca estava preso na França por Napoleão. A Constituição fora revogada em 1814, quando do retorno do rei e do absolutismo à Espanha. Além da Constituição, a revolta também obrigou d. Fernando VII a instalar no poder um governo liberal.

Enquanto isso, do outro lado da fronteira espanhola, os portugueses estavam sendo virtualmente governados pelo marechal britânico William Carr Beresford, que assumira o comando do Exército português. A tutela inglesa a Portugal buscava evitar que a Espanha invadisse o Reino lusitano em retaliação à perda da Cisplatina, incorporada por d. João VI ao Brasil. Entretanto, o marechal Beresford não podia impedir que os ideais liberais e constitucionais chegassem à nação debilitada financeiramente pela quebra do monopólio comercial com o Brasil. Os portugueses empobrecidos e o Exército com soldos atrasados, ambos se sentindo abandonados pelo rei e desesperançados, passaram a ver na mudança de governo ou numa nova união ibérica sob a Coroa espanhola a saída para a situação em que o país se encontrava. D. João VI, por sua vez, não tinha qualquer pressa em partir para o velho Reino debilitado. A ruptura do poder colonial na América seduzia-o. Para que retornar se ainda poderia expandir futuramente mais ainda seus territórios no continente americano abocanhando algum dos antigos Estados espanhóis?

Devido à situação portuguesa, cada vez mais difícil de se controlar desde a Conspiração de Lisboa de 1817, Beresford chegou a atravessar o Atlântico e, em maio de 1820, desembarcou no Rio de Janeiro. Além de todos os problemas existentes no país, ele não podia mais continuar no posto de "regente virtual" de Portugal, pois fora nomeado governador de Jersey pela Coroa britânica. D. João não partilhava a mesma urgência que o militar inglês, e, como de hábito, protelava uma decisão final.

Chegou até mesmo a esboçar uma reação de boa vontade e convocou o Conselho Real, que decidiu que d. Pedro deveria retornar a Lisboa e assumir como vice-rei. Porém d. João relutava em se separar do filho. Não por amor, mas por desconfiança. O rei, enquanto tergiversava e ganhava tempo, como de seu feitio, resolveu convidar Beresford para inspecionar as fortificações brasileiras. Mas voltou atrás depois que o embaixador da Grã-Bretanha no Rio aconselhou que, se nem o rei nem nenhum membro da Família Real fosse enviado logo a Portugal, seria melhor permitir que o militar partisse. Caso eclodisse uma revolução no Reino europeu, o comandante do Exército ao menos estaria lá. O marechal embarcou de volta a Portugal em 13 de agosto, mas já era tarde. No dia 24, quando ainda se encontrava no mar, uma revolução eclodiu na cidade do Porto e espalhou-se por todo o país.

Uma junta governativa foi formada, sendo marcadas eleições para os representantes das Cortes. O Parlamento português, que não se reunia desde 1697, deveria assumir a função de Assembleia Constituinte e elaborar uma carta para a nação. A junta que passara a governar em nome do rei também exigia o retorno imediato de d. João VI. Em 17 de outubro, um navio português chegou ao Rio de Janeiro com a notícia da revolução.

O rei, incrédulo, tinha que tomar uma decisão sobre o assunto, mas resolveu, como era de seu feitio, pedir a opinião de seus conselheiros e ministros. Dez dias depois, mandou divulgar uma carta em que admoestava seus súditos pela ousadia do ato e afirmava que decidiria quem da família partiria para Portugal e quem ficaria no Brasil. Dessa forma, julgava possível manter a integridade do Reino Unido, que Portugal estava disposta a contestar desde que começara a empobrecer e que os papéis de colônia e metrópole haviam quase se invertido. Mas ao mesmo tempo d. João via-se num impasse. Como, tendo criado dois Estados independentes unidos sob a mesma Coroa, poderia permitir que um se tornasse constitucional, como Portugal estava se preparando para ser, e manter o Brasil sob o controle absolutista?

Essa divisão também se encontrava dentro do próprio seio da Família Real, como demonstram as cartas que d. Leopoldina escrevia aos seus familiares. A Revolução do Porto, segundo a princesa, evidenciou os campos opostos em que d. João e d. Pedro estavam já há muito. Em dezembro de 1820, a princesa, criada dentro do absolutismo, confidenciava a Maria Luísa:

> [...] Os incidentes da minha única pátria me deixam extremamente melancólica; além disso, meu esposo pensa segundo os novos princípios e meu sogro segundo os bons e verdadeiros, por isso me encontro em situação crítica, entre os deveres de uma boa esposa e o de súdita grata e filha obediente [...].[91]

Ao pai, apresentava o mesmo problema:

> Infelizmente, o feio fantasma do espírito de liberdade se apossou por completo da alma de meu esposo; o bom, excelente rei, tem todos os antigos, nobres e autênticos princípios e eu também, pois me foram inculcados em minha tenra idade e eu mesma amo apenas a obediência para com a pátria, o soberano e a religião. O senhor percebe querido pai, como é difícil minha situação entre os deveres de boa e amorosa esposa, súdita valente e filha obediente. Queria tanto unir ambos e obedecer estritamente, porém me vejo forçada a sacrificar um dos dois quando chegar a delegação de Lisboa [...].[92]

D. Pedro, que d. Leopoldina já havia dito que era de certa forma culto, procurava se ilustrar. Aguardando o tempo de governar, e sem contar com o apoio do pai, que preferia a irmã ao seu lado nas reuniões do Conselho de Estado, o príncipe, com ajuda da esposa e de professores esporádicos, continuava a se instruir. Além da música, ocupou-se também de teoria política e do Estado.

Tornou-se leitor das obras de Henri-Benjamin Constant de Rebecque, político e pensador francês, com quem veio a se corresponder, e estudou a fundo, segundo Eugène de Monglave,[93] os textos do jurista e filósofo italiano Gaetano Filangieri. Este criticava os velhos princípios feudais ainda existentes na Europa, que contribuíam para o enriquecimento e o luxo excessivo da nobreza e do clero, em contraste flagrante com a miséria da população. O autor acreditava que uma revolução pacífica seria possível por intermédio do governante, com reforma e melhorias que deviam partir de cima, da Coroa, para baixo, equilibrando as leis, a produção e a distribuição de renda. D. Pedro, durante seus estudos, começou a flertar com o liberalismo e com a ideia das liberdades individuais espalhadas por Napoleão pela Europa.

Desde 1817, d. Leopoldina e d. Pedro sonhavam em voltar para o Velho Mundo. Metternich, até mesmo ele, apoiou inicialmente a ideia. Em 1818, a princesa havia pedido ao pai que tentasse influenciar d. João para que ela e o marido tivessem permissão para ir para Portugal. D. Pedro, sempre ansioso e proativo, sem um papel efetivo para desempenhar, buscava qualquer pretexto para demonstrar seu valor e ser útil de alguma forma. O príncipe herdeiro considerava, na época, um absurdo o estado de abandono em que se encontrava Portugal e desejava ser feito vice-rei para poder governá-lo. Entretanto, segundo apurado pelo barão de Neveu, encarregado dos negócios austríacos no Brasil, o problema de d. João era a desconfiança deste em relação a d. Pedro.[94]

Sempre tergiversando, d. João dava desculpas como: "não é hábito da Casa de Bragança enviar o Príncipe Real para longe da Corte", ou "meu filho não pode ser mandado porque ainda é muito moço". Devido a essas respostas, e vendo a má vontade do rei em tratar a questão, Metternich ordenou que Neveu deixasse o assunto esfriar. D. João, com seu costume de protelar sempre que pudesse, postergou *ad aeternum* a questão. Agora, com a pressão imposta pela Revolução do Porto, teria que agir.

Brasil x Portugal

Mas enganava-se quem achava que essa decisão de voltar ou não para Portugal, ou mesmo de quem deveria ir, era apenas um problema de família. A questão caiu em domínio público e dividiu o Brasil. Um folheto lançado no Rio de Janeiro pregava que nenhum membro da família de Bragança deveria deixar o país. Se o rei, ou qualquer um, fosse para Portugal, alimentaria a revolução lá instalada, enquanto que se permanecesse no Brasil não lhe daria importância. Além do mais, o folheto afirmava que não se precisava mais da antiga metrópole, enquanto que Portugal não sobrevivia sem a ex-colônia.

Em resposta a essa publicação, foi impressa na Bahia uma peça que contradizia todas as questões levantadas. Alegava que, sem os portugueses, o Brasil estaria nas mãos dos estrangeiros, que exauririam todas as riquezas da nação e transformariam os brasileiros em seus escravos. Esse folheto era totalmente pró-Constituinte portuguesa, enquanto o que foi publicado no Rio de Janeiro pedindo a continuação da monarquia como estava e a permanência da Família Real era favoravelmente absolutista.

Além de todos os prós e contras emitidos, a Revolução do Porto detonou no Brasil uma crise entre os portugueses e os brasileiros. Se os portugueses na Europa estavam fartos de ser governados pela ex-colônia, esta, por sua vez, não tinha qualquer desejo de voltar, depois de treze anos como sede da Coroa, ao antigo status.

S . A . R

A SERENISSIMA ARCHIDUQUEZA D CAROLINA LEOPOLDINA

PRINCEZA REAL DO REINO UNIDO DE PORTUGAL E DO BRASIL E ALGARVES

Debret, pensionario

Quem vai?

Enquanto isso, a união de todas as províncias brasileiras sob o poder do rei vacilava. Um levante em janeiro, no Pará, e outro em fevereiro, na Bahia, rompiam com a unidade governamental do Brasil. Ambas as províncias aderiram ao novo governo instalado em Portugal e às Cortes de Lisboa, tornando-se pró-Constituinte e respondendo diretamente ao governo de Lisboa e não mais ao do Rio de Janeiro.

D. João, a princípio, imaginou que a Áustria e a Santa Aliança moveriam seus exércitos contra Portugal para acabar com a revolução constitucional. Quando o rei percebeu que isso não ocorreria, acabou se deixando pressionar pelos dois importantes aliados. O novo ministro plenipotenciário da Áustria, Sturmer, que substituiu o falecido barão de Neveu, era favorável à ida de d. Pedro para Portugal. Segundo despacho enviado a Metternich, o diplomata desconfiava que d. João era "tão arguto quanto falso".

Tanto Sturmer quanto o ministro inglês, Thornton, conseguiram que d. João concordasse com a partida, mas a condição imposta pelo rei era de que só o filho viajasse. D. Leopoldina e a princesinha d. Maria da Glória ficariam no Brasil com o restante da família. O ministro austríaco comunicou a Viena sua desconfiança em relação à solução apontada por d. João. Sturmer achava que ela visava ou à desistência de d. Pedro em partir ou à sua submissão total ao pai, que teria como reféns no Brasil d. Leopoldina e os filhos do casal. Para o diplomata, d. João chegou a questionar: "E se quando o meu filho chegar a Portugal o aclamarem rei?"

D. Pedro, apesar da sua ânsia em partir para Portugal, ambicioso em assumir um papel preponderante, jamais abandonaria a esposa, a filha e o novo bebê que a princesa esperava. Tentou ganhar tempo junto ao conde de Palmela, pedindo ao ministro de Negócios Estrangeiros e a Sturmer que intercedessem junto a d. João para que a partida pudesse ser adiada até o nascimento da nova criança, assim ele e a esposa iriam juntos.

A ira de d. Leopoldina desceu sobre ambos. Tanto Sturmer quanto Palmela insistiam para que d. Pedro embarcasse o mais rapidamente possível para Portugal. O negócio era urgente: arriscava-se a perder a velha nação e talvez mesmo o Brasil, cujas províncias vinham se juntando à causa dos revoltosos lusitanos. Ambos os diplomatas deram garantias a d. Pedro de que fariam de tudo para que d. Leopoldina se juntasse ao príncipe depois que tivesse o bebê. Palmela tinha medo de que d. João, com seu hábito de tomar qualquer decisão lentamente, cancelasse tudo, e Sturmer tentava, sem permissão da princesa, evitar que, se a Coroa perdesse Portugal, ela fosse considerada culpada por não ter deixado o marido partir sozinho. Mas nenhum argumento faria d. Leopoldina conformar-se em ficar sem o esposo. Ao ministro do pai no Rio de Janeiro, ela foi contundente, tratando-o como mero vassalo:

> [...] Se por influência sua e do conde de Palmela você não conseguir retardar a partida de meu marido, e fizer com que eu o não acompanhe, atrairá toda a minha cólera, todo o meu ódio e de qualquer modo virá a pagar-me.[95]

D. Pedro e d. Leopoldina chegaram a urdir um plano afrontando a decisão de d. João. Numa carta ao seu secretário, o capitão bávaro Georg Anton von Schäffer, ela solicitou ajuda:

> Debaixo do maior segredo, de modo que nem viva alma o possa sequer suspeitar, tenha o senhor a bondade de fretar para mim uma embarcação que zarpe brevemente para Portugal, visto que meu esposo deve seguir dentro de três dias e eu devo ficar aqui por tempo indeterminado por motivos que não estou autorizada a divulgar, não mos permitem, sou obrigada a procurar minha salvação na fuga legitimada pelo consentimento do meu esposo. [...] Queira procurar-me uma boa ama de leite [...] para meu filhinho que nascerá no mar [...]. Tudo isso debaixo do maior segredo, ninguém deve sequer suspeitar [...].[96]

Sturmer, ciente do plano, achava tudo uma grande loucura. Tentou chamar d. Leopoldina à razão, ponderando que, se a princesa partisse do Rio sem a autorização de d. João, ela perderia completamente a boa vontade do sogro. Quanto ao pai, na Áustria, este nada poderia fazer para ajudá-la.

É de imaginar o desespero de d. Leopoldina. Para quem havia sofrido tanto na viagem para o Brasil, com enjoos e as tempestades, agora ela não pensava duas vezes em cruzar novamente o Atlântico. Nem mesmo a perspectiva de ter um parto no navio dissuadiu-a. A lembrança de sua irmã em Viena com o filho, separada de Napoleão Bonaparte, exilado na ilha de Santa Helena, pode tê-la feito pensar que caminhava para destino semelhante. Após ter sido catapultada a dez mil quilômetros de Viena para o meio da América, ainda tinha que se sacrificar mais e se ver separada do marido à força? Era demais! Enfrentar novamente o Atlântico não era nada perto da perspectiva de se ver sozinha numa corte em que todos conspiravam uns contra os outros o tempo todo e na qual suas cartas eram abertas e sua correspondência vigiada.

D. Leopoldina mostrou quanto podia ser obstinada. Apesar de sua educação obrigá-la a aceitar as ordens que partissem de d. João VI e de seu marido, ela não permitiu que seu destino fosse decidido sem que ela tivesse alguma coisa a dizer, ou fazer, a respeito. A princesa lutou com todas as forças e armas até o final. Falou pessoalmente com os ministros, instigou d. Pedro a buscar os meios para demover d. João de seu intento, ou ao menos adiá-lo até que ela estivesse em condições de partir junto com o marido para Portugal.

E, no final, o saldo foi positivo: tanta obstinação levou-a a vencer a disputa. Segundo Sturmer, a princesa teria chegado ao extremo de, grávida, jogar-se diante do sogro por três vezes no mesmo dia pedindo que este não a separasse do marido.[97] D. João acabou cedendo em 24 de fevereiro de 1821. Permitiria que o casal aguardasse o nascimento do filho e que ambos embarcassem juntos para a Europa.

Revolta no Rio de Janeiro

Ainda tentando dar as cartas, o rei soltou um decreto em fevereiro convocando as Cortes também no Brasil. Essa assembleia teria a função de examinar as propostas das Cortes de Lisboa e adaptá-las para a realidade brasileira, dando ao Brasil também uma Constituição. Na tentativa de se antecipar a Lei Magna que provavelmente também seria implantada no Brasil, se não por determinação real, à força, como havia sido feita em Portugal, d. João criou um problema. O seu decreto desafiava abertamente a autoridade das Cortes Portuguesas. A ideia de uma legislação separada entre Brasil e Portugal abria precedente para a separação política. E isso as tropas lusitanas estacionadas no Brasil, que eram o núcleo forte do movimento constitucionalista em Portugal, não permitiriam que ocorresse.

Assim, no dia 26 de fevereiro, militares portugueses no Rio de Janeiro, junto com representantes políticos, reuniram-se na Praça do Rocio, atual Praça Tiradentes. Exigiam que d. João aceitasse a Constituição que seria preparada em Portugal como uma só para os Estados debaixo de sua coroa. Não deveria haver diferenças ou readequações da lei para o Brasil. D. Pedro tomou a frente da questão, servindo de elemento de ligação entre os amotinados no centro do Rio de Janeiro e o pai. Jurou por este uma Constituição que ainda nem existia e deu garantias de que ela seria cumprida integralmente no Brasil, sem alterações.

Gravura de Debret retratando a Aceitação da Constituição
Portuguesa na Praça do Rocio, no Rio de Janeiro.

Mas a multidão ainda exigiu a presença do rei, a quem d. Pedro foi encarregado de trazer de São Cristóvão. Escoltou-o até o Paço da Cidade, onde d. João foi ovacionado pela multidão. Oficialmente, este deixava de ser um rei absolutista nesse dia. Entretanto, se alguma desconfiança ainda mantinha do filho, essa começou a se esvair. Naquela manhã, assim que d. Pedro chegou ao Rocio, as tropas amotinadas tentaram aclamá-lo como "d. Pedro IV de Portugal", ao que o príncipe replicava aos brados: "Viva el-rei d. João VI."

D. João, mesmo não comungando do liberalismo de d. Pedro, passou a permitir que o príncipe tomasse assento no Conselho de Ministros e no de Estado. Teria declarado ao novo ministro do Estrangeiro e da Guerra, Silvestre Pinheiro Ferreira, que insistira na presença do príncipe nas reuniões pois, como o filho já estava tomando parte dos negócios públicos, era necessário que também participasse das deliberações do governo.

Após essa revolta, com um novo ministério imposto pelos insubordinados, as coisas mudaram. Tanto o Conselho de Ministros quanto o de Estado votaram pela partida de d. João para Portugal e a permanência do filho. Ao príncipe, deveria ser dado o governo do Reino americano. Ambos, d. Pedro e d. Leopoldina, ficariam no Brasil. A princesa, em carta ao pai em 2 de abril de 1821, maldizia a "desagradável situação a que nos levou o espírito de liberdade".[98] Também na missiva, d. Leopoldina falava a respeito do fato de d. Pedro ter sido obrigado a jurar a Constituição e que d. João VI retornaria a Portugal com os netos. "Infelizmente ficaremos separados de nossos filhos, o que me causa um sofrimento indescritível, até que a Constituição portuguesa chegue e seja ratificada aqui."

No dia 6 de março, num parto bem difícil, d. Leopoldina deu à luz um menino. Em meio a tanta apreensão acerca do futuro, nascia o príncipe da Beira, herdeiro da casa de Bragança. A criança foi batizada com o nome de d. João Carlos. Além de ser muito grande e gordo, o bebê nasceu com o braço direito por sobre a cabeça, o que dificultou bastante o seu parto, levando tanto ele quanto d. Leopoldina a sofrer muito.

Um dia depois do nascimento do novo Bragança, d. João VI decretou que deveriam ser reunidos no Rio de Janeiro os eleitores paroquiais. Estes deveriam escolher os eleitores da comarca que participariam do processo de seleção dos deputados que representariam o Brasil junto às Cortes em Lisboa. Tal reunião deu-se em 21 de março, véspera da Páscoa de 1821, na Praça do Comércio, atual Casa França-Brasil, no Centro.

Diante da novidade de um governo representativo, além dos eleitores paroquiais, também o povo lotou o local. Os que não conseguiram entrar concentraram-se do lado de fora do edifício e, embalados pela distribuição de vinho por parte dos comerciantes portugueses, animavam-se cada vez mais com as notícias que vinham do prédio. Por volta das quatro da tarde, a Assembleia, bastante alterada por conta da bebida, acabou sendo "incendiada" pelos discursos do padre Macaboa e de Luís Duprat, que exigiam que se adotasse naquele mesmo dia como Constituição a espanhola, *La Pepa*, até que a Constituinte a ser realizada em Lisboa redigisse uma inteiramente portuguesa.

D. João, aconselhado pelos seus ministros, fez o que o povo pedia. Achavam que, assim, a Assembleia revolucionária que se instalara se dispersaria. Mas o efeito foi exatamente o contrário. A Assembleia, ao ver que o pedido fora acatado, acabou se tornando mais virulenta e prosseguiu em sessão, fazendo as exigências mais disparatadas e radicais ao trono. Os mais exaltados, dentre o povo que havia tomado definitivamente o local, passaram a pressionar cada vez mais os eleitores paroquiais. Estes, tomados de pavor, passaram a concordar com tudo o que a população em delírio exigia.

Passando por cima da autoridade de d. João, dos ministros e do governador de armas da capital, d. Pedro deu ordem ao general Jorge Avilez para que seus soldados avançassem contra a Praça do Comércio e desfizessem aquela casa de loucos. Inicialmente, pensou-se que só a presença do Exército no local faria a multidão se dispersar, até o primeiro tiro ser dado e um soldado cair morto. O local foi varrido a baionetas e coronhadas e esvaziado completamente. Houve algumas mortes e prisões e ainda aqueles que se atiraram do edifício e tentaram fugir a nado. Às cinco horas da manhã da Páscoa, tudo havia terminado. No mesmo dia, um novo decreto de d. João VI, escrito por d. Pedro, dava por cancelada a adoção da Constituição espanhola, alegando que ela havia sido imposta por pessoas que não representavam verdadeiramente o povo.

Também do dia 22 é o decreto, com data de 7 de abril, em que se comunica oficialmente a partida da Família Real e a nomeação de d. Pedro como príncipe regente, cabendo a ele "o governo geral e inteira administração de todo o reino do Brasil". No decreto, com amplos poderes, até mesmo o de fazer a guerra, uma cláusula previa que, no caso da morte do príncipe, d. Leopoldina deveria assumir a regência em nome de d. João.

O rei, que nutria esperança de ser obrigado pelo povo do Rio de Janeiro a ficar no Brasil, ficara bastante abalado com o fato. Após treze anos morando na antiga Colônia, tendo feito tanto por ela e até criado ali um novo Reino, achava que os brasileiros lhe seriam mais gratos. Talvez por isso, temendo o futuro, tanto o que lhe aguardava em Portugal quanto o que aguardaria o filho no Brasil, decidiu partir sem as crianças, deixando-as com os pais. Pouco antes de deixar São Cristóvão, teria tido uma conversa particular com d. Pedro, onde teriam decidido o que fazer em caso de novos demagogos como o padre Macamboa e Luís Duprat tentarem incendiar o Brasil.

D. Pedro se recordaria no futuro a respeito desse momento íntimo entre pai e filho:

> Eu ainda me lembro e me lembrarei sempre do que Vossa Majestade me disse antes de partir dois dias, no seu quarto: "Pedro, se o Brasil se separar, antes seja por ti, que me hás de respeitar do que para algum desses aventureiros".[99]

Enfim, sós!

Na madrugada de 25 de abril de 1821, d. João e a corte embarcaram. Enquanto o rei soluçava por ter que abandonar o Brasil, dizendo que nele é que havia sido de fato rei, e feliz, d. Carlota entoava loas, talvez tentando magoar o marido. Dizia que ao chegar a Lisboa decerto ficaria cega diante de tantos brancos depois de haver passado longos anos junto a negros.

D. Pedro e d. Leopoldina acompanharam o embarque e retornaram à terra a bordo da galeota real. Ambos ficaram forçados no Brasil: não havia da parte deles, naquele momento, uma identificação forte com os brasileiros e seu destino. Os dois estavam mais voltados para a Europa do que para o seu futuro na América. D. Pedro perdia um freio, que era o pai; agora estava por conta própria, dono de seu próprio destino. E d. Leopoldina, na ausência do sogro, perdia o mais importante aliado que até então tivera.

D. João não partiu só. Com medo de ser malvista pelo novo governo constitucional português ao permanecer no Brasil, a alta nobreza lusitana que servia ao rei também seguiu para Portugal. Com isso, o Palácio de São Cristóvão esvaziou-se de nobres que cumpriam funções como as de mordomo-mor, camareiros e veadores. Por outro lado, os príncipes ganharam aposentos que anteriormente eram ocupados por d. João VI na construção principal. Isso alegrou a princesa, que passou a ter um salão para a sua coleção de mineralogia.

Um mês depois da partida dos sogros, em carta de 24 de maio de 1821 para Maria Luísa, a princesa desabafava: "[...] Não sabes como estou desesperada, porque a roda da fortuna virou completamente e devemos ficar aqui por tempo indeterminado."[100] D. Leopoldina ainda continuou o seu desabafo afirmando que era arriscadíssimo ficarem no Rio de Janeiro "face ao atual espírito do povo". Considerava que, se tudo desse errado, ou seja, se uma revolução varresse com os Bragança do Brasil, ela, ao menos, teria o consolo de rever a irmã. Mas não era somente o país e a política que a exasperavam. O casamento, cheio de altos e baixos, como qualquer um, não estava na melhor fase:

> Começo a crer que se é muito mais feliz quando solteiro, pois agora só tenho preocupação e dissabores, que engulo em segredo, pois reclamar é ainda pior; infelizmente vejo que não sou amada, meu esposo e meu dever exigem que eu suporte até o último instante [...]. Estou bem de saúde, exceto por uma profunda melancolia, que não surpreende, face a todos os dissabores domésticos que tenho, aqui apenas a religião pode me confortar e também a consciência tranquila de ter cumprido meus deveres à regra. Tinhas bem razão, minha boa e velha irmã, não confio em nada mais neste mundo, em nenhuma promessa, exceto em meus antigos queridos.

O marido decepcionava-a. Não era o homem idealizado por ela por meio de uma imagem, era de carne, ossos, idiossincrasias e fraquezas como qualquer humano, bem menos refinado do que os outros com quem se relacionara antes na Europa. O caráter e a educação dos cortesãos de d. Pedro que ficaram após a partida da corte não eram dos melhores. Se havia Pedro Dias Paes Leme, futuro marquês de Quixeramobim, que, segundo histórias familiares, conversava com a princesa em seu alemão nativo, havia também o asqueroso "barbeiro" Plácido de Abreu Pereira, que a exasperaria e lhe causaria muitos dissabores no futuro.

Quanto ao Brasil, era o paraíso, mas o calor era insuportável para ela, que sonhava em dias idílicos na Europa com a irmã, mesmo sabendo que só uma revolução poderia levá-la de volta. Como se nada pudesse ficar pior, nem a diversão era permitida:

> No Brasil nunca se dança e meu esposo tem o encantador hábito de se divertir de todas as maneiras, porém os outros nunca podem rir e tem que viver como ermitões e sempre controlados pela polícia secreta que no fundo sempre acaba irritando.[101]

Os únicos divertimentos a que ela tinha acesso eram, eventualmente, ir ao teatro e às festividades religiosas. Quanto a estas, não tinha como deixar de notar a hipocrisia da sociedade, como desabafa para Maria Luísa em maio de 1820:

> Nossos bailes aqui são festas religiosas de sete, oito horas de duração, geralmente até meia-noite; nada de oração por aqui, porque só se tagarela e ri; confesso sinceramente que gostaria de valsar, porque amo de forma indizível a dança de meus compatriotas.

Às vezes, d. Leopoldina parecia precisar contar com histórias familiares para se divertir sozinha, como o fato de a irmã mais nova, Maria Carolina, sofrer com excessos de "escrúpulos para cumprir suas funções de esposa". Em carta a Maria Luísa, a princesa comenta: "[...] A Maria [...] quer ter filhos, como me parece, por inspiração do Espírito Santo... o que me faz rir muito, algo que faço muito raramente por aqui."[102]

Além da diversão, a comida também deixava a desejar: "Confesso que não gosto dos pratos doces portugueses e permaneço fiel à boa cozinha alemã, e não à nossa descuidada cozinha vienense."[103] Uma prova dessa fidelidade eram os pedidos feitos pela princesa à estalagem do alemão Friedrich Wülfing-Rubel, localizada na antiga rua dos Ourives, atual rua Miguel Couto, no Centro do Rio de Janeiro.

Ao assumir como príncipe regente, d. Pedro tinha novas obrigações e não podia continuar com a vida mais caseira que levara até então com d. Leopoldina. A princesa, mesmo cheia de críticas aos modos e ao gênio do marido, sempre foi apaixonada por ele e ansiaria sempre pela sua presença junto a ela.

Início de suas dívidas

D. Pedro já havia, no começo do casamento, em 1818, proibido d. Leopoldina de pagar pensão para a sua antiga babá, por isso a princesa precisou pedir ao pai na mesma época. Este, aparentemente, não parece ter demonstrado piedade para com a antiga criada. O fato pode ser observado numa carta de dezembro de 1820, na qual d. Leopoldina desabafa com a irmã a respeito da situação aflitiva em que Annony se encontrava. A princesa teve que recorrer a empréstimos para tentar aliviar a penúria da ex-babá.[104]

Além de ter suas cartas frequentemente rastreadas do lado português, Metternich ainda filtrava algumas vezes o que deveria chegar até o imperador da Áustria e o que era melhor Francisco I não ficar sabendo. Tanto na teoria quanto na prática, d. Leopoldina era agora uma Bragança, e a eles deveria obediência. O imperador da Áustria imiscuindo-se em assuntos internos da família da esposa poderia só complicar ainda mais a vida dela junto aos seus novos parentes.

Em setembro de 1820, aflita, cheia de dívidas, d. Leopoldina tentou buscar a ajuda do pai outra vez, aparentemente em vão:

> É imensamente difícil para minha mentalidade alemã austríaca pedir ao senhor, caríssimo papai, por ajuda paterna em um assunto de dinheiro [...]. Gastos imprevistos, salários e pensões e famílias necessitadas e criadagem, que infelizmente depositaram suas esperanças só em mim, me obrigaram a tomar emprestado a quantia de 24 mil florins; não posso pagar tal dívida, meu esposo muito menos, e meu tato me impede de recorrer ao rei, meu dinheiro mensal não me é pago e, quando isso ocorre, meu esposo o retém e não posso tirá-lo porque necessita dele para si mesmo, por isso peço ao senhor, querido papai, por mais difícil que me seja, que me envie o dinheiro [...].[105]

Devia ser difícil alguém que nunca havia nem pensado em dinheiro, e que constantemente ajudava a todos, a ponto de Francisco I chamá-la de "pedinte",[106] ver-se sem meios de continuar suas obras. Entretanto, como condená-la? Como membro da casa de Habsburgo, havia sido criada dentro dos preceitos da *Pietas Austriaca*, assimilando valores caritativos que permearam a educação das arquiduquesas austríacas por séculos.

Se por um lado a princesa realmente precisava de dinheiro, por outro, acostumada com a antiga vida que levava em Viena, não sabia determinar prioridades nos gastos. Um exemplo disso é o fato de ter mandado seu secretário ao porto para ver um navio, cujos marinheiros haviam trazido ao Brasil uma lhama do Peru. D. Leopoldina achava que deveria comprar o animal para puxar a pequena carruagem de d. Maria da Glória. Por outro lado, também gastava o dinheiro que não tinha em doações para pobres, órfãos e necessitados em geral, sendo suas obras filantrópicas o foco maior de seus problemas financeiros.

É importante lembrar que nessa época não havia uma política pública para subvencionar asilos, orfanatos e hospitais. Esperava-se que d. Leopoldina cumprisse com essas doações, como de fato o fez. Não somente os desvalidos brasileiros contavam com a proteção dela. Futuramente, imigrantes e mercenários estrangeiros, como Carl Schlischthorst, um mercenário alemão, a procurariam em caso de necessidade. Schlischthorst conseguiu falar com ela sobre o sufoco financeiro em que se encontrava e entregou-lhe um soneto que compusera em sua honra. D. Leopoldina mandou que seu camarista desse ao militar 200 mil réis, mas o funcionário só entregou 150 mil, em troca dos quais Schlischthorst teve que lhe dar um recibo no valor integral. Além de não ter dinheiro, d. Leopoldina ainda era roubada pelos próprios cortesãos.

Tentando cumprir com as funções que tanto a sua educação como a sua alta posição exigiam que cumprisse, e desacostumada a contar centavos, D. Leopoldina se veria constantemente em apuros. Não apenas lhe faltava dinheiro para dar às "famílias necessitadas", que ela menciona na carta ao pai, mas mesmo para o dia a dia, como pagamento de seus criados. A ajuda de Francisco I, se veio, não deixou registro, porém notícia há das constantes aflições da princesa, sempre envolvendo o "vil metal".

Futuramente, d. Leopoldina recorreria a diversos meios para suprir-se do dinheiro de que necessitava. Pediria empréstimos a diversas pessoas: comerciantes, nobres e, principalmente, seus secretários particulares, o major Georg Anton von Schäffer e Johann Martin Flach.

As dívidas de d. Leopoldina acabariam se transformando numa verdadeira bola de neve. Ela passaria a contrair novos empréstimos, geralmente a juros exorbitantes, para saldar as dívidas antigas que estavam para vencer.

A saída da corte portuguesa do Rio de Janeiro só veio piorar a questão. Se antes mal era paga, agora então as coisas tornaram-se mais problemáticas. D. Pedro tinha que fazer malabarismos contábeis para saldar os pagamentos dos servidores do Estado. Chegaram a desocupar o Paço da Cidade e lá instalar todas as secretarias que estavam em prédios alugados, bem como arrancar de navios velhos e imprestáveis os ferros para cunhar moedas. Junto com a corte, d. João havia levado o Tesouro Real, deixando o Banco do Brasil praticamente insolvente.

Mas não era apenas com ninharias que d. Pedro se preocupava. Sua visão, amparado pela experiência do conde dos Arcos, presidente do ministério, ia do micro ao macro. Antecedendo os direitos constitucionais que viriam com a Constituição a ser preparada em Lisboa, ele soltou diversos decretos que, por exemplo, delimitavam as regras de desapropriação de bens particulares visando ao "sagrado direito de propriedade". Em 23 de maio de 1821, o príncipe emitiu um decreto em que fundamentava as bases da liberdade individual das "pessoas livres".

Proibia-se a prisão sem ordem de juiz ou magistrado, a não ser em caso de flagrante; além disso, nenhuma prisão poderia ser determinada se não houvesse culpa formada. O processo teria que ser resolvido em 48 horas, confrontando-se réus e testemunhas e garantindo amplos meios de defesa ao acusado. Proibia-se a prisão das pessoas em segredo e o uso de correntes, algemas, grilhões e outros ferros "inventados para martirizar homens ainda não julgados".

Outra medida de d. Pedro, visando desonerar os comerciantes e empreendedores e incentivar a produção e o comércio de couros e da carne-seca, foi acabar com o imposto sobre o sal. Para incrementar o comércio interno, eliminou também a taxa de 2% existente até então sobre a navegação de cabotagem.

Mas, por mais bem-intencionado que d. Pedro estivesse, agora os portugueses e o Exército lusitano, que ditavam as regras desde a rebelião de 1820 em Portugal, tudo fariam para evitar a perda das prerrogativas da velha metrópole sobre a antiga colônia. O liberalismo pregado pelos portugueses revolucionários que convocaram a Constituinte e obrigaram d. João a retornar só valia para Portugal. Ciosos de suas conquistas, tanto as cortes quanto o Exército português no Brasil ainda dariam muita dor de cabeça a d. Pedro e d. Leopoldina no Rio de Janeiro.

Juramento às bases constitucionais

No final de maio de 1821, haviam chegado de Portugal notícias referentes à adoção pelas Cortes Portuguesas de uma série de "bases", ou princípios, para servir de orientação para se elaborar a Constituição. Com as notícias vindas pelos jornais portugueses, não chegou nenhuma ordem do Parlamento para que o Brasil acatasse ou jurasse essas bases. Pelo contrário, era explícito no texto que nenhuma disposição constitucional seria adotada antes de os deputados brasileiros chegarem a Portugal e assumirem seus lugares na Assembleia Constituinte.

Tanto o príncipe quanto seus ministros e o Conselho entenderam que nada deveria ser feito a respeito. Mas os militares e, sobretudo, os constitucionalistas passaram a divulgar que o conde dos Arcos, o principal ministro de d. Pedro, deveria estar influenciando o príncipe regente a não jurar às bases... que Portugal não mandara jurar! A desconfiança entre as partes alimentou uma grande desavença. Cartazes e proclamas militares começaram a aparecer pelo Rio de Janeiro acusando o governo de anticonstitucionalista. Isso indispôs os militares portugueses com d. Pedro, e vice-versa.

Os militares queriam que o príncipe jurasse as bases da futura nova Constituição, demitisse o conde dos Arcos e estabelecesse uma junta de governo. Em 5 de junho, d. Pedro foi informado de que o 3º Batalhão havia partido em marcha para o quartel do 11º. Chamando o seu ministro do Exército, exigiu dele que o tenente-general Jorge Avilez, comandante da divisão, fosse demitido do cargo. Avilez ignorou o pedido, colocando-se à frente das tropas. E lá foi d. Pedro novamente enfrentar Exército, soldados e oficiais na Praça do Rocio sozinho, como fizera dois meses antes. O príncipe discursou dizendo que em abril já havia jurado aceitar a Constituição que seria feita em Portugal. Mas para as tropas portuguesas no Rio isso não bastava mais: só aceitariam voltar aos quartéis após d. Pedro jurar às bases.

D. Pedro, por sua vez, afirmou que nada juraria sem saber a real vontade do povo que ele governava e que o Exército era somente uma parte dessa nação. Assim, com a concordância das tropas, do general Avilez e dos demais oficiais, foram convocados para o Theatro Real os vereadores da Câmara Municipal e os eleitores da comarca do Rio de Janeiro. Enquanto eles eram reunidos, d. Pedro permaneceu aguardando por cinco horas no teatro.

Durante a reunião dos representantes do povo, chegou o pedido de renúncia do conde dos Arcos, que, em sua residência, tentou arregimentar tropas brasileiras para marcharem contra os portugueses no Rocio, mas não conseguiu a adesão necessária. Dando como desculpa ter que acompanhar a filha a Portugal, informava que deixaria o Brasil em 10 de junho.

As lembranças da carnificina do Exército na Praça do Comércio dois meses antes ainda estavam bem vivas na cabeça dos vereadores e dos eleitores, que, assim que reunidos no Theatro Real, prontamente acataram tudo o que o Exército pedia. D. Pedro seria obrigado a jurar às bases, o conde dos Arcos deveria abandonar o governo imediatamente e uma junta governamental, proposta pelo Exército e eleita ali mesmo, com nove membros, passaria a supervisionar o trabalho do ministério e do príncipe regente.

D. Leopoldina e o início de sua consciência política do Brasil

D. Pedro perdia em todos os terrenos: sua reputação com a tropa acabara, ficava reduzido a mero fantoche do governo imposto pelos militares, sem qualquer influência política e com o principal aliado partindo não só do governo, como também do Brasil. Naquela mesma noite, retornou ao teatro por volta das oito da noite com d. Leopoldina. Assistiram à ópera, no intervalo foi declamado um poema em honra a d. João VI e, como atração extra, houve a apresentação do Hino à Constituição, com letra e poesia de d. Pedro. O príncipe foi extremamente saudado pela plateia, a quem cumprimentava jubiloso ao lado da esposa. Mas seu amor-próprio estava ferido, e d. Leopoldina não compartilhava de forma alguma a animação do público.

Dois dias depois, em 7 de junho, escrevia a princesa para o pai em Viena:

> [...] A cada dia as coisas ficam mais confusas e infelizmente todas as cabeças do governo foram tomadas por princípios totalmente novos, paciência. Eu, porém, permaneço fiel ao meu antigo modo de pensar e princípios austríacos.[107]

No dia 9, confidenciava a Maria Luísa, começando a dar demonstrações de um certo favoritismo aos brasileiros e de achar que o marido deveria ter enfrentado a crise com o uso da força e não dado aos revolucionários lusitanos o que eles queriam:

> [...] Aqui está uma verdadeira miséria, todos os dias novas cenas de revolta; os verdadeiros brasileiros são cabeça boa e tranquila, as tropas portuguesas estão animadas pelo pior espírito e meu esposo, infelizmente, ama os novos princípios e não dá exemplo de firmeza; como seria preciso, pois atemorizar é o único meio de pôr termo à rebelião; receio que tome consciência tarde demais, com seu próprio prejuízo, e só posso ver um futuro negro; Deus sabe o que ainda acontecerá conosco [...].[108]

Essa não seria a primeira vez que d. Leopoldina discordaria dos métodos do marido, nem de sua dubiedade e dúvidas em determinados momentos. D. Pedro, por outro lado, tentava como podia manter as tropas portuguesas pró-Constituinte calmas e confiantes de que ele estava do lado delas. Mesmo que para isso fosse cobrado frequentemente em demonstrações públicas a esse respeito, o que irritava d. Leopoldina.

Ao diplomata que lhe vendeu um "príncipe encantado", o marquês de Marialva, ela comentou numa carta a respeito dos acontecimentos recentes no Rio de Janeiro, novamente elogiando os brasileiros, mostrando seu desagrado com os portugueses e, pasme-se, com um ligeiro flerte ao "liberalismo". Para onde fora a fidelidade ao "antigo modo de pensar e princípios austríacos" que afirmara professar ao pai dois dias antes?

> Temos aqui quase que diariamente tumultos revolucionários das tropas de Lisboa; o povo e o exército do Brasil são excelentes e fiéis súditos, mas a força lhes impõe silêncio; eu não sei que fim este terrível turbilhão de espírito constitucional levará; embora eu me considere culpada dos sentimentos liberais; acho esses daqui liberais demais, e antevejo um futuro funesto e estou muito contente que nosso excelente soberano tenha se atirado aos braços de sua bem-amada pátria; pudesse eu fazer o mesmo. Paciência, é preciso ser corajosa e constante, um dever sagrado mo impõem.[109]

Para cada olhar e para cada ouvido, a frase correta. Ou d. Leopoldina, nesse momento, começava a comungar do liberalismo do marido ou estava falando o que o marquês de Marialva gostaria de ouvir. Entretanto, o marquês era um fiel absolutista; a primeira hipótese, de que d. Leopoldina deixou-se embalar pelo ideal liberal e começava a esconder isso do pai e da irmã na Europa, é a mais plausível. Um mês depois, em 8 de julho, a princesa escreveu a Francisco I: "[...] infelizmente estou sendo mal interpretada, o que me magoa muito, já que *tenho bons e autênticos desejos para o bem do Brasil*, mas as almas liberais mesquinhas estão todas contra mim e agora estou sendo muito cautelosa, não expressando minhas opiniões."[110] [grifo do autor]

A ideia de ficar permanentemente no Brasil parecia cada vez mais se cristalizar na alma da princesa. Em carta de 2 de julho de 1821, ela afirmou à irmã:

> Infelizmente, acabou-se a esperança de viajar rapidamente para a Europa, o que, sendo bem honesta, é sorte [...] o Brasil é, sob todos os aspectos, um país tão maduro e importante, que é incondicionalmente necessário mantê-lo. O Onipotente conduz tudo para o nosso bem e o bem comum vem antes do desejo individual, por mais intenso que seja.[111]

A matriarca da Independência

D. LEOPOLDINA havia se desdobrado até 1821 em diversas facetas, ou, por que não, personas. Para cada interlocutor, a princesa havia mostrado uma máscara. Temos a máscara da filha obediente com a qual ela se relacionava com o pai na Áustria; a de súdita fiel e nora grata, com a qual se apresentava perante d. João VI; à irmã Maria Luísa ela surgia mais na intimidade, mas não completamente. Queixava-se de seus problemas no Brasil, das ideias do marido, das quais daria futuramente amostras de se haver contaminado, mas não se revelaria integralmente. Com d. Pedro, como veremos futuramente, quando ele partiu para São Paulo, ela usaria a máscara da esposa obediente e apaixonada. Mas era aos vassalos, aos que lhe deviam obediência, sobretudo aos de origem germânica, como Schäffer e Flach, que d. Leopoldina mostrava a sua resoluta e destemida face.

D. Leopoldina, em suas cartas de 1821, passou a fazer distinções entre os "brasileiros" e os "portugueses". Sua tendência em pender para o lado do Brasil contra Portugal aparece ora nas entrelinhas, ora de forma explícita. Essa opinião dela era possível porque, nesse momento em que d. Pedro e ela se viram livres da corte de d. João VI e que o príncipe assumiu de fato o poder, este não caiu no erro do pai de afastar a esposa dos negócios.

D. João, devido à doença de d. Maria I, assumiu a regência por necessidade. Não estava ávido por governar Portugal e decidir o futuro do império ultramarino. Ao contrário da mulher, d. Carlota, ele não tinha a ânsia do mando. A infanta espanhola, mulher inteligentíssima e perspicaz, acabou por se ressentir com o marido por não poder compartilhar o poder, já que d. João, cioso de sua herança, não o dividia com ela. Ele, como havia feito inicialmente com d. Pedro, afastou d. Carlota da vida política por não terem as mesmas ideias. Isso gerou ressentimentos que degringolaram na inimizade política entre marido e mulher. Ambas as cortes, a do rei e a da rainha, passaram a travar combates entre si, guerrilha essa que d. Leopoldina percebeu e noticiou aos parentes na Europa.

D. Pedro, ao contrário do pai, dividiu suas dúvidas e seus acertos desde o início com d. Leopoldina. Quando a corte partiu, as cartas da princesa para a Europa demonstram que ela era um personagem que participava do dia a dia político do marido. Leopoldina sabia o que acontecia, tinha opinião, que às vezes era bem-vinda, outras vezes não, mas o marido sempre a escutava. Diferente da sogra, a princesa não teceu nenhum plano próprio de poder, ao contrário. Iria se bater numa ideia comum com d. Pedro e fazer disso um propósito superior. Além de cuidar da educação dos filhos e de ser uma esposa obediente, ela seria um elemento político de uma causa que abraçou. O porquê de ter abraçado a causa é outra questão.

Egressa do absolutismo, d. Leopoldina se esmeraria em garantir aos filhos e ao marido um trono, uma vez que a situação caótica das Cortes estava pondo em risco a integridade da herança que d. João VI poderia legar aos seus descendentes. Ao chegar a Lisboa, o rei foi completamente humilhado pelas Cortes. Teve que aguardar um dia no navio até que estas concordassem em recebê-lo em terra. Todas as nomeações que ele fez durante o seu aniversário passado a bordo do navio não foram ratificadas pelos deputados, o que as tornou inválidas. Diversos servidores e cortesãos foram dispensados do serviço do rei sem qualquer aviso anterior ou indenização. Muitas das damas portuguesas que serviram d. Leopoldina e que partiram com a Família Real para Portugal precisaram recorrer aos príncipes no Brasil para não ficarem na miséria. D. João passou a ser virtualmente prisioneiro das Cortes, que se debatiam entre demagogos e exaltados, os quais, em seus mandos e desmandos, ameaçavam causar a ruína administrativa e financeira de Portugal e do Brasil.

Sem muitos aliados após a queda do conde dos Arcos, d. Pedro e d. Leopoldina acabaram se aproximando dos militares portugueses, os mesmos que haviam obrigado o príncipe a jurar às bases da Constituição inexistente. Nesse período, d. Pedro acreditava que precisava apaziguar esta parte do Exército. Os brasileiros, até então, estavam quietos, e as Armas portuguesas representavam uma facção poderosa dentro do sistema das Cortes Portuguesas, que poderia determinar o futuro da dinastia de Bragança. Assim, d. Pedro procurou prestigiar várias vezes os comandantes e os comandados portugueses, aparecendo em alguma comemoração e jantares.

O mais importante de todos aconteceu em 24 de agosto, quando foi comemorada pelos portugueses no Rio de Janeiro a Revolução do Porto, ocorrida um ano antes. Os militares deram um baile, ao qual o casal real compareceu e se retirou somente às seis horas da manhã do dia seguinte. D. Pedro conseguia dessa forma conciliar as Forças Armadas. Segundo rumores, por essa época, passou a ter um caso com a esposa do general Jorge Avilez.

Mas, se as coisas no Rio de Janeiro estavam razoavelmente contidas, o mesmo não ocorria em Lisboa. As Cortes Portuguesas ficaram descontentes ao ver que d. Pedro, os filhos e d. Leopoldina não estavam com a Família Real quando esta desembarcou em Lisboa. Gostaram menos ainda do fato de d. João ter deixado o filho como príncipe regente no Brasil. A proposta das Cortes era que somente as juntas provinciais governassem, em comunicação direta com Lisboa. Em setembro de 1821, apenas 46 dos 82 deputados brasileiros haviam chegado às Cortes e tomado assento; desses, somente uma parte eram brasileiros natos.

Foi nessa época que o Parlamento resolveu acabar com tudo o que d. João havia construído no Brasil de 1808 até então: extinguiram a figura jurídica internacional do Reino do Brasil e não recriaram o vice-reino. De fato, todas as províncias brasileiras passavam a ser territórios ultramarinos portugueses, e, assim como Bahia, Pernambuco e Maranhão já faziam, as demais não deveriam reconhecer a autoridade de d. Pedro como príncipe regente do Brasil. Todas elas deveriam se reportar diretamente ao governo português na Europa. Decretaram o fechamento de todos os tribunais, agências e repartições públicas criados após 1807 no Brasil, transformando milhares de juízes, advogados, meirinhos e burocratas automaticamente desempregados em patriotas brasileiros pró-independência. O príncipe d. Pedro deveria retornar à Europa com a família e realizar uma viagem pelo Velho Continente para completar sua educação.

Os decretos das Cortes foram enviados em outubro para o Brasil e chegaram em 9 de dezembro. D. Pedro, aparentemente decidido a cumpri-los, mandou que os decretos e a sua resolução de partir no dia 11 fossem publicados na *Gazeta do Rio de Janeiro*.

Dois meses antes o príncipe mencionara, em carta ao pai:

> A independência tem se querido cobrir comigo, e com a tropa, com nenhum conseguiu, nem conseguirá, porque a minha honra e a dela é maior que todo o Brasil; queriam-me, e dizem que me querem, aclamar imperador; protesto a

> Vossa Majestade que nunca serei perjuro, que nunca lhe serei falso e que eles farão essa loucura, mas será depois de um e todos os portugueses estarem feitos em postas: é o que juro a Vossa Majestade, escrevendo nesta com o meu sangue estas seguintes palavras: juro sempre ser fiel a Vossa Majestade, à Nação e à Constituição Portuguesa.[112]

D. Pedro tentava sinalizar da melhor maneira possível que as coisas estavam desandando no Brasil. Mas os deputados constituintes portugueses não conheciam a real dimensão das questões brasileiras. Movidos pelo rancor de terem perdido a capital para o Rio de Janeiro por tantos anos e instados pela burguesia portuguesa, empobrecida devido à quebra do monopólio e ao enfraquecimento dos direitos sobre os produtos brasileiros, os deputados buscavam transformar novamente o Brasil numa colônia. O barão de Mareschal, diplomata austríaco no Rio de Janeiro, oficiava em janeiro de 1822 a Viena que as Cortes deveriam estar dementes[113] para impor ao Brasil sua recolonização.

Até então, todas as revoltas no Rio de Janeiro que forçaram juramentos a uma Constituição inexistente, à Constituição espanhola e à base de uma Constituição que estaria por vir haviam sido orquestradas pelos militares, comerciantes e caixeiros portugueses, ciosos de que não podiam perder o poder sobre o Brasil. Os brasileiros, até então sem se manifestar, começaram a temer, com os desmandos das Cortes de Lisboa, a perda de sua autonomia e passaram a se mostrar com mais força e mais vigor dentro das Forças Armadas e por meio da nascente imprensa nacional.

A carta do príncipe de que iria acatar a resolução das Cortes Portuguesas e voltar à Europa e os decretos limitadores à soberania brasileira caíram como uma bomba no Rio de Janeiro, o que talvez fosse esperado por d. Pedro. Com a extinção do Reino e o retorno à condição de mera colônia, mais de oitocentas famílias perdiam suas rendas devido à extinção dos postos no governo e no judiciário, o que afetaria os comerciantes, que não teriam para quem vender suas mercadorias. Além disso, ficava claro para os brasileiros natos a serviço do Exército que somente militares portugueses poderiam vir a ocupar determinados postos, sendo estes nomeados pelas Cortes.

Em suma, ser brasileiro era ser cidadão de segunda classe em seu próprio país. Mas d. Pedro já havia se resolvido. Ele e a família continuariam no Brasil até a eleição e a posse da nova junta que governaria o Rio de Janeiro; depois disso, partiria. Iria obedecer às ordens das Cortes e garantir a sua herança na Europa.

A conspiradora de São Cristóvão

Quase cinco anos antes, em 29 de dezembro de 1816, d. Leopoldina escrevia para Maria Luísa: "Não espero desempenhar um grande papel, como tu, minha boa irmã, mas viver tranquila e feliz, contudo, se for necessário, empenharei toda a minha força intelectual para fazer felizes as criaturas sobre as quais reinarei."[114] A jovem, que achou que iria fazer uma viagem ao "Novo Mundo" e logo retornaria ao "Velho", também pensou que não faria nada tão importante perto do sacrifício da irmã em se casar com Napoleão.

Na verdade, para d. Leopoldina estava guardado um papel na história muito mais relevante que o da arquiduquesa Maria Luísa. Enquanto que a esta restava ser uma atriz coadjuvante, a irmã seria uma grande protagonista, com alguns brasileiros cultuando sua memória até hoje. Muito mais que esposa do príncipe e primeira imperatriz do Brasil, a princesa seria um elemento político importantíssimo, uma das articuladoras do movimento que visava à permanência de d. Pedro no Brasil.

Com sete meses de gestação, esperando a princesa d. Januária,[115] que nasceria em 11 de março, d. Leopoldina recusou-se a passar este período delicado a bordo de um navio. Decidida, alternou entre choro e ameaças de que não embarcaria para parte alguma antes do nascimento da criança, até que d. Pedro concordou em aguardar o parto em terra, pondo fim à hipótese de partirem dia 11 de dezembro.

O que acontecera àquela jovem que, um ano antes, igualmente grávida, estava disposta a atravessar a nado o Atlântico, se necessário fosse, atrás do navio que levasse seu marido para Portugal? A princesa daquela época era diferente da d. Leopoldina de dezembro de 1821, que tivera contato com os "Patriotas Brasileiros". Esse grupo visava inicialmente à emancipação política do Reino do Brasil e, posteriormente, à sua independência. Um dos membros com quem d. Leopoldina teve contato mais próximo foi o frei franciscano Francisco de Santa Teresa de Jesus Sampaio, em cuja cela, no Convento de Santo Antônio, conspirava-se, assim como na Maçonaria.

D. Pedro, a princípio, evitou todo e qualquer contato com a ideia da liberdade dos brasileiros. Tentava manter a neutralidade. Imaginava, não sem razão, que as Cortes constitucionais poderiam puni-lo com a perda da sua herança ao trono português caso se envolvesse em política contrária às ordens vindas de Lisboa. D. Leopoldina, com visão mais arguta que a do marido, percebia que Portugal, nas mãos da turba que governava as Cortes, já estava perdido para eles e que o Brasil jazia ainda como uma tela em branco, que poderia vir a ser uma potência futura, muito mais relevante que a velha metrópole.

A princesa tinha mais consciência que d. Pedro de que nada mais poderia esperar de Portugal. As ordens vindas de lá, se forçosamente cumpridas, acabariam por despedaçar o Brasil em dezenas de repúblicas, como ocorrera com as províncias espanholas na América do Sul. Essa era também a visão dos brasileiros e até dos portugueses natos que se estabeleceram no Brasil e que iriam à ruína com os decretos das Cortes. Caso d. Pedro realmente saísse do território brasileiro, este permaneceria por mais quanto tempo acatando as ordens vindas de Portugal? D. João, como já vimos, havia alertado o filho antes de partir: "Pedro, se o Brasil se separar, antes seja por ti, que me hás de respeitar do que para algum desses aventureiros." Sem dúvida, a educação da princesa, principalmente em termos políticos, permitiu a d. Pedro ter ao lado de si a melhor conselheira que poderia existir naquele momento.

Ao seu secretário Schäffer, d. Leopoldina confidenciava entre o final de 1821 e o início de 1822:

> Fiquei admiradíssima quando vi, de repente, aparecer meu esposo, ontem à noite.
>
> Ele estava mais bem disposto para os brasileiros do que eu esperava – mas é necessário que algumas pessoas o influam mais, pois não está tão positivamente decidido quanto eu desejaria.
>
> Dizem aqui que tropas portuguesas o obrigarão a partir. – Tudo então estaria perdido e torna-se absolutamente necessário impedi-lo.
>
> Pernambuco deseja voltar à obediência, mas não quer nada saber das Cortes – não deverá, porém, manifestá-lo sob pena de ele não aquiescer.
>
> Responda-me depressa por escrito, pois não convém visitar-me, a fim de que não desconfiem.[116]

Nesta carta ficam claros diversos pontos:

- D. Leopoldina estava, nesse período, mais decidida pelo Brasil e pelos brasileiros do que d. Pedro.
- Era preciso a todo custo, mesmo indo contra as tropas portuguesas, ou seja, usando de força bruta, fazer com que d. Pedro continuasse no Brasil. Caso isso não ocorresse, "tudo então estaria perdido". Ou seja, o "Fico" dela foi anterior ao do marido.

- D. Leopoldina tinha acesso a informações privilegiadas acerca da política nacional. Ela afirmava que a província de Pernambuco queria voltar a responder ao Rio de Janeiro e não mais a Lisboa, sendo que desse fato o príncipe nem suspeitava, pois a província ainda não havia se manifestado oficialmente com medo de ele não aceitar. O medo não era infundado: de fato, a Bahia, antes de Pernambuco, já havia tentado responder novamente ao Rio de Janeiro, e não mais se reportar a Lisboa, e d. Pedro mandou-os obedecer às ordens das Cortes. Ou seja, respeitar a decisão delas e submeterem-se diretamente ao poder em Portugal.
- Schäffer era o elemento de ligação da princesa com os patriotas brasileiros e não deveria visitá-la no palácio, pois os cortesãos e funcionários que ainda estavam juntos aos príncipes eram, em sua maioria, partidários das ordens das Cortes. Sendo assim, não convinha levantar suspeitas acerca da participação da princesa no movimento.

Guiado pela esposa, que articulava nos bastidores, pelo conselho do pai e pelo caos em que se antevia que o Brasil poderia cair após a sua partida, d. Pedro permaneceu no Brasil, garantindo, assim, ao menos um trono para seus filhos. Haja vista que a situação em Portugal, além dos desmandos das Cortes, era incerta. De Portugal, d. João VI alertaria o filho no final de 1821:

> Sê hábil e prudente, pois aqui nas Cortes conspiram contra ti, querendo os reacionários que abdiques em favor do teu mano Miguel. Tua mãe é pelo Miguel e eu, que te quero, nada posso fazer contra os carbonários que não te querem.

O "Fico"

D. Pedro acabou concordando em continuar no Brasil desde que essa fosse a vontade dos povos de Rio, São Paulo e Minas Gerais e que essas províncias se comprometessem a assumir a responsabilidade deste ato perante as Cortes. A resposta dos fluminenses foi redigida por frei Francisco de Santa Teresa de Jesus Sampaio em 29 de dezembro de 1821 e dizia:

> [...] Na crise atual, o regresso de S.A. Real deve ser considerado como uma providência inteiramente funesta aos interesses nacionais de ambos os hemisférios [...]. Se os motivos que as Cortes apontam para fazer regressar S.A. Real é a necessidade de instrução de economia política, que o mesmo Senhor deve adquirir viajando pelas Cortes da Europa, o povo julga que se faz mais necessário, para a futura glória do Brasil, que S.A. Real visite o interior deste vastíssimo continente desconhecido na Europa Portuguesa [...].[117]

O espírito das ideias no Rio de Janeiro era respirado diariamente por d. Pedro. Sua firmeza aumentou após receber, em 1º de janeiro de 1822, uma enérgica carta do governo paulista, redigida por José Bonifácio de Andrada e Silva, em que se lia:

> É impossível que os habitantes do Brasil, que forem honrados e se prezarem de serem homens – e, mormente os paulistas – possam consentir em tais absurdos e despotismos [...] V.A. Real deve ficar no Brasil, quaisquer que sejam os projetos das Cortes Constituintes, não só para o nosso bem geral, mas até para a independência e prosperidade futura do mesmo. Se V.A. Real estiver (o que não é crível) deslumbrada pelo indecoroso decreto de 29 de setembro, além de perder para o mundo a dignidade de homem e de Príncipe, tornando-se escravo de um pequeno grupo de desorganizadores, terá que responder, perante o céu, pelo rio de sangue que, decerto, vai correr pelo Brasil com sua ausência [...][118]

No dia seguinte, d. Pedro escreveria ao pai:

> Ontem, pelas 8 horas da noite chegou de São Paulo [...] o ofício que ora remeto incluso para que V. Majestade conheça e faça conhecer ao Soberano Congresso, quais são as firmes intenções dos Paulistas e por elas conhecer quais são as gerais do Brasil. Ouço dizer que as representações desta Província são feitas no dia 9 do corrente: dizem mais, que São Paulo escreveu para Minas. Daqui sei que há quem tem escrito para todas as províncias e dizem que tudo se há de fazer debaixo de ordem. Farei todas as diligências por bem para haver sossego e para ver se posso cumprir os decretos 124 e 125, (o que me parece impossível porque a opinião é toda contra por toda a parte).[119]

O príncipe decidido a partir no início de dezembro arrefecia e já considerava impossível cumprir os decretos das Cortes. À resolução paulista juntaram-se os fluminenses, com uma representação assinada por mais de oito mil pessoas pedindo a permanência de d. Pedro, à qual se somou a dos mineiros. Das cidades de Barbacena e Mariana chegaram novos pedidos para que ele ficasse. Quem não estava apreciando muito toda essa movimentação eram as tropas portuguesas no Rio de Janeiro. O general Avilez notificou ao príncipe o desejo do Exército de encarcerar e enviar para Portugal esses "perturbadores da ordem pública". Mas a marcha dos acontecimentos não tinha mais como ser impedida.

Na véspera de 9 de janeiro, d. Leopoldina novamente confidenciava com Schäffer:

> Receiam-se aqui muitos distúrbios para o dia de amanhã. Terá você ouvido alguma coisa? O príncipe está decidido, mas não tanto quanto eu desejaria. Os ministros vão ser substituídos por filhos do país, que sejam capazes. O governo será administrado de um modo análogo aos Estados Unidos da América do Norte. Muito me tem custado alcançar isso tudo – só desejaria insuflar uma decisão mais firme.[120]

Logo em seguida d. Leopoldina complementava suas informações ao secretário:

> Na pressa que eu estava, esqueci de dizer-lhe que julgo preferível que os brasileiros conscienciosos deixem meu esposo organizar o governo como ele bem o entende. No caso contrário, esta particularidade insignificante talvez impedisse que *ele aqui ficasse*. Eles devem sobretudo prometer assumir toda a responsabilidade perante as Cortes.[121]

O gabinete de d. Pedro pediu demissão, e sozinho ele receberia os representantes do Senado da Câmara do Rio de Janeiro em 9 de janeiro, no Paço da Cidade, ao meio-dia. Lá, José Clemente Pereira, após cumprimentar o príncipe, pronunciou um discurso, para o qual colaborara frei Sampaio, em que dizia logo no primeiro parágrafo: "Senhor. A saída de V.A. Real dos Estados do Brasil será o fatal decreto que sancione a independência deste Reino! Exige, portanto a salvação da pátria que V.A. Real suspenda a sua ida até nova determinação do soberano congresso."[122] O discurso continuava afirmando que o Brasil não podia retornar ao estado anterior de Colônia e demonstrava a vontade das demais províncias, como Pernambuco, São Paulo e Minas Gerais. E, assim, d. Pedro capitulou e decidiu ficar no Brasil.

Esse dia entraria para a história como Dia do Fico, lembrado pela célebre frase que teria sido proferida pelo príncipe: "Como é para o bem de todos e a felicidade geral da nação, estou pronto: diga ao povo que fico." Entretanto, a história não é bem essa. Essa frase só surgiu no dia seguinte. A resposta real dada pelo príncipe e que consta no livro da vereança foi a seguinte:

> Convencido de que a presença de minha pessoa no Brasil interessa ao bem de toda a nação portuguesa, e conhecido que a vontade de algumas províncias assim o requer, demorarei a minha saída até que as Cortes e meu Augusto Pai e Senhor deliberem a este respeito, com perfeito conhecimento das circunstâncias que tem ocorrido.

A frase que entrou para a história era mais forte e mais precisa do que o texto original. Era um verdadeiro toque de clarim aos patriotas brasileiros e de alerta às tropas portuguesas que estavam dispostas a acabar com aquilo tudo e embarcar d. Pedro, d. Leopoldina e as crianças para Portugal à força.

O levante da Divisão Auxiliadora Portuguesa

Dois dias após o "Fico", em 11 de janeiro, esboçava-se a reação dos militares portugueses no Rio de Janeiro. O general Jorge Avilez, mentindo que havia sido demitido, dirigiu-se aos quartéis do 11º e do 15º Batalhões para se despedir. Quando se retirou, foi saudado com vivas "ao general constitucional". Pouco depois, os dois batalhões sublevaram-se, e a revolta passou para os batalhões de artilharia. As tropas portuguesas foram para as ruas e destruíram as vidraças das casas e a iluminação pública festiva realizada em comemoração ao "Fico" do príncipe. A população do Rio entrava correndo em suas casas com os soldados atrás aos berros, gritando "Essa cabrada se leva a pau", como registrado por d. Pedro em carta a d. João.

Naquela noite, d. Leopoldina e d. Pedro foram ao teatro. Ali tomaram conhecimento do que estava ocorrendo no Rio de Janeiro. A viajante inglesa Maria Graham notou que

> [...] havia uma grande animação na conversa em uma parte da plateia e que os oficiais portugueses, de um determinado regimento, estavam ausentes da casa.

Quando a ópera estava aproximadamente para mais da metade, parece ter havido um alarme repentino, não somente nos principais camarotes, mas na plateia, e todos os olhos estavam ansiosamente voltados para o príncipe, que, na parte posterior de seu próprio camarote, falava energicamente, parecendo dar ordens ao comandante da cidade, enquanto, ao mesmo tempo, uma cara nova aparecia a cada instante à porta do camarote, como se estivesse trazendo notícias desagradáveis.[123]

D. Pedro e d. Leopoldina, assim que entraram no teatro, notaram a falta do general Avilez, sempre presente, e tomaram isso como um mau sinal. Enquanto isso, à porta, o coronel brasileiro José Joaquim de Lima e Silva, tio do futuro duque de Caxias, e o tenente-coronel português José Maria da Costa, comandante do 11º Batalhão, desentenderam-se publicamente a respeito dos acontecimentos do dia 9. Segundo testemunhas, Costa afirmava que os brasileiros não queriam a Constituição e que iam ver só como seriam reduzidos novamente ao antigo cativeiro. Além disso, prometia que levaria d. Pedro de volta para Portugal pelas orelhas. O militar português saiu da discussão ameaçando o brasileiro: "Vocês foram nossos escravos, são e hão de continuar a ser e eu vou dar a prova."[124]

Segundo Maria Graham, presente no teatro, os sons vindos do camarote de d. Pedro, ao ser informado do ocorrido, começaram a abafar a voz dos atores. A plateia, preocupada, começou a se levantar para sair, no que foi impedida pelo próprio príncipe. Este, num discurso improvisado, explicou o que se passara e as providências que já teria tomado. Afirmou ainda que o melhor para todos, no momento, era ficar no teatro e terminar de assistir ao espetáculo para não prejudicarem o movimento das tropas nas ruas.

De sua parte, ele pretendia permanecer onde estava, até o fim da ópera, e a princesa havia resolvido ficar com ele. Ela então avançou e deu a mesma segurança ao povo que, vendo-lhe firmeza (especialmente tendo em vista a sua condição muito adiantada de gravidez) aquiesceu e elevou um *Viva* que pareceu abalar o edifício.[125]

Após o fim da peça, d. Pedro foi escoltado até São Cristóvão por oficiais brasileiros e, de lá, enviou d. Leopoldina, grávida de oito meses, e os filhos para fora da cidade. Partiram às três horas da madrugada para a Fazenda de Santa Cruz. Enquanto isso, o príncipe tratou de arregimentar as tropas favoráveis e partiu para o

Jardim Botânico, onde ficava a fábrica de pólvora, para assegurar-se de que estava protegida e em mãos dos brasileiros.

Estrategicamente posicionada longe, a pólvora faria falta aos portugueses, que desde a madrugada ocupavam o morro do Castelo para proteger o Arsenal de Guerra, atual Museu Histórico Nacional. Diversas patrulhas fiéis ao general Avilez estavam próximas ao Largo do Moura, onde havia aproximadamente dois mil portugueses em armas. No Campo de Santana, atual Praça da República, onde se aquartelavam os batalhões brasileiros, juntaram-se a eles o povo do Rio de Janeiro, incluindo freis e padres armados e oficiais portugueses que se posicionaram a favor do príncipe.

A pé e a cavalo, a massa da tropa pró-Fico era composta de mais de dez mil pessoas. Mas, apesar de todo o ímpeto e da superioridade numérica, a disciplina militar dos portugueses acabaria facilmente com essa tropa mal organizada. Mais armada de "puro patriotismo" do que de armas que pudessem realmente ser chamadas assim, a disposição do terreno do Exército favorável a d. Pedro era pouco estratégica para um enfrentamento.

Mas, por fim, não houve batalha. O general Jorge Avilez retirou-se com suas tropas para Niterói, deixando a cidade em poder dos brasileiros.

José Bonifácio

Estava a caminho do Rio de Janeiro José Bonifácio de Andrada e Silva, o vice-presidente do governo provisório de São Paulo que tomara da pena para despachar a 24 de dezembro de 1821 a contundente carta dos paulistas solicitando a permanência de d. Pedro no Brasil. Ele, junto com uma comitiva, vinha entregar ao príncipe as assinaturas colhidas na província, demonstrando, assim como o Rio de Janeiro fizera no dia 9, o apoio paulista.

José Bonifácio, assim como seus irmãos, Martim Francisco e Antônio Carlos, que tomariam parte do processo de Independência e de consolidação do Império Brasileiro, eram naturais de Santos, no litoral sul de São Paulo. Essa cidade ainda hoje cultua a memória dos Andrada. Na rua Quinze de Novembro, no centro antigo, é possível encontrar uma placa informando o local onde José Bonifácio nasceu em 13 de junho de 1763. Igualmente, na região central encontra-se, ao lado da Igreja da Ordem Terceira do Carmo, o Panteão dos Andradas, onde os irmãos foram sepultados. Eles eram filhos do coronel Bonifácio José Ribeiro de Andrada.

José Bonifácio de Andrada e Silva.

Como ocorria com as famílias abastadas na época do Brasil Colônia, José Bonifácio foi enviado para estudar em Coimbra, onde se localiza a grande universidade lusitana. Aos 25 anos, em 1788, já era formado em direito e em filosofia. Seguiu a carreira acadêmica, especializando-se em matemática, mineralogia, história natural, entre outros ramos. Viajou pesquisando e estudando pela Europa, viagem essa patrocinada pela Coroa portuguesa.

Estava em Paris quando estourou a Revolução Francesa. Retornou para Coimbra, onde passou a dar aulas, ao mesmo tempo que prestava serviços ao governo lusitano, principalmente em questões referentes ao declínio da extração de ouro e pedras preciosas das minas brasileiras. Havia feito especialização em Freiberg, na Saxônia, na renomada Academia Mineralógica, onde passou alguns anos. Poliglota, José Bonifácio falava bem seis idiomas, chegando a compreender ao todo onze. Tinha o alemão fluente, como demonstram os trabalhos acadêmicos que produziu nessa língua.

Bonifácio permaneceu em Portugal durante a invasão francesa e alistou-se no Corpo de Voluntários Acadêmicos, no qual acabou chegando ao posto de comandante devido a sua capacidade de liderança. Já aposentado dos trabalhos no Reino, conseguiu permissão de d. João para retornar ao Brasil, aonde chegou em 1819, aos 51 anos. Junto com o irmão Martim Francisco partiu para pesquisas mineralógicas por São Paulo, onde acabou organizando as eleições de 1821 e tomando parte no governo paulista.

A viajante inglesa Maria Graham, que conheceu José Bonifácio na década de 1820, descreveu-o como sendo uma pessoa muito interessante, bastante polido, de estatura baixa, rosto magro e pálido. Segundo ela, parecia alguém tomado por uma atividade febril que lhe consumia corpo e mente. Também reparou que o velho sábio, além de conhecer diversos ofícios, línguas e países e tratar com nobres, reis e príncipes, era um namorador e amante incorrigível.

A bisneta de Maria Teresa da Áustria

José Bonifácio e sua comitiva chegaram ao porto de Sepetiba, próximo da Fazenda de Santa Cruz, em 17 de janeiro. D. Leopoldina, que desde o dia 12 ali estava, mandou cavalos para o grupo, além de uma escolta. Ela queria encontrá-

-los, principalmente esse "sábio", cuja fama fizera d. Pedro nomeá-lo secretário do Reino, Justiça e Negócios Estrangeiros do novo governo. Ansiosa, foi recebê-los a meio do caminho. O futuro marechal José Arouche de Toledo Rendon, em carta para Martim Francisco, que havia ficado em São Paulo, narrou o encontro da futura imperatriz com a comitiva paulista.

Assim como a sua bisavó Maria Teresa ao apresentar-se perante os húngaros em 1741 com o filho e herdeiro nos braços, pedindo ajuda, d. Leopoldina soube emocionar os paulistas:

> Entre outras expressões dela capazes de arrancarem lágrimas aos homens de sentimentos honrados, foi dizer que estimaria muito que víssemos seus brasileirinhos, além dos quais tinha um terceiro (apontou para o ventre), que o entregaria aos cuidados dos honrados paulistas.[126]

Falando em outro idioma – segundo o conselheiro Drummond, em alemão; segundo Rendon, em francês –, ela conversou com José Bonifácio. Talvez tivessem começado a conversação em francês e José Bonifácio passou dessa para a língua materna de d. Leopoldina. De qualquer modo, buscaram em outro idioma o conforto da intimidade e do segredo.

D. Leopoldina foi quem deu ao Andrada a notícia de sua nomeação como novo ministro, narrando-lhe os acontecimentos do Rio de Janeiro. Inicialmente, José Bonifácio recusou o cargo, mas, graças à insistência da princesa, ele acabou concordando em conversar primeiro com d. Pedro antes de tomar uma decisão final. E assim o velho Andrada e a comissão paulista seguiram para o Rio embalados pela indelével lembrança da princesa e de seus pequenos "brasileirinhos".

Mas não foram apenas eles tocados por d. Leopoldina. Segundo o conselheiro Drummond, a princesa confessaria que "a impressão que José Bonifácio lhe tinha causado era ainda tal que ela a não podia explicar".[127]

D. João Carlos, o protomártir da Independência do Brasil

No dia 19 de janeiro d. Leopoldina, sabendo que tudo no Rio de Janeiro estava calmo, retornou com as crianças para a capital. O Exército português, então acampado em Niterói, na época chamada de Praia Grande, prometera deixar o Brasil o mais rápido possível.

Mas, infelizmente, o príncipe d. João Carlos, herdeiro masculino do trono dos Bragança, ressentira-se da viagem e adoecera. Tanto d. Leopoldina quanto d. Pedro passaram a culpar as tropas portuguesas pelo estado de saúde do filho. Se elas não tivessem tentado se sublevar, a princesa e as crianças não teriam sido enviadas para fora da cidade. Em 22 de janeiro, aniversário de d. Leopoldina, tanto ela quanto o marido recusaram-se a receber um grupo de oficiais portugueses que viera beijar a mão dela pelo seu dia. No dia 4 de fevereiro de 1822, o filho do casal, depois de um longo sofrimento, faleceu.

Em carta ao pai, d. Leopoldina escreveu em 12 de fevereiro de 1822:

> Morreu-me o meu filho de uma espécie de mal curada inflamação do fígado, em convulsões durante 28 horas. Tudo isto motivado por nossa forçada fuga para Santa Cruz, distante 12 milhas. A pobre criança sofreu horrivelmente de um calor de 98°,[128] de modo que se pode atribuir a isto a sua prematura morte. Não lhe posso esconder a minha dor, somente a religião, a firme confiança no Altíssimo, que tudo faz para o bem dos homens, me dão alguma resignação e sossego, mas é preciso tempo. Como vai acabar isto, só Deus o sabe, nós ficamos aqui, não há mais dúvida alguma, e parece-me que para sempre...[129]

D. Pedro, igualmente consternado, comunicou ao rei d. João VI a morte do neto:

> Meu pai e meu senhor. Tomo a pena para dar a Vossa Majestade a mais triste notícia do sucesso que tem dilacerado o meu coração. O príncipe d. João Carlos, meu filho muito amado, já não existe.
>
> Uma violenta constipação cortou o fio de seus dias. Este infortúnio é o fruto da insubordinação e dos crimes da divisão portuguesa. O príncipe já estava incomodado quando esta soldadesca rebelde tomou as armas contra os cidadãos pacíficos desta cidade; a prudência exigiu que eu fizesse partir imediatamente a princesa e as crianças para a fazenda de Santa Cruz, a fim de as pôr ao abrigo dos sucessos funestos de que esta capital podia vir a ser o teatro. Esta viagem violenta, sem as comodidades necessárias, o tempo

> que era muito úmido, depois de grande calor do dia, tudo enfim se reuniu para alterar a saúde do meu caro filho, e seguiu-se-lhe a morte.
>
> A divisão auxiliadora, pois, foi a que assassinou o meu filho e neto de Vossa Majestade. Em consequência, é contra ela que levanto minha voz. Ela é responsável na presença de Deus e ante Vossa Majestade deste sucesso, que tanto me tem aflito, e que igualmente afligirá o coração de Vossa Majestade.

Após o falecimento do filho, farto dos adiamentos da ida das tropas para Portugal, d. Pedro embarcou a 9 de fevereiro na fragata *União* e dirigiu-se para Niterói, onde intimou os comandantes portugueses. Tinham até o dia seguinte para começar o embarque, caso contrário as declararia inimigas e os fortes e navios lhes fariam fogo. Em dois dias partiram.

Se antes d. Pedro havia se mantido fiel aos desígnios das Cortes, após o "Fico" e a consequente morte do filho, ele passou a atacá-las. Qualquer mínimo respeito que ele ainda tinha em relação à Assembleia Portuguesa morreu junto com seu filho, a quem o frei franciscano Monte Alverne se referiria futuramente como "protomártir da independência brasileira".[130]

Apesar de mais esse desgosto, de mais essa dor e das diversas demonstrações de pesar em seus escritos para a sua família na Europa, d. Leopoldina demonstrou estar completamente resoluta. Do Brasil não sairia mais, e sua causa era a mesma do país ao qual chegara cinco anos antes.

Uma das provas de seu desvelo é que cinco dias após a morte do filho ela se mostrava imersa nos problemas brasileiros. Escreveu para seu secretário dizendo ter achado bom o texto que ele lhe remetera e que se fazia "especialmente necessário mandar imprimi-lo nas circunstâncias atuais".[131] Também reclamava que não haviam chegado para ela os pensamentos políticos de Schäffer "redigidos em colaboração com o Padre Sampaio".

Frei Sampaio, além de orador sacro, era orador da loja maçônica Comércio e Arte e um dos liberais a quem d. Pedro passaria a escutar. O religioso também era redator do jornal *O Regulador Brasílico-Luso*, que depois mudou, na 11ª edição, para *O Regulador Brasileiro*. Nessa folha quinzenal, Sampaio defendia os interesses do Brasil e dos brasileiros, a que d. Leopoldina acompanhava, e, pelo teor das mensagens trocadas com o seu secretário, em primeira mão, antes de os artigos serem impressos.

Caderno de imagens

D. Leopoldina aos 10 anos de idade
BERNHARD VON GUÉRARD,
AQUARELA SOBRE PAPEL, 1807
ACERVO DO AUTOR

Jovem Princesa Leopoldina
JEAN EDMÉ PASCAL MARTIN DELACLUZE,
PINTURA EM MINIATURA SOBRE PLACA DE MARFIM
ACERVO PAULO KUCZYNSKI – SÃO PAULO

Imperador Francisco I da Áustria, pai de d. Leopoldina S.A., O.S.T., S.D.
ACERVO MUSEU IMPERIAL/IBRAM/MINC – PETRÓPOLIS

Imperatriz Maria Teresa, mãe de d. Leopoldina
ELISABETH LOUISE VIGEE LE BRUN, O.S.T., CIRCA 1790. MUSEO DI CAPODIMONTE – NÁPOLES

NA PÁGINA AO LADO:

Maria Luísa da Áustria despede-se de sua família em 13 de março de 1810. D. Leopoldina aparece do lado direito, abraçada à irmã

PAULINE AUZOU, O.S.T., 1812
ACERVO MUSÉE DE L'HISTOIRE DE FRANCE – VERSALHES

Família de d. Leopoldina nos jardins do Castelo de Laxenburg. A arquiduquesa é a segunda da direita para a esquerda, apontando para o castelo

JOHANN NEPOMUK, LITOGRAFIA, 1835
ACERVO BIBLIOTECA NACIONAL DA ÁUSTRIA - VIENA

JEAN-BAPTISTE ISABEY, S.D.
ERZHERZOG FRANZ FERDINAND MUSEUM –
ARTSTETTEN-PÖBRING

D. Leopoldina na ilha da Madeira
AUTOR DESCONHECIDO, O.S.T., 1817
MUSEU HISTÓRICO NACIONAL/IBRAM/
MINC – RIO DE JANEIRO

NA PÁGINA AO LADO:
JOSEPH KREUTZINGER, O.S.T., 1817
COLEÇÃO KUNTSHISTORISCHES
MUSEUM – VIENA

À DIREITA:
FRIEDRICH JOHANN GOTTLIEB LIEDER,
CIRCA 1817
COLEÇÃO PARTICULAR

Aquarelas feitas por Armand Julien Palliere retratando a viagem da esquadra que trouxe d. Leopoldina ao Brasil. A primeira mostra o embarque da princesa no porto de Livorno; a segunda retrata a recepção na ilha da Madeira; e a terceira, a chegada dos navios ao Rio de Janeiro, em novembro de 1817

COLEÇÃO HERDEIROS DE ALFREDO ALLEN

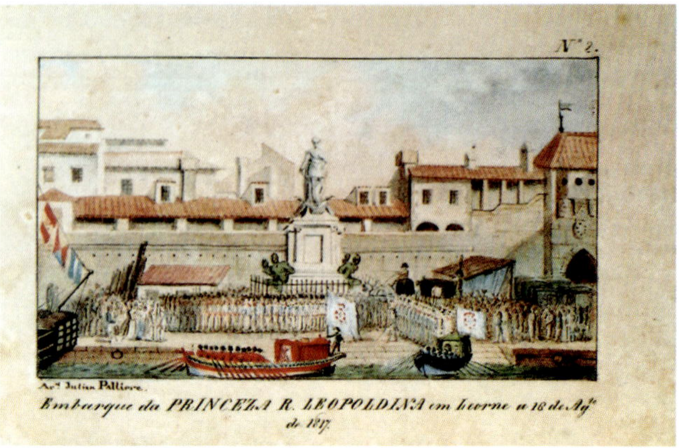

Desembarque de d. Leopoldina no Rio de Janeiro em novembro de 1817. D. Pedro e d. Leopoldina aparecem de perfil; à direita, estão os irmãos de d. Pedro; à frente do casal, está d. Carlota Joaquina, com um toucado de plumas vermelhas; e, ao fundo, embarcando na carruagem, está d. João VI
JEAN-BAPTISTE DEBRET, O.S.T., 1818
MUSEU NACIONAL DE BELAS ARTES/IBRAM/MINC – RIO DE JANEIRO

NA PÁGINA SEGUINTE:

Passagem da carruagem que conduzia d. Leopoldina, d. Pedro, d. João VI e d. Carlota Joaquina por um dos diversos Arcos do Triunfo erguidos em comemoração à chegada de d. Leopoldina ao Rio de Janeiro, em novembro de 1817. O arco localizava-se na rua Direita, atual rua Primeiro de Março, no cruzamento com a rua do Ouvidor, no Rio de Janeiro
THOMAS MARIE HIPPOLYTE TAUNAY, GRAVURA, *CIRCA* 1817
BIBLIOTECA NACIONAL – RIO DE JANEIRO

Passagem de SS. MM. e A. S

em frente

...er debaixo do arco na rua Direita.

... do ouvidor

Leque comemorativo do casamento de d. Pedro e d. Leopoldina executado pelo pintor chinês Sun Qua sobre desenho de Jean-Baptiste Debret
LEQUE DE PAPEL PINTADO A GUACHE COM VARETAS DE MARFIM ESCULPIDAS E GRAVADAS
COLEÇÃO PARTICULAR

Leopoldina, arquiduquesa da Áustria e princesa real do Reino Unido de Portugal, Brasil e Algarves
JEAN-FRANÇOIS BADOUREAU, GRAVURA, SÉCULO XIX
ACERVO MUSEU IMPERIAL/IBRAM/MINC – PETRÓPOLIS

D. Pedro de Alcântara, príncipe real do Reino Unido de Portugal, Brasil e Algarves
JEAN-FRANÇOIS BADOUREAU, GRAVURA, SÉCULO XIX
ACERVO MUSEU IMPERIAL/IBRAM/MINC – PETRÓPOLIS

ABAIXO:
Palácio de São Cristóvão
JEAN-BAPTISTE DEBRET, AQUARELA, 1817
COLEÇÃO PARTICULAR

Alegoria acerca do casamento de d. Pedro e d. Leopoldina
DOMINGOS CLEMENTINO, O.S.T., 1820
MUSEU HISTÓRICO NACIONAL/IBRAM/MINC – RIO DE JANEIRO

D. Pedro e d. Leopoldina na reunião ocorrida na Real Quinta da Boa Vista na noite de 7 de novembro de 1817. O casal dança a música "Augurio di felicità", tocada ao piano pela princesa d. Maria Teresa. Ao fundo a corte reunida e d. João VI no trono
S.A., AQUARELA SOBRE CARTÃO, 1817
COLEÇÃO PARTICULAR

Sessão do Conselho de Estado
GEORGINA ALBUQUERQUE, O.S.T., 1922
ACERVO MUSEU HISTÓRICO NACIONAL/
IBRAM/MINC – RIO DE JANEIRO

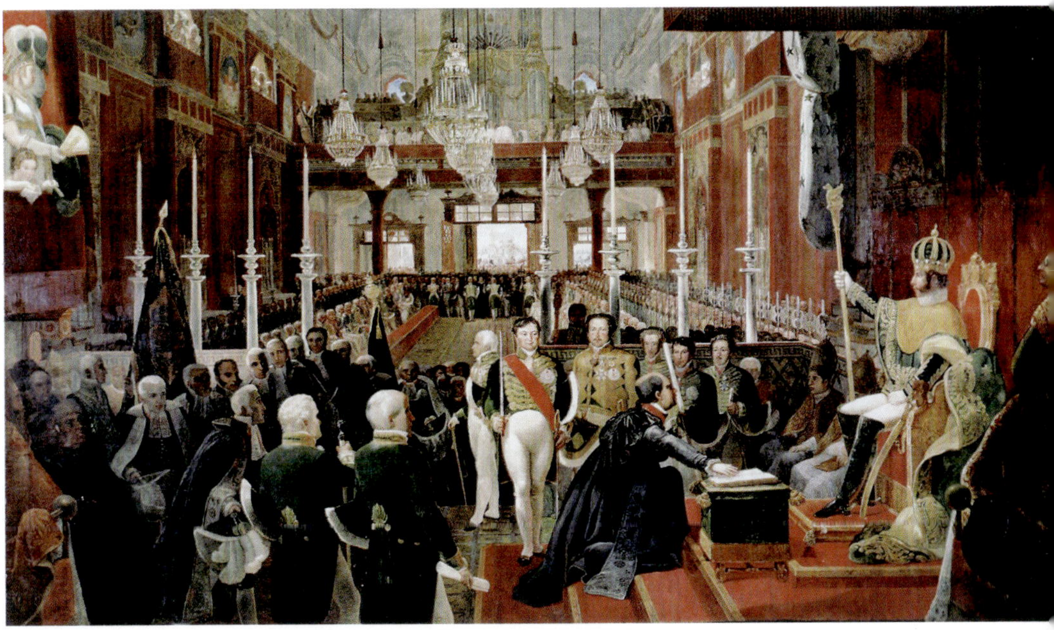

Coroação de d. Pedro I. Diante do marido, na tribuna de honra, estão d. Leopoldina e a princesa d. Maria da Glória
JEAN-BAPTISTE DEBRET, O.S.T., 1826
MUSEU NACIONAL DE BELAS ARTES/IBRAM/MINC – RIO DE JANEIRO

À ESQUERDA:

D. Pedro e d. Leopoldina visitando os órfãos da Casa dos Expostos
SIMPLÍCIO RODRIGUES DE SÁ, O.S.T., 1826
FUNDAÇÃO ROMÃO DUARTE – RIO DE JANEIRO

D. Leopoldina grávida
LUIS SCHLAPPRIZ, O.S.T., *CIRCA* 1825
ACERVO MUSEU DO ESTADO DE PERNAMBUCO – RECIFE

D. Leopoldina com os filhos. No colo, o herdeiro do trono, o futuro d. Pedro II, e, ao redor, as filhas: d. Maria da Glória, d. Januária, d. Francisca e d. Paula Mariana
DOMENICO FAILUTTI, O.S.T., 1921
ACERVO MUSEU PAULISTA/USP – SÃO PAULO

NA PÁGINA AO LADO:

Ex-voto que d. Leopoldina encomendou em agradecimento ao restabelecimento de d. Pedro após a queda de cavalo que ele sofreu em 1823. A imperatriz aparece ao fundo, à esquerda, pedindo que Nossa Senhora interceda pela vida do marido
AUGUSTE-MARIE TAUNAY E FELIX TAUNAY, O.S.T., 1827
ACERVO MUSEU DA IMPERIAL ORDEM DE NOSSA SENHORA DA GLÓRIA DO OUTEIRO – RIO DE JANEIRO

GLORIA

Tabaqueira com os bustos de d. Leopoldina e d. Pedro I
ACERVO MUSEU IMPERIAL/IBRAM/MINC – PETRÓPOLIS

Tabaqueira representando d. Leopoldina como rainha de Portugal (*circa* 1826)
ACERVO MUSEU IMPERIAL/IBRAM/MINC – PETRÓPOLIS

Conjunto de colar e brincos filigranado em ouro, com rubis e pedras preciosas, ornado com dezoito esferas armilares unidas por folhas de tabaco e café. Cada esfera possui o nome de uma província brasileira. As três em destaque abaixo da coroa imperial fazem menção a São Paulo, Minas Gerais e Rio de Janeiro. A peça teria pertencido a d. Leopoldina
ACERVO MUSEU IMPERIAL/IBRAM/MINC – PETRÓPOLIS

Esboço de d. Leopoldina
ARMAND JULIEN PALLIÈRE, 1825
ACERVO MUSEU IMPERIAL/IBRAM/MINC – PETRÓPOLIS

ACIMA:
Miniaturas retratando d. Leopoldina
ACERVO MUSEU IMPERIAL/IBRAM/MINC – PETRÓPOLIS

AO LADO:
Assinatura de d. Leopoldina

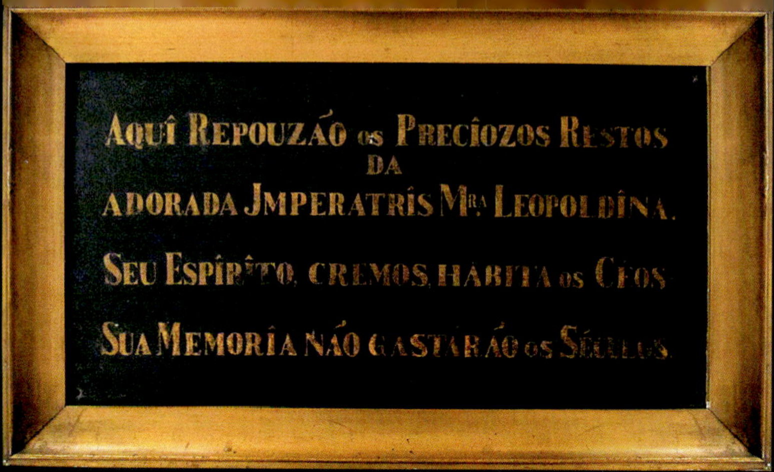

Epitáfio que acompanhou o corpo de d. Leopoldina de 1826 a 1954
ACERVO MUSEU DA CIDADE DE SÃO PAULO – SÃO PAULO

ABAIXO:
Trabalho em talha dourada com o brasão imperial e elementos simbólicos que evocam a morte. A peça fazia parte da decoração do vagão funerário que levou os restos mortais da imperatriz d. leopoldina do Rio de Janeiro para São Paulo, em 1954
ACERVO INSTITUTO HISTÓRICO E GEOGRÁFICO DE SÃO PAULO – SÃO PAULO

A arqueóloga Valdirene do Carmo Ambiel, responsável pela exumação de d. Leopoldina, em 2012

@ FOTOS DE VICTOR HUGO MORI

Imagens de Franz Joseph Frühbeck retratando a viagem de d. Leopoldina ao Brasil

Embarque de d. Leopoldina em Livorno. A princesa aparece de pé, à esquerda, perto da cobertura da galeota, que a conduz até a nau *D. João VI*. Os marinheiros portugueses saúdam a princesa entre as velas

FRANZ JOSEPH FRÜHBECK, GUACHE SOBRE PAPEL, 1817

HISPANIC SOCIETY OF AMERICA – NOVA YORK

A ilustração retrata a nau *D. João VI* que transportou d. Leopoldina e sua comitiva de Livorno, na Itália, para o Rio de Janeiro. O artista representou na popa a constelação da Ursa Maior, visível apenas no hemisfério norte, e na proa o Cruzeiro do Sul, visível somente no hemisfério sul. Frühbeck pretendia com isso indicar a direção da nau, que partia da Europa para o Novo Mundo

FRANZ JOSEPH FRÜHBECK, GUACHE SOBRE PAPEL, 1817

INSTITUTO MOREIRA SALLES – RIO DE janeiro

Serviço religioso a bordo da nau *D. João VI*
FRANZ JOSEPH FRÜHBECK, GUACHE SOBRE PAPEL, 1817
HISPANIC SOCIETY OF AMERICA – NOVA YORK

Cozinha da nau *D. João VI*. No forno, que domina boa parte da cena, um padeiro assa o pão e um negro, em trajes sumários por causa do calor, cozinha. No canto esquerdo, uma vaca é esquartejada. Ali perto, um grupo de marujos joga. Enquanto alguns trabalham na preparação dos alimentos, outros dormem, arrumam objetos ou caem ao trasportar uma bandeja
FRANZ JOSEPH FRÜHBECK, GUACHE SOBRE PAPEL, 1817
HISPANIC SOCIETY OF AMERICA – NOVA YORK

Castelo de popa da nau *D. João VI*. No convés, à direita, próximo da escada, está um soldado montando guarda diante da entrada dos aposentos privados da princesa e de suas damas. Atrás dele, uma cortina vermelha, bordada com as armas portuguesas, revela um corredor com três portas. A primeira dava acesso ao quarto da condessa Maria Ana von Kühnburg, que descreveu detalhadamente os ambientes. À direita, uma dama sobe as escadas para encontrar d. Leopoldina, que aparece de perfil, com uma pluma na cabeça, no alto

FRANZ JOSEPH FRÜHBECK, GUACHE SOBRE PAPEL, 1817

INSTITUTO MOREIRA SALLES — RIO DE JANEIRO

O artista procurou retratar tudo o que chamasse a atenção no navio: dos tipos humanos aos pássaros, vistos como exóticos pelos europeus

FRANZ JOSEPH FRÜHBECK, GUACHE SOBRE PAPEL, 1817

INSTITUTO MOREIRA SALLES — RIO DE JANEIRO

Passeio feito por d. Leopoldina na ilha da Madeira. A princesa segue montada a cavalo, enquanto parte da comitiva é transportada em liteiras. Numa delas, encontra-se a condessa de Kühnburg, que descreveu a cena

FRANZ JOSEPH FRÜHBECK, GUACHE SOBRE PAPEL, 1817

HISPANIC SOCIETY OF AMERICA — NOVA YORK

Sé do Funchal, onde foi realizado um *Te Deum* em 11 de setembro de 1817 pela chegada de d. Leopoldina à ilha da Madeira

FRANZ JOSEPH FRÜHBECK, GUACHE SOBRE PAPEL, 1817

INSTITUTO MOREIRA SALLES — RIO DE JANEIRO

Salão da nau *São Sebastião*, que transportou a comitiva de d. Leopoldina de volta para a Europa. Uma das três damas seria a condessa Maria Ana von Kühnburg
FRANZ JOSEPH FRÜHBECK, GUACHE SOBRE PAPEL, 1817
INSTITUTO MOREIRA SALLES – RIO DE JANEIRO

Festa de netuno a bordo da nau *D. João VI*. Sentada no alto do castelo de popa, d. Leopoldina assiste à festa que ocorre no convés
FRANZ JOSEPH FRÜHBECK, GUACHE SOBRE PAPEL, 1817
COLEÇÃO PARTICULAR

As embarcações com a Família Real portuguesa aproximam-se da nau *D. João VI* para levarem d. Leopoldina à terra

FRANZ JOSEPH FRÜHBECK, GUACHE SOBRE PAPEL, 1817

HISPANIC SOCIETY OF AMERICA — NOVA YORK

Campo de Santana, mais conhecido hoje como Praça da República, no centro do Rio de Janeiro. No meio da praça, há uma arena montada para a realização de touradas portuguesas, que, apesar de esporte nacional, não eram do agrado de d. Leopoldina. Supõe-se que este seja o registro mais antigo da montagem de uma arquitetura efêmera na cidade

FRANZ JOSEPH FRÜHBECK, GUACHE SOBRE PAPEL, 1817

HISPANIC SOCIETY OF AMERICA – NOVA YORK

D. Januária, a Princesa da Independência

Em 11 de março, d. Leopoldina passou por mais um parto, mas, dessa vez, bem longe dos médicos que a haviam maltratado e dilacerado das vezes anteriores. Quem narrou o ocorrido foi o marido em carta para d. João VI:

> Dou parte a vossa majestade que a princesa real, minha amada esposa, lhe começaram as dores às duas da noite; às três e meia chamou-me e às cinco da madrugada, andando a passeio pela casa, agarrou-se-me ao pescoço e em pé mesmo deu à luz; e às cinco e meia já estava tudo acabado com imensa felicidade, tendo dado à luz uma menina.[132]

Para o marquês de Marialva, d. Leopoldina confidenciaria que havia parido em menos de duas horas e, acaso um funcionário não estivesse por perto na hora, "o assoalho teria sido o berço de minha filha".[133]

À menina, d. Pedro daria o nome de d. Januária, em homenagem ao Rio de Janeiro. Daí em diante, nos nomes das filhas, o príncipe honraria de alguma maneira as províncias brasileiras em destaque no momento do nascimento delas. Assim sucederia futuramente com as princesas d. Paula Mariana e d. Francisca. D. Januária passaria a ser conhecida como a "Princesa da Independência", devido ao momento político em que nasceu.

Minas Gerais

Agora sem os militares portugueses a sua porta, e tendo acabado de impedir que uma nova divisão portuguesa desembarcasse no Rio de Janeiro, não havia mais quem pressionasse d. Pedro e d. Leopoldina. Logo o novo ministério passou, à revelia das Cortes Portuguesas, a trabalhar. Foram expedidas ordens para o Brasil para que nenhuma nova resolução das Cortes fosse cumprida sem aval do príncipe regente. Este, aconselhado por políticos "filhos da terra" e por ministros do calibre de José Bonifácio, continuaria as reformas liberais que havia começado no início de 1821.

Em 16 de fevereiro, foi convocado um colegiado de procuradores, que deveria ter representantes de todas as províncias brasileiras, a se reunir no Rio de Janeiro em 2 de junho de 1822. Esse corpo seria consultivo, uma espécie de Conselho de Estado, a quem caberia auxiliar o príncipe à medida que este fosse encaminhando o Brasil ao regime constitucional.

Na Bahia, em 17 de fevereiro, ocorreu uma revolta contra o governo e as tropas portuguesas. Os patriotas – em maior número, porém sem a disciplina militar – perderam e tiveram que se retirar da cidade, dando início a uma violenta guerra civil. Os patriotas baianos foram saudados por d. Pedro, que prontamente decretou que as tropas portuguesas no Brasil deveriam se submeter a sua autoridade ou deixar o país.

D. Leopoldina assim mencionou ao pai o ocorrido:

> Aqui reina um verdadeiro caos de ideias e cenas, tudo surgido do logro chamado espírito de liberdade, e nas províncias do Norte agora estão assassinando todos os europeus. Deus (que dispõe tudo para o bem do homem) permita que a situação fique calma, como quer me parecer; meu esposo declarou que ficará aqui; embora pensemos diferentemente, em alguns aspectos, é melhor que me cale e observe silenciosamente.[134]

Ficar calada e silenciosa era tudo o que, como boa política, precisava para conseguir seus intentos. Conhecia bem o marido. Em vez de enfrentá-lo abertamente, d. Leopoldina "era mais sutil". Por meio de conselhos pontuais e influenciando outros a aconselharem d. Pedro, ela ia conseguindo suas conquistas. Mas nem todas. A convocação de uma Assembleia Constituinte para o Brasil, por exemplo, não foi inicialmente bem aceita pela princesa. Entretanto, d. Leopoldina estava resoluta em permanecer: "Tomei a grande decisão de ficar no Brasil, desistindo assim para sempre da esperança de algum dia rever meus queridos amigos e pátria." Pensar diferente dessa forma, para ela, seria "reabrir [...] feridas perigosas".[135]

Apesar de algumas cidades de Minas Gerais terem se colocado, assim como ocorrera com São Paulo e o Rio de Janeiro, fiéis à regência de d. Pedro e contrárias às ordens das Cortes, o mesmo não aconteceu com a capital da província: Vila Rica (atual Ouro Preto). D. Pedro, vendo a necessidade da absoluta integração das três províncias à causa da autonomia política do Brasil, partiu para Minas em 25 de março de 1822.

Nesse momento, longe do marido, a princesa escrevia-lhe visivelmente chateada com a falta de notícias dele: "[...] Basta-me a separação, não era preciso de mais o desgosto de ser privada de notícias suas".[136] A carta dele chegou no dia seguinte após o desabafo. A princesa, toda contente, respondeu:

> Recebo neste instante sua carta de Barbacena que muito me alegrou tendo notícias tão satisfatórias pelo meu coração; agradeço-lhe muito os cavalos que podiam ser piores, porém, tendo vindo de sua mão, serão sempre caros e válidos.
>
> Nós estamos boas, mas eu inconsolável de ser separada do senhor que eu amo ternamente como devo, desejando muito sua breve volta, depois serei alegre e feliz.[137]

Assinava a princesa ao marido ora como "sua amante esposa", ora como "sua esposa que o ama ao extremo". Em pós-escrito, de maneira delicadíssima, ensinava ao marido a se comportar: "Peço-lhe pôr a data nas suas cartas, perdoa-me este atrevimento." Pena que José Bonifácio não tenha pedido o mesmo a ela, assim seus bilhetes para o velho Andrada poderiam ser mais bem colocados no tempo e no espaço do processo da Independência.

Pacificada Minas Gerais, d. Pedro instituiu eleições e retornou ao Rio de Janeiro, onde foi recebido com júbilo pela população. Em 13 de maio, a maçonaria conferiria a ele o título de "Defensor Perpétuo do Brasil".

Conspirações

Durante a ausência do príncipe, a cidade do Rio de Janeiro inteira conspirava. Grupos contrários a José Bonifácio procurariam tirá-lo do governo. D. Leopoldina, ciente desse fato, tinha então, além do "excelente Schäffer", como o chamava em suas cartas, o barão de Mareschal, que lhe trazia notícias dos movimentos opostos ao Andrada. Um desses grupos intitulava-se "patriotas europeus". O curioso a respeito dessa história de movimentos contrários à autonomia brasileira é a presença do diplomata austríaco passando informações para d. Leopoldina. Num dos bilhetes da princesa para José Bonifácio, ela diz: "Vem este instante o Barão de Mareschal, secretário da legação austríaca, contar que o 'Club' era na fábrica de pólvora e que antes de ontem viu passar muita gente de lá para cá às 11 horas da noite."[138]

Em carta para Viena, o diplomata afirmou que aconselhou a princesa a não se deixar envolver nos negócios políticos do Brasil. Chegou a comunicar a Metternich a sua satisfação em se assegurar que d. Leopoldina assim havia procedido.[139]

Entretanto, cabe um aparte considerável entre o que era comunicado para a Europa e o que de fato ocorria no Rio de Janeiro. Nem a princesa estava afastada da política nem o austríaco. Mareschal claramente havia tomado partido dos patriotas brasileiros e continuava achando que as Cortes em Lisboa haviam enlouquecido ao tentar recolonizar o Brasil.

Nem mesmo dentro do palácio d. Leopoldina estava livre dos "espias", como dizia, e nem dos "pés de chumbo", modo desdenhoso como os brasileiros chamavam os portugueses e que a princesa incorporara ao seu vocabulário. Para José Bonifácio, recomendava:

> [...] Não se fie no meu veador, o d. Francisco Misutella, ele é do partido oposto, e deu anteontem no meu quarto os seus sentimentos a conhecer, de modo que eu lhe aconselhei a calar-se e unir todos os seus esforços e desejos pelo bem do Brasil que é o verdadeiro interesse dos homens amantes da pátria e boa ordem.[140]

Os membros da antiga corte portuguesa que continuaram a serviço dos príncipes, tendo ciência das saudades que d. Leopoldina sentia da Europa, tentaram em certo momento cooptá-la à causa portuguesa.[141] É de imaginar quão bem ela deveria disfarçar dentro do palácio o seu pendor à causa do Brasil a ponto de isso acontecer! Para José Bonifácio, numa carta, tendo um negro por mensageiro, "me fiando mais neles que em certos brancos",[142] informava de uma tentativa de ser ludibriada pela corte:

> Dando-lhe parte que teve cartas de Lisboa que fazer toda a diligência para ver se semeavam a discórdia entre nós ambos, mas eles se enganam: sou alemã (que quer dizer constante e teimosa), e só tendo a infelicidade de perder o juízo eu mudarei o sistema que adotei e com o qual sempre me tenho dado otimamente.

A carta a que d. Leopoldina faz menção seria uma falsificação, que passaria como escrita por d. João VI, admoestando filho e nora para retornarem a Portugal.[143] Enfim, todos conspiravam.

Constituição

Uma semana depois do retorno de d. Pedro, a Câmara do Rio de Janeiro solicitou a ele a convocação de uma Assembleia Constituinte. O príncipe submeteu o pedido ao Conselho de Procuradores quando este se reuniu, em 2 de junho. Com o pedido aprovado por maioria absoluta, d. Pedro lavrou o decreto de 3 de junho convocando a Assembleia, que deveria se reunir no ano seguinte.

Quem parece não ter gostado muito dessas novidades foi d. Leopoldina. Ela tentou deixar claro ao pai que não compactuava completamente com todas as coisas que estavam acontecendo no Brasil:

> Aqui há uma verdadeira confusão, por toda parte reinam modernos princípios populares de tão exaltada liberdade e independência, agora se trabalha numa assembleia popular, imagina de forma democrática, como no país livre da América do Norte. Meu esposo, que lamentavelmente ama todas as novidades, está deslumbrado e infelizmente, parece-me, no final, pagará por todos, com relação a mim estão desconfiados, o que me deixa muito feliz, pois assim não sou obrigada, graças a Deus, a expressar minha opinião e pelo menos estou livre de briga, esteja convicto, querido pai, aconteça o que acontecer, de que nunca esquecerei o que devo à religião, aos meus caros princípios pátrios [...]. No pior dos casos se as coisas tomarem o rumo da Revolução Francesa, como receio, verei minha querida pátria com minhas filhas, pois infelizmente tenho certeza de que a venda do deslumbramento não cairá dos olhos do meu esposo; espero que o senhor então me dê o posto de mineralogista, que certa vez teve a bondade de me prometer, de brincadeira, durante um almoço [...].[144]

A desconfiança de d. Leopoldina era compreensível. Afinal, toda a política de d. João VI havia sido destruída, quase levando o Brasil de roldão, após as Cortes Constitucionais em Portugal tomarem o poder e a demagogia entrar na pauta do dia.

Talvez a princesa esperasse que o mesmo ocorresse no Brasil e, assim como o sogro em Portugal, logo ela e d. Pedro se veriam como prisioneiros da Assembleia Constituinte a ser instalada, o que não ocorreu. Afinal, tanto em Portugal quanto na França, as revoluções irromperam contra os poderes dos monarcas. Tanto d. João VI quanto Luís XVI tiveram seus poderes diminuídos pela força de uma revolta para poder se estabelecer uma Assembleia e uma Constituição. O mesmo não se verificou no Brasil. Assim que o movimento autonomista e depois o movimento de independência ganharam d. Pedro e d. Leopoldina como protagonistas, os brasileiros viram neles aliados de primeira hora, não tiranos que deveriam ser derrotados para cederem seu poder. Conforme d. Leopoldina foi tendo segurança de que nada tinha que temer dos brasileiros, seus receios arrefeceram na mesma medida da certeza do caminho trilhado.

Independência

Meses depois, em agosto, já menos contrariada com o rumo dos acontecimentos, d. Leopoldina dava sinais para Maria Luísa de que de simpatizante da autonomia política do Brasil agora era uma defensora da causa da independência brasileira:

> [...] O Brasil é grande demais, poderoso e, conhecendo sua força política, incapaz de ser colônia de uma corte pequena, por isso custará muitas lutas duras e sangrentas. E, como me parece, pelo que meu humilde entendimento permite, o ódio dos europeus contra o Brasil é tão grande que terminará com o extermínio dos primeiros.[145]

Ao pai, uma semana após a carta enviada a Maria Luísa, abria-se completamente:

> Embora o senhor sempre tenha proibido o meu coração e mente, amantes apenas da verdade, de falar abertamente, não posso deixar desta vez de tentar minha sorte. Segundo todas as notícias confiáveis da pátria-mãe infiel [Portugal], a única conclusão a que se pode chegar é que Sua Majestade, o Rei, está sendo mantido pelas Cortes numa prisão elegantemente disfarçada; nossa partida para a Europa é impossível, já que o nobre espírito do povo brasileiro se mostrou de todas as formas possíveis e seria a maior ingratidão e erro político crassíssimo se nosso empenho não fosse manter e fomentar a sensata liberdade e consciência de força e grandeza deste lindo e próspero reino, que nunca poderá ser subjugado pela Europa, [...] eu, por mim, estou convicta, querido pai, como deseja tudo o que é nobre e bom, de que o senhor nos apoiará na medida do possível e com toda a força e poder possível [...].[146]

Mesmo não sendo do gosto do pai a franqueza usada por d. Leopoldina nesta carta, a ideia de que um dos líderes da Santa Aliança se aliaria de bom grado à ideia de emancipação política do Brasil pautado com uma Constituição seria no mínimo absurda. Mas ela parecia não querer ver isso, ou fingia não ver, cega como estava pela causa do Brasil, que fizera sua desde o final de 1821.

Essas cartas devem ter chegado junto com o Manifesto às Nações Amigas, assinado por d. Pedro em 6 de agosto de 1822, no qual se denunciava o despotismo das Cortes de Lisboa em relação aos assuntos brasileiros e convocava as nações amigas do Brasil a tratar diretamente dos assuntos com o Rio de Janeiro e não mais com o governo português.

Schäffer levou as cartas escritas pela princesa tanto para a irmã quanto para o pai. A carta para Maria Luísa foi escrita em 2 de agosto; quanto à destinada a Francisco I, essa foi feita uma semana depois, no dia 9. A distância entre as datas das duas missivas pode ser um indício de que d. Leopoldina talvez fosse uma das pessoas, junto com José Bonifácio, outros conselheiros e o príncipe, autora do projeto de redação do manifesto. Somente após a publicação deste é que ela escreveu ao pai. Sua carta é contundente, tanto quanto o manifesto assinado por d. Pedro. Ela pretendia mostrar ao pai que então, definitivamente, comungava das ideias dos brasileiros e de seu marido. E que a decisão deles era irrevogável.

D. Pedro deixou claro no manifesto que não desejava dissolver os laços entre Portugal e o Brasil, mas não prometia defender as ligações entre os dois países. Explicitava a sua causa no texto, que serviu para explicar às nações do mundo os acontecimentos políticos segundo o ponto de vista dos brasileiros. D. Pedro, também em agosto, determinou o retorno dos constituintes brasileiros junto às Cortes portuguesas. E, antevendo um futuro confronto, buscava se preparar para ele.

A ida de Schäffer para a Europa tinha um propósito, que depois seria mudado: o de angariar tropas austríacas e/ou suíças para a causa do Brasil. D. Leopoldina não acreditou que isso seria possível e não se envolveu nesse assunto. Porém se envolveria quando da mudança de estratégia, e, em vez da instalação de um Exército, o Brasil passaria a contratar mercenários e fomentar a imigração. Schäffer empreenderia na Europa esse novo plano, principalmente junto às nações germânicas.[147]

Os assuntos brasileiros, desde o "Fico", eram notícias nos principais jornais da Europa. Em setembro, fazendo uma análise dos últimos acontecimentos no Brasil, o jornal londrino *The Courier*[148] simplificava a questão dando a entender que tudo seria um golpe da própria família Bragança para garantir seus tronos de ambos os lados do Atlântico:

> Há algumas semanas aludimos à possibilidade de que a conduta do Príncipe Real, opondo-se à vontade das Cortes Soberanas e aos aparentes desejos de seu pai, resultaria de uma combinação política entre eles, a fim de garantir o Império Brasileiro para a Casa de Bragança [...].

São Paulo

São Paulo, que, sob a liderança dos Andrada e seus aliados, havia se alinhado com o príncipe, agora causava problemas. Parte do governo local decidiu voltar-se a Portugal e expulsou Martim Francisco, irmão de José Bonifácio, da junta governativa. O Andrada foi preso e enviado ao Rio de Janeiro. Ali chegando, foi nomeado ministro do Tesouro. A indisposição dos irmãos Andrada com o governo paulista fez com que o presidente da junta de governo da província fosse demitido. Porém, como o governador não acatou a resolução e não rumou imediatamente para o Rio de Janeiro, como ordenado, d. Pedro partiu para São Paulo. Faria o mesmo que em Minas: apaziguaria e comandaria novas eleições. Pelo caminho, ao longo do Vale do Paraíba, foi tecendo alianças com os fazendeiros que sustentariam a causa brasileira.

Era um projeto antigo, mencionado por d. Leopoldina, ir visitar São Paulo. Após a perda do filho d. João Carlos, essa ideia tomou forma, como uma espécie de terapia para aliviar a dor da morte do varão. "Logo que estiver restabelecida de meu resguardo, prometeram-me uma viagem a cavalo para São Paulo, preciso muito disso para recuperar as forças [...]",[149] escrevia d. Leopoldina à irmã em março de 1822, após ter dado à luz a princesa d. Januária. Entretanto, novamente grávida em agosto, a princesa teve que ficar no Rio de Janeiro. Ao marquês de Marialva, comentaria no dia 15 desse mês: "Estou fazendo um grande sacrifício, deixando uma viagem encantadora."[150]

A viagem de d. Pedro daria muitos frutos políticos, mas um particularmente amargo para d. Leopoldina. De "se" não se faz história, mas fica difícil não imaginarmos aqui um "e se". E se ela tivesse acompanhado o marido a São Paulo? A independência não seria afetada, ela ocorreria mais cedo ou mais tarde, mas talvez novas pessoas na vida dos dois não teriam existido, transformando a vida da princesa num martírio.

Uma vez mais, o número treze entraria na vida de d. Leopoldina. D. Pedro nomeou-a para ocupar a regência em sua ausência em 13 de agosto de 1822.

O decreto dizia:

> Tendo de ausentar-me desta capital por mais de uma semana para ir visitar a província de São Paulo, e cumprindo a bem dos seus habitantes e da segurança e tranquilidade individual e pública, que o expediente dos negócios não padeça com esta minha ausência temporária, hei por bem que os meus ministros e secretários de Estado continuem nos dias prescritos, e dentro do paço, como até agora, debaixo da presidência da princesa real do reino Unido, minha muito amada e prezada esposa, no despacho do expediente ordinário das diversas secretarias do Estado e repartições públicas que será expedido em meu nome, como se presente fora; e hei por bem outrossim que meu Conselho de Estado possa igualmente continuar as sessões nos dias determinados ou quando preciso for, debaixo da presidência da mesma princesa real, a qual fica desde já autorizada para, com os referidos ministros e secretários do Estado, tomar todas as medidas necessárias e urgentes ao bem e salvação do Estado; e tudo me dará imediatamente parte para receber a minha aprovação e ratificação, pois espero que nada obrará que não seja conforme às leis existentes e aos sólidos interesses d'Estado. O ministro de Estado dos Negócios do Reino e Estrangeiros o tenha assim estendido e faça executar os despachos necessários. Palácio do Rio de Janeiro, 13 de agosto de 1822 (Com a rubrica de S.A.R. o príncipe regente). José Bonifácio de Andrada e Silva.

É romântico imaginar a princesa assinando a Independência do Brasil, porém tal fato, mediante o decreto expedido, é inimaginável e historicamente incorreto. O poder da princesa era limitado, e o que ela decidisse teria que passar pela aprovação do marido: "Tudo me dará imediatamente parte para receber a minha aprovação e ratificação, pois espero que nada obrará que não seja conforme às leis existentes e aos sólidos interesses d'Estado." Isso explica a quantidade de despachos e cartas que ele receberia futuramente, a 7 de setembro, próximo ao riacho do Ipiranga, em São Paulo.

É de supor que, entre d. Leopoldina e d. Pedro, nessa época, houvesse uma estreitíssima afinidade política e de pensamento. É só imaginar, por exemplo, um contraponto: d. João nunca faria de d. Carlota regente nem do quarto dela, que fará do Reino em sua ausência. D. Pedro confiava inteiramente na esposa num momento político extremamente delicado. Os deveres de d. Leopoldina, segundo carta à tia Maria Amélia, tiravam-lhe tempo para escrever mais, pois "meu adorado esposo partiu para São Paulo e neste momento estou encarregada de todos os afazeres, que é o maior sacrifício que posso lhe fazer e ao Brasil".[151]

D. Pedro deixou o Rio de Janeiro em 14 de agosto, acompanhado, inicialmente, por poucas pessoas: um secretário, dois criados, o jovem militar brasileiro Francisco de Castro Canto e Melo e Francisco Gomes da Silva, o Chalaça, seu velho amigo, que depois se tornaria seu secretário. Essa comitiva foi engrossada por uma guarda de honra formada por paulistas à medida que avançavam pelo Vale do Paraíba. Chegaram a São Paulo em 24 de agosto, entrando na cidade no dia seguinte.

D. Leopoldina, no Rio de Janeiro, cumpria o seu papel: despachava com ministros, secretários e o Conselho. Comportava-se como era esperado de uma arquiduquesa Habsburgo, ciente de seu papel de líder, porém confidenciava intimamente a d. Pedro: "Fui à audiência e tive muita vergonha."[152] Em outra ocasião, mencionou ao marido que teve "um despacho de seis horas que fiquei mais cansada do que se fosse a São Paulo a cavalo!!! Deus, queria que voltasses em breve, meu gênio não é para tudo isto".

Mas, apesar das queixas, decisões importantes foram tomadas durante a regência de d. Leopoldina, por exemplo, a contratação de lorde Cochrane, mercenário britânico que havia se batido pela Independência do Chile. No Brasil, ele chefiaria a esquadra brasileira durante a futura Guerra da Independência.

A princesa, nas cartas ao marido, também narrava os acontecimentos da corte e alguns incidentes, como a festa de Nossa Senhora da Glória do Outeiro, em que houve pregação de frei Sampaio. D. Leopoldina apreciou a oratória, entretanto, outras pessoas presentes, provavelmente devido ao discurso político pró-autonomia política do Brasil entremeado na pregação religiosa, não gostaram. Foi o caso de certo frei José, provavelmente português e contrário ao movimento. Este, segundo a princesa, não escondeu sua desaprovação ao sermão e "estendeu de tal feito o bico que foi cumprimentado por bicudo; de modo que eu e o José Bonifácio achamos melhor mandá-lo proibir o Paço, eu achava melhor mandá-lo para Lisboa, mas o J.B. quis o primeiro, diga-me o que quer que se faça".[153]

Para José Bonifácio, enviava recomendações de acordo com o que ia apurando a respeito da índole das pessoas que se acercavam do governo:

> [...] O governador que vai para Santa Catarina não é capaz, fui avisada hoje, por muitos amigos verdadeiros e sinceros de nossa causa, que Soares é muito pé-de-chumbo, sua conduta em Pernambuco tem sido péssima, e aqui foi muito falador a favor das Cortes de Lisboa [...]. É melhor tardar com a ida de tal sujeitinho até a vinda de meu adorado esposo.[154]

Como já dito anteriormente, dentro dos conventos, principalmente no de Santo Antônio, no Rio de Janeiro, conspirou-se e muito. Em ambos os sentidos, como pode ser visto por outra carta da princesa ao seu principal ministro:

> O padre mestre Sampaio me pede para falar-lhe neste requerimento, aqui incluso, depois do aviso que foi aos rebeldes do convento, fizeram mais excessos que nunca, até ameaçar os mestres de morte, e falando contra o sistema de agora; que eu acho, que é preciso mandar outro aviso, dizem eles ser preciso às 3 horas da tarde, temendo que os criminosos fujam, e dando autoridade ao Guardião de castigá-los com rigor.[155]

D. Leopoldina, irritada com a falta de notícias do marido e sem ordens suas a respeito de decisões tomadas por ela, escreveu bastante zangada ao príncipe em 22 de agosto:

> Confesso-lhe que tenho já muito pouca vontade de escrever-lhe, por não ser merecedor de tanta amabilidade; faz oito dias que me desaponto por não chegar nenhuma instrução sua; normalmente, quando se ama alguém com ternura sempre se encontra momentos e ocasiões de provar-lhe a sua amizade e o seu amor; todos estão bem e tudo muito sossegado, graças a Deus. Receba mil abraços e saudades minhas com a certeza de ser a última carta a falar da necessidade urgente de notícias suas.[156]

No pós-escrito dessa carta, d. Leopoldina comentou que no dia seguinte receberia uma embaixada das "Senhoras Bahianas", que, segundo ela, provava "que as mulheres têm mais ânimo e são mais aderentes à causa boa".

A Bahia, procurando se juntar ao governo do Rio de Janeiro, combatia os portugueses desde o início de março de 1822. Em 14 de junho, na Câmara da Vila de Santo Amaro da Purificação, foi feita uma proclamação em que se pregava a unidade nacional, reconhecendo os baianos a autoridade de d. Pedro. A Bahia foi a primeira província a declarar a sua independência de Portugal e seria a última a se ver livre das tropas portuguesas. As senhoras baianas entregaram à princesa uma mensagem assinada por 186 damas daquela província. A mensagem dizia:

> As baianas abaixo assinadas, sensíveis ao muito que tem S.A.R. o senhor d. Pedro Príncipe Regente contribuído para a política e prosperidade de todo o Brasil sob os auspícios das bases constitucionais por todo ele juradas; esforçando-se inteiramente por que se acabe o anárquico sistema de desunião que ia retalhar este

> reino em outros tantos Estados independentes, quantas as suas províncias, caso se desse execução ao decreto do primeiro de outubro passado [...]: E ponderando nós que nesta heroica resolução teve V.A.R., anuindo ao que deliberava seu augusto e adorado esposo [...] mostrando assim quanto é digna do trono para onde a vontade do Onipotente arbítrio dos impérios a tem chamado; possuídas do maior respeito, depois de congratularmos aos nossos conterrâneos por termos entre nós tão preciosas e augustíssimas pessoas, vimos oferecer os nossos corações, únicas oblações que pôs a natureza ao alcance do nosso sexo, para que faça a posteridade o devido conceito das brasileiras e, em particular das baianas.[157]

Essa foi uma das primeiras demonstrações públicas de que o povo brasileiro passava a reconhecer d. Leopoldina como uma aliada e uma das responsáveis por se evitar que o Brasil voltasse a ser colonizado novamente por Portugal. Como curiosidade, vemos novamente a coincidência do número 13 na vida da princesa. A carta das senhoras baianas foi assinada em 13 de maio de 1822, data que lembrava, além do aniversário de d. João VI, o casamento de d. Leopoldina com d. Pedro, cinco anos antes. A data da entrega também era significativa: 23 de agosto, aniversário da Revolução do Porto, que não foi comemorada na Corte e no Rio de Janeiro em 1822 durante a regência de d. Leopoldina.

Só erraram as baianas num ponto, ao acharem que, como boas filhas da elite da época que eram – afinal sabiam assinar seus nomes –, só podiam dar à princesa "os nossos corações, únicas oblações que pôs a natureza ao alcance do nosso sexo". A Bahia legaria ao Brasil a jovem Maria Quitéria. Natural de Feira de Santana, a heroína baiana fez-se passar por homem para poder participar da guerra pela independência de sua província e do Brasil.

O Grito do Ipiranga

Em 28 de agosto, chegara ao Rio de Janeiro o navio *Três Corações*, que, tendo deixado Portugal em 3 de julho, trazia informações a respeito do que se passava nas Cortes de Lisboa. Soube-se – talvez por nota de deputados brasileiros no Congresso, extrato da ata ou algum resumo das decisões – das resoluções que seriam adotadas em relação ao Brasil. Somente em 21 de setembro, pelo navio *Quatro de Abril*, chegariam as Cartas Régias obrigando ao seu cumprimento.

As resoluções debatidas nas Cortes em junho de 1822 e votadas em 1º de julho negavam a petição enviada do Brasil para que se repensasse a fragmentação do Reino em províncias ligadas diretamente a Portugal. Além do mais, as Cortes consideravam violenta e injuriosa a linguagem usada pelo governo provisório de São Paulo em carta para d. Pedro, de dezembro de 1821, pedindo que ele não obedecesse às ordens de deixar o Brasil. Os membros do governo, incluindo José Bonifácio, agora como ministro, deveriam ser presos e enviados para Lisboa, onde seriam processados e julgados. Todas as decisões do príncipe ficavam anuladas, inclusive a criação do Conselho de Procuradores. E, para completar, as Cortes ordenavam que d. Pedro e a família deveriam cumprir as ordens anteriores e seguir para a Europa.

A linguagem com que os deputados portugueses trataram tanto os paulistas como a figura de d. Pedro deve ter contribuído para a apreensão com que o Conselho de Estado se reuniria para debater a nova crise. Os paulistas foram chamados de "os treze infames de São Paulo", enquanto que o príncipe recebeu diversos xingamentos, como "desgraçado e miserável rapazinho", "mancebo ambicioso e alucinado". Os constituintes portugueses ameaçavam fazer d. Pedro aprender a ser constitucional entre as quatro paredes do Palácio de Queluz.[158]

Além disso, também chegaram informações de que um exército de mais de sete mil soldados estava sendo preparado em Portugal para ser enviado ao Brasil. No Rio de Janeiro, no mesmo período, soube-se da chegada de seiscentos soldados em Salvador e de dois navios de guerra, sem que a esquadra brasileira impedisse. Os portugueses pretendiam fazer da Bahia uma ponta de lança para varrerem do restante das províncias brasileiras os que se tinham colocado ao lado da unidade do Brasil junto aos príncipes.

Em 2 de setembro, o Conselho de Estado, convocado e presidido por d. Leopoldina no Palácio de São Cristóvão, discutiu as notícias vindas de Lisboa. Além dos ministros, estavam também presentes os procuradores-gerais das províncias, entre eles José Gonçalves Ledo e José Clemente Pereira. Segundo o cronista Melo Morais, apoiado em informações que lhe passou o conselheiro Vasconcelos de Drummond, presente a essa reunião,

> [...] aí se deliberou sem discussão, depois de José Bonifácio ter feito uma exposição verbal do estado em que se achavam os negócios públicos, e de concluir, dizendo ter chegado a hora de acabar com aquele estado de contemporizar com os seus inimigos, que o Brasil tinha feito tudo quanto humanamente era possível fazer para conservar-se unido com dignidade a Portugal, mas que Portugal em

> vez de acompanhar e agradecer a generosidade com que o Brasil o tratava, insistia nos seus nefastos projetos de o tornar à miserável condição de colônia, sem nexo e nem centro de governo, que portanto ficasse com ele a responsabilidade da separação. Propôs que se escrevesse ao sr. d. Pedro para que Sua Alteza Real houvesse de proclamar a independência sem perda de tempo. A princesa real, que se achava muito entusiasmada em favor da causa do Brasil, sancionou com muito prazer a deliberação do Conselho![159]

Segundo a historiadora Viviane Tessitore:

> Leopoldina não teria tomado uma atitude de tal dimensão sem uma margem mínima de segurança de que d. Pedro ratificaria o seu ato. Poderia ser constrangedor e até arriscado. Mas o apoio de José Bonifácio, que integrava o Conselho e de quem se tornou amiga, confidente e admiradora, provavelmente contribuiu para encorajá-la.[160]

Ou seja, marido e mulher já haviam conversado seriamente a respeito de tomarem a frente do movimento de separação do Brasil de Portugal. Ainda segundo o conselheiro Drummond, em suas memórias, o despacho teria ocorrido às onze horas da manhã:

> Enquanto o conselho trabalhava, já Paulo Bregaro estava na varanda, pronto a partir em toda a diligência para levar os despachos ao Príncipe Regente. José Bonifácio ao sair lhe disse: "Se não arrebentar uma dúzia de cavalos no caminho nunca mais será correio: veja o que faz" [...]. A princesa mandou-me esperar e era para que eu visse a carta particular que S.A. escrevia ao príncipe. Eu a li e tive ocasião de admirar o espírito e a sagacidade da princesa. Retirei-me, eram quase três horas da tarde.[161]

Drummond, ao ler a mensagem de d. Leopoldina, não tinha conseguido refrear exclamações de admiração pelas reflexões da princesa no documento. Mas ela interrompeu as felicitações do conselheiro dizendo que seu trabalho era modesto e que não buscava elogios por ele. "Quando o mesmo confidente deu conta a José Bonifácio da sua surpresa, e das suas impressões, o venerado velho que todos os dias via a princesa no trabalho, disse: 'Meu amigo, ela devia ser ele.'"[162]

A carta da princesa – além de todos os despachos e mais cartas de José Bonifácio e de Henry Chamberlain, diplomata inglês no Rio de Janeiro, que seguiram com os mensageiros despachados de São Cristóvão para d. Pedro em São Paulo – dizia:

Pedro, o Brasil está como um vulcão. Até no paço há revolucionários. Até oficiais das tropas são revolucionários. As Cortes Portuguesas ordenam vossa partida imediata, ameaçam-vos e humilham-vos. O Conselho do Estado aconselhava-vos para ficar. Meu coração de mulher e de esposa prevê desgraças, se partirmos agora para Lisboa. Sabemos bem o que tem sofrido nossos pais. O rei e a rainha de Portugal não são mais reis, não governam mais, são governados pelo despotismo das Cortes que perseguem e humilham os soberanos a quem devem respeito. Chamberlain vos contará tudo o que sucede em Lisboa. O Brasil será em vossas mãos um grande país. O Brasil vos quer para seu monarca. Com o vosso apoio ou sem o vosso apoio ele fará a sua separação. O pomo está maduro, colhei-o já, senão apodrece. Ainda é tempo de ouvirdes o conselho de um sábio que conheceu todas as cortes da Europa, que, além de vosso ministro fiel, é o maior de vossos amigos. Ouvi o conselho do vosso ministro, se não quiserdes ouvir o de vossa amiga. Pedro, o momento é o mais importante de vossa vida. Já dissestes aqui o que ireis fazer em São Paulo. Fazei, pois. Tereis o apoio do Brasil inteiro e, contra a vontade do povo brasileiro, os soldados portugueses que aqui estão nada podem fazer. Leopoldina.[163]

A carta de José Bonifácio suplicava ao príncipe:

Senhor, as Cortes ordenaram a minha prisão por minha obediência a Vossa Alteza. E no seu ódio imenso de perseguição atingiram também aquele que preza em o servir com lealdade e a dedicação do mais fiel amigo e súdito. O momento não comporta mais delongas ou condescendências. A revolução já está preparada para o dia de sua partida. Se parte, temos a revolução no Brasil contra Portugal, e Portugal atualmente não tem recursos para subjugar um levante que é preparado ocultamente para não dizer quase visivelmente. Se fica, tem Vossa Alteza contra si o povo de Portugal, a vingança das Cortes, que direi?, até a deserdação, que dizem já estar combinada. Ministro fiel, que arrisquei tudo por minha pátria e pelo meu príncipe, servo obedientíssimo do senhor D. João VI, que as Cortes têm na sua detestável coação, eu como ministro, aconselho a Vossa Alteza que fique e faça do Brasil um reino feliz, separado de Portugal, que é hoje escravo das Cortes despóticas. Senhor, ninguém mais que sua esposa deseja a sua felicidade, e ela lhe diz em carta que com esta será entregue que Vossa Alteza deve ficar e fazer a felicidade do povo brasileiro, que o deseja como seu soberano, sem ligações e obediências às despóticas Cortes portuguesas que querem a escravidão do Brasil e a humilhação do seu adorado príncipe regente. Fique, é o que todos pedem ao magnânimo príncipe que Vossa Alteza, para o orgulho e felicidade do Brasil. E se não ficar, correrão rios de sangue nesta grande e nobre terra, tão querida do seu real pai, que já não governa em Portugal pela opressão das Cortes, nesta terra que tanto estima a Vossa Alteza e a quem tanto Vossa Alteza estima. José Bonifácio.

Infelizmente, nenhuma das duas cartas, nem a de d. Leopoldina nem a de José Bonifácio foram localizadas fisicamente até os dias atuais. Sabe-se delas devido a menções de testemunhos do Conselho de Estado[164] e do Grito do Ipiranga e às publicações realizadas a partir da década de 1920 em que aparecem citadas. Teriam sido copiadas de um folheto raro de 1826, onde teriam sido publicadas inicialmente.[165]

Um outro texto de José Bonifácio é muito citado como sendo a carta que teria chegado ao príncipe em São Paulo, com a célebre frase: "Senhor! O dado está lançado e de Portugal não temos a esperar senão escravidão e horrores." Na realidade, trata-se de uma minuta, datada de 1º de setembro, ou seja, anterior aos despachos do Conselho de Estado realizados no dia 2.[166]

São interessantes duas passagens da carta de d. Leopoldina: *Com o vosso apoio ou sem o vosso apoio ele fará a sua separação. O pomo está maduro, colhei-o já, senão apodrece.* Esse trecho é como um eco do que d. João teria aconselhado d. Pedro antes da partida em 1821. Outro ponto diz respeito ao fato de ela afirmar que d. Pedro havia dito o que tinha ido fazer em São Paulo e ordenava ao marido que então o fizesse. Já haveria então um pré-entendimento entre o casal.

Os correios enviados do Rio de Janeiro alcançaram o príncipe no alto de uma colina nos arrabaldes de São Paulo, num local chamado Moinhos, às quatro horas da tarde de 7 de setembro de 1822. Próximo, corria o riacho do Ipiranga. D. Pedro não estava passando bem, sofria de uma diarreia que vinha lhe "quebrando o corpo" da subida da serra de Santos até o planalto. Sua comitiva e a guarda de honra estavam mais adiante quando ele recebeu os correios cercado de poucos companheiros.

As informações vindas de Portugal, provavelmente por meio da mala diplomática destinada a Henry Chamberlain, mais os despachos do Conselho e as cartas de José Bonifácio e de d. Leopoldina, teriam levado o príncipe a um acesso de fúria. Amassou os documentos e jogou-os no mato, onde foram recolhidos pelo padre Belchior Pinheiro. Após se consultar com algumas pessoas que estavam próximas, ele tomou a resolução, montou em seu cavalo e partiu para se juntar ao restante da comitiva mais abaixo. Segundo o padre Belchior,[167] a seguinte cena ocorreu:

> – Amigos, as Cortes portuguesas querem escravizar-nos e perseguem-nos. De hoje em diante, nossas relações estão quebradas. Nenhum laço nos une mais. E arrancando [o príncipe] do chapéu o laço azul e branco decretado pelas Cortes, como símbolo da nação portuguesa, atirou-o ao chão dizendo:
>
> – Laços fora, soldados! Viva a independência, a liberdade, e a separação do Brasil!
>
> Respondemos com um viva ao Brasil independente e separado, e um viva a d. Pedro. O príncipe desembainhou a espada, no que foi acompanhado pelos militares, os paisanos tiraram os chapéus. E d. Pedro disse:
>
> – Pelo meu sangue, pela minha honra, pelo meu Deus, juro fazer a liberdade do Brasil.
>
> – Juramos, responderam todos.
>
> D. Pedro embainhou a espada no que foi imitado pela guarda, põe-se à frente da comitiva e voltou-se, ficando em pé nos estribos:
>
> – Brasileiros, a nossa divisa de hoje em diante será Independência ou Morte!

Eram quatro e meia da tarde. Tomando as rédeas de sua besta, d. Pedro esporeou-a e, seguido da guarda e da comitiva, partiu a galope para São Paulo, a primeira cidade a comemorar o Brasil oficialmente independente.

Dois dias depois, d. Pedro partiria para a corte. Os laços azul e branco arrancados por ele no Ipiranga seriam, com o retorno do príncipe ao Rio de Janeiro, substituídos, inicialmente, por fitas verdes, segundo o conselheiro Drummond. Ele seria um dos primeiros a ir ao palácio cumprimentar d. Pedro quando de seu retorno à capital. Na audiência, também foi recebido por d. Leopoldina, que

> [...] tratou-me com aquela alta benevolência com que ela sabia agraciar os súditos que de alguma forma se distinguiam, e deu-me um laço de seda verde que seu

augusto esposo havia adotado como sinal da independência, dizendo-me que era das fitas do seu travesseiro, porque já tinha desmanchado em laços para dar todas as outras fitas verdes que tinha.[168]

Drummond, em suas recordações, diz que havia sempre conservado "este precioso dom com religioso cuidado", mas que acabou ele por ser destruído num incêndio. De todas as perdas sofridas na ocasião, a que mais lamentava era a do laço já quase sem cor e puído, pois marcava

> [...] uma época tão gloriosa para o meu país como satisfatória para mim. Era o dom de uma princesa que não nascera no Brasil, mas que o amava como se nele nascida fosse. Fui testemunha ocular e posso asseverar aos contemporâneos que a princesa Leopoldina cooperou vivamente dentro e fora do país para a independência do Brasil. Debaixo deste ponto de vista o Brasil deve à sua memória gratidão eterna.[169]

Como demonstração da aliança, até então inquebrantável, do casal e da participação de d. Leopoldina no processo de Independência, se juntaria ao verde heráldico dos Bragança o amarelo dos Habsburgo, que ainda fazem parte das cores nacionais brasileiras. Foram oficializados em 18 de setembro de 1822.

O Rio de Janeiro entrou em apoteose com a chegada de d. Pedro. Em 15 de setembro, d. Pedro e d. Leopoldina compareceram ao teatro, onde foram ovacionados. Trazia ele o seu laço verde com uma presilha de ouro em forma de "V" invertido que mandara fazer em São Paulo. Numa das "pernas", aparecia a palavra "Independência" e na outra "ou Morte".[170]

Em 22 de setembro, ao chegarem os avisos régios oficializando no Brasil as determinações das Cortes de que d. Pedro retornasse a Portugal e anulando seus decretos anteriores, o príncipe tomou da pena e escreveu a d. João:

> Jazemos por muito tempo nas trevas, hoje já vemos a luz. Se Vossa Majestade cá estivesse, seria respeitado e amado e então veria que o povo brasileiro, sabendo prezar a sua liberdade e independência, se empenha em respeitar a autoridade real, pois não é um bando de carbonários e assassinos como os que têm a Vossa Majestade no mais ignominioso cativeiro.
>
> Triunfa e triunfará a independência brasílica ou a morte nos há de custar.

O Brasil será escravizado, mas os brasileiros não, porque, enquanto houver sangue nas veias, há de correr e primeiramente hão de conhecer melhor o rapazinho e até que ponto chega sua capacidade.

Peço a Vossa Majestade a mande apresentar esta as Cortes para o terem mais com que se divirtam e gastem ainda um par de moedas a esse estígio Tesouro. Deus guarde a preciosa vida e saúde de Vossa Majestade como todos nós brasileiros desejamos.

Sou de Vossa Majestade.

Filho que muito o ama e súdito que muito o venera.

Pedro.[171]

Imperatriz do Brasil

A ACLAMAÇÃO de d. Pedro como imperador do Brasil foi programada para 12 de outubro, seu aniversário de 24 anos. Apesar da chuva, os cariocas foram em peso prestigiar o evento no Campo de Santana, que após essa data passou a ser chamado de Praça da Aclamação até 1889, quando foi renomeada Praça da República.

Por volta das nove horas da manhã, infantaria, cavalaria, artilharia, granadeiros, caçadores e fuzileiros formaram na praça à espera do futuro imperador e de sua família. Enquanto isso, a cidade toda, em festa e decorada para a ocasião, com arcos do triunfo e coretos onde orquestras tocavam, ouvia as salvas dos fortes e dos navios na entrada da baía de Guanabara.

Às dez horas, chegou a guarda de honra, formada por paulistas e fluminenses. Seus uniformes ostentavam as cores branca e vermelha, inspiradas nos trajes dos dragões austríacos, em homenagem a d. Leopoldina.[172] Seguiam, logo atrás, dois exploradores e oito soldados da mesma guarda, como batedores, acompanhados de três moços de estribeira: um índio, um mulato e o outro negro.

Buscava-se, na base da caricatura, uma tentativa de incluir no espetáculo as diversas raças que formavam o Brasil. Logo em seguida, num coche puxado por oito cavalos, vinham d. Pedro, d. Leopoldina e a herdeira do casal, a princesa d. Maria da Glória.

Rumaram para o antigo Palácio do Conde dos Arcos, onde se estabelecera o Senado da Câmara Municipal do Rio de Janeiro.[173] Lá, d. Pedro e a família foram recebidos pelos vereadores. Clemente Pereira, presidente do Senado, no seu discurso para a ocasião, afirmava:

> Quer o Brasil sustentar a sua Integridade, e Defender a sua Independência, e antes morrer, que perdê-la: e quer que a sua forma de Governo seja a de um Império Constitucional, Hereditário na Família Reinante de V.M.I. conservando sempre V.M.I. e Seus Augustos Sucessores o distinto título de Defensor Perpétuo do Brasil.[174]

Aclamação de d. Pedro como imperador do Brasil. D. Leopoldina aparece ao lado do marido. A herdeira do casal, d. Maria da Glória, está no colo, atrás da mãe.

No final da sua fala, invocando o "Santo Liberalismo, o doce amor da verdadeira Glória e da Sólida Grandeza", pedia que mostrassem ao "nosso jovem Imperador em vivas cores a fealdade da escravidão e a nobreza da Liberdade".

D. Pedro assim respondeu:

> Aceito o título de Imperador Constitucional, e Defensor Perpétuo do Brasil, porque tenho ouvido a Meu Conselho de Estado, e Procuradores Gerais e examinado as representações das Câmaras das diferentes províncias. Estou intimamente convencido que tal é a vontade geral de todas as outras, que só por falta de tempo não têm ainda chegado.

A essa resposta, todos no edifício e a multidão na praça soltaram os mais calorosos vivas, deram-se abraços e parabéns. A artilharia salvou 101 vezes, a infantaria descarregou três vezes para o ar. Vivas ao imperador, à imperatriz, à religião, à independência e à Constituição foram dados em altos brados. Seguiram todos para a Capela Real, rebatizada de Capela Imperial, para uma bênção. A imperatriz e a princesa foram de carruagem, enquanto d. Pedro seguiu a pé.

Como quando de sua chegada ao Brasil em 1817, d. Leopoldina pôde contemplar novamente os arcos de triunfo erguidos pelas ruas em homenagem à coroação. Mais uma vez, colchas e panos coloridos pendiam das janelas das casas em festa, e as mulheres, muitas vestidas de verde e amarelo,[175] jogavam de suas varandas flores à passagem dos novos soberanos.

Um dos arcos, o da rua do Ouvidor, próximo do Largo de São Francisco de Paula, era dedicado ao "amor conjugal". No alto, jazia uma esfera coroada em cujo centro viam-se as iniciais dos imperadores. Também aparecia no arco o pelicano alimentando seus filhotes, emblema do amor maternal, e figuras escultóricas mostrando um guerreiro deixando seu filho brincar com suas armas enquanto uma mãe amamentava. As esculturas eram douradas, e as paredes do arco eram pintadas de branco, imitando mármore. Em cada face do arco, versos homenageavam d. Leopoldina:

> Desta doce união no céu tecida
> Logras em paz, o fruto abençoado
> A suspirada prole esclarecida
>
> Amas os filhos, preza o consorte;
> Nos deveres de mãe e esposa acertas,
> Vives ditosa, e não te assusta a morte.[176]

No arco dedicado à "Prosperidade do Brasil", erguido na rua Direita, além de homenagear d. Pedro, havia também versos para d. Leopoldina:

Temos pátria; e que pátria? o Império novo.
Assim do grão-Brasil vozêa o povo:
Filha augusta dos Césares, já hoje
Mãe dos Césares, do Brasil exulta.[177]

A coroação

Não era costume dos portugueses coroarem seus reis; eles eram aclamados. Entretanto, o Brasil não pertencia mais a Portugal. Precisava criar seus próprios rituais e, principalmente, uma cerimônia de tamanha gala e pompa que ofuscasse a aclamação de d. João VI, realizada no Rio de Janeiro quatro anos antes.

A data escolhida para a coroação de d. Pedro foi 1º de dezembro de 1822. A cerimônia deu-se na Capela Imperial. José Bonifácio despachou ordens para que as plumagens de tucanos conservadas no Museu Natural fossem usadas na confecção do novo manto do imperador, "revestindo-se de tons amarelo-brasiliano a vestidura verde do monarca, como se o manto fosse urdido, naturalmente, pela floresta circunvizinha do Rio de Janeiro".[178] Para a coroa, foram usados mais de três quilos de ouro, com oito florões e muitos brilhantes.

José Bonifácio, o barão de Santo Amaro, frei Arrábida, o bispo capelão-mor e Monsenhor Fidalgo criaram uma cerimônia em que juntaram o cerimonial de coroação dos imperadores romano-germânicos, o de Napoleão e o do rei da Hungria, em que se cortava o ar com a espada.[179] Esse ato foi utilizado para simbolizar o título de d. Pedro de "Defensor Perpétuo do Brasil".

Somente d. Pedro foi coroado. D. Leopoldina, em gravura feita por Jean-Baptiste Debret para imortalizar a ocasião, aparece diante do marido, juntamente com a princesa d. Maria da Glória, assistindo à cerimônia. Segundo Max Fleuiss:

> Na primeira tribuna baixa imperial, em frente do trono, figuravam, em ar jubiloso, por ver também coroados de êxito os seus ingentes esforços em prol da independência da sua segunda pátria, a quem tanto soube amar e de quem tão amada foi sempre, a sereníssima imperatriz [...] com a sua filha d. Maria da Glória.[180]

Diferentemente da coroação de Napoleão, em que Jacques-Louis David representou uma submissa Josefina ajoelhada perante Bonaparte em glória coroando-a, o retrato de Debret, primo do pintor francês, mostra d. Pedro e d. Leopoldina um defronte do outro, com a imperatriz olhando o esposo de cima e este olhando os cortesãos abaixo de si. O casal aparece como em pé de igualdade, sem a subserviência explícita da imperatriz Josefina diante do marido a quem tudo deve.

D. Leopoldina, retratada por Debret, paira como uma protetora sobre todos. Nenhuma semelhança com a cena da aclamação de d. João VI, ocorrida em 1818, que o mesmo artista havia retratado. Nessa, d. Carlota Joaquina aparece numa tribuna elevada, à direita do marido e quase sem vista para este. É obrigada a se contorcer para ver o que está ocorrendo. Em vez de aparecer em destaque, a rainha aparece ao fundo da tribuna, depois das infantas e de d. Leopoldina, praticamente uma mancha.

Nas tribunas da coroação de d. Pedro I, ao lado de onde a princesa d. Maria da Glória e a imperatriz estavam, encontravam-se as damas da corte, que, assim como d. Leopoldina, usavam longos mantos e vestidos de cetim verde e amarelo, em estilo Império, bordados a ouro. A imperatriz usava também um "turbante e plumas de cor creme e de pontas verdes, em cima do diadema de brilhantes".[181] Com exceção das joias, ela seria sepultada com essas vestes, e foi assim que a vi em 2012.

Especial atenção na cerimônia foi dada ao cônsul dos Estados Unidos, primeiro país que reconheceria, em 1824, o Brasil como nação independente. Por uma concessão especial, os diplomatas de Inglaterra, França e Rússia assistiram ao cerimonial, mesmo esses países não reconhecendo a independência brasileira.

O barão de Mareschal, pedindo desculpas por motivo de saúde, não compareceu à coroação, assim como já não havia presenciado a aclamação. Intimamente, o austríaco achava que agora não apenas Lisboa e seus deputados haviam enlouquecido, mas que d. Leopoldina e d. Pedro haviam se deixado levar longe demais com toda a questão da emancipação política do Brasil. Mareschal não via com bons olhos todos os tormentos pelos quais eles passariam na construção do novo império e acreditava que eles estavam fazendo tudo isso ora sob pressão, ora por vaidade.

D. Leopoldina como diplomata

No rolar da máquina inexorável dos acontecimentos, a imperatriz comunicou ao pai, somente em 12 de dezembro, onze dias após a coroação do marido, que

> [...] o barão de Mareschal lhe dará notícias de todos, por isso silencio, só pedindo que observe por um ponto de vista e creia firmemente que não poderia ser de outra forma; para afastar o espírito popular das ideias republicanas. Graças a Deus estamos todos bem e minhas filhas encantadoras.[182]

O barão encontrava-se estarrecido. Apesar de ter se colocado inicialmente a favor das ideias dos patriotas brasileiros em relação à autonomia do Reino, auxiliando d. Leopoldina e d. Pedro, não imaginou que se daria uma independência total, levando a um rompimento de fato com Portugal. Agora ambos eram tratados pelos brasileiros de imperadores. A explicação, bastante pragmática, de d. Leopoldina ao pai é, em resumo: ou nos separávamos e virávamos imperadores do Brasil, ou o perderíamos para os republicanos.

Poderiam ser de fato imperadores, mas isso não fazia do Brasil, automaticamente, um império, e nem o reconhecimento de todas as nações viria de maneira rápida e fácil. Tudo teria que ser disputado, batalhado, enfim, conquistado. Enquanto o solo e o mar brasileiros se encharcariam de sangue brasileiro e português, d. Leopoldina trabalharia a sua diplomacia pessoal.

A imperatriz, ciente da necessidade do apoio da Áustria à independência brasileira, justificaria ao pai, em diversas oportunidades, a necessidade de d. Pedro ter se tornado imperador e declarado a Independência do Brasil. Um exemplo é ao apresentar a Francisco I Antônio Teles, camareiro de d. Pedro e futuro marquês de Resende, encarregado dos negócios do Brasil na Áustria. Na carta ao pai, levada pelo portador em abril de 1823, a imperatriz informa:

> Como esta bela oportunidade me permite falar abertamente, quero lhe contar tudo, querido papai, e descrever o que até agora infelizmente lhe apresentaram sob uma ótica equivocada, ou por maldade para nos prejudicar, ou por pouco conhecimento, não quero julgar isso! Desde que meu esposo tomou as rédeas do Estado, Deus sabe que não por sede de poder ou ambição, mas para satisfazer o desejo do probo povo brasileiro, que se sentia sem regente, dilacerado em seu íntimo por partidos que ameaçavam com uma anarquia ou República, qualquer um que se encontrasse na mesma situação faria o mesmo, aceitar o título de imperador para satisfazer a todos e criar a unidade; estou convicta, querido pai, de que devem ter lhe dito ou escrito que querem instituir aqui uma constituição igual às das vis Cortes portuguesas ou das sanguinárias Cortes espanholas; é uma mentira grosseira, e para provar tomo a liberdade de citar os editoriais. A família real não apenas está segura, como desfrutamos do amor e confiança do povo, de quem

> temos as demonstrações mais comoventes e seguras. A grandeza do Brasil é de supremo interesse para as potências europeias, especialmente do ponto de vista comercial, e o maior desejo das Cortes aqui reunidas é fechar contratos comerciais com as possessões austríacas na Itália e estabelecer seu monopólio comercial em seus portos, o que seria extremamente vantajoso para minha querida pátria, pela riqueza extraordinária do Brasil em madeiras corantes e mercadorias coloniais.

Seguiu a imperatriz na carta narrando a qualidade dos deputados da Constituinte, dizendo serem eles possuidores da "máxima capacidade e dignidade, que honram o poder real e sabem mantê-lo". A respeito da forma de governo, ela assim o defendia perante o pai:

> A assembleia compõe-se de duas câmaras, o imperador tem veto absoluto, seus conselheiros e ministros particulares são de sua escolha, sem qualquer protesto nem intromissão, assim como sua criadagem e cargos na corte; o imperador possuirá todas as atribuições que fomentem o êxito de seu governo, como chefe do poder executivo e como dirigente da máquina política.

Quanto ao seu dever como imperatriz, d. Leopoldina encarnava o "papel de intercessora do nobre povo brasileiro, pois todos nós lhe devemos algo, nas circunstâncias mais críticas este povo fez os maiores sacrifícios, que demonstram amor à pátria, para proteger sua unidade e o poder real".

Depois de mencionar toda a questão relativa ao comércio entre os dois países, d. Leopoldina entrou na questão dinástica. Prometia, caso não conseguisse dar um novo varão ao Império, casar a princesa d. Maria da Glória, herdeira do casal, com "um de meus primos". Nesse ponto, ou a imperatriz equivocava-se ou foi levada a isso por alguma mudança de planos momentânea por parte de d. Pedro, que retomaria a ideia original de casar a filha com o infante d. Miguel. D. Pedro, em carta ao irmão de 19 de junho de 1822,[183] após o "Fico" e antes da Independência, tratou especificamente a respeito desse assunto, que se concretizou, por procuração, em outubro de 1826, sendo posteriormente anulado.

Na carta a Francisco I, d. Leopoldina também acenava com a possibilidade de as antigas colônias espanholas na América do Sul decidirem por juntar-se novamente sob um sistema monárquico. Nesse caso, seria possível escolher algum príncipe da "casa da Áustria" para seu soberano, "no que o Brasil está disposto a ajudar com força e poder". O canto da sereia do retorno do A.E.I.O.U. poderia encantar Francisco I e, principalmente, o príncipe de Metternich.

D. Leopoldina deixou claro que ainda lhe era possível lutar em prol dos ideais do sistema monárquico e sua propagação pela América. Essa causa era cara ao imperador austríaco, membro da Santa Aliança, que havia permitido a sua filha cruzar o Atlântico em razão do fortalecimento desse sistema no Novo Mundo.

Depois de explicar o fato de d. Pedro ter feito o que fez pelo bem dos brasileiros, de explicar que a Constituição e a estrutura de governo não usurpavam os direitos reais, de mencionar dinheiro e benemerências futuras à "casa da Áustria" e ao sistema monárquico na América, vinha uma espécie de ameaça:

> [...] Se lhe contarem que falta dinheiro na força naval estarão mentindo ou querendo iludi-lo, devido a uma administração sensata e adequada, as finanças nunca estiveram em melhor situação [...] dentro de poucos anos uma força naval poderosa estará pronta, sendo que o começo já está feito [...].

Em resumo: se nos atacarem, saberemos e teremos com o que nos defender. No final, ela se colocou aos pés do pai:

> [...] Querido pai, assuma o papel de nosso verdadeiro amigo e aliado; certamente será para meu esposo e para mim um dos nossos dias mais felizes quando tivermos essa certeza; quanto a mim, caríssimo pai, pode estar convicto de que, caso aconteça o contrário, para nosso maior pesar, sempre permanecerei brasileira de coração, pois é o que determinam minhas obrigações como esposa, mãe e gratidão de um povo honrado, que se dispôs, quando nos vimos abandonados por todas as potências, a ser nosso esteio, não temendo quaisquer sacrifícios ou perigos.[184]

O apelo da imperatriz é eloquente e definitivo. Uma das principais felicidades de d. Leopoldina ao descobrir que se casaria com d. Pedro era que Portugal reconhecia os direitos de Maria Luísa ao ducado de Parma. Isso significava que poderia se corresponder com a irmã. No caso de a Áustria se colocar ao lado de Portugal, contra o Brasil, cessariam as cartas e o contato com a família na Europa, mas ela estava decidida: "Sempre permanecerei brasileira de coração." Afinal, quando se viram abandonados por todas as potências, e à mercê da Divisão Auxiliadora Portuguesa e dos que admoestavam d. Pedro a jurar fidelidade quase que semanal a uma Constituição que ainda era apenas uma ideia em Portugal, d. Leopoldina e o marido somente puderam contar com os brasileiros.

O futuro marquês de Resende, Antônio Teles, também partia para a Europa com cartas para Maria Luísa e para o barão Sturmer, o antigo diplomata que havia caído em desgraça perante d. Leopoldina ao tentar impedi-la de seguir com d. Pedro em 1821 para Portugal. Tentando atraí-lo agora à causa brasileira, a imperatriz falava com ele a respeito da situação do Brasil e pedia a Sturmer que interviesse junto a Francisco I para que este "se declare protetor e aliado do Brasil".

A Maria Luísa, ela foi mais longe: "Espero que tua amizade e amor fraternal, se possível, que interceda com tua inteligência junto a nosso querido pai e ao príncipe Metternich, que é afeiçoado a ti, para que sejam nossos aliados e reconheçam o governo do Brasil." E novamente, a ameaça velada ou blefe: "[...] Embora o Brasil seja capaz, por sua grandeza, força e poderio, de resistir a todas as potências europeias unidas, é sempre melhor ter amigos do que inimigos."[185]

Exército e imigração alemã

O governo do Brasil começou logo uma campanha para o fortalecimento do Exército nacional na perspectiva de um ataque maciço vindo de Portugal. Previa-se uma tropa de vinte mil soldados e quarenta mil milicianos. Da Europa, deviam ser enviados mercenários para se formar um batalhão de estrangeiros. D. Leopoldina, continuando a ajudar no governo, ou melhor, no projeto de um Brasil independente, escrevia ao seu secretário:

> Caríssimo Flach! Tenha a bondade de despachar esta carta a Schäffer e, quando o senhor lhe escrever, recomenda-lhe especial e encarecidamente de despachar imediatamente os outros 1.500 homens para antecipar o governo e o ministério daqui que querem ver o imperador sem força e antes que se arrependam e enviem uma contraordem.[186]

A imperatriz foi encarregada pelo imperador de tratar com o major von Schäffer na Europa sobre o envio dos alemães. E assim, sucessivamente, seguiriam diversas ordens para Schäffer: "mande mais 3 mil homens, todos solteiros e moços, descontando o número que lhe comuniquei na outra vez", "mande-me os livros e muitos, muitos soldados".

D. Leopoldina considerava os soldados germânicos um fator de estabilização da monarquia brasileira que, na visão dela, contribuía para a união do Brasil. Entretanto, em 1826, a Assembleia Nacional combateria a existência desses batalhões por entender que esses corpos militares davam uma força pessoal ao imperador maior do que o desejado para o equilíbrio de poder dentro do Império. Isso fez com que "Schäffer recebesse muitas vezes ordens do imperador para mandar tantos soldados quantos lhe fosse possível angariar, enquanto que o ministério lhe dava ordens de acabar com as remessas".[187] Algumas vezes d. Pedro tinha que reforçar a ordem da imperatriz, para mostrar que o major von Schäffer deveria obedecer ao que ela dizia e não ao governo:

> Muito lhe agradeço a boa gente que tem mandado como soldados. A imperatriz já lhe mandou da minha parte encomendar mais 800 homens para soldados; agora eu lhe ordeno que em lugar dos colonos casados mande mais 3 mil solteiros para soldados, além dos oitocentos. O ministro dos Negócios Estrangeiros lhe mandou dizer para não mandar mais; mas eu quero que mande os que por esta lhe encomendo e faça de conta que não recebeu ordem para não mandar. Mande, mande, mande, pois que lhe ordena é que o há de desculpar e premiar.[188]

O envio dos mercenários foi camuflado como envio de colonos germânicos ao Brasil. A nova nação não era reconhecida ainda pela Europa, tecnicamente ainda fazia parte do Império Ultramarino Lusitano, até que Portugal reconhecesse a sua independência. Enquanto isso não ocorresse, Schäffer teria muitos problemas. Afinal, estaria recrutando soldados para lutar numa guerra civil na América contra uma nação europeia. A solução encontrada foi arregimentar colonos para o Brasil, cujos homens deveriam cumprir o serviço militar como forma de pagar pela sua viagem e a de sua família. Muitos deles eram camponeses que vinham com ou sem parentes esperando encontrar aqui a terra prometida. Mas para isso teriam que pegar em armas assim que desembarcassem, sendo obrigados a servir ao Exército por três anos.[189] Outros eram realmente veteranos do antigo Exército napoleônico em busca do Eldorado.

Sobre o trabalho feito por Schäffer, um germânico que viria para o Brasil, Eduard Theodor Bösche, dizia que o encarregado da imigração era

> [...] um destes panegiristas, que sopram com bochechas infladas na trompa da lisonja, mostrando aos jovens a perspectiva de uma carreira brilhante com as cores encantadoras de uma descrição eloquente, e rivalizando com inconsciência e impostura como todos os aliciadores de tropas.

Ainda, segundo Bösche, várias questões contribuíam para os germânicos se deixarem levar pela conversa e promessas de Schäffer. Uma delas era a imagem que se fazia do Brasil na Europa, outra era que os alemães acreditavam, pelo que se dizia de d. Pedro na Europa, que o imperador era um homem extraordinário "[...] e se achava ainda mais intimamente ligado à Alemanha pelo seu casamento com uma princesa da casa imperial da Áustria".[190]

A primeira decepção de Bösche ocorreu no próprio navio que o trouxe ao Brasil. Nele, seguindo junto para o país, ele descreve a corja de ladrões e assassinos tirados das cadeias do grão-ducado de Mecklenburg. Esse Estado alemão havia negociado o reconhecimento do Brasil desde que pudesse se ver livre de 147 presidiários, acordo esse aceito por Schäffer. Dessa forma, condenados mecklenburgueses viriam a ser sinônimo no Rio de Janeiro de criminosos.[191] Bösche afirmava que também seguiam, enganados por falsas promessas e ilusões acerca do Brasil, diversos veteranos em busca de serviços e camponeses hessianos esmagados pelos impostos e sem conseguir cultivar a própria terra.

O dia a dia do casal imperial

Uma interessante peça para atrair imigrantes germânicos foi impressa pelo major von Schäffer e distribuída na Europa em 1824. Com o título de "A vida doméstica do imperador e da imperatriz",[192] contava sobre o dia a dia do casal. Por se tratar de uma peça de propaganda, é de imaginar que tenha havido autorização do casal imperial e trabalho da própria imperatriz no texto.

Além de informar que eles moravam no "Castelo" de São Cristóvão, a uma légua da cidade e que frequentavam o Paço da Aclamação (atual Paço Imperial), em dias de grande gala, o documento faz uma radiografia da intimidade de d. Leopoldina e de d. Pedro. Por meio dele, sabe-se, por exemplo, que o imperador era um madrugador: "Levanta-se cedo, por volta das 5 horas." Depois de resolver assuntos privados até as sete, tomava o seu almoço, o que hoje seria equivalente ao nosso café da manhã. Despachava assuntos do governo até a uma da tarde, quando então almoçava. Às quatro, d. Leopoldina e d. Pedro saíam a passeio, geralmente a cavalo ou de carruagem, quando então as filhas iam junto. Por volta das seis, se não fossem ao teatro, ficavam no palácio, onde faziam música. "O imperador acompanha a sua esposa ao piano, tocando flauta e às 11 horas vão descansar." Ainda informava o folheto que os imperadores dormiam no mesmo quarto.

Também dava detalhes, como o fato de d. Pedro no almoço não tomar mais do que um copo de vinho e vários de água, e ainda ter o costume de realizar trabalhos de marcenaria, hábito que trouxera da juventude. Nos eventos de grande gala, d. Pedro aparecia sempre de farda azul de marechal com todas as insígnias, enquanto que, em casa, usava "apenas casaco branco ou de Nankin, calças igualmente brancas e chapéu de palha".

Já a imperatriz acordava uma hora depois do marido, às seis da manhã. E saía para aproveitar o frescor do dia. Geralmente andava a cavalo ou de carruagem. Enquanto o sol ainda estava baixo, aproveitava para caçar ou pescar na baía próxima ao Palácio de São Cristóvão. Às nove horas, tomava o seu café da manhã ao ar livre quando o calor não permitia ficar no quarto. Até o jantar, ocupava-se em ler, escrever, pintar e supervisionar a educação das princesas d. Maria da Glória, d. Januária e d. Paula Mariana, esta última nascida em 17 de fevereiro de 1823. Depois do meio-dia, a imperatriz realizava a sesta, ao fim da qual passava o restante da tarde em sua biblioteca. O folheto ainda dava detalhes a respeito de seus gostos literários e sua erudição:

> Goethe é o seu poeta predileto, que antepõe a Schiller. Sua língua preferida é prin cipalmente a alemã, que escreve com correção. Ama a literatura alemã mais do que todas as outras, posto que português e francês escreva e fale como a língua materna e além destas também fale e escreva em latim, espanhol, inglês, italiano, boêmio e húngaro.

Provavelmente, seria d. Leopoldina no Brasil a "dama que fala maior número de línguas". Por volta das quatro da tarde, acompanhava o imperador a passeio, quase sempre a cavalo, "e nos trajes que prefere, de amazonas. Apenas nos dias de gala aparece de vestido".

Às sextas-feiras, a imperatriz visitava a Igreja de Nossa Senhora da Glória do Outeiro, onde ouvia missa. O folheto ainda informava como era fácil chegar aos imperadores. Para falar com d. Pedro, bastava comparecer à audiência pública do beija-mão, todas as sextas-feiras, às nove horas da manhã, no Paço de São Cristóvão. Não se exigiam roupas formais, nem mesmo sapatos. Nesse momento, qualquer súdito poderia beijar a mão do imperador e fazer-lhe algum pedido. Para conversar com d. Leopoldina, necessitava-se apenas se fazer "anunciar por algum dos seus criados" ou então esperá-la à entrada da Quinta da Boa Vista para lhe falar quando ela entrasse ou saísse do palácio. "Oh! Como atende ao pedido dos infelizes a humanitária princesa, que nos modos e conduta traz sempre diante dos olhos os exemplos de sua grande avó Maria Teresa!"

Efetivamente, d. Leopoldina e d. Pedro recebiam todos que os procuravam, como narram as memórias de diversos alemães que vieram ao Brasil. Carl Schlichthorst, que chegaria a tenente dos granadeiros alemães, informa que assim que desembarcou no país viu o casal imperial. Assim ele descreveu d. Leopoldina:

> A imperatriz é baixa e gorda, com traços genuinamente alemães. Parece-se à primeira vista com a ex-imperatriz Maria Luísa, porém sem aquelas feições delicadas e graciosas, que tornaram tão encantadora a esposa de Napoleão. O sol dos trópicos e o modo de vida a que se adotou no hemisfério meridional emprestaram-lhe às faces alto grau de vermelhidão e lhe deram corpulência que se manifesta em quase todas as mulheres brasileiras, passada a primeira mocidade.
> Além disso, a roupa com que se apresentava absolutamente não podia agradar a um olhar europeu. Altas e duras botas de Dragão [soldado] com pesadas esporas de prata, largas calças brancas e por cima curta túnica de seda, um fato de montar aberto, de pano cinzento, um lenço branco atado ao pescoço, à moda masculina, por cima da gola da camisa, e um chapéu branco, enfeitado de azul claro. Essa bizarra combinação de trajes tão diversos não poderia produzir um conjunto agradável.
> A imperatriz fala o alemão à maneira de Viena, servindo frequentemente de intérprete ao marido.[193]

Desde jovem, d. Leopoldina, como sabemos pela franqueza de sua irmã Maria Luísa, não era considerada uma pessoa vaidosa, e sua vestimenta de amazona, prática para ela, seria criticada por diversos outros viajantes.

Se, por um lado, Schlichthorst não viu o menor interesse em d. Leopoldina, isso não pode ser dito de outro militar alemão, Carl Seidler, que, num momento de galanteio, ofereceu-se para ser o seu cavaleiro andante. Após conseguir encaminhar uma petição pessoalmente para d. Pedro, Seidler permaneceu algum tempo a mais em São Cristóvão, que era mesmo aberto para qualquer um que quisesse se aproximar, e acabou se encontrando novamente com o imperador, que se encaminhava ao beija-mão.

> Surgiu d. Pedro a conduzir pela mão com galanteria de cavalheiro sua alta esposa [...]. Nunca eu havia visto a imperatriz, mulher divina que todo o Brasil endeu-

sava e que tantas vezes entrara como mediador entre o povo e o imperador. Não se podia desconhecer que era da casa de Habsburgo. O cabelo louro, ondeado, o olho azul, cismador, a testa alta, sonhadora, o nariz orgulhoso, brandamente curvo, a tez ofuscante de brancura, à qual o clima da terra mal comunicara leve sombra que ainda a embelezava, o rubor suave, mas ético, pousado em suas faces, a encantadora simpatia que falava em todos os seus gestos e palavras, a grande bondade, que, de par com a brandura e a majestade, transluzia de cada um de seus movimentos e que envolvia como uma auréola de glória a sua peregrinação terrena – tudo realçava aquela figura encantadora, era o orgulho e o prazer de um grande império.

Jamais mulher exerceu uma impressão sobre mim como esta nesta hora; mal me atrevia a erguer os olhos para ela e, quando se voltou para mim e nossos olhares se encontraram, envergonhei-me como se tivesse cometido algum mal, ou como Adão que estivesse nu no paraíso. Neste momento eu teria dado tudo por uma coroa régia. "Meu marido manda perguntar-lhe se o sr. quer mais alguma coisa dele", falou-me ela sorridente, em dialeto austríaco. E que palavras! que som de voz e os ademanes de que foram acompanhadas. Esta é toda a riqueza que pude trazer do Brasil, o Eldorado de meus desejos. "Meu marido manda perguntar-lhe em que poderá ser-lhe útil", repetiu ela timidamente.[194]

Outro que demonstra como era fácil se aproximar de d. Leopoldina é Julius Mansfeldt:

Após uma hora, chegamos a São Cristóvão, descemos no pátio do palácio e fomos recebidos por um pajem vestido de preto, carregando uma espada como a dos marinheiros ingleses, que nos informou de que a imperatriz saíra para um passeio a cavalo do qual ela logo estaria de volta. O pajem nos levou ao recinto do capitão da guarda, o qual comandava uma companhia de infantaria [...]. Logo em seguida vi uma dama de postura nobre sobre um pequeno cavalo marrom, acompanhada de um camareiro e de um serviçal entrarem pelo pátio do palácio e não fiquei muito tempo em dúvida sobre essa aparição.

– Esta é a imperatriz, me disse meu acompanhante no momento em que a guarda pegava em armas.

Uma capa longa negra cobria o corpo de tão nobre senhora e sua cabeça estava coberta por um simples chapéu de palha. Eu me aproximei da imperatriz até uma distância adequada e fiz as honras militares. Logo após, fui levado pelo pajem até a imperatriz, a qual esperava por mim na frente da entrada para seus aposentos. [195]

A breve entrevista teve que ser suspensa por uma aparição inesperada:

Neste momento as crianças imperiais chamaram do alto de uma das janelas olhando para baixo: "Oh, mamãe querida!". A imperatriz se apressou ao encontro das crianças carinhosamente amadas e me disse:
– Eu vou vê-lo mais vezes. Futuramente o senhor pode se apresentar às 3 horas.
E à minha pergunta "se eu poderia desfrutar da felicidade de apresentar a Vossa Majestade os outros oficiais vindos comigo da Europa", a imperatriz respondeu:
– Eu vou para a cidade e então isso poderá acontecer.[196]

A Assembleia Constituinte

Em 3 de maio de 1823, d. Pedro abriu os trabalhos da Constituinte no edifício da antiga Casa da Câmara e Cadeia no Rio de Janeiro, onde hoje se ergue o Palácio Tiradentes, ao lado do Paço Imperial. O imperador chegou ao local numa carruagem puxada por oito belas mulas; usava uma farda verde, com o seu manto da coroação de veludo verde, em forma de poncho, bordado a ouro e com a gola ornada com as plumas amarelas de tucanos. D. Leopoldina seguiu ao lado do marido na carruagem. Maria Graham achou-a "muito abatida devido a uma indisposição recente".[197] Numa carta de 24 de maio para a irmã, d. Leopoldina informava: "Estive com reumatismo durante algumas semanas, o que me deixou bem deprimida."[198]

Em seu discurso de abertura dos trabalhos, d. Pedro reafirmou repetidamente que desejava que os deputados fizessem uma Constituição que merecesse a sua "real aceitação", o que não agradou a todos. Tanto d. Pedro quanto d. Leopoldina acreditavam que, se eles estavam dispostos a ceder parte de suas prerrogativas régias, os deputados deveriam fazer algo significativo com isso. Caso contrário, o imperador não concordaria com a Constituição que sairia daquela casa. Isso causou discussões logo de início, com alguns deputados afirmando que do povo, e não do imperador, a Constituição deveria ser digna. Entretanto, tanto d. Leopoldina quanto d. Pedro acreditavam que os políticos, na maioria das vezes, estavam mais preocupados em defender os seus direitos e as prerrogativas da classe alta de onde se originavam do que os direitos da população brasileira como um todo. Os imperadores pensavam, e incutiriam isso em seus filhos, que fazia parte de suas obrigações velarem pelo povo, indo contra os políticos se preciso fosse.

Naquela noite, segundo relato da inglesa Maria Graham, o dia encerrou-se "como todos os dias importantes no Brasil – com um espetáculo de gala. A peça, que foi montada para a ocasião, chamava-se o 'Descobrimento do Brasil'".[199] De acordo com Graham, ou antes da apresentação, ou no intervalo, "apareceu o estandarte imperial com as palavras inscritas: 'Independência ou Morte'. Isto era completamente inesperado e provocou as mais longas e vivas manifestações". D. Pedro então, ao presenciar a cena, escondeu o rosto por um momento, quando então notaram sua face pálida e marcada de lágrimas pela emoção da surpresa. "Pelo final da peça, as aclamações se repetiam e os gritos de 'Viva a Pátria', 'Viva o Imperador', 'Viva a Imperatriz' e 'Viva os Deputados' se ouviram dos espectadores." Quando Martim Francisco Ribeiro de Andrada, de um dos camarotes dos deputados, propôs um viva ao "povo leal e fiel do Rio de Janeiro", a saudação foi respondida "especialmente pelo imperador".[200] D. Leopoldina não presenciou a cena pois não havia acompanhado o marido ao teatro "devido a sua moléstia recente".[201]

Logo começariam os atritos entre o imperador e os políticos, incluindo os irmãos Andrada. Em meados de junho, o deputado Muniz Tavares propôs uma lei radical, em que os portugueses no Brasil deveriam ser declarados brasileiros e manteriam suas posses se houvessem dado provas de sua adesão à causa da Independência e à pessoa do imperador. A proposta foi sustentada em plenário por Antônio Carlos num discurso no qual questionava a natureza ambígua do próprio imperador:

> [...] Até no ápice e sumidade da nação um ser, sim raro, e que despira todo o lusitanismo para professar de coração o genuíno brasileirismo, mas que como homem não poderá nunca sufocar de todos os gritos da sua origem.[202]

A afronta ao imperador era clara, assim como a milhares de portugueses divididos entre a causa da independência e a origem lusitana, incluindo membros da elite, do ministério e da corte imperial, formada principalmente por portugueses fiéis a d. Pedro. A lei não foi aprovada, mas o estrago já havia sido feito.

D. Leopoldina, por volta dessa época, em carta a Maria Luísa, comentaria a respeito: "Não vou escrever nada de política porque os jornais falam e as tempestades trovejam; agora todos estão enxergando com óculos cor-de-rosa, eu porém vejo tudo negro, vamos ver quem está enganado!!!"[203]

Em 30 de junho de 1823, d. Pedro sofreu um dos mais perigosos acidentes de cavalo de sua vida. O relatório enviado à Assembleia Constituinte, em 8 de julho, pelo cirurgião da Imperial Câmara, dr. Domingos Ribeiro dos Guimarães Peixoto, relatava que d. Pedro, vindo da Chácara do Macaco, na segunda-feira, dia 30, por volta das seis horas da tarde,

> [...] ao chegar à ladeira perto do paço de S. Cristóvão, como corresse o selim tanto para a garupa do cavalo em que vinha, pela razão de estarem as silhas traseira mui largas, que estas ficaram nas virilhas do animal, que se corcoveava e desabridamente corria, Sua Majestade Imperial, receando resvalar juntamente com o selim e ser, em consequência, maltratado pelos muitos e violentos coices, sobretudo faltando-lhe o apoio da crina por se ter esta arrebentado e à qual lançara a mão, tomou a resolução de deitar-se abaixo, o que fez para o lado esquerdo.
>
> Depois de uma queda tão considerada, batendo com as costas em cheio sobre barro duro, não obstante levar de encontro o braço esquerdo, [...] soldados do telégrafo, que logo o acudiram e seguraram até que chegou Sua Majestade, a Imperatriz, acompanhada de seu criado, que ajudaram Sua Majestade Imperial a recolher-se ao paço [...] subiu a escada [...], seguro tão somente a uma bengala, como observei, quando o vi [...].

Na queda, d. Pedro contundiu duas costelas, a clavícula esquerda e o quadril, ficando preso ao leito numa espécie de equipamento imobilizante feito pelos médicos. O relatório era finalizado dizendo que, passados nove dias, o monarca se encontrava recuperado. D. Leopoldina, em carta[204] de 9 de julho a seu pai na Áustria, fez eco ao médico, informando que o marido estava melhor.

Essa carta, assim como diversas outras enviadas após a coroação em dezembro de 1822, não seria respondida. Somente com Maria Luísa a correspondência não se interrompeu. A essa irmã, d. Leopoldina especulava: "[...] Podes me dizer o que pensa meu querido pai e o que ele diz sobre o Brasil",[205] pedia em 24 de maio de 1823.

Uma recordação da queda de d. Pedro ainda pode ser vista no Rio de Janeiro. Dentro do espírito da *Pietas Mariana* dos Habsburgo, d. Leopoldina encomendou um ex-voto para agradecer aos céus, sobretudo a Nossa Senhora, o restabelecimento do marido. A tela, que anteriormente ficava na sacristia da Igreja de Nossa Senhora da Glória do Outeiro, hoje se encontra no Museu da Imperial Ordem, atrás da igreja. Nela, d. Leopoldina, como uma peticionária, roga pela vida do imperador brasileiro a Nossa Senhora. Esta, localizada no alto do quadro, envia um anjo para proteger d. Pedro da queda do cavalo. O anjo, armado de lança e escudo, afasta a imagem da morte de perto do monarca. A obra, iniciada por Auguste-Marie Taunay, falecido em 1824, foi terminada por seu sobrinho Felix Émile Taunay em 1827. Na legenda em latim, lê-se: "Pedro I, fundador do Império Brasileiro escapando por pouco da fúria de desenfreado cavalo."

D. Pedro, durante o tempo que esteve preso ao leito, recebeu diversos deputados da Assembleia Constituinte e ouviu-os, principalmente suas queixas a respeito de como os irmãos Andrada tratavam seus inimigos políticos no Rio de Janeiro e em São Paulo. O imperador, devido aos apelos, teria resolvido conceder uma anistia geral.

Por meio de seu ministro da Justiça, mandou que fossem lavrados decretos libertando os prisioneiros políticos. Além disso, finalizava a devassa de São Paulo contra os que haviam participado da revolta contra os Andrada em maio de 1822. Anulou os decretos de deportação e concedeu anistia a todos. Tratava-se de um ato executivo, cuja decisão cabia a ele e ao ministro da Justiça. Porém os Andrada, por não haverem sido consultados, receberam-no como uma afronta aos seus brios. A discussão que se seguiu levou à saída dos dois irmãos do ministério e da irmã deles do serviço de camareira-mor de d. Leopoldina.

Datada de 15 de julho[206] é a proclamação feita por d. Pedro intitulada "Aos habitantes do Brasil". Nela, o imperador oficializava o fim das perseguições políticas. Afirmava que só recentemente havia tido conhecimento dos atos arbitrários e despóticos tomados contra o seu povo. Ressaltava que, como monarca, raramente ouvia a verdade, mas a tinha buscado e visto o mal que estava se abatendo contra os brasileiros. Terminava assim a colaboração íntima entre os Andrada e o imperador. Os irmãos partiriam para seus cargos eletivos na Assembleia e se ocupariam diretamente do anteprojeto constitucional, que, embora ainda fixasse no imperador a chefia do Executivo, passava a proibir-lhe dissolver o Parlamento e imiscuir-se nos outros poderes.

D. Leopoldina já se queixara um mês antes de todos esses acontecimentos para a irmã: "Tenho que te confessar que estou muito melancólica, porque me encontro sem amigo ou amiga em que possa depositar minha confiança." Apesar de ter trabalhado durante o processo da independência diretamente com José Bonifácio e ter a irmã deste como camareira-mor, pelos comentários feitos a respeito de sua contínua solidão, podemos acreditar que a relação entre a princesa e os Andrada era mais no campo da política e da cultura do que uma amizade mais estreita e íntima. A solidão não era somente fora do casamento. Também do marido se queixava: "Todos os meus deveres me ligam a meu esposo e infelizmente não posso lhe oferecer minha confiança, nossas mentalidade e educação são muito distintas."[207]

Passada a empolgação e todo o movimento autonomista e da independência, apesar de ajudar em algo no governo do marido, principalmente na questão da imigração, voltava d. Leopoldina a se ressentir da falta de gente em que pudesse efetivamente confiar. Não podia contar nem com o marido, que a continuava deixando em situação financeira periclitante a ponto de ela continuar se endividando constantemente. Para seu secretário Flach, num dos vários pedidos de dinheiro, exclamava como num desabafo: "Por amor ao Brasil perdi o ordenado de uma rainha de Portugal que montava a mais de cem contos."[208]

A relação entre a Assembleia Constituinte e o imperador degringolaria ao longo de 1823, culminando num golpe dado por d. Pedro em 12 de novembro, quando fechou a Assembleia. Diversos deputados foram exilados, incluindo José Bonifácio e seus irmãos. Em 1824, d. Pedro daria uma Constituição ao Brasil escrita por ele e por seu Conselho de Estado.

Por essas e outras amostras de brutalidade, d. Pedro foi perdendo gradualmente a afeição do povo, ao contrário de d. Leopoldina, que, por sua bondade e caridade, passou a ser cada vez mais estimada. Ela seria o lado humano, bondoso e caridoso do trono. O conselheiro Drummond, em suas memórias, lembra que uma tentativa de depor o imperador em 1824 foi descartada pois a "respeitosa veneração que todos tributavam à imperatriz Leopoldina" fizera desistir do plano.[209]

Os partidários iniciais da independência, que haviam visto em d. Leopoldina a aliada da primeira hora, chegaram a acalentar a ideia de substituir o imperador por ela. Ofereceram a coroa à imperatriz e tentaram fazê-la compreender que tudo seria feito pelo bem do país. Mostraram-lhe os defeitos do marido e a situação que ela mesma sofria com o gênio dele. Porém, imperturbável, d. Leopoldina teria respondido: "Sou cristã, dedico-me inteiramente ao meu marido, aos meus filhos e antes de consentir em semelhante ato me retirarei para a Áustria."[210] Apesar de sua fidelidade, a partir de 1823 cessava, juntamente com o afastamento dos Andrada do ministério, a participação de d. Leopoldina de maneira direta no governo. Em abril de 1823, a imperatriz fez uma das últimas menções a respeito. "Não reclames de mim, minha cara, por te escrever pouco, não sabes, minha boa irmã, quanta coisa tenho para fazer, já que ajudo meu esposo em seus deveres."[211]

Aniversário da coroação

Em dezembro de 1823, d. Pedro comemorou o primeiro aniversário da sua coroação. O oficial da Marinha russa Otto von Kotzebue escreveu:

> Despertei cedo, com a salva da artilharia da fortaleza e dos navios que estavam no porto. Tudo estava em movimento. O povo circulava em todas as ruas; os soldados em grande uniforme iam reunir-se em seus quarteis para tomar parte na parada. [...] Às 11 horas, o imperador e a imperatriz, em uma magnífica carruagem puxada por oito cavalos, chegaram à igreja escoltados por uma companhia de guardas a cavalo, em elegantíssimos uniformes; um grande número de carruagens seguia o cortejo, que avançava a passo lento para dar ao povo o tempo de admirar esse espetáculo.[212]

Após a cerimônia de graças na Capela Imperial, os imperadores seguiram para o Paço da Cidade onde receberam para o beija-mão. Por volta das quatro da tarde, as tropas no Campo da Aclamação estavam reunidas aguardando a chegada de d. Pedro e d. Leopoldina.

> O canhão se fez ouvir; o imperador e a imperatriz apareceram ao longe, ambos a cavalo e seguidos de uma brilhante comitiva. Então os soldados lançaram fora seus cigarros, e o povo agitou os chapéus, as damas seus lenços brancos; todos gritam: Viva o imperador. [...] A imperatriz trazia um hábito de amazona negro, bordado a ouro, elegantíssimo; quando ela tomou lugar no pavilhão, o imperador se pôs à frente das tropas e fê-las desfilar diante de sua esposa.[213]

D. Pedro podia ser um desastre como marido, desatento, abrutalhado, extremamente grosseiro e sovina, mas sabia como se fazer encantador. Colocar-se à frente do exército e passá-lo em desfile diante da esposa foi, sem dúvida, um dos maiores momentos da vida de d. Leopoldina. Nessa parada, ele demonstrou o reconhecimento à esposa, perante o Rio de Janeiro em peso, por tudo o que ele havia granjeado até então.

As amizades dos imperadores

NO MEIO da multidão e, até mesmo no meio da tropa que seguia atrás de d. Pedro prestando honras a d. Leopoldina, deveriam estar membros da família paulista dos Castro Canto e Melo. Essa era a família do alferes Francisco de Castro, que havia guiado d. Pedro, ainda como príncipe regente, do Rio de Janeiro a São Paulo em agosto de 1822. Francisco era filho de João de Castro, militar açoriano de origem fidalga e ex-comandante do 4º Esquadrão de Cavalaria da Legião de São Paulo, e de d. Escolástica Bonifácia de Toledo Ribas, natural de São Sebastião, litoral norte de São Paulo. Descendia tanto de portugueses quanto de índios e bandeirantes ilustres.

Francisco de Castro tinha uma irmã divorciada, Domitila, apelidada de Titília. Em 1822, na época da independência, a moça tinha 24 anos; era nove meses mais velha que o príncipe e onze meses mais nova que d. Leopoldina. Ambas nasceram nos extremos de 1797: a imperatriz, a 22 de janeiro, e Domitila, a 27 de dezembro.

A fama de Domitila, quando d. Pedro a conheceu em São Paulo, já estava na boca do povo. Havia sido esfaqueada pelo marido numa tentativa de homicídio em 1819. Felício Pinto Coelho de Mendonça, o esposo, foi preso, mas logo solto graças à influência de sua família. O rapaz alegou legítima defesa da honra, mas não apresentou provas de que a mulher efetivamente o traíra. Entretanto, o real motivo da tentativa de assassinato era outro: ao longo do processo de divórcio, ficaria provado que o marido falsificara a assinatura de Domitila para poder vender terras que pertenciam ao casal em Minas Gerais. Felício estava desesperado pela transação. Estava falido, pois, segundo o governador de São Paulo, em carta a d. João VI pedindo intervenção do rei no caso, gastava todo o dinheiro em bebida, jogos e mulheres, deixando Domitila e os filhos passarem necessidades.[214]

Uma longa disputa judicial seguiu-se, com os pais de Domitila dando abrigo à filha e aos netos, enquanto o sogro queria tirar-lhe as crianças; desejava que eles fossem educados em Minas pela família paterna. Foi nesse ponto da vida dela que d. Pedro a conheceu, em São Paulo, em agosto de 1822. Ele havia chegado à cidade no dia 25 e quatro dias depois passou a ter "amizade" com ela, como recordaria em diversas cartas. A "amizade" a que d. Pedro faz referência era bem menos inocente do que parece à primeira vista: eles passaram a ter um caso nessa época, e a paulista engravidaria dele. Até esse ponto, nada de diferente do que já havia ocorrido na vida do príncipe, tanto na sua época de solteiro quanto na de casado com d. Leopoldina.

Quando d. Pedro partiu de São Paulo, após ter proclamado a Independência, além de Francisco de Castro seguia também com ele o pai deste, João, e o cunhado, Boaventura Delfim Pereira. Este último, um fidalgo português, tomaria parte no cerimonial da coroação do imperador, sendo um dos responsáveis pela entrega do pálio sob o qual ficou d. Pedro I.

Em novembro de 1822, d. Pedro escreveria a primeira carta que ficou registrada entre ele e Domitila:

Santa Cruz, 17 de novembro de 1822

Cara Titília

Foi inexplicável o prazer que tive com as suas duas cartas. Tive arte de fazer saber a seu pai que estava pejada de mim (mas não lhe fale nisto) e assim persuadi-lo que a fosse buscar e a sua família, que não há de cá morrer de fome, muito especialmente o meu amor, por que estou pronto a fazer sacrifícios.

Aceite abraços e beijos e fo...

Deste seu amante que suspira pela ver cá o quanto antes,

O Demonão[215]

Também nessa carta, talvez demonstrando a fogosidade de que era capaz, d. Pedro assinava com um dos seus pseudônimos para a amante; outro era "Fogo-Foguinho".

Em maio de 1823, o pai de Domitila, já reformado no posto de tenente-coronel do Estado-Maior do Exército, passaria a receber sua aposentadoria no Rio de Janeiro, sinalizando que a família já estava estabelecida na capital do novo império, assim como aos pés do trono e dos favorecimentos que deste recairiam por sobre toda a família.

Até Domitila surgir na vida de d. Pedro, todos os casos do príncipe não passavam de encontros fugazes. A maioria eram apenas eventos de uma única noite. Tirando a sua paixão de juventude, Noemi Thierry, todas as demais mulheres com quem compartilhou um leito, uma porção de feno, uma rede, uma esteira ou até mesmo uma parede haviam sido transitórias, passageiras. Mas com Domitila isso seria diferente.

Inúmeros fatos comprovam que, de início, o relacionamento entre o imperador e Domitila era discreto, escondido. Isso pode se depreender pela falta de relatos da época em que o romance começou e pelos bilhetes dele para ela, como neste, em agosto de 1823, escrito quando o imperador ainda se recuperava da queda do cavalo:

> Tomara eu que os ladrões dos médicos deixassem já de cá dormir, para você me vir cá visitar com o Nhô Xico conforme lhe mandei dizer, o que por ora não pode ser, em consequência do acima exposto.[216]

A família inteira de Domitila bancaria os alcoviteiros do casal de amantes, como mostra o bilhete, no qual d. Pedro manda que ela fosse acompanhada pelo irmão "Nhô Xico", como o imperador chamava a Francisco de Castro. O pai e a mãe dela seriam tratados por d. Pedro por "meu velho" e "minha velha", os irmãos, João, José, Pedro e Francisco, seriam tratados por "nhô" ou, ainda, "manos". Isso demonstrava o nível de intimidade que o imperador havia concedido a eles: praticamente adotaria os Castro como a uma segunda família, bem mais fácil de se lidar do que com os Bragança.

O curioso é a dinâmica criada por essa relação. Em nenhum momento foi verificado algum tipo de tentativa de Domitila em ser desrespeitosa com d. Leopoldina, muito menos os irmãos dela ou cunhados. Boaventura Delfim Pereira, por exemplo, seria feito veador da imperatriz, cargo relativo a prestações de contas e pagamentos a ser efetuados por d. Leopoldina. Ainda havia o caso da irmã de Domitila, Ana Cândida, que homenageou os imperadores dando ao casal de filhos que teve com o marido, o militar português Carlos Maria Oliva, os nomes de Pedro e Leopoldina, sendo d. Pedro o padrinho deles.

Não se sabe ao certo em que momento Domitila teve contato com d. Leopoldina, mas o primeiro encontro teria se dado de maneira informal, talvez em 1823 ou início de 1824. D. Pedro, em carta à amante, narrou o diálogo, que beira o surreal, que teve com a esposa a respeito de Domitila:

> [...] Ela me disse que mecê lhe disse que tinha a moléstia de Lázaro. [...] Eu respondi "ou tenha ou não, cá para mim não me importa, porque não tenho tratos com ela".[217]

A tal "doença de Lázaro", que Domitila disse à imperatriz que sofria, é o que se conhece hoje como hanseníase, ou, mais popularmente, lepra. Na época, sem tratamento, a doença era contagiosa e causava mutilações. O disfarce inicial era bom, afinal, quem iria ter uma leprosa como amante? Mas o afoito d. Pedro não se contentaria em manter as coisas longe e afastadas de sua casa e de sua esfera mais próxima de ação.

O caráter, a educação e os princípios diferentes de d. Pedro e d. Leopoldina acabaram criando um abismo entre eles, como a imperatriz confessa em diversas cartas para Maria Luísa. Entretanto, o nascimento e a criação dos filhos, o fazer esses filhos, interesses em comum, como a música, os negócios da pátria e outros os uniam. Mas era inegável, e todos os que os rodeavam viam, quanto d. Leopoldina era superior ao marido cultural, intelectual e politicamente. Ela havia vindo de uma das cortes mais fulgurantes da Europa. Desfrutara de um estilo de vida e de uma liberdade antes de chegar ao Brasil que lhe permitiam, por exemplo, ir ao teatro quando pudesse e quisesse, levando até o sobrinho, filho de Maria Luísa e Bonaparte. No país, vivia num verdadeiro desterro intelectual no que era o Rio de Janeiro da época. Após todas as suas ilusões serem destruídas, dizia à irmã que a cidade não passava de uma "[...] selva, que ainda está no tempo antes da destruição da Babilônia (e pode ser chamada, com justiça, de uma nova Babilônia e de Torre de Babel!!!) estamos privados dos mais simples recursos".[218]

Como imperatriz, teria menos liberdade dada pelo marido no Rio de Janeiro do que usufruíra em Viena, a ponto de ter que usar de subterfúgios e de prepostos para conseguir ir ao teatro. Para um afilhado dela e do imperador, expressou a respeito de d. Pedro não lhe permitir essa diversão:

> Tenho uma pena infinita da crueldade do padrinho que não quer deixar-me acompanhar-te ao teatro. Queria ver a função e distrair-me que me era muito preciso. Veja o afilhado se o vê se o persuade de deixar-me ir ao teatro tendo a arte a fazê-lo mudar de opinião.[219]

Além da falta de cultura e de polidez de d. Pedro, o exercício de seu pátrio poder, seus mandos e desmandos no destino da esposa, era um fardo pesado para d. Leopoldina. A imperatriz não nascera com um temperamento dócil: revoltara-se contra o pai quando este a proibira de ir a Parma visitar Maria Luísa antes de embarcar para o Brasil. Em carta a essa irmã, pouco antes do embarque para a América, confessava: "Sabes que sou de temperamento forte, mas te prometo que com d. Pedro serei paciente como um cordeiro."[220] No Brasil, além de ser excluída de toda e qualquer diversão pelo marido, até mesmo o que poderia ou não vestir era fiscalizado por ele:

> Muitíssimo obrigado pelos vestidos e tecidos, minhas filhas ficaram radiantes e sou muito grata a ti por não me mandares nenhum vestido, pois meu esposo certamente não mo deixaria vestir, porque imagina que quando alguém se veste segundo a moda é porque tem segundas intenções e por isso, para manter a querida paz doméstica, me calo com paciência.[221]

Para as mulheres dessa época, o que mais se fazia necessário era paciência. O espírito provinciano de d. Pedro em achar que a moda era imoral contrastava diretamente com Napoleão, que fazia Josefina lançar moda e aliava esta, como estilo, ao seu novo Império. Napoleão também, como d. Pedro, supervisionava pessoalmente o que a esposa usava, mas, ao contrário do imperador brasileiro, o francês queria que Josefina estivesse sempre com os melhores vestidos, os melhores penteados e as melhores joias.

Se os dois imperadores tinham pensamentos opostos quanto à altura da cintura e do decote, a sovinice era a mesma. Ao mesmo tempo que Napoleão instigava a mulher a se vestir com três vestidos diferentes por dia sem os repetir em outra ocasião, acusava-a de ser perdulária e de gastar demais com roupas e joias.

Apesar da paciência que d. Leopoldina se forçaria cada vez mais a ter com o marido e com os que a cercavam, pouco d. Pedro poderia fazer para compensar a diferença do nível entre eles. Era muito mais fácil para ele se apaixonar, proteger e amar alguém que o olhasse de baixo para cima, e não de cima para baixo, como sentia que a mulher fazia. Não que da parte da esposa isso fosse proposital; pelo

Domitila de Castro, a marquesa de Santos.

contrário, delicada como a imperatriz era, dificilmente faria ou falaria algo premeditado para magoar ou inferiorizar o marido. Sua mentalidade e educação e o respeito que tinha por d. Pedro eram impeditivos para que isso ocorresse. Entretanto, o imperador, sensível e ciente de suas falhas, ressentia-se do fato de ter a seu lado alguém que poderia achá-lo inferior. Isso explicaria, em parte, o seu apego a Domitila. Homens gostam de ser adorados; príncipes, então, têm nisso quase que uma de suas fontes de energia vital.

D. Pedro, que relegaria d. Leopoldina a sofrer com eternos problemas financeiros, iria pagar até mesmo a educação dos filhos que Domitila teve do primeiro marido. Ensinaria a amante a se comportar, explicaria a ela que não poderia fazer suas próprias roupas, que deveria ir a tais modistas, uma das quais, madame Josefine,[222] "cuja tesoura de imperial predileção cortava cara e desapiedadamente",[223] que vestia a própria imperatriz. Enfim, ensinaria a se portar como uma grande dama da corte, elevando-a até ele.

Invariavelmente, desde o início do século passado, todos os autores que se debruçaram sobre esse triângulo amoroso acabaram caindo na facilidade falsa de embasarem a predileção de d. Pedro por Domitila levando apenas em conta elementos superficiais, como a beleza ou o descuido da esposa com a sua aparência. Alguns dizem que d. Leopoldina não se cuidava, passando de mulher a "imperatriz em exercício", e que isso teria afastado d. Pedro, o que não é verdade.

Todos os relatos de pessoas que diziam que ela era descuidada com a aparência descrevem momentos em que ela não estava numa função oficial. Nos dias de grande e pequena gala, quando tinha que se apresentar perante a corte, era sempre notada por seus vestidos, plumas e joias. Como na descrição que Maria Graham fez a respeito da primeira vez que esteve com a imperatriz: "Fui encaminhada à sala de recepção [...]. A Imperatriz chegou pouco depois, com um belo vestido de manhã, de cetim púrpura com enfeites brancos."[224]

Em momentos mais íntimos, também era notada, como quando recebia alguém no palácio para alguma audiência particular ou em suas visitas a instituições de caridade e às igrejas. O difícil era esperar ver alguém com a pele extremamente clara e sensível sem estar toda coberta em seus passeios diários a cavalo.

Além do mais, atribuir à falta de beleza de d. Leopoldina a existência de Domitila na vida de d. Pedro é um argumento raso. Pelos padrões de hoje, nenhuma das duas mulheres, pelos retratos que sobreviveram, ganhariam qualquer concurso de miss. Os padrões de beleza e até o que se considera atrativo sexualmente mudam a cada geração.

Na época, um simples calcanhar feminino exposto seria responsável por despertar desejos libidinosos. Além do mais, o caso entre d. Pedro e Domitila durou sete anos. Não existe beleza que mantenha um relacionamento extraconjugal por tanto tempo. Ainda mais que d. Pedro, na época, o homem mais poderoso do Brasil, tinha fácil acesso a todas as mulheres que se insinuassem a ele. E não foram poucas. A própria irmã de Domitila, Maria Benedita, futura baronesa de Sorocaba, teve um caso com o imperador e um filho bastardo. A francesa madame Bonpland tencionou tirar o posto de favorita de Domitila, mas a única coisa que conseguiu foi ser apenas mais uma na longa lista de relações de uma noite só de d. Pedro.

O fato é que d. Pedro enamorou-se perdidamente por Domitila, inclusive porque talvez se satisfizesse com ela como não se atreveria, pela moralidade da época, com a sua esposa. Isso criou abertura para a aparição de uma favorita nos moldes do Antigo Regime francês, quando as amantes eram públicas, como igualmente público era o papel delas na política de alcova junto ao governante. Entretanto, esse papel estava condicionado aos favores sexuais que Domitila estivesse disposta a fornecer ao imperador, o que determinaria, ou não, a estabilidade dessa parceria.

Domitila acabou sendo levada, por interesses pessoais e familiares, a se transformar numa exímia amante para satisfazer e, literalmente, prender o imperador. Por exemplo, conheceria, segundo a sua irmã, a baronesa de Sorocaba, a técnica de pompoar, ou pompoarismo,[225] na qual, contraindo os músculos vaginais, a mulher consegue levar o homem ao orgasmo sem que este precise se mover. Dificilmente Domitila seria adepta de ioga tântrica para saber como realizar essa técnica. Ela teria se submetido a aprender, deixando de lado as regras morais da época, para entreter sexualmente ainda mais o imperador.

Pelas cartas e pelos bilhetes trocados entre d. Pedro e a amante, ficamos sabendo de detalhes de alcova, por exemplo, que ele gostava também de ir aos "cofres"[226] de Domitila e que constantemente se preocupava em ter deixado a amante "escandalizada".[227] [228] Enfim, nenhuma educação Habsburgo preparava tão bem uma princesa para a função de amante que d. Pedro encontrou em Domitila.

Os papéis desempenhados pela imperatriz e pela marquesa na vida de d. Pedro eram claramente dissociados, como ele dá mostras ao afirmar: "Ontem mesmo fiz amor de matrimônio para que hoje, se mecê estiver melhor e com disposição, fazer o nosso amor por devoção."[229]

Foi com a discrição que pautava os relacionamentos extraconjugais na época, tidos como normais, que d. Pedro lidou a princípio com seu envolvimento com Domitila. Não que o estouvado príncipe fosse um modelo de bom senso. Os amigos e servidores mais próximos do imperador não só sabiam da ligação entre eles, como ela fazia parte de sua vida social. Porém tudo mudou a partir de 1824.

Nesse ano, em maio, Domitila daria à luz Isabel Maria, primeira filha do casal a sobreviver ao parto e à infância. Antes do nascimento, d. Pedro conseguiu acelerar o processo de divórcio de Domitila para que o ex-marido dela não tivesse poderes sobre a criança. Em setembro de 1824, ao tentar assistir a uma peça num teatro que só admitia associados, Domitila foi impedida de entrar. O amante imperial, num ímpeto, mandou que o local fosse fechado. Começavam assim, nas ruas do Rio de Janeiro, os murmúrios acerca de uma "favorita".

Os rumores se intensificariam ainda mais até que, na Páscoa de 1825, ao tentar assistir à missa na tribuna das damas de honra do Paço, na Capela Imperial, Domitila foi afrontada. As damas, sabendo pelos comentários quem era aquela que adentrava o local, retiraram-se acintosamente. Não ficariam no mesmo espaço que uma "rameira". Assim como feito antes, o castigo de d. Pedro não tardaria.

Como de praxe, nas comemorações dos aniversários de membros da Família Imperial, títulos, condecorações, mercês e perdões eram distribuídos pelo imperador e pela imperatriz. Na segunda-feira após a Páscoa, 4 de abril, era aniversário de d. Maria da Glória, filha mais velha de d. Pedro e d. Leopoldina. Na lista das pessoas agraciadas com alguma benesse imperial aparecia o nome de Domitila de Castro do Canto e Melo, nomeada dama camarista da imperatriz. Esse posto conferia a ela o direito de acompanhar d. Leopoldina a todos os lugares, sendo-lhe destinado o lugar de honra logo após os imperadores em qualquer ocasião pública, isto é, na igreja, no teatro e em outros eventos, tendo precedência sobre as outras damas.

A tentativa de d. Pedro em constranger as damas que tinham se julgado superiores a Domitila ateou fogo ao mundo diplomático da corte. Os embaixadores e ministros plenipotenciários procuraram por informantes que pudessem lhes dar notícias de quem era essa mulher que o imperador estava protegendo. Depois de colhidas as informações, cada uma mais disparatada que a outra, mandaram relatórios aos seus países informando quem era a amante oficial do imperador. Alguns chegavam até a conclusão de que a paulista poderia ter sido a verdadeira causa da demissão dos Andrada, especificamente de José Bonifácio, que, do exílio, a chamava de prostituta.[230]

O barão de Mareschal, em informe a Viena em 15 de abril de 1825, comentou que d. Leopoldina comportou-se da melhor maneira possível quando Domitila foi lhe beijar a mão pela graça obtida. Segundo o diplomata, a imperatriz cedeu sabiamente aos desejos do marido sem hesitação e sem censura. Num ofício a Metternich, Francisco I comentaria que, com esse despacho de Mareschal, descobrira o homem miserável que era o seu genro.[231]

Uma coisa era ser mais uma das amantes eventuais de d. Pedro, outra era ganhar um dos mais elevados cargos na corte e o direito de viver com os soberanos, trabalhando no palácio, ao menos uma semana por mês. Isso deu a Domitila um peso político, colocando-a, senão em pé de igualdade com d. Leopoldina, com uma aproximação muito grande do trono e seus favores, o que acabou por desequilibrar o poder do casal imperial.

Segundo alguns historiadores, d. Leopoldina, ao saber do ocorrido na igreja, e sem ter real conhecimento de que Domitila era amante do marido, teria ficado aborrecidíssima com o tratamento à paulista dado por suas damas e proposto sua nomeação. Afinal, seria uma maneira de honrar a família Castro, que já gravitava ao redor do monarca desde antes da Independência. Mas essa história parece ficar a meio caminho da construção mítica da imagem da soberana, oscilando entre a cegueira da imperatriz, que não via o que estava acontecendo, e a da santa mártir, esposa fiel, que a tudo perdoava. De fato, d. Leopoldina, cercada por uma corte hostil, não deveria saber na época do relacionamento extraconjugal do marido. Afinal, a própria Titília contara-lhe que era leprosa!

Porém, claramente, a nomeação fora ideia de d. Pedro. Existem provas[232] da raiva do imperador com a afronta sofrida por Domitila.

O assunto ainda rendeu um poema de d. Pedro a Domitila:

> Domitila, minha imperatriz do coração. Desde que pus meus olhos na tua formosura, quis ser todo e sempre teu. Queres, divina augusta de meu pensamento? É para ti estes versos, meu amor.
> Pedro
>
> Filha dos césares, imperatriz augusta,
> tu abateste altiva soberbia
> com que tuas damas de raça ímpia
> abater queriam quem delas não se assusta.
>
> Vedes, aristocratas cafres, quanto custa
> apezinhar aquela cuja alegria
> consiste em amar a Pedro e a Maria,[233]
> Titília bela, sua causa é justa
>
> O mérito, a verdade em todos os países
> aparecerão sempre em grande esplendor.
> Sustem-nos o soberano, são suas raízes.

> Conta com Pedro, pois ele é defensor
> do pobre, do rico, do Brasil, dos infelizes,
> ama a justiça, de seu amigo é vingador.[234]

Maria Graham informa que as principais damas da corte se recusaram, a princípio, a visitar Domitila para cumprimentá-la pela nomeação,

> [...] mas em breve fizeram-lhes compreender que a teimosia não resultaria em nenhum bem à imperatriz, mas, com maior probabilidade, arruinar-lhes-ia as famílias. Antes, pelo contrário, sei que o preço exigido pelo perdão de uma Casa foi o sacrifício de uma linda carruagem nova, havia pouco importada de Londres, e que se destinou à cocheira dela.[235]

Logo Domitila não apenas receberia a visita das damas e demais servidores do Paço, congratulando-a pelo posto, como os diplomatas estrangeiros também passariam a cortejá-la. Ela foi recebida oficialmente pela primeira vez na corte no Palácio de São Cristóvão, como ditava o protocolo, em dia de grande gala.

D. Leopoldina nunca chamou Domitila de "canalha", como querem acreditar alguns autores. A imperatriz usou frequentemente essa palavra em sua correspondência desde que chegou à corte do Rio de Janeiro em 1817 para se referir, de maneira coletiva, aos servidores do Paço com quem possuía alguma rixa, como o "barbeiro" Plácido e diversas damas portuguesas. Nas cartas a Maria Luísa, até o momento, não apareceu nenhuma referência direta a Domitila, pois seria humilhação demais a imperatriz expor completamente o caso do marido à irmã.

Apenas aos seus funcionários, seus germânicos fiéis que lhe deviam obediência, Flach e Schäffer, ela desabafava. Para Flach, por exemplo, escreveu: "O meu esposo se interessa somente pela maldita bruxa e à outra [Leopoldina referia-se a si própria] pode acontecer o que quiser."[236] Para Schäffer, na Europa, disse:

> Aqui, infelizmente, anda tudo transtornado, pois, sinceramente falando, mulheres infames como se fossem Pompadour e Maintenon e ainda pior, visto que não têm educação alguma, e ministros da Europa toda e da Santa Ignorância governam tudo torpemente.[237]

Se a menção a madame Pompadour, célebre amante de Luís XV, não necessita de explicações, a referência a madame Maintenon, amante de Luís XIV, é mais interessante. Essa cortesã chegou a ser quase um chefe de gabinete do rei, tomando decisões em seu lugar e mesmo nomeando e demitindo bispos na França.

No Brasil, na época, cabia ao monarca nomear os bispos, o que posteriormente seria ratificado pelo papa. Ao frei Sampaio, amigo do casal imperial e um dos articuladores do movimento autonomista e da independência, havia sido prometido por d. Pedro o bispado de São Paulo. Porém, quando a vaga surgiu, em 1826, o imperador colocou no lugar d. Manuel Joaquim Gonçalves de Andrade, um amigo de longa data da família Castro. O fato muito magoou frei Sampaio, e a questão aborreceu grandemente d. Leopoldina, que, além de ver quanto o marido estava envolto nas teias da amante e de sua família, tomou consciência de que sua influência pessoal havia decaído muito.

As benesses à favorita não pararam de ocorrer. Depois de ter sido elevada a dama camarista da imperatriz, d. Pedro fê-la, no mesmo ano, em 12 de outubro de 1825, viscondessa de Santos, devido aos "distintos méritos e serviços",[238] e, posteriormente, marquesa de Santos, em 12 de outubro de 1826.

Maria Graham, a amiga da imperatriz

Em 21 de abril de 1823, a inglesa Maria Graham pediu em carta destinada a José Bonifácio uma audiência a d. Leopoldina.[239] Graham chegara do Chile, onde o marido, Thomas Graham, falecera um ano antes.

Não era a primeira vez que pisava em solo brasileiro. Em 1821 ela esteve no país acompanhada de Thomas, quando o navio-escola que este comandava, a fragata *Doris*, aportou em Pernambuco, Bahia e Rio de Janeiro. No Rio, a inglesa testemunhou o "Fico" e o levante da Divisão Auxiliadora.

A missão de Thomas com a presença do seu navio na América Latina era garantir a proteção dos súditos britânicos que estavam envolvidos em ou ameaçados pelas Guerras de Independência na América. Maria, que na realidade se chamava Mary, mas gostava da pronúncia do nome em latim e assim assinava os livros que escrevia, viajava com o esposo como professora dos guardas-marinha do navio e coletando experiências para suas novas obras.

Thomas Graham faleceria a bordo do *Doris* no cabo Horn, na Terra do Fogo. Maria, viúva, desembarcou em Valparaíso e viveu um ano no Chile. Nesse país, foi tomada sob a proteção do antigo amigo lorde Thomas Cochrane. A viajante e o escocês, que se bateria pela independência chilena e brasileira, conheceram-se em Edimburgo, anos antes, na casa do tio paterno dela, sir James Dundas. Cochrane, então almirante da frota chilena, tentava libertar o país dos últimos focos de resistência espanhola na América. Teria sido ela quem convencera o lorde mercenário a aceitar o convite feito pelo governo brasileiro para participar da Guerra da Independência. Ela veio com ele ao Brasil, onde teve oportunidade de ver a abertura da Constituinte e as demais cerimônias do primeiro ano da aclamação e da coroação de d. Pedro.

Maria Graham em 1819.

A audiência solicitada em abril a José Bonifácio para ver a imperatriz só foi realizada em 19 de maio devido a diversos fatores, entre eles o estado de saúde de Graham, pelo qual tanto d. Pedro quanto d. Leopoldina demonstraram interesse. Sobre essa audiência, a inglesa registrou que a imperatriz

> falou comigo com a maior amabilidade, e disse, da maneira mais lisonjeira, que há muito me conhecia de nome, e diversas outras coisas que ditas por pessoas de sua categoria se tornam agradáveis pela voz e pela maneira de dizer. Deixei-a com a mais agradável das impressões. Ela é extremamente parecida com diversas pessoas que vi da família Imperial da Áustria, e tem uma expressão notavelmente doce.[240]

Em 12 de outubro, Graham estava no Paço para a comemoração do primeiro ano da aclamação de d. Pedro. Era dia de grande gala pela data festiva, e ela assim o descreveu:

> Havia pouco formalismo e nenhuma rigidez. Sua Majestade a Imperatriz conversou livremente com todo o mundo, somente dizendo a todos que falassem português, o que, naturalmente, fizemos. Ela conversou um bom pedaço comigo sobre autores ingleses e especialmente acerca das novelas escocesas e ajudou-me muito amavelmente em meu português que eu, apesar de entender, tenho poucas oportunidades de praticar com pessoas cultas. Se é verdade que eu anteriormente lhe ficara grata, fiquei desta vez encantada. Logo que o Imperador recebeu as entidades públicas aproximou-se e conduziu a Imperatriz ao grande salão de recepção e ali, estando ambos de pé no degrau superior do trono, deram a mão a beijar aos funcionários da marinha, do exército, aos civis e aos particulares. Desfilaram assim, parece-me, alguns milhares. Era curioso, mas agradou-me, ver alguns oficiais negros tomar a pequenina e branca mão de Dona Leopoldina em suas mãos grosseiras e aplicar os lábios grossos africanos em pele tão delicada; mas eles contemplavam Nosso Imperador e a Imperatriz com tal reverência que isto me pareceu uma promessa de confiança nos soberanos e uma demonstração de delicadeza para com eles. O Imperador ostentava riquíssimo uniforme militar; a Imperatriz, um vestido branco bordado a ouro e um toucado correspondente de plumas, com as extremidades guarnecidas de verde. Seus diamantes eram soberbos, seu adorno de cabeça e brincos contendo opalas, tais como penso que não há no mundo, e os brilhantes, que circundam o retrato do Imperador que ela usa, são os maiores que já vi.[241]

Maria Graham era uma mulher peculiar. Era uma aventureira e uma intelectual. Além de livros a respeito da Índia, onde conhecera seu falecido marido e casara-se com ele, escreveria outros, inclusive biografias. Estudou botânica e traduziu obras para a educação de crianças. Até mesmo produziu um relato de um grande terremoto que vivenciou no Chile em 1822. Esse depoimento seria usado em Londres para provar a teoria de que as montanhas se originavam de tais fenômenos e a colocaria como pivô de uma briga científica, na qual Charles Darwin se alinharia a seu lado.

Sua posição de viúva e culta logo chamou a atenção de José Bonifácio, que pensou em fazer dela preceptora da herdeira do trono, a princesa Maria da Glória.[242] Sondada a esse respeito pelo comandante britânico da frota do Atlântico Sul, sir Thomas Hardy, Maria respondeu:

> [...] Que coisa deliciosa, salvar esta linda criança das mãos das criaturas que a cercam, educá-la como uma dama europeia – ensinar-lhe, já que ela terá que governar este grande país, que o Povo é menos feito para os Reis que os Reis para o Povo.[243]

Sua resposta era típica da arrogância a que os ingleses se arvoraram ao se proclamarem civilizadamente superiores. Muitos, como Graham, pensavam que toda a humanidade devia entoar loas aos céus por ter a honra de serem tirados da ignorância pelos britânicos. Isso viria a colocá-la em apuros com "as criaturas" que ela mencionara. Outro ponto que pode não ter ajudado muito em sua brevíssima carreira de preceptora de d. Maria da Glória foram as precauções insufladas a ela pela própria imperatriz, que a alertou, deixando-a de sobreaviso, contra a camarilha que tomava conta da corte. Seu erro seria não tentar uma abordagem mais política, mais conciliadora com a criadagem.

Assim que acertada a preceptoria, Graham pediu para retornar a Londres, onde resolveria seus negócios e adquiriria material para os estudos de suas pupilas. Ela retornou ao Rio de Janeiro em 4 de setembro de 1824, apresentando-se em São Cristóvão no dia seguinte, tendo sido recepcionada pelo próprio imperador ao portão.

D. Leopoldina, que há muito já havia externado para Maria Luísa a respeito de sua preocupação com a educação das crianças, parece ter previsto que as coisas não ocorreriam da melhor maneira. Afinal, as "criaturas" a que Graham mencionava eram as mesmas que tinham a imperatriz na conta de "estrangeira".[244] Eram as damas e os cortesãos portugueses que haviam continuado no Brasil servindo a

d. Pedro. A maioria era muito pouco instruída, como o caso do tesoureiro-mor Plácido Antônio Pereira de Abreu. Pessoa de baixa extração, era bem mais velho que d. Pedro, de quem era amigo muito antes da chegada de d. Leopoldina ao Brasil. Foi barbeiro do então príncipe e envolveu-o em negócios escusos, como a venda de cavalos que fingia ser da Fazenda de Santa Cruz, portanto do rei. D. João VI, ao descobrir o golpe, ameaçou d. Pedro de lhe quebrar a bengala nas costas se não desfizesse a sociedade.[245] O "barbeiro", como lhe chamava Maria Graham, havia granjeado alta estima de d. Pedro com o passar dos anos, a ponto de lhe ser confiado o Tesouro da casa real. Todos os pagamentos e recebimentos passavam por ele. Plácido, por exemplo, era quem administrava os servidores da casa, o pagamento das damas, das cozinhas etc.

Ciente do nível e índole das pessoas que a cercavam na corte, a quem chamaria diversas vezes de "canalha", no coletivo, d. Leopoldina escreveu para a irmã em 10 de setembro de 1824:

> Minha Maria está a cada dia mais inteligente e amável e é minha queridinha, já que se parecesse com teu filho e toda a casa austríaca pelo seu temperamento franco, alegre e bom coração, parece-me que encontrei em Lady Graham uma boa educadora para ela, Deus permita que a maneira de pensar equivocada daqui e a política da corte não me coloquem obstáculos nem afugentem a boa mulher, pois imagina, querida Luísa, por vezes não querem me conceder nem os direitos de uma mãe de decidir sobre a educação das minhas filhas, assim entenderá facilmente que muitas vezes tenho razão para desesperar totalmente.[246]

D. Leopoldina estava acostumada ao sistema educacional dos Habsburgo, como já visto, bastante elevado. Entre outras coisas, ela e os irmãos cultivavam suas próprias hortas e jardins. Até mesmo faziam disso um momento de confraternização familiar, como quando se reuniam junto com Francisco I para cultivar o jardim do pai num terraço no Palácio de Schönbrunn. Esse mínimo prazer d. Leopoldina não pôde dar aos seus filhos. Como conta Maria Graham:

> A imperatriz, querendo educá-las à moda europeia, havia encomendado pequenos jogos de ferramentas, mas estes haviam sido mantidos escrupulosamente em desuso, porque, como diziam as damas, não ficava bem as princesas estarem revolvendo a terra suja como negros, e as ferramentas eram consideradas uma pilhéria europeia da imperatriz, que não sabia o que convinha nem ao clima do Brasil nem à dignidade dos Braganças.[247]

Mas nem todos os membros da corte eram completamente ignorantes. Tanto Maria Graham quanto d. Leopoldina tinham muito respeito por frei Antônio de Arrábida, confessor de d. Pedro e seu antigo tutor. Esse religioso visitou Graham em seus aposentos no Palácio de São Cristóvão, conversando algumas vezes com ela a respeito do tipo de educação que melhor se adequaria à

> [...] provável situação da princesa mais velha, que ele encarava de fato, como todo o mundo, como possível herdeira do Brasil, supondo que qualquer filho do Imperador seria chamado ao trono português pela morte de d. João VI.[248]

Quanto à instrução religiosa, Arrábida deu para Maria Graham um "livrinho de Belarmino, sobre a Doutrina Cristã, resumido, que ele queria fosse por ela [d. Maria da Glória] aprendido como um catecismo". Também disse à nova preceptora que seria conveniente que ela acompanhasse sua pupila às orações dominicais na capela do palácio, quando Maria da Glória não acompanhasse seus pais à Igreja de Nossa Senhora da Glória. O velho frei comentou que "a dama que geralmente acompanhava a princesa nessas ocasiões permitia que ela corresse pela capela e interrompesse a cerimônia". Ainda segundo Arrábida, quando os imperadores não estavam no serviço religioso, "a capela era pouco melhor que um lugar de conversas, para as damas pertencentes ao palácio e as mulheres dos oficiais aquartelados nas redondezas".

Esse era o ambiente em que vivia d. Leopoldina e suas filhas, que passaram a ser quatro com o nascimento da princesa Francisca Carolina, em 2 de agosto de 1824. Não é de estranhar a "negra melancolia" que d. Leopoldina se queixa vivenciar na corte, onde, embora vivesse "no mais silencioso e solitário recolhimento", não podia evitar "ouvir e ver muitas coisas que eu, com minha mentalidade e íntegros princípios austríacos, desejaria fossem diferentes".[249]

A imperatriz, apesar de se queixar constantemente de que não conseguia lutar contra a tacanhez da corte e que sentia não ter nem "forças nem instrução para cumprir"[250] o papel de dirigir a educação das filhas, conseguiu vitórias e muitas. Quando Maria Graham assumiu a tutoria de d. Maria da Glória, d. Leopoldina informou à irmã que a filha "já lê fluentemente na língua materna e em francês e sabe de cor quase todas as fábulas de La Fontaine, agora está começando em Geografia e a Bíblia".[251]

Do dia de sua chegada ao palácio, 5 de setembro, até a sua demissão e partida, em 10 de outubro, Maria Graham criou um vínculo profundo com a imperatriz, carente de amigos e distante de pessoas cultas e ilustradas. Da mesma forma, acabou sendo alvo do “barbeiro” Plácido e das damas portuguesas que serviam ao casal imperial e às princesas. Afinal, já bastava uma “estrangeira” com que eles tivessem que lidar.

Inicialmente, Maria Graham foi vista com curiosidade. Assim que instalada em seu quarto, tanto Plácido quanto diversas damas permaneceram com ela no intuito de oferecer ajuda, quando na verdade queriam examinar o que ela tirava de dentro de suas malas. Havia uma suspeita em relação a ela, afinal era uma estrangeira, uma inglesa, vivendo junto aos soberanos. O embaixador francês tinha-a por espiã e, diferentemente do que ela diria no futuro em suas memórias, informou em despacho para Paris que havia sido expulsa do palácio por ter tentado se imiscuir na política.

Quatro “pecados”, entre vários, foram cometidos pela inglesa aos olhos da corte imperial. Primeiro, não ter deixado os criados jogarem de noite na antecâmara de sua pupila d. Maria da Glória, como eles haviam solicitado; segundo, não ter beijado a mão de d. Pedro numa das visitas que ele fez à filha. O imperador não levou o caso a sério e até brincou com Graham quando esta tentou fazer isso em outra ocasião. D. Pedro, vendo-a tentar tomar-lhe a mão para ser beijada, “arrebentou de rir, e sacudiu-me cordialmente a mão, dizendo: ‘Esta é que é a maneira inglesa de dizer bom-dia’”.[252]

A atitude jovial dele irritou ainda mais os servidores portugueses do palácio pela deferência com que o imperador tratava a segunda “estrangeira”. Terceiro, não haver dado a menor importância às regras da corte imperial, por exemplo, quando deixou d. Maria da Glória se sentar onde quisesse na carruagem. Sem conhecer a ordem de precedência da corte, a preceptora acabou se sentando no lugar de honra, que era por direito da herdeira do trono, e isso enfureceu ainda mais os servidores de d. Pedro. O quarto “pecado” foi a gota d’água: Graham teria dito em alto e bom som não ser um criado doméstico para usar uniforme,[253] fazendo referência aos vestidos formais das damas da corte imperial, o que colocou todas as damas do Paço contra ela.

A intriga foi feita, e d. Pedro acabou diminuindo as funções e fazendo restrições a respeito de Maria Graham. Isso, segundo a inglesa, teria ocorrido após uma das damas portuguesas irromper no quarto do imperador durante a sua sagrada sesta e despejar sobre ele diversas reclamações a respeito da preceptora. D. Leopoldina foi a encarregada de dar as notícias para ela:

> [...] Ouvi na minha escada o ruído das botazinhas de montaria da Imperatriz, subindo com violenta pressa. Seus olhos estavam vermelhos de chorar e após me ter beijado, com muito afeto, e de me ter chamado “caríssima amiga”, pôs-me na

mão um papel escrito pelo próprio Imperador – a tinta ainda estava úmida – ordenando-me que me confinasse no meu próprio apartamento, a não ser quando fosse chamada a dar a lição de inglês à princesa, ou a passear com as irmãs pelo jardim.[254]

Nesse momento, Maria Graham desabou e começou a chorar junto com a imperatriz. Explicou a esta que nada

me tentaria a permanecer onde o meu caráter era tão pouco compreendido e meus serviços tão mal apreciados; [...] que exceto as horas agradáveis que ela me permita passar em sua companhia, minha vida havia sido a de um prisioneiro de estado e ainda submetida a todas as espécies de impertinências e insolências por parte de pessoas da mais baixa extração, pois como tal certamente considerava o barbeiro Plácido e as criadas do Paço.[255]

D. Leopoldina entendia perfeitamente o que Graham estava sentindo. Caráter incompreendido, serviços mal apreciados, sentir-se como um prisioneiro de Estado e ser submetida a toda sorte de insolências e impertinências de pessoas sem educação era o resumo da vida da imperatriz dentro do Paço desde que chegara ao Brasil. A diferença entre elas é que d. Leopoldina não podia pedir demissão de seu cargo nem esperar ser mandada embora, enquanto que Maria Graham era livre para ir e vir. E foi isso que a imperatriz aconselhou à amiga: que partisse.

Com esse conselho, Maria Graham aproveitou a deixa dada por d. Pedro, ao modificar o que havia sido tratado entre eles inicialmente, e pediu demissão. Na carta que enviou ao imperador, fazendo da imperatriz garota de recados, alegava, entre outras coisas, que nunca teria saído da Inglaterra, de junto de sua família, para ser uma simples professora de inglês; se não fosse para ser governanta das princesas, ela nada mais tinha que fazer lá. D. Leopoldina voltou rapidamente, com a permissão do marido para que Graham deixasse o cargo e o palácio quando quisesse, o que a inglesa desejou que fosse na mesma hora. Porém Plácido havia, ainda como plano para humilhá-la mais, disponibilizado todas as carruagens do Paço para outros funcionários. Maria Graham viu-se ante a perspectiva de deixar o palácio a pé com sua criada, carregando, cada uma, uma trouxa às costas debaixo da chuva que se avizinhava.

A imperatriz, inconformada, mandou que ele preparasse então a carruagem dela, ao que Plácido respondeu não ser possível por não haver cavalos. Perdendo completamente a compostura, aos berros, d. Leopoldina ordenou então que colocasse cavalos de montaria no lugar das bestas. D. Pedro ouviu os gritos e quis saber o que acontecia. O imperador, dado a ímpetos, já se arrependera da demissão abrupta de Graham num acesso de raiva.

Ao saber o que estava acontecendo, mandou Plácido ordenar que uma das damas devolvesse a carruagem de d. Maria da Glória que lhe havia sido emprestada e que esta fosse deixada à disposição de Maria Graham por uma semana. Além disso, deu outras diversas ordens em prol da inglesa. Alegando que já estava muito tarde para passearem, cancelou a cavalgada da tarde com a imperatriz para que esta pudesse ficar um pouco mais com a amiga. D. Leopoldina então retornou ao quarto da inglesa e lá a ajudou:

> Imperatriz do Brasil e Arquiduquesa da Áustria, nada pôde impedi-la de usar suas pequenas e brancas mãos para embrulhar livros e roupas, ocupando-se de tudo que podia. Mandou uma criada sua, com cartas, a dois ingleses amigos meus, pedindo que qualquer desses me arranjasse um quarto às 12 horas do dia seguinte.[256]

Ainda segundo Graham, d. Leopoldina não pretendia se revoltar com o ocorrido, pois

> [...] amava seu marido e seus filhos e esperava ter forças para nunca se queixar do que fosse seu dever suportar; que era sua sina estar separada de todos de quem mais gostava e, afastando-se de mim, que ela considerava como a amiga que deveria guardar suas filhas dos malefícios da ignorância e da grosseria de todos em volta delas, só se preocupava em saber se não seria a última separação.[257]

Maria Graham, após sua saída do palácio, continuaria a morar no Rio de Janeiro e seria mais uma causa das dívidas de d. Leopoldina. A imperatriz disponibilizaria à amiga algum dinheiro no início e sempre que pudesse a protegeria. D. Pedro também daria diversas amostras do apreço à inglesa, mas em decisão tomada ele não voltava atrás. Demonstraria publicamente que tudo estava bem entre todos, d. Leopoldina, d. Pedro e Maria Graham, para que esta última não ficasse malfalada perante seus conterrâneos e a comunidade estrangeira no Rio de Janeiro, de onde só partiria no segundo semestre de 1825.

D. Leopoldina frequentemente escreveria também a Maria Graham. Em 14 de outubro de 1824, mencionou a falta que sentia da amiga:

> Eis que não se passa um momento sem que eu não lamente vivamente ter-me privado de sua companhia e amável conversação, meu único recreio e verdadeiro consolo nas horas de melancolia, à qual infelizmente tenho demasiados motivos para estar sujeita.[258]

Em novembro, confidenciaria: "Não pude seguir os impulsos de meu coração e saber notícias de sua saúde", pois, segundo d. Leopoldina, as pessoas que a haviam privado da companhia da amiga inglesa, não satisfeitas, "ainda acham de me espionar para me amofinar e provocar-me aborrecimentos. É preciso resolver-se a ser um mártir de paciência".[259]

A “mártir de paciência”

PASSADO O pior momento da Guerra da Independência do Brasil, já com o território todo libertado, Portugal e a antiga colônia, após as mudanças políticas ocorridas na velha metrópole, iniciaram negociações diplomáticas. Quase quatro anos após o Sete de Setembro, desembarcou no Rio de Janeiro, em julho de 1825, um antigo conhecido de d. Leopoldina, o inglês sir Charles Stuart. Ele chegava munido de poderes plenipotenciários por d. João VI para discutir o tratado de reconhecimento entre Brasil e Portugal. Stuart tinha sido um dos últimos cavalheiros com quem d. Leopoldina se divertira despreocupadamente nas últimas festas animadas do Carnaval de 1817 em Viena.

Maria Graham, inicialmente feliz em ver o compatriota, acabou se irritando com ele:

> Nunca poderia perdoar sir Charles uma coisa: seguindo, como suponho, o costume das cortes europeias, cedo começou a dar grande atenção a madame de Castro e não posso deixar de atribuir à sua atenção neste setor o reconhecimento público como amante e a consequente mágoa nos insultos feitos à Imperatriz.[260]

Passado o instante inicial da independência, com d. Leopoldina auxiliando d. Pedro tanto política quanto diplomática e administrativamente, ela acabou sendo afastada aos poucos de tudo. Exemplos de como andava isolada politicamente podem ser sentidos no relato de Maria Graham. Efetivamente, não apenas sir Charles Stuart visitou Domitila de Castro em 1825, sendo ela ainda dama camarista da imperatriz, como teria se beneficiado do vínculo dela com o imperador.

O diplomata britânico, em despacho ao secretário de Negócios Estrangeiros, George Canning, informou, a 5 de setembro de 1825,[261] que a "influência da senhora Domitila" havia sido, junto com a de Felisberto Caldeira Brant, futuro marquês de Barbacena, decisiva para o bom andamento das conversações de paz entre os dois países. A problemática resumia-se à menção no ato da ratificação do tratado por parte do Brasil da aclamação popular do imperador, o que era uma afronta direta a d. João VI. Em vez de dizer que "d. Pedro, por graça de Deus e unânime aclamação dos povos" havia sido feito imperador do Brasil, deveria constar no tratado que ele havia sido empossado nesse cargo "de acordo com a Constituição". Pequeno ou grande o empecilho a ser removido, o embaixador achou importante o suficiente mencionar a ajuda da favorita do imperador.

Desde o segundo semestre de 1824, a correspondência entre d. Leopoldina e o pai iria se regularizando aos poucos. Em 7 de abril de 1825, comunicava a Francisco I que estava novamente grávida e que esperava dar à luz por volta de novembro. Quanto aos seus comentários sobre a política brasileira, eles foram escasseando a ponto de quase enfado. Chegou a mandar Maria Luísa saber sobre a política brasileira pelos jornais, afirmando que o que eles dizem está correto.

Para a irmã, relatava sempre que estava tendo paciência e que se dedicava cada vez mais aos filhos e a excursões e pequenas viagens pelo Rio de Janeiro e região. Era desses passeios que ela ainda conseguia arrancar alguma alegria, na solidão da selva, em meio à natureza que sempre amara. Em resposta a um relato de Maria Luísa sobre uma viagem pela Itália, especificamente à Sicília, que d. Leopoldina sonhara conhecer desde pequena, diz "quase me causa inveja". "É completamente diferente viver num país culto ou num paraíso terrestre como o Brasil, que ainda está no estágio em que Adão e Eva foram expulsos do paraíso." Na sequência, narrou à irmã uma pequena viagem que fizera:

> [...] Numa linda manhã me perdi na floresta, onde me arranhei toda nos espinhos das mimosas, nas folhas cortantes dos juncos e nas raízes das árvores e plantas [...] e quase caí mais de trinta vezes [...]. Além disso estava acompanhada, não pelo canto encantador e gracioso do rouxinol, mas pelo rugido das onças, porcos-espinhos e pelo grunhido dos grandes macacos berradores barbados, por vezes

ainda tive a sorte de encontrar um negro ou nativo, chamado de caboclo, como vieram ao mundo [...].[262]

A ascensão meteórica de Domitila em 1825 seria o grande escândalo do ano. Após ter sido nomeada dama camarista da imperatriz em abril, em 12 de outubro, junto com as honras dadas por d. Pedro no dia do seu aniversário, encontrava-se a concessão do título de viscondessa de Santos para a favorita. Em despacho para Viena doze dias após o fato, o barão de Mareschal relatava:

> Parece-me impossível que a senhora arquiduquesa não veja o que se passa tão diretamente sob os seus olhos; mas sua alteza real tem a alta prudência de jamais fazer menção disso para com quem quer que seja e de simular que nada percebe. O senhor príncipe, em contrapartida, está cheio de atenção e de respeito para com ela e, apesar da existência de uma amante favorita, instante algum cessou de se mostrar bom marido e de aproveitar todas as ocasiões para fazer o elogio das virtudes de sua esposa e de elogiar a felicidade que presidiu à união.[263]

Após a bem-sucedida embaixada de sir Charles Stuart, em 15 de novembro de 1825, foi publicada em Portugal a assinatura do tratado com o Brasil. As datas que acompanham esse acordo da parte de d. João foram, claramente, uma tentativa do velho rei em honrar sua nora, d. Leopoldina. No dia 22 de janeiro de 1825, aniversário de d. Leopoldina, o rei decidiu pelo restabelecimento da paz entre as duas nações e nomeou um gabinete português favorável à independência brasileira para dar início às tratativas. Em 13 de maio, dia do seu aniversário e do casamento em Viena de d. Leopoldina com seu filho, d. João assinou a primeira das Cartas Régias com as diretrizes a ser seguidas por sir Charles Stuart durante as negociações. Quanto a 15 de novembro, data escolhida pelo monarca português para divulgar o tratado, era o dia de São Leopoldo da Áustria, padroeiro daquele país e santo onomástico da nora.

Enquanto o monarca português desdobrava-se em demonstrações de apreço a d. Leopoldina, d. Pedro, cego pela paixão, só tinha olhos para Domitila. Chegou a tecer uma relação místico-espiritual entre as novas datas importantes à pátria e a relação extraconjugal:

> Meu amor
> e meu tudo...

27 de dezembro de 1825

No dia em que fazia três anos[264] que eu comecei a ter amizade com mecê assinei o tratado do nosso reconhecimento como Império por Portugal. Hoje, que mecê faz os seus 27,[265] recebo a agradável notícia que no Tejo tremulara em todas as embarcações [...] o pavilhão imperial, efeito da ratificação do tratado por el-rei, meu augusto pai. Quando há para notar uma tal combinação de acontecimentos políticos com os nossos domésticos e tão particulares?

Aqui há o que quer que seja de misterioso, que eu ainda por ora não diviso, mas que indica que a providência vela sobre nós (e se não há pecado) até como aprova a nossa tão cordial amizade com tão célebres combinações [...].[266]

A despedida de Maria Graham

Maria Graham havia chegado pela primeira vez ao Brasil quando a Bahia começava a se abater pela independência e partiria definitivamente quando o *Sibila*, um pequeno navio de carga, deixasse o porto do Rio de Janeiro em direção à Europa levando a documentação favorável ao tratado de paz e reconhecimento entre Brasil e Portugal. Em 8 de setembro de 1825, Graham foi se despedir de d. Leopoldina em São Cristóvão.

A imperatriz aguardou a amiga em sua biblioteca, totalmente sozinha. Maria Graham achou d. Leopoldina "fraca de saúde, e com maior depressão de ânimo que de costume".[267] Utilizando a ida da escritora para a Europa, a imperatriz pediu que entregasse diversas cartas que ela havia escrito a seus parentes e "especial carinho para uma que havia escrito à sua irmã, a ex-imperatriz Maria Luíza. Eu sabia que um maior grau de amizade subsistia entre as duas irmãs do que entre quaisquer membros da família [...]".[268] Depois, solicitou que Maria Graham lhe prometesse escrever tudo o que havia de se saber na Europa a respeito da Família Imperial austríaca.

No final da conversa, d. Leopoldina prometeu à amiga que responderia as suas cartas e "então perguntou-me se eu queria alguma coisa que ela pudesse fazer por mim ou dar-me. Pedi-lhe uma mecha de seus cabelos e como não houvesse tesouras ao alcance, não quis chamar um criado. Tomou um canivete que estava sobre a mesa e cortou uma".[269]

"Saí com um sentimento de opressão", continua Graham, "pois deixava-a, como previ, para uma vida de vexações maiores que tudo que ela havia sofrido até então, e num estado de saúde pouco propício para suportar um peso adicional".

De d. Leopoldina, em seu diário de viagem ao Brasil, Graham ainda deixaria um último pensamento:

> Pondo de parte a consideração pela sua alta categoria, não foi pequeno o meu prazer em encontrar uma mulher tão bem cultivada e bem-educada; fiquei muito triste por deixá-la sem dizer isto: ela é, sob todos os pontos de vista, uma mulher amável e respeitável. Nenhuma pessoa miserável jamais recorre a ela em vão; e seu comportamento, tanto público como privado, inspira justamente a admiração e o amor de seus súditos a sua família; suas atividades pessoais exornariam a posição de qualquer dama particular; sua paciência, prudência e coragem, tornam-na digna de sua alta posição.[270]

O herdeiro masculino

No Arquivo Histórico do Museu Imperial, em Petrópolis, existe um conjunto interessante de cartas[271] enviadas ao imperador d. Pedro I em 1827. Nelas, uma certa madame Goufferteau de Château-Neuf reclama o seu prêmio, por, segundo ela, ter ensinado a d. Leopoldina o segredo de se ter filhos varões. O alegado mérito da madame seria o responsável por a imperatriz ter dado à luz um menino, o segundo, após o falecido príncipe d. João Carlos, morto em 1822.

Na noite de 1º para 2 de dezembro de 1825, a imperatriz começava a sentir as primeiras dores do seu sétimo filho querendo vir ao mundo. Por mais de cinco horas, lutou para dar à luz. A criança nasceria na madrugada de 2 de dezembro. Segundo o boletim médico, "Sua Majestade deu à luz um Príncipe com a maior felicidade possível". De acordo com a Constituição, um herdeiro masculino suplantava uma herdeira mulher, sendo assim, d. Maria da Glória deixava de ser vista como a futura imperatriz do Brasil.

Assim como em alguns dos outros partos, nesse também ocorreram problemas com a saída da criança. Nesse caso específico, o futuro d. Pedro II não estava em posição adequada, e os ombros dele eram maiores que a abertura da pelve da mãe, o que dificultou o nascimento.[272]

D. Leopoldina somente em 17 de dezembro informaria ao pai sobre o nascimento:

> Perdoe-me, querido papai, por não lhe ter escrito pelo último paquete, mas estava muito doente e não pude cumprir o dever tão doce para meu coração. Graças a Deus estou muito feliz, embora tenha dado à luz, com muito esforço e não sem ajuda de um parteiro competente, às três horas da manhã do dia 2 de dezembro, um menino muito grande e forte, que recebeu no sagrado batismo o nome de Pedro, embora inda muito faça não posso me negar o prazer, conhecendo seu amor e cuidado paternais, de lhe dar tal notícia agradável.[273]

Cinco dias depois, em outra residência, nascia outro bebê que também receberia o nome de Pedro. A criança era filha do imperador com a viscondessa de Santos. D. Pedro teria ficado tão empolgado com o nascimento dos dois meninos que, completamente sem limites, imaginara batizar ambos com todas as pompas na Capela Imperial. A prudência de algum conselheiro fê-lo mudar de ideia, e o varão bastardo foi batizado na Igreja de São Francisco Xavier, no Engelho Velho, como filho de pais incógnitos.

O ano de 1825 terminava para a nação e para os imperadores de maneira favorável. Brasil e Portugal não estavam mais em guerra, e, com o reconhecimento da independência brasileira pela antiga metrópole, todas as demais nações reconheceram oficialmente o novo país. D. Pedro e d. Leopoldina tinham finalmente um filho homem que poderia levar adiante o nome da dinastia e asseguravam o herdeiro do novo país.

Entretanto, no sul, em abril de 1825, alguns exilados vindos de Buenos Aires retornaram à Província Cisplatina, atual Uruguai. Essa província havia sido anexada por d. João ao Brasil quando da mudança da corte para a América. Esses exilados políticos levantaram a população espanhola contra o governo imperial brasileiro no primeiro semestre daquele ano. Montevidéu, a capital, manteve-se fiel ao governo do Rio de Janeiro, porém outras cidades passaram para o lado dos uruguaios que queriam se unir aos argentinos num novo país. Em 12 de outubro de 1825, aniversário do imperador, numa tentativa de acabar com a guerrilha, o general Lecor preparou uma ofensiva contra os rebeldes, mas as tropas brasileiras foram dizimadas.

Algumas semanas depois, devido ao sucesso dos uruguaios dissidentes, o governo argentino decidiu aceitar oficialmente a petição deles para que a Cisplatina fosse admitida às Províncias Unidas do Rio da Prata. Buenos Aires e outras províncias argentinas mandaram tropas para ajudar os uruguaios contra os brasileiros, levando d. Pedro a declarar guerra contra o país em 10 de dezembro de 1825.

A viagem à Bahia

Por conta das constantes sublevações no Norte e no Nordeste brasileiros, e mais recentemente um levante de escravos que matou diversos portugueses na Bahia, somados ao projeto de arregimentar tropas nordestinas para a guerra do Sul, d. Pedro decidiu visitar Salvador no início de 1826.

Ao contrário das duas viagens anteriores, a da Bahia foi um evento imperial. Não só iria d. Pedro, mas seus principais ministros, militares, altos cortesãos, a imperatriz d. Leopoldina, a princesa d. Maria da Glória e a viscondessa de Santos. O embarque deu-se em 2 de fevereiro. O burburinho foi grande. Os cariocas comentavam que d. Pedro levava a mulher para disfarçar a amante! O barão de Mareschal despachava ao príncipe de Metternich no dia 13:

> A viagem da corte à Bahia deu lugar a um grande escândalo; ver o imperador fazer acompanhar-se no mesmo navio pela imperatriz, sua filha mais velha e sua amante oficial ofendeu necessariamente todo o mundo, mas o medo pessoal que a violência do caráter deste príncipe inspira fechou a boca de todos.
>
> A senhora arquiduquesa que, naturalmente, se devia sentir a mais ferida, mostrou a este respeito a mais perfeita indiferença; a ideia da viagem a agrada mais do que ficar aqui: o único receio que ela se dignou exprimir referiu-se ao mau exemplo que isso daria à jovem princesa, criança precoce a quem nada escapa. Não sei se isto é sabedoria, filosofia prática ou despreocupação, mas a gente não se poderia conduzir com mais tato do que a arquiduquesa; todos concordam com isso e ela ganha a cada dia a opinião pública e a de seu augusto esposo.
>
> Poucos dias antes da partida foram publicadas pasquinadas e o imperador recebeu cartas anônimas, onde o censuravam de levar a mulher só para servir de véu para a sua amante. Ficou por causa disso muito irritado e apressou-se em levar as cartas à imperatriz: esta recebeu tão estranha confidência com o seu costumado sangue-frio, dizendo-lhe que aquilo ou era falso, ou verdadeiro, que no primeiro caso não

valia a pena ocupar-se com isso e no segundo seria preciso fingir que se despreza o boato para fazê-lo cair. O mais engraçado é que o sangue-frio da imperatriz enraiveceu o imperador, e ele censurou-a por não se aborrecer com ele; pôde observar-se em seguida que Sua Majestade aparecia constantemente em público com a senhora arquiduquesa e que ele redobrou de atenção e consideração para com ela.[274]

É de se notar o grau de ironia com que d. Leopoldina tratou o marido, que, sem refinamento algum, acabou tomando as palavras da esposa ao pé da letra e se exasperando com ela. Talvez ele tivesse alguma esperança de que ela fizesse algum escândalo ou que o afrontasse diretamente. Entretanto, isso não havia ocorrido anteriormente quando ela soube das diversas outras amantes e não seria nesse momento que a imperatriz mudaria de atitude. Afinal, até então, os demais casos do marido haviam passado, e ela permanecera. A postura de d. Leopoldina perante o novo capricho do marido era puramente política.

Se, por um lado, o fato de amar d. Pedro fazia-a aceitar calada tudo o que viesse dele, por outro, ela tinha uma noção maior do que o marido do seu dever como imperatriz e estaria pronta a aguentar as humilhações para não desprestigiar a coroa perante o povo. Não lhe restavam alternativas a não ser fingir que nada estava ocorrendo. A outra opção, um escândalo público, só agravaria sua solidão diante da hostilidade da própria corte para com ela, como já havia sido evidenciado no episódio a respeito de Maria Graham. Domitila, mais hábil que esta, provavelmente fez aliança com esses funcionários, que com suas intrigas fizeram a inglesa ser posta para fora de São Cristóvão. Do contrário, a paulista não teria sobrevivido tão bem dentro da corte.

D. Pedro interpretou a reação da mulher como qualquer homem interpretaria: ela não se importa. D. Leopoldina importava-se, sim, mas tinha mais compostura do que o marido. Porém o excesso de submissão a que se impusera, pois não lhe era natural na Áustria aceitar as coisas de que não gostava sem lutar, cobraria o seu preço, abalando-a psicologicamente no futuro.

A viagem à Bahia foi, provavelmente, a agonia em vida de d. Leopoldina. Logo que voltou, em cartas ao pai e a Maria Graham, fez referência à jornada. A Francisco I, disse que a viagem fora "extremamente desagradável em todos os sentidos";[275] para a amiga inglesa, afirmou que havia sido "bem penosa" e que a "permanência de dois meses eternos naquela província privaram-me da única satisfação que resta num enorme afastamento, sem uma amizade delicada e espiritual". Na carta, comentou que invejava a felicidade de Graham, que havia retornado para a Europa e já se encontrava

> [...] em sua querida e esclarecida pátria, entre bravos e virtuosos compatriotas [...]. O único consolo que me resta é o de seguir sempre o caminho da virtude e da retidão, com firme confiança na divina Providência, que não abandona jamais um coração sincero e religioso.[276]

Uma coisa, até então, havia sido ter que suportar a amante do marido no palácio trabalhando eventualmente durante a escala dos semanários do Paço. Outra era passar uma viagem de 24 dias de navio sendo humilhada publicamente.

Apesar da tentativa de amigos íntimos em aconselhar d. Pedro a não se expor a escândalos, que o mundo tinha os olhos postos nele, que as pessoas do navio estavam atentas aos seus passos, que a filha de 7 anos e a imperatriz deveriam ser respeitadas, ele não ouvia: a paixão o cegara.

Sem compostura, tratava a amante com intimidade total na frente de quem quer que fosse. Chamava-a publicamente de "minha Titília" e "minha rica viscondessa".[277] D. Leopoldina, retirada à cabine, preferia muitas vezes fazer suas refeições sozinha. Na sala de jantar do navio, era possível ver no almoço e no jantar d. Pedro presidindo a mesa sentado no centro, com d. Maria da Glória à sua direita e Domitila à esquerda. A princesa, acompanhando o pai na intimidade da favorita, passeava com esta de braços dados pelo convés. D. Leopoldina, acostumada desde a infância a ser assistida dia e noite por criadas, teria obrigado Domitila a dormir com ela em seu quarto para caso precisasse de algo durante a noite.[278]

No dia 26 de fevereiro, os imperadores desembarcaram em Salvador, com d. Pedro fazendo questão absoluta de que "aquela dama", Domitila, estivesse no mesmo barco que os levaria a terra. Ficaram hospedados onde hoje se localiza o Palácio Rio Branco, na Praça Tomé de Souza, próximo ao elevador Lacerda. No local, erguiam-se o Palácio do Governador e a Casa de Relação.[279] As duas construções eram unidas por um passadiço, onde foi instalada a princesa d. Maria da Glória. O governo baiano destinou à imperatriz os aposentos da Casa de Relação, os mesmos onde d. Carlota Joaquina havia ficado ao chegar ao Brasil em 1808. Já d. Pedro e Domitila receberam aposentos no Palácio do Governador. Melo Morais afirma que o quarto da amante do imperador era maior e mais luxuoso que o dado a imperatriz, e mais: "Os aduladores, tanto da primeira grandeza como os da camada inferior, rendiam homenagem à viscondessa de Santos, como se ela fosse a verdadeira imperatriz."[280]

Pelo diário mantido por Francisco Gomes da Silva, o Chalaça,[281] vemos que a imperatriz sempre saía acompanhada por Domitila. A viscondessa de Santos acompanhava frequentemente os soberanos nos eventos e passeios por Salvador e região. Quando passeavam de carruagem, d. Pedro ia guiando, com a imperatriz ao seu lado e d. Maria da Glória e Domitila sentadas atrás. Quando o passeio era a cavalo, a imperatriz preferia seguir na frente com um veador e deixar o casal de amantes para trás.[282] Após mais de dois meses na Bahia, os soberanos retornaram ao Rio de Janeiro, aonde chegaram em 1º de abril.

Hyacinthe Yves Philippe Potentien, barão de Bougainville, foi apresentado a d. Leopoldina quando esta se preparava para desembarcar no Rio de Janeiro. Notou que a soberana possuía uma fisionomia meiga e aberta que denunciava "uma mulher excelente". O desembarque ocorreu no mesmo cais do Arsenal da Marinha em que ela tinha colocado os pés pela primeira vez no Brasil, em 1817. De lá, seguiram em cortejo até a Capela Imperial, onde seria entoado um *Te Deum* pela chegada a salvo dos imperadores à corte. D. Pedro, exasperado pela quantidade de gente que se prostrava diante dele e de d. Leopoldina para beijar-lhes as mãos, não se conteve e, impacientado, abandonou o dossel debaixo de onde o casal caminhava. Abriu caminho, não sem esforço, em direção à igreja. D. Leopoldina, não menos incomodada que o marido, mas mostrando-se mais digna e consciente de sua posição, como sua educação assim exigia, permaneceu em seu posto seguida de suas damas dando sua mão para ser beijada.[283]

Início das perdas de 1826

Logo no início do ano, em março, duas mortes abalariam as vidas de d. Pedro, d. Leopoldina e Domitila. Em 13 de março de 1826, ainda enquanto os imperadores estavam na Bahia, faleceu no Rio de Janeiro o filho de d. Pedro com a viscondessa de Santos. Como não daria tempo para saber qual a vontade do monarca, devido à demora nas comunicações, o governo e a corte decidiriam, para escândalo do barão de Mareschal, como se daria o rito fúnebre da criança. O diplomata oficiou a Viena que a morte do bebê, cujo enterro realizou-se em 17 de março, "causou grande embaraço aos ministros, que se reuniram várias vezes para decidir se o corpo seria considerado como de uma pessoa real ou não, se o embalsamariam, se o enterrariam ou conservariam até a chegada dos pais".[284]

Por fim, decidiu-se que a criança não seria embalsamada com todas as formalidades dispensadas a membros da família Bragança e que no dia 17, à noite, como de praxe se faziam os enterros, o corpinho do bebê seria velado na Igreja de São Francisco Xavier, no Engenho Velho. O diplomata continuou o seu relato informando que "os Ministros e Conselheiros de Estado, bem como todos os encarregados da corte, assistiram a esta cerimônia fúnebre". Os convites para o sepultamento foram emitidos tanto pelo ministro da Marinha, visconde de Paranaguá, quanto pelo mordomo-mor, conde de Palma. Ambos diziam de viva voz aos presentes que a criança era filha de d. Pedro. O corpo foi conduzido em cortejo até a igreja. Os viscondes de Taubaté, Aracati, Santo Amaro e da Cunha foram os responsáveis por carregar o esquife e depositá-lo na catacumba da igreja. O barão de Mareschal notou ainda que "frei Antônio de Arrábida, confessor do imperador, assistiu à cerimônia e parecia penetrado da mais viva dor".

Inconformado com a magnitude que o enterro do bastardo do imperador e da favorita havia tomado, Mareschal ainda desabafava a Viena:

> Na presente ocasião, uma vez que a mãe da criança era dama da imperatriz, viscondessa e dignitária da corte, os seus pais, em cuja casa a criança morreu, podiam ter anunciado o falecimento e convidado todas as pessoas que assistiram ao enterro [...]. Teria sido possível então demonstrar o mesmo respeito pela dor privada do soberano sem ferir publicamente os valores sociais e a decência. Achamos mesmo estranho que os senhores Paranaguá e de Palma proclamassem como filho do soberano uma criança que ele jamais reconheceu publicamente.

Os ritos de sepultamento do bastardo, cercados de toda a pompa, visavam não ofender o imperador e sua favorita. Antes pecarem pelo excesso do que pela falta e serem alvos da fúria de d. Pedro. Entretanto, esse enterro e o reconhecimento desse fruto adulterino do imperador perante todos também marcou claramente o declínio da influência de d. Leopoldina junto ao governo e aos membros mais graduados da corte. Esse funeral foi a derradeira pá de cal na influência política que ela ainda tinha junto a eles. Com exceção de Mareschal, todos só parecem ter levado em conta a dor da perda do imperador e de sua amante. Com a humilhação que a cerimônia representaria para a imperatriz, ninguém se importou.

Outra perda que desataria um dilúvio de complicações políticas e familiares foi a morte, três dias antes do pequeno Pedro no Brasil, do seu avô português, o rei d. João VI. A notícia chegou ao Brasil com a fragata portuguesa *Lealdade*, que aportou no Rio de Janeiro em 24 de abril de 1826. D. João VI havia falecido aos 59 anos, em 10 de março. Além de seu problema crônico numa das pernas, não se sabia de nenhuma outra doença do rei, que ainda imaginava viver por muitos anos. Segundo se dizia na época, ele teria sido envenenado, boatos esses que acabariam, na última década do século XX, sendo revelados como procedentes.[285]

A morte de d. João VI daria origem a uma evolução de acontecimentos, que, entre outras coisas, levaria d. Pedro a uma guerra civil em Portugal anos mais tarde. Mas, no início de 1826, isso o colocava como sucessor do pai ao trono, tornando-o rei de Portugal com o nome de d. Pedro IV. Da mesma forma, finalmente, honrando o que era previsto em 1817, d. Leopoldina tornava-se rainha dos lusitanos. Mas esse reinado, ao menos o dela, seria efêmero.

Dois dias após receber a notícia da morte do pai, d. Pedro enviou uma consulta ao seu Conselho de Estado em que questionava se seria possível o imperador do Brasil assumir o trono português governando essa nação da América. Enquanto os conselheiros deliberavam, d. Pedro, junto com seu secretário, Francisco Gomes da Silva, o Chalaça, escreveu uma Constituição para Portugal e outorgou-a em 29 de março como d. Pedro IV. Além disso, concedeu anistia ampla e irrestrita aos portugueses e confirmou o Conselho da Regência com a presidência de sua irmã, a infanta d. Isabel Maria, a quase imperatriz da Áustria que havia tanto encantado a condessa de Kühnburg no Brasil. No dia seguinte, marcou as eleições em Portugal, e, em 2 de maio, após considerar os pareceres de seus conselheiros, emitiu a carta régia de sua abdicação condicionante ao trono português em nome de sua filha, d. Maria da Glória.

D. Maria da Glória, filha de d. Leopoldina e de d. Pedro feita rainha de Portugal aos 7 anos de idade como d. Maria II.

A abdicação vinha com algumas condições para ter efeito. Seguindo a vontade de d. Pedro, seu irmão, d. Miguel, deveria jurar a Constituição portuguesa em Viena, ao arrepio de Francisco I e Metternich, e casar-se com d. Maria da Glória, agora d. Maria II, com 7 anos. D. Miguel assumiria como lugar-tenente de d. Pedro o poder em Portugal até que a jovem rainha tivesse idade para consumar o casamento com o tio.

D. Miguel estava exilado em Viena após o último golpe que tentara dar em d. João VI. O primeiro, em abril de 1823, ficou conhecido como Abrilada e terminara com a experiência constitucional portuguesa e com a paz interna dos Bragança. Nele, d. Miguel colocou-se à frente da revolta contra o Parlamento e a Constituição. Tanto o infante quanto d. Carlota queriam a deposição do rei. Inicialmente, d. João manteve-se fiel à Constituição que jurara, até que, vendo o movimento popular aumentar cada vez mais, acabou por se juntar à causa e, num golpe, tornou-se líder dele no lugar do filho.

As Cortes foram dispensadas, e diversos políticos e ministros, presos e torturados. Em 1824, d. Miguel tentou novamente colocar-se diante de um movimento para tirar o pai do trono, mas, graças à intervenção dos diplomatas estrangeiros em Lisboa e da Inglaterra, o golpe fracassou. O infante assumiu a responsabilidade pelos seus atos e exilou-se em Viena, aonde lhe chegou a notícia da morte do pai.

D. Leopoldina perdia o sogro, que sempre fora o mais gentil com ela, e sentiu muito por isso. Um dos primeiros para quem ela externou seu luto foi Rodrigo Navarro de Andrada, o antigo encarregado de negócios de Portugal em Viena. Navarro havia interrompido a correspondência com a imperatriz após a independência e retomado após o reconhecimento do Brasil por Portugal. Para ele, d. Leopoldina desabafava em 25 de abril de 1826: "Não tenho força para explicar a dor e a mágoa que sente o meu coração no momento em que eu recebo a triste notícia da morte do melhor e do mais terno dos pais."[286] Para o pai, Francisco I, comentava em 28 de abril: "Foi extremamente doloroso ficar sabendo que falecera meu excelente sogro, que amei e prezei como um segundo pai, meu coração se lembrará dele sempre com sentimento de gratidão."[287] Em 29 de abril, para Maria Graham, dizia estar extremamente emocionada pela "morte de meu respeitável e bem-amado sogro, que foi sempre para mim mais delicado e afetuoso que o melhor dos pais".[288]

Outra perda agora se avizinhava: a da filha, d. Maria da Glória. A intenção inicial era de enviar a menina para Portugal. D. Leopoldina mencionaria mais esse golpe na sua vida para diversas pessoas ao longo de 1826. Em maio, suplicava ao pai na Áustria:

Como conheço sua bondade e zelo paternos, é preciso recomendar-lhe minha querida filha Maria, que em pouco tempo partirá para Portugal, é a segunda separação terrível que sofro; ah! Se ela pudesse ir para a Áustria, eu ficaria totalmente tranquila; é uma boa menina e possui qualidades excelentes, mas receio muito as bajulações.[289]

No mesmo dia, para sua antiga preceptora, a condessa Von Lazansky, d. Leopoldina traçava um perfil da filha e desabafava: "Em pouco tempo me espera a separação de minha boa Maria, que será rainha de Portugal [...] se pudesse estar no seio de minha amada família eu ficaria mais tranquila." O mesmo a Maria Graham em junho: "Dentro de pouco serei obrigada a fazer um novo sacrifício, além do de deixar uma família e pátria que adoro. É o de me separar de uma filha [...]."[290] Em 17 de setembro, ela foi mais enfática ainda com o pai:

Importuno-o com estas linhas, querido papai, já que sei como meu cunhado o considera e ama, para pedir-lhe, amado papai, que lhe faça um bom sermão, para que, quando minha querida filha Maria me deixar e for entregue a ele, como me asseguram, que ele tome conta de sua juventude e a proteja de todos os perigos a que possa estar exposta, por forças violentas independentes e ao mesmo tempo por ter um coração tão bom e meigo; vejo que não é mais necessário recomendá-la ao senhor, querido papai, mas perdoe uma mãe que só encontra sua felicidade e paz na felicidade e bem-estar de seus filhos.[291]

Numa das últimas cartas para a irmã Maria Luísa, datada de 17 de setembro, d. Leopoldina exprimia-se mais profundamente a respeito da filha, e até mesmo dela, por meio dos temores a respeito dos casamentos dinásticos:

Alegra-me muito que meu cunhado tenha mudado para melhor, especialmente porque querem casá-lo com minha filha. Deus permita que seja uma união feliz, pois tenho que te confessar que cada vez mais me convenço de que apenas paixão mútua e amizade podem fazer um casamento feliz, e nós, pobres princesas, somos tais quais dados, que se jogam e cuja sorte ou azar depende do resultado; dirás que sou uma verdadeira filósofa, mas o ardor da juventude se extingue facilmente, com a prudência adquirida em certas experiências.[292]

O ardor juvenil dela demorou a se extinguir; e o da filha, quando se extinguiria? Seria tão romântica quanto a princesa apaixonada pelo retrato do seu Adônis nove anos antes e que sofreu muito com a realidade diante do homem com quem a casaram? D. Leopoldina projetava-se em d. Maria da Glória. Temia que a menina tivesse que passar por todos os desgostos e por todas as séries de humilhações que ela estava passando e que vinham piorando muito após o retorno da Bahia e a morte do sogro em Portugal. O concubinato de d. Pedro com Domitila tomava vulto cada vez maior, e d. Leopoldina continuava a se cobrar a paciência e subserviência que nunca tivera antes.

Duquesa de Goiás

Em maio de 1826, d. Pedro resolveu reconhecer a filha que tivera com a amante em 1824. Isso pode ter ocorrido por insistência de Domitila ou, talvez, na tentativa de d. Pedro colocar ordem na sua vida após a lembrança da brevidade dela com a morte do pai. Já o barão de Mareschal, em ofício a Viena, informaria: "Há muito tempo que a senhora viscondessa de Santos trabalhou neste caso, Sua Majestade recusava, mas, provavelmente, a morte do filho que ele teve com essa dama e a popularidade que lhe deu a renúncia a Portugal, tê-lo-ia feito arriscar agora esse ato."[293]

D. Pedro, desacostumado a ser afrontado, acabou o sendo no seu intento. Para o reconhecimento, o termo do batizado da criança teria que ser refeito. Entretanto, o bispo do Rio de Janeiro, d. José Caetano da Silva Coutinho, proibiu que o vigário da Igreja de São Francisco Xavier, do Engenho Velho, rasgasse a página do batizado de Isabel Maria para que fosse feito novo assento, onde constaria o imperador como pai.

O imperador não se fez de rogado: mandou publicar um decreto ministerial no qual declarava a paternidade, que era reconhecida pelos ministros Lages, Inhambupe e José Feliciano Fernandes Pinheiro. Nele se lê:

> Declaro que houve uma filha de mulher nobre e limpa de sangue, a qual ordenei que se chamasse dona Isabel Maria de Alcântara Brasileira e a mandei criar em casa do gentil homem da minha Imperial Câmara João de Castro Canto e Melo. E para que isto a todo o tempo conste, faço esta expressa declaração, que será registrada nos livros da Secretaria de Estado dos Negócios do Império, ficando o original em mão do mesmo gentil homem da Imperial Câmara para ser devi-

damente entregue à dita minha filha como seu título. Palácio do Rio de Janeiro, vinte e quatro de maio de mil oitocentos e vinte seis, quinto do Império e da Independência.[294]

De posse do documento, Francisco Gomes da Silva cavalgou até a igreja e intimou o padre a reformar o assento de batismo. Na nova certidão constava apenas o nome do pai, mas não se mencionava a mãe. O decreto já dizia tudo: ela era "nobre e limpa de sangue", ou seja, uma não judia. Oficialmente, d. Pedro daria ao velho coronel João de Castro, pai de Domitila, a incumbência de criá-la, ficando Isabel Maria nesse arranjo junto à mãe. Com esse ato, d. Pedro oficializava publicamente o seu adultério. Mesmo sem o documento mencionar quem era a mãe da criança, todo mundo sabia e apontava a então viscondessa de Santos.

Como se não bastasse o reconhecimento, d. Pedro ainda lhe conferiu o título de duquesa de Goiás. Pelo sistema nobiliárquico brasileiro, o título de duque era reservado apenas a pessoas pertencentes à família do soberano. Num único caso ele foi conferido a uma pessoa fora da Casa Imperial, como forma de distinção máxima aos serviços prestados à nação, que foi o título de duque de Caxias, dado por d. Pedro II a Luís Alves de Lima e Silva. O título de duquesa colocava a filha do imperador e da viscondessa de Santos acima de todos os demais membros da corte e da nação. A menina não se curvaria a ninguém, exceto aos imperadores e aos príncipes, seus irmãos. Foram dadas instruções às tropas a respeito do tratamento que deveriam dar a ela, que passou a fazer parte da Família Imperial e receberia o tratamento de Alteza.

Um dia após o aniversário de Isabel Maria, em 24 de maio, foi realizada uma grande festa na nova casa que d. Pedro dera à amante, segundo o barão de Mareschal, "situada a um tiro de fuzil da Quinta da Boa Vista".[295] A festa comemoraria o reconhecimento e o título que a menina recebeu do pai. Os convidados começaram a chegar ao meio-dia. Os ministros que assinaram o decreto estavam presentes, além do capitão da guarda do imperador, o primeiro ajudante de campo, o secretário de gabinete, o visconde de Barbacena, o de Gericinó, entre outros titulares do Império, todos vestidos com uniformes de gala. O luto em memória a d. João VI havia sido levantado para o evento.

D. Pedro, com sua guarda de honra, foi recebido à porta pelo avô da menina, que carregava a criança nos braços. Feita a leitura dos documentos de reconhecimento e do título conferido, o imperador questionava a todos que dele se aproximavam: "Já foi beijar a mão de minha filha?", ou ainda insistia com a menina: "Duquesa, dá a mão a beijar ao Sr. Fulano." Durante o almoço que se seguiu, o imperador e a filha ficaram a uma mesa, a outra, os parentes maternos e os convidados.

D. Leopoldina passou o dia todo fora de São Cristóvão, caçando. Segundo o barão de Mareschal, havia razão para acreditar que a imperatriz havia sido informada pelo próprio esposo a respeito da comemoração.[296]

Quatro dias depois, a duquesinha de 2 anos de idade, foi apresentada oficialmente à imperatriz nos braços do avô, o coronel João de Castro. Segundo o diplomata espanhol Delavat y Rincón, a imperatriz, após manter o sangue-frio perante a corte, encerrou-se em seus apartamentos privados, onde teria passado o dia chorando. De acordo com alguns cronistas do início do século XX, ela teria balbuciado, ao beijar a pequena duquesinha: "Tu não tens culpas... tu não tens culpas." Um mês após o reconhecimento e a apresentação, em novo informe, o embaixador espanhol deixava claro que, para espanto da corte e do Rio de Janeiro como um todo, a imperatriz continuava tratando publicamente Domitila de maneira amigável.

Para explicar aos brasileiros a decisão do imperador, seu secretário, Francisco Gomes, juntamente com o padre Boiret, fez uma relação histórica de reis europeus, inclusive portugueses, que haviam reconhecido seus filhos ilegítimos. Afinal, a própria casa de Bragança não fora criada a partir de um bastardo da casa de Avis?[297] De posse dessas informações, jornais como o *Diário Fluminense* de 10 de junho e o *Spectador Brasileiro* do dia 14, nitidamente influenciados pelo governo imperial, teceram louvores a d. Pedro por ter reconhecido a criança, que não era culpada pelos erros do pai. No mesmo ano, seria construído um navio de guerra que levaria o nome de *Duquesa de Goiás*.

Nem todos gostaram muito da notícia. Segundo informe de Guinebaud, cônsul francês na Bahia:

> O povo clama, em altas vozes, contra a fraqueza e a vilania dos conselheiros do monarca, apologistas públicos e, por escrito, de sua conduta em relação à jovem duquesa de Goiás, filha natural, fruto de duplo adultério vivo, legitimada e reconhecida, a pretexto do que os reis franceses Henrique IV e Luiz XIV tinham feito o mesmo. Entretanto, não obstante verificar a existência do grande desprestígio do governo imperial, não diviso ainda sintoma algum de rebelião.[298]

Enquanto isso, o barão de Mareschal relatava a Metternich em 13 de junho o que estava se passando entre o casal e o modo submisso como d. Leopoldina acatava as ordens do marido e a restrição deste a sua liberdade.

> Por mais estranho que a afirmação possa parecer, não é menos verdade que, apesar dos motivos existentes, a união dos dois augustos esposos ainda não está materialmente alterada; mas o mérito é inteiramente à sua majestade.[299]

Mareschal comentava que d. Leopoldina mantinha uma conduta acima de qualquer reprovação, mesmo ela tendo que ter "permissão do imperador para passear". Além disso, d. Pedro passou a determinar até a "hora e o lugar" de seus passeios, e, mesmo assim, a permissão era concedida eventualmente

> sob a condição de que seja ali onde ele se encontra com a sua amante e seus parasitas; em uma palavra esta princesa não se levanta ou se deita, não bebe ou come nem anda sem permissão especial de seu marido; autorização que não se estende a aparecer na cidade ou em qualquer lugar público, exceto quando ele a acompanha. A Imperatriz suporta uma situação tão dolorosa e humilhante com toda a coragem e a resignação possível, é uma filosofia prática que não pode deixar de admirá-la, que ela possa um dia receber a sua justa recompensa.[300]

É curioso o fato de d. Pedro continuar não permitindo que d. Leopoldina fosse sem ele à cidade. Talvez o amor que o povo consagrava à imperatriz só devesse ser demonstrado com o marido a seu lado. Segundo Mansfeldt:

> Um dia eu tive a sorte de ver suas majestades o imperador, a imperatriz e seus filhos saindo para um passeio a cavalo.
> A doçura, a suavidade e as altas qualidades que enfeitavam o rosto da imperatriz eram um espelho de sua alma.
> Os vivas que o povo gritava nas ruas para o casal imperial eram o cumprimento de um dever perante o imperador, mas os gritos para sua esposa eram expressão de fiel amor e alegria em ver sua amada soberana.
> O povo amava a imperatriz e, por toda a parte aonde ela ia, era recebida com júbilo. Sim! O amor de seus súditos fiéis é a mais alta felicidade de um soberano.
> Como a imperatriz devia se sentir feliz com estas manifestações, as quais lhe ofereciam compensação aos diversos sofrimentos que ela tinha que suportar na corte e os quais ela suportava com paciência e brandura.[301]

Mareschal, em seus despachos narrando as agruras que d. Leopoldina passava e como ela encarava a situação, foi taxativo quanto à forma como ela lidou com as circunstâncias: "Talvez um pouco de firmeza no início tivesse evitado muito mal."[302]

O diplomata tentou, claramente, se eximir de culpas, dizendo que havia aconselhado a imperatriz a ter mais cuidados com a saúde e pessoais. Não achava prudente, no clima brasileiro, ela andar de cavalo entre as oito e as nove horas da manhã nem os trajes masculinos que ela usava em ocasiões informais, como as próprias cavalgadas.[303] Ou seja, segundo a mentalidade da época, além de tudo o que d. Leopoldina tinha que passar com o marido, a culpa ainda era dela por não ter se portado de maneira a não dar a d. Pedro desculpas para procurar outra mulher fora de casa.

No final do relatório, Mareschal faz um alerta que, visto com o olhar atual, parece um vaticínio:

> Meus receios pela saúde dessa augusta princesa são compartilhados por boa parte das pessoas; embora, felizmente, ela seja forte e robusta; uma febre será provavelmente fatal e seu marido jurou, chorando-a com sinceridade, que não a substituirá pelo objeto de sua paixão.[304]

Em 7 de junho de 1826, no P.S. de uma carta a Maria Graham, d. Leopoldina escreveu: "Perdoe-me a má letra, mas depois de minha viagem por mar apanhei umas dores reumáticas nos dedos da mão direita, que me dificultam muito a escrita." Tirando essa passagem, as demais cartas conhecidas do período, endereçadas para amigos e familiares, não trazem nenhuma menção a doenças que justificassem a afirmação de Mareschal. Ao contrário, a imperatriz era sempre taxativa dizendo que todos iam bem de saúde, o que provavelmente, baseando-se no relato do diplomata, não seria verdade. Algum problema de saúde ela deve ter tido, a ponto de, como Mareschal relata, d. Pedro, chorando, ter jurado que não substituiria d. Leopoldina, se esta morresse, pela amante. Julius Mansfeldt, que a viu no segundo semestre de 1826, recordar-se-ia dela como uma doente:

> Como eu me espantei ao encontrar a augusta princesa na flor da idade tão pálida, quase se esvaecendo. Fui tomado por sentimentos e só tremendo consegui beijar a mão que ela me estendia. O olhar quase desfalecido que sua majestade lançou às cartas que lhe entreguei parecia infelizmente somente estar confirmando que suas forças físicas estavam se acabando as quais só graças à sua rara formação espiritual ela conseguia manter.[305]

O reconhecimento público da filha bastarda de d. Pedro atingiu moral e psiquicamente d. Leopoldina. O caso do reconhecimento escancarou a infidelidade do imperador, e o fato passou a ser comentado abertamente tanto dentro do Brasil como na Europa e no restante da América. D. Leopoldina ainda procurava se armar de uma olímpica paciência, para descontrole do embaixador austríaco:

> A 29 de junho festejou-se d. Pedro em casa do veador da Imperatriz [...]. D. Pedro, d. Leopoldina, as jovens princesas, lá passaram o dia em companhia da viscondessa de Santos, da Goiás, sua mãe, seu avô e todo o resto da família materna. A despeito da estranha mistura, o dia passou tão alegre e tão tranquilamente como se a poligamia estivesse legalmente estabelecida neste país.[306]

O imperador deixava-se cada vez mais ficar na casa da amante, tão perto do palácio. Tinha ali até um gabinete de onde podia despachar. O barão de Mareschal, em ofício particular para Metternich, comentou a situação escandalosa que era vivida à vista de todo o Rio de Janeiro.

> A ligação do Imperador com a amante é cada vez mais forte. Ele passeia frequentemente na cidade com a Goiás; foi publicamente com a mãe na alfândega e assistiu a 31 de julho, com a imperatriz e com a rainha de Portugal, A uma festa religiosa por motivo de uma promessa da Santos pelo restabelecimento da saúde da filha. S.S. M.M. foram acompanhados da guarda de honra, o que só acontece em grandes ocasiões.

Além disso, segundo o barão, a influência de Domitila chegava a ponto de "todas as graças, ofícios públicos e empregos que vagam" serem dados ou a amigos ou parentes da viscondessa, ou ainda "em virtude de recomendação sua". Mareschal, devido à proverbial sovinice de d. Pedro, conseguia justificar o tráfico de favores: "Como S. Majestade o Imperador não é muito generoso e é preciso que todo mundo viva, a casa de sua amante se transformou em verdadeira agência de negócios onde tudo tem o seu preço." No mesmo informe, o austríaco relatava o mais recente escândalo imperial: as férias de d. Pedro com a amante e a família desta.

> Sua Majestade partiu em 3 de agosto acompanhado da viscondessa e sua família para Santa Cruz, donde ainda não voltou; nem a S.M. a Imperatriz, nem camareiros, ministros ou secretários tiveram autorização para os acompanhar. Todos os negócios parados porque ninguém pode decidir as menores coisas sem ser por ordem sua. Tal ausência no momento mostra o quão longe vai o poder da amante.

O público está extremamente escandalizado e descontente, mas todos estão em silêncio, salvo alguns pasquins; os jornais estão em silêncio sobre este ponto tão delicado, mas eu acredito que essa reserva seja mais por medo de que um ataque pessoal seja seguido de uma vingança pessoal, do que por respeito ao governo.

Se d. Leopoldina dava mostras de ser uma "mártir de paciência", apesar de seu gênio nada submisso, aguentando tudo o que a atingisse pessoalmente, o mesmo não se poderia esperar no que tocasse aos filhos, então misturados à duquesa de Goiás. Segundo Mareschal, ela reagiria com "vivacidade" quanto a tudo o que se relacionasse às crianças.

> [...] Pequenos incidentes sempre foram provocados pelas crianças, visto o Imperador mostrar-se às vezes ríspido com as jovens princesas e com muita parcialidade para com a sua filha natural e S. M. a Imperatriz tem muita vivacidade em relação a tudo que se refere às crianças quanto ela tem de paciência para aquilo que lhe toca pessoalmente.[307]

Com seu reconhecimento, a pequenina duquesa de Goiás passou a frequentar o Paço e brincar com seus outros irmãos. O mal de d. Pedro, um dos vários, foi querer tomar partido da filha em relação às brincadeiras dos demais. Certa vez, por exemplo, d. Paula Mariana teria esbarrado sem querer na duquesinha e feito a irmã cair no chão. Por isso, apanhou do pai e ficou traumatizada. Sempre que Isabel Maria aparecia, a princesa agarrava-se às criadas.[308] Outro acidente ocorrido no Palácio de São Cristóvão foi narrado a Maria Graham, provavelmente por carta, uma vez que esta não se encontrava mais no Brasil, quando do reconhecimento da duquesa de Goiás. A viajante inglesa relatou que a duquesa havia sido a causa de um

> [...] grande agravo à Imperatriz e ocasionou uma explosão de mau humor de Dona Maria, agora Rainha de Portugal, que posso bem registrar aqui. Quando alguns anos depois esta meninazinha foi apresentada no palácio, o Imperador determinou que ela deveria jantar com Dona Maria. A princesa recusou a sentar-se à mesa com a que ela chamava de "a Bastarda". O Imperador insistiu e ameaçou dar em D. Maria uma bofetada, ao que se voltou ela orgulhosamente para ele e disse: "Uma bofetada! Com efeito! Nunca se ouviu dizer que uma Rainha, por direito próprio, fosse tratada com uma bofetada!".[309]

A informação não parece ser mera fofoca da inglesa, uma vez que Julius Mansfeldt menciona o mesmo drama familiar a respeito de d. Maria da Glória não querer ter qualquer contato e demonstrar falta de consideração para com a nova irmã: "O imperador tomou o assunto para si e provou à sua filha, muitas vezes com a mão levantada, que toda posição tinha seu valor e que ele não procurava o mérito no nascimento."[310]

O muro de indiferença pública que d. Leopoldina havia erguido começava a rachar. Segundo relata Melo Morais:

> A imperatriz continuou a receber a marquesa de Santos do mesmo modo, depois do reconhecimento da filha; e quando a duquesa lá ia, dava-lhe um beijo na face, chamando-a de minha filha; e quando a duquesa se retirava dizia a todos que a cercavam: "tudo posso sofrer e tenho sofrido, menos ver essa menina a par de meus filhos; e estremeço de raiva quando a vejo; é o maior dos sacrifícios recebê-la".[311]

Ninguém tinha mais dúvida alguma a respeito do que acontecia. O povo e até brasileiros fora do país discutiam abertamente a traição pública do soberano. Em Buenos Aires, Cipriano Barata e outros exilados políticos publicaram panfletos contra os atos imorais do imperador. Casas e muros cariocas amanheciam com caricaturas de d. Pedro, Domitila e d. Leopoldina. Numa delas, a imperatriz esfaqueava a amante, enquanto d. Pedro implorava para que ela perdoasse Titília. Em outra, o imperador era o cavalo e puxava a carruagem da amante, que controlava as rédeas.[312]

As inquietações das ruas também chegariam ao palácio. Em 24 de agosto de 1826, quando o futuro d. Pedro II foi reconhecido publicamente como herdeiro do trono, o intendente da polícia recomendou que não se fizesse uma apresentação de gala no teatro para comemorar a data. Dois dias depois, uma delegação da Assembleia chegou ao palácio com o ato de reconhecimento e foi apresentada ao bebê. Quem segurava o futuro imperador nos braços era ninguém menos que o pai de Domitila, João de Castro, agora no cargo de estribeiro-mor.[313]

Antecipando-se a algum movimento de revolta que se avizinhava, d. Pedro deu ordens para que as tropas fossem aquarteladas e as patrulhas e as guardas foram dobradas. O imperador visitou pessoalmente, na calada da noite, diversos quartéis, conforme relata o barão de Mareschal a Viena.[314] É provável que d. Pedro tenha recebido algum informe de que um golpe contra Domitila e sua família estava sendo preparado. Nesse momento, parece ter percebido quão longe havia ido e passou a dar mais atenção a sua esposa, tanto em público quanto em particular, e d. Leopoldina engravidou novamente.

Entretanto, a reaproximação foi efêmera. Em 8 de outubro, em carta para o major Schäffer, d. Leopoldina, provavelmente já sabendo da nova graça que a amante imperial alcançaria, comparou-a, como já vimos, a outras favoritas históricas, as marquesas de Pompadour e Maintenon.[315]

Em 12 de outubro de 1826, aniversário de d. Pedro, não apenas a amante teve o seu título elevado de viscondessa para marquesa de Santos, como seu pai foi feito visconde de Castro, o cunhado Boaventura Delfim Pereira recebeu o título de barão de Sorocaba e todos os irmãos de Domitila foram feitos gentis-homens da câmara de sua majestade, o imperador. Um deles recebeu a patente de coronel, e dois primos da nova marquesa foram nomeados guarda-roupas de Sua Majestade.

Se na primeira titulação de Domitila o texto da justificativa fazia menção aos serviços que a Castro prestara à imperatriz como dama camarista, na elevação de viscondessa para marquesa, d. Leopoldina era completamente esquecida. A justificação do título dizia respeito aos serviços prestados por Domitila referentes à criação da duquesa de Goiás. D. Pedro pretendia mostrar o apreço que ele tinha pela viscondessa desde que esta passara a ser a cuidadora oficial da pequena Isabel Maria: "E querendo fazer-lhe honra e mercê em atenção a tão distintos serviços, que sobremaneira tem penhorado Meu Coração, Hei por bem acrescentá-la em grandeza com o Título de Marquesa de Santos [...]."

A mesma ideia do barão de Mareschal a respeito da falta de uma posição mais dura de d. Leopoldina em relação às vontades do marido passou a ser compartilhada pelo encarregado dos negócios franceses no Rio de Janeiro, o conde de Gestas. Inicialmente, ele vira a reação de d. Leopoldina, ou melhor, a falta de reação dela diante do caso de Domitila com d. Pedro como uma "feliz indiferença". Entretanto, após 12 de outubro de 1826, passou a julgar "infeliz tão extrema bondade, que agravava a situação da esposa diante do marido por diminuição da própria dignidade".[316]

A atitude de d. Leopoldina perante todos os demais casos do imperador havia sido a mesma. Se desabafava em suas cartas a respeito dos desgostos com o marido, sem explicitá-los por completo, não o fazia publicamente. Desde que chegara ao Brasil, preferiu ignorar as amantes; todas, até então, passageiras, como julgou erroneamente que Domitila seria. D. Leopoldina, optando por seguir o plano habitual, que até então dera certo, fingiu fechar os olhos para a relação do esposo com a paulista.

Porém, com o tempo, isso se revelou imprudente, e a imperatriz viu-se numa situação alarmante. D. Pedro, acreditando que a esposa não se importava e lhe era indiferente, passou a se envolver cada vez mais com a paulista. Seus constantes agrados e demonstrações públicas acabaram por tornar Domitila sua amante oficial perante o mundo. A imperatriz, definitivamente, não estava preparada para ela, sua família e protegidos, que foram se amalgamando e se enredando ao redor do imperador e seu trono.

Ainda as dívidas de d. Leopoldina

Nem mesmo com o período de estabilização do Império as finanças de d. Leopoldina foram sanadas. Para todos que ela podia, pedia dinheiro, até mesmo para o marquês de Marialva na Europa. Entretanto era raro pedir diretamente. Costumava usar dois prepostos: o major Schäffer, na Europa, e seu secretário Flach, no Rio de Janeiro. Eles serviam como intermediários junto aos especuladores e até bancos. O major Schäffer, d. Leopoldina encarregou de levantar um empréstimo numa "casa segura" da Alemanha, como se refere em carta de 15 de março de 1825.[317] O major recebeu a incumbência de levantar 120 mil florins, equivalentes a 40 contos de réis. D. Leopoldina pretendia com esse valor acabar com suas dívidas. Entretanto, dois meses depois, em 16 de maio,[318] ela lhe solicitava mais 40 mil florins "para que me veja livre de toda esta gentinha, o que não será pequena felicidade".

Em julho de 1826, a imperatriz escreveu a seu secretário pedindo auxílio para esconder do marido mais um empréstimo:

> Caríssimo Flach! Por amor de Deus, tenha a bondade de me arranjar os três contos. Quanto ao homem pequeno, não recebi uma resposta má do Imperador; no entanto, ao que me parece, o meu esposo quer que ele lhe peça pessoalmente, mas diga-lhe que não mencione nunca o dinheiro. [...] Leopoldina. 22 de julho de 1826.[319]

A posição ocupada por d. Leopoldina não serviria de freio aos credores, estes, cada vez mais atrevidos. Não eram poucos os que a atormentavam cobrando as dívidas contraídas. Além da aflição com as cobranças, ela tinha verdadeiro pavor que

d. Pedro tomasse conhecimento desses valores, o que acabou acontecendo no segundo semestre de 1826. Julius Mansfeldt escreveu em suas memórias sobre o caso:

> Conta-se em geral no Rio de Janeiro que ela teria sido maltratada por seu marido quando seu encarregado de negócios, o qual cuidava das suas pequenas despesas, apresentou as contas para o imperador.
>
> A imperatriz se viu obrigada a escrever a seu encarregado de negócios que ela não poderia pagá-lo no momento e que, por causa da carta dele, ela já teria sofrido o suficiente.

A se considerar a devoção com que Flach, o "encarregado de negócios", servia a d. Leopoldina, é possível que Mansfeldt tenha ouvido errado a história que circulou no Rio de Janeiro. Mais provável é que algum credor zangado com a falta de pagamento da imperatriz tenha recorrido diretamente ao imperador.

Ainda segundo Mansfeldt, o imperador, descontrolado ao saber das dívidas da esposa, teria tratado-a de maneira cruel:

> Como a imperatriz deve ter se sentido infeliz de, mesmo não estando sozinha, ter que tolerar um tratamento tão duro por parte de seu marido dentro de seus aposentos, mas ainda, dizem, em plena rua, às vistas do povo indignado, também ter sido maltratada por ele. Fato que teria gerado grande descontentamento nas classes mais baixas.[320]

Mansfeldt foi o único a relatar que d. Pedro a teria maltratado em público, diante do povo. Salta aos olhos a palavra "dizem". O alemão não presenciou o fato, ouviu dizer. Tais afirmações merecem cuidado, mas demonstram categoricamente que as dívidas de d. Leopoldina e suas condições financeiras eram de domínio público.

Numa mensagem para o seu "caríssimo Flach", a imperatriz deixa clara a sua contabilidade:

> Caríssimo Flach! Agora mesmo foi decidido dar ao Imperador [uma dotação de] oitocentos contos de réis. Eu também queria falar [na comissão para as dotações do casal imperial], mas o meu esposo que infelizmente!! não se importa de maneira alguma com a gente [i.e. com ela, a imperatriz], não me deixou; pois com 60 contos de réis inclusive, como declaram os deputados e os senadores, pagando

> minha corte, que calculada escrupulosamente, custa sozinha 34 contos sem alimentação e roupa e sem outras despesas para mim, não posso viver decentemente e devo então conduzir uma vida cheia de preocupações o que, afinal, seria tempo de acabar. Veja, caríssimo Flach, se pode conseguir junto dos nossos amigos e irmãos que me deem oitenta a cem contos, caso contrário não pode ser. Por amor ao Brasil perdi o ordenado de uma rainha de Portugal que montava a mais de cem contos. Assegurando-lhe... Leopoldina.[321]

Esse bilhete, sem data, provavelmente é de meados de 1826, época em que a comissão criada para estudar o problema da dotação dos imperadores preparava o seu relatório. Essa comissão decidiria conceder a d. Pedro a fortuna de 800 contos de réis, enquanto que para d. Leopoldina seriam concedidos sessenta contos. Isso, segundo ela própria, não seria o suficiente para viver com dignidade, haja vista que as despesas imediatas com a sua corte consumiam anualmente 34 contos anuais, de modo que sobrariam 26 contos para ela passar o restante do ano, e daí seria tirada a sua alimentação e suas demais despesas pessoais. Mas nem isso ela receberia, pois a lei seria aprovada somente em 1827.

D. Pedro, embalado pela mentalidade da época, chegando a ponto de determinar quando e por onde a esposa devia fazer seus passeios, também limitava a quantidade de dinheiro que esta receberia, desonrando o tratado matrimonial. D. Leopoldina só contava com 1 conto e 600 mil réis por mês, para os chamados "alfinetes", que pelo contrato de casamento lhe permitia manter suas despesas particulares, como joias, esmolas etc. Como comparação, Domitila recebia, por mês, como dama camarista, 1 conto de réis,[322] e o secretário do imperador, Francisco Gomes, o oficial mais graduado de todas as secretarias de Estado, recebia 10% desse valor por mês: 100 mil réis.

Entretanto, os gastos da imperatriz eram muito superiores aos dos outros dois. Ela tinha que manter o seu status e cumprir com as suas obrigações, o que fez até o final da vida, mesmo que para isso se endividasse cada vez mais. Com o dinheiro que recebia, era impossível ela subvencionar seus asilos, dar esmola aos pobres e doentes, cumprir com as pensões que precisava pagar e, ainda, cuidar de seu guarda-roupa e da sua própria alimentação.

As dívidas da imperatriz eram bem conhecidas no exterior, como revela um documento até então inédito que foi localizado no Arquivo Nacional, no Rio de Janeiro. Em carta datada de 4 de abril de 1825, o ministro plenipotenciário do Brasil em Viena, Antônio Teles da Silva Caminha e Meneses, marquês de Resende, relatava para seu colega, o marquês de Barbacena, plenipotenciário brasileiro em

Londres, que havia conseguido de Conrado Meyer, capitão do navio *Argus*, cartas que a imperatriz d. Leopoldina havia enviado aos seus parentes em Viena. Elas eram endereçadas aos seus tios, os arquiduques Carlos e João, e tinha a finalidade de pedir que estes fizessem um empréstimo em seu nome na Áustria para quitar as dívidas dela no Brasil, sem o conhecimento do imperador. Na carta, Resende informava a Barbacena as providências que tomou para sustar a entrega das missivas e solicitou auxílio para evitar que a divulgação do episódio pudesse causar embaraços ao imperador e à imperatriz.[323]

De Londres, Barbacena aprovou a resolução tomada por Resende, mas queixava-se de ter sido posto a par de tal segredo, que o deixava em posição embaraçosa junto aos soberanos. Também lamentava não poder ajudar a imperatriz, lembrando a Resende as suas próprias dívidas.[324]

Os cortesãos pareciam mais interessados em evitar que se divulgasse na Europa as dívidas de d. Leopoldina do que em quitá-las. Mas o fato de não se falar publicamente delas não fazia com que Viena não tivesse conhecimento do estado financeiro lastimável em que a imperatriz se encontrava. Até mesmo junto ao barão de Mareschal ela tentara levantar empréstimos, e este passara a informação a Metternich.

Em 1826, o estado de abandono de d. Leopoldina era tamanho e o nível de suas dívidas tão alarmante que ela acabou desabafando com Flach:

> Caríssimo Flach! O senhor que ao menos tem as mais honestas intenções para comigo e que é o meu único amigo nesta feia América, imploro por tudo que é sagrado e caro, que me arranje 8 contos de réis, 4 para o senhor e 4 para mim. Infelizmente a minha situação está cada vez mais triste. O meu esposo se interessa somente pela maldita bruxa e à outra [à ela, a imperatriz] pode acontecer o que quiser. Veja junto a Samuel Philips [representante do banco Rothschild no Rio de Janeiro], ele diz que sempre está às minhas ordens, e junto ao meu novo veador Antonio Bussego, sobrinho de João Bussego. Acho que eles servirão. E ao senhor, um honesto alemão, posso confiar, e eles podem ajudar o senhor e a mim na miséria.[325]

Como se não bastasse o imperador ter dado à amante um palacete, joias, roupas, criados, carruagens e cavalos, e até mesmo capim para estes, para d. Leopoldina ele apresentava listas de contenção de despesas. Talvez numa atitude desastrada de impedir que a esposa engordasse mais, descontando na comida a sua ansiedade perante a situação deprimente em que vivia, d. Pedro determinou que fossem cortados os custos de sua cozinha. D. Leopoldina não se adaptava à comida portuguesa gordurosa e por isso tinha um cozinheiro próprio. Muitas vezes, chegava a encomendar almoços ou jantares num hotel dirigido por alemães localizado próximo ao Paço da Cidade. Nem mesmo os tradicionais doces de ovos portugueses, confessava em carta à irmã, a agradavam.

Como a morte da imperatriz ocorreu antes da aprovação pela Câmara de sua dotação, d. Romualdo Antônio de Seixas, na sessão de 28 de maio de 1827, propôs que o governo pagasse as dívidas da soberana.

> Mas poderá dizer-se que o nosso tesouro não se acha em estado e tomar sobre si o pagamento de semelhante quantia, de que a maior parte foi derramada, como todos sabemos, no seio dos pobres e desgraçados desta capital: conheço bem o aperto em que nos achamos, porém ai de nós, sr. presidente, se estamos tão miseráveis, que já não podemos satisfazer a este ato de equidade reclamando por tantos e tão poderosos motivos de conveniência e dignidade nacional! [326]

D. Romualdo ainda continuava dizendo que, se a imperatriz fosse viva, a Câmara seria obrigada a "fornecer essa, ou ainda maior soma, não por uma só vez, mas todos os anos, enquanto ela vivesse". Na ocasião o deputado Cunha Matos deu a sua palavra de honra de que sabia que o dinheiro tomado pelos empréstimos pela imperatriz era realmente para dar esmolas aos pobres.[327] Também atestaria a origem das dívidas frei Francisco de Paula de Santa Gertrudes Magna na oração fúnebre dirigida em 1827 a d. Leopoldina:

> [...] Quem pode contar todos os pobres que ela socorria ocultamente? Ah, se acaso eu pudesse aqui expor-vos a lista, que depois da sua morte se achou no seu próprio gabinete, que pasmo não seria então o vosso, vendo a enorme despesa, que fazia nos socorros mensais, com que amparava tantas pessoas pobres, infelizes de toda a idade, sexo e condição.[328]

Em suas memórias, d. Romualdo afirmou que a ideia de que o Brasil e não d. Pedro pagasse pelas dívidas de d. Leopoldina havia partido do próprio imperador. Este pediu ao deputado para que agisse junto à Assembleia com discursos em prol dessa ideia, o que acabou funcionando, poupando assim o bolso do monarca.[329]

O decreto de 11 de outubro de 1827 criou uma dotação de 80 contos de réis para o pagamento aos credores de d. Leopoldina, porém, nos anais da Câmara dos Deputados, existe menção a isso ainda em 1838.[330] Se, por um lado, o governo saldou as dívidas de sua soberana, pagando a seus credores e agiotas, nenhuma palavra quanto à manutenção de suas esmolas aos necessitados foi dada.

A morte do visconde de Castro e da paciência da imperatriz

As benesses descarregadas aos borbotões em 12 de outubro de 1826 sobre a família e os amigos da marquesa de Santos seriam comemoradas por pouco tempo. Alguns dias após ter recebido o título de visconde de Castro, o pai de Domitila sofreu um acidente vascular cerebral que o prostraria ao leito, de onde não mais se levantaria.

O imperador demonstrou publicamente seus sentimentos em relação à doença do pai da amante. Segundo rumores recolhidos pelo historiador Alberto Rangel, d. Pedro teria feito se acompanhar da imperatriz e de d. Maria da Glória, nova rainha de Portugal, numa visita ao visconde de Castro. Além disso, o imperador teria ido com a esposa à Igreja de Nossa Senhora da Glória do Outeiro pedir pela saúde do sogro por afinidade. Uma das damas da imperatriz, a marquesa de Itaguaí, teria tentado fazer d. Leopoldina desobedecer ao imperador e não o acompanhar à igreja. A imperatriz, em resposta à sugestão, teria dito: "Cada um ora por seu modo, ele pede a Deus pelo Castro, eu peço que lhe abra os olhos."

O maior medo de d. Leopoldina, e isso explicaria em parte a sua forma de encarar o relacionamento escandaloso do marido, era romper publicamente com a dignidade majestática do casal. Os Habsburgo, do alto de seus quase mil anos como dinastas, sabiam melhor do que qualquer outro membro de dinastia europeia quanto a construção da mítica do trono e dos imperantes era necessária para justificá-los e consolidá-los junto aos povos sobre os quais reinavam. Resumindo, o que qualquer publicitário sabe hoje: a imagem ilibada de um político ou de um produto, se alguma diferença existe entre ambos, torna mais fácil vendê-los. Os Habsburgo já sabiam há séculos esse fato e transformaram-no numa ciência, na qual a educação, a religiosidade, a filantropia e as cerimônias públicas ajudavam a alimentar o espetáculo da monarquia.

D. Leopoldina, como boa estrategista, temia a opinião pública. O ápice da popularidade do casal perante os brasileiros foi atingido durante a abertura da Assembleia Constituinte de 1823. Daí em diante, as atitudes de d. Pedro em fechar a Constituinte e impor a sua própria Constituição renderam-lhe a primeira mácula em sua imagem pública, que agora estava irremediavelmente comprometida com o caso escancarado com Domitila.

D. Leopoldina, pelo contrário, política hábil, protegida pelo seu sexo e só conseguindo por meio dos homens que a cercavam ser representada, ao influenciá-los, manteve-se intocada. Sua maneira natural de se portar em público em relação à amante e à duquesa de Goiás aumentara ainda mais sua popularidade. O pedido para que Deus abrisse os olhos do marido não era em relação a si própria, e sim ao trono e ao futuro da dinastia que fundara no Brasil.

Mas d. Pedro parecia estar enfeitiçado pela "bruxa". Servindo praticamente de enfermeiro do visconde de Castro, o imperador acabou ficando quase um mês à cabeceira do doente. Durante um longo período, não dormiu em casa. Depois de três dias e noites sem que ele aparecesse no Palácio de São Cristóvão, o governo ficara à deriva. D. Leopoldina, tão contida até aquele momento, finalmente explodiu em fúria toda a indignação. A imperatriz fartara-se da falta de respeito que o marido reservara a ela, e, principalmente, da falta de decoro para com a Coroa. Ela comportara-se dignamente, aguentando tudo o que recebera de desagravo do marido até aquele momento; havia sido necessário para preservar tudo o que haviam construído. A dedicação de d. Leopoldina e seus sacrifícios pela monarquia brasileira eram superiores a qualquer prazer em prol de sua felicidade pessoal. Os dinastas não podiam se dar ao luxo de serem simples particulares e agirem com paixão e emoção descontrolada. Porém, nesse momento, a imperatriz enxergava claramente que o marido agia do modo inverso. Além de d. Pedro colocar tudo a perder, ainda mostrava para a esposa que os sacrifícios dela haviam sido em vão.

O barão de Mareschal, num inquérito pessoal realizado para suprir de informações os seus superiores na Áustria a respeito dos acontecimentos ocorridos no final do segundo semestre de 1826, chegou a um cozinheiro francês, François Pascal Bouyer, que havia servido à imperatriz. Segundo Bouyer, exasperada com o prolongado distanciamento do imperador do palácio, d. Leopoldina teria desabafado com o cozinheiro. Teria dito a este que escrevera uma carta a d. Pedro em 21 de outubro em que afirmava:

> Senhor, faz um mês que o Senhor não dorme mais em casa; desejarei que o Senhor deixasse reconhecer uma das duas [dando-lhe a entender com isto: S.M. a Imperatriz, ela mesma, ou a amante, a marquesa de Santos], ou me dará licença de me retirar para junto de meu pai na Alemanha. Maria Leopoldina d'Áustria.

Ainda segundo Bouyer, o imperador não se dignara a responder à esposa e ainda teria dito que, se fosse o caso, preferia perder o Império, desde que conservasse a sua relação com a amante.[331]

Sem receber resposta do marido, em 22 de outubro, d. Leopoldina afirmaria para Maria Graham estar "há algum tempo numa melancolia realmente negra".[332] Nesse mesmo dia, a imperatriz procurou o barão de Mareschal e deu a entender as suas aflições, porém não lhe confiou os pormenores, ou assim ele disse a Viena, para não ser acusado de não ter ajudado d. Leopoldina.

Já antes do envio da carta para d. Pedro, o diplomata sueco no Rio de Janeiro, em despacho de 19 de agosto de 1826, informava que era voz corrente na capital a partida de d. Leopoldina para a Áustria.[333] Outro boato afirmava que ela teria dito que iria se retirar para o Convento da Ajuda enquanto esperaria as ordens de seu pai para retornar à Europa.[334]

Ainda segundo o cozinheiro, d. Pedro teria retornado para casa no dia 23 de outubro e ordenado que tirassem os cavalos da esposa e que esta diminuísse os gastos com a sua cozinha. Melo Morais afirma que as discussões daquela noite acabaram por se tornar de domínio público. Segundo ele, a "noite da grande questão" motivou "sérios comentários, até se dizendo que o imperador lhe atirara [a imperatriz] um pontapé no ventre, o que foi falso, não passando como em outras muitas ocasiões de insultuosas palavras de parte a parte".[335] A história do pontapé de d. Pedro na esposa grávida se tornaria uma das maiores lendas envolvendo o primeiro imperador brasileiro, reverberada até os dias atuais.

O barão de Mareschal, no seu relatório de 13 de dezembro de 1826, disse que a altercação entre o casal ocorrida em 23 de outubro fora motivada, além do abandono do lar pelo marido, pelas desordens financeiras da imperatriz. Teria sido nessa ocasião, conforme mencionado por Mansfeldt, que um dos credores de d. Leopoldina abordou d. Pedro.

O estopim de toda essa crise entre d. Leopoldina e d. Pedro, o visconde de Castro, faleceu aos 85 anos em 2 de novembro de 1826. O seu luxuoso funeral foi arcado pelo próprio imperador. A contabilidade é de impressionar: seiscentos convites para as exéquias, incluindo o corpo diplomático da corte, dez arrobas de cera de vela, seiscentas tochas, músicos para a cerimônia e mais cinquenta missas pagas para se rezar pela alma do velho coronel.

Três dias depois da morte do visconde, em 5 de novembro, cumprindo o seu último dever público no Rio de Janeiro naquele ano, d. Pedro compareceu, sem d. Leopoldina, à inauguração da Academia Imperial de Belas-Artes, em prédio próprio projetado pelo arquiteto Grandjean de Montigny. O ministro encarregado, visconde de São Leopoldo, assim se recordaria da data:

> Prestei toda atenção e solicitude ao desenvolvimento das belas artes, cuja academia abri solenemente no dia 5 de novembro de 1826, com assistência do imperador e da rainha de Portugal: a imperatriz, por incomodada, não pode assistir ao ato.[336]

Nessa ocasião, comemoravam-se igualmente os nove anos da chegada de d. Leopoldina ao Brasil. Segundo Mareschal, desde o início de novembro, o que ele temia anteriormente ocorrera: "No dia 3 deste mês [d. Leopoldina] fora atacada por um acesso de febre."[337]

Melo Morais, a respeito da doença de d. Leopoldina, anotou:

> A imperatriz D. Maria Leopoldina adoeceu nos primeiros dias de novembro de 1826, estando grávida de três meses, tendo por causa a grande questão que teve com o marido. Ela sofria dor em uma perna, e ataques de melancolia, que a faziam chorar como uma criança, e dizia que tinha uma saudade excessiva de sua família e de sua pátria, e da sua Bobó [na verdade Nanny, sua velha babá], que era a ama que a tinha criado, a qual veio com ela ao Rio de Janeiro, e nele esteve seis meses, voltando depois para Viena. Neste estado deixou de passear a cavalo, e só o fazia de carruagem com as filhas e voltava no mesmo estado de tristeza, dizendo sempre que morria. O dr. Peixoto, barão de Inhomirim, seu médico particular, a quem ela chamava "meu rico barão", deu-lhe um vomitório; e depois dele principiou a passar ainda mais incomodada.[338]

Se à primeira vista existem alguns elementos de fantasia no relato de Melo Morais, é certo afirmar que desde o início de novembro d. Leopoldina não se encontrava bem de saúde. No primeiro boletim médico a respeito de sua doença, o de nº 1, de 30 de novembro de 1826, o dr. Vicente Navarro de Andrade dizia: "Sua majestade a imperatriz tem padecido vários incômodos, que tiveram princípio com a entrada do mês de novembro, época em que fui convocado para ter a honra de assistir-lhe."[339]

Durante esse período, no dia 19, o médico notou que d. Leopoldina sofria com "dores de cadeiras, e alguma evacuação mucosa-sanguínea pela via-anterior [vaginal], o que fez desconfiar encaminhamento para mau sucesso [aborto]".[340] Ainda segundo Inhomirim, apesar de não haver sinal de contração do útero, a evacuação repetiu-se "moderadamente e com intervalo de até dois dias" até 30 de novembro.

No dia 20, d. Leopoldina escreveu ao pai:

> Apesar de ainda extraordinariamente fraca, pois durante 18 dias tive uma febre biliar e ainda que não posso dormir bem, nem comer coisa alguma; acho meu dever escrever ao senhor e tirar-lhe os receios e recomendar-me a sua oração paterna, pois a minha fraqueza extraordinária, as minhas permanentes dores assim como o estado de minha gravidez de três meses, fazem-no mais do que nunca necessário que rogue ao senhor que suplique ardorosamente ao Todo-poderoso.[341]

Nesse mesmo dia, segundo informe do barão de Mareschal a Viena,[342] d. Pedro recebeu os cumprimentos do corpo diplomático e da corte no Palácio de São Cristóvão por ocasião de sua partida para o Rio Grande do Sul. O imperador deixaria mais uma vez o governo nas mãos da imperatriz. Partia para o Sul devido às complicações com a Guerra da Cisplatina, a desorganização das tropas e da administração local. Levava consigo as tropas mercenárias do 27º Batalhão de Infantaria Ligeira, oficiais e soldados baianos e pernambucanos, totalizando um reforço de mais de oitocentos homens. Também seguia uma frota de novos navios de guerra, entre eles a corveta *Duquesa de Goiás*.

No ato de gala que antecederia o embarque do imperador, estaria presente a marquesa de Santos, em seu posto de dama camarista da imperatriz. Segundo sugere Carlos Oberacker, biógrafo de d. Leopoldina, o imperador pretendia na ocasião, usando como pretexto o beija-mão, mostrar d. Leopoldina e Domitila juntas perante a corte e os diplomatas estrangeiros. Com isso, procurava "desmentir pelo aparecimento em conjunto de d. Leopoldina e da amante todos os perigosos boatos sobre a discórdia entre ele e a esposa".[343]

Entretanto, a imperatriz, doente, teria desta vez se recusado terminantemente a atender ao desejo do marido. Segundo o diplomata francês marquês de Gabriac, o imperador teria na ocasião "perdido a cabeça". Após a tentativa do marido em forçar fisicamente d. Leopoldina a entrar no salão com a marquesa, Gabriac teria notado que a imperatriz trazia contusões.[344] Diversas outras pessoas, nenhuma testemunha ocular e todos eles estrangeiros que não frequentavam o Paço, afirmam que algo definitivamente teria ocorrido. Alguns falaram sobre o pontapé, e esse rumor tomaria maior vulto quando da abdicação do monarca, em 7 de abril de 1831. Segundo informe do barão de Daiser, que viria a substituir o barão de Mareschal, a abdicação de d. Pedro seria, segundo o que se ouvia das ruas, um castigo divino:

> Sabe o que dizem na cidade, a respeito do ex-imperador? Eis o castigo dos maus tratos que fez sofrer à imperatriz defunta; era uma santa aquela princesa; se vivesse ainda, tudo isto não teria sucedido, ou teríamos pelo menos uma regente a quem obedeceríamos com gosto. São os pontapés que ele deu antes de partir, em 1826, que apressaram a morte desta soberana e que o enxotam agora para fora da barra; é a vingança celeste. É assim que se fala em todas as classes da população.[345]

Mareschal, em seus informes a Viena, nada relatou sobre o ocorrido, continuou impassível e sem ventilar qualquer boato. Muito ao contrário, ele afirmaria que teve a honra de ser "testemunha da maneira com que o imperador, que parecia fortemente comovido, lhe testemunhava [à d. Leopoldina] o seu pesar em a abandonar neste estado". Ainda, contrariando todos os demais rumores, Melo Morais narra a seguinte despedida final entre d. Leopoldina e d. Pedro:

> Na véspera da viagem do imperador para o Rio Grande do Sul ela [d. Leopoldina] lhe fez presente de um anel com dois pequenos brilhantes, cujo anel abrindo-se tinha dois corações com o nome de ambos: ela mostrando-lhe disse chorando: eu morro: você quando vier do Rio Grande já não me há de achar. Aqueles que na vida foram desligados sejam unidos depois da morte. Ele a abraçou, chorando ambos muito; e ela lhe disse: que tudo lhe perdoara, e nenhum rancor lhe tinha.[346]

Parece haver algo de real nessa cena, uma vez que a tia de d. Leopoldina, a futura rainha da França, Maria Amélia, em carta para Maria Luísa, datada de 7 de março de 1827, menciona que a imperatriz brasileira teria dito ao imperador, durante a despedida: "Adeus para sempre, pois não o verei mais [...]."[347]

Devido ao estado de saúde de d. Leopoldina – que o barão de Mareschal afirmava estar um pouco melhor, mas agitada e triste, chorando e dizendo sentir saudades de seus parentes na Europa –, d. Pedro deu uma contraordem ao embarque das tropas para o Sul. Em vez de subir ao navio no dia 21, esperou que o estado da esposa melhorasse e embarcou no dia 23 à noite, partindo no dia 24 para o Rio Grande do Sul. Perante os desvelos de d. Pedro com o pai moribundo da amante, não é difícil imaginar que, se no lugar da esposa doente estivesse a marquesa de Santos, a viagem não seria apenas adiada, mas provavelmente cancelada.

Segundo um relatório geral escrito em 5 de dezembro de 1826 pelo barão de Inhomirim para o mordomo-mor, o marquês de São João da Palma, quando d. Pedro se ausentou do palácio:

> [...] Consistia o padecimento de S.M. a Imperatriz na inchação erisipelosa de toda a coxa, perna e pé, e nos incômodos, que são inseparáveis desta moléstia; o tratamento que se empregou foi tão eficaz que S.M. saía da sua Câmara para a Sala Chinesa, e já se ocupava do dia em que pela primeira vez devia de alegrar o público aparecendo no palácio.[348]

O dia da melhora de d. Leopoldina mencionado por Inhomirim foi 29 de novembro, data que comemorava dez anos da assinatura de seu contrato nupcial em Viena. Nesse dia, a imperatriz estava disposta o suficiente para, como regente no lugar do imperador, receber os ministros em conselho. Entretanto, na mesma tarde, ela teria uma recaída.

Ainda sem nada suspeitar do que ocorria no palácio, d. Pedro escreveria para a imperatriz quando de sua chegada a Santa Catarina no mesmo 29 de novembro, contando-lhe pormenores de sua viagem. Terminava a carta afirmando:

> Agora só me resta patentear-lhe por este modo as acerbas saudades que tinha da Imperatriz que pode contar que é amada do fundo do coração. Deste seu esposo amante e saudoso, O Imperador. P.S. – Abraços, e beijos em todos os nossos queridos filhos, e conte que quanto mais depressa eu puder aí estarei.[349]

A preocupação com a esposa não tirava do imperador o desejo pela amante, que recebeu carta datada do mesmo local, dia e hora, com as mesmas palavras a respeito da viagem, mas com um final muito mais extenso, em que d. Pedro jurava: "[...] Sou teu, e do mesmo modo quer esteja no céu, no inferno, ou não sei onde tu existes e existirás sempre na minha lembrança e não se passa um momento em meu coração me não doa de saudades tuas [...]."[350]

Devido à recaída de d. Leopoldina e seus sintomas, os médicos temeram uma convulsão e então resolveram pela

> [...] aplicação de sanguessugas, sinapismos e outros; a febre, pois, bem que diminuísse no dia 30 de manhã, continuou todavia com o mesmo caráter, tipo renitente, mas irregularmente, e apareceu nesta manhã, o que já por vezes havia acontecido, excreção vaginal mas não continuada, e a febre do mesmo modo.[351]

O barão de Inhomirim então decidiu reunir os médicos da Imperial Câmara em colegiado para decidirem o melhor tratamento a ser seguido. O barão de Mareschal, com a piora da imperatriz, passou a ir todos os dias ao Paço. Num de seus informes ao governo austríaco, ele afirmou que a marquesa de Santos haveria dado provas de "imprudência e tolices" e foi aconselhada a fingir uma indisposição e não aparecer mais no palácio para cumprir suas funções enquanto d. Leopoldina não melhorasse. Mas o conselho não surtiu efeito, e, em novo relatório, Mareschal afirmava:

> Restringi-me estritamente a estar presente, nada aconselhei e nada exigi e observei com olho frio os ares imperiosos da amante, que atravessou os apartamentos como se viesse para tomar posse, e o tom arrogante e escandaloso com que se queixava de que a camareira-mor que, segundo o costume, presidia à consulta dos médicos, não abandonava tudo para recebê-la.

Uma tentativa de Domitila entrar no quarto de d. Leopoldina teria sido proibida, segundo alguns pelo marquês de Paranaguá, segundo outros pela camareira-mor, a marquesa de Aguiar, e segundo diversos mais pelos grandes do Império ou da câmara de suas predileções. De qualquer forma, não importa quem narre ou quem a teria barrado na entrada, chamando-a à ordem, Domitila não teria mais colocado os pés no Paço de São Cristóvão desde 30 de novembro, segundo Mareschal.

Nesse dia, d. Leopoldina teve uma piora. De acordo com o relatório de Inhomirim, a imperatriz "ofereceu novidades mui graves, a saber, sono inquieto e pouco, fastio, tosse, língua mucosa, excitamento cerebral e espasmos, incêndio nas faces e esmorecimento de espírito com ansiedade e frequência de pulso, e este mole".[352] Mareschal, preocupado com o estado de d. Leopoldina, acabou ficando no palácio, de onde só sairia no dia 2 após a meia-noite. Segundo o boletim médico desse dia:

> [...] Pela volta de uma hora manifestaram-se os sinais de contração de útero, e começou o trabalho de um parto prematuro, rompendo-o as águas com pouca demora e realizando-se pelas duas horas, o aparecimento de um feto do sexo masculino, que mostrava ter de dois e meio a três meses; pareceu pela inspeção que a cessação de sua vida era mui recente, preparada talvez por efeito do crescimento febril e desordem extraordinária do sistema nervoso havidos no dia 30 de novembro [...] Uma hora após o parto prematuro saíram as secundinas [placenta].[353]

Nesse ponto, fica claro que o abortamento de d. Leopoldina foi algo motivado pela sua doença. Segundo estudo realizado em 1973 pelo dr. Odorino Breda Filho,[354] com base nos boletins médicos de d. Leopoldina, no período da gestação em que a imperatriz se encontrava, o feto dentro do útero está bem protegido pelo anel ósseo formado pela sínfise púbica, pelo ilíaco e pelo sacro. Um pontapé, por mais forte que d. Pedro fosse, não destruiria esses ossos nem atingiria o útero, provocando o aborto. Mesmo que fosse o caso, o óbito e a expulsão do feto ocorreriam em questão de horas e não dias. Lembrando que o aborto ocorreu nove dias após a partida de d. Pedro para o Sul.

Após o aborto, no dia 3 de dezembro, o barão de Mareschal juntamente com o mordomo-mor e a camareira-mor, não abandonou mais o Paço e ali permaneceu durante a doença de d. Leopoldina. Esta, depois do abortamento, entrou em delírio quase contínuo. Como nenhum dos tratamentos levava a alguma estabilização da paciente, o barão de Mareschal, em entrevista com o barão de Inhomirim em 7 de dezembro, quis saber qual era realmente a doença que a atacava. O dr. Vicente Navarro de Andrade estava indeciso quanto ao diagnóstico, mas assegurou ao barão que a febre biliosa inicial dera lugar a uma febre nervosa: "Há uma afecção moral que produz os espasmos e indica o verdadeiro núcleo da doença; os médicos dizem que de lá vem o maior perigo, porque é um mal para o qual eles não tem remédios."[355]

Entre os diversos despachos enviados pelo ministro-chefe, o marquês de Paranaguá, a d. Pedro no sul, o final dizia:

> Julgamos do nosso dever e fidelidade comunicar a V.M.I. que S.M. a Imperatriz durante a Sua cruel Enfermidade sofreu alternadamente violentas convulsões e ataques nervosos com perturbação de cérebro; e em seus delírios pronunciando palavras que indicavam os motivos de Sua inquietação, deixava perceber que algumas causas morais ocupavam sua imaginação e que objetos de desgosto e de ressentimento se tinham apoderado grandemente do seu espírito [...].[356]

A medicina na época parecia considerar tudo o que desconhecia como "doenças do espírito". O fato de d. Leopoldina ter piorado em vez de melhorar após o aborto confundiu os médicos, e estes foram obrigados a revisar suas opiniões. Se antes achavam que a gravidez era o problema, depois do aborto e do exame do feto, a junta médica concluiu que a expulsão da criança era uma consequência da doença e não a sua causa, como afirmou o dr. Breda Filho:

> [...] A evolução do abortamento se fez em quatorze dias [de 19 de novembro a 2 de dezembro], prazo descabido para causa traumática direta [pancadas, pontapés, etc.], de qualquer intensidade. [...]. Em conclusão, o aborto da Imperatriz Leopol-

dina não decorreu de trauma. Foi secundário à gravíssima infecção, contraída há um mês antes [...].[357]

Durante o período em que ficou acamada, d. Leopoldina, alternando entre um estado comatoso e delírios, segundo relatos, teria, pela primeira vez publicamente, dito tudo o que pensava de Domitila e da duquesinha de Goiás misturada junto aos seus filhos. O primeiro-ministro daria a entender a d. Pedro no seu despacho que esse desabafo da imperatriz teria sido uma das causas, ou o "mal moral", que a fizera definhar.

Se por um lado a "negra melancolia" em que ela se encontrava, que talvez pudesse ser o que hoje conhecemos como um quadro de depressão profunda, deve ser um dos fatores levados em conta no seu estado, por outro, a medicina da época não ajudava. O tratamento sofrido por d. Leopoldina foi drástico: "epispáticos, fricções, banhos, fomentações, sanguessugas, nauseantes, antiespasmódicos, e diversos outros medicamentos que a ocasião exigia",[358] vomitórios, laxativos, aplicação de compressas na cabeça; uso das sanguessugas em diversos locais do corpo, incluindo no ânus, e diversos exames de toque vaginais – quando ainda os médicos desconheciam que lavar as mãos era essencial para evitar infecções. Enfim, se d. Leopoldina não foi morta pelo chute que d. Pedro não deu, pela doença ou por complicações com a gravidez, provavelmente o foi pelo "desvelo" dos médicos. Não que tenha sido mal tratada por eles, pelo contrário, fizeram o que sabiam para a época, talvez mais efusivamente ainda por terem tamanha responsabilidade nas mãos.

Comoção popular

No dia 4 de dezembro, d. Leopoldina, segundo o boletim nº 3, "confessou-se sem abalo, e tomou o santíssimo sacramento pelas oito horas". No dia seguinte, o *Diário Fluminense* comunicava que no Imperial Teatro São Pedro de Alcântara, "enquanto durar o muito sentido incômodo de Sua Majestade, a Imperatriz, e continuarem as preces pela sua preciosa saúde, não haverá espetáculos".

A primeira notícia ao povo do Rio de Janeiro a respeito do estado de d. Leopoldina foi dada em 29 de novembro. Nessa data, o mesmo jornal publicou o comunicado assinado pelo porteiro da Imperial Câmara, João Valentim de Souza Lobato: "Em consequência de continuar o incômodo de Sua Majestade a Imperatriz, não há beija-mão nos dias 1 e 2 do próximo mês de dezembro." A primeira data era a do aniversário de quatro anos da coroação de d. Pedro I, e a segunda, o aniversário de um ano do herdeiro do trono. No dia 4, no mesmo jornal, nova nota:

> Sábado, 2 do corrente, dia de grande Gala por ser o Faustíssimo Natalício de S.A.I. o Príncipe Real, estiveram embandeiradas as embarcações de guerra, e Fortalezas, que deram as devidas salvas, não tendo lugar a felicitação a S.M. a Imperatriz pela infeliz continuação dos padecimentos da mesma Augusta Senhora, de que o público foi informado pelo Boletim que se distribuiu com o número precedente.[359]

No dia 3 de dezembro, após o aborto, os boletins médicos passaram a ser distribuídos e impressos no jornal. O Rio de Janeiro começou a acompanhar a gravidade da doença de d. Leopoldina. O embaixador da Prússia, Theremim, oficiava a respeito das demonstrações públicas a Berlim:

> A consternação no meio do povo era indescritível; nunca [...] foi visto igual sentimento uníssono. O povo se encontrava literalmente nos joelhos rogando ao Todo Poderoso pela conservação da imperatriz, as igrejas não se esvaziavam e nas capelas domésticas todos se encontravam de joelhos, os homens formavam procissões, não das habituais que quase costuma provocar risos, mas sim das de verdadeira devoção. Em uma palavra, tal inesperada afeição, manifestada sem dissimulação, deve ter sido para a alta enferma uma verdadeira satisfação.
>
> Fui todas as manhãs a São Cristóvão, para onde se apressavam a ir todas as classes de gente.[360]

No dia 7 de dezembro, o *Diário Fluminense* noticiava que o povo do Rio de Janeiro continuava, em sua ansiedade, a procurar a todos os momentos saber do "estado aflitivo" de d. Leopoldina

> já pelos boletins, já pessoalmente dirigindo-se à Imperial Quinta, onde se mistura grandes e pequenos, nacionais e estrangeiros, ricos e pobres, com as lágrimas nos olhos, o rosto abatido e o coração repassado de amargura e inquietação, fazem tremendo esta pergunta – Como está a Imperatriz?[361]

Na tarde do dia 6, conforme noticiava o mesmo jornal, e confirmaria futuramente o sermão de frei Sampaio, diversas procissões acompanhando "as Sagradas Imagens das respectivas igrejas" tinham como destino a Capela Imperial. A irmandade da Imperial Casa da Santa Misericórdia levou o seu painel e crucifixo, a Ordem Terceira de São Francisco concorreu com a imagem do seu patriarca, as irmandades do SS. Sacramento e de Nossa Senhora das Dores, da Freguesia da Candelária, com a imagem de Nossa Senhora. Também concorreram com procissões e com seus santos e crucifixos as Ordens Terceiras de N.S. do Carmo, São Francisco de Paula, Conceição e Boa Morte. Segundo frei Sampaio:

> Nunca se observou na estrada de S. Cristóvão maior concurso de povo; atropelavam-se as carruagens; todos corriam em lágrimas, entretanto que no centro da cidade giravam as procissões de preces, com suas imagens, e com o acompanhamento de todo o clero, assim regular ou secular. O povo não pode ver sem público sinais de piedade a imagem de Nossa Senhora da Glória, que nunca saiu de seu templo, e que pela primeira vez, debaixo de muita chuva, ia como visitar a princesa, que aparecia todos os sábados aos pés dos seus altares [...] Não houve, em uma palavra, irmandade alguma, que não levasse à Capela Imperial os Santos da maior devoção.[362]

Em algum momento de consciência durante o seu padecimento, d. Leopoldina pediu para se despedir de seus criados. Segundo relatou o reverendo Walsh:

> [...] Depois de ter recebido humildemente os últimos ritos de sua igreja, ela chamou todos os criados de sua casa em redor de si, e enquanto eles derramavam lágrimas de verdadeira simpatia e compaixão ao lado de sua cama, perguntou a cada um se o tinha ofendido ou lhe feito mal por palavras ou atos, pois não poderia deixar o mundo com a impressão em sua memória de que alguém se lembrasse de alguma coisa para a qual podia prestar reparação.[363]

Morte

Também nesse momento d. Leopoldina se despediu dos filhos que deixava. Nas primeiras horas de 11 de dezembro, o capelão-mor começou a recitar as preces da agonia. No final da manhã, os boletins n$^{\underline{os}}$ 16 e 17 foram publicados. Impressos juntos, unidos por moldura tarjada de luto e com um dos símbolos da morte – uma ampulheta com asas –, noticiavam:

16º Boletim sobre o estado de Sua Majestade a Imperatriz

11 de dezembro pelas 10 horas da manhã.
Sua Majestade a Imperatriz tem passado pior, as suas forças vão desaparecendo, e tudo quanto faz parte de sua enfermidade tem piorado.
Tem-se posto tudo quanto se podia aplicar interna e externamente, e não há recurso que não se tenha tentado, por deliberação das Conferências feitas de manhãs e de tarde. Sua Majestade ainda vive, e as diligências continuaram, mas o seu estado é para desanimar. Barão de Inhomirim.

17º e último boletim

11 de dezembro pelas 10 horas e um quarto.
Pela maior das desgraças se faz público que a enfermidade de Sua Majestade a Imperatriz resistiu a todas as diligências médicas empregadas com todo o cuidado por todos os Médicos da Imperial Câmara. Foi Deus servido chamá-la a si pelas dez horas e um quarto. Barão de Inhomirim.

O barão de Mareschal, testemunha ocular do que se passara no palácio, relataria a Viena o que ocorreu na manhã de 11 de dezembro:

> Sua Majestade continuava a estar num estado convulsivo, o desânimo aumentando a cada momento e não lhe permitindo mais do que tons de fracos gemidos; a respiração extremamente curta, o pulso muito fraco depois de 24 horas; enfim às 10 horas da manhã a morte terminou os seus sofrimentos, sem esforço, sem estertor, suas feições de modo algum eram alteradas, e ela parecia ter adormecido pacificamente e na posição mais natural.

Coincidentemente, a morte de d. Leopoldina ocorreu precisos dez anos após ela ter escrito para a sua tia Maria Amélia a respeito da viagem que faria ao Brasil: "A viagem não me assusta. Creio que se trata de predestinação, já que senti sempre uma inclinação singular pela América e, até mesmo, quando era criança eu dizia frequentemente que gostaria de ir até lá."[364]

Após o último suspiro de d. Leopoldina, os ministros e os funcionários da corte expediram ordens quanto ao seu funeral. Todas as fortalezas e navios de guerra içaram suas bandeiras a meio mastro, os canhões de terra e mar disparavam a cada dez minutos e os tribunais foram fechados por oito dias. Mesmo antes de ser declarado o luto oficial, a população do Rio de Janeiro já dava sinais externos do maior pesar pela perda de d. Leopoldina.

Às seis horas da tarde do dia 11, segundo o *Diário Fluminense*, "os cirurgiões da Imperial Câmara, o Conselheiro Cirurgião Mor do Império e Jeronimo Alvarez de Moura ligaram o corpo de S.M.I. e o prepararam com aromas, continuando a vigília as Suas Excelentíssimas Damas".[365] O corpo, que não foi embalsamado, mas apenas recebeu o tratamento necessário para as cerimônias que se seguiriam, segundo o pintor Jean-Baptiste Debret, passou a noite toda mergulhado em "espírito de vinho e cal", para o enrijecimento dos tecidos.

Depois, o corpo da primeira imperatriz brasileira foi vestido de grande gala. Assim o vi, 185 anos depois, em 27 de fevereiro de 2012, durante a sua exumação na Cripta Imperial, no Monumento à Independência em São Paulo. Ela foi sepultada com o toucado de plumas, a faixa peitoral, o vestido e o manto, como havia sido diversas vezes retratada por Debret. As joias ficariam de herança para os filhos; algumas delas, como o medalhão da apresentação de d. Pedro a ela, passariam para a segunda esposa do imperador, d. Amélia de Leuchtenberg.

No dia 12, d. Leopoldina foi colocada em seu leito, sobre uma riquíssima colcha da China, cor de pérola. O corpo descansava levemente erguido sobre duas grandes almofadas de seda, uma verde e a outra amarela, as cores nacionais brasileiras até hoje. Suas damas e seus veadores revezavam-se na câmara ardente de duas em duas horas. É notável o fato de que nenhum dos membros da família da marquesa de Santos, os Castro, Toledo Ribas etc., participaram de nenhuma parte de toda a cerimônia fúnebre. Foram vetados pelo mordomo-mor, marquês de São João da Palma.

O quarto estava todo forrado em seda branca e verde, as portadas, guarnecidas de veludo verde com galões de ouro. Ao meio-dia, teve início o beija-mão à falecida. O primeiro a fazê-lo foi o risonho bebê louro de um ano, príncipe imperial d. Pedro de Alcântara, futuro d. Pedro II, conduzido por seu camarista, João José de Andrade Pinto. Seguindo a ele, conduzida por seu camareiro José Alves Pereira Ribeiro Cirne, veio a rainha de Portugal, d. Maria II; mais atrás, as princesas d. Januária, d. Paula Mariana e d. Francisca. As reações delas foram divulgadas pelo *Diário Fluminense*:

> Se não temêssemos tocar tão penetrante ferida, mencionamos agora a dor que mostrava a Senhora Rainha, sufocada pelo seu veementíssimo sofrimento e logo rompendo em soluços significativos de sua consternação, precedendo a ternura de Sua Alma inocente e a ideia de sua perda irremediável à sisuda reflexão da idade. Esta não abafava também as demonstrações de Suas Augustas Irmãs, que pareciam ainda duvidar da Sua desgraça [...].[366]

Após as crianças, todos os demais que se encontravam no palácio beijaram a mão da imperatriz. Segundo o jornal *Spectador Brasileiro*: "O Beija-Mão público fixado para o dia seguinte não teve lugar por causa da rápida decomposição dos restos mortais da Augusta Defunta."[367] O corpo então foi, no dia 13, "metido em um caixão de cedro, forrado de lhama branca e por fora de veludo preto com galão de ouro, e tampa do mesmo [...]". Esse caixão foi posto "dentro de outro de chumbo, e ambos em um terceiro forrado de seda branca".[368]

O ataúde fechado foi posto na sala do trono sobre um estrado para ser velado. Ao redor dele, estavam 22 tocheiros de prata. O caixão foi recoberto por um rico pano de veludo preto bordado e agaloado de ouro, com uma cruz de damasco branco e guarnecido de galões e franjas de ouro fino. Aos pés do ataúde, foram colocadas sobre almofadas a coroa e o cetro imperial.

No dia 14, às dez da manhã, o bispo capelão-mor, paramentado e acompanhado do seu cabido, realizou no altar erguido na sala do trono, diante do esquife da imperatriz, o ofício de defuntos, acompanhados pelos músicos da Imperial Câmara e Capela. Praticamente toda a corte e o corpo diplomático enlutado estiveram presentes à cerimônia.

Das três horas da tarde até as sete da noite, dirigiram-se ao Palácio de São Cristóvão as sete freguesias da cidade, as três ordens religiosas e os colegiados da Misericórdia e S. Pedro para encomendarem o corpo de sua soberana.

Às oito, o caixão foi retirado da sala e depositado no coche que deveria levá-lo até o Convento da Ajuda. O carro fúnebre da imperatriz era conduzido por oito cavalos e ia coberto de cima a baixo por longos tecidos de veludo preto que quase arrastavam no chão. Todas as damas de d. Leopoldina, com exceção da marquesa de Santos, acompanharam o seu féretro. D. Maria II, junto ao seu veador, o barão de Macaé, seguiu o caixão até o último degrau da escadaria do palácio, onde, em lágrimas, pela última vez se despediu da mãe.

Aos membros do Senado da Câmara a cavalo, todos vestindo luto pesado, seguiam centenas de carruagens levando os altos oficiais da Casa Imperial, os diplomatas estrangeiros e as autoridades eclesiásticas. Iam todos adiante do coche fúnebre. Atrás da carruagem levando o corpo de d. Leopoldina vinha a guarda alemã, comandada pelo marquês de Aracati.

No portão da Quinta da Boa Vista encontrava-se formada a 1ª Brigada de Infantaria, com um parque de artilharia montado. Quando da saída do corpo de d. Leopoldina, a artilharia deu três salvas de 21 tiros, alternadas com três descargas da infantaria. A segunda e a terceira brigadas formavam alas da Quinta de São Cristóvão até o Passeio Público, e a quarta estava postada diante do Convento da

Ajuda. Os batalhões dos granadeiros alemães também estavam presentes, com as bandeiras e os tambores cobertos de crepe negro. Diante de todo o cortejo, seguia o Estado-Maior do Exército e, fechando, um piquete de cavalaria.

A procissão seguiu do Paço, por São Cristóvão, Mataporcos, Catumbi, rua do Conde, rua do Lavradio, rua de Mata-Cavalos, rua das Mangueiras e Passeio Público, até a igreja do Convento da Ajuda, aonde o cortejo chegou por volta das onze horas da noite. Lá, novas cerimônias foram realizadas, sendo tudo encerrado às duas da manhã do dia 15 com cargas de infantaria e artilharia próximas ao convento sendo respondidas pelos fortes e pelas embarcações.

A princesa que havia cruzado o Atlântico como moeda de troca para tratados que beneficiassem o seu antigo país não veria nenhum ser realizado. Somente em 16 de junho de 1827 seria assinado em Viena um Tratado de Comércio e Navegação entre Brasil e Áustria.

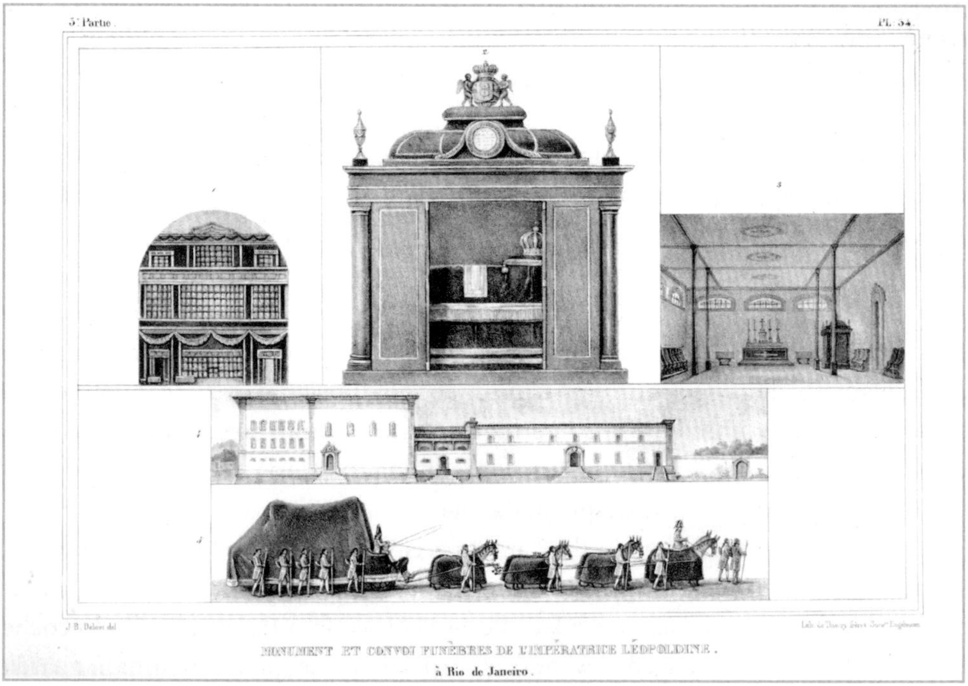

Gravura de Jean-Baptiste Debret retratando detalhes a respeito dos funerais de d. Leopoldina. No alto, ao centro, o armário mortuário onde ficou o caixão com os restos mortais da imperatriz até a demolição do Convento da Ajuda. Nas imagens laterais, detalhes do espaço fúnebre. Abaixo, o referido convento e o comboio que levou o corpo de d. Leopoldina da Quinta da Boa Vista até o local de seu sepultamento.

Reações

Nenhum brasileiro então duvidava de ter perdido uma valorosa aliada. Em maio de 1827, em discurso na Câmara, o deputado d. Romualdo, arcebispo da Bahia, lembrou o que d. Leopoldina representava para os brasileiros:

> Qual é o brasileiro que não sabe quanto ela se identificou com os nossos interesses e com a causa da pátria, quanto o atrativo das suas egrégias virtudes contribui para chamar a reunir os membros da grande família brasileira em roda do trono constitucional, como centro da unidade política, quanto finalmente as suas relações de sangue com os maiores soberanos da Europa concorrerão para vencer à face de todas as nações a justiça de nossa causa, e dos nossos esforços à prol da independência e liberdade? E quando não houvessem tão superabundantes e justificados motivos para penhorar a gratidão e lealdade brasileira, não foi ela o majestoso trono, e a imortal fundadora dessa dinastia, a quem temos jurado fidelidade: a mãe do tenro príncipe, que faz as nossas esperanças, e dessas mimosas princesas, que nos encantam pela sua inocência, e pelas suas graças?[369]

Se os textos publicados nos jornais e os discursos dos políticos podem ser vistos hoje como parciais e acusados de atribuírem qualidades que a imperatriz não possuía, supervalorizando a consternação do povo etc., o mesmo não se pode dizer dos relatos dos diplomatas estrangeiros. Estes só deviam obediência aos governos europeus a quem serviam. Petr Kielchen, vice-cônsul da Rússia no Rio de Janeiro, em seu relatório de 18 de janeiro de 1827 ao chanceler príncipe de Lieven, assim se referia ao ocorrido:

> A mocidade da imperatriz, sua reconhecida bondade, sua infatigável caridade e os desgostos domésticos em que era plausível presumir fosse ela a vítima, excitaram a mais viva dor em todo o povo desta capital.
>
> O sensível interesse tomado pela sua morte manifestava-se pela afluência da população, até mesmo estrangeiros, às antecâmaras do paço, onde esperavam a toda hora notícias de tão preciosa saúde. Inúmeras procissões de todas as irmandades, sem licença dos ministros e mesmo provavelmente contra o seu voto, enchiam as ruas e o religioso respeito com que elas eram acolhidas anunciavam iniludivelmente o doloroso sentimento de que cada qual se achava possuído.

A imperatriz faleceu: nada igualava a profunda consternação da capital a não ser o seu profundo silêncio [...].[370]

Carl Wilhelm von Theremin, cônsul da Prússia, em 4 de janeiro de 1827, informou sobre o espírito do Rio de Janeiro após a morte de d. Leopoldina: "Comprazem-se todos em dar à defunta imperatriz o título de anjo tutelar deste nascente império." Alegava o diplomata que era devido as suas "virtudes domésticas, à pureza e doçura de seus modos, à beleza d'alma e a cultura de espírito que ela devia esse voluntário tributo prestado a sua admiração".[371]

Segundo os murmúrios que tomavam conta das ruas, ao mesmo tempo que o povo se comprazia em dar "à defunta imperatriz o título de anjo tutelar", d. Pedro, Domitila e o dr. Vicente Navarro de Andrade, que havia se desdobrado em curar a imperatriz, eram acusados pela população da morte de d. Leopoldina. José Bonifácio, em seu exílio na França, comentou suas suspeitas ao seu amigo, o conselheiro Drummond: "A morte da Imperatriz me tem penalizado assas. Pobre criatura! Se escapou ao veneno, sucumbiu aos desgostos [...]."[372]

No despacho enviado pelo presidente do Conselho de Ministros, d. Pedro era informado de que as "causas morais" que durante os delírios de d. Leopoldina ocupavam a sua imaginação e os "objetos de desgosto e de ressentimento que tinham se apoderado grandemente do seu espírito" haviam chegado até o ouvido do povo, "a quem nada pode ser oculto em tais circunstâncias". Isso teria ocasionado "murmuração com ameaças de vingança, proferindo a esse respeito proposições inconsideradas e temerárias". Paranaguá confiava que tudo o que estava no alcance deles foi feito para se evitar alguma tragédia, entretanto, após o "povo desta capital com que se compreendem todos os estrangeiros" ter realizado as maiores demonstrações de interesse pela saúde da imperatriz, em preces públicas, procissões de penitência etc.,

> [...] tem agora pranteado amargamente sua morte parecendo que cada indivíduo chora a falta da pessoa que lhe era mais conjunta, e isto mesmo acontecerá em todo o Império pelo respeito e adoração que toda a nação tributava as suas sublimes qualidades.

O estado de abatimento público que perdurou no Rio de Janeiro durante a agonia de d. Leopoldina parece ter atingido o próprio ministério. Este, por incompetência ou excesso de melindres diplomáticos, recusou a ajuda de navios britânicos e franceses para levar os despachos para d. Pedro no Sul. Em vez disso, os ofícios e boletins sobre a doença da imperatriz só foram despachados do Rio de Janeiro em 7 de dezembro, alcançando d. Pedro na cidade de Rio Grande no dia 20. Retornando ao Rio de Janeiro, recebeu em Torres, no dia 25, o marquês de Quixeramobim, que vinha trazendo mais relatórios e boletins, além de cartas do marquês de Paranaguá, do da Palma, da camareira-mor, de frei Arrábida e da marquesa de Santos. Oficialmente, apenas catorze dias depois da morte da esposa d. Pedro soube do ocorrido.

Entretanto, os informes eram desencontrados. Enquanto o chefe do ministério proclamava que a capital estava em polvorosa, o intendente-geral da polícia tranquilizava o imperador. Corrigindo o relatório dos ministros, dizia que o Rio de Janeiro estava em paz. Domitila acusava os ministros de terem insultado a ela e a sua família e de haverem vetado a sua presença no Paço. Também afirmava suspeitar que os ministros houvessem excitado o povo contra ela. Se não fosse pelo ministro da Guerra e pelo intendente da polícia, a marquesa afirmava que ela, seus parentes e amigos teriam sido apunhalados. E, para completar, o gabinete ministerial, em conluio, pretendia criar uma regência para d. Pedro II e aprisionar o imperador no Sul.[373] Domitila implorava pela volta do amante. O próprio barão de Mareschal declararia a d. Pedro quando este desembarcou que, se a imperatriz houvesse falecido entre os dias 5 e 6, provavelmente teria estourado uma revolução na capital.[374]

D. Pedro, em 15 de janeiro, assim que seu navio entrou na barra do Rio de Janeiro, escreveu para a amante dizendo que o tio desta, o militar Manuel Alves de Toledo Ribas, que o acompanhava, iria narrar-lhe a respeito dos "incômodos, sofrimentos, aflições, pesares e mais que tudo, o desgosto pela morte da minha adorada esposa".[375] Também nessa carta ele afirmava que Manuel Alves "contará do célebre sonho que tive em 11 do mês passado, que desde então data a minha aflição e disposições para vir unir-me contigo". Infelizmente, não existe qualquer indício a respeito do assunto do sonho que o imperador teve no dia da morte de d. Leopoldina.

Assim que chegou ao palácio, d. Pedro realizou um expurgo. Demitiu praticamente todo o ministério, incluindo Paranaguá, e do Paço livrou-se do mordomo-mor, da camareira-mor e de frei Arrábida.

Trancado em São Cristóvão durante o período de luto, d. Pedro demonstrou, mais uma vez, não ter nenhum talento como poeta:

A sempre para mim sentida morte da
Minha adorada esposa a Imperatriz
Deus Eterno, porque me arrebataste
A minha muito amada imperatriz?
Tua divina vontade assim o quis?

Sabe que o meu coração dilaceraste.
Tu de certo contra mim te iraste,
Eu não sei o motivo, nem que fiz,
E co'aquele direi, que sempre diz:
Tu m'a deste, Senhor, tu m'a tiraste!
Ela me amava c'o maior amor,
E eu n'ella admirava a honestidade;
Sinto o meu coração quebrar de dor.
O mundo não verá mais n'outra idade
Modelo mais perfeito, nem melhor
D'honra e candura, amor e caridade.

Apesar de se abrir com a amante a respeito da dor que sentia com a perda da esposa, de ter sido visto chorando na igreja durante as cerimônias em homenagem à falecida imperatriz em 25 de janeiro, de ter, com a voz embargada, falado sobre a morte de d. Leopoldina na cerimônia de abertura da Câmara dos Deputados, pouco no poema demonstra qualquer profundidade de sentimentos. Mas estes apareceriam não raras vezes, afinal d. Pedro a amara. Perdia a mãe de seus filhos e sua principal aliada. Mesmo quando não compactuava inteiramente de sua política, d. Leopoldina sempre esteve ao lado dele, para o melhor e para o pior, desde o princípio. O imperador se ressentiria da falta de seus conselhos; além disso, a consciência dele pesaria. Ao sogro austríaco, no dia 26 de janeiro, escreveu:

> Não é por ter sido minha esposa, nem o ser filha de V.M. que me faz dizer, como publicamente digo, que era o modelo da honra, candura, bondade, honestidade e caridade. A minha saudade excede todas as expressões, de que podia usar, e direita a V.M. que ela existe ainda em meu coração, e existirá, até que a morte me faça separar deste mundo, elevando-me (como espero em Deus) ao céu, aonde ela seguramente está colocada. [...] Sou amigo de V.M. até por me ter dado uma filha, que fez as minhas delícias, e as de todos os brasileiros durante o pouco espaço de tempo, que entre nós existiu.[376]

Entretanto, se amava realmente a esposa, para a amante estava guardada a sua paixão, pelo tempo que esta durasse. E ela perdurou até d. Pedro tomar consciência das complicações que seu caso extraconjugal causou em seus planos de se casar novamente com uma princesa europeia. Nenhum soberano, ciente de tudo o que

d. Leopoldina havia suportado no Brasil, parecia interessado em enviar a filha para ser imperatriz na América. Mesmo d. Pedro II teria tido problemas em arranjar uma noiva por conta do histórico do comportamento de seu pai.

Por fim, o relacionamento entre Domitila e d. Pedro terminaria em 1829, quando o imperador, após dois anos procurando uma noiva na Europa, conseguiu achar uma que aceitasse a proposta, d. Amélia de Leuchtenberg. Na ocasião, d. Pedro, com a mesma grosseria com que tratara antes d. Leopoldina, expulsaria a marquesa de Santos da corte. O imperador comprou-lhe, e não pagou por completo, todos os bens que havia lhe dado, incluindo o palacete diante dos portões do Palácio de São Cristóvão, e proibiu todos os parentes de Domitila de entrarem no Paço. Exilada em São Paulo, ela viria a ser primeira-dama do estado, pois se amancebaria e depois se casaria com o brigadeiro Rafael Tobias de Aguiar. Faleceu milionária e cheia de filhos, netos e bisnetos em 3 de novembro de 1867, cinquenta anos após a chegada de d. Leopoldina às costas brasileiras.

Com a morte de d. Leopoldina, d. Pedro, assim como quando Napoleão trocou Josefina por Maria Luísa, perdeu também a sua "boa estrela". Sem a esposa benevolente, caridosa e majestática para contrabalançar a rudeza, os ímpetos de ira e a falta de educação do imperador, a popularidade deste, aliada aos problemas do Império, decaiu vertiginosamente. D. Pedro perderia o trono em 7 de abril de 1831, falecendo em Queluz, no mesmo palácio em que nascera em Portugal, em 24 de setembro de 1834.

Durante a guerra civil que moveu contra o irmão, d. Miguel, para fazer valer os direitos da filha, a rainha d. Maria II, ao trono de Portugal, d. Pedro não se esqueceu dos filhos que deixou no Brasil. Durante o Cerco do Porto, escreveu a José Bonifácio, reabilitado e colocado por ele como tutor dos príncipes, dando ordens a respeito do sepultamento do corpo da princesa d. Paula Mariana, falecida em janeiro de 1833. O corpo deveria ser depositado no "[...] Convento de Nossa Senhora da Ajuda e no mesmo lugar que se acha depositada sua boa mãe, a minha Leopoldina, pela qual ainda hoje derramo lágrimas de saudade".[377]

Em 1827, meses após o falecimento de d. Leopoldina, segundo relata Melo Morais em suas crônicas, d. Pedro teria abandonado uma comemoração do aniversário da duquesa de Goiás e sido apanhado pela marquesa de Santos abraçado, chorando e soluçando junto a um retrato da imperatriz. Acostumado a pedir perdão sempre que ofendia d. Leopoldina, não teve como assim se conduzir quando recebeu no sul do Brasil a notícia da morte da esposa. "A memória da imperatriz não me deixa", teria confessado, conforme anotou o marquês de Gabriac num despacho. E nunca deixaria.

Alegoria a respeito da morte de d. Leopoldina (*circa* 1826).

A última carta de d. Leopoldina

Em 5 de agosto de 1834, quase oito anos após a morte de d. Leopoldina, quatro estrangeiros, César Cadolino; o antigo secretário de d. Leopoldina, Johann Martin Flach; J. Buvelot e Hindrichs, dirigiram-se a Joaquim José de Castro, tabelião do Público Judicial e Notas na Corte do Rio de Janeiro, para registrar a cópia em português de uma carta que, segundo uma única frase em francês no documento, seria a transcrição da original expedida em 12 de dezembro de 1826.

Todos os que se ocuparam até hoje dessa carta serviram-se dessa cópia, que hoje se encontra junto com os papéis da Casa Imperial no Arquivo Histórico do Museu Imperial. A original nunca foi encontrada em nenhum arquivo, no Brasil ou no exterior. A transcrição é a seguinte:

Cópia

Minha adorada Mana!

Reduzida ao mais deplorável estado de saúde, e chegada ao último ponto de minha vida no meio dos maiores sofrimentos, terei também a desgraça de não poder eu mesma explicar-vos todos aqueles sentimentos que a tanto tempo existiam impressos na minha alma. Minha Mana! Não vos tornarei a ver! Não poderei outra vez repetir que Vos amava, que Vos adorava! Pois, já que não posso ter esta tão inocente satisfação igual a outras muitas que permitidas me não são, ouve o grito d'uma vítima que de Vos reclama – não vingança – mas piedade, e socorro do fraternal afeto para inocentes filhos que órfãos vão ficar, em poder de si mesmos ou de pessoas que foram autores das minhas desgraças, reduzindo-me ao estado em que me acho de ser obrigada a servir-me de interpretes para fazer chegar até vós os últimos rogos da minha aflita alma. A Marquesa de Aguiar de quem vós bem conheceis o zelo e o amor verdadeiro que por mim tem como repetidas vezes vos escrevi. Essa única amiga que tenho é quem vos escreve em meu lugar.

Há quase quatro anos, minha adorada mana, como vos tenho escrito que por amor de um monstro sedutor me vejo reduzida ao estado da maior escravidão e totalmente esquecida do meu adorado Pedro. Ultimamente acabou de dar-me a última prova do seu total esquecimento a meu respeito maltratando-me na presença daquela mesma que é a causa de minhas desgraças. Muito e muito tinha a dizer-vos mas falta-me as forças para me lembrar de tão horroroso atentado que será sem dúvida a causa da minha morte. Cadolino que por vós me foi recomendado, e que me tem dado todas as provas da maior subordinação e fidelidade, é que fica encarregado de vos entregar a presente e declarar-vos o que por muitos motivos não posso confiar a este papel, bem tendo ele todas as informações que são precisas sobre este artigo, nada mais tenho a acrescentar confiada inteiramente na sua probidade, honra e fidelidade.

Faltaria ao meu dever se além de ter declarado ao Mareschal e ao Cadolino que tenho dívidas contratadas para sustentar os pobres, que de mim reclamam algum socorro e para as minhas despesas particulares não vos dissesse que o Flach de quem vos tenho muitas vezes escrito é digno de toda a consideração vossa e de Meu Augusto Pae a quem vos peço remeter a inclusa. Este virtuoso amigo, além de se ter sacrificado e comprometido a si mesmo e seus negócios para me servir não desprezou meio algum para me procurar socorros. Vos peço por quanto tendes de sagrado de lhe prestardes todo o auxílio, de modo que ele possa satisfazer aquelas dívidas que por mim tem contraído. Recomendo este exemplo da mais virtuosa amizade. Cadolino vos dirá qual foi o procedimento do Mareschal para comigo. A Marquesa de Aguiar fica encarregada de vos dar os mais miúdos detalhes sobre quanto diz respeito as minhas queridas filhas. Ah, minhas filhas! que será de vós depois minha morte! A ela é que eu entreguei a sua educação até que o meu Pedro, o meu querido Pedro, não disponha o contrário. Adeus minha adorada mana. Permita o Ente Supremo que eu possa escrever-vos ainda outra vez pois que será o final do meu restabelecimento.

8 de dezembro de 1826 as 4 horas da manhã

S.B. Marquesa d'Aguiar escrevi

L.

Conform a l'original dejá expedú la 12 Decembre de 1826

Cesar Cadolino
J.M. Flach
L. Buvelot
Carlos Hindrichs

Reconheço verdadeira assinatura supra em conformidade de outras que há neste cartório. Rio 5 de agosto de 1834.[378]

Essa carta é tratada como um verdadeiro dogma pela maioria dos historiadores brasileiros, temerosos em dessacralizar fontes históricas, ainda mais quando estas se encaixam perfeitamente dentro de suas teses. A carta, sem contestação alguma, adéqua-se também perfeitamente ao mito da esposa mártir, da princesa civilizada que acabou sendo sacrificada a um ogro nos trópicos. Entretanto, uma análise desapaixonada levanta alguns questionamentos:

• 1º: A carta é datada do dia 8 de dezembro às quatro da manhã. Segundo o boletim nº 10, publicado às nove desse dia, d. Leopoldina "passou mal a noite". Segundo Inhomirim, uma febre forte, a que ele chama de "crescimento", recomeçou à 21h10 do dia 7 e "durou, com pouca remissão, até às 4 horas e um quarto da madrugada de hoje". Então, novamente, a febre aumentou, até diminuir um pouco às sete e meia da manhã. Ainda segundo o médico: "Não houveram sintomas novos, mas cresceram infelizmente alguns dos que mais tem figurado, como delírio, sobressaltos, tremores, sonolência e as forças diminuem."

O "crescimento" é o que o barão de Mareschal descreveu como "febre nervosa [...] estado de delírio e excitação quase contínuos, depois do abortamento". Com base no relatório médico, não parece que d. Leopoldina estivesse em condições de, às quatro horas da manhã, como informa a carta, ditar coisa alguma.

• 2º: Em nenhuma outra carta conhecida, d. Leopoldina trata a irmã por "mana". Sempre a chama de caríssima ou queridíssima Luísa, independentemente de a mensagem seguir por correio diplomático ou por mensageiro particular de confiança. Se d. Leopoldina alguma vez escreveu queixando-se de Domitila para a irmã, essas cartas foram destruídas por Maria Luísa, pois nunca vieram a público, ao contrário das endereçadas para Flach e Schäffer, em que a imperatriz chama a marquesa ora de bruxa, ora de mulher infame.

• 3º: O tipo de tratamento dispensado à irmã na carta não era a maneira usual de d. Leopoldina falar com Maria Luísa. Segue um poema escrito pelo poeta russo Púchkin em 1828 que ilustra bem a questão da utilização dos pronomes pessoais "tu" e "vós":

> Ela o vós neutro, sem querer,
> Trocou no tu afetuoso; Fez-me de ventura nascer
> Sonhos do espirito amoroso.
> Demoro, pensativo, ali:
> Não mais vê-la é-me impensável.
> E digo: "Como sois amável!"
> Mas penso: "Como quero a ti!".

O poema mostra a diferença de intimidade no uso dos dois pronomes pessoais. Até hoje, em alguns países europeus, como na Alemanha, é impensável chamarmos alguma pessoa com que temos pouca familiaridade pelo pronome "tu", por ser íntimo demais. D. Leopoldina, em todas as demais cartas à irmã, trata-a com a familiaridade que é própria aos parentes, usa "você" e "tu". Entretanto, na última carta, ao se utilizar da segunda pessoa do plural, "vós", para tratar com Maria Luísa, assume uma postura que denuncia falta de intimidade e, até mesmo, grande respeito para com a interlocutora. Por que faria isso na sua carta de despedida? Fantasiosa seria a hipótese de a marquesa de Aguiar substituir o "tu" afetuoso pelo "vós" majestático na carta que a ama moribunda ditava à ex-imperatriz dos franceses: "Não vos tornarei a ver! Não poderei outra vez repetir que vos amava, que vos adorava!"

• 4º: Apesar de d. Leopoldina afirmar na carta que quem estava escrevendo era a marquesa de Aguiar, esposa do último vice-rei do Brasil, de "quem vós bem conheceis o zelo e o amor verdadeiro que por mim tem como repetidas vezes vos escrevi. Essa única amiga que tenho", a marquesa não é mencionada em nenhuma outra das mais de trezentas cartas conhecidas da imperatriz a seus parentes. Entretanto, seria uma das damas mais ilustradas de d. Leopoldina, segundo Maria Graham, e poderia muito bem ter escrito a missiva em francês, idioma que dominaria. Era, muito provavelmente, uma das poucas pessoas do serviço pessoal de d. Leopoldina capaz de fazê-lo. No mesmo sentido de "já te disse sobre isso" está a frase: "Há quase quatro anos, minha adorada mana, *como vos tenho escrito*, que por amor de um monstro sedutor me vejo reduzida ao estado da maior escravidão e totalmente esquecida do meu adorado Pedro." Se, por um lado, como já comentado, não existem referências da marquesa de Santos em outras cartas escritas por d. Leopoldina à irmã, por outro, nesta, a imperatriz acusa a marquesa, e não o marido, pelo abandono em que se encontra, o que com certeza faria.

• 5º: Se a carta muito diz, por outro lado não revela nada que já não se soubesse nas ruas no final de 1826. A questão do "pontapé" na barriga, a que poderia ser referir o "horroroso atentado", ou ainda o fato de d. Pedro tê-la obrigado a ir ao beija-mão, tendo sido bruto, eram públicos. No Rio de Janeiro, muito se comentaria e inventaria a respeito do assunto ao longo da doença de d. Leopoldina e posteriormente.

• 6º: Em parte da missiva, existe uma menção direta ao embaixador austríaco: "Faltaria ao meu dever se além de ter declarado ao Mareschal e ao Cadolino que tenho dívidas contratadas para sustentar os pobres [...]." O diplomata, pela carta, teria sido informado por d. Leopoldina desses débitos e tinha recomendação para pagá-los. Isso contraria o relato dele para Viena a respeito da ausência de disposições da imperatriz e de que só soube das dívidas da soberana quando estas se tornaram públicas. Isso, porém, não é verdade, uma vez que d. Leopoldina havia pedido dinheiro emprestado para ele.

• 7º: D. Leopoldina era profundamente religiosa, a ponto de anos depois, já adulta, culpar-se diversas vezes por ter sido uma criança que dizia mentiras. Dentro do catolicismo e dentro de sua honra, certamente seria importante a menção às dívidas. E por isso faltaria forças para se lembrar do "horroroso atentado", mas não para continuar ditando mais da metade do total da carta falando sobre credores e os empréstimos que estes haviam contraído para ajudá-la financeiramente. Entretanto, por que somente a esses dois devedores d. Leopoldina queria saldar suas dívidas? E o restante da lista de pessoas para quem a imperatriz devia dinheiro?

Motivos

Além da questão das dívidas, é interessante notar como a carta contempla diretamente Cadolino e Flach, sendo ambos colocados sob a proteção, a pedido de d. Leopoldina, de Maria Luísa e do imperador da Áustria. Entretanto, por que registrar uma cópia em português dessa carta em 1834? Nessa época, d. Pedro, em Portugal, estava morrendo, mas os brasileiros ainda não tinham tomado conhecimento do fato.

Desde julho de 1833, uma comissão parlamentar de inquérito havia sido criada na Câmara dos Deputados para investigar a contratação do exército de mercenários com o qual d. Pedro invadira Portugal. Reeditava-se novamente o medo dos políticos brasileiros de que o ex-imperador dispusesse de um Exército forte sob o seu comando. Entre as apreensões dos deputados, havia a questão, que tentavam provar, de que o contrato firmado entre d. Pedro e as tropas mercenárias apresentava uma cláusula em que os soldados se obrigavam a se bater por ele em qualquer lugar do mundo, não apenas em Portugal e não somente contra as tropas de d. Miguel.

Seria essa, segundo alguns assustados ministros e políticos, uma das provas que demonstrariam as reais intenções do ex-imperador de invadir o Brasil e instalar-se novamente no trono tão logo resolvesse a questão da sucessão portuguesa. Essa carta, tornada pública, ajudaria a demonizar ainda mais d. Pedro perante a opinião pública brasileira.

Entretanto, essa cópia só foi divulgada cem anos após o falecimento de d. Leopoldina, quando foi publicada no livro *Textos e pretextos*, de Alberto Rangel. O diplomata e historiador teve acesso a ela ao estudar o arquivo da Casa Imperial Brasileira, ainda quando este se encontrava no Castelo D'Eu, na França. O arquivo havia sido remetido, junto com outros bens da Família Imperial, para o castelo francês, adquirido pelo conde D'Eu, esposo da princesa Isabel e genro de d. Pedro II, após o golpe militar que destronou os Bragança no Brasil, em 1889. Ou seja, além de a cópia da carta não ter sido publicada anteriormente, ela foi parar no arquivo da Casa Imperial. Com qual propósito ela chegou a d. Pedro II e ele permitiu que fosse guardada no arquivo da família? Ele teria certeza da veracidade dela e de que seu pai agredira sua mãe antes de partir para o Sul? Infelizmente, essas dúvidas permanecem sem respostas.

A "última carta" sempre foi utilizada sem qualquer contestação, pois cabe até hoje como prova do martírio de d. Leopoldina, praticamente santificada durante a construção de sua imagem póstuma. Entretanto, diversos pontos da carta são questionáveis, e seria no mínimo leviano não apontá-los e aceitá-la sem qualquer questionamento, como um dogma.

Epílogo

ONDE HOJE fica a Cinelândia, no Centro do Rio de Janeiro, erguia-se antigamente o Convento da Ajuda. Seu prédio e seus terrenos iam do Passeio Público até o Cine Odeon e deste até, aproximadamente, o Bar Amarelinho. O edifício começou a ser erguido em 1745, foi inaugurado em maio de 1750 e demolido em 1911 durante as obras de melhoramento da então capital federal.

Quando dos preparativos da demolição, foram transferidos do local os corpos de d. Leopoldina, da princesa d. Paula Mariana e dos demais defuntos imperiais que ali se encontravam. A comoção pela retirada do corpo da imperatriz do local muito se assemelhou aos eventos fúnebres ocorridos 85 anos antes. Uma guarda de honra carregou o esquife e uma imensa multidão, como é possível ver nas fotos de jornais da época, seguiu o caixão em procissão até o Convento de Santo Antônio, no Largo da Carioca.

Fazia cerca de vinte anos que o Império tinha sido derrubado, mas a população que compareceu em peso ao traslado da imperatriz parecia pouco se importar com o fato. Nenhum membro da Família Imperial estava presente, uma vez que ainda vigorava a Lei do Banimento, que impediu até 1920 os destronados Bragança de retornar ao Brasil. Os franciscanos, sob a guarda de quem o corpo ficaria, construíram no convento uma cripta imperial e se orgulhariam por anos de ter entre eles a "Paladina da Independência", protegida pelas mesmas paredes do convento onde os "patriotas brasileiros" conspiraram pela liberdade do Brasil em 1822.

Durante o Estado Novo, Getúlio Vargas iria procurar criar ligações entre seu governo ditatorial e a história do Brasil, sobretudo o período imperial. Ajudou na criação do Museu Imperial em Petrópolis, doando ele próprio miniaturas pintadas das imagens da imperatriz Leopoldina, de d. Amélia e da marquesa de Santos, além de outras peças. Também tentaria criar vínculos entre a preocupação de d. Pedro II com a educação e a do seu governo. Sua esposa, Darcy Vargas, iria, durante o tempo que o marido ficou no poder, honrar pessoalmente a memória de d. Leopoldina, levando orquídeas ao seu túmulo no aniversário da morte da imperatriz e na época da "Semana da Pátria".

Em 1952, em São Paulo, no interior do Monumento da Independência, no bairro do Ipiranga, começou a ser construído um cenotáfio em homenagem a d. Pedro I e a d. Leopoldina. Lá, haveria dois sarcófagos vazios honrando a memória dos monarcas protagonistas da Independência. Como parte dos festejos do IV Centenário, em 1954, o Instituto Histórico e Geográfico de São Paulo decidiu que uma cripta vazia não era homenagem suficiente.

Seus membros traçaram um plano e imaginaram que seria mais fácil trazer o corpo de d. Pedro do Mosteiro de São Vicente de Fora, em Lisboa, para a Cripta Imperial de São Paulo se fosse para repousar no mesmo espaço onde estivesse a imperatriz. O dr. Ernesto de Souza Campos, presidente do IHGSP, dirigiu-se ao Convento de Santo Antônio, no Rio de Janeiro. Lá, numa conversa com frei Oscar Moch, guardião do convento, o religioso teria dado a entender inicialmente que, se o Instituto Histórico conversasse com a Família Imperial, com o governo federal e com o departamento do Instituto do Patrimônio Histórico e Artístico Nacional, os franciscanos não se oporiam ao traslado do corpo do Rio para São Paulo.

Souza Campos entrou em contato com os dois ramos da Família Imperial, o de Petrópolis e o de Vassouras, chefiados respectivamente por d. Pedro Gastão e d. Pedro Henrique, ambos trinetos de d. Leopoldina. Enquanto o príncipe d. Pedro Gastão só pediu que o local fosse consagrado antes da chegada do corpo da imperatriz, d. Pedro Henrique solicitou o mesmo e mais: um grande crucifixo e um altar para que no local fossem rezadas missas em sufrágio das almas dos que ali repousassem. As reformas na cripta, executadas pelo corpo técnico da prefeitura de São Paulo, foram supervisionadas pessoalmente pelo arquiteto da nova Basílica de Nossa Senhora Aparecida, Benedito Calixto de Jesus Neto.

Com tudo pronto, foi marcada a data do novo sepultamento para 12 de outubro de 1954. Com as autoridades avisadas e um trem especial destinado para trazer do Rio de Janeiro os despojos, frei Oscar Moch, aparentemente exasperado com a perda de tão preciosa relíquia, começou a telegrafar para São Paulo afirmando que de Santo Antônio não sairia corpo algum. Segundo ele, o dr. Ernesto de Souza Campos havia entendido errado a conversa que tiveram meses antes. Os restos mortais da imperatriz só sairiam do Rio de Janeiro se fosse para se juntar aos do esposo e que, em vez de São Paulo, seria melhor que ambos descansassem eternamente na catedral de Petrópolis. Enquanto isso, os jornais paulistas já começavam a dar a notícia da chegada do corpo de d. Leopoldina e das cerimônias que se seguiriam.

Diante do impasse, o dr. Campos buscou falar diretamente com frei Heliodoro Mueller, chefe-geral da ordem franciscana no Brasil. Este, aparentemente, acabou concordando com o traslado para São Paulo. O instituto enviou um de seus diretores, Everaldo Seixas Martinelli, até frei Heliodoro para que este assinasse uma ordem obrigando frei Oscar, do Convento de Santo Antônio, a entregar d. Leopoldina aos paulistas. Entretanto, o chefe-geral da ordem não foi localizado na sede dos franciscanos em São Paulo, pois estaria de viagem ao sul do país. A FAB colocou à disposição do Instituto Histórico um avião monomotor. Se hoje subir e descer de aviões é coisa rotineira, o mesmo não era em 1954. Primeiro informaram que frei Heliodoro estava na cidade de Palmas, no Paraná. Chegando lá, Martinelli foi informado de que o religioso estava na verdade em Chapecó, Santa Catarina. Mas, ao chegar a essa cidade, o ágil frei já havia partido para Erexim, no Rio Grande do Sul, onde também não foi encontrado.

Enquanto isso, os franciscanos do Convento de Santo Antônio tentavam junto a d. Jaime, cardeal Câmara, arcebispo do Rio de Janeiro, evitar que o corpo saísse da cidade. O cardeal também inicialmente se postou contrário à ida de d. Leopoldina a São Paulo antes que o corpo de d. Pedro lá estivesse, o que só ocorreria dezoito anos depois. Mas as pressões políticas fizeram-se insuportáveis, e, em 9 de outubro, o cardeal deu a permissão, sendo o corpo entregue, conforme ata lavrada, no dia 10.

O ataúde com os restos mortais de d. Leopoldina chegou a São Paulo no dia 11 e foi transportado em cima de um caminhão do Corpo de Bombeiros, acompanhado por uma multidão, que pôde velá-la na Catedral da Sé. No dia seguinte, 12 de outubro, aniversário de d. Pedro I e data de sua aclamação como imperador do Brasil, os despojos da imperatriz foram colocados na Cripta Imperial. Junto de seu caixão, veio um epitáfio em madeira, que estava junto dela desde seu primeiro sepultamento no Convento da Ajuda, em 1826. Essa peça hoje se encontra no Museu da Cidade de São Paulo. Nela, lemos:

> Aqui repouzão os Preciozos Restos
> Da Adorada Imperatriz Ma. Leopoldina

Seu Espírito Cremos Habita os Céos
Sua Memória Não Gastarão os Séculos

D. Pedro se juntaria à esposa em 7 de setembro de 1972, e a imperatriz d. Amélia seria desastradamente emparedada na cripta em 1982. A segunda imperatriz veio parar novamente no Brasil devido a uma alegação, absurda, de que havia declarado a sua irmã, Josefina, rainha da Suécia, que gostaria de ser sepultada "aos pés de D. Pedro, seu Augusto Senhor, no Brasil". A ex-imperatriz só poderia escrever algo do gênero antes de falecer, em 1873, se fosse dotada de dons mediúnicos. Primeiro que a ideia de voltar ao Brasil não passava pela cabeça dela: sua curta vivência nessa terra não havia sido das melhores, e não guardara boas recordações; segundo que, na época de sua morte, jamais se cogitara a ideia do envio do corpo de d. Pedro de Portugal ao Brasil.

O fato chegou até a alimentar em alguns monarquistas mais afoitos a ideia de que a cripta poderia servir de sepultamento para os demais membros da Família Imperial. De qualquer forma, o objetivo original do local fora desvirtuado: deixara de ser um panteão para os monarcas que se envolveram diretamente com o processo da independência brasileira.

Em 27 de fevereiro de 2012, ocorreu a exumação de d. Leopoldina. O clima estava bastante abafado, o céu de São Paulo, carregado de nuvens. Parecia que a qualquer instante desabaria um aguaceiro sobre a cidade. Mas, na cripta sob o Monumento da Independência, o ar condicionado fazia as pessoas ali reunidas tremerem de frio. No entanto, ninguém parecia particularmente se importar com o fato.

Médicos forenses, físicos e demais técnicos da USP, chefiados pela historiadora e arqueóloga Valdirene do Carmo Ambiel, devidamente paramentados com macacão branco, máscaras e luvas, preparavam-se para o momento da exumação da imperatriz. Além dos técnicos, havia no local diversas autoridades e convidados, como o príncipe d. Bertrand, pentaneto da imperatriz.

Após uma cerimônia religiosa, o caixão foi aberto. Os presentes puderam subir num andaime periclitante de madeira que ladeava o sarcófago de granito, dentro do qual jaziam num ataúde os restos da imperatriz. Emocionados, os presentes viram a delicadeza dos ossos do rosto dela, a única parte visível de seu corpo, uma vez que as vestes imperiais com que ela havia sido enterrada em dezembro de 1826, incluindo seu manto, permaneciam intactas. O trabalho da arqueóloga e de sua equipe consistiu em analisar os remanescentes humanos dos nossos primeiros imperadores, de maneira não invasiva, e preservá-los.

Na madrugada de 19 para 20 de março de 2012, na Faculdade de Medicina da Universidade de São Paulo, uma tomografia computadorizada realizada nos restos mortais da imperatriz constatou apenas que d. Leopoldina não possuía um dos dentes do siso. Nada que ajudasse a perpetuar a lenda de uma queda de escada, um chute do imperador ou alguma fratura foi encontrado. Todo o transporte dos corpos e as tomografias computadorizadas feitas no Hospital das Clínicas foram realizados em sigilo, e os resultados, divulgados apenas no início de 2013.

Junto ao corpo de d. Leopoldina, foi localizado um par de brincos de ouro de 18 quilates com resina, a única joia com a qual a imperatriz havia sido enterrada. Provavelmente, os brincos foram a primeira joia que d. Leopoldina recebeu em sua vida. No resto do mundo, o ouro não era tão abundante como no Brasil, e peças de joias de 18 quilates eram mais comuns do que as de 24 quilates. Quanto à resina, são grandes as chances de se tratar de âmbar, uma resina fóssil, bastante utilizada para joias.

Segundo a pesquisadora Cláudia Witte é comum em países germânicos como Suíça, Alemanha e Áustria, até nos dias de hoje, o costume de se presentear um bebê com peças de âmbar como colares, brincos ou pulseiras assim que a primeira dentição aflore. Pesquisas recentes afirmam que algumas espécies de âmbar liberam ácido succínico, componente esse utilizado na fabricação de remédios para alívio de alguns tipos de dor e reumatismo. Acredita-se que essa pedra, e o ácido que ela libera, tem a propriedade de aliviar as dores do nascimento dos dentes dos bebês.

Dessa exumação, como a dos demais remanescentes da Cripta Imperial, material foi coletado e preservado e vem sendo estudado até agora. É possível que, no futuro, alguma nova descoberta sobre nossa primeira imperatriz ainda venha a surgir.

Agradecimentos

SE NENHUM homem é uma ilha, como disse John Donne, o escritor não consegue trabalhar sem isolamento, ao menos este aqui. Mas, ao longo do processo, surgem dúvidas, algo precisa ser discutido ou até mesmo alguma descoberta é feita, e o desejo de compartilhá-la – e que alguém entenda sobre o que eu estou falando – é irresistível. Três pessoas dividiram muitos desses momentos comigo desde o início: Adriana, minha esposa, e as amigas Cláudia Witte e Viviane Tessitore, que assinam textos nesta obra.

Cláudia, especialista em iconografia brasileira do século XIX e na imperatriz d. Amélia, a bela e virtuosa princesa que causou o banimento da marquesa de Santos do Rio de Janeiro em 1829, até em gótico alemão se meteu para contar o que Frühbeck viu e relatou. Essa foi a sua segunda aventura por aquelas letras esquisitas: a primeira deu-se durante uma discussão sobre trechos do livro do mercenário alemão Julius Mansfeldt a respeito do que este efetivamente teria visto no Rio de Janeiro em 1826. O relato deste, no que tange ao contato que teve com d. Leopoldina e às histórias coletadas pelas ruas na época, aparece pela primeira vez traduzido na íntegra nesta obra, graças à perseverança e à competência da profissional em questão.

Quanto a Viviane, a história do Primeiro Reinado e dos seus protagonistas uniu-nos. Sempre recorri a ela quando tive dúvidas a respeito de fatos ou do porquê de d. Leopoldina ou d. Pedro agirem de tal modo e não de outro em algum momento. Quando a dúvida não era em comum, as respostas dela me mostravam como eu estava ainda anos-luz de saber o tanto que ela sabia, principalmente a respeito da primeira imperatriz brasileira, a quem Viviane se dedica há tantos anos, com mais profundidade do que qualquer outro pesquisador ou historiador brasileiro. Creio que soube mais sobre nossa primeira imperatriz do que a própria um dia veio a conhecer sobre si mesma. Por toda a ajuda e, principalmente, pela imensa generosidade em compartilhar as suas informações e sanar as minhas dúvidas ao longo de cinco longos anos em diversos momentos, livros e acontecimentos, o meu muito obrigado e meu eterno reconhecimento. Sem Viviane, esta obra jamais existiria.

Também gostaria de agradecer a todos os profissionais, amigos e conhecidos que de alguma maneira contribuíram para esta obra:

Ao sr. Cássio Ramiro Mohallem Cotrim, meu agradecimento pelas informações que levaram à coleção Kühnburg.

À sra. Julia Kovensky, coordenadora de Iconografia do IMS.

À sra. Francis Melvin Lee, meus agradecimentos sinceros pela acolhida e pela ajuda, extensivos ao sr. Antônio Francisco Álvares Florence, fundador do Instituto Hercule Florence, pela autorização da pesquisa e do uso das informações obtidas.

À Hispanic Society of America, em especial ao dr. Marcus Burke, curador sênior de pinturas e desenhos, e ao dr. John O'Neill, curador de manuscritos e livros raros, e à sra. Stephanie McClure.

Às equipes de todos os museus, instituições e arquivos em que pesquisei o meu obrigado pela acolhida sempre gentil e prestativa, em especial a Ana Luísa Alonso de Camargo e Aline Maller Ribeiro, do Museu Imperial.

À profa. dra. Maria Celi Chaves Vasconcelos pela análise de trechos desta obra e pelas informações sobre os hábitos das cortes, sobretudo no que tange à educação dos príncipes durante o período retratado.

Ao arquiteto Victor Hugo Mori, pelas imagens dos restos mortais de d. Leopoldina.

Posfácio

Frühbeck e a redescoberta do Brasil

Cláudia Witte

JEMIMA KINDERSLEY foi uma das únicas mulheres não portuguesas a visitar o Brasil em quase trezentos anos. Casada com um capitão da artilharia britânica, a caminho de Calcutá, pararam em Salvador para reabastecer o navio em que viajavam com água e suprimentos. Ela deixou um interessante relato de sua estada na Bahia em 1764:

> Temo que não poderei desfrutar do meu descanso em terra como gostaria, pois o governo local, desconfiado e pouco hospitaleiro, submeteu-me ao mais desagradável confinamento. Para todo lugar onde vou, quando estou em terra, sou seguida e vigiada por um oficial e um soldado; a vigilância é tanta que não posso ir nem de um cômodo a outro sem tê-los atrás de mim. Até para falar com uma senhora inglesa casada com um português e moradora da cidade, era necessário uma autorização do governador.[1]

Por três séculos, Portugal manteve o Brasil fechado aos olhos estrangeiros. A fim de impedir que os recursos naturais brasileiros despertassem a cobiça de outros países, a colônia se manteve inacessível para qualquer outra metrópole europeia, com exceção de traficantes e piratas que insistiam em burlar o bloqueio imposto.

Os raros viajantes que tivessem avarias em seus navios, e recebessem permissão para desembarcar, eram escoltados quando desciam de suas embarcações e cuidadosamente vigiados. A ordem era manter o Brasil protegido da curiosidade estrangeira.

Foi só com as invasões holandesas no século XVII que artistas trazidos por Maurício de Nassau retrataram o Nordeste, fazendo com que a obra de Frans Post se tornasse praticamente o primeiro significativo registro iconográfico brasileiro.

Ao longo do século XVIII, algumas exceções foram abertas a viajantes ingleses, como o capitão James Cook em sua famosa viagem de circum-navegação terrestre, ou o próprio capitão Kindersley, esposo de Jemima, a mesma que abre este capítulo se queixando da escolta a que se viu forçada.

Via de regra, o reabastecimento era permitido, mas os cientistas que acompanhavam as expedições não recebiam permissão para desembarque. Seguindo esta lógica, em julho de 1800, o naturalista e geógrafo alemão Alexander von Humboldt, que estudava a fauna e a flora da Amazônia venezuelana, recebeu ordem de prisão caso tentasse visitar o Brasil. Perdeu-se a oportunidade de que um dos maiores pesquisadores de todos os tempos estudasse a Amazônia brasileira.

Foi só no início do século XIX que Portugal fez duas notáveis concessões: em 1802, Thomas Lindsey, outro inglês, pôde conhecer o Brasil e, em 1807, seu compatriota John Mawe recebeu permissão para visitar a fechadíssima região das minas, e, provavelmente, só porque estas já se encontravam então em franca decadência.

Com a vinda da Família Real em 1808 e o estreitamento dos laços entre Portugal e Inglaterra, que patrocinara e escoltara d. João VI e sua corte, vários outros ingleses se seguiram aos primeiros, entre eles John Luccock, Henry Koster e o célebre Richard Francis Burton, famoso pela primeira tradução do *Kama Sutra* e das *Mil e uma noites* e descobridor europeu das nascentes do Nilo. Cada um deles escreveu sobre suas descobertas e cada obra publicada funcionava como propaganda, estimulando novos estudiosos a vir para o Brasil.

Ainda cercado por curiosidade e mistérios, foi aos poucos que o Brasil passou a receber outros estrangeiros além dos britânicos. Em 1817, quando a arquiduquesa Leopoldina se casou com o príncipe herdeiro d. Pedro, abriu-se para a Áustria, pela primeira vez, a possibilidade de enviar uma missão oficial de cientistas e artistas para explorar o desconhecido Brasil.

Tendo em vista futuros negócios com a ex-colônia, desde 1815 elevada à categoria de Reino Unido de Portugal, Brasil e Algarves, o imperador Francisco I, pai de d. Leopoldina, financiou uma grande expedição. Sonho de qualquer pesquisador, não havia prazo nem orçamento preestabelecidos para a empreitada. Planejada pelo próprio príncipe de Metternich, principal ministro austríaco, a comitiva era composta por catorze cientistas e artistas e outros tantos assistentes destes.

A pedido do rei da Baviera, Max Joseph I, o botânico Carl Friedrich Phillip von Martius e o zoólogo Johann Baptist von Spix se juntaram ao grupo comandado pelos renomados pesquisadores Johann Natterer e Johann Christian Mikan.

A comitiva bávaro-austríaca se dividiu entre as duas fragatas *Áustria* e *Augusta*, naquela que foi a primeira viagem transatlântica da Marinha austríaca, e nas duas naus da Marinha de Guerra Real de Portugal: *São Sebastião* e *D. João VI*.

Na fragata *Áustria* seguiam já em abril o chefe da expedição Mikan e sua esposa, o pintor paisagista Thomas Ender, os bávaros Spix e Martius e diversos diplomatas. Uma tempestade logo nos primeiros dias de viagem após a saída do porto de Trieste separou a *Áustria* da fragata *Augusta*, fazendo com que a tripulação da primeira chegasse antes ao Rio de Janeiro, ainda em julho de 1817, enquanto a outra esperou pela frota portuguesa em Gibraltar e só alcançou o porto carioca em novembro. Ender retratou dia a dia a travessia em desenhos que se encontram hoje na Academia de Belas-Artes de Viena.

Na fragata *Augusta* viajaram Johann Natterer, responsável pelo Gabinete de História Natural de Viena e subchefe da expedição, Heinrich Wilhelm Schott, botânico austríaco, e Dominik Sochor, responsável pela caça e preparação dos animais.

Na nau portuguesa *São Sebastião*, comandada por Francisco Maximiliano de Sousa, seguiam o embaixador Emmerich Johann Nepomuk, conde Eltz; Johann Buchberger, pintor botânico; Johann Emanuel Pohl, mineralogista e botânico, e Joseph Raddi, naturalista italiano indicado pelo tio de d. Leopoldina, o grão-duque Fernando da Toscana. A viagem neste navio foi narrada por Pohl em seu livro *Viagem ao interior do Brasil* e retratada por A. Julien Pallière, que vinha se juntar a seus compatriotas franceses já instalados há um ano e meio no Rio de Janeiro. O álbum da travessia, intitulado *Viagem de Sua Alteza Real à Corte do Rio de Janeiro desenhada, segundo a Natureza, a bordo da Nau São Sebastião que acompanhava S.A.R.*, contém trinta aquarelas, das quais 27 permanecem inéditas.

Na nau *D. João VI*, construída no ano anterior e comandada por Manuel Antonio Farinha, viajava também o chefe da frota portuguesa e responsável pelos dois navios, Henrique da Fonseca de Sousa Prego. A *D. João VI* levava a comitiva pessoal de d. Leopoldina, da qual faziam parte seu antigo professor de pintura,

G.K. Frick, seu médico pessoal e ornitólogo, o dr. Kammerlacher, e Roque Schüch, mineralogista, que assumira a função de bibliotecário pessoal da arquiduquesa.

Todos eles artistas e cientistas renomados, escolhidos entre os melhores do mundo germânico, na mais longa e mais importante expedição científica que a Áustria e a Baviera jamais haviam organizado. Os resultados dos trabalhos, pesquisas e desenhos realizados por essa equipe levariam a vida toda de alguns deles para serem concluídos e publicados.

Mas eis que, de última hora, inesperadamente, outro austríaco se juntou à expedição. O jovem Franz Joseph Frühbeck, comerciante e artista amador, conheceu em junho de 1817, por coincidência, o bibliotecário imperial dr. Schüch, que estava justamente à busca de um ajudante que tivesse habilidades linguísticas e conhecimentos de literatura. O rapaz de 22 anos se interessou pela aventura que representava uma viagem ao Brasil e se candidatou ao cargo. No entanto, para que ele fosse aceito, era necessária uma autorização da própria d. Leopoldina, a qual veio numa carta que só chegou a Viena no dia 28 de julho de 1817, quando a comitiva já se encontrava em Florença. Para tentar alcançá-los e não perder a oportunidade, Frühbeck partiu no dia seguinte e foi então com as carruagens do Correio Imperial numa corrida desenfreada.

Percorrendo a mesma rota que d. Leopoldina fizera, ele passou por Klagenfurt, Udine e Bolonha. Trocando de cavalo em 76 diferentes estações postais, Frühbeck conseguiu chegar a Florença em cinco dias, quando os correios mais rápidos o faziam em sete. Mas ao chegar lá, foi informado que o bibliotecário com quem iria trabalhar tinha se dirigido a Pisa. Em Pisa soube que ele já havia partido para Livorno, e, mais uma vez correndo contra o tempo, o jovem conseguiu finalmente alcançá-lo. Ele chegou exatamente a tempo de ajudar a embarcar os caixotes contendo os livros de d. Leopoldina a bordo da nau *D. João VI*, que já se encontrava no porto de Livorno.

Foi assim que o artista amador se viu dentro do navio que levava a futura imperatriz do Brasil, convivendo com suas damas de companhia e outros membros da comitiva, enquanto a maioria dos outros artistas e cientistas viajava nos demais navios da frota. Sem grandes pretensões a princípio, e apenas após superar os primeiros dias com muito enjoo em sua primeira viagem marítima, Frühbeck começou a usar seu longo tempo disponível para registrar suas impressões da vida a bordo, criando aquarelas que ele ainda não sabia, mas seriam praticamente os únicos registros iconográficos de como transcorriam as travessias transatlânticas de nobres no início do século XIX.

O novíssimo navio militar *D. João VI*, que comemoraria seu primeiro aniversário logo no início da viagem, havia sido adaptado para o transporte da princesa Leopoldina: dos 96 canhões que costumavam estar a bordo, por exemplo, ficaram apenas 36 a fim de sobrar espaço para toda a comitiva. D. Leopoldina dispunha de uma grande e bonita sala de refeições, um fino salão, um quarto de dormir iluminado por uma claraboia, onde sua cama era de mogno e ornamentada com cordões de seda vermelhos e brancos. Separando seu quarto de dormir do de vestir havia uma longa cortina vermelha e ainda um banheiro privativo, onde os artigos para sua higiene pessoal eram de ouro. Suas damas, Kühnburg, Lodron e Sarntheim, também receberam boas instalações a bordo.

Frühbeck não compartilhava a intimidade das damas, seus registros são sempre discretos e respeitosos, como se ele observasse de longe ou pelas portas entreabertas. Na cena em que ele retrata uma refeição dos nobres, vemos a mesa e alguns convidados pela fresta da porta. Durante a festa da passagem da linha do equador, d. Leopoldina está no castelo de proa, acima da tripulação que dança, perto de onde o pintor se posicionou. E no dia do desembarque no Rio de Janeiro, a princesa está no alto da escada, já com o vestido branco e as plumas que usaria em seu casamento algumas horas depois. Frühbeck é como um intruso que nos permite ter um vislumbre do que foram os quase três meses da travessia.

Thomas Ender, que viajava na fragata *Áustria*, deixou o registro dos animais que eram embarcados vivos e pouco a pouco abatidos para abastecimento da enorme tripulação de cada navio. Na *D. João VI*, onde viajava d. Leopoldina, eram novecentas pessoas a bordo, muitas das quais dormiam sob uma enorme tenda armada no convés. Além de vacas, bezerros, ovelhas, patos e quatro mil galinhas, havia ainda dezenas de pássaros para entreter as pessoas a bordo. Como Metternich bem comentou, em comparação com a *D. João VI*, a arca de Noé parecia um brinquedo de criança!

Após partirem do porto de Livorno no dia 15 de agosto de 1817, importante dia católico por se comemorar nesta data a Ascensão de Nossa Senhora, os dois navios portugueses *D. João VI* e *São Sebastião* passaram pelo porto de Gibraltar, onde não pararam para não perder o vento favorável, passando a ser seguidos pela fragata *Augusta*, que ali esperava por eles havia praticamente dois meses. Em paralelo, os três navios seguiram até a ilha da Madeira, onde fizeram uma escala.

Por alguns dias, os pintores retrataram a capital, Funchal, e seus arredores. A tripulação tratou de reabastecer o navio com frutas e água potável, e d. Leopoldina recebeu suas primeiras homenagens como princesa portuguesa. Recepcionada pelo já idoso governador Florêncio José Corrêa de Melo, a comitiva seguiu por ruas cobertas de hortênsias, flores tropicais e folhas aromáticas de louro até a catedral, onde o bispo do Funchal celebrou uma missa para os viajantes. À noite, toda a cidade e inclusive as montanhas que a circundam foram iluminadas em honra a d. Leopoldina. Segundo o comentário de Frühbeck, um espetáculo inesquecível.

Após dois dias conhecendo a ilha, d. Leopoldina recebeu como presente de despedida diversos macacos e aves tropicais para alegrar o dia a dia nos dois meses seguintes, enquanto atravessariam o Atlântico.

A obra de Frühbeck retratando a viagem é ingênua e muito colorida, rica pela espontaneidade do artista, representando desde o embarque em Livorno, algumas cenas da ilha da Madeira e, principalmente, cenas da vida a bordo, como uma missa, os trabalhos na cozinha, o almoço dos marinheiros, as damas e cavalheiros jogando para passar o tempo, e até a festa do batismo equatorial, comemorada quando a linha do equador foi ultrapassada.

Chegando ao Rio de Janeiro, ele retrataria a cidade como dezenas de outros artistas profissionais e amadores antes e depois dele fizeram. No entanto, duas das imagens registradas por Frühbeck mostram ângulos únicos da iconografia carioca: o Campo de Santana pronto para uma tourada, uma das festividades preparadas para comemorar a chegada de d. Leopoldina, e a visão completa de seu desembarque. Debret pintou duas cenas desse dia: uma com enfoque na Família Real recebendo a arquiduquesa e outra mostrando a estrutura montada para a recepção de d. Leopoldina aos pés do Convento de São Bento.

Já Taunay desenhou o palanquim e parte dos militares perfilados no Arsenal da Marinha. Mas é Frühbeck quem nos dá a real ideia das tropas e de toda a comemoração envolvendo o desembarque, com bandeiras portuguesas e austríacas tremulando no Rio de Janeiro.

Logo após a chegada ao Rio de Janeiro no início de novembro de 1817, Frühbeck assumiu seus deveres como assistente do bibliotecário de d. Leopoldina, supervisionando o desembarque das caixas que continham seus livros, em sua maioria obras de ciências naturais, e, depois, ajudando na organização do gabinete de estudos da princesa no Palácio de São Cristóvão. O trabalho do bibliotecário e seu ajudante, no entanto, terminou logo, fazendo com que o dr. Schüch partisse para Minas Gerais, onde adquiriu em Itabira do Mato Dentro, perto da serra de Capanema, uma fábrica que produzia folhas de ferro. Seu filho, Wilhelm Schüch, se tornaria mais tarde barão de Capanema.

Frühbeck, porém, não quis se estabelecer no Brasil e ficou aguardando o retorno da comitiva que viera trazendo d. Leopoldina. A volta, prevista inicialmente para janeiro de 1818, foi adiada por diversos motivos, entre os quais a espera pela aclamação de d. João VI, que ocorreria no aniversário do rei, em 13 de maio.

Assim, Frühbeck acabou morando no Rio de Janeiro por seis meses e meio numa casa alugada perto do Palácio de São Cristóvão, de onde atravessava de canoa até o centro, pagando 8 vinténs por cada viagem. Com muito tempo livre, ele se dedicou a retratar a cidade. Como era comum entre artistas naquela época, Frühbeck teve acesso a obras de outros pintores viajantes e copiou algumas cenas que não presenciou, mas julgou exóticas e interessantes, como uma festa dos índios puris, ou as margens do rio São Francisco.

Uma boa parte dos artistas, damas e cientistas que haviam integrado a expedição em novembro de 1817 voltou entre maio e junho de 1818, assim como Frühbeck.

Thomas Ender, que retratara febrilmente tudo que vira desde a partida da Europa, chegou a conhecer o Rio de Janeiro, o Vale do Paraíba e a cidade de São Paulo, mas não pôde acompanhar Spix e Martius ao interior do Brasil, como pretendia, pois adoeceu na capital paulista e retornou para a Áustria com o conde Eltz, o cientista Mikan e o pintor Buchberger no início de junho de 1818. Infelizmente, sem Ender, perdeu-se a oportunidade de um registro iconográfico minucioso da jornada dos cientistas bávaros.

Finalmente, no dia 22 de maio de 1818, logo após os festejos da aclamação do rei, Frühbeck embarcou de volta para a Europa, desta vez a bordo de outro navio português, o *São Sebastião*. O destino era Lisboa, onde ele passou três semanas hospedado no Palácio da Ajuda e desta estada restaram três vistas conhecidas: um panorama da cidade pintado de Cacilhas, uma imagem do castelo de Belém e uma vista do Grande Aqueduto das Águas Livres.

Em agosto de 1818, Frühbeck completou o último trecho de sua viagem embarcando de Lisboa para Livorno, de onde voltou por terra para Viena, sendo recepcionado por sua irmã, que não o notou até que ele falasse com ela, pois estava tão bronzeado pelo sol que se tornara irreconhecível.

Após o regresso à Áustria, Frühbeck se estabeleceu na pequena cidade de Krieglach, onde voltou a viver como comerciante. Logo no ano seguinte, 1819, se casou com Aloisia Bindl, com quem teve dois filhos: Georg, nascido em 1824, e Wilhelm Franz, em 1826. Porém, logo após o nascimento do segundo filho, ele abandonou a família e partiu em viagem pela Europa. Em janeiro de 1827, em apuros financeiros, sua esposa vendeu para um *marchand* doze desenhos a guache e quatro esboços feitos por Frühbeck durante a viagem ao Brasil como pagamento por empréstimos que ele lhe concedera. Este primeiro lote de imagens foi vendido nos anos seguintes e acabou sendo comprado pela Hispanic Society, onde hoje se encontra, tendo sido estudado por Gilberto Ferrez e Robert Smith para a elaboração do único livro a respeito do pintor: *Franz Frühbecks Brazilian Journey*, publicado na Filadélfia (EUA) no ano de 1960.

No ano de 1829, quando o Brasil voltou a ser tema de interesse no mundo germânico devido às segundas núpcias de d. Pedro I com a princesa bávara d. Amélia de Leuchtenberg, Frühbeck organizou uma exposição em Viena onde anunciava a exibição de doze imagens "nunca vistas de sua viagem ao Brasil". Até então, algo parecido só havia sido feito pelo britânico Robert Burford, que, em 1828, havia exibido em Londres um panorama do Rio de Janeiro pintado por ele em 1823, acompanhado da venda de uma brochura de doze páginas descrevendo a cidade e seus costumes.

Em abril de 1830, Frühbeck organizou uma nova exposição, mais elaborada, para as vistas, para a qual escreveu um livreto explicativo que podia ser adquirido junto com o ingresso. A obra, hoje extremamente rara, intitulava-se *Skizze meiner Reise nach Brasilien* e descrevia detalhadamente a viagem e as imagens.

Esta segunda mostra ocupava cinco salas da galeria vienense Sign of the Brown Hart, onde, além das imagens, havia uma projeção em lanterna mágica e uma reprodução do navio com deque, quatro cadeiras e alguns canhões. Os visitantes podiam ainda olhar pelas escotilhas montadas na entrada e ver de um lado o porto de Livorno, enquanto do outro observavam o perfil da ilha da Madeira e alguns marinheiros almoçando. Segundo a propaganda do pintor, quem visitasse sua exposição poderia desfrutar das peripécias de sua viagem sem ter que se submeter aos riscos e incômodos da mesma: "uma viagem numa cabine mágica ao Brasil, sem desconforto, sem perigos, sem perda de tempo, sem custos, sem interrupção do seu estilo de vida, nada do que inescapavelmente se conecta a viagens reais espera pelo curioso espectador!".

O sucesso da exposição em Viena levou Frühbeck a organizar em setembro de 1830 uma mostra em Munique, capital do Reino da Baviera, cidade onde d. Amélia, a nova imperatriz do Brasil, vivera até se casar. Os jornais da época[2] relataram o êxito do empreendimento, o que certamente animou o pintor a percorrer outras cidades da Alemanha com suas aquarelas. Em dezembro do mesmo ano, após vender duas imagens em Munique, ele levou sua exposição para Regensburg,[3] onde expôs logo na entrada da mostra a declaração escrita pelo próprio irmão de d. Amélia, d. Augusto de Leuchtenberg, que acompanhara a irmã ao Rio de Janeiro, atestando que as paisagens retratavam fielmente o Brasil e eram autênticas.

Essa preocupação em buscar um aval para seus quadros nos mostra quanto as pessoas da época podiam ser céticas em relação à veracidade de imagens que retratassem um país tão distante e pouco conhecido como o Brasil. Era preciso provar que ele realmente estivera lá e que as paisagens de fato mostravam cenas brasileiras. Na exposição de Praga, Frühbeck apresentou uma declaração parecida redigida e assinada pelo próprio dr. Mikan, um dos chefes da expedição científica e professor da Universidade de Praga.

Após o sucesso na Áustria e na Baviera, Frühbeck percebeu que suas dez imagens do Brasil despertavam interesse onde quer que ele fosse, levando-o a percorrer toda a Europa nos anos seguintes: Praga, Paris, Genebra, Schaffhausen, Londres, Porto... Há relatos de suas exposições em diversas cidades até o ano de 1836,[4] quando cessam notícias do pintor e até hoje não se sabe seu paradeiro, ou o destas dez obras, após esta data.

Além do valor das entradas e da venda do livreto, Frühbeck sobreviveu pelo menos uma década fazendo cópias das aquarelas expostas para quem se interessasse, o que nos permite, vez ou outra, encontrar em leilões europeus alguns de seus quadros. Um dos temas mais recorrentes mostra o Largo do Paço, com o palácio e a capela reais e uma pequena carruagem levando d. Pedro I acompanhado de sua guarda e sendo saudado pela tropa armada.

Por muitos anos acreditou-se que a obra de Frühbeck se resumia às doze imagens exibidas em suas exposições (e eventualmente reproduzidas pelo próprio pintor) e ao lote vendido por sua esposa. Mas enquanto Carlos H. Oberacker Jr. pesquisava entre as famílias de descendentes das damas que acompanharam d. Leopoldina ao Brasil, para escrever sua biografia sobre a imperatriz, ele encontrou na Áustria os diários, as cartas e o álbum de aquarelas da condessa de Kühnburg bem guardados pelos descendentes de seu sobrinho e herdeiro. Oberacker publicou em 1973 o livro *A Imperatriz Leopoldina, sua vida e sua época*, onde divulgou suas fontes austríacas. Com essa informação em mãos, a Livraria Kosmos do Rio de Janeiro adquiriu o "lote Kühnburg" e o revendeu em 1975 para o colecionador paulista Érico Stickel. Após sua morte em 2005, esse material foi dividido nos anos seguintes entre a Fundação Hercule Florence e o Instituto Moreira Salles.

Entre algumas imagens da Europa, flores secas e outras recordações coladas no álbum da condessa de Kühnburg, encontram-se desenhos, esboços e muitas aquarelas pintadas por Frühbeck durante sua viagem ao Brasil. Cenas inéditas que são parcialmente reproduzidas agora pela primeira vez. Não se sabe se Kühnburg ganhou ou comprou essas imagens do pintor com quem viajou no mesmo navio tanto na ida quanto na volta à Europa, mas como ela mesma afirmou numa de suas cartas ao pai: "gostaria de saber desenhar, então, em lugar de um diário, eu retrataria toda a nossa viagem...". A fotografia ainda não havia sido inventada, era natural o desejo de eternizar suas lembranças em imagens que retratassem os longos dias a bordo e a inesquecível estada no Rio de Janeiro. Em algum momento, a condessa percebeu que o assistente do bibliotecário com quem viajava fizera um registro fiel da travessia e da estada no Rio e recebeu dele diversas imagens que colou cuidadosamente em seu álbum. Aparentemente, Frühbeck vendeu ou deu para a condessa imagens que já havia copiado, pois encontramos no lote que sua esposa vendeu e hoje se encontra na Hispanic Society algumas cenas repetidas, porém pintadas com mais detalhes.

Com este novo conjunto de desenhos e aquarelas provenientes do álbum Kühnburg, temos mais de cinquenta imagens conhecidas retratadas por Frühbeck. O pintor amador que soube aproveitar o interesse que as paisagens desconhecidas e exóticas do Brasil despertavam na Europa e que lhe permitiu viver por tantos anos mostrando apenas dez cenas de uma aventura nos trópicos.

É interessante perceber que da mesma forma que no século XIX as pessoas tinham curiosidade pelas paisagens desconhecidas do Brasil, hoje, em pleno século XXI, nos sentimos atraídos pelas imagens intimistas do cotidiano da comitiva da imperatriz atravessando o Atlântico. Frühbeck nos permite um olhar pelo buraco da fechadura dentro dos aposentos do navio que trouxe d. Leopoldina.

E, exatos duzentos anos depois, sua obra continua despertando nossa curiosidade.

A primeira imperatriz do Novo Mundo

Viviane Tessitore
Mestra em História Social pela Faculdade de Filosofia, Letras e Ciências Humanas da Universidade de São Paulo

EM 14 DE DEZEMBRO de 1826, no Rio de Janeiro, milhares de pessoas acompanharam, com lágrimas silenciosas, o enterro de uma jovem austríaca de 29 anos, para quem a população pretendia o título de "Anjo Tutelar do Império". Apenas quatro anos antes, em 1º de dezembro de 1822, essa jovem – Maria Leopoldina Carolina Josefa de Habsburgo-Lorena –, pela coroação de seu marido, o príncipe regente d. Pedro, tornara-se imperatriz do Brasil. Foi o desfecho de um movimento vitorioso, que fizera do Reino Unido a Portugal um Estado politicamente independente. Desde sua adesão à causa emancipacionista, gozava d. Leopoldina dessa popularidade que se manifestava, de forma consagradora, no momento de sua morte, evidenciando, como diria Gonçalves Ledo, "o amor, que os brasileiros mostrarão sempre a sua Imperatriz".[1] A imagem de Leopoldina determinante dessa comoção talvez não encontre melhor síntese que o fecho do discurso de Lino Coutinho à Câmara dos Deputados em 21 de julho de 1827, ao se manifestar favoravelmente ao projeto de lei pelo qual a nação brasileira assumia o pagamento das dívidas[2] deixadas pela soberana: "Não por ter ella sido unicamente imperatriz do Brasil, mas por ter sido amiga deste paiz, e por ter sido uma imperatriz virtuosa e santa."[3]

Ambos os elementos – o amor ao Brasil, materializado em sua participação na luta pela Independência, e uma vida virtuosa, expressa, sobretudo, na bondade para com o próximo e no sofrimento resignado de esposa infeliz – marcam, de modo geral, as manifestações de seus contemporâneos e a produção que a rememora.

Essa produção não se mostra tão pequena quanto ela própria afirma ser, pois, num levantamento parcial, referenciei 139 itens, entre biografias, artigos, romances, crônicas, edições de documentos e peças teatrais, bem como várias matérias na grande imprensa, em jornais locais e da colônia alemã, considerando-se aqui somente aqueles que têm a imperatriz como objeto principal. Além disso, durante os 190 anos que decorreram de seu falecimento, pelo menos vinte homenagens foram tributadas direta e exclusivamente a d. Leopoldina, a maioria já no período republicano.

Longe de ter sido excluída da "memória nacional", sua presença nela não cessou desde sua morte, em 1826, até nossos dias, em registros que não se limitam à historiografia, estando presentes na literatura, na dramaturgia, na música e nos monumentos. O que se modifica no tempo são os autores, a periodicidade, a intensidade e as características específicas dessa rememoração.

Não que a continuidade dessa memória se tenha dado sem hiatos de esquecimento e sem enfrentar obstáculos. Eu diria mesmo que a história de d. Leopoldina ainda está distante do povo brasileiro, contribuindo para isso razões historiográficas, políticas e culturais.

Mas precisamos considerar o pouco espaço que a historiografia e a literatura histórica deram à atuação política das mulheres até pelo menos a década de 1980, e o manto de silêncio ou desprestígio com que a história, a literatura e o ensino no Brasil envolveram os personagens do período imperial após os anos 1970. O fato de não se ter conseguido apagar o papel da imperatriz no processo de Independência e de ser d. Leopoldina ainda hoje admirada e amada por muitos já indica a importância dessa participação.

De inspiradora do libertador a liderança da Independência: uma história em transformação

Foi em meados do século XIX que tivemos a publicação da primeira biografia de Leopoldina, não no Brasil – fato interessante –, mas na França, por Antoinette Celliez, em seu livro *Les Impératrices*.[4] Baseado provavelmente em depoimento de Antônio Menezes Vasconcelos Drummond, colaborador do movimento da Independência vinculado ao grupo dos Andrada, o texto exalta o ativo engajamento de d. Leopoldina na campanha de emancipação.

Em 1880, surgiu uma pequena biografia da imperatriz do Brasil, de autoria de Joaquim Manoel de Macedo, no suplemento ao seu *Anno Biographico*,[5] que parece condensar as recordações que se tinha dela naquele momento, destacando sua atuação caridosa e os sofrimentos de sua vida conjugal. Com relação à sua participação política, coloca, num primeiro momento, que "não há factos positivos que autorizem a asseveração; há, porém, conjecturas para se admitir e acreditar que a Princesa consorte de d. Pedro era muito favorável à ideia da Independência do Brazil desde dezembro de 1821" para, em seguida, afirmar: "Durante a ausência do Esposo a Illustre Princeza exerceu a regência com espírito patriota e decididamente pronunciado a favor da causa do Brasil. A 7 de setembro de 1822 d. Pedro recebeu [...] cartas da Princeza sua Esposa em que ella instante e fervorosamente o aconselhava a proclamar a Independencia do Brazil."[6]

Há outros trabalhos em que sua atuação política é mencionada, como a *História da Independência do Brasil*, de Varnhagen. Da mesma forma, rememoraram-na diversos artigos na imprensa, sobretudo no momento da transladação de seus restos mortais do Convento da Ajuda para o de Santo Antônio, em 1911. Porém, na pequena produção sobre d. Leopoldina existente até o início do século XX, sobressaem as imagens da esposa martirizada e da "mãe dos infelizes", solidária com os necessitados.

Foi no bojo das homenagens pelo centenário de sua morte, em 1926, que surgiram as duas primeiras obras brasileiras importantes sobre a imperatriz: uma edição de documentos preparada pelo Arquivo Nacional – *A imperatriz Maria Leopoldina*[7] – e o estudo de Max Fleiuss – o primeiro documentado –, cujo título, *A paladina da Independência*, ficaria, através das décadas, ligado ao nome de nossa primeira soberana.[8]

Aos poucos, cartas, diários e anotações foram sendo doados a arquivos, museus e institutos históricos, e importantes projetos de cópia de documentos no exterior começaram a ser desenvolvidos por estes institutos, possibilitando ao que era baseado na tradição adquirir contornos de conhecimento histórico.

Entre os anos 1950 e 1970, d. Leopoldina foi objeto de uma série de artigos, livros e crônicas, como a biografia romanceada de Olga Obry, *Grüner Purpur*;[9] a tese de doutorado de Emmi Baum, *Empress Leopoldina: Her Role in the Development of Brazil*, apresentada à Universidade de Nova York;[10] o trabalho de Johanna Prantner, *Kaiserin Leopoldine von Brasilein*;[11] e, em 1973, a melhor e mais bem documentada biografia da soberana, *A imperatriz Leopoldina: sua vida e sua época*,[12] de Carlos H. Oberacker Jr. fruto de um interesse pela personagem que já se evidenciava em seu *A contribuição teuta à formação da nação brasileira*, de 1955.[13]

Em período anterior, já haviam surgido algumas das principais obras sobre d. Pedro I: *A vida de d. Pedro I* (1952), de Otávio Tarquínio de Sousa, e *As quatro coroas de d. Pedro I* (1941) e *Every Inch a King* (1950), de Sérgio Corrêa da Costa. Nas primeiras décadas do século XX, foram publicadas também as principais biografias de sua mais notória amante, Domitila de Castro Canto e Melo (marquesa de Santos): *D. Pedro I e a marquesa de Santos* (1915), de Alberto Rangel, e *A marquesa de Santos* (1938), de Carlos Maul. Nessas páginas, travou-se uma batalha entre os biógrafos de d. Pedro e da marquesa de Santos e os de d. Leopoldina.

Os primeiros buscavam minimizar e até negar à imperatriz qualquer participação política, estigmatizando-a como estrangeira e aristocrata, a quem opunham uma Domitila de Castro brasileira, de origens populares (que, na verdade, ela não tinha) e com um papel na Independência (que ela nunca desempenhou). Essa tendência é exemplarmente representada por Carlos Maul, que atribui "ao sentimentalismo dos brasileiros em presença das vicissitudes por que passou Leopoldina em sua casa [...]" o fato de lhe atribuírem "na obra política da independência uma colaboração que ela não teve" e "à lenda", a pretensão de "fazer de Leopoldina uma criatura estremecida pelos seus súditos".[14] Nesse mesmo contexto, reforçada pelo prestígio do historiador Alberto Rangel, criou-se a imagem da imperatriz, em contradição com retratos e depoimentos, como uma mulher feia, sem vaidade e até mesmo apática e que, portanto, "não podia agradar a um homem como d. Pedro".

A tendência oposta tem certamente em Carlos H. Oberacker Jr. seu maior representante. Não negando que "o tratamento por parte do marido estouvado e sua ligação escandalosa com a marquesa de Santos tinham elevado grandemente a Imperatriz no conceito do povo", salienta, porém, que este "a venerava desde a sua colaboração decisiva no movimento de emancipação" – colaboração comprovada, ao longo do livro, por uma análise com extensa base documental. O autor derruba, de maneira brilhante, os mitos em torno da imagem física e da personalidade de d. Leopoldina, bem como de seu relacionamento com d. Pedro, trazendo à luz imagens e documentos europeus até então desconhecidos ou não veiculados no Brasil. Também afirma a identificação cada vez maior da soberana com os brasileiros, opondo-a ao afastamento progressivo entre d. Pedro e o país, concluindo que "raras vezes uma estrangeira foi tão querida e reconhecida por um povo como ela".[15]

De maneira geral, história e ficção atribuem a d. Leopoldina um papel no processo da Independência, o qual, entretanto, comporta muitas nuances, que se sucedem e, muitas vezes, convivem.

Podemos dizer que, até a década de 1970, esse papel era rememorado essencialmente como o de inspirar, apoiar, aconselhar e concordar com o príncipe; surgia vinculado não a opções políticas, mas ao sentimento, à emoção em relação ao Brasil, desenhando-se aí o estereótipo do papel feminino ainda vigente, sobretudo quando nos reportamos a uma produção que, em sua maioria, deixou as mulheres, durante muito tempo, "na sombra da história". Grande parte dos trabalhos a seu respeito destaca a "aura de fatalidade", o caráter trágico que assinalou sua vida, pois, paradoxalmente, no momento da proclamação da Independência, em que ela conheceu o auge de seu prestígio político, iniciou-se sua desgraça pessoal, com a entrada em cena de Domitila de Castro. Incapaz de se opor ao relacionamento de d. Pedro com a posterior marquesa de Santos, teria, a partir daí, sofrido até a morte, passivamente, as mais diversas humilhações e afrontas por parte do marido.

No entanto, a mulher que emerge da documentação é outra: forte e determinada, com posicionamentos políticos definidos e disposta a pagar o preço por eles, tornando-se, antes mesmo da adesão do marido, ativa no movimento da Independência. Uma mulher que exerceu o poder indiretamente, como consorte do soberano, e diretamente, quando substituiu o príncipe regente e posterior imperador ausente no governo do país, que ficou pela primeira vez em mãos femininas.

Manifestações contemporâneas à imperatriz[16] e as dela própria retratam sua participação no processo da Independência. Não como a participação "discreta" que Oliveira Lima visualizou, mas pública e ostensiva, a ponto de gerar dois manifestos de apoio assinados exclusivamente por mulheres – um destinado diretamente à então princesa real e outro já à imperatriz – e de permitir ao arcebispo da Bahia dirigir à Câmara, em 1827, a pergunta: "Qual é o brasileiro que não sabe quanto ella se identificou com os nossos interesses e com a causa da patria [...]?"[17]

A atuação de d. Leopoldina inspirou mesmo trechos de um interessante hino, publicado por uma senhora brasileira recolhida ao Convento da Ajuda no final de 1822 e impresso pela Typographia do Diario. Além da singularidade da composição, confeccionada por uma mulher reclusa em instituição religiosa, mas que teve a oportunidade de divulgá-la pela imprensa, cabe ressaltar que os versos exaltam a figura de d. Pedro, porém especialmente a de d. Leopoldina, como exemplifica o trecho a seguir:

> Imperatriz do Brasil
> Quíz o povo Te eleger,
> Pois dizes com Teu Esposo
> Independência ou Morrer.[18]

Se essa ação política ainda precisa ser mais bem dimensionada, outros matizes da trajetória pública dessa mulher, em certos pontos à frente do seu tempo, quase nenhum espaço ocuparam na produção a seu respeito: sua atuação solidária junto a grupos sociais desfavorecidos, como brancos pobres e escravos, seu papel na obtenção e difusão de conhecimentos sobre a natureza brasileira, não só por meio da proteção a naturalistas europeus e do estímulo à criação de instituições científicas brasileiras, como o Museu Nacional, mas também realizando ela própria excursões de pesquisa pela Mata Atlântica, na área próxima ao Rio de Janeiro.

O vanguardismo dessas atitudes naturalmente tornou d. Leopoldina alvo dos preconceitos de seus contemporâneos (sobretudo por parte da corte luso-brasileira). Porém, o modo como os enfrentou, não permitindo que interferissem em seu pensamento nem em sua ação política, social e científica, demonstra a independência e a força de sua personalidade. O surpreendente é que a maior parte da historiografia e das obras de ficção a seu respeito, como já mencionado, não cansou de reforçar o discurso preconceituoso daquele início do século XIX, e continua a reafirmá-lo hoje, mascarando-o com as roupagens tão atuais da "desconstrução do herói".

Por outro lado, como ressalta Maria de Lourdes Viana Lyra, seu comportamento de vanguarda e sua determinada atuação nas questões de governo, "certamente, devem ter influenciado no realce de seu papel de liderança política".[19]

Nessa direção, o silêncio digno e o autocontrole com que suportou as múltiplas humilhações por parte do marido e sua concubina não podem ser vistos como resignação ou passividade, mas como parte da plena consciência do seu papel público. De quão bem-sucedido foi esse papel – exercido de modo carismático e consequente – fala-nos a grande popularidade de d. Leopoldina, chegando alguns pasquins a exigir "que se afastasse d. Pedro e a 'dona' e que se reconhecesse o príncipe herdeiro sob a tutela da Imperatriz".[20]

Emmi Baum, Johanna Prantner e Carlos H. Oberacker Jr. já haviam caminhado no sentido dessa interpretação, mas foi na década de 1990 – com a valorização da mulher na cena histórica e com a renovação do interesse pelo processo da Independência – que esse redimensionamento da figura de d. Leopoldina ganhou força. Há um novo e instigante olhar sobre a documentação a ela referente, um olhar com o qual compartilho e que, pelas próprias limitações de cada momento histórico, não se teve no passado.

Nos anos 2000, seguindo a mesma linha, foram publicadas duas importantes biografias sobre a imperatriz: a de Maria de Lourdes Viana Lyra e a de Marsilio Cassotti. Viana Lyra,[21] especialista na formação do Estado imperial brasileiro, vê d. Leopoldina no "papel de protagonista no cenário político da época", resumindo do seguinte modo a personalidade e atuação de sua biografada: "Leopoldina acabou me seduzindo por se revelar vibrante e apaixonada, erudita e politizada, plenamente consciente do papel que lhe competia desempenhar como mulher e Imperatriz."[22] A partir dessa perspectiva, seu trabalho traz uma interessante análise da atuação política da soberana.

Já Marsilio Cassotti, em seu *Biografia íntima de Leopoldina, a imperatriz que conseguiu a Independência do Brasil*,[23] baseado no que contam (e ocultam) as cartas de Leopoldina, busca traçar suas experiências desde a infância e juventude como arquiduquesa da Áustria (a meu ver, parte em que oferece a contribuição mais interessante) até sua morte, em 1826. E o faz porque vê na imperatriz um personagem decisivo na história do Brasil, como o próprio título da obra já anuncia.

A história não comporta versões definitivas, é de sua natureza transformar-se à medida que novas fontes e novas abordagens surgem. Mas o que podemos afirmar é que a visão hoje predominante é a de que a imperatriz Leopoldina soube conquistar um lugar para si na história brasileira como coparticipante do processo histórico.

Uma austríaca enfeitiçada pelo Brasil

Filha de Francisco de Habsburgo-Lorena, último imperador do Sacro Império Romano-Germânico e primeiro imperador da Áustria, e de sua segunda esposa, Maria Teresa de Bourbon-Sicília, Leopoldina Carolina Josefa de Habsburgo-Lorena[24] nasceu a 22 de janeiro de 1797, já com o título de arquiduquesa da Áustria, como as demais princesas da Casa Imperial. Nascia membro de uma dinastia secular, que reunia tradição, poder e cultura; que mantinha seu trono e a autoridade imperial, entre outras razões, por ter sabido atualizar-se diante de uma Europa em transformação, reconhecendo, desde Leopoldo II, que

> [...] hoje em dia, quando um dos nossos herda um trono já não se trata, como outrora, de uma propriedade devidamente adquirida – mas sim de um cargo, de uma pesada incumbência e é preciso quebrar-se a cabeça para reinar tanto quanto possível de acordo com os desejos dos seus súditos.[25]

Do ponto de vista externo, os Habsburgo notabilizaram-se por estender sua influência por meio da mais hábil política de casamentos entre as casas reais. O destino de Leopoldina foi traçado por essa política: deveria casar-se com d. Pedro de Bragança e Bourbon, filho e herdeiro de d. João VI, rei de Portugal, do Brasil e de Algarves. A aliança era vantajosa para ambos os lados. Para Portugal, significava uma possibilidade de escapar à dependência da Inglaterra. À casa da Áustria, permitia fazer-se presente, por meio da futura rainha, num dilatado império, que incluía uma promissora terra americana recentemente elevada a reino unido – o Brasil. A *Gazeta de Lisboa* de 13 de maio de 1817 transcrevia notícias de Londres que já demonstravam o interesse comercial da Áustria em relação ao Brasil:

> Extracto de huma carta de Trieste datada a 10 de abril: Darão à vella para o Rio de Janeiro duas Fragatas Austríacas, a Áustria [...] e a Augusta [...], levando a frete e proteção muitas toneladas de Fazendas do Império, como um estímulo aos seus habitantes para principiarem huma comunicação directa com o Brasil.[26]

O casamento realizou-se, por procuração, em Viena, a 13 de maio de 1817, e, a 13 de agosto, a arquiduquesa deixou a Europa.

Alegre, cheia de vida, disposta a enfrentar seus temores e a demonstrar força e coragem sempre que necessário, com uma profunda fé cristã e uma sólida formação científica e cultural, que incluía política e noções de governo, e preparada para reinar, d. Leopoldina aceitara, com o noivado, o desafio de ser a primeira princesa europeia a se casar no continente americano.

O Brasil, aliás, teria sido objeto do interesse de Leopoldina muito antes de seu casamento, fruto de uma visão romântica que ela possuiria do país desconhecido e misterioso. Essa interpretação aparece, em crônicas de época ou posteriores, ligada a uma ideia de predestinação, que encontra apoio numa afirmação da própria arquiduquesa em carta à sua tia, Maria Amélia de Orleans, de 16 de dezembro de 1816: "A viagem não me assusta. Creio que isto está predestinado, pois sempre tive um singular pendor pela América e mesmo quando criança dizia eu sempre que queria ir lá."[27] De fato, d. Leopoldina, particularmente empenhada nos estudos sobre a natureza, possuía, ainda em Viena, conhecimentos sobre a vastidão da flora e da fauna do universo tropical, a partir das visões da América transmitidas pelos viajantes que já a haviam visitado e sobre ela escrito. Por isso mesmo, apesar das incertezas da viagem e da dor pela separação da família amada, a aventura de conhecer o Novo Mundo fascinou a arquiduquesa.

A respeito do impacto do encontro com a nova terra sobre a agora princesa real, ela própria o mencionou na correspondência com a família, como na carta ao pai de 8 de novembro de 1817: "A entrada no porto é sem par, e acho que a primeira impressão que o paradisíaco Brasil faz a todo estrangeiro é impossível de descrever com qualquer pena ou pincel."[28]

Entretanto, é preciso ver em d. Leopoldina sua condição de alguém que, vindo de outro espaço geográfico e com outras origens culturais, necessita adaptar-se a uma realidade bem diversa da sua. Nesse sentido, os estudos sobre a imperatriz caem, via de regra, em extremos questionáveis: ora apresentando-a como uma espécie de "corpo estranho", a europeia totalmente inadaptada ao mundo brasileiro, ora abrasileirando-a completamente, falando "de sua excepcionalíssima resignação ao nosso clima, aos nossos hábitos, à nossa pobreza, ao nosso plebeísmo".[29]

Não se pode negar o estranhamento diante de uma terra e uma sociedade tão diferentes da sua e a dificuldade de adaptar-se a elas. Ao paraíso sonhado, sucedeu uma vida real não raro hostil e cheia de obstáculos a ser ultrapassados, que iam do clima aos hábitos da corte e ao temperamento do próprio marido. Já em março de 1818, confessava à irmã predileta – Maria Luísa – ter passado por tantas experiências e tido tantos aborrecimentos nos poucos meses em que vivia em meio a outra gente e numa outra terra que ela, espontânea e franca por natureza, tornara-se um tanto desconfiada e mais cautelosa.

De olhos claros, pele alva e delicada, nascida num país com verões amenos e rigorosos invernos, d. Leopoldina era extremamente sensível ao sol intenso e ao calor constante. Os efeitos negativos disso sobre a aparência e a saúde da imperatriz podem ser percebidos em sua correspondência e nos relatos que sobre ela deixaram seus contemporâneos.

Maior que o choque físico certamente foi o contraponto cultural, sobretudo com os setores mais conservadores da corte, pois d. Leopoldina não correspondia, como apontou Carlos H. Oberacker Jr., ao tipo tradicional de mulher com o qual estavam habituados. Cortesãos que desprezavam o trabalho manual viviam num intrincado jogo de bajulação e intrigas – dependentes que eram das boas graças dos príncipes – e acreditavam que saber ler e escrever era instrução mais do que suficiente para mulheres destinadas a habitar a casa e os salões. Assim, viam com desconfiança aquela princesa culta, que buscava se manter intelectualmente atualizada, que tratava com educação e respeito seus serviçais e até mesmo os escravos, não recompensava o servilismo, procurando manter-se longe do circuito das intrigas, a quem agradava estar ao ar livre, fazer longas caminhadas e cavalgadas, apreciar e estudar a natureza, cultivar suas plantas e tratar de seus animais, que fazia questão de acompanhar o marido por toda parte e se intrometia nas questões de Estado. Para eles, Leopoldina seria sempre "a estrangeira".

Por seu lado, d. Leopoldina sentia falta de uma vida social e cultural mais intensa – que o Rio de Janeiro da época estava longe de possuir – e raramente encontrou pessoas do mesmo nível intelectual com quem pudesse manter uma conversa mais complexa do que aquela sobre a vida doméstica. Com poucas exceções, nunca conseguiu estabelecer laços fortes de amizade com os fidalgos; ao contrário, desprezava-os, buscando seus amigos mais íntimos fora do círculo cortesão.[30] Desse isolamento, queixou-se frequentemente a amigos e parentes.

Apesar desses contrastes e conflitos e em vez de se dedicar somente a lamentações, Leopoldina procurou abrir-se para compreender e aceitar a nova terra, até por considerar ser esse o seu dever. Com o "sentimento de solidão e estranheza diante dos costumes da Corte Brasileira na época" conviveu "a sua crescente paixão pelo Brasil".[31]

Demonstrando grande disposição para superar as próprias limitações, não desanimou de explorar em seus detalhes a natureza da qual a amostra nas estufas de Schönbrunn já a impressionava. Para espanto da maioria – sobretudo dos europeus que aqui aportavam –, adotou um traje que incluía calças, botas de cano alto e chapéu largo, capaz, portanto, de protegê-la da inclemência do clima e dos perigos da mata, permitindo-lhe prosseguir em suas pesquisas e tornar-se a companheira inseparável de d. Pedro.[32]

Foi capaz de ver não só a beleza, mas as possibilidades do reino, que foi passando a considerar uma nação distinta de Portugal, com características e anseios próprios. Adotou a língua portuguesa em sua vida diária, de tal modo que progrediu significativamente em seu domínio, chegando mesmo, como ela o confessou ao marquês de Marialva, a esquecer um pouco o francês e o alemão, seu idoma de origem.

Esse processo de adaptação não fez d. Leopoldina negar suas raízes culturais. Continuava a se sentir austríaca, tinha saudades de sua terra e seus costumes, mas, ao mesmo tempo, sentia-se, como diria ao pai, "brasileira do fundo do coração", com uma história de vida já ligada ao país.

Um aspecto que, se pesquisado em profundidade, certamente contribuirá para uma melhor compreensão do relacionamento da imperatriz com sua nova pátria é sua atuação como naturalista.

Quando se menciona o envolvimento de d. Leopoldina com as ciências naturais, costuma-se destacar a Missão Austro-Bávara de 1817 e, com menor detalhamento, o apoio da imperatriz a cientistas em visita ao Brasil e ao então Museu Real (hoje Museu Nacional). Suas excursões científicas pela Mata Atlântica, a coleta de material feita durante elas, os estudos desses espécimes, a troca de correspondência com cientistas na Europa são sempre comentados de forma passageira, como comprovação da cultura de Leopoldina ou até mesmo como uma faceta "exótica" de sua personalidade. Nem mesmo Carlos H. Oberacker Jr. – seu melhor biógrafo – escapou à regra.

Essa atividade, que a levava a se embrenhar nas matas com o marido, com um pequeno séquito ou sozinha, foi, aliás, alvo de estranhamento por parte de seus contemporâneos e de autores da primeira metade do século XX. Apenas recentemente, com as discussões em torno das questões ambientais, essa relação da imperatriz com a natureza tem sido valorizada e é, hoje, reavaliada como evidência de sua consciência de vanguarda com relação à importância do meio ambiente, porém sem uma base documental que sustente as afirmações.

Desvendar detalhes do contato entre d. Leopoldina e a natureza brasileira, que se estreitou e permaneceu ao longo dos nove anos em que ela aqui viveu, nos permitiria aprofundar a visão que tinha do país, das populações que encontrou, do cenário desenhado pela exuberância e pelo inusitado do mundo tropical, que ela soube perceber e descrever, como bem apontou Maria de Lourdes Viana Lyra, "com a sensibilidade do artista que olha o entorno e capta o que ele tem de mais belo".[33]

Fazê-lo exige examinar com esse olhar sua correspondência destinada à Europa. Os poucos trechos citados por Olga Obry e Carlos Oberacker Jr. – muito mais como ilustração dos hábitos cotidianos de d. Leopoldina no Brasil do que como narrativas a merecer análise – dão conta de extensos e interessantes relatos de suas viagens pelos caminhos de São Paulo e Minas Gerais e pela serra dos Órgãos, entre outras localidades do Rio de Janeiro. Infelizmente, ainda não temos sua reprodução integral disponível no país.

Outra fonte de grande importância para o aprofundamento dessa questão seria a produção pictórica de d. Leopoldina no Brasil.[34] Não há dúvida de que ela realizou esses trabalhos, muitos deles retratando paisagens, plantas e animais. Existem depoimentos de época nesse sentido, como o do viajante e pintor francês Jacques Arago, que afirma: "Tive a honra de tornar a ver diversas vezes a excelente Leopoldina, com quem desenhava muitas vezes nos arredores de São Cristóvão."[35] Não há, porém, notícias dessa produção. Faço minha a pergunta que d. Carlos Tasso de Saxe-Coburgo e Bragança deixa em seu artigo sobre a formação artística da imperatriz Leopoldina: onde estariam os desenhos e pinturas que ela produziu no Brasil? Encontrar esse material permitiria não só avaliar melhor seus dons artísticos – são trabalhos da maturidade –, como traria um novo elemento – a imagem – para a reconstituição da sua visão do país.

A grande conspiradora: atuação política de d. Leopoldina

A dedicação de d. Leopoldina às ciências da natureza, marcadas pelo romantismo dominante no início do século XIX – que fez com que ela percebesse a paisagem brasileira não apenas como extenso campo de investigação, mas como cenário poético e encantador –, tem sido evocada em várias oportunidades para justificar sua adesão ao movimento da Independência. Sua participação na luta pela emancipação política aparece como consequência natural de seu fascínio pelo país. "O seu amor a estas gentes e a estes climas floresceu em propaganda",[36] afirma o historiador Pedro Calmon. A ideia de uma adesão natural, predestinada, à causa da emancipação foi sintetizada pelo arcebispo da Bahia na oração fúnebre em memória da imperatriz: "Deos havia lhe dado [...] hum coração todo brasileiro."[37]

A constatação de sua ação política consciente e contínua coloca, porém, a necessidade de aprofundar quer seus caminhos, quer seus fundamentos ideológicos. Maria de Lourdes Viana Lyra fala do "conservadorismo de seu pensamento político", fiel aos preceitos absolutistas de sua casa de origem. No entanto, a percepção dos grupos com os quais d. Leopoldina interage e aos quais se alia me levam a pensar que a questão é mais complexa.

Obviamente, não creio que reprimiu seu conservadorismo por amor a d. Pedro, como afirma Neil Macaulay, nem que o marido – de nível cultural inferior e com formação política menos consistente – pudesse exercer sobre ela qualquer influência decisiva no sentido de "convertê-la" ao liberalismo, como desejaria Otávio Tarquínio de Sousa. O que menos se pode inferir da documentação existente é que suas opções políticas tenham fundamento em seus sentimentos pelo príncipe; ao contrário, a independência do pensamento político de Leopoldina, muitas vezes divergente do pensamento do marido, foi causa de tensões entre o casal. Se desejarmos atribuir sua ação a algum sentimento, a própria d. Leopoldina menciona, em 1826, a seu secretário Johann Martin Flach,[38] um bem mais coletivo: "o amor ao Brasil".[39]

Sem desconsiderar sua formação e o peso que teve em sua vida, parece-me proveitoso tentar perceber as experiências vividas no Brasil pela princesa e imperatriz num momento revolucionário cheio de questionamentos e incertezas e o modo como, a partir disso, reelaborou seus posicionamentos e em que direções.

Embora os caminhos da adesão de d. Leopoldina à causa brasileira sejam um ponto ainda nebuloso, não há dúvida que sua cooptação para o círculo dos chamados "patriotas" – ou seja, os adeptos da autonomia e, mais tarde, da separação – aconteceu antes da de d. Pedro. Comprovam-no seus bilhetes, na época do "Fico", ao seu secretário particular, Georg Anton von Schäffer, em que informa aos aliados o trabalho que vinha realizando no sentido de convencer o príncipe regente a decidir-se a favor dos brasileiros. Pergunto-me por que parte da historiografia brasileira, que, há muito, conhece e utiliza essa documentação, insiste em omitir que a adesão da princesa precedeu à de d. Pedro e que sua influência sobre ele era, naquele momento, tão grande que motivou os patriotas a desejarem-na como aliada, uma conspiradora no topo do poder, com acesso direto ao regente. Além de Oberacker,[40] em 1973, e, mais recentemente, Maria de Lourdes Lyra[41] e Paulo Rezzutti,[42] ousou essa interpretação, em 1977, Jorge Americano, para quem "José Bonifácio [...] elaborou um plano de ação. Primeiramente procurou e conseguiu o apoio de d. Leopoldina. A Princesa, culta, inteligente, conhecedora de política internacional, acabou por abraçar com entusiasmo a causa".[43] Não me parece, no entanto, que esse pudesse ter sido um plano individual de José Bonifácio, que então nem se encontrava no Rio de Janeiro. É mais provável que o elo entre d. Leopoldina e os autonomistas tenha sido seu secretário particular – pelo menos a correspondência trocada o coloca como intermediário – e que essa ligação passe, como sugere Neil Macaulay,[44] por membros do clero que já integravam o movimento, como frei Sampaio e o cônego Januário da Cunha Barbosa.

Mas por que d. Leopoldina, tão consciente de seus deveres para com a Casa Real Portuguesa, teria aderido a um movimento que seria considerado subversivo pelo governo português?

Porque ela fez uma opção política pelo Brasil, uma opção para a qual evoluiu lentamente e que saiu vitoriosa de uma dura luta interior, sendo, a partir daí, firme e definitiva. Sacrificou seus interesses pessoais – rever sua terra e sua família, estar num ambiente mais favorável a ela emocional e fisicamente – por um ideal político: a criação de um grande império na América, um império novo, uno e rico, em cujo futuro promissor acreditava, profetizando que ele "nunca poderá ser subjugado pela Europa, mas que, com o decorrer do tempo, facilmente poderá arvorar-se em seu legislador".[45]

Ao reconhecer não a inevitabilidade do rompimento, como aponta Oliveira Lima, mas a vaga revolucionária que não permitiria mais ilusões quanto ao fim da ordem antiga, dedicando-se a estudar os teóricos liberais e as experiências políticas em curso (incluindo a dos Estados Unidos), convenceu-se da validade do projeto monárquico-constitucional defendido pelos setores mais moderados do movimento – entre os quais estavam os irmãos Andrada –, projeto que conciliava as reivindicações liberais com a preservação da monarquia e de prerrogativas essenciais da realeza. Engajou-se na sua estruturação e implantação no "amado Brasil", que imaginava, assim, salvo das "ameaças de república".

Não considerava esse ato uma deslealdade para com a Coroa portuguesa, na medida em que, na sua visão, as Cortes, eleitas após a Revolução Liberal de 1820, desrespeitavam a pessoa e as prerrogativas do rei e o mantinham prisioneiro de sua vontade. É bem verdade que, mesmo quando d. João VI recuperou o poder absoluto, nunca cogitou a reunificação dos dois países, defendendo intransigentemente o reconhecimento da Independência.

O rompimento com Portugal era, contudo, apenas um dos caminhos naquela década de 1820. Para concretizá-lo, era preciso enfrentar os opositores internos, como reconhecia a própria princesa em bilhete a José Bonifácio de Andrada e Silva: "Ainda muitas pessoas acreditam na união do Brasil com o Portugal, achando que só assim podem ser felizes." Ao trilhar esse caminho, d. Leopoldina estava consciente dos riscos, que iam desde a derrota para as Cortes – o que os colocaria na posição de traidores – até a vitória de setores republicanos do movimento – o que os deixaria sem pátria. Tudo era incerto e possível. Mas, com a força e a coragem que lhe eram peculiares, afirmava estar disposta a dar sua vida pelo que considerava "o bem público e da Nação Brasileira", à qual se estimava "felicíssima de pertencer".[46]

D. Leopoldina adotou explicitamente a nacionalidade brasileira, o que passou a deixar claro em suas cartas: "Nós brasileiros os desprezamos", "Escrevo como Brasileira", "Serei sempre Brasileira de coração". Compreendendo o processo de afirmação da nacionalidade por que passava o país, não usava e não estimulava o uso de idiomas estrangeiros na corte, "dizendo a todos que falassem português" e ajudando os que nisso tinham dificuldade.[47]

"Brasil", relembrava frei Sampaio ao prantear a morte da imperatriz, "tu ouviste então o novo juramento da Heroína de dois mundos; apertaram-se mais os vínculos do seu compatriotismo; Ela se despediu para sempre da Europa, reconhecendo-te por sua Pátria adotiva."[48]

A partir de então, suas posições foram incisivas "no resguardo das prerrogativas do Reino do Brasil".[49]

Evoluímos assim da percepção de uma d. Leopoldina cuja "influência na história nacional mede-se pelas suas próprias virtudes, sua pureza e doçura, a cultura de seu espírito"[50] para a Leopoldina estadista, extraordinária na lucidez com que visualizou e soube agir em seu momento histórico. Dela, o que menos se pode dizer é que "nunca interveio nos negócios políticos, porque era naturalmente modesta".[51] Sua modéstia manifestava-se no trato com o próximo. Quanto à ação política, considerava-a um dever, embora afirmasse "Deus sabe que nunca tive ambição de governar".

Seu primeiro grande momento de atuação deu-se no episódio do "Fico", isto é, durante a campanha de dezembro de 1821 a janeiro de 1822 para que d. Pedro desobedecesse às ordens das Cortes de Lisboa e permanecesse no Brasil como regente.

"A ela", diz Jorge Americano, "caberia converter o marido". Para isso, é claro, usaria sua posição privilegiada de esposa, mas seria ingênuo imaginar que tão somente com suas armas de mulher conseguiria convencer o príncipe. Não porque d. Leopoldina não as tivesse ou não as soubesse empregar, e sim porque possuía outras mais consistentes. "Muito mais instruída do que d. Pedro [...] e tendo-se formado noutro meio", assevera Oliveira Lima, identificando melhor a fonte de sua bem-sucedida influência, "ela dispunha sobre o ânimo do marido de um poder de sedução que lhe não era infelizmente dado exercer sobre o seu temperamento."[52]

Seus esforços para que d. Pedro decidisse pela permanência no Brasil são minuciosamente informados aos patriotas por intermédio de seus bilhetes a seu secretário Schäffer. Anunciava satisfeita que "ele está mais bem disposto para com os brasileiros do que eu imaginava". Não só prestava contas da principal missão que lhe fora confiada, como também de sua interferência para que fossem adotadas medidas administrativas de interesse dos autonomistas, como a substituição de ministros portugueses por brasileiros, além de aconselhá-los sobre o melhor modo de agir junto a um homem altivo e emocionalmente instável como d. Pedro, pois, do contrário, "tudo então estaria perdido". Num dos bilhetes, desabafava: "Muito me tem custado alcançar tudo isto. Só desejaria insuflar uma decisão mais firme."[53]

Em 9 de janeiro de 1822, d. Pedro tomou a tal "decisão mais firme": ficou no Brasil. Dois dias de festa iluminaram o Rio de Janeiro. No dia 11, porém, a Divisão Auxiliadora pôs em prática seu plano de levar presos a Lisboa o príncipe e a princesa rebeldes às determinações das Cortes. A vitória do regente sobre as tropas portuguesas com o apoio das milícias brasileiras foi espetacular, mas custou a Pedro e Leopoldina o filho João Carlos, de onze meses, que não suportou a precipitada viagem para a Fazenda de Santa Cruz, onde o príncipe procurara colocar a família a salvo da batalha.

Significativo indício de quanto, a essa altura, d. Leopoldina já se encontrava envolvida na política do Reino é o conhecimento preciso que possuía sobre a chegada da deputação de São Paulo, que vinha hipotecar seu apoio à permanência do regente, e a ansiedade com que a aguardava, mandando seu coche particular para conduzi-los do Porto de Sepetiba ao Rio de Janeiro. A deputação dispensou o transporte, pois já o tinha, mas não a visita à princesa, então em Santa Cruz. Nessa oportunidade, d. Leopoldina conheceu pessoalmente José Bonifácio de Andrada e Silva, membro destacado da política paulista e cientista de renome internacional, que seu marido convidaria para ocupar o mais alto cargo do novo ministério. Com sua linha de ação, a princesa identificou-se completamente, aprofundando sua participação nas discussões políticas e nas decisões de Estado. Aliás, a admiração era recíproca. Em carta a d. Pedro, José Bonifácio refere-se a d. Leopoldina como "nossa boa e incomparável Ama, que Deus nos deu como mimo e presente seu".[54] E em bilhete à própria princesa diz não ter palavras "para agradecer a Vossa Alteza Real [...] o interesse que toma pela felicidade e sossego do seu Reino do Brasil".

Leopoldina tornava-se, cada vez mais, um elemento encorajador e moderador do projeto de separação. Foi uma articuladora incansável com os partidários dessa vertente, aparando arestas entre eles e o príncipe, passando-lhes informações, para cuja obtenção fazia trabalhar o próprio encarregado de negócios da Áustria, identificando os "do partido oposto". Dividia com o marido o trabalho de governar, como comprova uma carta de 1823 à sua tia Maria Amélia, na qual justifica seu prolongado silêncio com a afirmação "ajudo meu Esposo nos negócios", colocando a serviço do Estado independente em gestação os conhecimentos que a disciplinada formação da casa paterna lhe proporcionara. De fato, d. Leopoldina e d. Pedro partilhavam então o mesmo ideal político; sua íntima colaboração pode ser facilmente percebida na correspondência entre ambos durante as viagens do príncipe a Minas Gerais e São Paulo.

Sua atuação alcançou tal destaque que atraiu a lealdade das mulheres brasileiras, reunindo-as em torno de sua figura, sentimento expresso em dois manifestos. O primeiro, de 23 de agosto de 1822, assinado por 186 mulheres baianas, felicitava a princesa pela parte tomada nas decisões do esposo. O segundo, de 13 de outubro de 1822 – no dia seguinte à aclamação –, assinado por 55 mulheres paulistas, protestava à agora imperatriz amor, respeito e gratidão. Por seu lado, d. Leopoldina aproveitava a comunicação a d. Pedro de que receberia a deputação das baianas para expressar sua visão sobre a presença das mulheres na política, dizendo-lhe que a atitude daquelas senhoras "prova que as mulheres têm mais ânimo e são mais aderentes à causa boa".

Nessa época, a princesa receberia a maior comprovação da confiança política que nela se depositava. Era nomeada por d. Pedro, por meio do decreto de 13 de agosto de 1822, sua substituta durante a viagem dele a São Paulo, de modo que poderia, "com os referidos Ministros e Secretários de Estado, tomar todas as medidas urgentes e necessárias ao bem e à salvação do Estado, e de tudo me dará imediatamente parte para receber a minha aprovação e ratificação".[55]

Em fins de agosto, chegavam notícias de Lisboa que davam conta de que as Cortes, entre outras deliberações, ordenavam o retorno imediato do príncipe, determinavam a prisão dos ministros e anulavam os atos da regência. O "bem e a salvação do Estado" exigiam então que a princesa exercesse amplamente a autoridade que lhe fora conferida, para além das rotinas administrativas, que vinha cumprindo com competência e invejável vigor, apesar do discurso de fragilidade com que sabia envolver o marido. A 2 de setembro de 1822, sob a presidência de d. Leopoldina, reuniu-se o Conselho de Estado, posicionando-se favoravelmente à separação e estabelecendo um primeiro plano de defesa para a nação que nascia.

Restava, como o decreto previa, a aprovação e ratificação do regente, que, no presente caso, eram urgentíssimas; era uma oportunidade que não se podia perder, daí a pressa com que os emissários foram enviados a São Paulo.

D. Leopoldina e José Bonifácio não confiaram, porém, apenas aos documentos oficiais a missão de mostrar a d. Pedro a necessidade de aprovar a deliberação do Conselho. Escreveram-lhe cartas particulares.

Há divergências quanto à carta de d. Leopoldina que teria sido entregue ao príncipe. Tradicionalmente, considera-se a de 29 de agosto. Mas, além de ter data anterior à reunião do Conselho, essa missiva, apesar de preocupante, nada contém que justifique o comentário de Vasconcelos Drummond de que, ao lê-la, teve ocasião de admirar o espírito e a sagacidade da princesa.[56] Concordo com a tese de Carlos H. Oberacker Jr. de que a carta entregue fora outra, a que consta de um manuscrito raro, de 1826, contendo o depoimento de uma testemunha do Sete de Setembro, o padre Belchior Pinheiro de Oliveira, e que aparece transcrita por cronistas da década de 1920. Embora não se tenha notícia da carta ou do manuscrito, em abono dessa tese há a declaração de "um dos amigos mais dedicados do Imperador D. Pedro I", em que afirmava que as instâncias para a Independência na carta da princesa não eram menores que as de José Bonifácio e que, em toda ela, revelava-se o sangue de Maria Teresa (sua bisavó), recordando-se de uma única frase, que consta efetivamente da carta em questão: "O pomo está maduro, colhe--o já, senão apodrecerá."[57] De fato, o texto é impressionante, revela uma grande habilidade política, um profundo conhecimento do destinatário e manifesta, sem dúvida, um pensamento político que era o de d. Leopoldina.

> Pedro, o Brasil está como um vulcão. Até no Paço há revolucionários. Até portugueses são revolucionários. Até oficiais das tropas são revolucionários. As Cortes Portuguesas ordenam a vossa partida imediata, ameaçam-vos e humilham-vos. O Conselho de Estado aconselha-vos a ficar. Meu coração de mulher e de esposa prevê desgraças se partirmos agora para Lisboa. Sabemos bem o que têm sofrido nossos pais. O Rei e a Rainha de Portugal não são mais reis, não governam mais, são governados pelo despotismo das Cortes que perseguem e humilham os soberanos a quem devem respeito. Chamberlain vos contará tudo o que sucede em Lisboa. O Brasil será em vossas mãos um grande país. O Brasil vos quer para seu monarca. Com o vosso apoio ou sem o vosso apoio ele fará a sua separação. O pomo está maduro, colhei-o já, senão apodrecerá. Ainda é tempo de ouvirdes o conselho de um sábio que conheceu todas as cortes da Europa, que além de vosso Ministro fiel, é o maior de vossos amigos. Ouvi o conselho do vosso Ministro, se não quiserdes ouvir o da vossa amiga. Pedro, o momento é o

mais importante de vossa vida. Já dissestes aqui o que ireis fazer em São Paulo. Fazei, pois. Tereis o apoio do Brasil inteiro e, contra a vontade do povo brasileiro, os soldados portugueses que aqui estão nada podem fazer. – Leopoldina.[58]

Às quatro e meia da tarde de 7 de setembro de 1822, d. Pedro ratificava a decisão do Conselho, proclamando a Independência.

A felicidade de d. Leopoldina por esse passo decisivo é expressa de forma eloquente no episódio dos laços de fita. Definido que todo adepto da Independência usaria no braço uma fita verde – a cor da casa de Bragança –, e não havendo mais fitas verdes no Paço, a princesa arrancou as que enfeitavam seus travesseiros e distribuiu-as entre os presentes, como relata Vasconcelos Drummond, um dos ganhadores do honroso laço.[59]

Foram adotadas como cores nacionais o verde e o amarelo (ou cor de ouro), simbolizando a nova dinastia, fruto da união entre Bragança e Habsburgo. Na concepção da nova bandeira, o losango dourado indicava de forma inequívoca a presença de uma mulher Habsburgo-Lorena na fundação da nova nação.

Entretanto, sabia d. Leopoldina que a luta estava apenas começando, uma longa e dura luta, interna e externa, pela consolidação do Império. E, embora autores como Pedro Calmon cheguem a afirmar que "a política inebriara-a em 1822; já não a interessava em 1825; em 1826 é, no Paço, uma espécie de secretária para negócios estrangeiros",[60] sua participação política não se esgotou em 1822.

A partir de 1823, teve que enfrentar, é certo, graves obstáculos, com a queda e o exílio de importantes aliados, como os Andrada, e a progressiva ocupação dos espaços de poder por seus adversários, que não se restringiam à marquesa de Santos, mas tinham nela forte apoio, e cuja oposição não se limitava a questões domésticas. Mesmo assim, continuou a trabalhar pela causa que abraçara, beneficiada pela confiança do imperador, que seus inimigos nunca conseguiram destruir. Atuou firmemente na busca do reconhecimento da Independência, a serviço do qual colocou seus contatos e suas relações familiares na Europa, incentivou a imigração alemã para o Brasil e, com ela, o trabalho livre, e colaborou na obtenção de soldados mercenários que reforçariam as incipientes tropas imperiais na Guerra da Independência.

A carta ao pai, Francisco I, datada de 6 de abril de 1823, revela o modo como, a partir do processo vivido, reinterpretou, independentemente da concordância de sua casa de origem, aquela que sua formação lhe apontava como a principal missão de sua vida: "representar dignamente a ideia monárquica, servir ao seu povo e fazê-lo feliz".[61]

Caríssimo papai! Antônio Teles, camarista de meu esposo, homem muito honrado e honesto, é o portador desta correspondência e de meus sinceros e calorosos votos pela sua saúde e pela futura grandeza do Brasil. Como a oportunidade me permite falar sinceramente, quero contar tudo ao Senhor, querido pai, e expor-lhe o que, infelizmente, até agora lhe foi apresentado sob um falso ponto de vista, ou por malícia para nos prejudicar, ou por falta de conhecimentos, o que não pretendo decidir [...] Desde que o meu marido tomou o leme do estado, Deus o sabe, não por ambição do poder ou por vanglória, mas para satisfazer ao desejo do probo povo brasileiro, que se sentia sem regente e dilacerado no seu íntimo pelos partidos; obrigaram-no ameaças de anarquia ou de república – e qualquer outra pessoa que se tivesse encontrado na mesma situação, teria procedido de modo idêntico – a aceitar o título de imperador para satisfazer a todos e para fundamentar a unidade. Estou convencida, prezado pai, de que lhe disseram e escreveram que aqui querem uma constituição igual à das infames cortes portuguesas ou das sanguinárias espanholas. É mentira forte e como prova tomo a liberdade de anexar os artigos principais. A Família Imperial não está somente garantida; mas goza até o amor e a confiança do povo, do qual recebemos realmente as mais comovedoras e constantes demonstrações [...]. É meu dever apresentar-me como advogada do nobre povo brasileiro, pois tudo devemos a ele; nas ocasiões críticas, fizeram os maiores sacrifícios que o amor da pátria pode oferecer para proteger a sua unidade e a realeza. [...] Caso contarem ao senhor, prezado pai, que falta dinheiro e poder marítimo, mentem ou pretendem iludi-lo. As finanças, em consequência de uma sensata e conveniente direção, nunca se encontraram em situação melhor, e todos contribuem espontaneamente para as necessidades do estado. Dentro em breve, uma poderosa marinha estará à nossa disposição, e já se encontra em começo. Todas as províncias se reúnem, o mesmo interesse e os mesmos desejos animam-nas. Agora não me resta mais nada do que desejar que o Senhor, prezado pai, se apresente como nosso verdadeiro amigo e aliado. Será certamente para mim e meu marido um dos mais alegres dias quando recebermos esta certeza. De mim, caríssimo pai, o Senhor pode estar convencido de que, se para desgraça minha, acontecer o contrário, sempre serei brasileira de coração, pois a isso me obrigam os meus deveres de esposa e mãe, e a gratidão para com um povo leal, que estava pronto, quando nos vimos abandonados de todas as potências, a constituir o nosso apoio, não temendo os maiores sacrifícios nem perigos.[62]

Nessas linhas, expunha com firmeza e desembaraço suas posições: defendia a opção pela separação de Portugal e o projeto de Estado – monárquico-constitucional – em curso no Brasil, fundamentando ambos na vontade popular, e solicitava o apoio do pai para o reconhecimento da nova nação. Sabia, porém, que ao chefe da conservadora e legitimista Santa Aliança seria praticamente impossível conceder esse apoio, exagerando então as condições favoráveis do Brasil para uma possível guerra, na tentativa de obter, pelo menos, sua neutralidade. Ao final, não pedia a sanção paterna: comunicava sua decisão de permanecer ao lado do Brasil, mesmo contra sua pátria e casa de origem, invocando seu dever para com o marido e os filhos – que, havia muito, reconhecia brasileiros –, mas também a gratidão para com o povo, "nobre" e "leal", que era agora o seu povo, a quem, cumprindo seu destino de princesa, cabia-lhe fazer feliz.

O silêncio da historiografia sobre essa atuação faz, porém, com que ela seja pouco detalhada e mesmo desconhecida. Após 1822, d. Leopoldina desaparece como agente político para dar lugar à esposa sofredora, humilhada e abatida. Como num passe de mágica, a mulher que estava pronta a dar a vida pelo país que adotara transforma-se num ser humano passivo e sem vontade.

A documentação desse período precisa e começa certamente a ser vista sob um novo prisma. A correspondência da imperatriz entre 1824 e 1826, por exemplo, deixa menos perceber lamentos pessoais do que sua oposição aos rumos que o governo de d. Pedro vinha tomando, a diminuição de seu poder de influência junto a ele – poder que já fora tão extenso – e seu crescente isolamento político, social e intelectual. É nesse sentido que se deve ler o famoso trecho de sua carta de 8 de outubro de 1826 a Schäffer, então na Alemanha, como agenciador de soldados e colonos para o Império:

> Aqui infelizmente anda tudo errado, pois, falando sinceramente, mulheres infames iguais a uma Pompadour e Maintenon!!, e ainda piores, visto lhes faltar a educação, e ministros vendidos completamente à Europa e à Santa Ignorância governam tudo e os outros [um recurso para se referir a ela mesma] devem calar-se [...].[63]

Oberacker usa esse trecho como uma comprovação do "alto grau de desespero e de tédio de vida a que chegara a Imperatriz". Em vez de desespero, vejo aqui indignação. Indignava-a a intervenção da amante do marido e de políticos que considerava contrários aos interesses brasileiros nos negócios públicos, distanciando d. Pedro do projeto pelo qual ambos lutaram em 1822 e no qual ainda acreditava.

O reconhecimento do empenho de d. Leopoldina pela causa do Brasil permanece gravado num belíssimo presente dado à imperatriz: um conjunto de colar e brincos, hoje no Museu Imperial, em que o projeto vitorioso em 1822 – aquele pelo qual lutou e com o qual sempre concordaria – encontra-se perfeitamente sintetizado.

> O colar é composto por 17 esferas armilares em ouro filigranado, 14 delas dispostas em 2 segmentos, interligadas por dois ramos, um de café e outro de tabaco, e ordenadas segundo o tamanho, em ordem crescente, a contar do fecho para o centro sendo cada uma delas envolta por uma faixa zodiacal, esmaltada em branco, onde aparece gravado, em itálico, o nome das províncias do Brasil [...]. No centro do colar, 3 esferas, representando São Paulo, Rio de Janeiro e Minas Gerais, aparecem, ligadas por 2 ramos de café e tabaco cruzados e atados por um laço em ouro cinzelado, dando apoio à coroa imperial cravejada com 19 esmeraldas, 17 rubis orientais e encimada por um globo crucífero, encastoado de 1 esmeralda. [...] Os brincos reproduzem a forma da coroa imperial de onde pende 1 esfera armilar também entremeada por 2 ramos de café e tabaco, representando cada esfera, de cada brinco, as Províncias do Maranhão e Mato Grosso.[64]

A historiadora Maria de Lourdes Viana Lyra dedicou um capítulo de seu livro *A utopia do poderoso império* à análise dessas peças, considerando que

> O que chama mais a atenção no colar da imperatriz é o fato de não se tratar de uma simples cópia das divisas nacionais, representadas alegoricamente em mais uma fina e rica jóia [fato comum na época]. Na sua composição, o desenho cuidadoso dos elementos emprestados do escudo nacional, a caprichosa distribuição interligada desses elementos traduz, com clareza, a mensagem política que se tomava como dogma naquele momento: é a união das províncias que mantém a Monarquia e o poder do Império. [...] um todo rico e poderoso, integrado e harmônico.[65]

A Mãe dos Brasileiros: a relação entre o povo e sua imperatriz

Carlos H. Oberacker Jr., nas últimas páginas de sua alentada obra, conclui: "D. Leopoldina, sem dúvida, perdera o coração do marido infiel, conquistara, todavia, em compensação, o coração de um povo inteiro."[66] É sobre os caminhos dessa conquista que refletimos nesta parte do estudo.

A empatia entre a imperatriz e os brasileiros contemporâneos a ela foi registrada pela imprensa da época, por viajantes e cronistas, impressionando estes últimos pela intensidade e pela unanimidade. Esse fator, em geral, mereceu destaque na historiografia a seu respeito.

Ainda não foi possível precisar o momento em que essa ligação se estabeleceu e se estreitou. Mas, em 1822, a imagem de d. Leopoldina já havia passado da princesa austríaca que despertara a curiosidade da população para a de "Mãe dos Brasileiros". O jornal *O Espelho*, ao narrar a entrada do príncipe em São Paulo, lamentava

> [...] que este prazer foi algum tanto mingoado por não vir S.A. Real acompanhado, como se esperava, de sua augusta consorte a Sereníssima Sra. D. Maria Leopoldina Josepha Carolina, Princesa Real do Reino Unido, Archiduqueza de Austria, a adorada Mãe dos Brasileiros, e especialmente dos paulistas, a quem honra, chamando-os – seus paulistas.[67]

Almeida Magalhães chega a dizer que "ao se tornar Imperatriz, [d. Leopoldina] ocupa oficialmente o lugar que já tinha no coração do povo".[68] Até pelo menos 1823, d. Pedro compartilhava com a esposa essa popularidade. A escritora inglesa Maria Graham, na época no Rio de Janeiro, não só a mencionou, como procurou explicá-la:

> Notei que os brasileiros nunca dizem O Imperador, mas nosso imperador e nossa imperatriz e raramente falam em um deles sem um epíteto de afeição [...]. Segundo todos os depoimentos, Suas Majestades parecem ser extremamente populares. A mocidade, a graça, a situação singular em que estão colocados, tudo interessa. É raro que um Príncipe Herdeiro ouse pôr-se à frente da causa da libertação ou independência, e o fato de um filho da Casa de Bragança e de uma filha da Casa d'Áustria encaminharem para o caminho da independência este grande Império, não pode senão excitar tanto o amor quanto a admiração de seus felizes súditos.[69]

D. Leopoldina confirma a observação da inglesa ao dizer, na já transcrita carta ao pai de abril de 1823, que "a Família Imperial [...] goza o amor e a confiança do povo", dos quais havia recebido "as mais comovedoras e constantes demonstrações".

No que se refere a d. Pedro, essa "lua de mel" com seus súditos acabaria logo e sua popularidade despencaria ao longo de seu reinado. Contribuíram para isso medidas consideradas autoritárias e contrárias aos interesses brasileiros, além de uma vida pessoal crivada de escândalos. Já a imperatriz seguiria um caminho ascendente de prestígio popular, que se encontrava no auge quando de sua morte.

Paulo Setúbal, em artigo de dezembro de 1926, explica esse amor por dois fatores. O primeiro deles já exploramos no item anterior e apareceu igualmente no comentário de Maria Graham: a participação de Leopoldina no movimento da Independência.

Pois essa princesa que havia sacrificado seus interesses pessoais, colocado sua cultura, seu vigor, sua capacidade de articulação a serviço da emancipação política passou a viver uma triste sina de esposa desditosa desde que o marido levou para o Rio, em 1823, Domitila de Castro, sua amante favorita. "Para mais simpatizá-la, para torná-la mais romântica aos olhos do povo, houve ainda aqueles seus incontáveis infortúnios conjugais",[70] que incluíram humilhações em público, conforme despacho do representante da Suécia no Rio de Janeiro, Lars Westin, de 19 de agosto de 1826. A altivez e a dignidade com que suportou essas afrontas, mantendo-se inabalável em seu papel de soberana, colocando os interesses do Estado e da nação acima dos seus sentimentos, foi, sem dúvida, um importante elemento para a ampliação do apoio e da simpatia popular que já possuía.

Vista por essa ótica, a conduta de d. Leopoldina – aparentemente tão incompreensível – ganha uma nova dimensão. Ela não foi ditada por uma passividade que a imperatriz jamais conheceu, mas pela plena consciência de seus deveres como soberana. Era preciso preservar a imagem da Família Imperial, minimizar escândalos que pudessem abalar a confiança no trono diante de um império ainda marcado pelas lutas internas e de um difícil processo externo de reconhecimento da Independência. Se o imperador agia de modo a antipatizar com a sociedade, era sua obrigação trilhar o caminho oposto: tornar-se um símbolo de comportamento moral e virtuoso, capaz de inspirar amor e respeito à instituição monárquica e à nação que representava.

Não quero com isso negar sua dor nem atenuar a violência emocional que sofreu. Propensa a momentos de melancolia desde a infância, esse estado tornou-se profundo, revelando o sofrimento psíquico de quem se vê presa num círculo: não se conformava com a situação (como demonstram as cartas a Flach e Schäffer),[71] mas não podia se evadir dela, pois estavam em jogo relações políticas dentro e fora do Brasil. Parece ter tentado uma saída politicamente aceitável, pois, segundo informações vindas de Viena e transcritas nas páginas de *A Gazeta de Lisboa*, de 7 de abril de 1827:

> [...] o Imperador Francisco, assim como a Família Imperial, contavam no consentimento que S.M.I. teria conseguido de seu Esposo, D. Pedro, para vir, na Primavera, à Europa, a fim de restabelecer a sua saúde, na qual o clima do Brasil parece ter tido singular influência.[72]

A atitude que adotou – e não só o clima do Brasil – teve para ela um alto custo, a ponto de comprometer definitivamente sua saúde ou, no mínimo, agravar um estado já abalado, mas revela uma força e uma determinação admiráveis. Ao contrário do que se apregoa, tal atitude conduziu-a à vitória, não a pessoal, mas aquela como imperatriz. Comprovam-na os depoimentos de época, como o de Vasconcelos Drummond:

> Tive em minhas mãos provas inconcussas de que ainda se não tinha passado um ano, já em maio de 1824, a tropa tencionava fazer o que pôs em prática em 1831, e que só a respeitosa veneração que todos tributavam à Imperatriz Leopoldina é que a pode demover de seu intento.[73]

A conduta que a tornou exemplo do que se espera de uma grande imperatriz não se esgota, porém, na atitude firme e digna diante das afrontas do marido; expressa-se, sobretudo, no carisma que dela emanava no trato pessoal e no modo como soube tornar-se próxima da população.

A senhora recolhida ao Convento da Ajuda, já referida, explicita em seu hino o que se esperava de d. Leopoldina:

> Sede Mãe e Intercessora
> daqueles que vás reger,
> porque eles Te juraram
> Independência ou Morrer[74]

E Leopoldina foi essa mãe, "exemplarmente caridosa, de facílimo acesso, de coração aberto à beneficência, [...] foi amada e quase idolatrada pelo povo".[75]

Os testemunhos deixados sobre a imperatriz falam, com eloquência e de forma recorrente, sobre as qualidades pessoais que a faziam encantar "todos os que a conheciam" e inspirar-lhes "admiração, respeito e amor".[75] "Ela é, sob todos os pontos de vista, uma mulher amável e respeitável" (Maria Graham); "Sua fisionomia meiga e aberta denunciava uma mulher excelente" (Bougainville); "Havia na sua bondade natural tanta benevolência, o costume de sofrer tinha-a tornado tão perfeitamente boa, que eu não sabia como manifestar o meu reconhecimento" (Jacques Arago); dotada de "uma paciência sem limites e de uma bondade igual para com todos" (barão de Mareschal); "A encantadora simpatia que falava em todos os seus gestos e palavras, a grande bondade, que de par com a brandura e a majestade transluzia de cada um de seus movimentos, [...] tudo realçava aquela figura encantadora" (Karl Seidler).[76]

Um norte-americano que se encontrava no Rio de Janeiro em agosto de 1822 descreveu, impressionado, a proximidade entre a imperatriz e as pessoas:

> Ao findar a cerimônia [na Igreja de Nossa Senhora da Glória do Outeiro], surpreendeu-me vê-la escoltada por não mais do que dois ou três senhores [...]. Ao descer alguns degraus [...], mãos de plebeus de todas as categorias rápida e sucessivamente seguravam suas mãos e as beijavam. Estivesse eu suficientemente perto, teria aproveitado a oportunidade para tentar fazer o mesmo, [...] sua gentil condescendência poderia ter me inspirado a fazê-lo com o suficiente respeito.[77]

Essas qualidades, ancoradas numa sólida formação humanista e, mais uma vez, na consciência de seu papel de soberana, d. Leopoldina materializou-as ainda em ações concretas a favor dos necessitados. Maria Graham menciona em seu "Diário" que "nenhuma pessoa miserável jamais recorre a ela em vão; e seu comportamento, tanto público como privado, inspira justamente a admiração e o amor de seus súditos a sua família".[78] A descrição dos modos pelos quais se dava esse socorro é detalhada na oração fúnebre que lhe dedicou frei Francisco de Paula, do Mosteiro de São Bento:

> Socorria a todas as pessoas indigentes que iam suplicar-lhe algum socorro, não somente nas portas do Palácio ou nas suas viagens e passeios, mas em todos os tempos e lugares onde aparecia às vistas públicas. [...] ali [na Igreja do Outeiro] concorriam com frequência de toda a Capital e seus contornos as vítimas da fome e da miséria. [...] [a Imperatriz] a todos recebia com agrado, a todos escutava com clemência, a todos consolava com ternura, a todos socorria com largueza. [...] Ah se acaso eu pudesse aqui expor-vos a lista, que depois de sua morte se achou no

seu próprio gabinete, que pasmo não seria então o vosso, vendo a enorme despesa que fazia nos socorros mensais com que amparava tantas pessoas pobres e infelizes de toda a idade, sexo e condição.[79]

A relação entre o povo e sua imperatriz foi assim descrita pelo alemão Julius Mansfeldt, presente no Rio de Janeiro no segundo semestre de 1826:

A doçura, a suavidade e as altas qualidades que enfeitavam o rosto da imperatriz eram um espelho de sua alma. Os vivas que o povo gritava nas ruas para o casal imperial eram o cumprimento de um dever perante o imperador, mas os gritos para sua esposa eram expressão de fiel amor e alegria em ver sua amada soberana.

O povo amava a imperatriz e por toda a parte aonde ela ia era recebida com júbilo. Sim! O amor de seus súditos fiéis é a mais alta felicidade de um soberano.[80]

A imagem positiva de Leopoldina advinda desse complexo conjunto de fatores e quanto ela foi introjetada pela sociedade evidenciou-se durante sua doença fatal. O Rio de Janeiro manteve-se num estado de comoção e imagens sagradas eram levadas em procissão por pessoas em lágrimas. A casa da marquesa de Santos teve que ser protegida pela polícia contra a população irada, que lhe imputava indireta e mesmo diretamente o iminente fim da imperatriz. No dia de sua morte, em 11 de dezembro de 1826, antes da determinação do luto oficial, "todo mundo já se mostrava de luto" (Mareschal),[81] e "uma dor muda, de desespero, tomava todas as fisionomias".[82] Os jornais encheram-se de necrológios; cartas e dezenas de poesias foram publicadas em sua homenagem. Uma dessas cartas era de uma mulher que afirmava nunca ter imaginado

[...] que houvesse motivo algum que me obrigasse a ser sua Correspondente, mas – [justifica] – sou *brasileira*, esposa e mãe, e não me he possivel resistir ao dever de patentear a minha dor. [...] Quem haverá que não pranteie essa morte? quem dotado de humano coração, e sensivel que não se abandone a luctuosos sentimentos, quando deixa de existir a melhor das Princezas, a mais prudente das Espozas, e a mais digna das mães?[83]

Outra carta, assinada por "um Brasileiro", sintetiza a reação popular:

Perdemos a nossa augusta, a nossa boa IMPERATRIZ, e hum sentimento hunanime, onde se confundem todas as opiniões e partidos, se tem manifestado pela sua perda. As virtudes, que A ornavão, sua moderação e prudencia, sua charidade, e soffrimentos tornarão-a interessante ao povo sincero, e que adora sempre nos Principes as qualidades de hum coração benigno, e justo: assim não he a adulação, nem a tactica Cortezãa, que chama lagrimas aos olhos de todos os Cidadãos; que os veste espontaneamente de hum luto geral; e os faz em fim desafogar em pranto e em louvores o pezo interno de magoa, e de saudade, que os opprime. Tambem eu, Sr. Redactor, quis acompanhá-los em tão justa pena, e já que não posso elevar-me mais alto, busquei ao menos consagrar a tão veneranda e chorada memoria estes poucos versos, filhos do coração, os quaes espero haja por favor de inserir no seu estimavel Periodico.

SONETO

Lagrimas, oh Brasil, e luto, e pranto:
Morreu!... Oh Morte, Morte enfurecida!...
Morreu!... Ou antes foi aos Céos subida
Quem a nós, quem ao mundo honrava tanto.

Extremo de candura, o niveo manto
Da virtude a vestio durante a vida:
Modestia, Charidade enternecida
Seu caracter formárão puro, e santo.

Carolina expirou!... aquella Augusta!...
Sublime dom a Mão Omnipotente,
Ao pezar foi roubada, e dôr mais justa.

Corra do pranto, solte-se a torrente;
Que este golpe tirano a Mãe nos custa,
E que Mãe!!! Sabe o Ceo; a Terra o sente.[84]

O sentimento de orfandade emana da maior parte dos registros, e frei Sampaio avançou a ponto de afirmar que "vós lhe consagrastes uma canonização civil pela pública harmonia dos vossos sentimentos em seu louvor".[85] A certeza da perenidade de sua lembrança ficou marcada no epitáfio que lhe dedicaram:

Aqui repousam os preciosos restos
da adorada Imperatriz Maria Leopoldina.
Seu espírito, cremos, habita os céus.
Sua memória não gastarão os séculos.

A comoção popular por ocasião da morte de d. Leopoldina foi amplamente registrada por viajantes e representantes diplomáticos no Rio de Janeiro. Um desses viajantes, Ferdinand Denis, que presenciou os acontecimentos, afirma: "Mas, sem contradita, a cerimônia fúnebre mais tocante que teve lugar no Rio de Janeiro, nestes últimos anos, foi a que se observou nas exéquias da jovem Imperatriz."[86]

A imperatriz Leopoldina no eterno presente da memória

Estranhamente, apesar de o encarregado de negócios da Áustria comunicar ao seu país, em 1831, que não seria difícil sugerir a edificação de um monumento a d. Leopoldina, não encontrei, até o momento, evidências de que ela tenha sido objeto regular de rememoração pública, seja pela nação, seja por grupos sociais específicos, durante a Regência e o Segundo Império. A não ser que consideremos os libelos dos jornais liberais contra uma possível volta ao Brasil de d. Pedro, já ex-imperador, em que relembravam os sofrimentos de d. Leopoldina como esposa desditosa.

Todos os anos, em 11 de dezembro, dia de sua morte, d. Pedro II assistia à missa em intenção da mãe no Convento da Ajuda, onde a imperatriz se encontrava sepultada, mas essa cerimônia parece ter tido sempre um caráter particular.[87] A única homenagem de que se tem notícia precisa é a realizada pela Casa dos Expostos da Santa Casa de Misericórdia de Salvador, em 11 de dezembro de 1863, e os versos declamados na ocasião parecem indicar que, de fato, ao menos até aquele ano, não houve outras:

Era já tempo de sagrar um culto
A quem tratou-nos, como a filhos seus,
[...]
Era já tempo ... e, no entanto, d'ella
Em sete lustros ... não cuidou ninguem![88]

"Poucos se lembravam della", afirmava Escragnolle Dória, em 1911, para, em seguida, contradizendo sua posição anterior, explicitar melhor: "Envolvia-lhe a saudade o véo desbotado das lendas populares, que a faziam martyr das affeições conjugaes desilludidas."[89] Contudo, um acontecimento relacionado às transformações urbanas do Rio de Janeiro daquele início de século viria a avivar a memória dos brasileiros em outra dimensão.

A demolição do Convento da Ajuda, para a construção da Cinelândia e a abertura da avenida Rio Branco, e a decorrente necessidade de se trasladarem os despojos da imperatriz Leopoldina, de uma sua filha e uma neta para outro local instauraram a polêmica sobre a natureza da cerimônia numa República que ainda se consolidava e com a Família Imperial exilada. Na defesa ardorosa de uma solenidade com honras de heroína nacional à imperatriz, o tenente-coronel Gomes de Castro liderou uma intensa campanha pela imprensa no sentido de resgatar a figura de d. Leopoldina como soberana amada pelo povo e, pela primeira vez em anos, o seu papel de destaque na Independência. A campanha foi vitoriosa, e, a 9 de novembro de 1911, realizou-se, com toda a pompa e o apoio do próprio Governo Federal, a trasladação de seus restos mortais para o Convento de Santo Antônio, ao som do Hino da Independência e com seu esquife coberto de flores pela população.

O centenário da Independência, num ambiente em que o governo se esforçou por demonstrar ser de conciliação nacional, revogando, até, o banimento da Família Imperial, tornou possível trazer novamente à cena histórica a imagem do príncipe libertador e de sua esposa. É desse período a concepção do grandioso salão nobre do Museu Paulista, onde, à direita do quadro "Independência ou morte", de Pedro Américo, encontra-se o retrato de d. Leopoldina, encomendado por Afonso Taunay ao pintor Domenico Falucci, significativamente não na condição de imperatriz, mas de mãe – cercada de seus cinco filhos vivos em 1826 –, rememorando-a não apenas "como vetor de tranquilidade e continuidade", segundo análise de Ulpiano Bezerra de Meneses,[90] mas materializando a imagem, construída já durante sua vida, de "Mãe da Nação", a que vela pelo país recém-nascido.

Quatro anos mais tarde, o centenário de sua morte recolocou com intensidade a figura de d. Leopoldina para a sociedade brasileira por intermédio de inúmeros artigos na imprensa e de diversos eventos promovidos por entidades culturais, científicas e ligadas a obras sociais. Entre essas homenagens, estava a peça *Um sarau no Paço de São Cristóvão*, escrita por Paulo Setúbal[91] a pedido da Liga das Senhoras Católicas e apresentada no Theatro Municipal de São Paulo em 11 e 12 de dezembro. Nessa peça, por meio de seus amigos, reunidos para festejar seu aniversário, a imperatriz aparece em dimensões características: discreta, caráter firme, apaixonada pelas ciências, "a alma da independência" e, sobretudo, como "imensa, grande qualidade", o espírito de caridade. Esse perfil, Setúbal detalharia em longo artigo, publicado no jornal *O Estado de S. Paulo* de 11 de dezembro. Planejava-se mesmo a inauguração de um mausoléu para abrigar seus despojos que relembrasse sua atuação na história do país, o que afinal se concretizou em 1954.

Por iniciativa do Instituto Histórico e Geográfico de São Paulo, como parte das comemorações do Quarto Centenário da cidade, foi realizada a trasladação de seus restos mortais do Convento de Santo Antônio para a Capela do Monumento à Independência,[92] às margens do Ipiranga, naquela cidade. O percurso recordava a jornada de 1822, porém quem partia agora "para São Paulo nos braços da nacionalidade, que seu marido fundou, é ela mesma, a Imperatriz da Independência, que vem repousar no sítio histórico, onde nasceu o Brasil politicamente soberano".[93] A 12 de outubro de 1954, em meio a uma solenidade que mobilizou os três níveis de governo, as Forças Armadas e a Igreja, acompanhado por uma multidão e com grande e favorável cobertura pela imprensa, o sepultamento da imperatriz em "túmulo que, significando a Nação independente, simboliza ao mesmo tempo o auge de sua curta vida"[94] tornava concreta a união entre a memória de d. Leopoldina e a da Independência, entre a sua imagem e a do Brasil nascente.

Em 1972, os 150 anos da Independência provocaram uma avalanche de eventos em torno do tema. D. Leopoldina não foi esquecida. Entre outras homenagens, seu busto foi inaugurado nos jardins do Museu Imperial;[95] no Congresso de História da Independência, aprovou-se moção apresentando-a como "Modelo das Mães Brasileiras", a partir de indicação assinada unicamente por historiadoras;[96] e Kate Hansen revivia-a, pela primeira vez, nas telas, em *Independência ou morte*, filme que biografava as principais lideranças do movimento emancipacionista.

"Leopoldina, a Imperatriz do Brasil", enredo apresentado pela Escola de Samba Imperatriz Leopoldinense no Carnaval de 1996, levou a história de d. Leopoldina, com enfoques inovadores, para milhões de pessoas no Brasil e no exterior. Apesar de partir de seu casamento com d. Pedro, tem nesse episódio apenas o pretexto para a essência do enredo, que abre mão de focalizá-la como a esposa apaixonada e infeliz para permitir-se apresentar uma mulher cheia de vida e alegria e fazer sobressair o que o Brasil significou para ela e o que ela significou para o Brasil. A narrativa do desfile fala de uma mulher avançada para a época, que trabalhava ao lado do marido, montava a cavalo usando calças, preocupava-se com o meio ambiente e possuía, enfim, um papel próprio a ser rememorado.[97]

No bicentenário de seu nascimento, em 1997, uma série de eventos por todo o Brasil a homenageou e rediscutiu seu papel em nossa história. Entre essas homenagens, destacou-se a materialização perene de sua memória em pedra e bronze num monumento, fruto do esforço de instituições brasileiras e austríacas, inaugurado a 18 de março na Quinta da Boa Vista, no Rio de Janeiro. Mais uma vez, a imagem escolhida foi a da mãe – d. Leopoldina é retratada com seus dois filhos que reinaram: d. Pedro II do Brasil e d. Maria II de Portugal; a inscrição eterniza a gratidão nacional: "À Imperatriz Leopoldina, o Brasil Independente." Cabe destacar o caráter binacional que essas homenagens e o debate em torno de d. Leopoldina têm assumido, com uma presença mais evidente da Áustria, que reassume a sua arquiduquesa como parte também de sua história. Emanuel Helige, então cônsul-geral da Áustria no Rio de Janeiro, em texto introdutório ao catálogo da exposição sobre d. Leopoldina no Instituto Histórico e Geográfico Brasileiro, ressaltou que "é do interesse da Áustria e também do Brasil dar à figura de sua primeira imperatriz, da família Habsburgo austríaca, o merecido lugar na lembrança dos cidadãos de ambos os países".[98]

A celebração em 2017 do bicentenário de sua chegada ao Brasil foi mote para novos estudos e eventos, como as exposições *Com a palavra D. Leopoldina, Imperatriz do Brasil*, no Museu Histórico Nacional, e *D. Leopoldina, Princesa da Independência, das Artes e da Ciência*, no Museu de Arte do Rio de Janeiro.

Nos últimos anos, registramos também a publicação de alguns livros paradidáticos sobre a imperatriz, destinados ao público infantojuvenil. Destacamos a obra *Maria Leopoldina, imperatriz brasileira*, quarto volume da Coleção Fundadores da Nação, editada pela Secretaria da Educação de São Paulo para distribuição nas escolas públicas estaduais. Essa coleção é assim apresentada: "Pretende-se, com esse projeto de longa duração, edificar uma galeria de figuras notáveis, o nosso Panteão. Aqueles que pensaram a construção de um Brasil Independente."[99]

Inúmeros outros eventos e locais de memória poderiam ser citados, mas preferi me ater àqueles que demonstram suficientemente a trajetória dessa rememoração.

Pierre Nora, em *Os lugares da memória*, chama a atenção para o fato de que o caráter afetivo e mágico da memória é capaz de produzir essas "repentinas revitalizações, depois de guardar longos períodos de amortecimento". E esses momentos podem trazer, como vimos, novos modos de lembrar. A par dessas variações, verifiquei igualmente a prevalência da imagem da imperatriz Leopoldina como personagem nacional e mãe entre os pais fundadores da nação. Por isso, ela foi, é e será lembrada.

Sua figura complexa e carismática, sua vida intensa e breve, ainda distante, em seus múltiplos aspectos, de grande parte da população brasileira, merecem, pois, ser pesquisadas, analisadas e divulgadas. O livro de Paulo Rezzutti é uma expressiva contribuição nesse sentido.

Anexo

D. Leopoldina da Áustria – Imperatriz do Brasil: doença e morte

A DOENÇA e a morte de d. Leopoldina da Áustria, primeira imperatriz do Brasil, estão envoltas numa aura de especulações, rumores e informações contraditórias. Das várias biografias existentes, não é possível chegar a nenhuma conclusão medicamente aceitável ou mesmo plausível.

Porém, a excelente biografia de Paulo Rezzutti,[1] assim como a consulta aos boletins clínicos facultados pelo autor,[2] o que muito agradecemos, permite-nos, pela primeira vez, estabelecer um diagnóstico de presunção sobre a doença e a causa de morte da primeira imperatriz do Brasil.

Uma das hipóteses mais habitualmente comentadas seria um alegado pontapé de d. Pedro no abdômen de d. Leopoldina, estando ela grávida, durante uma discussão acalorada acerca da marquesa de Santos (amante "oficial" do imperador). Mas, como o autor desta biografia muito bem afirma, tal hipótese não é plausível dado o espaço de tempo decorrido entre o suposto pontapé e o aborto. Esse aborto, na opinião do autor e na nossa, foi uma consequência e não a causa da doença de d. Leopoldina.

Apesar de a linguagem médica utilizada à época ser hoje desconhecida e apenas em certas ocasiões vagamente perceptível, a riqueza da descrição e transcrição dos seus sintomas e sinais nos permite levantar hipóteses que nos parecem credíveis e sustentadas.

Referências na biografia acerca da doença de d. Leopoldina:[3]

"Meus receios pela saúde dessa augusta princesa são compartilhados por boa parte das pessoas [...]. Uma febre será provavelmente fatal [...]" (relatório de Mareschal, 13 de junho de 1826).

"[...] Apanhei umas dores reumáticas nos dedos da mão direita [...]" (carta de d. Leopoldina a Maria Graham, 7 de junho de 1826).

"Como eu me espantei ao encontrar a augusta princesa na flor da idade tão pálida, quase se esvaecendo [...]. Suas forças físicas estavam se acabando [...]" (carta de Julius Mansfeldt, segundo semestre de 1826).

"No dia 3 deste mês d. Leopoldina fora atacada por um acesso de febre" (relatório de Mareschal, 27 de novembro de 1826).

"A imperatriz D. Maria Leopoldina adoeceu nos primeiros dias de novembro de 1826, estando grávida de três meses [...]. Ela sofria dor em uma perna, e ataques de melancolia [...]" (carta de Melo Morais).

"[...] No dia 19 [de novembro de 1826] o médico notou que d. Leopoldina sofria com 'dores de cadeiras, e alguma evacuação mucosa-sanguínea pela via anterior [vagina], o que fez desconfiar encaminhamento para mau sucesso [aborto]'" (boletim de 30 de novembro de 1826 do dr. Vicente Navarro de Andrade).

"Apesar de ainda extraordinariamente fraca, pois durante 18 dias tive uma febre biliar e ainda que não posso dormir bem, nem comer coisa alguma [...]. A minha fraqueza extraordinária, as minhas permanentes dores [...]" (carta de d. Leopoldina ao pai).

"Consistia o padecimento de S.M. a Imperatriz na inchação erisipelosa de toda a coxa, perna e pé, e nos incômodos, que são inseparáveis desta moléstia" (relatório do barão de Inhomirim para o marquês de São João da Palma, 5 de dezembro de 1826).
"Devido à recaída de d. Leopoldina e seus sintomas, os médicos temeram uma convulsão [...]. A febre, pois, bem que diminuísse no dia 30 de manhã, continuou todavia com o mesmo caráter, tipo renitente, mas irregularmente [...]" (relatório médico, data não especificada).

"Nesse dia D. Leopoldina teve uma piora [...]. Ofereceu novidades mui graves, a saber, sono inquieto e pouco, fastio, tosse, língua mucosa, excitamento cerebral e espasmos, incêndio nas faces e esmorecimento de espírito com ansiedade e frequência de pulso, e este mole" (boletim médico, 2 de dezembro de 1826).
"Depois do abortamento [ocorrido a 3 de dezembro de 1826], entrou em delírio quase contínuo [...]. O dr. Vicente Navarro de Andrade estava indeciso quanto ao diagnóstico, mas assegurou ao barão [de Mareschal] que a febre biliosa inicial dera lugar a uma febre nervosa: 'Há uma afecção moral que produz os espasmos e indica o verdadeiro núcleo da doença'" (carta do barão de Mareschal ao conde Neipperg, 24 de dezembro de 1826).

"Julgamos do nosso dever e fidelidade comunicar a V.M.I que S.M. a Imperatriz durante a Sua cruel Enfermidade sofreu alternadamente violentas convulsões e ataques nervosos com perturbação do cérebro [...]". (carta do marquês de Paranaguá a d. Pedro, que estava no sul do país).

"Durante o período em que ficou acamada, d. Leopoldina, alternando entre um estado comatoso e delírios [...]" (relato sem designação de autor, in REZZUTTI, 2017, p. 322).

"Sua Majestade a Imperatriz tem passado pior, as suas forças vão desaparecendo, e tudo quanto faz parte de sua enfermidade tem piorado" (16º Boletim Médico).

"Sua Majestade continuava a estar num estado convulsivo, o desânimo aumentando a cada momento e não lhe permitindo mais do que tons de fracos gemidos; a respiração extremamente curta, o pulso muito fraco depois de 24 horas [...]" (relato do barão de Mareschal para Viena).

"Foi Deus servido chamá-la a si pelas dez horas e um quarto" (17º e último Boletim Médico).

Referências nos boletins clínicos de d. Leopoldina:[4*]

30 de novembro: Começou a sua enfermidade com uma constipação, que durou poucos dias, e a cujo melhoramento se seguiram vigílias teimosas [?] [...].

* O português dos boletins clínicos foi mantido, tendo-se apenas atualizado o acordo ortográfico.

Manifestou-se uma diarreia biliosa e muito abundante, e com a sua terminação diminuíram consideravelmente todos os sintomas gástricos e nervosos [...]. Tem havido umas vezes movimento febril, outras vezes pulso natural [...]. Apareceram por vezes dores de cadeiras e alguma evacuação muco-sanguínea pela via anterior [vaginal], o que faz desconfiar encaminhamento para mau sucesso [aborto], sem embargo de não haverem sinais de contração do útero. Esta evacuação tem-se repetido moderadamente, e com intervalo de um até dois dias; e até ao presente, bem que de todo não tenham cessado, não aparece ainda sinal de perda, segundo a exploração feita pelo Conselheiro Cirurgião Mor do Império, continuam do todavia o receio de que venha a verificar-se... Este dia porém ofereceu novidades muito graves, a saber sono inquieto e pouco, fastio, tosse, língua mucosa, excitamento cerebral e espasmos violentos na região epigástrica, tremores, suores profusos, incêndio nas faces, e esmorecimento de espirito, com ansiedade e frequência de pulso, e este mole.

1º de dezembro: Como se renovassem as evacuações pela via anterior [...]

2 de dezembro: Continuando todavia a evacuação mucoso-sanguínea pela via anterior, e com aumento, e pela volta da uma hora manifestaram-se sinais de contração de útero, e começou o trabalho de um parto prematuro, rompendo-se as águas com pouca demora, e realizando-se pelas duas horas o aparecimento de um feto de sexo masculino, que mostrava ter de dois e meio a três meses pareceu pela inspeção que a cessação de Sua vida era muito recente, preparada talvez por eleito do crescimento febril, e desordem extraordinária do sistema nervoso havidos no dia 30 de novembro [...]. Uma hora depois do parto prematuro saíram as secundinas [placenta], e em todo o trabalho houve a maior regularidade da parte da Natureza. Depois deste sucesso SUA MAJESTADE IMPERIAL descansou [...].

3 de dezembro: [...] A febre conservou-se do mesmo modo que dantes, as evacuações biliosas, abundantes e numerosas, a tosse gutural teimosa, o sono pouco interrompido e não eficiente; pelas 8 horas da noite houve um ligeiro espasmo de garganta com algum suor durante o mesmo espasmo. As dejeções perto da noite tornaram-se menos biliosas, e como pela qualidade e copia eram menos conferentes, e a tosse fosse um dos motivos que afastava e interrompia

o sono, e tivesse havido não só o espasmo da garganta, mas algum tremor de mãos e meteorismo [...].

4 de dezembro: Houveram muitas evacuações biliosas e profusas, o pulso conservou-se todavia sem abatimento, a pele mais fresca, e o estado de funções intelectuais em bom estado, dormiu pequenos sonos, e não houve exacerbação notável. Durante a noite passou SUA MAJESTADE sem novidade, houve contudo um assalto espasmódico com grande ansiedade em consequência de um pesadelo [...]. Desde as dez horas até hoje pelas oito horas as dejeções foram só duas e biliosas, a febre diminuiu alguma coisa, refrescou a pele, e o estado cerebral regular [...]. Queixando-se SUA MAJESTADE de uma sensação de desfalecimento, que atribuía à boca do estômago, sentiu-se aliviada pela aplicação de um sinapismo no sobredito lugar.

5 de dezembro: SUA MAJESTADE A IMPERATRIZ passou a tarde de ontem menos tranquila, do que a manhã do mesmo dia. Às três horas houve exacerbação até às seis, durante a qual tornou-se o pulso muito frequente, pequeno, e às vezes linear, porém depois do paroxismo apresentou-se o pulso mais cheio e com pouca diferença da frequência notada antes do crescimento. Durante o acréscimo SUA MAJESTADE tomou somente caldos. A remissão foi acompanhada de suor geral, quente, mas pouco abundante; diminuição notável de tosse, e bom estado de língua [...]. Houveram desde ontem ao meio dia até hoje à mesma hora 13 evacuações biliosas com bastante cópia e mau cheiro. Dormiu pequenos sonos, e com algum sossego, e apareceu pelas seis horas da manhã a mesma sensação de desfalecimento, que ontem tivera, sobre o estômago [...]. Ao meio-dia principiou uma exacerbação anunciada por inquietação e uma espécie de impaciência, não tendo podido conciliar sono desde as dez horas, por cujo motivo se fez parar com os remédios interinamente, administrando-se somente caldos. As evacuações desde o meio dia tem sido quatro, e uma com alguma matéria excrementícia. Verteu águas duas vezes e sedimentosas. Às quatro horas houve um vômito com algumas porções de catarro: das 5 para as 6 horas teve SUA MAJESTADE uma grande ansiedade, com rubor de faces, que diminui pela ação de sinapismos nas extremidades inferiores. A respiração sofrível, língua húmida e mais limpa, e vai diminuindo sensivelmente a exacerbação.

6 de dezembro: [...] Estado cerebral um pouco mais preocupado, e o sono pouco; enquanto às circunstâncias da febre não houve empioramento [...]. As evacuações alvinas mais numerosas, porque tem sido quatorze desde ontem pelas 6 horas até o presente, o caráter delas é ainda bilioso, e arrastam alguma porção de fezes bem manifestas em forma de farrapos. As urinas continuam a ser lactescentes e sedimentosas, e há presentemente, como por outras ocasiões tem havido, alguns subsultos e tremor de dedos.

6 de dezembro: [...] Tem continuado todos os sintomas do mesmo modo que de manhã, e como o estado do cérebro e dos nervos, cujas funções apareceram hoje mais perturbadas, exigia uma atenção mais particular [...]

7 de dezembro: SUA MAJESTADE dormiu alguma coisa; os principais sintomas que acompanham a sua enfermidade não têm empiorado, o pulso e a respiração parecem ter um princípio de melhora

8 de dezembro: SUA MAJESTADE A IMPERATRIZ passou mal a noite. Logo que acabou a curta remissão do crescimento da tarde de ontem, começou outro pelas 9 horas e 10 minutos, que durou com pouca remissão até às 4 e um quarto da madrugada de hoje. A esta mesma hora começou outro crescimento, que entrou a diminuir (mas pouco) das 7 e meia por diante. Não houveram sintomas novos, mas cresceram infelizmente alguns dos que mais tem figurado, como delírio, subsultos, tremores, sonolência, e as forças diminuem.

9 de dezembro: [...] SUA MAJESTADE se achasse talvez mais perturbada de cérebro e nervos [...]. Os lóquios [perdas de sangue por via vaginal que se iniciam após o parto], que tinham parado no terceiro dia depois do parto, deram indícios ontem de aparecer, e hoje por esta hora houve demonstração disso, pois que com efeito se vão manifestado.

10 de dezembro: SUA MAJESTADE A IMPERATRIZ passou mal a noite, e o seu estado atual é o mesmo ontem anunciado".

11 de dezembro: SUA MAJESTADE A IMPERATRIZ tem passado pior, as Suas forças vão desaparecendo, e tudo quanto faz parte da Sua enfermidade tem empiorado [...]. SUA MAJESTADE ainda vive, e as diligências continuam,

> mas o Seu estado é para desanimar [...]. 10 horas e um quarto: pela maior das desgraças se faz público, que a enfermidade de Sua Majestade a Imperatriz resistiu a todas as diligências médicas empregadas com todo o cuidado por todos os Médicos da Imperial Câmara. Foi Deus servido chamá-la a Si pelas dez horas e um quarto.

Pelo relato exaustivo dos boletins clínicos, parece-nos claro ter se tratado de uma doença infecciosa, progressiva, que, pela inexistência de tratamento antibiótico à época, conduziu d. Leopoldina à morte.

Todo o quadro é muito sugestivo de ter se tratado de febre tifoide, já que os sintomas e sinais que podemos apurar, apesar da linguagem médica da época, são em tudo coincidentes com essa patologia.

A febre tifoide[5] é uma doença sistêmica caracterizada por febre e dor abdominal causada pela disseminação da bactéria *Salmonella typhi* ou *Salmonella paratyphi*. Na maioria dos casos, é contraída pela ingestão de alimentos ou água contaminados.

A febre está presente em mais de 75% dos casos, enquanto a dor abdominal surge em apenas 20% a 40% das situações. A febre costuma ser elevada (38,8°C a 40,5°C), e existem pródromos tais como calafrios, cefaleias (dores de cabeça), anorexia (falta de apetite), tosse, fraqueza generalizada, dor de garganta, tonturas e dores musculares. A diarreia é acompanhada de dores abdominais e hipersensibilidade à palpação abdominal. Sem tratamento (o que aconteceu pela inexistência deste), os doentes manifestam sintomas neuropsiquiátricos descritos como "delírio balbuciante" ou "coma vígil". O curso natural da doença conduz a peritonite por perfuração ou hemorragia gastrointestinal e morte.

Além disso, e de acordo com a literatura médica,[6] a febre tifoide pode ser responsável por aborto ou parto prematuro, tal como aconteceu com d. Leopoldina. Todos esses sintomas e sinais estão descritos nos boletins clínicos.

Essa teoria explica também o fato de não se ter encontrado nenhum achado esclarecedor na análise do esqueleto de d. Leopoldina quando da exumação do seu cadáver em abril de 2012, por se tratar de uma infecção sistêmica e que não tem repercussões na matriz óssea.

Pedro de Freitas, MD, PhD
Agosto de 2019

Referências bibliográficas

AMSTER, Reuben et al. "Typhoid fever complicating pregnancy." *Acta Obstetricia et Gynecologica Scandinavica*, v. 64, n. 8, 1985.

KASPER, Dennis L. et al. *Harrison's Principles of Internal Medicine*. 16th ed. New York: McGraw Hill, 2005.

RAVNEET, Kaur; PURABI, Barman. "A case of *Salmonella typhi* infection leading to miscarriage." *Journal of Laboratory Physicians*, v. 3, n. 1, p. 61-2, 2011.

REZZUTTI, Paulo. *D. Leopoldina*: a mulher que arquitetou a Independência do Brasil. São Paulo: LeYa Brasil, 2017.

SETHI, Shveta et al. "Vertical transmission of *Salmonella enterica* serotype Paratyphi A leading to abortion." *JMM Case Reports*, v. 4, n. 11, e005127, 2017.

VIGLIANI, Marguerite B.; BAKARDJIEV, Anna I. "First trimester typhoid fever with vertical transmission of *Salmonella typhi*, an intracellular organism." *Case Reports in Medicine*, v. 2013, Article ID 973297, 2013.

WOODBRIDGE, John Eliot. "Further reports on the abortion of typhoid fever." *JAMA*, v. XXIV, n. 1, p. 2-6, 1895.

Cronologia

1790

18 de agosto: Casamento de Francisco II/I com sua segunda esposa, Maria Teresa, pais de d. Leopoldina.

1791

12 de dezembro: Nascimento de Maria Luísa, irmã mais próxima de d. Leopoldina.

1792

29 de abril: A França declara guerra à Áustria.

14 de julho: Coroação de Francisco II como imperador do Sacro Império Romano-Germânico.

1793

16 de outubro: Execução da rainha Maria Antonieta, tia-avó de d. Leopoldina.

1797

22 de janeiro: Nascimento de d. Leopoldina em Viena.
27 de dezembro: Nascimento de Domitila de Castro em São Paulo.

1798

12 de outubro: Nasce d. Pedro em Lisboa.

1806

6 de agosto: Francisco II abdica o trono do Sacro Império.

1807

13 de abril: Morte da imperatriz Maria Teresa, mãe de d. Leopoldina.
29 de novembro: Partida da Família Real portuguesa para o Brasil.

1808

6 de janeiro: Casamento de Francisco I com Maria Ludovica.
7 de janeiro: Desembarque da Família Real portuguesa no Rio de Janeiro.

1810

11 de março: Casamento de Maria Luísa com Napoleão.
13 de março: Partida de Maria Luísa de Viena.

1814

11 de abril: Abdicação de Napoleão.
21 de maio: Retorno de Maria Luísa a Viena.
23 de novembro: Início do Congresso de Viena.

1815

6 de março: Término do Congresso de Viena.

16 de dezembro: Elevação do Brasil a Reino Unido.

1816

7 de março: Maria Luísa parte para Parma.

7 de abril: Morte de Maria Ludovica, terceira esposa de Francisco I.

29 de novembro: Assinado em Viena o tratado de casamento entre d. Pedro e d. Leopoldina.

1817

9 de janeiro: D. Pedro recebe o título de príncipe real do Reino Unido de Portugal, Brasil e Algarves.

17 de fevereiro: Entrada do marquês de Marialva em Viena.

1º de maio: Nasce a primeira filha de Maria Luísa e do conde de Neipperg.

13 de maio: Celebrado em Viena o casamento de d. Pedro com d. Leopoldina por procuração.

1º de junho: Festa do Casamento Brasileiro, realizada em Viena pelo marquês de Marialva.

3 de junho: Partida de d. Leopoldina de Viena.

8 de junho: D. Leopoldina revê a irmã em Pádua e visita Veneza com ela.

13 de junho: D. Leopoldina chega a Florença.

7 de agosto: Chegada de d. Leopoldina a Livorno.

13 de agosto: Embarque de d. Leopoldina na nau *D. João VI*.

11 de setembro: Chegada de d. Leopoldina à ilha da Madeira.

5 de novembro: Chega ao Rio de Janeiro d. Leopoldina.

6 de novembro: Desembarque de d. Leopoldina e celebração da bênção da união entre d. Pedro e d. Leopoldina na Capela Real.

1818

6 de fevereiro: D. João VI é aclamado rei de Portugal, Brasil e Algarves no Rio de Janeiro.

1819

4 de abril: Nasce no Palácio de São Cristóvão no Rio de Janeiro, às 17h, a primogênita de d. Pedro e d. Leopoldina, a princesa d. Maria da Glória, futura d. Maria II de Portugal.

3 de maio: D. Maria da Glória é batizada na Capela Real, tendo os avós, d. João VI e d. Carlota, como padrinhos.

1820

24 de agosto: Início da Revolução Liberal na cidade do Porto, em Portugal.

17 de outubro: Chegada de notícias da revolução ao Rio de Janeiro.

1821

6 de março: Nasce, no Paço de São Cristóvão, Rio de Janeiro, o príncipe da Beira, d. João Carlos, filho do príncipe d. Pedro e de d. Leopoldina.

22 de abril: D. João VI nomeia d. Pedro regente e lugar-tenente do rei, a fim de governar o Brasil em sua ausência.

25 de abril: D. João VI retorna para Portugal, ficando no Rio de Janeiro o príncipe herdeiro, d. Pedro, como regente do Brasil.

5 de junho: Os militares portugueses no Rio de Janeiro obrigam d. Pedro a jurar às bases da Constituição.

9 de dezembro: D. Pedro recebe as ordens das Cortes Constitucionais para retornar a Lisboa.

1822

9 de janeiro: Dia do Fico.

11 de janeiro: Levante da Divisão Auxiliadora Portuguesa no Rio de Janeiro. D. Leopoldina foge para a Fazenda de Santa Cruz com os filhos.

17 de janeiro: D. Leopoldina conhece pessoalmente José Bonifácio durante a viagem deste de São Paulo ao Rio de Janeiro.

19 de janeiro: D. Leopoldina retorna para o Rio de Janeiro.

4 de fevereiro: Falece, no Paço de São Cristóvão, d. João Carlos, príncipe da Beira.

11 de março: Nasce, no Paço de São Cristóvão, a princesa d. Januária, quarta filha de d. Pedro e d. Leopoldina, cognominada "Princesa da Independência".

25 de março: Partida de d. Pedro para Minas Gerais.

25 de abril: Retorno de d. Pedro ao Rio de Janeiro.

13 de agosto: D. Leopoldina é nomeada regente na ausência do marido.

14 de agosto: D. Pedro parte para São Paulo.

29 de agosto: D. Pedro e Domitila de Castro conhecem-se.

2 de setembro: D. Leopoldina preside o Conselho de Ministros que discute as novas ordens prestes a chegar de Portugal exigindo o retorno imediato do príncipe e de sua família.

7 de setembro: D. Pedro proclama a Independência do Brasil.

9 de setembro: D. Pedro parte de São Paulo em retorno ao Rio de Janeiro.

18 de setembro: Por decreto de d. Pedro I, são estabelecidas as novas armas e bandeira do Brasil.

12 de outubro: Por proposta de José Clemente Pereira, apresentada a 21 de setembro, d. Pedro I, em sessão extraordinária, é aclamado Imperador Constitucional do Brasil.

1º de dezembro: Coroação e sagração de d. Pedro I, na Capela Imperial, como Imperador Constitucional e Defensor Perpétuo do Brasil. Criada por d. Pedro I a Ordem Imperial do Cruzeiro para celebrar a sua aclamação e sagração. Criada a Imperial Guarda de Honra D. Pedro I.

1823

17 de fevereiro: Nasce, no Paço de São Cristóvão, a princesa d. Paula Mariana, quinta filha de d. Pedro I e d. Leopoldina.

3 de maio: É instalada a Assembleia Geral Constituinte e Legislativa.

19 de maio: Maria Graham é apresentada a d. Leopoldina.

30 de junho: D. Pedro tem uma violenta queda de cavalo e passa dias imobilizado.

17 de julho: Demissão dos Andrada do ministério.

16 de outubro: Maria Graham é aceita como preceptora da princesa d. Maria da Glória.

11/12 de novembro: Fechamento da Assembleia Nacional Constituinte.

15 de novembro: Os Andrada são exilados do Brasil e partem para a França.

1824

25 de março: D. Pedro outorga a primeira Carta Constitucional do Brasil, que vigoraria por 65 anos.

30 de abril: Revolta de d. Miguel, conhecida por Abrilada, por instigação de sua mãe, a rainha d. Carlota Joaquina.

21 de maio: Separação judicial de Domitila de Felício, seu primeiro marido.

23 de maio: Nasce, no Rio de Janeiro, Isabel Maria de Alcântara Brasileira, primeira filha de d. Pedro I e de Domitila de Castro Canto e Melo.

26 de maio: Os Estados Unidos da América reconhecem a independência do Brasil.

2 de agosto: Nasce, às 21h, no Palácio de São Cristóvão, a princesa d. Francisca Carolina, sexta filha de d. Pedro I e d. Leopoldina.

3 de setembro: Maria Graham retorna ao Rio de Janeiro.

4 de setembro: Maria Graham assume no Paço a tutoria das princesas.

10 de outubro: Maria Graham é demitida.

1825

4 de abril: Domitila é nomeada dama camarista da imperatriz.

29 de agosto: Portugal reconhece a independência do Brasil.

8 de setembro: Maria Graham parte definitivamente do Brasil.

12 de outubro: Domitila torna-se viscondessa de Santos.

25 de outubro: Inicia-se uma guerra entre Brasil e Argentina pela Província Cisplatina.

2 de dezembro: Nasce, no Palácio de São Cristóvão, d. Pedro, sétimo filho de d. Pedro I e de d. Leopoldina, futuro d. Pedro II.

7 de dezembro: Nasce Pedro de Alcântara Brasileiro, segundo filho de d. Pedro I e de Domitila de Castro Canto e Melo.

27 de dezembro: A Áustria reconhece a independência do Brasil.

1826

2 de fevereiro: Viagem dos imperadores à Bahia.

10 de março: Morre, no Real Palácio da Bemposta, em Lisboa, aos 59 anos, d. João VI.

13 de março: Falece no Rio de Janeiro Pedro de Alcântara Brasileiro, segundo filho de d. Pedro e de Domitila.

1º de abril: Retorno dos imperadores da Bahia.

26 de abril: D. Pedro é reconhecido pela regência e pelas Cortes Gerais Portuguesas como legítimo herdeiro do trono de Portugal.

29 de abril: D. Pedro outorga a Carta Constitucional de Portugal.

2 de maio: D. Pedro abdica condicionalmente o trono português em favor de sua filha, d. Maria da Glória, que passa a ser conhecida como d. Maria II.

6 de maio: É aberta por d. Pedro I a primeira legislatura da Assembleia Legislativa do Império do Brasil.

20 de maio: D. Pedro reconhece oficialmente como filha Isabel, que passa a se chamar Isabel Maria.

24 de maio: Isabel Maria recebe o título de duquesa de Goiás, com tratamento de Alteza.

29 de julho: É jurada a Constituição outorgada por d. Pedro I aos portugueses.

12 de outubro: Domitila é elevada a marquesa de Santos, seu pai torna-se visconde de Castro e diversos parentes recebem benesses do imperador.

Início de novembro: D. Leopoldina começa a se queixar de sua saúde e passa a ser atendida pelo dr. Vicente Navarro de Andrade, barão de Inhomirim.

2 de novembro: Falece o visconde de Castro.

14 de novembro: O barão de Inhomirim nota que, devido aos sintomas físicos da imperatriz, a gravidez seria difícil.

23 de novembro: Embarque de d. Pedro para a Guerra da Cisplatina.

2 de dezembro: D. Leopoldina aborta um feto masculino.

11 de dezembro: Morre, no Rio de Janeiro, a imperatriz d. Leopoldina às 10h25 da manhã.

Notas

Abreviações

AN - Arquivo Nacional
BN - Biblioteca Nacional
AHMI - Arquivo Histórico do Museu Imperial
AIHGB - Arquivo do Instituto Histórico e Geográfico Brasileiro
IHF - Instituto Hercule Florence

Parte I: A.E.I.O.U. - *Austriae est imperare orbi universo*

1 Ave de rapina usada na falcoaria, semelhante ao falcão. Ambos pertencem à mesma ordem, a dos falconiformes.
2 Um dos títulos usados pelos imperadores do Sacro Império Romano-Germânico ao ser eleitos pelos príncipes eleitores do império. Além de rei da Germânia, ou ainda dos germanos, o rei eleito recebia também o título de *Rex Romanorum*, rei dos romanos. O título de imperador do Sacro Império Romano-Germânico (*Imperator Romanorum*) só era outorgado após o eleito ser sagrado pelo papa, em Roma, o que não ocorreu com Rodolfo I.
3 Debris, *"Tu, felix Austria, nube"*, p. 113.
4 Moréri, *Le Grand dictionnaire historique*, p. 319.
5 Coleção de quinze poemas epistolares compostos pelo poeta romano Ovídio, nascido em 43 a.C. As cartas são de heroínas mitológicas a seus amantes.
6 Primeira baixa da Guerra de Troia.
7 Coreth e outros, *Pietas Austriaca*, p. 1-80.
8 Marr, *Uma história do mundo*, p. 315.
9 Kean, *O polegar do violinista*, p. 62.
10 Art nouveau austríaco.
11 Apud Bragança, *A Imperatriz Dona Leopoldina, sua presença nos jornais de Viena*, p. 546-547.
12 Ibidem, p. 547.
13 Oberacker, *A Imperatriz Leopoldina*, p. 11.
14 Kann e Lima, *Cartas de uma imperatriz*, p. 56.
15 Ingrao, *The Habsburg Monarchy*, p. 222.
16 Corrente revolucionária francesa radical que se reunia inicialmente no Convento de São Jacó, de onde se originou seu nome. Eram mais radicais que os girondinos e defendiam ideias de extrema esquerda.
17 Oberacker, op. cit., p. 12.
18 Atual Brno, na República Tcheca.
19 Williams, *Josefina*, p. 342.
20 Oberacker, op. cit., p. 15-16.

21 Idem.
22 Príncipes eleitores do Sacro Império Romano-Germânico, posteriormente reis da Prússia e da Alemanha.
23 Tritsch apud Oberacker, op. cit., p. 16.
24 Kann e Lima, op. cit., p. 64.
25 Ibidem, p. 57.
26 Ingrao, op. cit., p. 237.
27 Kann e Lima, op. cit., p. 449.
28 Willians, op. cit., p. 399.
29 Kann e Lima, op. cit., p. 66.
30 Tritsch apud Oberacker, op. cit., p. 20.
31 Ibidem, p. 13.
32 Idem.
33 Steiner apud Kann e Lima, op. cit., p. 65.
34 Georg Felbender, professor de desenho da corte.
35 Joseph Obernaub, jurista.
36 Vincenz Darnaut, teólogo e professor de História da Igreja.
37 Johann Wilhelm Ridler, professor do Estado e de História Mundial na Universidade de Viena.
38 Kann e Lima, op. cit., p. 187.
39 Ibidem, p. 211.
40 Oberacker, op. cit., p. 34.
41 Kann e Lima, op. cit., p. 183.
42 Idem.
43 Ibidem, p. 181.
44 Ibidem, p. 64.
45 Ibidem, p. 210.
46 Ibidem, p. 192.
47 Ibidem, p. 197.
48 Ibidem, p. 182.
49 Ibidem, p. 201.
50 Idem.
51 Oberacker, op. cit., p. 14.
52 IHF: Coleção condessa de Kühnburg, 2-3.
53 Kann e Lima, op. cit., p. 182.
54 Ibidem, p. 185.
55 Ibidem, p. 208-209.
56 Ibidem, p. 197.
57 Ibidem, p. 212.
58 Ibidem, p. 211.
59 Abrantès, *Mémoires de Madame la duchesse d'Abrantès*, p. 332.
60 Kann e Lima, op. cit., p. 215.
61 AHMI: I POB [*c*.1817] L. B. do 1-11.
62 Antiga medida de comprimento. No caso específico, Leopoldina afirma que a barriga do rei devia cair aproximadamente 23 centímetros abaixo da cintura.
63 Kann e Lima, op. cit., loc. cit.
64 Principal parque público de Viena na época.
65 Ofício n. 12 de 25 de janeiro de 1815 apud Lima, *D. João VI no Brasil*, v. 1, p. 519.
66 Ibidem, p. 424.
67 Ramirez, *As relações entre a Áustria e o Brasil*, p. 6.
68 Ofício secretíssimo do marquês de Aguiar ao marquês estribeiro-mor, em 15 de março de 1816, apud Monteiro, *A elaboração da Independência*, v. 1, p. 157.
69 Resende, *Correspondência do marquês de Rezende*, p. 208-209.
70 Martins, *História de Portugal*, p. 527.
71 Kann e Lima, op. cit., p. 218.
72 Obry apud Oberacker, op. cit., p. 29.
73 Kann e Lima, op. cit., p. 224.
74 Idem.
75 Ibidem, p. 219.
76 Ibidem, p. 220.
77 Apud Oberacker, op. cit., p. 30.
78 Idem.

79 Kann e Lima, op. cit., p. 231.
80 Ibidem, p. 234.
81 Apud Monteiro, *A elaboração da Independência*, v. 1, p. 154.
82 Kann e Lima, op. cit., p. 237.
83 Ibidem, p. 61.
84 Carta de d. Leopoldina a Maria Luísa em 24 de setembro de 1816, ibidem, p. 247.
85 Ambiel, *Estudos de arqueologia forense...*, p. 138.
86 Tavares, *Autos da autópsia do corpo de d. Pedro de Alcântara, duque de Bragança*, p. 1.
87 Macaulay, *Dom Pedro I*, p. 48-49.
88 Walsh, *Notices of Brazil in 1828 and 1829*, v. I, p. 183.
89 Macaulay, op. cit., p. 53.
90 Walsh, op. cit., loc. cit.
91 Macaulay, op. cit., p. 54.
92 Pereira, *Os filhos de El-Rey*, p. 74.

Parte II: Destino

1 Brandão, *El-Rei Junot*, p. 117.
2 Luís, *O último marquês de Marialva*, p. 37-52.
3 Kann e Lima, op. cit., p. 216.
4 Ibidem, p. 249.
5 Ibidem, p. 251.
6 Ibidem, p. 270.
7 Ibidem, p. 274.
8 Idem.
9 Ibidem, p. 252.
10 Oberacker, op. cit., p. 58.
11 Kann e Lima, op. cit., p. 253.
12 Ibidem, p. 256.
13 Ibidem, p. 257.
14 Idem.
15 Despacho n. 39 do marquês de Marialva para o marquês de Aguiar apud Norton, *A Corte de Portugal no Brasil*, p. 233.
16 Idem, p. 234.
17 Montet, *Souvenir de la Baronne du Montet*, p. 175.
18 Ambiel, op. cit., p. 111.
19 Despacho n. 39 do marquês de Marialva para o marquês de Aguiar apud Norton, op. cit., p. 233.
20 Rezzutti, *D. Pedro*, p. 90.
21 Despacho n. 39 do marquês de Marialva para o marquês de Aguiar apud Norton, idem.
22 Kann e Lima, op. cit., p. 265.
23 Despacho n. 40 do marquês de Marialva para o marquês de Aguiar apud Norton, op. cit.,p. 238.
24 Kann e Lima, op. cit., p. 258.
25 Ibidem, p. 261.
26 Idem.
27 Ibidem, p. 259.
28 Idem.
29 Vasconcelos, *A casa e seus mestres*, p. 133.
30 Kann e Lima, op. cit., p. 446.
31 Despacho n. 40 do marquês de Marialva para o marquês de Aguiar apud Norton, op. cit., p. 240.
32 Despacho n. 44 do marquês de Marialva para o marquês de Aguiar apud ibidem, p. 258.
33 Despacho n. 44 do marquês de Marialva para o marquês de Aguiar apud idem.
34 Kann e Lima, op. cit., p. 262.
35 Idem.
36 Ibidem, p. 268.
37 Ibidem, p. 269.
38 Ibidem, p. 272.
39 Ibidem, p. 275.

40 Ibidem, p. 276.
41 AHMI: II-POB-09.01.1824-Men.c 1-9.
42 Montet, op. cit., p. 174-5.
43 Carta do arquiduque Luís a Maria Luísa em 16 de abril de 1817 apud Oberacker, op. cit., p. 60.
44 Norton, op. cit., p. 52.
45 Lima, *D. João VI no Brasil*, p. 876.
46 Sousa, *A vida de d. Pedro I*, v. 1, p. 95.
47 Ofício Reservado n. 7, de 25 de agosto de 1816, apud Norton, op. cit., p. 32.
48 Ofício n. 41 do marquês de Marialva para o marquês de Aguiar apud ibidem, p. 242.
49 Equivalente em valores atuais a 52.800 euros.
50 Equivalente a 176 mil euros.
51 Ofício n. 40 do marquês de Marialva para o marquês de Aguiar apud ibidem, p. 239.
52 Oberacker, op. cit., p. 67.
53 Ver p. 33.
54 Ofício n. 41, de 30 de novembro de 1816, apud Norton, op. cit., p. 244.
55 Monteiro, *A elaboração da Independência*, v. 1, p. 175.
56 Uniforme que os criados de casas nobres usavam, cada casa tinha o seu próprio padrão de vestimenta e cores específicas.
57 Idem.
58 Kann e Lima, op. cit., p. 275.
59 Apud Monteiro, op. cit., p. 178.
60 Levando-se em conta que a saca de café de 60 quilos era negociada na época a 12.240 réis e hoje é a aproximadamente 450 reais. Na época, com 68 contos de réis daria para comprar 5.556 sacas. Hoje, a mesma quantidade seria comprada a 2,5 milhões de reais. Para ter uma dimensão maior do valor, a dotação anual de d. Leopoldina, aprovada em 1827, seria de 60 contos de réis. No entanto, todas as suas despesas anuais com a sua corte e doações giravam em torno de 34 mil réis.
61 Arquivo do Museu Imperial: II-POB-[1826]-L.B.-dc.
62 Graham, *Diário de uma viagem ao Brasil*, p. 359.
63 Norton, op. cit., p. 55.
64 Kann e Lima, op. cit., p. 282.
65 Ibidem, p. 283.
66 Ibidem, p. 284.
67 Ibidem, p. 285.
68 Ibidem, p. 286.
69 Apud Bragança, op. cit., p. 547.
70 Santos, *Maria e João continuam a ser os nomes mais populares em Portugal.*
71 Kann e Lima, op. cit., p. 288.
72 Kann e Lima, op. cit., p. 291.
73 Obry apud Oberacker, p. 71.
74 *Wiener Zeitung*, 16 de maio de 1817, apud Ramirez, *As relações entre a Áustria e o Brasil*, p. 8.
75 Montet, *Souvenir de la Baronne du Montet*, p. 175.
76 Apud Bragança, op. cit., p. 555.
77 Blanco, *Significado, representação sociopolítica e aspectos retóricos de danças em contexto: o caso das* Tänze des Brasilianischen Ballfestes *de Joseph Wilde.*
78 Kann e Lima, op. cit., p. 293.
79 Oberacker, op. cit., p. 95.
80 Ibidem, p. 99.
81 *Allgemeine Zeitung*, n. 160, 9 de junho, apud Bragança, op. cit., p. 557.
82 *Gazeta do Rio de Janeiro*, 20 de setembro de 1817.
83 *Gazeta do Rio de Janeiro*, 20 de setembro de 1817.
84 *Zeremonialprotokoll* de 1817, doc. 38 e ss. apud Ramirez, op. cit., p 8.
85 Idem.
86 *Allgemeine Zeitung*, 4 de junho de 1817, apud Bragança, op. cit., p. 558.
87 Esmoler-mor era o responsável pela supervisão de todas as obras caritativas e esmolas dadas por um membro de uma casa reinante.
88 Monteiro, *A elaboração da Independência*, v. 1, p. 180, nota 30.
89 A grafia desse nome aparece em diversos documentos como Kuenburg, Künburg e Kühnburg. Aqui, foi adotada a que aparece mais frequentemente: Kühnburg.
90 Kann e Lima, op. cit., p. 294.
91 Ibidem, p. 283.

92 Posto, no caso, são os pontos na estrada onde se trocavam os cavalos e muitas vezes comiam e descansavam um pouco do sacolejar da estrada.
93 IHF: Coleção condessa de Kühnburg/Item 5/1-1.
94 *Gazeta de Lisboa*, n. 162, de 14 de julho de 1817, p. 2.
95 Kann e Lima, op. cit., p. 295.
96 *Gazeta de Lisboa*, n. 162, de 14 de julho de 1817, p. 2.
97 Kann e Lima, op. cit., p. 281.
98 Ibidem, p. 279.
99 Ibidem, p. 252.
100 Ibidem, p. 296.
101 Ibidem, p. 297.
102 IHF: Coleção condessa de Kühnburg/Item 5/2-3.
103 *Gazeta de Lisboa*, n. 162, de 14 de julho de 1817, p. 2.
104 Kann e Lima, op. cit., p. 298.
105 Idem.
106 Oberacker, op. cit., p. 92, nota.
107 IHF: Coleção condessa de Kühnburg, 3-4.
108 Kann e Lima, op. cit., p. 299.
109 Ibidem, p. 298-299.
110 IHF: Coleção condessa de Kühnburg, ?-5.
111 Ibidem, 5-6.
112 Idem.
113 Kann e Lima, op. cit., p. 307.
114 IHF: Coleção condessa de Kühnburg, 5-6.
115 Kann e Lima, op. cit., p. 301.
116 Damas de companhia de Leopoldina.
117 Ibidem, 6-7.
118 Ibidem, 7-8.
119 Kann e Lima, op. cit., p. 302.
120 IHF: Coleção condessa de Kühnburg, 7-8.
121 Ibidem, 9-10.
122 Kann e Lima, op. cit., p. 303.
123 Ibidem, p. 305.
124 Oberacker, op. cit., p. 94.
125 Ibidem, p. 97.
126 Ibidem, p. 96.
127 IHF: Coleção condessa de Kühnburg, 10-11.
128 A calmaria podia ser pior do que uma tempestade. Existem relatos de navios parados por mais de um mês em alto-mar devido à falta de ventos.
129 Oberacker, op. cit., p. 96.
130 Kann e Lima, p. 391.
131 IHF: Coleção condessa de Kühnburg, 12-13.
132 Ibidem, 13-14.
133 Apud Bragança, op. cit., p. 559.
134 Lima, op. cit., v. 2, p. 881.
135 Kann e Lima, op. cit., p. 307.
136 IHF: Coleção condessa de Kühnburg, 17-18.
137 "Staatskanzlei", suplemento às instruções ao conde Eltz, de 14 de agosto de 1817, apud Ramirez, *Relações entre a Áustria e o Brasil*, p. 15.
138 10 de novembro de 1817 apud Lima, *D. João VI no Brasil*, p. 883.
139 Monteiro, *A elaboração da Independência*, v. 1, p. 181.
140 IHF: Coleção condessa de Kühnburg, 16-17.
141 Idem.
142 Ibidem, 17-18.
143 Ibidem, 18-19.
144 Ibidem, 16-17.
145 Idem.
146 Karl Joseph, conde de Kühnburg, marido de Nanny.
147 Ibidem, 19-20.
148 Ibidem, 20-21.

149 Idem.
150 Idem.
151 Idem.
152 Idem.
153 Carta de Leopoldina à condessa Von Lazansky em 8 de agosto de 1817 apud Oberacker, op. cit., p. 99.
154 IHF: Coleção condessa de Kühnburg, 20-21.
155 Oberacker, op. cit., p. 99.
156 IHF: Coleção condessa de Kühnburg, 20-21.
157 Idem.
158 Oberacker, op. cit., p. 103.
159 Na mitologia grega, Cérbero era um cão de três cabeças que guardava o inferno.
160 IHF: Coleção condessa de Kühnburg. Carnet a Ernestine, p. 9-10.
161 Monteiro, *A elaboração da Independência*, v. 1, p. 182.
162 Idem.
163 IHF: Coleção condessa de Kühnburg, 21-21.
164 Idem.
165 Kann e Lima, op. cit., p. 308.
166 IHF: Coleção condessa de Kühnburg, 21-22.
167 Kann e Lima, op. cit., 309.
168 IHF: Coleção condessa de Kühnburg, 22-23.
169 Idem.
170 Idem.
171 Idem.
172 Oberacker, op. cit., p. 87.
173 IHF: Coleção condessa de Kühnburg, 22-23.
174 Idem.
175 Idem.
176 Kann e Lima, op. cit., p. 311.
177 Idem.
178 Ibidem, p. 312.
179 IHF: Coleção condessa de Kühnburg, 22-23.
180 Kann e Lima, op. cit., p. 310.
181 Ibidem, p. 309.
182 IHF: Coleção condessa de Kühnburg Carnet a Ernestine, p. 2.
183 Ibidem, p. 10.
184 Frühbeck, *Skizze meiner Reise nach Brasilien*, p. 13-14.
185 IHF: Coleção condessa de Kühnburg Carnet a Ernestine, p. 12.
186 Idem.
187 Dia de São Carlos Borromeu, em 4 de novembro, quando se comemorava o onomástico da rainha Carlota Joaquina.
188 Ibidem, p. 16.

Parte III: Brasil – 1817-1826

1 *Gazeta do Rio de Janeiro*, n. 90, 8 de novembro de 1817, p. 1 e ss.
2 Idem.
3 Kann e Lima, op. cit., p. 313.
4 O camareiro a quem a condessa se refere é o conde de Viana, enviado por d. João VI.
5 IHF: Coleção condessa de Kühnburg, 23-24.
6 Morais, *Chronica geral do Brasil*, v. 2, p. 180.
7 IHF: Coleção condessa de Kühnburg, 23-24.
8 D. Maria Teresa de Bragança, irmã de d. Pedro, viúva desde 1812.
9 D. Sebastião de Bourbon e Bragança, filho de d. Maria Teresa com o príncipe d. Pedro Carlos, falecido em 1812.
10 A infanta Isabel Maria assumiria, em nome de d. Pedro, a regência de Portugal em 1826, devido ao falecimento do rei d. João VI. Seria uma das poucas irmãs a defender o direito de d. Pedro a assumir o trono português.
11 Idem.
12 Idem.

13 Idem.
14 *Gazeta do Rio de Janeiro*, n. 90, 8 de novembro de 1817, p.1 e ss.
15 IHF: Coleção condessa de Kühnburg, 23-24.
16 Oberacker, op. cit., p. 114.
17 Santos, *Memórias para servir à história do Reino do Brasil*, v. 2, p. 183.
18 *Gazeta do Rio de Janeiro*, n. 91, quarta-feira, 12 de novembro de 1817, p. 1 ss.
19 IHF: Coleção condessa de Kühnburg, 23-24.
20 *Gazeta do Rio de Janeiro*, n. 90, 8 de novembro de 1817, p. 1 e ss.
21 Debret, *Viagem pitoresca*, tomo II, p. 403.
22 Kann e Lima, op. cit., p. 325.
23 IHF: Coleção condessa de Kühnburg, 23-24.
24 Kann e Lima, op. cit., p. 313.
25 *Gazeta do Rio de Janeiro*, n. 90, quarta-feira, 12 de setembro de 1817, p. 1 e ss.
26 Lima, *D. João VI*, v. 2, p. 885.
27 Graham, *Escorço biográfico de dom Pedro I*, p. 63.
28 Monglave, *Correspondance de Don Pèdre Premier*, p. 23.
29 Rangel, *Dom Pedro I e a marquesa de Santos*, p. 70.
30 Graham, op. cit., p. 61-62.
31 Ibidem, p. 62.
32 Morais, *Chronicas da História do Brasil*, v. 2, p. 261.
33 Ibidem, p. 174.
34 Idem.
35 D. João IV, antes de sua aclamação como rei de Portugal, quando era somente o oitavo duque de Bragança, teria se irritado com um irmão leigo franciscano que havia ido lhe pedir esmolas. Sem paciência, mandou o religioso retirar-se e aplicou-lhe um pontapé na canela, criando um machucado em forma de escama de peixe. Ressentido pela forma como havia sido maltratado sem razão alguma, o franciscano rogou a seguinte praga: "A sua descendência nunca passará pelo primogênito, e os que lhe sucederem, Deus permita, tenham o mesmo sinal na perna que o senhor me produziu." Tanto d. João VI quanto d. Pedro (I no Brasil e IV em Portugal) e d. Pedro II eram os segundos de uma longa linhagem de filhos homens a assumirem o trono.
36 Graham, op. cit., p. 64.
37 Ibidem, p. 185.
38 Marrocos, *Cartas*, p. 304.
39 Apud Prado, *Thomas Ender*, p. 100.
40 Kann e Lima, op. cit., p 325-326.
41 Ibidem, p. 313.
42 Ibidem, p. 317.
43 Ibidem, p. 324.
44 IHF: Coleção condessa de Kühnburg, 27-37.
45 Kann e Lima, op. cit., p. 325.
46 Ibidem, p. 319.
47 IHF: Coleção condessa de Kühnburg, 23-24
48 Kann e Lima, op. cit., p. 325.
49 Ibidem, p. 331.
50 Ibidem, p. 333.
51 Ibidem, p. 332-333
52 Ibidem, p. 336.
53 Ibidem, p. 317-318.
54 Ibidem, p. 333.
55 Ibidem, p. 334.
56 Idem.
57 Ibidem, p. 317.
58 Ibidem, p. 314.
59 Idem.
60 Ibidem, p. 316.
61 Ibidem, p. 328-329.
62 Ibidem, p. 330.
63 Ibidem, p. 343.
64 Ibidem, p. 346.
65 Ibidem, p. 350.
66 Ibidem, p. 315.

67 Ibidem, p. 316.
68 Ibidem, p. 318.
69 Ibidem, p. 320.
70 IHF: Coleção condessa de Kühnburg, 24-5.
71 Pequeno objeto de luxo oriundo da China ou feito na Europa segundo modelo chinês. (N.E.)
72 Montet, op. cit., p. 173-174.
73 Ofício do intendente de polícia em 26 de setembro de 1822. AN, Fundo Polícia da Corte, códice 330, v. 1.
74 Kann e Lima, op. cit., p. 335.
75 Idem.
76 Ibidem, p. 336.
77 Carta de 31 de janeiro de 1818 apud Lima, *D. João VI no Brasil*, v. 2, p. 886.
78 Kann e Lima, op. cit., p. 330.
79 Ibidem, p. 316.
80 Ibidem, p. 340.
81 Ibidem, p. 344.
82 IHF: Coleção condessa de Kühnburg, 30-29.
83 Rezzutti, *D. Pedro*, p. 107-108.
84 Kann e Lima, op. cit., p. 355.
85 Ibidem, p. 359.
86 Idem.
87 Ibidem, p. 463.
88 Ibidem, p. 364.
89 Ibidem, p. 372.
90 Ibidem, p. 371.
91 Ibidem, p. 372.
92 Ibidem, p. 373.
93 Monglave, *Correspondance*, p. 17.
94 Ramirez, op. cit., p. 16.
95 Norton, op. cit., p. 159.
96 Ibidem, p. 378.
97 Oberacker, op. cit., p. 204.
98 Kann e Lima, op. cit., p. 376.
99 AHMI: I-POB-09.01.1822-PI.B.c 1-7.
100 Kann e Lima, op. cit., p. 379.
101 Idem.
102 Ibidem, p. 370.
103 Ibidem, p. 369.
104 Ibidem, p. 373.
105 Ibidem, p. 371.
106 Ibidem, p. 217.
107 Ibidem, p. 381.
108 Idem.
109 Ibidem, p. 382.
110 Ibidem, p. 384.
111 Ibidem, p. 383.
112 Monglave, *Correspondance de Don Pèdre Premier*, p. 13.
113 Mareschal, Ofício de 7 de janeiro de 1822.
114 Kann e Lima, op. cit., p. 270.
115 O nome da princesa Januária foi uma homenagem do pai ao Rio de Janeiro.
116 *A imperatriz Maria Leopoldina*, p. 129.
117 Morais, *História do Brasil Reino e do Brasil Império*, tomo I, p. 96.
118 *Cartas e mais peças officiaes dirigidas a Sua Magestade o Senhor D. João VI pelo príncipe real...*, p. 23-24.
119 Monglave, op. cit., p. 21.
120 *A imperatriz Maria Leopoldina*, p. 130.
121 Idem.
122 Morais, op. cit., p. 98.
123 Graham, *Escorço*, p. 71-72.
124 Monteiro, *A elaboração da Independência*, v. 1, p. 416.
125 Graham, op. cit., p. 73.
126 *Documentos para a história da Independência*, p. 371.

127 Morais, op. cit., p. 113.
128 D. Leopoldina usava a medida de Fahrenheit, em Celsius é o equivalente a 36°.
129 Apud Norton, *A corte no Brasil*, p. 147-148.
130 Galvão, *O púlpito no Brasil*, p. 136.
131 Kann e Lima, op. cit., p. 391.
132 Apud Oberacker, op. cit., p. 249.
133 Kann e Lima, op. cit., p. 396.
134 Ibidem, p. 393.
135 Ibidem, p. 394.
136 Ibidem, p. 396.
137 Idem.
138 *A Imperatriz Maria Leopoldina*, p. 215.
139 Oberacker, op. cit., p. 255.
140 Kann e Lima, op. cit., p. 406.
141 Oberacker, op. cit., p. 255.
142 Kann e Lima, op. cit., p. 407.
143 Oberacker, op. cit., p. 256.
144 Kann e Lima, op. cit., p. 399-400.
145 Ibidem, p. 402.
146 Ibidem, p. 403.
147 Oberacker, op. cit., p. 267.
148 *The Courier*, 14 de setembro de 1822.
149 Kann e Lima, op. cit., p. 394.
150 Ibidem, p. 404.
151 Ibidem, p. 400.
152 Ibidem, p. 407.
153 Idem.
154 Kann e Lima, op. cit., p. 405.
155 Idem.
156 AHMI: I-POB-19.08.1822-L.B.c 1-5 (d2).
157 *A Imperatriz Maria Leopoldina*, p. 33.
158 Oberacker, op. cit., p. 274.
159 Morais, op. cit., p. 384.
160 Revista *Galileu*, ano 8, n. 86, setembro de 1998, p. 88.
161 Drummond, *Anotações*, p. 40.
162 Celliez apud Oberacker, op. cit., p. 375.
163 Oberacker, *O grito do Ipiranga*, p. 446-7.
164 Peixoto, *Duas palavras sobre d. Pedro I*, p. 11.
165 Sobre essa questão, ver: Oberacker, *O grito do Ipiranga*.
166 Taunay, *A história da cidade de São Paulo*, p. 239.
167 Rezzutti, *D. Pedro*, p. 155.
168 Drummond, op. cit., p. 42.
169 Idem.
170 Rezzutti, op. cit., p. 156.
171 AHMI: II-POB-22.09.1822-PI.B.c 1-2.
172 Morais, *História do Brasil Reino e do Brasil Império*, tomo I, p. 402.
173 Atualmente, com diversas reformas e modificações, o edifício é sede da Faculdade de Direito da Universidade Federal do Rio de Janeiro.
174 *Correio do Rio de Janeiro*, n. 154, de 16 de outubro de 1822, p. 8 e ss.
175 Idem.
176 Ibidem, p. 404.
177 Idem.
178 Norton, op. cit., p. 156.
179 Rodrigues, *Independência, revolução e contra-revolução*, v. 1, p. 269.
180 Fleiuss, *Páginas de história*, p. 185.
181 Oberacker, *A Imperatriz Leopoldina*, p. 302.
182 Kann e Lima, op. cit., p. 414.
183 Rezzutti, *D. Pedro*, p. 140.
184 Kann e Lima, op. cit., p. 447-448.
185 Ibidem, p. 419.

186 Apud Oberacker, *Comentários às cartas da imperatriz Leopoldina...*, p. 185.
187 Ibidem, p 185-186.
188 *Cartas da 1ª imperatriz do Brasil*, p. 127.
189 Bosche, *Quadros alternados*, p. 142.
190 Ibidem, p. 139.
191 Lemos, *Os mercenários do imperador*, p. 67.
192 Apud *A Imperatriz Maria Leopoldina*, p. 177 e ss.
193 Schlichthorst, *Rio de Janeiro como é*, p. 24.
194 Seidler, *Dez anos no Brasil*, p. 76.
195 Mansfeldt, *Meine Reise nach Brasilien in Jahre 1826*, v. 1, p. 85.
196 Idem, vol. 1, p. 86.
197 Graham, *Diário de uma viagem ao Brasil*, p. 258.
198 Kann e Lima, op. cit., p. 420.
199 Graham, *Escorço biográfico de d. Pedro I*, p. 84.
200 Graham, *Diário de uma viagem ao Brasil*, p. 276.
201 Idem, p. 272.
202 *Anais da Constituição*, tomo II, p. 113.
203 Kann e Lima, op. cit., p. 421.
204 Ibidem, p. 423.
205 Ibidem, p. 420.
206 *Proclamações, cartas, artigos de imprensa*, p. 177-179.
207 Kann e Lima, op. cit., p. 421.
208 Apud Oberacker, *Comentários às cartas da imperatriz Leopoldina...*, p. 182.
209 Drummond, *Anotações*, p. 85.
210 Celliez apud Oberacker, op. cit., p. 321.
211 Kann e Lima, op. cit., p. 419.
212 Kotzebue, *O Rio de Janeiro em 1823*, p. 521.
213 Ibidem, p. 522-523.
214 Rezzutti, *Domitila*, p. 43 e ss.
215 Rangel, *Cartas de Pedro I à marquesa de Santos*, p. 53.
216 Rezzutti, *Titília e o Demonão*, p. 87.
217 Rangel, *Cartas de Pedro I à marquesa de Santos*, p. 516.
218 Kann e Lima, op. cit., p. 431.
219 AHMI: I-POB-[1822/1825]-L.B.c 1-22.
220 Kann e Lima, op. cit., p. 391.
221 Ibidem, p. 435.
222 Rezzutti, *Titília e o Demonão*, p. 93.
223 Macedo, *Memórias da rua do Ouvidor*, p. 92.
224 Graham, *Diário de uma viagem ao Brasil*, p. 280.
225 Rezzutti, *Domitila*, p. 148.
226 Rezzutti, *Titília e o Demonão*, p. 131.
227 Ibidem, p. 107.
228 Rangel, op. cit., p. 407.
229 Rezzutti, op. cit., p. 105.
230 Andrada, *Cartas andradinas*, p. 14 e ss.
231 Oberacker, *A Imperatriz Leopoldina*, p. 380.
232 Rezzutti, op. cit., p. 133.
233 Maria Leopoldina.
234 Rangel, op. cit., p. 615.
235 Graham, *Escorço biográfico de dom Pedro I*, p. 163.
236 Oberacker, *Comentários às cartas da imperatriz Leopoldina...*, p. 199.
237 Kann e Lima, op. cit., p. 450.
238 Rezzutti, *Domitila*, p. 104.
239 Gaham, *Diário de uma viagem...*, p. 274.
240 Ibidem, p. 281.
241 Ibidem, p. 359.
242 Graham, *Escorço biográfico de dom Pedro I*, p. 88.
243 Idem.
244 Ibidem, p. 94.
245 Morais, *Chronica geral do Brasil*, tomo II, p. 149.

246 Kann e Lima, op. cit., p. 431.
247 Graham, op. cit., p. 123.
248 Ibidem, p. 126.
249 Kann e Lima, op. cit., p. 431.
250 Ibidem, p. 433.
251 Ibidem, p. 431.
252 Graham, op. cit., p. 128.
253 Ibidem, p. 131.
254 Ibidem, p. 134.
255 Ibidem, p. 135.
256 Ibidem, p. 140.
257 Ibidem, p. 136.
258 Kann e Lima, op. cit., p. 432.
259 Ibidem, p. 433.
260 Graham, *Escorço biográfico de d. Pedro I*, p. 217.
261 Sousa, *Fatos e personagens em torno de um regime*, p. 177.
262 Kann e Lima, op. cit., p. 435.
263 Apud Oberacker Jr., Carlos. *A Imperatriz Leopoldina*, p. 379.
264 29 de agosto de 1825.
265 Na realidade Domitila, nascida em 27 de dezembro de 1797, fazia 28 anos.
266 Rangel, *Cartas de Pedro I à marquesa de Santos*, p. 101.
267 Graham, op. cit., p. 220.
268 Idem.
269 Ibidem, p. 221.
270 Graham, *Diário de uma viagem ao Brasil*, p. 297.
271 AHMI: I-POB-08.04.1827-Cha.c 1-6.
272 Lyra, *D. Pedro II*, v. I, p. 42.
273 Kann e Lima, op. cit., p. 442.
274 Apud Mareschal, *Correspondência*, n. 339, p. 180-181.
275 Kann e Lima, op. cit., p. 443.
276 Idem.
277 Morais, *Chronica do Brasil Império*, tomo II, p. 250.
278 Ibidem, p. 251.
279 Palácio da Justiça.
280 Ibidem, p. 252.
281 AHMI: II-POB-28.02.1826-PI.B.do.
282 Morais, op. cit., p. 252.
283 Bougainville, *Journal*, p. 623.
284 Apud Rangel, *Cartas de Pedro I à marquesa de Santos*, p. 110 e ss.
285 Rezzutti, *D. Pedro*, p. 201.
286 Kann e Lima, op. cit., p. 442.
287 Ibidem, p. 443.
288 Idem.
289 Ibidem, p. 445.
290 Ibidem, p. 447.
291 Ibidem, p. 448.
292 Ibidem, p. 449.
293 Relatório n. 13, de 13 de junho de 1826, apud Mareschal, *Correspondência*, n. 339, p. 185.
294 AHMI: II-POB-24.05.1826-PI.B.de.
295 Relatório n. 13, de 13 de junho de 1826, apud Mareschal, op. cit., p. 184.
296 Ibidem, p. 185.
297 AHMI I-POB-1826-IM.do.
298 Dória, *A Imperatriz Leopoldina*, p. 414.
299 Relatório n. 13, de 13 de junho de 1826, apud Mareschal, op. cit., p. 186.
300 Idem.
301 Mansfeldt, op. cit., v. 1, p. 167.
302 Idem.
303 Idem.
304 Idem.
305 Ibidem, p. 86.

306 Relatório n. 15, de 5 de julho de 1826, apud Mareschal, op. cit., p. 189.
307 Relatório n. 18, de 12 de agosto de 1826, apud ibidem, p. 193-194.
308 Morais, op. cit., v. 2, p. 254.
309 Graham, *Escorço biográfico de dom Pedro I*, p. 93.
310 Mansfeldt, op. cit., v. 1, p. 168.
311 Morais, op. cit., v. 2, p. 255.
312 Relatório n. 20-C, de 28 de agosto de 1824, apud Mareschal, op. cit., n. 340, p. 155.
313 Idem.
314 Idem.
315 Kann e Lima, op. cit., p. 450.
316 Monteiro, *História do Império: O Primeiro Reinado*, v. 2, p. 104.
317 Kann e Lima, op. cit., p. 438.
318 Idem, p. 439.
319 Apud Oberacker, *Comentários às cartas da Imperatriz Leopoldina a João Martinho Flach*, p. 175.
320 Mansfeldt, op. cit., v. 1, p. 167.
321 Apud Oberacker, op. cit., p. 182.
322 Pensão anual dos funcionários do Paço em 1829 – lista dos pagamentos 1829/1830:

Marquesa de Santos	12.000$000
Francisco Gomes da Silva	1.200$000
Mariana Carlota da Verna	960$000
Açafata (mínimo)	300$000

323 AN, Fundo Marquês de Barbacena BR AN, RIO Q1.0.DIL.103.
324 Ibidem, BR AN, RIO Q1.0.DIL.107.
325 Apud Oberacker, op. cit., p. 199.
326 *Annaes do Parlamento Brasileiro*, 1827, tomo I, p. 194.
327 Monteiro, op. cit., v. 2, p. 121.
328 Magna, *Oração fúnebre*, p. 13.
329 Seixas, *Memórias*, p. 52-55.
330 *Annaes do Parlamento Brazileiro*. Primeiro ano da quarta legislatura, v. 2, p. 46.
331 Processo Verbal, anexo ao Relatório n. 31-F, de 16 de dezembro de 1826, apud Mareschal, op. cit., n. 348, p. 165.
332 Kann e Lima, op. cit., p. 430.
333 AIHGB: Lata 326 D19_VI.
334 Morais, op. cit., v. 2, p. 255.
335 Ibidem, p. 256.
336 Leopoldo, *Memórias*, p. 66.
337 Relatório de 27 de novembro de 1826 apud Mareschal, op. cit., n. 344, p. 252.
338 Idem.
339 Inhomirim, *Bolletins sobre o estado de Sua Magestade a Imperatriz.*
340 Boletim de 30 de novembro de 1826. In: Inhomirim, *Bolletins sobre o estado de Sua Magestade a Imperatriz.*
341 Apud Oberacker, *A Imperatriz Leopoldina*, p. 436-437.
342 Pós-escrito do relatório n. 25-C, de 27 de novembro de 1826. Mareschal, op. cit., n. 344, p. 252.
343 Oberacker, op. cit., p. 427.
344 Rangel, *D. Pedro I e a marquesa de Santos*, p. 158.
345 Daiser, *Sete de Abril*, p. 303.
346 Morais, *Chronica geral do Brasil*, tomo II, p. 256-257.
347 Oberacker, *A Imperatriz Leopoldina*, p. 431.
348 *A Imperatriz Maria Leopoldina*, p. 53.
349 Apud Rangel, *Textos e pretextos*, p. 201.
350 Idem.
351 *A Imperatriz Maria Leopoldina*, p. 54.
352 Boletim médico do dia 2 de dezembro de 1826. In: Inhomirim, *Bolletins sobre o estado de Sua Magestade a Imperatriz.*
353 Idem.
354 Breda, *A enfermidade da imperatriz Leopoldina*, p. 49-55.
355 Carta de 24 de dezembro de 1826 do barão de Mareschal ao conde Neipperg apud Oberacker, op. cit., p. 433.
356 AHMI: I-PAN-08.02.1826-Bar.c 1-9.
357 Breda, op. cit., p. 51-52.
358 Boletim n. 1, in Inhomirim, *Bolletins sobre o estado de Sua Magestade a Imperatriz.*
359 *Diário Fluminense*, de 4 de dezembro de 1826, n. 30, p. 521.
360 Oberacker, *Os ofícios do cônsul prussiano Von Theremin sobre a morte da imperatriz Leopoldina*, p. 211.

361 *Diário Fluminense,* 7 de dezembro de 1826, n. 133, p. 533-534.
362 Sampaio, *A sensibilidade nacional...*, p. 13-14.
363 Walsh, *Notices of Brazil in 1828 and 1829*, v. 1, p. 259.
364 Kann e Lima, op. cit., p. 265.
365 *Diário Fluminense*, de 16 de dezembro de 1826, n. 140, p. 561-563.
366 Idem.
367 *Espectador Brasileiro*, de 15 de dezembro de 1826.
368 Idem.
369 *Annaes do Parlamento Brasileiro*, 1827, tomo I, p. 194.
370 Fleiuss, *Páginas de história*, p. 298.
371 Ibidem, p. 301.
372 *Cartas andradinas*, p. 39.
373 Nota de Américo Lourenço Jacobina Lacombe sobre a morte de Leopoldina, as ações de Pedro I após o ocorrido e a influência da marquesa de Santos na corte. S.l., 19--. Original, manuscrito, 13p. Localização: 63,05,002 n. 352. BN: Fundo/Coleção: Tobias Monteiro. Série: Pesquisas e anotações.
374 Carta do barão de Mareschal ao príncipe de Metternich. Rio de Janeiro, 2 de fevereiro de 1827. BN. Localização: 64,01,005 n. 007.
375 Rangel, *Cartas de Pedro I à marquesa de Santos*, p. 159.
376 Apud Norton, *A corte de Portugal no Brasil*, p. 201.
377 AIHGB, coleção Hélio Viana, DL175-38, pasta 5.
378 AHMI: I-POB-08-12-1826-L-B-c.

Frühbeck e a redescoberta do Brasil

1 França, *Mulheres viajantes no Brasil*, p. 37.
2 *Münchner Tagesblatt*, de 22 de setembro de 1830.
3 *Regensburger Zeitung*, de 18 de dezembro de 1830.
4 *Der Telegraph österreichisches Conversationsblatt*, de 24 de junho de 1836.

A primeira imperatriz do Novo Mundo

1 *ANNAES DO Parlamento Brazileiro*. Sessão de 21 de julho de 1827.
2 A ausência de uma dotação à princesa regente e, posteriormente, à imperatriz, embora, neste último caso, prevista na Constituição do Império, levou d. Leopoldina a recorrer a empréstimos para despesas particulares e para a manutenção dos auxílios a pessoas e entidades que a ela reclamavam socorro. A pedido do próprio d. Pedro, o arcebispo da Bahia e deputado-geral d. Romualdo Antonio de Seixas propôs que o Tesouro Nacional as assumisse, projeto que, vencendo todos os impedimentos legais, foi aprovado por unanimidade, como um testemunho público de gratidão, em 28 de setembro de 1827.
3 Idem.
4 Celliez, *Léopoldine d'Autriche*, p. 581-601.
5 Macedo, *D. Carolina Josepha Leopoldina, Imperatriz*, p. 193-198.
6 Ibidem, p. 194-195.
7 *A IMPERATRIZ Maria Leopoldina: Documentos interessantes...*
8 Fleiuss, *Páginas de História*, p. 205-269.
9 Obry, Olga *Grüner Purpur. Brasiliens erste Kaiserin, Erzherzogin Leopoldine.*
10 Baum, Emmi. *Empress Leopoldina: her role in the development of Brazil (1817 a 1826)*. Essa tese é pouco conhecida no Brasil e nunca citada em trabalhos brasileiros. Tive conhecimento dela por meio de uma biografia de d. Pedro I, elaborada por Neill Macaulay, brasilianista norte-americano.
11 Prantner, Johanna. *Kaiserin Leopoldine von Brasilien. Der Beitrag der Hauses Habsburg-Lothringen und österreichischen Geistesgutes zur Entwicklung Brasiliens während der Monarchie im 19. Jahrhundert*. Wien, Munique: Verlag Herold, 1974. Essa obra foi traduzida para o português por iniciativa do Consulado Geral da Áustria no Rio de Janeiro e publicada em 1997 pela Editora Vozes como *Imperatriz Leopoldina do Brasil: A contribuição da Casa Habsburg-Lothringen e da cultura austríaca ao desenvolvimento do Brasil durante a Monarquia no século XIX*.

12 Oberacker Jr., Carlos H. *A Imperatriz Leopoldina: sua vida e sua época. Ensaio de uma biografia.* Rio de Janeiro, IHGB, Conselho Federal de Cultura, 1973. Há uma edição brasileira desta obra em alemão, de 1975, e outra austríaca, de 1988, com outro título, na coleção Grandes Mulheres da Política Mundial, da Editora Analthea; em ambas há modificações com relação ao primeiro texto.

13 No fim da década de 1950, houve mesmo o projeto de uma produção cinematográfica sobre a imperatriz, mencionado pelo jornal paulista *Deutsche Nachrichten*, na edição de 12 de junho de 1957.

14 Apud Oberacker, op. cit., p. XXVI.

15 Oberacker, op. cit., p. 442.

16 Manifestações que aparecem na Câmara, na imprensa, nos depoimentos de viajantes e de outros integrantes do movimento de emancipação.

17 *ANNAES DO Parlamento Brasileiro.* Sessão de 28 de maio de 1827.

18 Suplemento do Museu Paulista/USP. *Diário Oficial do Estado de São Paulo*, p. 3.

19 Lyra, *Relações diplomáticas e interesses políticos no casamento de D. Leopoldina.* In: Schubert, *200 anos da Imperatriz Leopoldina*, p. 147.

20 Apud Oberacker, op. cit., p. 440.

21 Lyra, *Leopoldina de Habsburgo (1797-1826)*, p. 161-369.

22 Ibidem, p. 163-164.

23 Cassotti, Marsilio. *Biografia íntima de Leopoldina.*

24 A arquiduquesa adotaria o nome de Maria Leopoldina por ocasião do Ato de Renúncia à sucessão e herança da casa da Áustria, talvez por perceber ser esse nome um costume na casa de Bragança, à qual passaria a pertencer.

25 Apud Oberacker, op. cit., p. 13.

26 *Gazeta de Lisboa*, n. 112, de 13 de maio de 1817, p. 3.

27 Apud Calmon, *O rei cavaleiro*, p. 43.

28 Apud Oberacker, op. cit., p. 108.

29 Corrêa, *Em casa do patriarcha*, p. 117-118.

30 Já na Áustria, manifestara, em cartas e diários, quanto lhe desagradava a vida na corte, que considerava artificial e ociosa.

31 Da Leopoldina e suas cartas. *Tribuna de Petrópolis.*

32 Aliás, ao contrário do que afirmam seus biógrafos, d. Pedro foi um dos poucos que não se importavam com o traje de amazona da esposa; ao menos não há registros documentais que indiquem isso.

33 Lyra, op. cit., p. 144.

34 Foram localizados apenas doze trabalhos realizados por Leopoldina na adolescência, pertencentes hoje ao Arquivo de Imagens da Biblioteca Nacional Austríaca. Eles encontram-se reproduzidos no artigo "A formação artística da imperatriz Leopoldina", de d. Carlos Tasso de Saxe-Coburgo, que foi publicado na *Revista do Patrimônio Histórico e Artístico Nacional* (Rio de Janeiro, SPHAN, 15, 1961), e na obra *A arquiduquesa d. Leopoldina, I imperatriz do Brasil*, de Maria Amélia Arruda Botelho de Souza Aranha (São Paulo, IHGSP, 1970; Instituto Genealógico Brasileiro, 1985).

35 Apud Oberacker, op. cit., p. 356.

36 Calmon, Pedro. "Mulher Providencial", *O Cruzeiro.*

37 Seixas, *Oração fúnebre da...*, p. 15.

38 Após 1823, o suíço Johann Martin Flach substituiu, nas funções de secretário particular da imperatriz, Georg Anton von Schäffer, enviado pelo imperador à Alemanha para obter colonos e soldados.

39 Apud Oberacker, op. cit., p. 365.

40 Oberacker, op. cit., p. 213-246.

41 Lyra, *Leopoldina de Habsburgo (1797-1826)*, p. 161-369; 275-284.

42 Rezzutti, *D. Pedro*, p. 132-134.

43 Leite e Scatimburgo, *História da municipalidade de São Paulo*, p. 206.

44 Macaulay, *D. Pedro I. A luta pela liberdade no Brasil e em Portugal*, p. 134-135.

45 Carta ao pai de 8 de agosto de 1822. Apud Oberacker, op. cit., p. 250.

46 Bilhete a José Bonifácio, de agosto de 1822.

47 Graham, *Diário de uma viagem ao Brasil*, p. 379.

48 Sampaio, *Oração fúnebre...*

49 Lyra, *A utopia do poderoso império*, p. 240.

50 Alcântara, *Dona Leopoldina, consorte e inspiradora do Libertador*, p. 166.

51 Idem.

52 Lima, *O Movimento da Independência*, p. 120.

53 *Cartas da Imperatriz Leopoldina ao Sr. Schäffer* apud Arquivo Nacional, *A Imperatriz Maria Leopoldina*, p. 127--134.

54 Apud Oberacker, op. cit., p. 256.

55 Ibidem, p. 268.

56 Ibidem, p. 275.

57 Peixoto, *Duas palavras sobre d. Pedro I*, p. 11.
58 Apud Oberacker, op. cit, p. 281.
59 Ibidem, p. 290.
60 Calmon, *O rei cavaleiro*, p. 135.
61 Oberacker, op. cit., p. 13.
62 Apud Oberacker, op. cit., p. 325-326.
63 Ibidem, p. 418-419.
64 Lyra, *A utopia do poderoso império*, p. 235-237.
65 Ibidem, p. 239.
66 Oberacker, op. cit., p. 442.
67 Notícia da entrada que fez na Cidade de S. Paulo... *O Espelho*.
68 Magalhães, *Dona Leopoldina, a Imperatriz da Independência*, p. 251.
69 Graham, *Diário de uma viagem ao Brasil*, p. 264-280.
70 Setúbal, *A Imperatriz Leopoldina*, p. 255.
71 Ver Oberacker, *Comentários às cartas da Imperatriz Leopoldina a João Martinho Flach* (p. 171-202) e *Cartas da Imperatriz Leopoldina ao Sr. Schäffer*. Arquivo Nacional, *A Imperatriz Maria Leopoldina*, p. 127-134.
72 *A Gazeta de Lisboa*, n. 84, de 7 de abril de 1827.
73 Apud Oberacker, *A Imperatriz Leopoldina: sua vida e sua época*, p. 321.
74 Suplemento do Museu Paulista/USP. *Diário Oficial do Estado de São Paulo*, p. 3.
75 Macedo, op. cit., p. 196.
76 Celliez, op. cit.
77 Graham, op. cit., p. 317; Oberacker, op. cit., p. 356, 405-419; Seidler, *Dez anos no Brasil*, p. 85.
78 Burns, *Como foi acolhida nos Estados Unidos a Independência do Brasil*, p. 207.
79 Graham, op. cit., p. 317.
80 Magna, *Oração fúnebre...*
81 Mansfeldt, *Meine Reise nach Brasilien im Jahre 1826*, p. 167.
82 Oberacker, op. cit., p. 442.
83 Seidler, op. cit., p. 89.
84 *Últimos momentos da senhora D. Maria Leopoldina...*, p. 45-46.
85 *Astréa*, de 12 de dezembro de 1826 apud ibidem, p. 47-48.
86 Sampaio, *Oração fúnebre...*
87 Denis, *Brasil*, p. 148.
88 Trata-se de uma conclusão preliminar, pois não consegui a descrição de nenhuma dessas cerimônias anuais.
89 Apud Oberacker, op. cit., p. 473-474.
90 Dória, *Homens e épocas. A imperatriz Leopoldina*, p. 410-415.
91 Meneses, *O Salão Nobre do Museu Paulista e o Teatro da História*, p. 25-29.
92 Setúbal, *Um sarau no Paço de São Cristóvão: peça em 3 atos*. São Paulo, Banco Itaú, 1994. (Encenada em 11 de dezembro de 1926, como homenagem a d. Leopoldina, no centenário de sua morte.)
93 Transformada em capela, como condição da Família Imperial para permitir a trasladação de d. Leopoldina, já que não desejava ela ver um de seus membros em sepultura não cristã, a Cripta do Monumento havia sido construída pela Prefeitura de São Paulo com o objetivo explícito de abrigar os corpos de d. Pedro I e da primeira imperatriz, como lideranças do movimento da Independência.
94 Magalhães, *Dona Leopoldina, a Imperatriz da Independência*, p. 251.
95 Oberacker, op. cit., p. 451.
96 Falcão, *Resgate de uma dívida*.
97 Homenagem a d. Leopoldina. *Anais do Congresso de História da Independência do Brasil*, p. 49-50; 66-68.
98 Esse enredo foi tema da exposição fotográfica *Imagem na fantasia. Der andere Karneval. Leopoldine von Habsburg, Kaiserin von Brasilien im Karneval von Rio de Janeiro 1996*, realizada pelas fotógrafas austríacas Bele Marx e Valerie Rosenburg, nas Salas Bergl do Palácio de Schönbrunn, de 22 de abril a 25 de maio de 1997.
99 Helige, *D. Leopoldina, Mãe da Independência*. In: Schubert, op. cit., p. 194.
100 Aquino, *Maria Leopoldina, Imperatriz Brasileira*, p. 5.

D. Leopoldina - Imperatriz do Brasil: doença e morte

1 REZZUTTI, 2017.
2 INHOMIRIM, Barão de. *Bolletins sobre o estado de enfermidade de Sua Magestade a Imperatriz*. 30 de novembro a 11 de dezembro de 1826. Biblioteca Nacional Austríaca.

3 REZZUTTI, ibid.
4 INHOMIRIM, Barão de. *Bolletins sobre o estado de enfermidade de Sua Magestade a Imperatriz.* 30 de novembro a 11 de dezembro de 1826. Biblioteca Nacional Austríaca.
5 KASPER, 2005.
6 RAVNEET & PURABI, 2011; SETHI et al., 2017; WOODBRIDGE, 1895; AMSTER et al., 1985; VIGLIANI & BAKARDJIEV, 2013.

Bibliografia

Fontes manuscritas

ARQUIVO NACIONAL (Brasil). Fundo Casa Real e Imperial/Mordomia. Documentos manuscritos.

ARQUIVO NACIONAL (Brasil). Fundo Marquês de Barbacena. Documentos manuscritos.

BIBLIOTECA NACIONAL (Brasil). Coleção Independência do Brasil. Disponíveis na Seção de Manuscitos.

BIBLIOTECA NACIONAL (Brasil). Coleção Linhares. Disponíveis na Seção de Manuscitos.

BIBLIOTECA NACIONAL (Brasil). Coleção Tobias Monteiro. Disponíveis na Seção de Manuscitos.

BIBLIOTECA NACIONAL (Brasil). Documentos e peças relativas aos Despozorios de S.A. a Arquiduqueza D. Carolina Josefa Leopoldina da Áustria com o Príncipe D. Pedro de Alcântara de Portugal e Brasil. Disponíveis na Seção de Manuscitos.

INSTITUTO HERCULE FLORENCE. Coleção condessa de Kühnburg.

INSTITUTO HISTÓRICO E GEOGRÁFICO BRASILEIRO. Arquivo Hélio Viana.

INSTITUTO HISTÓRICO E GEOGRÁFICO BRASILEIRO. Arquivo Wanderley Pinho.

INSTITUTO HISTÓRICO E GEOGRÁFICO DE SÃO PAULO. Documentos relativos à trasladação do corpo da imperatriz d. Leopoldina para São Paulo. Disponíveis no Arquivo Histórico.

MUSEU IMPERIAL. Bilhetes de d. Leopoldina a José Bonifácio de Andrada e Silva e cartas ao príncipe d. Pedro (1822). Disponíveis no Arquivo da Casa Imperial do Brasil.
MUSEU IMPERIAL. Bilhetes de d. Leopoldina ao seu afilhado. Disponíveis no Arquivo da Casa Imperial do Brasil.
MUSEU IMPERIAL. Cartas de d. Pedro I. Disponíveis no Arquivo da Casa Imperial do Brasil.
MUSEU IMPERIAL. Cartas de José Bonifácio de Andrada e Silva a d. Leopoldina (1822). Disponíveis no Arquivo da Casa Imperial do Brasil.
MUSEU PAULISTA. Bilhetes de d. Leopoldina a José Bonifácio de Andrada e Silva (1822) da Coleção José Bonifácio de Andrada e Silva. Disponíveis no Setor de Documentação da USP.
PROVÍNCIA FRANCISCANA DA IMACULADA CONCEIÇÃO NO BRASIL. Documentos relativos à trasladação do corpo da imperatriz d. Leopoldina para São Paulo. Disponíveis no Arquivo Histórico.

Fontes primárias impressas

1. Coleções, jornais e relatórios

ALLGEMEINE Zeitung, 4 jun. 1817.
ANAIS da Câmara, 1833, tomo II.
ANAIS da Constituição, tomo II.
ANNAES do Parlamento Brazileiro: Camara dos Srs. Deputados. Segundo Anno da Primeira Legislatura. Sessões de 1827, tomos 1-5. Brasília, Centro de Documentação e Informação da Câmara dos Deputados, 1982. (Reimpressão da edição de 1874).
CARTAS e mais peças officiaes dirigidas a sua Magestade o Senhor D. João VI pelo Príncipe Real o Senhor D. Pedro de Alcântara. Lisboa: Imprensa Nacional, 1822.
COLEÇÃO das Leis do Brasil de 1821.
DIÁRIO Fluminense, n. 133, 7 dez. 1826, p. 533-534.
DIÁRIO Fluminense, n. 140, 16 dez. 1826, p. 561-563.
DIÁRIO Fluminense, n. 30, 4 dez. 1826, p. 521.

DOCUMENTOS para a história da independência. Rio de Janeiro: Officinas Graphicas da Biblioteca Nacional, 1923.

GAZETA de Lisboa, n. 84, 7 abr. 1817.

GAZETA de Lisboa, n. 112, 13 maio 1817.

GAZETA de Lisboa, n. 162, 14 jul. 1817.

GAZETA do Rio de Janeiro, n. 76, 20 set. 1817.

GAZETA do Rio de Janeiro, n. 90, 8 nov. 1817, p. 1 ss.

GAZETA do Rio de Janeiro, n. 91, 12 nov. 1817, p. 1 ss.

INHOMIRIM, Barão de. *Bolletins sobre o estado de Sua Magestade a Imperatriz*. Rio de Janeiro: Imprensa Imperial e Nacional, 1826.

MAGNA, Francisco de Paula de Santa Gertrudes, Fr. *Oração Fúnebre que nas Exéquias de Sua Magestade Imperial, a Senhora Dona Maria Leopoldina Josefa Carolina, Archiduqueza d'Áustria e Primeira Imperatriz do Brazil, celebradas no Mosteiro de S. Bento, recitou...* Rio de Janeiro: Typographia Imperial e Nacional, 1827.

NOTÍCIA da entrada que fez na Cidade de S. Paulo, o Serenissimo Sr. D. Pedro de Alcantara, Principe Real do Reino Unido de Portugal, Brazil e Algarves, Regente e Defensor Perpetuo do Reino do Brazil. *O Espelho*, Rio de Janeiro, ago. 1822.

PROCLAMAÇÕES, cartas, artigos de imprensa. Rio de Janeiro: Biblioteca do Sesquicentenário, 1973.

SAMPAIO, Francisco de Santa Thereza, Fr. *Oração Fúnebre que nas Exéquias do Anniversario da Morte da Augusta Senhora D. Maria Leopoldina Josepha Carolina, Archiduqueza d'Áustria e Primeira Imperatriz do Brazil solennizadas por ordem de S.M. o Imperador, no Convento de Nossa Senhora D'Ajuda, recitou..., pregador de S.M.I.* Rio de Janeiro: Typographia Imperial de Plancher-Seignot, 1827.

SEIXAS, Romualdo Antônio de. *Oração fúnebre da [...] senhora D. Maria Leopoldina Josefa Carolina [...] que nas solennes Exéquias celebradas no dia 6 de março deste ano na Igreja da Sta. Caza de Misericórdia...* Rio de Janeiro: Typographia de Plancher-Seignot, 1827.

SPECTADOR Brasileiro, 15 dez. 1826.

SUPLEMENTO do Museu Paulista/USP. *Diário Oficial do Estado de São Paulo*, São Paulo, seção I, v. 109, n. 74, 4 set. 1999.

TAVARES, João Fernandes. *Autos da autópsia do corpo de d. Pedro de Alcântara, duque de Bragança*. Lisboa: Impressão de João Nunes Esteves e Filho, 1834.

ÚLTIMOS momentos da senhora D. Maria Leopoldina Carolina Josepha Beatriz, primeira imperatriz do Brasil, ou Colleção das prosas e das poesias... Rio de Janeiro: Typographia de Plancher-Seignot, 1827.

2. Livros e artigos

A IMPERATRIZ Maria Leopoldina: Documentos interessantes publicados para comemorar o primeiro centenário da sua morte, ocorrida no dia 11 de dezembro de 1826. Rio de Janeiro: Arquivo Nacional, 1926.

ABRANTES, Duchesse de. *Memoires de la Duchesse* d'*Abrantés*. 12. ed. Paris: Société d'Éditions Littéraires et Artistiques, 1902.

ALCÂNTARA, Glyce Salles. Dona Leopoldina, consorte e inspiradora do Libertador. *Revista do Instituto do Ceará*, Fortaleza, p. 165-168, jul./dez. 1972. Tomo especial.

ARMITAGE, João. *História do Brasil desde o período da chegada da família de Bragança em 1808 até a abdicação de D. Pedro 1º em 1831, compilada à vista dos documentos públicos e outras fontes originais, formando uma continuação da história do Brasil de Southey*. Belo Horizonte: Itatiaia; São Paulo: Edusp, 1981.

BANDEIRA, Júlio; WAGNER, Robert. *Viagem ao Brasil nas aquarelas de Thomas Ender*. Petrópolis: Kapa, 2000.

BOSCH, Eduardo Teodoro. Quadros alternados de viagens terrestres e marítimas, aventuras, acontecimentos políticos, descrições de usos e costumes e povos durante uma viagem ao Brasil. *Revista do Instituto Histórico e Geográfico Brasileiro*, Rio de Janeiro, tomo 38, 1918.

BOUGAINVILLE, Louis-Antoine de. *Journal de la navigation autour du globe, tomo I*. Paris: Bertrand, 1837.

BRAGANÇA, Dom Carlos Tasso de Saxe-Coburgo. A Imperatriz Leopoldina. In: INSTITUTO HISTÓRICO E GEOGRÁFICO DE SÃO PAULO. *D. Pedro e D. Leopoldina perante a História*: vultos e fatos da Independência. São Paulo, 1972.

_____. A formação artística da Imperatriz Leopoldina. *Revista do Patrimônio Histórico e Artístico Nacional*, Rio de Janeiro, n. 15, p. 109-119, 1961.

_____. A Imperatriz Dona Leopoldina: sua presença nos jornais de Viena e a sua renúncia à coroa imperial da Áustria. *Anais do Museu Histórico Nacional*, v. 40, Rio de Janeiro, 2008.

BRANDÃO, Raul. *El-Rei Junot*. 2. ed. Porto: Renascença Portuguesa, 1919.

BREDA FILHO, Odorino. A enfermidade da imperatriz Leopoldina. *Revista do Instituto Histórico e Geográfico*, São Paulo, v. 71, 1974.

BURNS, Bredford. Como foi acolhida nos Estados Unidos a Independência do Brasil. *Anais do Congresso de História da Independência do Brasil*, Rio de Janeiro, v. 5, p. 189-209, 1975.

CALMON, Pedro. Mulher Providencial. *O Cruzeiro*, Rio de Janeiro, 26 jul. 1966.

_____. *O Rei Cavaleiro*. São Paulo: Saraiva, 1949.

CARTAS da 1ª imperatriz do Brasil. *Revista do Instituto Histórico e Geográfico Brasileiro*, Rio de Janeiro, tomo 75, parte 2, 1913.

CASSOTTI, Marsilio. *Biografia íntima de Leopoldina, a imperatriz que conseguiu a Independência do Brasil*. São Paulo: Planeta, 2015.

CELLIEZ, Antoinete. Léopoldine d'Autriche. In: ______. *Les Impératrices*: France, Russie, Autriche, Brésil. Paris, Eugéne Dicrocq, [18--?]. p. 581-601.

CORETH, Anna; LEITGEB, Anna Maria; BOWMAN, William David. *Pietas Austriaca*. West Lafayette: Purdue University Press, 2004.

CORRÊA, Manuel Viriato. Em casa do Patriarcha. In: ______. *Gaveta de Sapateiro*: miudezas desarrumadas da história nacional. São Paulo: Companhia Editora Nacional, 1932. p. 117-118.

D. PEDRO d'Alcântara de Bragança 1798-1834: Imperador do Brasil, Rei de Portugal. 2. ed. Lisboa: Of Gráficas Manuel A. Pacheco, 1987.

DA LEOPOLDINA e suas cartas. *Tribuna de Petrópolis*, Petrópolis, mar. 1997.

DAISER, Barão. Sete de Abril. *Revista do Instituto Histórico e Geográfico Brasileiro*, [s. l.], tomo LXXXIV, 1919.

DEBRET, Jean-Baptiste. *Viagem pitoresca e histórica ao Brasil*. São Paulo: Martins, 1954.

DEBRIS, Cyrille. *Tu, felix Áustria, nube*: la Dynastie de Habsburgo et sa politique matrimoniale à la fin du Moyen Âge (siècles XIIIe-XVI). Turnhout: Brepols, 2005.

DENIS, Ferdinand. *Brasil*. Belo Horizonte: Itatiaia; São Paulo: Edusp, 1980.

DÓRIA, Luiz Gastão d'Escragnolle. A imperatriz Leopoldina. *Revista do Instituto Histórico e Geográfico Brasileiro*, São Paulo, v. 16, p. 410-415, 1911.

_____. Uma testemunha diplomática do Sete de Abril. *Revista do Instituto Histórico e Geográfico Brasileiro*, Rio de Janeiro, tomo LXXIV, parte II, 1911.

DRUMMOND, A.M.V. Anotações de A.M.V. de Drummond à sua Biografia. *Anais da Biblioteca Nacional*, Rio de Janeiro, v. XIII, parte 3, 1885-1886.

FALCÃO, Rubens. Resgate de uma dívida. *Revista do Instituto do Ceará*, p. 178--181, jul.-dez. 1972. Tomo especial.

FERREIRA, Silvestre Pinheiro. Memórias e cartas biográficas. *Anais da Biblioteca Nacional*, Rio de Janeiro, v. 2, 1877.

FERREZ, Gilberto. *A muito leal e heroica cidade de São Sebastião do Rio de Janeiro*. Paris: [s. n.], 1965.

_____. *O velho Rio de Janeiro nas gravuras de Thomas Ender*. São Paulo: Melhoramentos, 1970.

_____; SMITH, Robert C. *Franz Frühbeck's Brazilian Journey*: A Study of Some Paintings and Drawings Made in the Years 1817 and 1818 and Now in the Possession of the Hispanic Society of America. Philadelphia: University of Pennsylvania Press, 1960.

FLEIUSS, Max. *Páginas de história*. 2. ed. Rio de Janeiro: Imprensa Nacional, 1930.

_____. Centenário do falecimento da Imperatriz Dona Maria Leopoldina. *Revista do Instituto Histórico e Geográfico Brasileiro*, v. 153, 1926.

FRANÇA, Jean-Marcel Carvalho. *Mulheres viajantes no Brasil (1764-1820)*. Rio de Janeiro: José Olympio, 2007.

FRANÇA, Mario Ferreira França. A doença que vitimou Dona Leopoldina. In: INSTITUTO HISTÓRICO E GEOGRÁFICO DE SÃO PAULO. *D. Pedro e D. Leopoldina perante a História*: vultos e fatos da Independência. São Paulo, 1972.

FRÜHBECK, F.J. *Skizze meiner Reise nach Brasilien*. Viena: [s. n.], 1830.

GALVÃO, Ramiz. O púlpito no Brasil. *Revista do Instituto Histórico e Geográfico Brasileiro*, v. 92, 1922.

GARCIA, Rodolfo. O Rio de Janeiro em 1823, conforme a descrição de Otto von Kotzebue, official da Marinha russa. *Revista do Instituto Histórico e Geográfico Brasileiro*, v. 80, 1916.

GRAHAM, Maria Dundas. *Diário de uma viagem ao Brasil e de uma estada nesse país durante parte dos anos 1821, 1822, 1823*. São Paulo: Nacional, 1956.

_____. Escorço biográfico de dom Pedro I. *Anais da Biblioteca Nacional*, Rio de Janeiro, v. LX, 1938.

_____. *Escorço biográfico de dom Pedro I*. Rio de Janeiro: Fundação Biblioteca Nacional, 2010.

GUIMARÃES, A.C. D'Araújo. *A Corte no Brasil*: figuras e aspectos. Porto Alegre: Ed. Globo, 1936.

HAMMOND, Graham Eden. *Os diários do almirante Graham Eden Hammond*. Rio de Janeiro: J.B., 1984.

HENDERSON, James. *A History of the Brazil*. Londres: Longman, 1821.

HERSTAL, Stanislaw. *Dom Pedro, estudo iconográfico*. São Paulo; Lisboa, 1972.

HOMENAGEM a Dona Leopoldina. *Anais do Congresso de História da Independência do Brasil*, Rio de Janeiro, v. 7, p. 49-50; 66-68, 1975.

INGRAO, Charles. *The Habsburg Monachy 1618-1815*. Cambridge: University Press, 1994.

KANN, Bettina; LIMA, Patrícia Souza. *Cartas de uma imperatriz*. São Paulo: Estação Liberdade, 2006.

KEAN, San. *O polegar do violinista e outras histórias da genética sobre amor, guerra e genialidade*. Rio de Janeiro: Zahar, 2013.

LEITE, Aureliano; SCATIMBURGO, João. *História da municipalidade de São Paulo, v. 2*. São Paulo: Câmara Municipal de São Paulo/Prefeitura Municipal de São Paulo, 1977.

LEMOS, Juvêncio Saldanha. *Os mercenários do imperador*. Rio de Janeiro: Biblioteca do Exército, 1996.

LIMA, Manuel de Oliveira. D. João VI no Brasil. 1808-1821. *Jornal do Commercio*, Rio de Janeiro, 1908. 2 v.

_____. *O movimento da Independência (1821-1822)*. Belo Horizonte: Itatiaia; São Paulo: Edusp, 1989.

LOPES, Claudio Fragata. Leopoldina nos bastidores do grito. *Galileu*, ano 8, n. 86, p. 87-96, set. 1998.

LUCCOCK, John. *Notas sobre o Rio de Janeiro*. São Paulo: Nacional, 1969.

LUÍS, Nuno Castro. O último marquês de Marialva: um embaixador na Europa de Viena. *História*: Revista da FLUP, Porto, série 4, v. 5, 2015.

LYRA, Heitor. *História de D. Pedro II, v. 1*. São Paulo: Companhia Editora Nacional, 1938.

LYRA, Maria de Lourdes Viana. Leopoldina de Habsburgo (1797-1826). In: *Rainhas de Portugal no Novo Mundo*. Lisboa: Círculo de Leitores, 2012. (Rainhas de Portugal, 16).

_____. *A utopia do poderoso império*. Rio de Janeiro: Sete Letras, 1994.

MACAULAY, Neill. *Dom Pedro I*: a luta pela liberdade no Brasil e em Portugal, 1798-1834. Rio de Janeiro: Record, 1993.

MACEDO, Joaquim Manoel de. *D. Carolina Josepha Leopoldina, Imperatriz*. Rio de Janeiro: Typographia Perseverança, 1880. p. 193-198. Supllemento ao Anno Biographico Brasileiro, v. 1.

MACEDO, J.M. de. *Memórias da rua do Ouvidor*. Rio de Janeiro: Ediouro, [18--?].

MAGALHÃES, Almeida. Dona Leopoldina, a Imperatriz da Independência. *Revista do Instituto Histórico e Geográfico*, São Paulo, v. 55, p. 249-252, 1959.

MANSFELDT, Julius. *Meine Reise nach Brasilien im Jahre 1826*. 2 v. Magdeburg: Gedruckt bei E. Bansch, 1828.

MARESCHAL, Felipe Leopoldo Wenzel, barão de. Correspondência. *Revista do Instituto Histórico e Geográfico Brasileiro*, Rio de Janeiro, tomo 77, v. 129, 1914.

______. Correspondência. *Revista do Instituto Histórico e Geográfico Brasileiro*, Rio de Janeiro, tomo 80, v. 134, 1916.

______. Correspondência. *Revista do Instituto Histórico e Geográfico Brasileiro*, Rio de Janeiro, n. 329, 1980.

______. Correspondência. *Revista do Instituto Histórico e Geográfico Brasileiro*, Rio de Janeiro, n. 335, 1982.

______. Correspondência. *Revista do Instituto Histórico e Geográfico Brasileiro*, Rio de Janeiro, n. 337, 1982.

______. Correspondência. *Revista do Instituto Histórico e Geográfico Brasileiro*, Rio de Janeiro, n. 339, 1983.

______. Correspondência. *Revista do Instituto Histórico e Geográfico Brasileiro*, Rio de Janeiro, n. 340, 1983.

______. Correspondência. *Revista do Instituto Histórico e Geográfico Brasileiro*, Rio de Janeiro, n. 341, 1983.

______. Correspondência. *Revista do Instituto Histórico e Geográfico Brasileiro*, Rio de Janeiro, n. 342, 1984.

______. Correspondência. *Revista do Instituto Histórico e Geográfico Brasileiro*, Rio de Janeiro, n. 343, 1984.

______. Correspondência. *Revista do Instituto Histórico e Geográfico Brasileiro*, Rio de Janeiro, n. 344, 1984.

______. Correspondência. *Revista do Instituto Histórico e Geográfico Brasileiro*, Rio de Janeiro, n. 345, 1984.

______. Correspondência. *Revista do Instituto Histórico e Geográfico Brasileiro*, Rio de Janeiro, n. 346, 1985.

______. Correspondência. *Revista do Instituto Histórico e Geográfico Brasileiro*, Rio de Janeiro, n. 347, 1985.

______. Correspondência. *Revista do Instituto Histórico e Geográfico Brasileiro*, Rio de Janeiro, n. 348, 1985.

______. Correspondência. *Revista do Instituto Histórico e Geográfico Brasileiro*, Rio de Janeiro, n. 349, 1985.

MARR, Andrew. *Uma história do mundo*. Rio de Janeiro: Intrínseca, 2012.

MARROCOS, Luís Joaquim dos Santos. Correspondência de Luís Joaquim dos Santos Marrocos. *Anais da Biblioteca Nacional*, v. 56, 1934.

_____. *O bibliotecário do rei*. Rio de Janeiro: Biblioteca Nacional, 2007.

MARTINS, Oliveira. *História de Portugal*. 3. ed. 2 v. Lisboa: Viúva Bertrand, 1882.

MENESES, Ulpiano Toledo Bezerra de. *O Salão Nobre do Museu Paulista e o Teatro da História: como explorar um Museu Histórico*. São Paulo: Museu Paulista/USP, 1992. p. 25-29.

MONGLAVE, Eugène de. *Correspondance de Don Pèdre Premier, Empereur Constitutionnel du Brésil, avec le Feu Roi de Portugal Don Jean VI, son Père, durant les Troubles du Brésil; traduite sur les lettres originales; précédée de la Vie de cet Empereur et suivie de pièces justificatives*. Paris: Tenon, 1827.

MONTEIRO, Tobias. *História do Império*: a elaboração da Independência. 2 v. Belo Horizonte: Itatiaia, 1981.

_____. *História do Império*: o Primeiro Reinado. 2 v. Belo Horizonte: Itatiaia, 1982.

MONTET, Baronne du. *Souvenis de la baronne du Montate*. Paris: Plon, 1904.

MORAIS, A. J. de Melo. *A independência e o Império do Brasil*. Brasília, DF: Senado Federal, Conselho Editorial, 2004.

_____. *História da trasladação da corte portuguesa para o Brasil*. Rio de Janeiro: E. Dupont, 1872.

_____. *Crônica Geral do Brasil*. 2 v. Rio de Janeiro: Garnier, 1886.

_____. *História do Brasil Reino e do Brasil Império*. 2 v. Belo Horizonte: Itatiaia; São Paulo: Edusp, 1982.

MORÉRI, Louis. *Le Grand dictionnaire historique*. 9. ed. Amsterdam/La Haye: La Compagnie, 1702.

NORTON, Luiz. *A corte de Portugal no Brasil*. 2. ed. São Paulo: Nacional, 1979.

OBERACKER Jr., Carlos H. *A Imperatriz Leopoldina*: sua vida e sua época: ensaio de uma biografia. Rio de Janeiro: IHGB; Brasília, DF: Conselho Nacional de Cultura, 1973.

_____. Comentários às cartas da Imperatriz Leopoldina a João Martinho Flach. *Revista do Instituto Histórico e Geográfico Brasileiro*, v. 93, 1997.

_____. Os ofícios do cônsul prussiano Von Theremin sobre a morte da imperatriz Leopoldina. *Revista do Instituto Histórico e Geográfico Brasileiro*, n. 348, 1995.

_____. O grito do Ipiranga: problema que desafia os historiadores: certezas e dúvidas acerca de um acontecimento histórico. *Revista de História*, São Paulo, n. 92, 1972.

OBRY, Olga. *Grüner Purpur*: Brasiliens erste Kaiserin, Erzherzogin Leopoldine. Viena: Rohrer Verlag, 1958.

PEDROSA, Manuel Xavier de Vasconcellos. Perfil e diário da arquiduquesa Dona Leopoldina. In: INSTITUTO HISTÓRICO E GEOGRÁFICO DE SÃO PAULO. *D. Pedro e D. Leopoldina perante a História*: vultos e fatos da Independência. São Paulo, 1972.

PEIXOTO, José Maria Peixoto. Duas palavras sobre D. Pedro I na época da Independência. *Revista do Instituto Histórico e Geográfico Brasileiro*, Rio de Janeiro, v. 56, parte 2, 1893.

PEREIRA, Ana Cristina; TRONI, Dana. *A vida privada dos Bragança*: de D. João IV a D. Manuel II: o dia a dia na Corte. Lisboa: Esfera dos Livros, 2011.

PEREIRA, Ângelo. *As senhoras infantas filhas d'El Rey D. João VI*. Lisboa: Editorial Labor, 1938.

_____. *D. João VI, Príncipe e Rei*. Lisboa: Empresa Nacional de Publicidade, 1953-1958. 4 v.

PINHEIRO, José Feliciano Fernandes. Memórias do visconde de S. Leopoldo José Feliciano Fernandes Pinheiro. *Revista do Instituto Histórico e Geográfico Brasileiro*, Rio de Janeiro, tomo XXXVIII, parte 2, 1875.

POHL, Johann Emmanuel. *Viagem ao interior do Brasil*. Belo Horizonte: Itatiaia; São Paulo: Edusp, 1976.

PRADO, J. F. de Almeida. Tomas Ender. *Pintor austríaco na Corte de d. João VI no Rio de Janeiro*: um episódio da formação da classe dirigente brasileira: 1817/1818. São Paulo: Nacional, 1955.

PRANTNER, Johanna. *Imperatriz Leopoldina do Brasil*: a contribuição da Casa Habsburg-Lothringen e da cultura austríaca ao desenvolvimento do Brasil durante a Monarquia no século XIX. Petrópolis: Vozes, 1997.

RAFFARD, Henri. Apontamentos acerca de pessoas e coisas do Brasil. *Revista do Instituto Histórico e Geográfico Brasileiro*, Rio de Janeiro, tomo LXI, parte 2, 1899.

RAMIREZ, Ezekiel Stanley. *As relações entre a Áustria e o Brasil 1815-1889*. São Paulo: Nacional, 1968.

RANGEL, Alberto. *Dom Pedro Primeiro e a marquesa de Santos*. 2. ed. Tours: Arrault e Companhia, 1928.

_____. *Os dois ingleses*: Strangford e Stuart. Rio de Janeiro: Arquivo Nacional, 1972.

_____. *Textos e Pretextos*. Tours: Arrault e Companhia, 1926.

_____. *Trasanteontem (Episódios e Relatos Históricos)*. São Paulo: Martins, 1943.

RANGEL, Alberto (Notas); ARAÚJO, Emanuel (Coord.). *Cartas de Pedro I à marquesa de Santos*. Rio de Janeiro: Nova Fronteira, 1984.

REZENDE, Marquês de. Correspondência. *Revista do Instituto Histórico e Geográfico Brasileiro*, Rio de Janeiro, n. 134, tomo LXXX, 1916.

REZZUTTI, Paulo. *Titília e o Demonão*: cartas inéditas de D. Pedro I à Marquesa de Santos. São Paulo: Geração Editorial, 2011.

_____. *Domitila, a verdadeira história da marquesa de Santos*. São Paulo: Geração Editorial, 2013.

_____. *D. Pedro, a história não contada*. São Paulo: LeYa Brasil, 2015.

_____. Leopoldina, a primeira governante do Brasil. *História Viva*, 114. ed., abr. 2013.

_____. Os segredos da família imperial. *Carta Fundamental*, 47. ed., abr. 2013.

RODRIGUES, José Honório. *Independência, revolução e contra revolução*. 5 v. Rio de Janeiro: Francisco Alves, 1975.

SANTOS, Amílcar Salgado dos. *A Imperatriz D. Leopoldina*. São Paulo: Escolas Profissionais Lyceu Coração de Jesus, 1927.

SANTOS, Luís Gonçalves dos. *Memórias para servir à história do Reino do Brasil*. 2 v. Lisboa: Imprensa Régia, 1825.

SCHLICHTHORST, C.O. *Rio de Janeiro como é (1824-1826)*. Brasília: Senado Federal, 2000.

SCHUBERT, Mons. Guilherme (Coord.). *200 anos*: Imperatriz Leopoldina. Rio de Janeiro: IHGB, 1997.

SEIDLER, Carl. *Dez anos no Brasil*. São Paulo: Martins Fontes, 1941.

SEIXAS, D. Romualdo Antônio de. *Memórias do marquês de Santa Cruz*. Rio de Janeiro: Typographia Nacional, 1861.

SETÚBAL, Paulo. A Imperatriz Leopoldina. *Revista do Instituto Histórico e Geográfico Brasileiro*, n. 321, p. 250-263, out.-dez. 1978.

_____. *Um sarau no Paço de São Cristóvão*: peça em 3 atos. São Paulo: Banco Itaú, 1994.

SILVA, José Bonifácio de Andrada e; ANDRADA, Antônio Carlos Ribeiro de; ANDRADA, Martim Francisco Ribeiro de. *Cartas andradinas*: correspondência particular de José Bonifácio, Martim Francisco e Antônio Carlos dirigida a Antônio de Meneses Vasconcelos de Drummond. Rio de Janeiro: Leuzigner & Filhos, 1890.

SILVA, Maria Beatriz Nizza da. *Cultura e sociedade no Rio de Janeiro (1808-1821)*. São Paulo: Nacional, 1978.

SOUSA, Octávio Tarquínio de. *A vida de D. Pedro I*. 3 v. Rio de Janeiro: José Olympio. 1952.

_____. *História dos fundadores do Império do Brasil*: fatos e personagens em torno de um regime. Belo Horizonte: Itatiaia; São Paulo: Edusp, 1988.

SPIX, Johann Baptist von; MARTIUS, Carl Friedrich Philipp von. *Viagem pelo Brasil*. São Paulo: Melhoramentos, 1976.

TAUNAY, Affonso de E. Depoimentos vários sobre a corte de D. Pedro I e sobre este monarcha. In: *Do reino ao império*. São Paulo: Diário Official, 1927.

_____. *A história da cidade de São Paulo*. Brasília: Senado Federal, 2004.

TRASLADAÇÃO dos restos mortais da Imperatriz Leopoldina, em 12 de outubro de 1954, para o Panteão do Ipiranga e comemoração do acontecimento com a criação e outorga da Medalha Cultural Imperatriz Leopoldina em 5 de novembro de 1955. *Revista do Instituto Histórico e Geográfico Brasileiro*, v. 55, p. 238-323, 1959.

VASCONCELOS, Maria Celi Chaves. *A casa e os seus mestres*: a educação no Brasil de oitocentos. Rio de Janeiro: Gryphus, 2005.

VENTURA, Antonio; LYRA, Maria de L. Viana. *Rainhas de Portugal no novo mundo*: Carlota Joaquina, Leopoldina de Habsburgo. Lisboa: Círculo de Leitores, 2011.

WALSH, Rev. R. *Notices of Brazil in 1828 and 1829*. 2 v. London: Frederick Westley and A. H. Davis, 1830.

WILLIAMS, Kate. *Josefina*: desejo, ambição, Napoleão. São Paulo: LeYa Brasil, 2014.

3. Artigos acadêmicos e teses

AMBIEL, Valdirene do Carmo. *Estudos de Arqueologia Forense aplicados aos remanescentes humanos dos primeiros imperadores do Brasil depositados no monumento à Independência*. 2013. Dissertação (Mestrado em Arqueologia)–Museu de Arqueologia e Etnologia, Universidade de São Paulo, São Paulo, 2013. Disponível em: <http://www.teses.usp.br/teses/disponiveis/71/71131/tde-27032013-173516/>. Acesso em: 10 jun. 2016.

BAUM, Emmi. *Empress Leopoldina*: Her Role in the Development of Brazil (1817 a 1826). 1965. Tese (Doutorado em História)–New York University, Nova York, 1965.

SOTUYO BLANCO, P. Significado, representação sócio-política e aspectos retóricos de danças em contexto: o caso das *Tänze des Brassilianischen Ballfestes* de Joseph Wilde. In: CONGRESSO DA ANPPOM, 23., [2013]. *Anais eletrônicos...* Disponível em: <http://www.anppom.com.br/congressos/index.php/23anppom/Natal2013/paper/view/1991/451>. Data de acesso: 11 jun. 2016.

4. Palestras/conferências

REZZUTTI, Paulo. *Da Áustria ao Brasil*: as diversas faces de uma princesa. Informação verbal. Palestra proferida no Seminário Internacional do Museu Histórico Nacional com o tema "D. Leopoldina e seu tempo: sociedade, política, ciência e arte no século XIX" realizado em Rio de Janeiro de 14 a 17 de outubro de 2014.

5. Mídia digital

HORTA, Maria Lourdes Pereira (Dir.). *Pedro I*: um brasileiro. [S.l.]: Ministério da Cultura/IPHAN/Museu Imperial, [20--?]. CD-ROM.

6. Webgrafia

SANTOS, Maria Lima dos. *Maria e João continuam a ser os nomes mais populares em Portugal*. [20--?]. Disponível em: <http://lifestyle.sapo.pt/familia/noticias-familia/artigos/maria-e-joao-continuam-a-ser-os-nomes-mais-populares-em-portugal>. Acesso em: 31 mar. 2016.

THE WORLD of the Habsburgs. [20--?]. Disponível em: <http://www.habsburger.net/en>. Acesso em: 6 jun. 2016.

Crédito das imagens

Página 28

FISCH, Hans Ulrich. *Darstellung der Habsburg im Kanton Aargau in der Schweiz*, 1634. Desenho aquarelado.

Página 35

MEYTENS, Martin van. Atelier: *Imperatriz Maria Teresa*. Viena, *circa* 1740. O.S.T.

Página 40

JANSCHA, Lorenz. *Die Burgbastei mit dem Kaffehause nach Janscha*. Viena, *circa* 1800. Água-forte.

Página 46

ROUSSY-TRIOSON, Anne-Louis Girodet de. "Napoleão recebendo as chaves de Viena". Baseada na pintura original de Anne-Louis Girodet de Roussy-Trioson publicado em: *La France et les Français à Travers les Siècles*, F. Roy editor, A Challamel, Saint-Antoine, v. IV, p. 1882-1884. Litografia.

Página 64

HÖCHLE, Johann Nepomuk. *Redoute paré während des Wr. Kongresses, um 1815 Feder*. Viena, s.d. Aquarela.

Página 69

HÖCHLE, Johann Nepomuk. *Militärfest am 18. Oktober 1814*. Viena, s.d. Aquarela.

Página 80

OLIVEIRA, Manuel Dias de. *D. João VI e d. Carlota Joaquina*. Rio de Janeiro, *circa* 1815. O.S.T.

Página 90

PRADIER, Charles Simon. *D. Pedro de Meneses, Marques de Marialva*. Paris, 1819. Água-forte.

Página 109

DEBRET, Jean-Baptiste. *D. Pedro*. Rio de Janeiro, 1816. Desenho e aquarela.

Página 113

STRAHIHEIM, C. F. *Augarten 1834-1837*. Viena, s.d. Litografia.

Página 129

KRIEHUBER, Joseph. *Lothar Clemens Metternich*. S.l., s.d. Litografia.

Página 152

FRÜHBECK, Franz Joseph. *Festa de Netuno, a bordo da nau* D. João VI, 1817. Guache sobre papel.

Página 156

S.A. Litografia do livro *Vaterländische Immortellen aus dem Gebiete der österreichischen Geschichte*, 1840. Coleção do autor.

Página 160-161

TAUNAY, Hippolyte: *Desembarque de S.A. a Princeza Real do Reino Unido, Portugal, Brazil e Algarves na cidade do Rio.* Rio de Janeiro, *circa* 1817. Litografia.

Página 166

CASTRO, M.A. de. *D. Carolina Josefa Leopoldina, Princeza Real do Reino Unido, de Portugal, Brasil e Algarves*. S.l., 1819. Litografia.

Página 176

DEBRET, Jean-Baptiste. "Acclamation du roi Dom João VI" in DEBRET, Jean-Baptiste. *Voyage pittoresque et historique au Brésil*. Paris, Firmin Didot frères, 1834/1839. Litografia.

Página 192

DEBRET, Jean-Baptiste. *Arquiduquesa D. Carolina Leopoldina*. Rio de Janeiro, 1821. Litografia.

Página 196

DEBRET, Jean-Baptiste. "Acceptation provisoire de la constitution de Lisbonne, à Rio de Janeiro, en 1821". Rio de Janeiro, s.d. In DEBRET, Jean-Baptiste. *Voyage pittoresque et historique au Brésil*. Paris, Firmin Didot frères, 1834/1839. Litografia.

Página 220
SISSON, Sebastião Augusto. "José Bonifácio de Andrada e Silva". S. l., s. d. In SISSON, Sebastião Augusto. *Galeria dos Brasileiros Ilustres*. Rio de Janeiro, 1858-1861.

Página 245
DEBRET, Jean-Baptiste. "Acclamation de Don Pédro 1er Empereur du Brésil: au camp de Sta. Anna, à Rio de Janeiro". Rio de Janeiro, s.d. In DEBRET, Jean-Baptiste. *Voyage pittoresque et historique au Brésil*. Paris, Firmin Didot frères, 1834/1839. Litografia.

Página 269
DOMITILA DE CASTRO do Canto e Melo, marquesa de Santos. S.a., s.l., *circa* 1830. O.S.T.

Página 276
LAWRENCE, Thomas. *Maria Graham*. S.l., 1819. O.S.T.

Página 296
SILVA, Domingos José. *D. Maria II, rainha de Portugal*. Lisboa, 1833. Litografia.

Página 328
DEBRET, Jean-Baptiste. *Monument et convoi funèbres de L'impératrice Léopoldine à Rio de Janeiro*. S.l., s.d. In DEBRET, Jean-Baptiste. *Voyage pittoresque et historique au Brésil*. Paris, Firmin Didot frères, 1834/1839. Litografia.

Página 334
CARMO, Antônio. *Alegoria sobre a morte de d. Leopoldina*. Rio de Janeiro, *circa* de 1826. Litografia.

Sobre o autor

© Acervo pessoal

PAULO REZZUTTI é escritor e pesquisador paulista, autor da série de sucesso "A história não contada", com cinco livros já publicados, dentre eles, *D. Pedro: o homem revelado por cartas e documentos inéditos* – vencedor do Prêmio Jabuti 2016 na categoria biografia – e *D. Pedro II: o último imperador do Novo Mundo revelado por cartas e documentos inéditos*. Recentemente publicou também *O pássaro de fogo e outros contos de fadas russos*, em que nos apresenta uma seleção de contos do rico folclore russo, *Princesinhas e principezinhos do Brasil*, o seu primeiro livro para crianças, e *Os últimos czares*, o primeiro volume de sua nova série "Uma breve história não contada" que fala sobre a tragédia da família Romanov.

Em www.leyabrasil.com.br você tem acesso a novidades e conteúdo exclusivo. Visite o site e faça seu cadastro!

A LeYa Brasil também está presente em:

facebook.com/leyabrasil

@leyabrasil

instagram.com/editoraleyabrasil

LeYa Brasil

Este livro foi composto em Minion Pro,
corpo 11 pt, para a editora LeYa Brasil

D. Leopoldina

D. Leopoldina

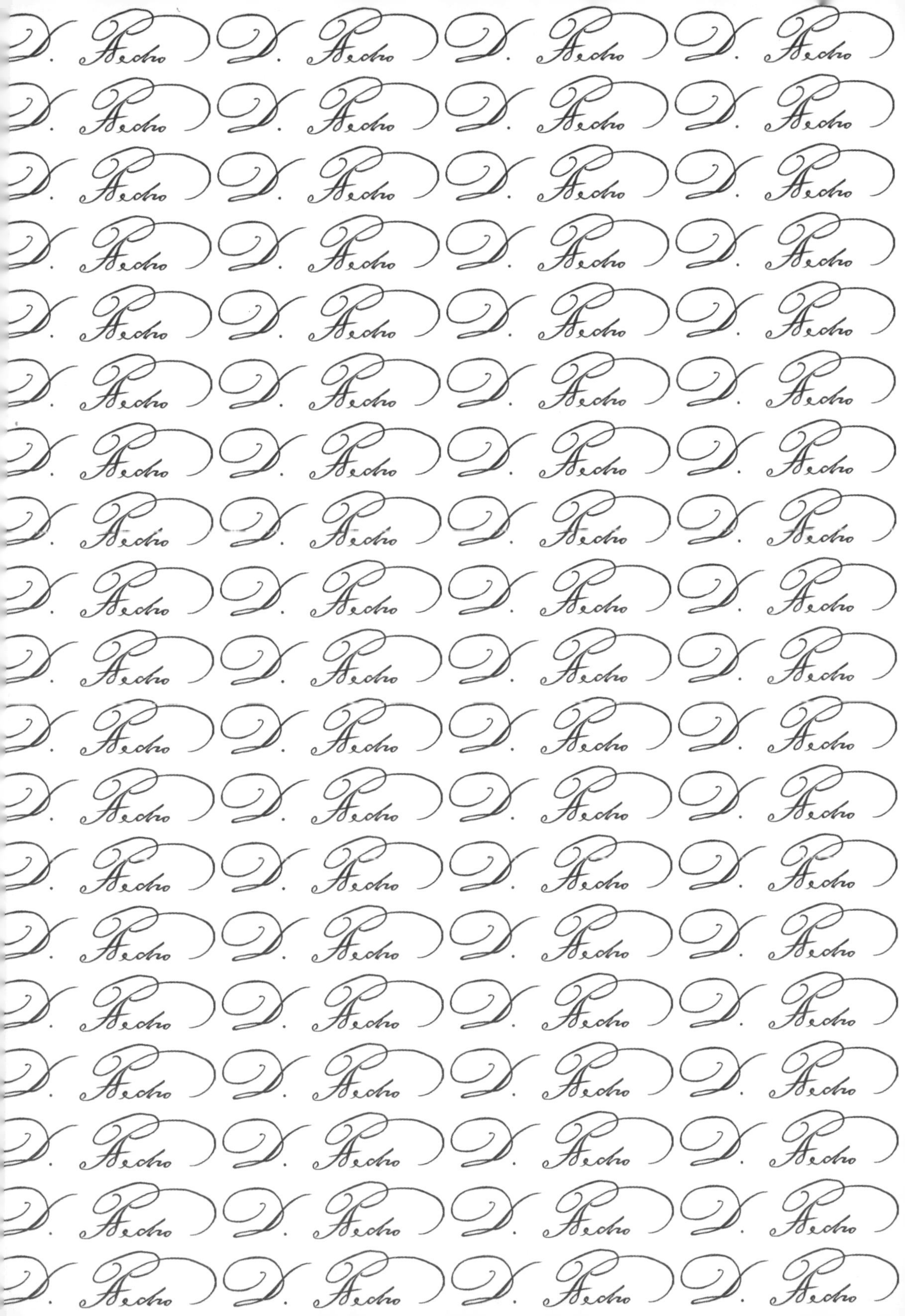
D. Pedro D. Pedro D. Pedro D. Pedro
D. Pedro D. Pedro D. Pedro D. Pedro
D. Pedro D. Pedro D. Pedro D. Pedro
D. Pedro D. Pedro D. Pedro D. Pedro
D. Pedro D. Pedro D. Pedro D. Pedro
D. Pedro D. Pedro D. Pedro D. Pedro
D. Pedro D. Pedro D. Pedro D. Pedro
D. Pedro D. Pedro D. Pedro D. Pedro
D. Pedro D. Pedro D. Pedro D. Pedro
D. Pedro D. Pedro D. Pedro D. Pedro
D. Pedro D. Pedro D. Pedro D. Pedro
D. Pedro D. Pedro D. Pedro D. Pedro
D. Pedro D. Pedro D. Pedro D. Pedro
D. Pedro D. Pedro D. Pedro D. Pedro
D. Pedro D. Pedro D. Pedro D. Pedro
D. Pedro D. Pedro D. Pedro D. Pedro
D. Pedro D. Pedro D. Pedro D. Pedro
D. Pedro D. Pedro D. Pedro D. Pedro

D. Pedro D. Pedro D. Pedro D. Pedro
D. Pedro D. Pedro D. Pedro D. Pedro
D. Pedro D. Pedro D. Pedro D. Pedro
D. Pedro D. Pedro D. Pedro D. Pedro
D. Pedro D. Pedro D. Pedro D. Pedro
D. Pedro D. Pedro D. Pedro D. Pedro
D. Pedro D. Pedro D. Pedro D. Pedro
D. Pedro D. Pedro D. Pedro D. Pedro
D. Pedro D. Pedro D. Pedro D. Pedro
D. Pedro D. Pedro D. Pedro D. Pedro
D. Pedro D. Pedro D. Pedro D. Pedro
D. Pedro D. Pedro D. Pedro D. Pedro
D. Pedro D. Pedro D. Pedro D. Pedro
D. Pedro D. Pedro D. Pedro D. Pedro
D. Pedro D. Pedro D. Pedro D. Pedro
D. Pedro D. Pedro D. Pedro D. Pedro
D. Pedro D. Pedro D. Pedro D. Pedro
D. Pedro D. Pedro D. Pedro D. Pedro
D. Pedro D. Pedro D. Pedro D. Pedro

D.PEDRO

D.PE

Paulo Rezzutti

DRO

A história não contada

O homem revelado por cartas e documentos inéditos

2ª edição revista e ampliada

LeYa

Todos os esforços foram envidados no sentido de garantir o devido crédito aos detentores de direitos autorais das imagens deste livro. No caso de um detentor se identificar, faremos com prazer constar o crédito nas impressões e edições seguintes.

Este livro foi revisado segundo o Novo Acordo Ortográfico da Língua Portuguesa.

PREPARAÇÃO DE TEXTO
Hugo Langone

REVISÃO
Clarisse Cintra

PROJETO GRÁFICO DO CADERNO DE FOTOS E CAPA
Victor Burton

DIAGRAMAÇÃO
Alfredo Rodrigues

CIP-BRASIL. CATALOGAÇÃO-NA-FONTE
SINDICATO NACIONAL DOS EDITORES DE LIVROS, RJ

R22d

Rezzutti, Paulo, 1972-
D. Pedro : o homem revelado por cartas e documentos inéditos / Paulo Rezzutti. - 2. ed. - São Paulo: LeYa Brasil, 2022.
480 p. : il. ; 23 cm. (A história não contada)

Inclui bibliografia
ISBN 978-65-5643-181-9

1. Pedro I, Imperador do Brasil, 1798-1834. 2. Brasil - História - I Reinado, 1822-1831. I. Título.

15-24992. CDD: 981.05
CDU: 94(81)'1548/1808'

LeYa Brasil e um selo editorial da empresa Casa dos Mundos.

Casa dos Mundos Producao Editorial e Games Ltda.
Rua Frei Caneca, 91 | Sala 11 – Consolacao
01307-001 – Sao Paulo – SP
www.leyabrasil.com.br

Para Neusa

O mundo inteiro é um palco, e todos os homens e mulheres, apenas atores. Eles saem de cena e entram em cena, e cada homem a seu tempo representa muitos papéis.
William Shakespeare, *Como gostais.*

A história não se compõe somente de fatos registrados e reconhecidos, mas também de fatos prováveis, mas ignorados.
Paul Gaffarel, em *História e verdade*, de Adam Schaff.

Foi ele, de nós três, o único que amou.
Júlio Dantas, *A ceia dos cardeais.*

S. M. I. O Senhor D. Pedro

Sumário

Prefácio à 2ª edição 15

Prólogo

Um morto e quatro funerais 23

Parte I: Portugal – 1798-1808

Queluz 33

Filho e neto de reis 40

Rumo à primeira grande aventura 53

Parte II: Brasil – 1808-1831

Carioca mais que português 73

Uma princesa importada 92

Tomando as rédeas do destino 110

A independência como negócio de família 129

Sete de Setembro 152

Consolidando um império 166

A Constituinte e a Constituição 181

Imperador do Brasil, rei de Portugal 193

A perda da fiel aliada 217

Dias turbulentos 231

Entre dois continentes 245

Renúncia 264

Parte III: Europa – 1831-1834

França 289
O rei soldado 310
O Brasil sem Pedro 335
De volta a Queluz 345

Epílogo

Pedro, seus amores e seus frutos 365
Últimas palavras 395

Anexo

D. Pedro I – Imperador do Brasil: doença e morte 405

Cronologia 411

Notas 419

Bibliografia 430

Créditos das imagens 442

Agradecimentos 446

Sobre o autor 447

D. Pedro

Prefácio à 2ª edição

CENTO E oitenta e oito anos depois de sua morte e duzentos anos após a Independência do Brasil, a figura de d. Pedro I continua controversa. Nascido e criado para herdar tronos e reinos, abdicou deles; criado para ser um monarca absolutista, aprendeu logo que a fórmula de seus antepassados não cabia mais no mundo pós-Revolução Francesa, que os direitos ganhos pelos cidadãos não retroagiriam, e se tornou um paladino do liberalismo. Oliveira Martins diria que das ideias novas aprendeu somente o vocabulário. Ao vermos alguns de seus comportamentos e ações, notamos a dificuldade de alguém, criado dentro do velho regime, de tentar se enquadrar nos novos tempos e nos novos sentimentos nacionais.

Herdeiro de uma família que surgiu em 1401, fruto da união da filha de um santo com o filho natural do primeiro rei da dinastia de Avis, e instalada no trono de Portugal desde 1640, d. Pedro sabia que os ventos dos novos ideais que varriam o mundo estavam derrubando monarcas de seus tronos. Bastava saber usar esses ventos e içar velas para encontrar a nova direção. Lutar contra isso, sem um Exército e um Estado fortes, era puro suicídio. Sua esposa, d. Leopoldina, acusava-o de ser adepto das novas ideias, que eram basicamente o direito de um povo ter uma constituição, além de outras prerrogativas nascidas entre a Revolução Norte-Americana e o apogeu de Napoleão Bonaparte na Europa.

O abdicador de tronos e doador de constituições não pensou duas vezes em fechar a assembleia constituinte brasileira, instituir o Poder Moderador e ser ao mesmo tempo chefe de Estado e de governo, sem responder diretamente à Câmara e ao Senado. Também foi aquele que, ao desembarcar com suas tropas no Mindelo, próximo à cidade do Porto, em Portugal, para recolocar sua filha no trono, proclamou aos portugueses: "Não me obrigueis a empregar a força para vos libertar!". Entre as idiossincrasias próprias do ser humano, mais aparentemente exacerbadas nele do que em qualquer outro devido a sua falha educação, podemos tudo, menos chamá-lo de hipócrita. A grande maioria dos seus contemporâneos afirmaria que ele daria um péssimo político por causa de seu excesso de sinceridade.

A falta de uma educação regrada e formal, que cultivasse e apurasse seus conhecimentos, era um problema que ele reconhecia em si mesmo. Além de incitar seus filhos legítimos, legitimados e ilegítimos a estudar, alertando-os de que havia acabado a época em que títulos e nascimento marcavam a posição das pessoas no mundo, também tentaria levar conhecimento ao povo. No Brasil, ele daria atenção às belas artes e à educação, criando academias e instituindo o ensino universal para os cidadãos brasileiros, entre eles os libertos e filhos de ex-escravizados. Em Portugal, criaria, em 1833, em meio ao Cerco do Porto, o Museu Portuense, embrião do atual Museu Nacional Soares dos Reis. Esse foi o primeiro museu público de arte do país, que tinha como objetivo salvaguardar os tesouros artísticos de casas e conventos abandonados, permitindo o aprendizado dos artistas e a instrução da população, democratizando o acesso à arte.

A tarefa da organização do Museu Portuense foi confiada por d. Pedro ao artista João Batista Ribeiro, um mulato, autor, entre muitas outras obras, de um desenho do regente feito durante o Cerco do Porto, cuja litografia está presente nesta reedição. A cor da pele do responsável pela organização do museu gerou críticas, mas d. Pedro não se importou. Outro mulato em que o ex-imperador confiava era o dr. Tavares, médico brasileiro que levou consigo do Rio de Janeiro para a Europa. Tavares cuidou diversas vezes de d. Pedro, fez o parto de sua filha, a princesa d. Maria Amélia, e foi o chefe da equipe que tratou dele em sua moléstia final. No Rio de Janeiro e em Portugal, d. Pedro privou da companhia, das aulas e de lições de música de muitos negros. Na fazenda de Santa Cruz, prosseguiu com a ideia de seu pai, d. João VI, de manter uma escola de formação de músicos e maestros negros, inclusive com projeto de enviá-los à Europa.

O homem que afirmou que seu sangue era da mesma cor que o dos negros e que a escravidão era um cancro não acabou com ela no Brasil quando proclamou a independência, muito menos quando outorgou a Constituição de 1824. Teria bastado uma linha na constituição para garantir a liberdade de todos os escravizados. Mas isso teria acarretado a queda instantânea do imperador, cujo trono era amparado pela elite latifundiária da época, que explorava esse tipo de mão de obra. Entretanto, dois anos depois, em 1826, d. Pedro assinaria com a Inglaterra uma convenção colocando o prazo de três anos para o fim do comércio interatlântico de escravizados. A convenção, ratificada em março de 1827, passava a considerar o tráfico como pirataria a partir de 13 de março de 1830. Essa questão gerou um imenso desconforto na Câmara, formada em grande maioria pela elite escravocrata, que condenou a atitude do governo imperial. Esse descontentamento seria um dos diversos fatores que contribuiriam para a derrocada de d. Pedro I no Brasil, levando-o a abdicar e partir para o exílio em abril de 1831. Em compensação, como regente de sua filha, a rainha Maria II de Portugal, em 19 de maio de 1832, ele assinou o decreto que colocou um fim na escravidão nos Açores e na ilha da Madeira, que passavam a se ver livres, como Portugal continental, dessa tragédia humana.

A história de d. Pedro é a história de uma época em que o mundo se dividia entre ideias e projetos que poderiam fazê-lo retroceder, estagnar ou avançar. Foi uma época em que as ideologias transformaram irmãos, parentes e conhecidos em inimigos. Aqui no Brasil, d. Pedro evitou o máximo que pôde o derramamento de sangue ao ignorar os conselhos para sufocar militarmente a revolta no Campo de Santana que o deporia. Se não o queriam, ele iria embora. Não se manteria agarrado ao poder à custa de vidas brasileiras, ato repetido por seu filho d. Pedro II. Em Portugal, ao final da guerra civil, vitorioso, determinou o perdão a todos, procurando pacificar a nação e evitar gerações e gerações de ódios, vinganças e lutas fratricidas.

D. Pedro tentava, com as ferramentas de que dispunha, levar ao pé da letra o conselho que havia dado ao seu filho d. Pedro II:

> [...] O tempo em que se respeitavam príncipes por serem príncipes unicamente acabou-se. No século em que estamos, em que os povos se acham assaz instruídos de seus direitos, é mister que os príncipes igualmente o estejam e conheçam que são homens e não divindades, e que lhes é indispensável te-

> rem muitos conhecimentos e boa opinião para que possam ser mais depressa amados do que mesmo respeitados; o respeito de um povo livre para com seu chefe deve nascer da convicção que aquele tem de que seu chefe é capaz de o fazer chegar àquele grau de felicidade a que ele aspira; em assim não sendo: desgraçado chefe, desgraçado povo.

Apesar da sua divisão atual, com o corpo sepultado no Brasil e o coração conservado na cidade do Porto, d. Pedro sempre se sentiu brasileiro. A Constituição brasileira que ele outorgou colocava-o como brasileiro, se não nato, naturalizado. Suas lembranças do país que conduziu durante os primeiros anos de sua independência política não saíam de sua memória, e seu desejo era poder voltar algum dia. Do exílio, no meio da guerra civil, lamentava a sorte do país de adoção:

> Eu sempre fui verdadeiramente brasileiro, e de coração, o que não são aqueles que, posto que nascidos no Brasil, não concorrem senão para a sua ruína e que, blasonado de amigos do povo e da pátria, o vão levando ao abismo exercendo despotismo nunca no meu tempo praticado. [...] Ah, minha desgraçada pátria! Brasil, até que ponto se reduzirá à anarquia filha daqueles de teus filhos que te têm levado ao miserável estado a que estás chegando!!!

Esta nova edição para o bicentenário da Independência do Brasil, além de correções e acréscimos, traz um trabalho inédito escrito pelo dr. Pedro de Freitas. Médico formado pela Faculdade de Medicina da Universidade Clássica de Lisboa e com doutoramento na Maimonides University, na Flórida, nos Estados Unidos, o dr. Pedro de Freitas, com base em relatos e documentos da época, produziu um estudo a respeito da doença que vitimou d. Pedro I aos 36 anos de idade. O seu trabalho coloca por terra a hipótese de o ex-imperador ter falecido em decorrência de sífilis.

Entre os documentos usados para esse estudo, estão os da junta médica que atendeu d. Pedro durante sua doença. Essa documentação, até então inédita e publicada pela primeira vez nesta edição, é proveniente do arquivo do visconde Paulo Martins de Almeida, localizado na Baviera pela professora Cláudia Thomé Witte, em 2021. Esse acervo foi adquirido no início de 2022 pelo Palácio Nacional da Ajuda graças aos esforços do seu diretor, o dr. José Alberto Ribeiro. O visconde de Almeida, nascido no Rio de Janeiro em 1807 e falecido em Munique em 1874, acompanhou d. Pedro em seu exílio e serviu à imperatriz d. Amélia até o falecimento desta, em 1873. Pessoa de extrema confiança de d. Pedro, d. Amélia e d. Maria II, rainha de Portugal, ele guardou em seu arquivo muitos documentos da época de seu trabalho junto à dinastia de Bragança.

A presente edição conta ainda com uma imagem aproximada do rosto de d. Pedro. A reconstituição foi realizada pelo renomado Cícero Moraes, que tem revelado ao mundo diversas faces de personagens históricos por meio do estudo e da reconstituição de seus crânios. O trabalho foi coordenado pelo dr. José Luís Lira, tendo como consultor forense o dr. Marcos Paulo Salles Machado. Outra imagem que esta obra traz é uma gravura rara, feita a partir de um desenho de d. Pedro realizado ao vivo por João Batista Ribeiro em 1832, que o mostra bem magro e abatido devido às adversidades enfrentadas no Cerco do Porto. Nesse desenho, tomado talvez durante uma ação contra as tropas miguelistas, notamos d. Pedro usando um simples uniforme de soldado, não um uniforme de gala, com o qual foi inúmeras vezes retratado. Ele usava algo comum e prosaico, que o aproximava dos demais homens que lutavam ao seu lado pela causa constitucional.

D. Pedro I, em vida, nunca se colocou sobre um pedestal, foi alçado a ele depois de morto, em estátuas, em ambos os lados do Atlântico. Essas celebram um homem, nascido e criado para ser um soberano absoluto, que abriu mão de seu poder, que foi enterrado como um soldado do exército de sua filha e, assim como quando estava vivo, encontra-se dividido entre dois continentes, com o seu corpo no Brasil e o seu coração em Portugal.

Paulo Rezzutti
Janeiro de 2022

Prólogo

Um morto e quatro funerais

"O PEDRÃO é nosso!", exclamou certo funcionário da cripta imperial, localizada abaixo do Monumento à Independência, no bairro paulistano do Ipiranga, ao ter certeza de que o sarcófago de granito verde que protegera por anos não estava vazio. Havia realmente algo lá dentro, ao contrário da descrença externada por um taxista que conduzira um fotógrafo até lá: "Você vai fazer o que lá embaixo? Não tem nada lá, não!"

Não apenas o "Pedrão" estava lá, mas também os demais defuntos imperiais: d. Leopoldina e d. Amélia.

Muito além de encontrar as medalhas de d. Pedro, o trabalho de exumação, estudo e preservação dos restos mortais dos primeiros imperadores do Brasil, capitaneado pela arqueóloga Valdirene do Carmo Ambiel, ajudou a lembrar que os personagens de nossa história foram, algum dia, de carne e osso. A identificação pelo funcionário da cripta daquilo que ela efetivamente guardava deixou-o mais perto do que jamais estivera do heroico personagem retratado no quadro *Independência ou morte*, do pintor Pedro Américo.

O mito, o "herói" da Independência, transformou-se no "Pedrão", um homem cujos restos mortais, posteriormente exibidos nos jornais do Brasil e do mundo, lembram-nos de que todos retornaremos ao pó.

São raros os biógrafos que podem se dar ao luxo de dizer que conheceram pessoalmente seu biografado morto há mais de cem anos sem irem parar em um hospício. Como membro da equipe de Valdirene Ambiel, tive a oportunidade de ver d. Pedro em algumas ocasiões. Assim como na exumação de d. Leopoldina, em fevereiro de 2012, também fui convidado para estar presente na cripta imperial quando da abertura do sarcófago do primeiro imperador, em 4 de abril de 2012 — três dias antes de se completarem 181 anos de sua abdicação ao trono brasileiro.

Pela experiência obtida com a abertura da urna da imperatriz — com padres, membros da família imperial, gente subindo e descendo de um tablado periclitante para ver os restos mortais, preferi não sair na foto oficial e ter um momento de maior intimidade com meu biografado. Afinal, para mim ele já era o "Pedrão" muito antes de encontrá-lo face a face. Eu havia trabalhado com as cartas inéditas enviadas por ele à sua amante, a marquesa de Santos, por mim localizadas em um museu nova-iorquino no ano de 2010. Conheço sua letra e, baseado na história factual, sei quando mente ou fala a verdade nas cartas. Até aprendi a distinguir, pela forma da escrita e pela passionalidade, quando atingia algum pico abortado de epilepsia. Aquele imperador de espada erguida, cortando os laços entre Brasil e Portugal, já era para mim o "Demonão",[1] quase um membro falecido da família, cujas histórias são tantas que é como se tivéssemos acabado de vê-lo em carne e osso, dobrando a esquina.

Apesar dos diversos alertas de Valdirene ao telefone, informando que o corpo estava todo revirado no caixão, nada havia me preparado para aquela manhã. O ataúde fora retirado do sarcófago e colocado sobre o antigo altar da capela. O fundo estava praticamente se desfazendo, o corpo encontrava-se todo desconjuntado, o crânio olhava para dentro do caixão. Em meio a uma massa de terra compacta,[2] podíamos ver partes de ossos e medalhas. Tinha-se a impressão de que, em alguma das exumações anteriores, simplesmente haviam jogado de qualquer maneira o conteúdo de um caixão ao outro, como se fosse entulho.

"Ele está todo sujo e quebrado", pensei, "igual a quando estava vivo".

D. Pedro sempre foi muito ativo, adorava se exercitar, nadava nu nas praias de Botafogo e Flamengo sem se importar nem um pouco com a opinião dos moradores locais. Diferentemente dos dias de hoje, os banhos de mar eram em geral recomendados como terapia, mas d. Pedro praticava a natação como exercício para o corpo. Pesquisas revelaram que sua altura seria de 1,66 a 1,73 m,[3] pouco maior que a média dos homens da época. Ele tinha tórax e ombros largos, braços fortes e mãos grandes.

Sua paixão por velocidade levava-o a conduzir, ele próprio, os cavalos de seu veículo, e a cavalgar a toda carga pelos arredores do Rio de Janeiro. Isso causou diversos acidentes, como o de 1823 que o prendeu ao leito todo quebrado e sujo, semelhante ao estado em que se mostrava a meus olhos naquela manhã de abril.

Quanto a ser aventureiro, então, esse é um capítulo à parte. D. Pedro não pensou duas vezes antes de se declarar brasileiro e lutar contra Portugal, terra natal da qual era herdeiro, pela independência do Brasil. Também não temeu largar tudo neste último país para reunir, após penhorar joias e prataria, um exército que invadisse Portugal e destronasse o irmão em favor da filha.

Se é na morte, como dizem, que encontramos a paz e o descanso que a vida nos tirou, d. Pedro não teve essa sorte. Aquela era a quarta vez que o tinham sepultado. A anterior havia ocorrido em meados de 1987, em virtude das obras no monumento e de uma das inúmeras inundações ocorridas na cripta. Os sarcófagos por pouco não acabaram submersos. Seus imperiais ocupantes viram-se, como diversos outros brasileiros, com a casa inundada e tiveram que se abrigar em um vizinho ou parente, no caso, o Museu Paulista, mais conhecido como Museu do Ipiranga.

Os caixões de d. Pedro e de d. Leopoldina ficaram expostos ao grande público no Salão Nobre do Museu, aos pés do quadro *Independência ou morte*, de Pedro Américo; para arrepio de alguns professores que conduziam excursões escolares e sussurros de rápidas "ave-marias" entre funcionários. Voltaram à cripta no final dos anos 1980, em cima de um veículo militar escoltado por oficiais de diversas armas, em mais uma comemoração de 7 de setembro.

A cripta sob o monumento foi construída no início da década de 1950, com as paredes revestidas em granito verde e o teto, não mais existente, em mármore amarelo. O controverso Monumento à Independência, que fica acima, apelidado de "bolo de noiva", é de 1922. Inicialmente, a cripta seria um cenotáfio, espécie de memorial fúnebre em homenagem a d. Pedro e d. Leopoldina, representados pelos sarcófagos vazios. O corpo da imperatriz permaneceu de 1826 a 1911 no Convento da Ajuda. Devido às obras de remodelação da área central do Rio de Janeiro, o convento foi demolido e os sarcófagos de membros da família imperial, transportados para o Convento de Santo Antônio. D. Pedro esteve em Portugal desde o falecimento, em setembro de 1834.

O cenário mudou em 1954, durante a preparação para os festejos do quarto centenário da cidade de São Paulo. O instituto histórico local resolveu coroar a festa levando o corpo de d. Leopoldina do Rio de Janeiro para a capital paulista, a fim de depositá-lo na cripta. Uma longa queda de braço[4] entre a Ordem Franciscana, responsável pela guarda do corpo da imperatriz, e a comissão dos festejos teve início, com o presidente Getúlio Vargas e o ministro da Educação e Cultura de um lado, querendo fazer a vontade dos paulistas, e os franciscanos, protegidos pelo arcebispo do Rio de Janeiro, d. Jaime Câmara, do outro.

No final, São Paulo ganhou a disputa e ficou com o corpo da imperatriz. Dessa forma, d. Leopoldina — que escrevera certa vez à irmã Maria Luísa: "nesta corte é necessário um espírito de sacrifício, sob todos os pontos de vista" — acabou indo parar em São Paulo, cidade em que nunca estivera em vida, na famosa colina do "Grito", 126 anos depois de morta.

A vinda do corpo de d. Leopoldina abria um precedente. A cripta passava de cenotáfio a um local consagrado pela religião católica, condição imposta pelos trinetos de d. Leopoldina, d. Pedro Henrique e d. Pedro Gastão, para que concordassem com o traslado do corpo desde o convento, no Rio de Janeiro, até a colina do Ipiranga. Era criada, assim, a oportunidade de preencher o outro sarcófago vazio, dedicado a d. Pedro I.

A possibilidade de trazer o corpo do imperador surgiu 18 anos após a chegada de d. Leopoldina à cripta. Em 1964, foi instaurado no Brasil, a partir de um golpe, o regime militar. O nacionalismo, a exaltação dos símbolos pátrios e das festas cívicas, nas quais se buscava um "simulacro de participação política no Estado Nacional", constituíram o cenário perfeito para a apoteótica festa em homenagem aos 150 anos de independência, em 1972.[5] Desse modo, um comitê foi instituído pelo presidente Médici visando à preparação das festividades e às tratativas com outra ditadura — a salazarista, de Portugal — para a vinda do corpo de d. Pedro para o Brasil.

Assim, nosso inquieto imperador atravessaria pela terceira vez o oceano Atlântico, agora para protagonizar um espetáculo repleto de símbolos históricos e religiosos. Transformado pela ditadura brasileira em uma verdadeira relíquia sagrada, é de se considerar a opinião que d. Pedro, paladino liberal e constitucional sem muita paciência para solenidades, teria a respeito de ser usado por um sistema de governo contra o qual provavelmente, se vivo, lutaria.

Opositores e defensores não faltavam à época no Brasil, inclusive entre descendentes de pessoas ligadas intimamente à vida de d. Pedro, como José Bonifácio de Andrada e Silva e o marquês de Barbacena. Dois frutos da linhagem do Patriarca da Independência, o deputado federal Zezinho Bonifácio e o general Antônio Carlos de Andrada Serpa, estavam ao lado do regime militar — nada, aliás, muito diferente da índole do famoso antepassado, reputado como homem autoritário. Por outro lado, Vinícius Caldeira Brant, sociólogo e ex-presidente da União Nacional dos Estudantes (UNE), bem como descendente do marquês de Barbacena, era torturado nos porões da ditadura durante as festividades do Sesquicentenário da Independência.

Portugal preparou-se para o traslado do ex-monarca. Localizaram o corpo no Panteão dos Bragança, no mosteiro lisboeta de São Vicente de Fora, e providenciaram três novos caixões para d. Pedro: um de madeira, estofado e forrado internamente com tecido, onde o corpo foi acomodado, envolvido por um de chumbo e outro de pau-santo ornado com símbolos portugueses e brasileiros. O peso total era de 250 kg.

O cerimonial em Portugal teve início em 10 de abril de 1972, quando houve uma cerimônia religiosa no Panteão dos Bragança. Posteriormente, o esquife foi conduzido por soldados portugueses até o exterior do templo, onde uma força do 5º Batalhão de Caçadores, do qual d. Pedro fora comandante, prestou ao monarca as devidas honras militares. O caixão foi colocado em um veículo do exército e transportado por Lisboa, sob escolta de um esquadrão de cavalaria da Guarda Nacional Republicana, até o cais de Santa Apolônia, onde veio a ser embarcado no navio *Funchal* por fuzileiros navais de ambas as nacionalidades. Nesse momento, dois navios de guerra, um brasileiro e um português, deram uma salva de 21 tiros.

O caixão ficou em uma câmara ardente no *Funchal*, e a esse navio juntaram-se tanto os vasos de guerra brasileiros *Pernambuco*, *Santa Catarina* e *Paraná* quanto os portugueses *Gago Coutinho*, *Sacadura Cabral* e *João Belo*. A esquadra binacional foi saudada por aviões da Força Aérea Brasileira tão logo entrou nas águas territoriais do país. Obedecendo ao cerimonial, o *Funchal* aportou no Rio de Janeiro em 22 de abril, para que coincidisse com a data em que Cabral chegou ao Brasil em 1500. Esqueceram-se de que a mesma data também marcava o aniversário de 151 anos do decreto de d. João VI que estabelecera o filho como príncipe regente. No monumento aos combatentes brasileiros mortos na Segunda Guerra Mundial, o presidente português Américo Tomás entregou oficialmente d. Pedro à pátria adotiva.

A propaganda política da ditadura já havia se utilizado de símbolos populares, como alguns jogadores de futebol e a própria seleção brasileira, beneficiando-se muito do prestígio obtido pelo suor e pela garra da equipe que ganhara a Copa do Mundo de 1970. Dois anos depois, Médici colocaria um morto e alguns vivos para correr o Brasil inteiro em favor de sua imagem. No próprio dia 22 de abril, enquanto, sob o clamor de mais de cinco mil pessoas, o corpo de d. Pedro seguia para seu antigo palácio, na Quinta da Boa Vista, corredores partiam dos pontos extremos do território brasileiro — do norte, do sul, do leste e do oeste, —

portando uma tocha representativa do fogo simbólico da pátria. Ambos, corredores e d. Pedro, deveriam chegar sincronizados à colina do Ipiranga, no Monumento à Independência, em 7 de setembro, exatos 150 anos depois do histórico dia.

Morto, viajou pelo Brasil mais do que quando nele viveu. Seu corpo subiu e desceu de trens, caminhões do Corpo de Bombeiros e blindados militares e passou por diversas capitais brasileiras, sendo seu caixão velado em várias catedrais pelo país. Somente uma cidade, sem ser capital, recebeu o seu corpo para pernoite, Pindamonhangaba. Ali, em agosto de 1822, cerca de dezesseis homens da região ingressaram na guarda de honra do príncipe para acompanhá-lo à sua viagem a São Paulo. Os corpos desses homens foram sepultados na igreja de São José, onde os despojos de d. Pedro passaram a noite de 2 para 3 de setembro de 1972, em companhia de seus companheiros da viagem da independência.

Sacolejado por todo o Brasil, o ex-monarca ainda achou quem o incomodasse. Dentro do caixão, aberto em 2012, havia diversos cartões de visita. Alguns remontavam ao início do século XX; outros pertenciam a embaixadores e militares que haviam participado das comemorações do Sesquicentenário.

Naquele 7 de setembro de 1972, jatos sobrevoaram o monumento. Tiros de canhões, e até sons de buzinas, ensurdeceram o ar. Era como se o Brasil tivesse vencido mais uma partida de futebol.

Acontece, porém, que os portugueses não se haviam preocupado com o tamanho interno do local onde o caixão seria depositado. Se a ex-miss Brasil Marta Rocha perdera o concurso de Miss Universo de 1954 por conta de duas polegadas a mais nos quadris, d. Pedro ficaria quatro anos do lado de fora do sarcófago porque o caixão tinha oito centímetros a mais que o espaço destinado a ele.

Esse espetáculo nacional patrocinado pela ditadura entrava em flagrante contraste com a primeira cerimônia de sepultamento, que em 1834 pretensamente levara d. Pedro a seu descanso final no Panteão dos Bragança, junto a seus ancestrais.

D. Pedro experimentou, nesse segundo funeral, tudo (e um pouco mais) o que não quisera experimentar no primeiro. Em seu testamento, afinal, havia esclarecido que queria ser inumado como simples general. Ao contrário do ocorrido em 1972, em 1834 o seu corpo foi levado ao jazigo durante a noite, o que parecia representar, à época, um processo de integração do morto a seu novo mundo.[6]

O ex-imperador foi conduzido até a carruagem fúnebre por generais, que o acompanharam até o jazigo final. A imperatriz d. Amélia, sua viúva, e a rainha d. Maria II, sua filha, seguiram o protocolo da época e permaneceram no palácio. Porém, o rei-soldado, que se pusera ao lado da filha para combater o irmão

d. Miguel, um absolutista convicto, não partiria sem comoção popular. Por toda Lisboa, os comerciantes interromperam suas transações e fecharam as lojas, espontaneamente. Na movimentada rua Augusta, casas cobriram-se de luto. Longos pedaços de pano preto esvoaçavam de janelas e sacadas até a rua. Uma multidão enlutada se reuniu e enviou uma delegação à rainha, solicitando permissão para acompanhar o féretro de d. Pedro. Assim, a população da cidade participou em massa do cortejo fúnebre, muitos carregando tochas e velas acesas — nem tanto, porém, para clarear o caminho, mas antes para iluminar a passagem da alma do morto à vida eterna e lembrar a existência que ali se apagara.[7]

Além da população, seguiam os restos mortais do príncipe todos os generais, oficiais superiores e demais militares que se achavam na capital portuguesa. A guarnição de Lisboa formou alas para sua passagem e, depois, fechou a retaguarda do cortejo. O cardeal-patriarca Patrício, à frente do cabido da antiga Sé Patriarcal de Lisboa, fez as últimas orações quando o corpo foi depositado no Panteão dos Bragança, e d. Pedro reuniu-se aos ancestrais sob a eclosão de salvas das artilharias de terra e mar, que avisavam a todos que a cerimônia terminara.

O sepultamento ocorreu em 27 de setembro de 1834, três dias depois do último suspiro de d. Pedro, dado às duas horas da tarde no mesmo quarto do Palácio de Queluz em que nascera 36 anos antes.

Paulo Rezzutti

Parte I

Portugal – 1798-1808

Queluz

"LUZ? QUE luz? QUE LUZ?", indagava aos berros um nobre ao guarda-caça. Ambos haviam caçado coelhos o dia todo. A diversão fora tamanha que acabaram não se dando conta do avançado da hora, e a noite surpreendeu-os na mata fechada. Além do tempo, perderam também a direção e vagaram a esmo por um bom período.

O guarda, em certo momento, começou a dizer que via uma luz e pôs-se a caminhar em sua direção. Ao que parece, porém, somente ele a enxergava, o que começou a exasperar o nobre. Por fim, ambos chegaram a uma ermida iluminada, onde jejuava um velho frade. O ancião acolheu-os e indicou-lhes o caminho para Lisboa: bastava seguir o rio Jamor que atingiriam o Tejo. Diz a lenda que, ao chegar de volta são e salvo, o nobre decidira fazer de Queluz seu retiro campestre.

Essa é uma das diversas histórias que cercam a origem do nome Queluz. Segundo alguns pesquisadores, o nome poderia derivar das palavras árabes "câ" (vale) e "Llûs" (amendoeira), ou seja, vale das amendoeiras ou da amendoeira. Há ainda outras hipóteses, como a que ligaria a região à adoração do sol pelos povos antigos.

A região, vizinha da capital portuguesa, sempre foi um local de grande beleza e de clima ameno, o que contribuiu para que diversos nobres instalassem ali, ao longo dos séculos, suas casas de campo, também chamadas de quintas.

Uma dessas quintas, construída em meados do século XVII, pertencia aos marqueses de Castelo Rodrigo. O título fora criado em 1600 por Filipe II, rei da Espanha e de Portugal, e conferido a d. Cristóvão de Moura e sua descendência durante a chamada União Ibérica.

Antes da união dos dois reinos sob a coroa espanhola, a dinastia dos Avis governara Portugal por quase 200 anos, entre os séculos XIV e XVI. Durante este reinado, os lusitanos singraram os mares e estabeleceram domínios na América, na África e na Ásia. O epílogo da história dessa família foi a grande aventura do rei d. Sebastião, a quem a cidade de São Sebastião do Rio de Janeiro deve o nome. Aos 24 anos, em 1578, ele liderou um exército formado por portugueses e mercenários para combater, ao lado de Abu Abdallah Mohammed II Saadi, o emir do Marrocos. A batalha, ocorrida próximo à cidade de Alcácer-Quibir, acabou recebendo diversos nomes: em Portugal, foi batizada com o nome da cidade; na África, ficou conhecida como a Batalha dos Três Reis, na qual os soberanos envolvidos perderam a vida.

A morte de d. Sebastião teve diversas consequências, uma das quais o nascimento do sebastianismo. Assim como os britânicos com Artur, o rei que não morreu, mas foi embora, os portugueses envolveram seu rei, desaparecido na batalha, em lendas, transformando-o em um mito. Afinal, nunca viram o corpo dele.

Surgiu assim a narrativa do retorno do rei (apelidado de O Desejado), que voltaria do mar quando seu povo e sua terra sofressem. O mito foi tão forte que chegou às terras portuguesas do outro lado do Atlântico, influenciando, no Brasil, diversos movimentos populares. Um dos últimos, o mais famoso, foi o liderado pelo beato Antônio Conselheiro no povoado de Canudos, na Bahia. Antônio pregava o retorno de d. Sebastião e, com ele, a volta da monarquia brasileira no final do século XIX, mais de trezentos anos após o desaparecimento do rei português.

Outra consequência da batalha na África foi o enfraquecimento do estado português. O rei deixou o país quase sem dinheiro e exército. Junto com d. Sebastião, grande parte do tesouro nacional perdeu-se ao ser usado nessa aventura bélica desastrada. Não apenas o governo e as finanças, mas a própria aristocracia portuguesa ficou abalada. A flor da nobreza lusitana foi parcialmente ceifada em Alcácer-Quibir, enquanto os sobreviventes acabaram resgatados às custas do empobrecimento de suas famílias e do já combalido tesouro nacional.

Além do reino debilitado, a aventura de d. Sebastião pôs fim à presença da dinastia dos Avis no trono português. Como o rei morrera sem deixar herdeiro direto, o poder foi assumido por seu tio, o cardeal d. Henrique. Ele era o quinto filho homem do rei d. Manuel I, avô de d. Sebastião, e o único Avis, neto, filho e irmão de rei, apto a assumir o trono. Como nunca se aventara a hipótese de que o futuro da dinastia e do trono fosse depositado em si, d. Manuel destinara-o à vida religiosa. Na época, essa era também uma forma de se fazer política, pois ter um filho "príncipe da Igreja" era útil no tabuleiro político mundial. O reinado de d. Henrique foi triste e curto. Faleceu em 1580, sem reconhecer a legitimidade de um sobrinho bastardo, d. Antônio, o Prior do Crato, que poderia tê-lo sucedido como rei de Portugal. Assim, o trono foi assumido pelo outro tio de d. Sebastião, o rei Filipe II, da Espanha.

Durante sessenta anos, Portugal e suas colônias se uniriam à Espanha sob um mesmo governo. Enquanto as riquezas coloniais portuguesas eram sugadas pelas guerras em que a Espanha se envolvia, a fronteira do Brasil se expandia. Uma vez que ambos os países estavam unidos pela mesma coroa, não havia motivo para continuar seguindo o Tratado de Tordesilhas, que definia o limite entre as possessões espanholas e portuguesas na América. Assim, as "entradas" e as "bandeiras" ampliavam os territórios brasileiros.

O terceiro e último Filipe espanhol a governar Portugal tentou fazer do país uma mera província de seu vasto império. Sobretaxou os comerciantes lusitanos e preteriu a nobreza do país, passando quase todos os postos governamentais às mãos dos espanhóis. Os nobres portugueses, aproveitando-se de que uma parte das tropas espanholas estava na Catalunha combatendo uma rebelião e outra, envolvida na Guerra dos Trinta Anos, ergueram-se contra o domínio da Espanha. Em 1º de dezembro de 1640, invadiram o palácio da praça do Comércio e jogaram pela janela o secretário de Estado Miguel de Vasconcelos, prendendo a seguir a prima do rei Filipe, a duquesa de Mântua, que atuava como vice-rainha. Quinze dias depois, d. João IV, duque de Bragança, era aclamado rei de Portugal, inaugurando uma nova dinastia.

A dinastia de Bragança

A Sereníssima Casa dos Duques de Bragança, uma das mais ricas de Portugal, fora criada em 1442. O primeiro duque foi d. Afonso, filho natural do rei d. João I, primeiro rei da Casa de Avis a governar o reino. Assim, a legitimidade de d. João IV como candidato ao trono contava com essa ligação com a antiga dinastia extinta, ligação essa dividida com a sua esposa, que era bisneta de d. Afonso e tataraneta de d. João I.

Um dos futuros descendentes de d. João IV, d. João VI, parece ter herdado, assim como sua mãe, certa característica do antepassado: a morosidade em tomar decisões. O primeiro Bragança no trono teria levado cerca de três meses para concordar em participar da rebelião — ao contrário da esposa, a duquesa Luísa, que o incitava: "Antes morrer reinando do que acabar servindo."

A separação não foi pacífica. Portugal e Espanha enfrentaram-se diversas vezes nos campos de batalha até a consolidação da independência da coroa. No processo, nobres lusitanos receberam recompensas como honrarias, títulos e propriedades. Da mesma maneira, outros, por tomarem partido dos castelhanos, foram punidos. Foi esse o caso dos marqueses de Castelo Rodrigo, cuja propriedade de Queluz foi transferida à família Bragança.

O Palácio de Queluz

A propriedade de Queluz foi incorporada à Casa do Infantado, instituição senhorial criada por d. João IV a fim de garantir dotação material e patrimonial aos infantes — filhos e irmãos do rei que não herdavam o trono. Foi assim que Queluz passou a pertencer a d. Pedro III, infante de Portugal, tio e marido de d. Maria I, avós d. Pedro I do Brasil e IV de Portugal. D. Pedro III construiria lá o Palácio Real de Queluz, onde nasceria, em 12 de outubro de 1798, o primeiro imperador brasileiro.

Em 1747, o avô de d. Pedro contratou o arquiteto Mateus Vicente de Oliveira para transformar o antigo pavilhão de caça dos marqueses de Castelo Rodrigo em um palácio rococó. A construção e a decoração de Queluz demoraram vários anos e passaram pela mão de diversos profissionais, entre eles o francês Jean Baptiste Robillion, responsável pelo pavilhão Robillion. O projeto de seus jardins formais, de sua estatuaria, de suas balaustradas, de seus bosques de plantas cítricas, das cascatas e fontes que jorravam ao redor do palácio remete ao estilo do Palácio de Versalhes. Apesar da grandiosidade da escala, o edifício é de tal modo compartimentado e espalhado que acaba por sugerir uma intimidade e uma privacidade diferentes das encontradas no famoso palácio francês. Também Queluz possui seu salão dos espelhos: são mais numerosos que os de Versalhes, e mais delicados.

D. Pedro nasceu na chamada sala Dom Quixote. Inicialmente projetada para ser uma sala de café, acabou convertida em aposento de dormir de d. Pedro III e, depois, de d. Carlota Joaquina, d. João VI e d. Pedro IV. Apesar de a planta do aposento ser quadrada, o desenho do teto e do parquê cria a ilusão de um espaço circular. Os painéis com molduras em talha dourada, responsáveis por decorar o espaço acima das portas e o vão entre a moldura do teto e seu painel central, ilustram episódios da vida de d. Quixote. Quem visita o Palácio Nacional de Queluz fica admirado diante desse quarto, mas o que lá se vê hoje é, na realidade, uma recriação do original. Um imenso incêndio destruiu o interior do palácio em 4 de outubro de 1934, dez dias depois do centenário de morte de d. Pedro naquele local e às vésperas da comemoração dos 24 anos da instalação do regime republicano português.

Palácio de Queluz.

Queluz recebeu, durante o reinado de d. Maria, diversas festas luxuosas, muitas somente para os membros da família real e sua comitiva. Ficaram famosas as de 24 e 29 de junho, datas dedicadas a São João e São Pedro, Serviam-se, em tais ocasiões, ceias suntuosas nos jardins, que junto com a fachada do palácio eram iluminados por milhares de velas. O ápice dos festejos eram os fogos de artifício que coloriam a noite. Durante o dia, além das cerimônias religiosas, havia corridas de cavalo e touradas.

Na distante colônia brasileira, essas festas, que se tornaram conhecidas como juninas e comemoravam São João, Santo Antônio e São Pedro, também eram celebradas. "Todo homem que tinha um Pedro ligado a seu nome sentia-se na obrigação de acender uma imensa fogueira diante de sua porta e soltar uma porção de foguetes, além de descarregar inúmeras pistolas, mosquetes e morteiros." O barulho e o brilho no céu eram tamanhos que se poderia acreditar que se estava perto de "alguma cidade sitiada, durante um violento bombardeio".[1]

São Pedro, discípulo de Jesus, santo chaveiro e primeiro papa, aparece nas histórias populares como personagem astuto, finório — uma espécie de Pedro Malasartes mítico, figura tradicional dos contos populares da Península Ibérica, mais digno, porém igualmente esperto. Simples, de boa-fé e crédulo, como representado no Novo Testamento, o povo transformou-o em um sujeito que consegue sair das situações difíceis com enorme sangue-frio ou por meio de processos pouco ortodoxos, chegando até mesmo a aparecer em contos populares da Andaluzia como uma versão do simplório Sancho Pança. Nosso d. Pedro iria, em diversos momentos de sua vida, encarnar ou ser identificado com algumas das características que o povo acabou por dar ao santo. Também seria comparado a Pedro Malasartes por José Bonifácio e, por que não?, ao próprio d. Quixote, uma vez que se bateu pela causa da filha tendo menor número de seguidores do que o grande exército de seu irmão.

Uma maldição

Tanto d. Pedro quanto o pai, d. João, assim como seus antecessores e sucessores, deveriam ter assumido, não o trono português, mas as propriedades e as riquezas da Casa do Infantado, entre elas o Palácio de Queluz. No entanto, o mesmo ancestral que levara os Bragança ao poder se tornaria responsável direto por uma maldição que viria a acometer seus descendentes.

Antes de sua aclamação como rei de Portugal, quando era somente o oitavo duque de Bragança, d. João IV teria se irritado com um irmão leigo franciscano que fora lhe pedir esmolas. Sem paciência, mandou o religioso retirar-se e aplicou-lhe um pontapé na canela, onde se criou um machucado em forma de escama de peixe. Ressentido pela forma gratuita como fora maltratado, o franciscano rogou-lhe a seguinte praga: "A sua descendência nunca passará pelo primogênito, e os que lhe sucederem, Deus permita, tenham o mesmo sinal na perna que o senhor me produziu."

Ao subir ao trono, d. João IV, temendo a praga do religioso, criou a tradição de apresentar os membros recém-nascidos da família de Bragança aos altares da ordem mendicante de S. Francisco, bem como de sempre assistir às festas do santo. D. João VI e d. Pedro I ainda acrescentariam uma esmola de 600 réis para a comemoração, à qual assistiam antes de irem jantar no refeitório comum dos frades da ordem, com a clássica colher de pau comum a todos os comensais. Nada disso, porém, faria a maldição lançada contra a família arrefecer: raros foram os primogênitos que subiram ao trono e reinaram por tempo suficiente para deixar herdeiros.

Filho e neto de reis

DIVERSOS DOCUMENTOS do Arquivo Nacional, localizado na Torre do Tombo, em Lisboa, mostram alguns dos preparativos para o nascimento, em 1798, de um novo filho dos príncipes do Brasil, d. João e d. Carlota Joaquina.

Datada de julho daquele ano, uma das notas[2] faz menção à compra de renda para guarnecer as toalhas para o batismo do futuro bebê e é bastante curiosa:

> Por vinte e duas varas e meia de renda fina para se guarnecerem quatro toalhas que hão de servir no Baptismo da Pessoa Real que há de nascer, a preço de 3$550 a vara de que não passou recibo a pessoa que a vendeu por ser contrabandista.[3]

O berço para a "pessoa real que há de nascer" foi confeccionado pelo mestre marceneiro Antônio Silvério em madeira de mogno. Em agosto, encomendavam-se as roupas de cama para as amas de leite do esperado bebê; no mesmo mês, d. Carlota ordenou ao Patriarca de Lisboa que se realizassem preces em todas as igrejas, do dia 21 de agosto até a data do nascimento da criança.[4]

Em 16 de outubro de 1798, a *Gazeta de Lisboa*, na edição de terça-feira, anunciava:

> A Princesa N. S. tendo completado o termo da gravidação, deu felizmente à luz a 12 deste mês pelas 6 horas e meia da manhã um formoso infante. Este grato sucesso se

> anunciou logo com repiques de sinos de todas as Igrejas desta Capital, e salvas de artilharia das Fortalezas, e dos Navios de S. M. surtos neste porto, que aparecerem logo todos empavesados.

Pedro de Alcântara Francisco Antônio João Carlos Xavier de Paula Miguel Rafael Joaquim José Gonzaga Pascoal Cipriano Serafim de Bragança e Bourbon, d. Pedro IV, 28º rei de Portugal, 24º do Algarve, primeiro imperador do Brasil, nasceu, como já mencionado, no Palácio de Queluz, mais especificamente na sala Dom Quixote, a 12 de outubro de 1798, após um trabalho de parto de quase quatro dias. O nome completo do príncipe, como usual na família Bragança, consistia na união de nomes de pessoas da família, do santo protetor, de arcanjos e anjos.

António Teles da Silva Caminha e Meneses, marquês de Resende, lembraria, anos depois da ocasião:

> Quando a princesa, depois rainha d. Carlota, acabava de dar à luz o seu segundo filho varão, o som das salvas da chalupa inglesa Moreno que trouxera aqui a nova da chegada de Bonaparte ao Egito, onde ele se ensaiava para as lutas que, à sombra da soberania do povo, havia de ter a fim de realizar a tão sonhada monarquia universal regida pelo despotismo, confundia-se com o zunido das girândolas que de um monte propínquo ao Tejo anunciavam o começo da vida de um renovo Bragantino.[5]

Na tarde de 19 de outubro, na Capela do Real Palácio de Queluz, o cardeal-patriarca de Lisboa batizou o recém-nascido d. Pedro. Foram padrinhos o infante da Espanha, d. Antônio, representado por seu sobrinho, d. Pedro Carlos, e a infanta Maria Ana, tia-avó do bebê, irmã da rainha d. Maria.

Nesse dia, o futuro marquês de Resende, próximo de completar oito anos de idade, compareceu pela primeira vez a uma função pública na corte, o batizado do príncipe a quem no futuro uniria a sua sorte, daria sua fidelidade e defenderia até a morte.

> Quando eu, já depois de anoitecer, saía do paço, fez-me o padre Theodoro de Almeida, meu mestre [...] observar, entre outros belos e variados espetáculos astronômicos que o céu, semeado de estrelas, naquela noite serena oferecia aos nossos olhos Mercúrio, Júpiter e Vênus, a que Plínio, o Velho, chamou de grande astro, formando, como diz Homero, com os seus satélites uma brilhante coroa.[6]

Essa teria sido a primeira de uma série de coroas que d. Pedro receberia, a única a que não teria como renunciar.

Uma família peculiar

D. Pedro foi o segundo varão a nascer. Seu irmão, d. Antônio, então com três anos, era o príncipe da Beira, herdeiro do trono. Os filhos de d. João com d. Carlota só começaram a nascer após a morte por varíola do irmão mais velho do príncipe, d. José, aos 27 anos, em 11 de setembro de 1788.

Não que a morte do irmão de d. João tenha mudado muito a linha de sucessão. afinal, não se esperava mais que o príncipe tivesse filhos, pois sua esposa e tia, d. Maria Benedita, era quinze anos mais velha. De qualquer forma, fez-se pressão em cima de d. João e de d. Carlota, pois, à época da morte do irmão, quando já contavam com três anos de casado, os dois ainda não haviam tido sua noite de núpcias. Não se tratava de falta de vontade dele, mas sim pela pouca idade dela.

Quando d. Carlota Joaquina chegou a Portugal em 1785, causou uma péssima impressão, não apenas na corte, mas também entre a população portuguesa. Houve um arranjo de núpcias duplo: enquanto a irmã de d. José e d. João, d. Mariana, partia para a Espanha a fim de se casar com d. Gabriel de Bourbon, filho do rei Carlos III, a neta deste, a infanta Carlota, filha do futuro rei Carlos IV, chegava a Portugal para tomar por esposo d. João.

Não fora esse, a princípio, o arranjo esperado pela rainha de Portugal. D. Maria, em carta a seu tio Carlos III, em 13 de outubro de 1783, imaginava casar d. João ou com d. Maria Teresa, de 11 anos, princesa da Sicília e neta do rei da Espanha, ou com a princesa Carolina Maria, de 13 anos, filha do duque de Parma e sobrinha do monarca. Este, contudo, em carta de 2 de novembro, expôs à sobrinha as desvantagens de ambos os casamentos e propôs que d. João se casasse com d. Carlota, filha dos príncipes das Astúrias, futuros reis espanhóis. A rainha d. Maria concordou com a proposta do tio e afirmou que "seria muito útil se fizesse o casamento do infante meu filho com a infanta Carlota, amada neta de V. M.". Mais adiante, afirmou: "porém o que impediu intentá-lo foram os poucos anos da referida infanta."[7]

A infanta portuguesa d. Mariana, única filha viva de d. Maria I, tinha 16 anos quando partiu; a infanta espanhola que chegava tinha 10, ou seja: na época das tratativas do casamento, a futura noiva tinha 8. D. Carlota era pequena para a idade, mesmo se considerarmos os padrões da época: era desgraciosa, pouco atraente e de ar deselegante. Quando das comemorações das bodas dos príncipes, em 8 de junho de 1785, o povo não se mostrou muito alegre ao longo dos três dias de festas que marcaram a ocasião. Comentavam que, na troca das princesas, Portugal fora lesado: enviaram à Espanha um peixão e receberam em troca uma sardinha.

D. Carlota Joaquina.

A verdade é que os Bragança haviam sido ludibriados pelo próprio embaixador português na corte dos Bourbon, que em 1783 oficiara a respeito da infanta: "É magra, muito bem feita de corpo, todas as feições são perfeitas, dentes muito brancos, e como não há muito tempo teve bexigas, ainda não se desvaneceram de todo as covas delas; é branca, corada, muito viva."[8]

Quando d. Carlota chegou, viram que o embaixador errara em todos os pontos, menos no que dizia respeito à sua vivacidade: no meio da cerimônia de seu casamento na capela da Real Barraca,[9] ela viraria o rosto e morderia a orelha do noivo que estava ao seu lado.[10]

Com o tempo, d. Carlota revelou-se uma criança impossível, que só respeitava duas pessoas: a sogra, d. Maria I, e, parcialmente, seu preceptor e confessor, padre Filipe Scio de São Miguel. Segundo as cartas de d. Ana Miquelina, aia espanhola que chegara com a princesa, à mãe da infanta, Maria Luiza de Parma, Carlota tinha um péssimo gênio, era birrenta e sofria do que Miquelina chamava de "comportamentos impertinentes".

D. Maria, aos 51 anos, praticamente adotou a nora. Detestava dar sermões à infanta e tinha grande dificuldade para manter a cara séria quando a repreendia. Era doce com a menina e comportava-se como se fosse incapaz de se aborrecer com ela. A rainha era a única que a fazia escutar as lições, alegando que havia se esforçado para fazer todas as suas vontades e que a jovem não fazia nada do que lhe pediam. Às vezes tinha que apelar para ameaças, como a de proibir as diversões prediletas de d. Carlota: andar de burro e conduzir uma carroça puxada por um pônei.

Foi d. Maria quem teria ensinado à nora, quando de seus passeios por campos e mosteiros, expressões e palavras portuguesas. Ao menos quando a menina conseguia acordar cedo: por vezes, ela não queria sair da cama; quando saía, demorava muito para se aprontar, para a irritação da sogra, a quem devia acompanhar todo dia na missa das dez horas da manhã. Em dado momento, foi ordenado que d. Carlota estivesse desperta às nove para honrar seus compromissos. Isso foi um tormento para as criadas, que eram obrigadas a aguentar as birras, os xingamentos e as tentativas da menina de morder as mãos que a buscavam vestir.

Quanto a seu preceptor, o padre Filipe, este se recusava a confessá-la quando ela estava com seu gênio alterado, o que acabava por deixar a menina preocupada de ficar sem absolvição. Logo a jovem prometia se comportar, mas apenas para, algum tempo depois, ficar três horas sem falar com o professor.

No entanto, por baixo do gênio difícil dessa irrequieta figura, escondia-se uma jovem bastante inteligente. Carlota era a neta preferida do rei Carlos III e conviveu intimamente, até os 10 anos, com o rei espanhol, responsável por designar-lhe o padre Filipe Scio como tutor. Padre Filipe era um dos grandes intelectuais de sua geração: foi o responsável por uma tradução completa da Bíblia para o espanhol, falava grego, latim, hebraico, italiano e francês. Quando, antes de partir para Portugal, d. Carlota teve que enfrentar os exames públicos perante toda a corte espanhola, incluindo os embaixadores estrangeiros, respondeu questões relativas a religião, geografia, história, gramática, línguas portuguesa, francesa e espanhola. Também demonstrou suas habilidades em dança, canto, etiqueta, equitação e pintura. Foi elogiada por sua memória prodigiosa, por sua compreensão e seu desembaraço, admirando a todos por ter acumulado tanto conhecimento com tão pouca idade.

De todo modo, aquele pequeno gênio era uma criança arteira cujo comportamento parecia piorar quando havia mais pessoas por perto. Certa vez, durante uma visita do arcebispo, confessor da rainha, e de padre Filipe, d. Carlota promoveu um espetáculo aos presentes, levantando a saia de sua anã negra. O próprio marido, d. João, foi alvo de seus ataques e brincadeiras. Noutra ocasião, durante uma refeição, pegou um bocado de comida com as mãos e arremessou no rosto do esposo. Vendo que d. João não achara graça nenhuma daquilo, pediu desculpas, dizendo que o acertou sem querer e que, na verdade, visava um dos serviçais que estavam atrás dele.

Nem sempre a relação do casal foi o pesadelo que se tornaria anos depois. No mesmo ano em que se casaram, 1785, d. João escrevia à irmã que partira para a Espanha a respeito da praga que acometera a pequena Carlota. A menina encontrava-se infestada de piolhos; tão úmido estava seu couro cabeludo em virtude do pus das feridas que resolveram raspar-lhe os cabelos grossos e rebeldes. Como a esposa-menina tinha de permanecer em seus aposentos até que sua cabeça ferida se curasse, d. João visitava-a duas vezes por dia. Punha-se de quatro no chão, imitando um burro, e andava assim pelo quarto, tendo d. Carlota às costas.

Em dezembro de 1786, d. João, ao saber que a irmã havia "desabrochado", ou seja, menstruado pela primeira vez, tornando-se apta a consumar carnalmente seu casamento com o príncipe espanhol, escreveu a ela lamentando: "Faltam muitos anos até que eu possa estar com ela [d. Carlota], o que é uma tortura. Por enquanto, não podemos ter prazer, por ela ser tão nova e o seu corpo tão pequeno, mas virá o tempo em que brincaremos. Então serei feliz".

Era a segunda vez, em menos de um ano, que ele se lamentava da vida conjugal inexistente. Anteriormente, no segundo semestre de 1785, havia escrito à irmã:

> É bom o que dizes na tua carta acerca do teu marido, que ele gosta muito de ti, que tu sentes o mesmo em relação a ele e que tens dormido pouco. Eu também gostaria de tomar posse da minha mulher. Ela é muito pequena, mas chegará o dia em que lhe possa fazer o que teu marido te faz a ti.[11]

Enquanto o príncipe aguardava o dia em que poderia consumar seu casamento, a corte e os embaixadores estrangeiros não acreditavam muito nessa união. O marquês de Bombelles, embaixador da França em Portugal que não poupou apelidos a d. Carlota — "embrião", "princesa enfezada" e "pequeno macaco-aranha", por exemplo —, achava que o crescimento limitado da princesa (ela nunca passou de 1,47 m) devia-se às diversas anormalidades encontradas em sua família e que a infanta não passava de "mais sangue ruim lançado em veias estreitas".[12] O embaixador britânico, Robert Walpole, sobrinho do primeiro-ministro de seu país, oficiava ao seu governo a possibilidade de a princesa não vir a gerar herdeiros e a especulação acerca de Portugal pedir a anulação do casamento e enviar a menina de volta aos pais, na Espanha. Ambos os embaixadores eram unânimes em afirmar que d. João não gostara nem um pouco da noiva.

Os dois enganaram-se em suas previsões. D. Carlota menstruou pela primeira vez em 1790, às vésperas de completar 15 anos. D. Maria I queria aguardar até 25 de abril, aniversário da infanta, para que o casamento fosse finalmente consumado, mas d. João não aguentava mais a espera e tudo se realizou em 5 de abril. A rainha escreveu à mãe da jovem para informar-lhe: "A nossa querida Carlota atingiu o estado de mulher [...]. Mesmo antes disto, tinha a intenção de os deixar estar juntos, mesmo que por muito pouco tempo, já que ela estava muito bem informada sobre tudo e João tinha tanto desejo de relações conjugais."[13]

D. Carlota foi levada para a cama pela rainha e suas irmãs. Foi despida e acomodada no leito nupcial, onde esperou pelo marido. Quando este chegou, d. Maria, antes de deixar o quarto com seu séquito, ajoelhou-se rogando a Deus pelo sucesso da união do jovem casal. Na manhã seguinte, a monarca enviaria outra carta a d. Maria Luísa, comunicando que os dois haviam finalmente se juntado e passado a noite juntos, mostrando-se muito felizes.

D. Carlota honraria sua parte no casamento e daria regularmente filhos à coroa portuguesa. Foram, no total, nove: d. Maria Teresa (1793-1874), d. Francisco Antônio (1795-1801), d. Maria Isabel (1797-1818), d. Pedro de Alcântara (1798-1834), d. Maria Francisca (1800-1834), d. Isabel Maria (1801-1876), d. Miguel (1802-1866), d. Maria da Assunção (1805-1834) e d. Ana de Jesus Maria (1806-1857).

Completamente oposto ao temperamento da esposa era o de d. João, um sujeito bonachão que, assim como a esposa, não tinha um aspecto exterior muito agradável. Era bastante encorpado, de estatura mediana, com o lábio inferior grosso e caído.[14] O inglês William Beckford notou-lhe o ar pasmado, que, segundo afirmava, seria próprio da ociosidade em que vivia.

D. João, nascido a 13 de maio de 1767, era o quarto filho varão da união entre a rainha Maria I de Portugal e d. Pedro III. D. Maria foi a primeira mulher a governar o país, apesar da tentativa do primeiro-ministro de seu pai, o marquês de Pombal, de evitar que ela subisse ao trono: em seu lugar deveria governar o primeiro filho do casal, d. José. Uma trama palaciana encabeçada pela mãe da jovem princesa, a rainha d. Mariana Vitória de Bourbon, infanta espanhola, pôs fim aos planos do marquês.

Pombal fora o virtual ditador de Portugal no reinado de d. José I, pai de d. Maria e avô do futuro d. João VI. D. José, segundo o embaixador britânico na corte portuguesa, era indeciso, extremamente inseguro de si e ciente de que sua educação fora bastante negligenciada. Tal insegurança seria herdada por seu neto, d. João VI; a consciência da educação falha, pelo bisneto, d. Pedro.

Enquanto Pombal governava Portugal, d. José, como rei absolutista que era, gozava a vida ao lado de sua família nas várias propriedades da coroa. O grande terremoto de Lisboa, ocorrido no dia de Todos os Santos, 1º de novembro de 1755, em que milhares de pessoas morreram nos escombros, nas igrejas lotadas durante as missas, nas ruas e em suas casas, causou profunda impressão na jovem princesa d. Maria. Também lhe causou aflição a perseguição de Pombal aos jesuítas e à alta nobreza. A perseguição culminou tanto na expulsão da Companhia de Jesus de todos os recantos do vasto império lusitano quanto no julgamento, e consequente execução, dos Távora, num processo forjado que deveria servir de exemplo a outras famílias poderosas.

Muitas das ações de Pombal visavam diminuir o poder e a influência dos religiosos na administração do Estado português e na corte. Ao afastar os religiosos da administração, inclusive das escolas, o marquês buscou levar Portugal em direção ao Iluminismo e combater o fanatismo religioso. Em seus 27 anos à frente dos negócios portugueses, Pombal transferiu a capital do Brasil de Salvador para o Rio de Janeiro, ficando ela mais próxima das regiões mineradoras e da fronteira sul da Colônia, onde constantemente havia problemas com as colônias espanholas.

Com a morte de d. José I, em 1777, d. Maria I subiu ao trono junto com seu marido e tio, que passou a ser conhecido como d. Pedro III. Profundamente religiosa, logo afastou Pombal do poder. Com a implementação do que seria conhecida como a política Viradeira, o clero e a alta nobreza voltaram a exercer forte influência na vida da corte e na administração pública. Enquanto isso, na Universidade de Coimbra, muitos professores acabaram sendo expulsos acusados de heresia. Ou seja, as ciências modernas, quando conflitantes com os ensinamentos da igreja, perdiam.

Entretanto, não foram apenas retrocessos o que se viu no governo de d. Maria. Nele foram fundadas diversas instituições, como a Academia Real de Ciências de Lisboa e a Real Biblioteca Pública da Corte, esta última munida, obviamente, apenas com os livros que passassem pela mesa censória, isto é, que não constassem nas listas de títulos, assuntos e autores proibidos pela coroa e pela igreja.

Uma rainha enlouquecida

Oito anos após subir ao trono, uma sucessão de mortes na família real portuguesa começou a abalar a rainha. Primeiro faleceu seu marido, a 25 de maio de 1785. D. Maria havia passado dias ao lado da cama dele e, quando achou que havia melhorado, foi deitar-se no quarto ao lado. Quando, pela manhã, foi acordada pelo filho, d. João, dando-lhe os pêsames, ficou transtornada por não ter estado ao lado de d. Pedro nos seus últimos instantes. Logo em seguida, começou a sentir os efeitos da menopausa, sendo levada a tratar-se com banhos termais em Caldas da Rainha. Em novembro de 1786, a filha, d. Mariana, anunciou da Espanha o nascimento de seu segundo filho, uma menina, a quem deu o nome da mãe. Lisboa pôs-se a comemorar a notícia, houve festa, missas e foguetório. Três dias depois, uma nova carta chegou com a tarja de luto, anunciando a morte da menina. Portugal comemorara o nascimento da infanta quando esta já estava no caixão.

No entanto, o golpe mais doloroso à rainha foi a morte de seu primogênito, o príncipe do Brasil, d. José, em setembro de 1788. Em 1783, d. João havia sofrido um ataque moderado de varíola. Tendo sobrevivido, estava imunizado. D. José, contudo, pegou a doença em 1788 e d. Maria achou que, a exemplo do que acontecera ao filho mais novo, também o herdeiro do trono se recuperaria logo, o que acabou não ocorrendo.

Desde 1720, já havia uma "vacina" para a doença: por meio de um corte na pele do braço, inseria-se pequena quantidade de um líquido tirado de pústulas da varíola. O paciente acabava contraindo uma forma menos perigosa da doença e ficava imunizado a vida toda. Assim como Catarina, a Grande, que pediu para ser vacinada com seu herdeiro, diversas casas reais imunizaram seus príncipes. A rainha d. Maria foi aconselhada a fazer o mesmo, mas recusou porque, segundo seus princípios religiosos, a vacinação seria contrária aos desígnios de Deus.

Com a morte do filho pela doença, enlouquecida pela perda, passou a se culpar por não tê-lo vacinado, considerando-se responsável pela tragédia. Enquanto isso, o povo, à boca miúda — como aconteceria com d. João VI e com d. Pedro —, procuraria culpados entre os médicos e os cortesãos e desenvolveria tramas de envenenamento e até de descaso deliberado visando à morte do doente.

D. Maria I.

Ao que tudo indicava, o príncipe daria prosseguimento aos planos de Pombal assim que chegasse ao trono, no intuito de modernizar Portugal. D. José teve como preceptor o frei Manuel do Cenáculo Vilas-Boas Anes de Carvalho, que lhe transmitira os princípios iluministas tão caros ao marquês. Por influência do religioso, o príncipe do Brasil seria favorável a leis mais sóbrias e benéficas ao povo, contrariando a altamente dispendiosa, vã e pomposa manutenção do patriarcado de Lisboa.

Segundo o embaixador britânico Robert Walpole:

> Suspeita-se que sua Alteza Real foi tratado de forma inábil. A nobreza é cautelosa e prudente e, em silêncio, lamenta o melancólico acontecimento, mas as imprudentes classes baixas não se têm refreado de refletir sobre a ignorância e a inabilidade do médico principal. Tendo isto chegado aos ouvidos de Sua Majestade, pode ter contribuído para a sua resolução de se retirar para Queluz.

Em novembro, d. Mariana informava da Espanha ter tido mais um filho, mas logo novas cartas cruzariam a fronteira e inaugurariam nova fonte de dor na já abalada rainha. O bebê nascera com varíola, e logo mãe e filho estavam mortos, seguidos pelo genro da rainha, esposo de d. Mariana e pai do bebê. Assim, em menos de três meses, d. Maria perdia para a varíola dois dos três filhos ainda vivos, um neto e um genro.

Com a morte de seu confessor, um novo lhe foi indicado: José Maria de Melo, bispo do Algarve. O anterior apaziguava os temores da rainha, dizendo-lhe que não se preocupasse com a participação do pai no esquema que levara à execução de membros da alta nobreza lusitana e que ele mesmo, o confessor, sofreria por ela. Por sua vez, José Maria não só lutava pela reabilitação das famílias implicadas na tentativa de assassinato de d. José I, ação que levou ao julgamento dos Távora, mas também afirmava que tanto o pai de d. Maria quanto Pombal estariam ardendo no inferno. Aliás, o tema "inferno", do qual a rainha morria de medo, era o favorito das preleções do bispo do Algarve, que a ameaçava dizendo que o local estava à sua espera.

Cercada pela morte de todos os lados, consumida em culpa pelo falecimento do príncipe herdeiro, no auge da menopausa e com um confessor fazendo contagem regressiva para o encontro da rainha com o capeta, não é de se estranhar que ela enlouquecesse aos 57 anos, levando o inexpressivo e despreparado príncipe d. João a assumir a regência em nome da mãe.

O príncipe regente

D. João, com a morte do irmão, passou a ser o novo príncipe do Brasil, título dado ao herdeiro da coroa. Após quatro anos assim, ele tomou as rédeas do poder a 10 de fevereiro de 1792. Oito dias antes, d. Maria I enlouquecera definitivamente durante a execução de uma peça teatral no palácio real de Salvaterra, puxando seus cabelos e roupas enquanto os serviçais tentavam acalmá-la, sem, porém, tocarem em sua pessoa, a fim de não cometerem afronta contra Sua Majestade.

Sete anos durou o ofício informal de d. João em cuidar dos negócios do Estado português; depois de muito relutar, ele enfim aceitou o encargo, que já lhe vinha sendo solicitado pelos principais ministros, de assumir como príncipe regente em nome de sua mãe. D. Maria I foi declarada oficialmente louca ao fim desse período, durante o qual passou por terríveis tratamentos aplicados pelo dr. Francis Willis, médico do rei da Inglaterra, Jorge III. Entre os procedimentos estavam: purgativos, vomitórios, o uso de camisas de força, imersão em banhos congelantes e a aplicação, nas pernas, de pomadas que provocaram úlceras. Por fim, e uma vez que a rainha não queria mais alimentar-se, criaram um instrumento com o qual lhe enfiavam a comida garganta abaixo.

Com a chegada oficial de d. João à regência, a relação entre ele e d. Carlota Joaquina deteriorou-se. Ressentida por querer compartilhar o governo com o marido e notar que isso não ocorreria nunca, aquela mulher sem dotes femininos, baixa e, após uma queda de cavalo, também manca — mas também extremamente inteligente e ávida pelo poder — acabou desenvolvendo sua própria rede de informações e intrigas. O casamento, com isso, foi desmoronando. Tudo convertia-se em motivo de desavença — por exemplo, se d. João concordava com o casamento de uma dama de d. Carlota com certo fidalgo do paço, esta se punha contra o arranjo e ao lado da dama que desejava se casar por amor.

D. João, assim como a mãe d. Maria, era dado a crises de depressão, deixava-se ficar cada vez mais em Mafra. Entre 1805 e meados de 1806, teve diversos incômodos, tonturas e indisposições, isso tudo aliado à melancolia. De Mafra, acabou partindo para Vila Viçosa, e os rumores de que estava com os mesmos sintomas da primeira fase da doença mental que atingira d. Maria começaram.

Em 1806, d. Carlota escreveria aos pais, os reis da Espanha, para relatar-lhes que "o príncipe está com a cabeça quase totalmente perdida".[15] Ao pai, foi mais longe e pediu que pressionasse d. João a fazê-la membro do Conselho de Estado.

A princesa, em parceria tanto com os marqueses de Alorna e de Ponte Lima quanto com os condes de Sarzedas e de Sabugal, procurou tomar a regência. Vazada a conspiração, que ficaria conhecida como a "conspiração dos fidalgos" ou "de Mafra", o príncipe regente, em um raro assomo de energia, retornou a Lisboa para dar fim à trama, desterrando diversos nobres e demitindo servidores da corte.

D. João e d. Carlota passariam a viver em cortes separadas. Enquanto ela passava a maior parte do tempo na sua Quinta do Ramalhão, ele ficava no palácio-convento de Mafra, habitação rica e monumental construída por seus antepassados com a fortuna proveniente das colônias; ali, gostava de assistir às liturgias e acompanhar peças de música sacra. Quem mais se prejudicou com a separação foi o pequeno príncipe da Beira, d. Pedro de Alcântara, que acabou por morar no Palácio de Queluz em companhia da avó louca.

D. João VI.

Rumo à primeira grande aventura

D. MARIA parecia enlouquecer junto com o mundo que conhecera até então. Em 1789, teve início a Revolução Francesa, que destruiria todos os resquícios do feudalismo francês e derrubaria os privilégios da aristocracia e da igreja. A monarquia absolutista dos Bourbon, na França, cairia, e em 1793, para tentar sepultá-la completamente, foram julgados e decapitados diante da sanguinária turba parisiense o rei Luís XVI e a rainha Maria Antonieta. Esse período da Revolução ficou conhecido como Terror; nessa fase, vários nobres, aristocratas e prelados franceses fugiram para salvar a própria vida, sendo recebidos em diversas cortes, entre as quais a portuguesa. Muitos seguiriam futuramente para o distante Brasil.

Com a quebra das estruturas do antigo regime e, consequentemente, também das velhas alianças familiares, a Espanha e a França acabaram por se alinhar diplomaticamente, em 1795, contra a Inglaterra. Isso deixou Portugal em uma posição delicada, ainda mais porque enviara tropas para ajudar os espanhóis e os britânicos contra a França revolucionária na Campanha do Rossilhão, na região dos Pirineus. A Espanha, sem comunicar a seus aliados, assinou o Tratado da Basileia e, juntando-se ao antigo inimigo, pôs fim ao conflito. Portugal viu-se traído pelos espanhóis e pressionado, por ambos os países, a se aliar a eles contra os ingleses. A Inglaterra era seu principal parceiro econômico e, consequentemente, também militar.

D. João tergiversou, tentando manter a neutralidade do frágil Portugal, que por anos estivera sofrendo com o descaso de d. Maria e depois do príncipe regente, incapazes de modernizar, treinar e melhor equipar seu exército. Enquanto o príncipe tentava ganhar tempo em negociações que lhe garantissem a paz, o impaciente e poderoso ministro espanhol Manuel de Godoy, amante da rainha Maria Luísa, mãe de d. Carlota, pressionou a França para uma ação conjunta contra o vizinho. Os portugueses podiam não dispor de um exército significativo, mas tinham diplomatas e espiões (se é que houvesse diferença entre ambos à época) nas principais cortes europeias. Assim, foram descobertos os planos da Espanha. D. João solicitou ajuda à Inglaterra, que desembarcou uma força expedicionária de seis mil homens. Tal força seria desmobilizada futuramente, já que, além da guerra diplomática, nenhuma invasão ocorreu.

Em meio a todas essas tensões, d. Carlota pegou a pena em 20 de julho de 1798 para pressionar o pai, o rei Carlos IV da Espanha:

> Sendo assim, sinto vivamente as ameaças de V.M. contra seus próprios descendentes, e não posso concordar com que não haja meios de compor tudo de maneira que o mundo não seja testemunha de um proceder da parte de V.M. contrário à natureza. Ah, querido Papai, e que glória dará a memória de V.M. ser um pai tão sanguinolento com a destruição da sua Casa, dos bens e da vida de seus filhos? E isso para se queria? Para agradar a um governo coberto do sangue da nossa família.[16] [...] O governo francês, em seu plano de revolução universal, e já se me afigura, juntamente com nossa destruição, a de V. M.,[17] uma vez que consintas que entrem armados em seus estados aqueles malditos instigadores e pregadores da rebelião.[18]

Com o golpe de 18 de Brumário, em 9 de novembro de 1799, e a ascensão de Napoleão, uma política externa ainda mais agressiva surgiu por parte da França. Em 29 de janeiro de 1801, ela e a Espanha assinaram um acordo estipulando a invasão de Portugal caso este não concordasse em:

- Romper diplomaticamente com a Inglaterra e fechar os portos portugueses aos navios britânicos, permitindo no lugar o comércio com os espanhóis e os franceses.
- Ceder parte de seu território para compensar a perda, pela França e Espanha, das ilhas de Minorca e Malta, tomadas pelos ingleses.

- Indenizar a Espanha e a França por prejuízos causados pela sua posição favorável à Inglaterra.
- Rever todas as fronteiras.

Sem acordo, tanto o embaixador francês quanto o espanhol deixaram Lisboa. Ignorando que o pai assinara a declaração de guerra a Portugal no final de fevereiro, d. Carlota escreveu-lhe em 22 de março de 1801:

> Senhor,
>
> Papai do meu coração, da minha vida e da minha alma: como soube que o Príncipe[19] escrevia a V.M., quis aproveitar-me da ocasião para pôr-me aos pés de V.M. e assegurar-lhe quanto me afligiu com essas dissenções que há entre estas duas Cortes, Deus queira apaziguá-las segundo os desejos do príncipe, e meus; agora peço a V.M. que me dê sua benção, e aos pequenos, e que, lembrando-se de que tem aqui esta filha, e cinco netos, às vésperas de seis, há de ajudar para que nos [...] em sossego, como todos desejamos.[20]

Um mês após a carta da infanta, teve início o que ficou conhecido como a "Guerra das Laranjas", um confronto que durou menos de um mês e no qual tanto a Espanha quanto Portugal ganharam e perderam. Enquanto a região portuguesa de Olivença, na fronteira com a Espanha, foi tomada pelos espanhóis, Portugal conquistou terras espanholas no Brasil. O Rio Grande do Sul aumentou o seu território em um terço; no Mato Grosso do Sul, a tomada e consequente destruição do forte São Jorge, à margem meridional do rio Apa, permitiu que a fronteira brasileira se consolidasse definitivamente ali. A mãe de d. Carlota, rainha Maria Luísa, teria recebido de seu amante, o ministro Manuel Godoy, um ramo de laranjeira supostamente colhido nos campos de Elvas, informando-lhe assim de que tomara Olivença — daí o nome pelo qual a rápida guerra ficou conhecida.

Em 1801, além da perda de parte do território português, o suplemento da *Gazeta de Lisboa* nº 24, de 19 de julho, anunciava:

> Havendo enfermado de bexigas a 30 de Maio o Sereníssimo Senhor D. António, Príncipe da Beira, dentro de poucos dias ofereceu o mal sintomas terríveis. [...]. Como pois, apesar de todos os socorros da Arte, se tornassem mais temerosos os sintomas, determinou logo o Príncipe Regente N.S., por efeito da sua grande piedade religiosa, unida ao seu singular desvelo paternal, que se implorasse o auxílio do

> Céu; e em consequência se fizeram Preces públicas em todas as Igrejas desta Capital. Não foi porém do agrado da Providência ouvir estas rogativas, [...] passou S. A. R. a melhor vida a 11 do corrente pelas 8 e meia da noite, em idade de 6 anos, 2 meses e 20 dias. Esta grande perda deixou a seus Augustos Pais penetrados da maior mágoa, não só pelo carinho e ternura com que amavam o defunto Príncipe, senão também por conhecerem de mais perto as raras qualidades que possuía em grão muito superior às peculiares de tais anos; porém em meio de tão viva dor deram novas provas da sua constante piedade, sofrendo com uma verdadeira resignação Cristã o expressado golpe, que igualmente afetou as demais Pessoas Reais, e a toda a Corte.

Assim, com a perda do irmão mais velho por varíola, d. Pedro, então com três anos incompletos, recebeu o título de príncipe da Beira, que era dado ao filho mais velho do herdeiro da coroa. A este, era reservado o título de príncipe do Brasil, tal como na Inglaterra o herdeiro tem o título de príncipe de Gales.

Enquanto a sucessão ao trono português era remodelada pela morte de mais um Bragança, a Europa tinha suas fronteiras redesenhadas por Napoleão. A França crescia territorial e espiritualmente. Os ideais propagados pela Revolução Francesa, o exército napoleônico e o gênio militar do corso apavoravam as monarquias europeias ainda de pé. Portugal, visando manter a neutralidade, pagava, e bastante caro, por isso. Em maio de 1803, d. João concordou em fazer um acordo com a França em que lhe daria um milhão de libras, dividido em prestações de 40 mil por mês. O conselheiro Rodrigo de Sousa Coutinho protestou. Segundo ele, o dinheiro seria mais bem empregado na defesa de Portugal do que em "sujeitar-se a um sistema de escravidão perpétuo, e que constituirá V.A.R. a feudatário do governo francês".[21]

A educação do príncipe

Em 1804, d. João lançou seu olhar ao filho, que até então vinha sofrendo com diversas doenças infantis, como sarampo e lombrigas. O principezinho continuava morando com a avó louca em Queluz, cercado de amas de leite que se revezavam em disponibilizar ao príncipe seis seios que o sustentavam.[22] Contava também o pequeno Pedro com uma aia, a marquesa de São Miguel, d. Mariana Xavier Botelho, e um aio, d. Vasco Manuel de Figueiredo da Câmara Cabral.

Estava na hora de começar a educar o príncipe da Beira. Um de seus primeiros tutores foi o vice-reitor da Universidade de Coimbra, José Monteiro da Rocha, matemático e astrônomo que se tornou conhecido como o grande reformulador dos ensinos matemáticos da instituição. Ele partira de Portugal para o Brasil ainda menino e foi criado por jesuítas em Salvador, na Bahia. Após a expulsão dos religiosos por Pombal, Monteiro da Rocha deixou a ordem e retornou à pátria aos 32 anos, no intuito de concluir os estudos. Quando de sua nomeação como tutor do príncipe, em 23 de maio de 1804, contava com 68 anos. O jovem pupilo tinha cinco.

Monteiro da Rocha foi indicado ao cargo de tutor de d. Pedro por Domingos Agostinho Vandelli. Médico e conselheiro do príncipe d. João, o italiano Vandelli fazia parte da comissão científica europeia importada por Pombal para reformar a educação portuguesa. Professor do Colégio dos Nobres e da Universidade de Coimbra, ministrou aulas de química e de história natural. Seu principal discípulo foi o brasileiro José Bonifácio de Andrada e Silva, cuja filha, Carlota Emília, viria a se casar com o filho de Vandelli, Alexandre Antônio, que, no Brasil, seria professor de botânica e ciências naturais de d. Pedro II.

Vandelli, em carta ao príncipe regente, apresentou o seguinte parecer quanto à escolha de um tutor para d. Pedro:

> É tempo para nomear-se mestre para o Príncipe da Beira. A idade de S.A.R. é a mais própria para um mestre para o ir educando, e dispondo-o a pouco e pouco a proporção dos anos, e do temperamento a formar-se um grande virtuoso Príncipe. Por este emprego é necessária pessoa, que além dos conhecimentos científicos, seja dotada de honra, prudência, desinteresse, religião das histórias, e principalmente do conhecimento dos homens. Eu não conheço outro igual ao Dr. Monteiro da Rocha, do mesmo parecer foi sempre o Príncipe.[23]

Quanto à idade avançada, não se tratava de empecilho. O italiano diz: "Vivendo o mestre 12 ou 15 anos tem tempo suficiente para educar e ensinar o discípulo, que chegando a governar não precisa mais que hábeis ministros."[24] Ou seja, um professor já idoso morreria provavelmente antes que seu aluno subisse ao trono, evitando se transformar em alguém influente junto ao novo rei. José Monteiro, ao falecer em 1819, deixou toda a sua biblioteca para d. Pedro.[25] Além dele, também foi professor do príncipe o frei Antônio de Nossa Senhora da Salete, que lhe dava aulas de latim e literatura.

Das publicações pedagógicas então editadas em Portugal — como os *Apontamentos para a educação de um menino nobre* (1734), escrito por Martinho de

Mendonça Pina e de Proença, e *Breve desenho da educação de um menino nobre* (1781), de frei José Caetano Brandão, entre outros — podemos inferir que à educação clássica de um nobre (ler, escrever, aprender línguas etc.) era mesclada a educação moral e religiosa.

Uma curiosidade é que as atividades físicas que d. Pedro cultivaria (como a natação, a escalada e os exercícios físicos em geral) e que, mais tarde, tentaria impor aos filhos, principalmente à futura rainha de Portugal, d. Maria II, podem ter resultado do método empregado pelo tutor. Martinho de Mendonça, em sua obra *Apontamentos*, dividiu o método de ensino em três tópicos, sendo o primeiro a educação física da criança, em que pregava:

> [...] Ainda que o principal fim da boa educação deva ser adornar de virtudes a alma, também deve atender a quanto pode adquirir para o corpo, disposição perfeita, robusta, e capaz, não só do estudo, mas de todos os laboriosos exercícios da vida ativa, e militar, e não somente a saúde, e vigor do corpo, é meio para os adiantamentos no estudo das ciências [...] e assim devem os pais desde que nascem seus filhos aplicar todo o cuidado para lhe aumentem o vigor e conservar a saúde.[26]

Por outro lado, Martinho de Mendonça acreditava que a instrução seria a parte menos importante da educação. A formação de um moço nobre deveria ter como fim viver prudente e virtuosamente, saber governar a casa e a família, além de servir à pátria.[27]

Além do ensino clássico, seu primeiro preceptor poderia ter-lhe narrado sua vida na distante colônia, imprimindo na alma do jovem aluno a sede de aventuras que lhe marcaria a existência. O certo é que, diferentemente do pai, d. Pedro I não acabou "embalsamado", termo com que o britânico Beckford ironicamente se referiria à vida dos príncipes portugueses na corte antes do advento napoleônico:

> A mais rigorosa etiqueta prende os infantes de Portugal dentro dos seus palácios, e por isso poucas vezes consta que eles se confundam, ainda mesmo incógnitos, com a multidão; deste modo os seus lisonjeiros sorrisos ou confidenciais bocejos não são prodigalizados ao vulgo dos observadores.
>
> Esta forma de embalsamar príncipes vivos não é, no fim de tudo, má política: conserva-os sagrados, concentra-lhes a sua real essência, tão fácil de se evaporar pela exposição![28]

A tempestade

Essa modorra da corte portuguesa, cuja vida tinha como ponto mais alto assistir a fogos de artifícios, merendar em quintas vizinhas a Queluz e seguir todas as procissões e missas possíveis, estava próxima de ser abalada. Enquanto as nuvens no horizonte pareciam cada vez mais negras, a corte se reuniu no Palácio de Queluz, em abril de 1805, para a entrega das credenciais do novo embaixador francês em Portugal. Jean-Andoche Junot também era conhecido como "Junot La Tempête",[29] dado o vigor de seu temperamento, a obsessão pelos objetivos impostos e a ânsia de avançar sempre. Conforme relatou o escritor português Raul Brandão: "Junot apresenta-se em Queluz com o brilhante uniforme de coronel general dos hussardos, branco e azul. Esbelto, louro, com cinco cicatrizes no rosto, uma das quais ainda perfeitamente visível."[30]

A esposa de Junot, Laura, deixou registrada em suas memórias a impressão do marido ao se apresentar a d. João:

> Junot se saiu bem em seu papel diplomático e foi recebido com especial distinção, inspirado, creio eu, pelo medo que poderia causar um ministro de paz como Junot, que estava disposto para dizer-lhes como Romain: eu carrego a paz ou a guerra nas dobras do meu casaco. [...]

Quanto à impressão causada nele pelo príncipe regente e os demais membros da família real portuguesa, Junot teria confidenciado à esposa:

> — Meu Deus, como ele é feio! — ele me disse —; meu Deus, como a princesa é feia; meu Deus, todos eles são feios! Há apenas um rosto bonito lá: o do príncipe herdeiro, o Príncipe da Beira, o Infante D. Pedro. Ele é encantador; parece uma pomba em meio a corujas. Mas eu não posso adivinhar — acrescentou Junot — por que o príncipe do Brasil me olhava com tanta atenção. Ele não tirou os olhos de mim um instante.
>
> Logo soubemos o que tinha causado essa curiosidade singular. Dois dias depois da apresentação, o primeiro criado de câmara do Príncipe Regente se apresentou e perguntou se o Embaixador da França estava disposto a emprestar seu uniforme dos hussardos para o alfaiate de Sua Alteza Real fazer um uniforme adulto e um outro infantil, para Dom Pedro.[31]

Junot não chegou a ver os príncipes vestidos com as réplicas dos uniformes dos hussardos, mas a esposa, sim. Laura recordaria que, enquanto d. Pedro, uma criança encantadora, ficara bem em seu pequeno uniforme, a imagem de d. João era cômica: "É uma dessas lembranças que guardamos para aqueles dias sombrios, quando é preciso sorrir da vida."[32]

Após a derrota naval franco-espanhola para os ingleses em 1805, próximo ao cabo Trafalgar, na costa da Espanha, Napoleão decidiu que, se era impossível invadir a Inglaterra, ele a asfixiaria financeiramente. Ciente da Revolução Industrial que os ingleses vivenciavam e sabendo que, sem matéria-prima, eles não conseguiriam preservar a saúde econômica do império, Napoleão acabou por instituir, em 1806, o Bloqueio Continental. Nenhum produto da Inglaterra, nem mesmo seus cidadãos, poderiam entrar nos territórios governados pela França. Posteriormente, o bloqueio passou também a considerar "sem bandeira" qualquer navio estrangeiro proveniente de porto inglês, que estaria então suscetível a ter sua carga confiscada pela França.

Enquanto Portugal era ameaçado externamente, internamente d. João lidava tanto com uma depressão profunda quanto com as tramas de d. Carlota e diversos nobres, que, na tentativa de salvar a si próprios e a Portugal, voltaram-se contra ele por intermédio da Espanha. Na tentativa de impor sua presença no governo, d. Carlota pressionava o pai, o rei espanhol, para apoiá-la. Em 13 de agosto de 1806, escreveu-lhe:

> Vou aos pés de V.M. na maior consternação para dizer a V.M. que o Príncipe está cada dia pior da cabeça, e que em consequência está tudo perdido, porque aquelas figuras estão cada dia mais absolutas, e que é chegada a ocasião de V.M. acudir-me a mim, e a seus netos, como V.M. verá pela carta anexa do Marquês de Ponte Lima, porque a pressa e o segredo não dão possibilidade de mandar um papel assinado por toda ou quase toda a Corte, que eles me ofereceram, para que o mandasse a V.M.; isto se remedia mandando V.M. uma intimação de que quer que eu entre no despacho, e que não lhe aceita réplica, porque, se a der a resposta será com armas na mão, para vingar as afrontas que F.M. sabe que ele me está continuamente fazendo, e para amparar a seus netos, já que não têm um pai capaz de cuidar deles. V.M. perdoe a intimidade que me dou, mas é este o modo de evitar que corra muito sangue neste reino, porque a Corte quer já sacar a espada em meu favor, e também o povo, porque se vê por fatos imensos que está com a cabeça perdida; assim, peço a V.M. faça o dito verdadeiro, há de fazê-lo logo, e eu farei então com que ele mesmo emende muitas coisas, porque

lhe meto medo ameaçando-o com o que hei de dizer a V. M. para que me ajude, já que ele não me quer fazer o que é de razão, e bem do reino [...].[33]

A tentativa desesperada acabou se revelando infrutífera: sua família na Espanha calou-se a respeito do assunto. Além disso, quando a trama foi descoberta, a tensão em seu casamento tornou-se tamanha que Carlota só voltaria a se encontrar com o príncipe em ocasiões formais na corte.

Em agosto de 1807, a pressão da França e da Espanha sobre Portugal se intensificou. A França exigia que Portugal ingressasse no Bloqueio Continental, abandonando por completo sua neutralidade e fechando seus portos ao comércio com a Inglaterra. Além disso, exigia que fosse expulso o embaixador da Inglaterra, declarada guerra aos ingleses, presos todos os súditos britânicos em seu território e confiscadas as suas propriedades. Como se tudo isso não bastasse, Portugal teria que entregar a frota de navios à França e à Espanha, além de fornecer fundos a ambos os países em sua guerra contra os ingleses. Não fossem obedecidas as exigências até 1º de setembro, ambas as potências declarariam guerra ao país.

Desde 1801, d. João vinha buscando um meio-termo para Portugal no intricado jogo político europeu. De um lado, caso o príncipe se aliasse aos espanhóis e franceses, a poderosa armada inglesa que dominava o Atlântico daria fim ao domínio português em sua rica colônia americana. Do outro, a crescente pressão da Espanha e da França sobre o território português punha em dúvida a continuidade de uma metrópole capaz de se refestelar na bonança econômica e mercantil vinda, principalmente, do Brasil.

Brasil como sede do poder, uma ideia antiga

Diversos outros soberanos, intelectuais e políticos já haviam pensado seriamente em transferir o centro do poder de Portugal para o Brasil: em 1580, durante a luta para manter Portugal independente da Espanha, a ideia foi cogitada; d. João IV, Pombal, o padre Vieira, entre outros, já haviam considerado o mesmo. Em 1801, d. Pedro, marquês de Alorna, escreveu a d. João, durante a Guerra das Laranjas:

> V.A.R. tem um grande império no Brasil, e o mesmo inimigo que ataca agora com vantagem, tal vantagem, talvez que trema, e mude de projeto, se V. A. R. o ameaçar de que dispõe a ir ser imperador naquele vasto território adonde pode facilmente conquistar as colônias espanholas e aterrar em pouco tempo as de todas as potências da Europa. Portanto é preciso que V. A. R. mande armar com toda a pressa todos os seus navios de guerra, e todos os transportes que se acharem na praça de Lisboa.[34]

Em 1803, d. Rodrigo de Souza Coutinho disse em carta ao príncipe regente:

> Portugal [...] não é mais essencial parte da monarquia; [...] ainda resta ao seu soberano, e aos seus povos, o irem criar um poderoso império no Brasil, donde se volte a conquistar o que se possa ter perdido na Europa [...] e donde se continua uma guerra eterna contra o fero inimigo, que recusa reconhecer a neutralidade de uma potência, que mostra desejar conservá-la. Quaisquer que sejam os perigos, que acompanham tão nobre, e resoluta determinação, os mesmos são sempre muito inferiores aos que certamente hão de seguir-se da entrada dos franceses nos portos do reino, e que ou hão de trazer a abdicação de V.A.R. à sua real coroa, a abolição da monarquia, ou uma opressão fatal.[35]

Dessa vez, Portugal tomaria medidas mais efetivas do que a mera política de procrastinação adotada, até ali, pelo governo de d. João. Em reunião do Conselho de Estado em 19 de agosto de 1807, diante do ultimato da França e da Espanha, ficou decidido que o país não aceitaria a reivindicação por completo: fecharia os portos à Inglaterra, com prévia concordância dos britânicos, mas não declararia guerra a eles, não expulsaria seu embaixador, nem tomaria qualquer atitude contra os súditos ingleses. Outra medida importante foi a solicitação do regresso, a Lisboa, da frota portuguesa que patrulhava o Mediterrâneo em busca de piratas.

Enquanto o prazo do ultimato de Napoleão se esgotava e os embaixadores francês e espanhol pressionavam o governo de Lisboa por uma resposta imediata, o Conselho reuniu-se novamente em 26 de agosto para decidir que o príncipe da Beira, d. Pedro de Alcântara, então com oito anos, seria enviado ao Brasil em companhia da infanta d. Maria Benedita, viúva de d. José, cunhada e tia do príncipe regente, bem como duas vezes tia (tia-avó e de primeiro grau) do menino (o esquema de casamento de algumas casas reais criavam anomalias assim). D. Pedro deveria embarcar no navio *Afonso de Albuquerque*, que vinha sendo preparado para ele. O visconde de Anadia, secretário de Estado para os

Negócios da Marinha, ia diariamente à embarcação para assegurar-se de que as ordens estavam sendo executadas, e d. João chegou a fazer uma visita à nau para se certificar pessoalmente das acomodações. Foram nomeados camareira-mor e aio principal do jovem d. Pedro os condes de Belmonte, e o local onde o príncipe deveria se instalar acabou por ser modificado: em vez da cidade de São Paulo, seguiria para o Rio de Janeiro.[36] D. João teria tentado, segundo diversos historiadores, informar a rainha d. Maria da situação. De acordo com o cronista Melo Morais, a monarca, num momento de lucidez, haveria respondido ao filho: "E tuas tias, que ficam aqui fazendo? Ou vamos todos, ou não vá ninguém."[37]

"Vamos todos"

O suposto projeto de viagem serviu como pretexto para a preparação de uma frota que deixaria Portugal em direção à América. Enquanto os embaixadores franco-espanhóis continuavam pressionando, o governo de d. João tergiversava, conseguindo uma dilatação do ultimato até outubro.

Em 30 de setembro, d. Carlota já sabia dos planos de ir para o Brasil. Segundo ela, d. João manifestara o desejo de que três de seus filhos fossem para a colônia, a fim de dar garantia aos ingleses. Também haveria dito que, se preciso fosse, iriam todos,[38] para terror da princesa, que solicitava encarecidamente aos pais que obrigassem o príncipe a deixá-la ir com as filhas e a sua corte para a Espanha. Em 9 de outubro, implorou novamente à mãe:

> As crianças vão para a América para satisfação dos ingleses; e o príncipe também mandou por tudo pronto para si; mas às escondidas de mim, minha mãe. [...] Perdoe VV. MM. tanta impertinência, porém a necessidade do pronto socorro de VV. MM. nesta ocasião, me faz ser importuna, porém, VV. MM. são tão bons que há de se compadecerem de mim e de 4 netas, e livrá-las das garras dos leões [...].[39]

Ordens foram expedidas ao Brasil para que se suspendesse a partida de navios carregados para a Europa. Com a falta de uma posição clara por parte de Portugal, os embaixadores franco-espanhóis acabaram por solicitar seus passaportes e partiram para seus respectivos países. Ainda tentando ganhar tempo, o governo português expulsou o embaixador britânico e ofereceu prazo e transporte aos súditos ingleses para que abandonassem Portugal. Desesperado, d. João ainda tentou negociar o casamento do príncipe d. Pedro com uma sobrinha de Napoleão. Já era tarde, porém: as medidas, além de não apaziguarem o imperador francês e os espanhóis, deixaram os britânicos em alerta. Uma frota partiu da Inglaterra em direção a Lisboa com instruções claras: caso Portugal caísse, os navios portugueses no Tejo deveriam ser apreendidos ou destruídos para não serem tomados pelos franceses. Além disso, ordens foram dadas (e posteriormente revogadas) para que as possessões portuguesas na Ásia, como Goa e Macau, fossem tomadas pelas forças inglesas na região.

Em meados de outubro, teve início a marcha do exército francês sob a liderança de Junot, que atravessou a Espanha para chegar à fronteira portuguesa. Nesse ínterim, a França e a Espanha assinaram, em 27 de outubro, o Tratado de Fontainebleau, que dividia Portugal entre os dois países. Além disso, ameaças constantes à família Bragança vinham de Napoleão. Em 15 de outubro, este declarava: "Se Portugal não fizer o que eu quero, a Casa de Bragança não reinará mais dentro de dois meses."[40] O jornal francês *Le Moniteur*, de 11 de novembro, afirmou que a Inglaterra via com indiferença o que se passava com os portugueses, insinuando que, quando Portugal fosse tomado, os ingleses se apossariam do Brasil. E continuou: "A queda da Casa de Bragança constituirá mais uma prova de que é inevitável a derrota de todos quantos se unirem aos ingleses."

Na noite de 24 de novembro, o príncipe regente convocou o último Conselho de Estado. As tropas francesas já se encontravam em território português, e o governo acabara de receber o ultimato de sir Sidney Smith, comandante da frota inglesa que iniciara o bloqueio ao porto de Lisboa dois dias antes. Sir Sidney alertou que, caso as disposições portuguesas não fossem amigáveis, apertaria ainda mais o cerco, chegando ao ponto estendê-lo a outros portos da nação, apreenderia os vasos de guerra de Portugal e sequestraria os navios mercantes que partiam para o Brasil. Naquela noite, decidiu-se pelo embarque de d. João VI e de toda a família para a colônia americana e pela reabertura de todos os portos aos navios ingleses, tanto de guerra quanto mercantes.

No dia 25, à meia-noite, o visconde do Rio Seco foi intimado a comparecer perante o príncipe regente no Real Palácio da Ajuda, em Lisboa. Lá, segundo relato do próprio, d. João deu-lhe ordens relativas aos arranjos necessários para que toda a família real embarcasse para o Brasil no dia 27. Dotado de uma urgência e um desembaraço raramente vistos até então, o príncipe passou a emitir ordens a outros funcionários e secretários de Estado, solicitando-lhes que não só seus bens fossem embarcados, como também o tesouro e os pertences da Igreja Patriarcal de Lisboa. Ordenou-lhes ainda que repartissem pelas embarcações ancoradas os membros da corte que acompanhariam a família real ao Brasil.[41]

Rio Seco ainda foi testemunha, no dia 27, do mau humor do povo de Lisboa, que assistia taciturno ao embarque da corte enquanto seu futuro incerto. No entanto, também incerta era a travessia de uma corte para o outro lado do oceano Atlântico, rumo a um país completamente diferente daquele com que estavam acostumados, tanto no que diz respeito ao clima quanto aos hábitos, costumes e educação. Ao contrário das colônias espanholas na América, aquela para a qual rumavam não tinha nem sistema de ensino, nem indústrias. Tratava-se de uma tela praticamente em branco, onde um novo estado administrativo teria que ser implantado para governar as demais colônias e estabelecer comércio com as nações, principalmente a Inglaterra, uma vez que os portos brasileiros de então eram abertos unicamente em direção à metrópole: Portugal.

Os primeiros membros da família real a chegarem ao porto foram D. João e seu sobrinho, o infante espanhol d. Pedro Carlos, filho de sua falecida irmã d. Mariana. Em vez de retornar à Espanha, d. Pedro Carlos optara por acompanhar os Bragança rumo ao Brasil. O príncipe ia em uma carruagem sem nenhuma pompa, tendo o cocheiro vestido com simplicidade, sem a luxuosa libré da corte — afinal, a multidão já apedrejara alguns carros e seus ocupantes em fuga; não convinha, portanto, grandes solenidades para a ocasião. Posteriormente, d. Carlota chegou com os filhos d. Pedro e d. Miguel, as cinco filhas mais velhas e a caçula, d. Ana de Jesus Maria, futura marquesa de Loulé, então com onze meses. De Queluz vinha a rainha de 73 anos, d. Maria, que teria exclamado ao cocheiro que partia a toda brida para logo chegar ao porto: "Não conduzam tão depressa! Vão julgar que estamos a fugir."[42]

Uma testemunha ocular, Euzébio Gomes, anotou em seu diário a respeito da partida da corte para o Brasil:

> Embarcou a família Real no cais de Belém [...] entre lágrimas e suspiros gerais. Que grande confusão houve no cais de Belém!!!! Todos querendo embarcar, o cais amontoado de caixas, caixotes, baús, malas e trinta mil coisas, que muitas ficaram no cais tendo seus donos embarcado, outras foram para bordo e seus donos não puderam ir. Que desordem e confusão![43]

D. Maria enfrentou, na ocasião, sua própria Guerra das Laranjas, ou melhor, "do" Laranja: "A rainha sem querer embarcar por forma alguma, o príncipe aflito por esse motivo!!! Foi o Laranja[44] que fez com que a rainha embarcasse."

O capitão, segundo o relato de Euzébio Gomes, teria abandonado completamente a etiqueta palaciana e retirado ele mesmo a rainha do veículo, transportando-a como uma mercadoria qualquer até pô-la no barco. Também embarcaram naquele dia as irmãs de d. Maria: d. Maria Benedita e d. Mariana.

Na nau *Príncipe real*, foram embarcados, com mais de mil pessoas, d. Maria, d. João, d. Pedro e d. Miguel; este último, segundo o próprio príncipe regente teria afirmado, não seria seu filho. Em 1802, o *London Observer*, assim como outros jornais ingleses, chegou a relatar que d. João afirmara a vários membros do corpo diplomático que não se considerava pai do então recém-nascido d. Miguel, porque havia dois anos não tinha relações sexuais com d. Carlota.[45] Legítimo ou não, caso acontecesse algo com o navio, todos os herdeiros imediatos da casa de Bragança pereceriam.

Embarque da família real portuguesa nos cais de Belém.

Enquanto os membros da família real estavam razoavelmente albergados, o mesmo não se podia dizer de uma série de membros da corte. Muitos contavam apenas com a própria roupa do corpo e tiveram que disputar espaço no tombadilho. Além disso, os mantimentos e a água para toda essa gente eram escassos.

Foi esse o caos encontrado por Sir Sidney Smith, comandante da esquadra que até então bloqueava Lisboa, ao subir a bordo do *Príncipe real* para conversar com d. João e acertar a escolta que a Inglaterra oferecia ao príncipe em sua viagem ao Brasil.

O que devia achar o pequeno príncipe da Beira, d. Pedro de Alcântara, dessa aventura toda? Até então, ele vivera entre algumas propriedades da família, visitando o pai em Mafra, às vezes a mãe na Quinta do Ramalhão, indo para Caxias e Lisboa e morando basicamente em Queluz. Agora, porém, atravessaria aquele grande oceano para chegar à América!

Eugène Garay de Monglave nos legou uma cena viva do menino a bordo do navio. Durante a viagem, *o príncipe não demonstrou nem medo*, nem qualquer tipo de preocupação. Passava os dias misturado aos oficiais e guardas-marinhas, participando das manobras de bordo e dos cálculos de longitude. Quando não estava imerso nas experiências náuticas, podia ser encontrado sentado ao pé do mastro principal lendo a *Eneida* de Virgílio no original latino, o que acabou por se transformar em uma paixão: não se passava um dia sem que fosse visto com o livro em mãos.[46]

Podemos inferir que aquele volume não chegara ao acaso *às mãos* de d. Pedro: tratava-se de leitura escolhida por algum de seus professores a bordo, provavelmente pelo ex-bibliotecário real de Mafra, frei Antônio de Arrábida, responsável por ministrar ao príncipe, durante a viagem, tanto sua educação acadêmica quanto espiritual, uma vez que o dr. José Monteiro da Rocha havia permanecido em Portugal. Aquele franciscano alto e esguio de 36 anos, que apreciava tanto a vida mundana quanto a intelectual, era profundo estudioso de botânica e de teoria política. A convivência a bordo entre o príncipe e o frei se consolidaria numa relação duradoura. Frei Arrábida, além de confessor do príncipe real, seria também seu mentor político.

Cercado pelo oceano e em meio a tempestades que acabaram por distanciar os navios que seguiam para o Brasil, viveu d. Pedro a primeira parte de uma grande aventura. Afinal, que outro rei europeu havia, até então, posto os pés na América? Ele, o pai e a avó seriam os primeiros príncipes de uma casa real governante a desembarcarem no Novo Mundo, 316 anos após o descobrimento! E, enquanto aguardava o contato com seu domínio do outro lado do Atlântico, com os nativos, os animais e a floresta virgem, d. Pedro mantinha-se entretido com a *Eneida*, sonhando com o Cavalo de Troia e, principalmente, com o lendário herói Eneias.

Eneias era um troiano que fugira da derrocada de sua cidade, carregando nas costas seu velho pai e, pelas mãos, seu jovem filho. Destinado a fundar uma nova Troia, passou por diversas aventuras e vagou, errante, pelo mar Mediterrâneo, após o que chegou à Itália para erguer os muros de Roma. Assim como Eneias, que podia muito bem ser comparado a d. João, que carregou tanto o passado quanto o futuro de Portugal ao abandonar Lisboa antes de sua queda, d. Pedro participaria, no futuro, da fundação de uma nova nação.

Parte II

Brasil – 1808-1831

Carioca mais que português

DE SEUS 36 anos de vida, d. Pedro passou 23 no Rio de Janeiro e 13 entre Portugal, Açores e França. Seu primeiro contato com o Brasil se deu ainda no mar. Em 17 de janeiro, quase dois meses após embarcarem em Lisboa, o navio *Príncipe real* foi localizado pelo brigue *Três corações*, enviado pelo governador de Pernambuco, Caetano Pinto de Miranda Montenegro. O barco estava carregado de mantimentos frescos da nova terra: verduras, legumes e frutas, como mangas, cajus e pitangas.

Em 22 de janeiro de 1808, após 54 dias ao mar, a parte da esquadra que não se perdera durante as tempestades baixou âncoras em Salvador, na Bahia. No dia seguinte, a recepção do povo baiano aos que desembarcavam foi efusiva. D. Pedro pôs os pés no Brasil pela primeira vez por volta das cinco horas da tarde do dia 23, quando, junto aos pais e irmãos, chegou ao bairro da Ribeira, na cidade baixa. O povo os ovacionava à medida que entravam nas carruagens e seguiam pela rua da Preguiça, de onde subiram a ladeira da Gameleira até o largo do Teatro. Por entre alas compostas de soldados engalanados, desceram então dos veículos e seguiram a pé até a Sé. Os sinos de todas as igrejas repicavam, e na catedral cantou-se um solene *Te Deum* em ação de graças pela feliz viagem.[1]

Salvador deve ter feito os portugueses recém-chegados se lembrarem da Lisboa que haviam deixado para trás. A exemplo da capital portuguesa, a antiga capital colonial do Brasil fora construída em diversos níveis e mostrava-se repleta de ladeiras. Entretanto, a população não lembrava a de Portugal. Segundo o conde da Ponte, em levantamento feito um ano antes, Salvador possuía "25.502 pretos quando o número de brancos não excede a 14.260 e o de pardos a 11.350".[2]

O viajante francês Ferdinand Denis deixou-nos um retrato vivo da escravidão e da população baiana. Denis, que esteve em Salvador oito anos depois da corte, observou que o negro ali era "mais livre e mais considerado do que nas colônias francesas", sendo "menos surrado do que na Martinica e na Ilha de França".[3] A alimentação, contudo, seria de pior qualidade: "Farinha de mandioca, carne seca, algumas bananas, algumas espigas de milho, eis tudo quanto deve nutri-los." E não só a comida era ruim aos olhos do estrangeiro:

> Nunca me habituarei a ver esses bandos de homens, chegados diariamente da costa da África, esquálidos, abatidos, com um simples pano de algodão por vestimenta. Não raro os senhores os forçam a cantar pela rua, enquanto seguem rumo do armazém, onde esteiras escangalhadas vão dar descanso aos corpos fatigados pela viagem.[4]

Outro detalhe não passou despercebido ao olhar de Denis — e, provavelmente, também não ao de d. Pedro e do restante da corte. A respeito das mulheres, escreveu o francês: "Às negras e às mestiças, espanta a mobilidade incrível do traseiro delas sempre em movimento. A facilidade das crioulas de fazê-lo girar como uma bola pasma os europeus."[5]

Ao impacto da cor do povo nas ruas, do contato mais íntimo com a escravidão, das novas cores e odores e da natureza exuberante, seguiram-se novas cerimônias, em diversos outros dias, para comemorar a chegada da corte à Bahia. No dia 24, d. Maria desembarcou e juntou-se à família já instalada no palácio do governo. D. Carlota Joaquina só pisaria definitivamente em terra firme quatro dias depois. Ocuparia um aposento na Casa da Relação, ligada por um passadiço ao palácio. Ali, dezoito anos depois, se hospedaria também sua futura nora, a imperatriz d. Leopoldina.

Abertura dos portos

No dia 28, o príncipe assinou a Carta Régia, que abria os portos da antiga colônia às nações amigas. A Carta pode ser considerada o marco inicial da independência do Brasil. Apesar de esse ato ter sido acordado anteriormente com a Inglaterra, que continuava precisando da riqueza natural do Brasil para abastecer a Revolução Industrial, ele pode ter sido promulgado de forma tão imediata devido à tensão criada pelas centenas de navios que permaneciam parados nos portos brasileiros desde a ordem de outubro do ano anterior.

Antes da Carta Régia, o Brasil não passava de uma propriedade privada de Portugal, sendo vedada a entrada de qualquer estrangeiro e proibido o livre comércio, conforme narra o comerciante britânico John Armitage:

> Pela política de Portugal, uma das mais belas e férteis regiões do globo havia sido privada de toda a comunicação e comércio com as outras nações da Europa, a ponto que a residência e admissão dos estrangeiros eram ali vedadas. Os navios dos aliados da Metrópole conseguiam ancorar nos seus portos, mas só era permitido aos passageiros e à gente das equipagens desembarcar, vigiados por escoltas de soldados.[6]

Como exemplo do controle absoluto que Portugal buscava exercer sobre a colônia, podemos citar o caso do livro *Cultura e opulência do Brasil por suas drogas e minas*. Escrita por um religioso que morava na Bahia, a obra, após obter todas as licenças necessárias da mesa censória, foi impressa em Lisboa no ano de 1711. Ao saber de sua existência, o Conselho Ultramarino, órgão administrativo que governava as possessões portuguesas, mandou suspender a edição e confiscou os exemplares em que conseguiu pôr as mãos. O Conselho não viu com bons olhos uma obra que trazia informações sobre as minas de ouro e diamantes do Brasil, bem como dados econômicos referentes às demais produções locais, como a açucareira. O livro poderia provocar a cobiça das demais nações pela colônia americana.

Se a abertura dos portos teve consequências diretas para o Brasil, foi unicamente porque a sede do poder havia mudado e era necessário voltar a organizar as finanças portuguesas. A Inglaterra foi quem mais se beneficiou com essa abertura, pois usufruía de taxas especiais de importação e exportação. Em Londres, os comerciantes, ao saberem da possibilidade de tratarem livremente com a antiga colônia portuguesa, mas sem terem a mínima ideia de como era o país, mandaram diversos carregamentos de fogões para aquecer os brasileiros, bem como pesados tecidos de lã.[7]

Outra consequência direta para o Brasil estaria, como afirma Sérgio Buarque de Holanda, no "novo descobrimento".[8] Com os portos abertos, os viajantes estrangeiros enfim podiam desembarcar livremente por aqui, e seus relatos seriam publicados no resto do mundo mostrando hábitos, costumes, riquezas do país.

D. João foi-se deixando ficar em Salvador, cercado de homenagens e de crescentes manifestações de amizade por parte dos baianos, que tentavam seduzir o príncipe e a corte na esperança de restabelecerem novamente a capital do Brasil em Salvador. Se d. João não lhes fez a vontade maior, correspondia porém em régios agradecimentos. Em 5 de fevereiro, promoveu a oficialidade baiana, aumentando os postos militares de todas as armas e distribuindo diversas condecorações. D. João parecia gostar da cidade; era comum vê-lo em carruagem aberta, circulando e conhecendo, com d. Pedro, seus entornos. Geralmente, vinha acompanhado de uma multidão, que o cercava com vivas entusiasmados e recebia, em troca, patacas de prata. No dia 11, junto com o filho d. Pedro, foi visitar a ilha de Itaparica, onde acabaram presos por conta do vento contrário e obrigados a pernoitar na casa de um ilhéu.[9]

Os baianos tentaram de tudo para fazer d. João ficar. Os comerciantes teriam chegado a prometer-lhe a construção, por eles mesmos custeada, de um magnífico palácio, com todos os quartos e as riquezas dignos de um rei.[10] Entretanto, o futuro da corte seria mesmo o Rio de Janeiro. Apesar de Salvador ser uma cidade grande e bem construída, dotada de diversos templos e grandes edificações, e a capital brasileira estar cercada de pântanos que dificultavam e encareciam a construção de novos prédios, a cidade baiana era muito vulnerável. O forte que ali existia oferecia pouca proteção, uma vez que seu poder de fogo não conseguia cobrir os dez quilômetros de largura do canal da barra.

A esquadra levando a família real e a corte zarpou para o Rio de Janeiro em 26 de fevereiro, deixando os baianos desconsolados. Antes da partida, d. João e d. Pedro devem ter ouvido a população que cantava pelas ruas na companhia de músicos:

Meu príncipe regente
Não saias daqui
Cá ficamos chorando
Por Deus e por ti.[11]

Em 7 de março, a esquadra chegaria ao seu destino final, encontrando a outra parte dos navios perdidos na furiosa tempestade de 8 para 9 de dezembro que dividiu a frota, e parte da família real, durante a travessia do Atlântico Norte.

O Rio de Janeiro

Como ainda hoje ocorre a quem tem a oportunidade de visualizar a baía da Guanabara do mar, não é difícil de imaginar como d. Pedro e os demais viajantes devem ter se maravilhado com a paisagem. O morro do Pão de Açúcar,[12] com seus mais de 400 metros de altitude, marcava o lado esquerdo da entrada da barra. A cidade, diferentemente de Salvador, era construída quase inteiramente ao nível do mar. Acima da urbe destacava-se, ao fundo, a luxuriante vegetação tropical; entre esta e as construções da cidade, massas brancas refulgiam ao sol. Tratavam-se do mosteiro de São Bento, do convento de São Francisco e dos fortes do Castelo e da Conceição, fixados a cavaleiro sobre morros que disputavam o espaço da cidade com os alagadiços.

Em 8 de março de 1808, às quatro horas da tarde, na tentativa de fugir do escaldante sol do verão carioca, d. Pedro e toda a família real, com exceção da avó, desembarcaram no seu destino. Um barco levou-os até o cais do largo do Paço, atual praça XV. De lá, assim como em Salvador, seguiram todos, sob um pálio de seda sustentado por membros da Câmara do Rio de Janeiro, para a missa de Ação de Graças na igreja de Nossa Senhora do Rosário e de São Benedito, que então funcionava como Sé. Passaram por alas de soldados perfilados e bandas de música. O povo aplaudia o cortejo, e do céu vinha o barulho dos fogos e das salvas de canhões. À saída da igreja, d. João e d. Pedro seguiram juntos, na mesma carruagem, escoltados por esquadrões de cavalaria, até o "palácio" que havia sido preparado para a família real.

Pouco antes de a esquadra aportar na Bahia, a família real havia encontrado um navio que vinha do Rio de Janeiro. D. João teria perguntado ao capitão se já se sabia na cidade que a corte estava para chegar. O capitão confirmou na hora: "Sim, sabem. Se prepara a cadeia para recebê-la!"[13] A resposta provavelmente espantou o príncipe. Como assim? Haviam passado o diabo para fugir de Napoleão e, agora que chegavam ao Brasil, seriam encarcerados?

Quem esclareceu a questão foi d. Fernando José de Portugal e Castro, ex-vice-rei do Brasil. Ele explicou que provavelmente o conde dos Arcos, d. Marco de

Noronha e Brito, vice-rei atual, deveria ter mandado evacuar a antiga cadeia, localizada ao lado do Palácio dos Vice-Reis, para receber o príncipe e sua família. Ainda tentando acalmar os ânimos, d. Fernando procurou assegurar a fidelidade dos brasileiros, garantindo que o príncipe seria recebido com a mais viva simpatia.[14]

Essa história ilustra o quão improvisada foi a instalação da família real e da corte no Rio de Janeiro. Até então isolada, carente de hotéis ou pensões para viajantes, a cidade teve que se adequar como pôde. Para hospedar a família real e seus criados, o antigo Palácio dos Vice-Reis foi unido por passadiços, ao fundo, com o convento do Carmo, e, na lateral esquerda, de quem vê o complexo com as costas voltadas para o mar, com a Casa de Câmara e Cadeia. Desses edifícios, só restam hoje o antigo Palácio, atualmente Centro Cultural Paço Imperial, e o edifício que abrigou o convento do Carmo. A antiga Casa de Câmara e Cadeia chegou a contar, ao longo de seus 280 anos de existência, com presos famosos, como o alferes Joaquim José da Silva Xavier, o Tiradentes; depois, virou a sede do Parlamento do Império. Foi demolida em 1922 para a construção do Palácio Tiradentes, sede do Congresso Nacional à época e, hoje, da Assembleia Legislativa do Estado do Rio de Janeiro.

O conde dos Arcos mostrou grande iniciativa em unir os prédios e redecorá-los: caiou os edifícios e forrou-os internamente com sedas. Entretanto, as antigas celas dos monges e as dos prisioneiros, além dos escritórios e das salas de reunião do antigo palácio, não pareceram convidativas à família real e seus criados, que chegavam a 300 pessoas. Para o negociante inglês John Luccock, o local não passava de uma residência miserável a que buscaram dignificar dando o nome de palácio.[15]

Além da família real, seus criados e funcionários, a corte que desembarcou na cidade comportava cerca de 20 mil pessoas. A população do Rio de Janeiro aumentou em um terço, de 60 mil para 90 mil.[16] Apesar dos ventos liberais que varriam a Europa graças à Revolução Francesa e à propagação de suas ideias pelo exército napoleônico, junto com a corte chegaram também ao Rio alguns costumes feudais inerentes ao Antigo Regime. Os membros da nobreza e do funcionalismo estatal foram beneficiados por um velho costume, chamado "aposentadoria ativa". Isso lhes garantia o direito de escolher a moradia que preferissem, inclusive as ocupadas por seus legais proprietários, quando estivessem, em função do Estado, longe de seu local de residência efetiva. Assim que um imóvel era requerido, um juiz ordenava as devidas intimações e a morada escolhida recebia, à tinta ou giz, as letras P. R. (Propriedade Real ou Príncipe Real), que os jocosos cariocas logo traduziram por "ponha-se na rua".[17]

Novos locais, novos hábitos

Depois de anos separados e de meses viajando em navios distintos, não seria dessa vez que os Bragança ficariam muito tempo sob o mesmo teto. A paisagem do Rio de Janeiro podia ser espetacular, mas o calor tropical e a insalubridade da cidade, onde o esgoto escoava a céu aberto pelo meio da rua, formando poças nauseantes, fizeram com que cada príncipe partisse para uma região diferente dos subúrbios da cidade, cada qual carregando consigo uma parte dos filhos. D. João, com d. Pedro, d. Miguel e o sobrinho de 22 anos, d. Pedro Carlos, foi morar em uma propriedade rural, a Quinta da Boa Vista, a seis quilômetros da cidade. A casa lhe fora cedida, em troca de dinheiro, postos e condecorações, por Elias Antônio Lopes, nome aportuguesado do comerciante sírio-libanês Elie Antun Lubbus, traficante de escravos.

> Esta casa era extraordinariamente grande para um particular solteiro, pequena para a residência de um soberano. É de notar que em 1803, sendo perguntado este Elias por que razão edificava uma casa tamanha, respondeu (talvez com base em certas profecias, que o povo supersticioso cria deverem-se realizar por aquela época) que era para residência do príncipe regente de Portugal, e com efeito em 1808 a ofereceu ao príncipe, que a aceitou.[18]

O nome do local, Quinta da Boa Vista, fazia jus ao cenário que se descortinava ali. À frente da residência, era possível avistar o mar; em uma de suas laterais, o morro do Corcovado e a floresta da Tijuca dominam a paisagem até os dias de hoje.

A casa, que abrigaria os Bragança no Brasil por 81 anos, formava, segundo o pintor Manuel de Araújo Porto-Alegre, um quadrilátero de 240 palmos de lado. D. João habitava o local durante o dia e retornava à cidade para dormir, ao menos enquanto a rainha d. Maria I ainda vivia. Depois de sua morte, passou a morar permanentemente na Quinta. O quarto de d. João, ainda segundo Porto-Alegre, media "24 palmos quadrados e tinha por adjacência um outro um pouco menor [...]. Tinha o rei um pequeno gabinete de trabalho, uma sala para diplomatas e uma sala do trono", onde recebia o beija-mão.

Gravura representando as diversas fases construtivas do Palácio de São Cristóvão, na Quinta da Boa Vista, desde o estabelecimento de d. João VI até o fim do Primeiro Reinado.

Também do agrado de d. João era passar os verões em locais ainda mais distantes do Rio. A partir de 1809, ele começou a frequentar a fazenda de Santa Cruz, propriedade de 23 mil hectares que pertencera primeiro aos jesuítas e passara, desde a expulsão da ordem pelo marquês de Pombal, à Coroa. A fazenda ficava 80 quilômetros a oeste da cidade do Rio de Janeiro, no caminho para São Paulo. O príncipe regente e seus filhos também usufruíam de um sítio chamado Frexeiras, na ilha do Governador, onde viviam vários animais, incluindo um urso[19] doado pelo czar da Rússia. D. João também era recebido por temporadas em diversas propriedades nos arredores da cidade, como na fazenda do padre Correa.[20] D. Pedro daria continuidade ao costume de se hospedar no local e futuramente compraria uma fazenda próxima, a do Córrego Seco, que deu origem à cidade de Petrópolis. D. Carlota, junto com as filhas, dividia seu tempo entre uma casa na praia de Botafogo e chácaras no Andaraí e Mataporcos.

A rainha d. Maria I foi a única a permanecer no Paço da Cidade. Ela habitava um quarto no andar superior do antigo convento do Carmo, mas não ficava confinada. Passeava de carruagem todas as tardes e chegou a passar algumas temporadas em uma casa no bairro das Laranjeiras, próximo da bica que é até hoje conhecida como "da Rainha". De seus constantes passeios, em que era conduzida sem vontade própria pelas damas de companhia — tudo regido pela etiqueta que fazia a corte funcionar sozinha —, teria se originado a expressão "Maria vai com as outras".[21]

D. Maria costumava acordar por volta das 8 da manhã, tomava o "pequeno almoço" — nosso atual café da manhã — e punha-se em um canapé. Ali aguardava as visitas da família. Enquanto d. João ajoelhava-se para beijar-lhe a mão, d. Carlota beijava-a de pé e perguntava-lhe como estava. A conversa da nora com a sogra não passava de 20 minutos, quando a princesa então se retirava e deixava d. João a sós com a mãe. Depois vinham as netas cumprimentar a avó, com as mais velhas conduzindo as mais novas. D. Maria, ao ver as pequenas, dizia: "Que vem aqui fazer estes cupidinhos?" Ou: "Para que trazem cá estas pequenas?"[22] Quando d. Pedro vinha beijar-lhe a mão, a avó coçava a cabeça do jovem e afagava-lhe os cabelos, dizendo à criada, d. Joana Rita de Lacerda: "Para este há de ser a minha coroa."[23]

No entanto, nem sempre d. Maria estava bem para receber a família. Por vezes, acometiam-na surtos em que ficava agressiva, xingava e esbofeteava as criadas, que acabavam fugindo do serviço alegando doença. Não, porém, d. Joana de Lacerda, a Joaninha, que, sempre fiel e paciente, recebeu de d. João o título de baronesa e, depois, viscondessa do Real Agrado.

Retomando a educação do príncipe

Após a chegada ao Rio, e estando já todos instalados, as "férias escolares" de d. Pedro passaram a ter os dias contados. Em 15 de outubro, três dias após o aniversário do príncipe da Beira, o diplomata João Rademaker enviava a d. Rodrigo de Sousa Coutinho, ministro dos Negócios Estrangeiros e da Guerra, bem como virtual chefe do governo, uma carta em que ponderava a proposta de ser o principal preceptor de d. Pedro.

> Depois que tive ultimamente a honra de ver a V. Exa., tenho-me empregado muito seriamente em ponderar a importante proposição que V. Exa. me fez; e julgar-me-ia feliz, além de quanto posso explicar se eu pudesse desempenhar as obrigações de um lugar de que depende tanta satisfação particular, e tanta felicidade pública: de onde deve resultar tanto prazer a S.A.R., o príncipe regente, nosso senhor, como pai; e tantas vistas de vantagem futura a Nação. [...] se for do agrado de S.A.R. [...] que eu me encarregue de uma educação tão importante, buscarei com empenho dirigi-la do modo que seja mais capaz de formar o coração e o entendimento, e constituir um caráter o mais chegado que for possível à perfeição ideal.[24]

O que o ministro que convidara Rademaker para o cargo não sabia era que o antigo diplomata português trabalhava como agente secreto inglês a soldo de lorde Stragford, o arrogante e prepotente ministro da Inglaterra junto à corte portuguesa.[25] João Rademaker, que abandonara seu posto diplomático na Dinamarca e viera para o Brasil atrás do príncipe regente, fora representante de Portugal em diversas cortes europeias e era considerado poliglota e refinado.

Esforçando-se para manter a posição de que gozava na corte, Rademaker procurou ser um excelente preceptor para o jovem d. Pedro, que não se afastou completamente de frei Arrábida. Este continuava sendo seu confessor e professor de religião. A educação formal do príncipe era realizada, em teoria, todos os dias, durante duas horas. No entanto, se d. Pedro achasse algo melhor para fazer ou se algo mais interessante lhe despertasse a atenção, simplesmente dispensava o professor. O príncipe, além de indisciplinado, estava cercado de cortesãos fiéis ao Antigo Regime, num ambiente em que o direito divino ditava as regras. Por conseguinte, acatavam-lhe as vontades sem discussão. A luta deve ter sido árdua, mas existem indícios de que Rademaker conseguiu iniciar e aprofundar o príncipe em matemática, lógica, história, geografia e economia política.[26] Além do latim, que continuava a aprender, passou a ter aulas de francês e inglês com o novo mestre.

Na tentativa de incutir alguma disciplina no príncipe, a quem d. João não permitia que fosse disciplinado,[27] a governanta d. Maria Genoveva do Rego e Matos tentava encorajá-lo a estudar. Chamava-o de "meu menino" e sempre o aconselhava com brandura. O que d. Maria Genoveva não conseguia de d. Pedro, ninguém mais conseguiria. Ela foi efetivamente a mãe que d. Pedro não encontrou em d. Carlota Joaquina. Em 1821, a governanta recusou-se a partir com o restante da corte porque "seu menino" não ia.[28]

D. Pedro, no final da infância e começo da adolescência, já demonstrava pouca paciência para as cerimônias oficiais, mas, por respeito a d. João, tentava suportá-las. Uma das que detestava particularmente era a do beija-mão.

O beija-mão era uma tradição medieval que já havia caído em desuso na Europa, mas persistira em Portugal e no Brasil. Nessa cerimônia, qualquer pessoa poderia ir beijar a mão do monarca e aproveitar para lhe pedir algum favor. Tratava-se do momento em que o trono e o povo tinham contato direto, sem qualquer intermediador. Havia até um ritual específico. Aguardava-se pacientemente na fila; quando chegava a ocasião, aproximava-se do trono e dobrava-se os dois joelhos simultaneamente, apoiando, porém, um só no chão. Então se beijava a mão do soberano, que lhe era estendida. Em seguida, era possível pedir algo ao monarca, assim como responder a alguma pergunta feita por ele. Finalizando o processo, a pessoa erguia-se, fazia uma reverência, virava-se para o lado direito e se retirava.

D. Pedro, sentado ao lado da poltrona que servia de trono ao pai, também recebia os beijos dos que vinham cumprimentar a d. João. Aos mais velhos, respeitava; já aos rapazes de sua idade, filhos dos cortesãos, mantinha o ar altivo que lhe era natural e evitava rir, mas desferia-lhes com os dedos piparotes no queixo.[29]

Além da educação formal, d. Pedro enveredou pelas artes manuais, como a marcenaria e a escultura. Chegou a fazer um modelo de navio de guerra e uma mesa de bilhar completa.[30] Quando a fragata *Príncipe Dom Pedro* foi lançada na Bahia, em 1811, a figura de proa, escultura em madeira representando o príncipe, fora executada pelo próprio.[31] Ele também se dedicou à música, à poesia e ao desenho. O reverendo irlandês Robert Walsh, capelão da embaixada britânica no Brasil de 1828 a 1829, declarou:

> [A] atividade a que ele mais se devota é a música, pela qual ele desenvolveu, em uma idade precoce, uma forte predileção, e mostrou um decidido talento. Ele não apenas aprendeu a tocar uma variedade de instrumentos, mas compôs, eu fui informado, muitas das músicas para a capela de seu pai; e a peça mais popular agora no Brasil, tanto as palavras quanto a música são de sua composição, atestando seu talento.[32]

Marcos Portugal, compositor da corte, maestro real e compositor de óperas e música sacra, passou a dar aulas a d. Pedro em 1811, quando chegou de Portugal. Ele encorajou o príncipe a elaborar suas próprias composições. D. Pedro dominava diversos instrumentos musicais, como o clarim, a flauta, o violino, o fagote, o trombone e o cravo. Para as distrações adolescentes, tocava guitarra clássica, o conhecido violão. Com esse instrumento, acompanhava canções e danças populares em voga no Rio de Janeiro da época, como o fado luso-cigano, a modinha luso-brasileira e o lundu angolano. O lundu era dançado com movimentos considerados lascivos. A sexualidade da dança, de acordo com o historiador Neil Macaulay, poderia ter despertado os primeiros desejos carnais do jovem príncipe:

> A iniciação sexual do príncipe, que, com menos de quatorze anos, declarava que já devia ser visto como um homem, pode muito bem ter se seguido a algum baile clandestino num terreiro entre as casas dos escravos, na Quinta da Boa Vista ou na fazenda de Santa Cruz.[33]

O professor espião

Em setembro de 1814, seis anos após assumir o posto de preceptor de d. Pedro, Rademaker faleceu. Segundo versão difundida pelo reverendo Walsh, teria sido envenenado por uma escrava que se relacionava com alguém da vizinhança. Estando Rademaker para se mudar de casa, a escrava ficaria longe do amante; portanto, teria decidido envenenar o vinho que seu senhor tomaria no jantar.

Coincidência ou não, lorde Stragford, nessa época, estava para sair do Brasil. Caíra por completo no desagrado do príncipe regente, que escrevera diretamente para o rei da Inglaterra a fim de queixar-se da intromissão do embaixador britânico nos negócios de Estado de Portugal.[34] Rademaker também não gozava mais das boas graças de d. João desde 1812, quando foi indicado pelo próprio Stragford para negociar um acordo na fronteira meridional do Brasil. Agindo de acordo com instruções secretas do embaixador britânico,[35] ele assinou uma trégua entre as forças portuguesas e espanholas que ignorava completamente os interesses expansionistas de d. João na região.

Depois da morte de Rademaker, frei Arrábida tornou-se mestre do príncipe. Com o padre irlandês John Joyce, d. Pedro continuou a estudar inglês; padre Boiret, emigrado francês, instruiu-o em seu idioma; seu professor de desenho e pintura foi o pintor da corte Domingos Sequeira; e, na arte de adestrar e da equitação, coube sua educação a João Damby e Joaquim Carvalho Raposo.[36] D. Pedro, então com dezesseis anos, parece ter se afeiçoado bastante a Rademaker, e após a perda do mestre não demonstrou desejo de nenhum plano fixo de educação.[37]

D. Pedro e d. Miguel

Tanto d. Pedro quanto d. Miguel, quatro anos mais novo que o irmão, eram afeitos a exercícios físicos. O cônsul inglês no Rio de Janeiro, James Henderson, relatou que, certa vez, após uma audiência com d. João, estava deixando a Quinta da Boa Vista quando percebeu d. Miguel num campo próximo. O príncipe, vestindo grandes botas de cano alto e um chapéu de três pontas, manejava um arado guiado por seis novilhos, tendo uma vara comprida nas mãos. O trabalho, segundo Henderson, era desastroso e imperfeito. Enquanto isso, d. Pedro, usando desajeitadamente um grande chicote que fazia estalar com um barulho maior do que necessário, buscava amansar a quarta parelha de cavalos, pois vinha trabalhando com os animais desde cedo. Continuando a descrição dos jovens príncipes, Henderson comenta a falta de polidez dos rapazes:

> Quando ele [d. Pedro] passou, ficamos parados e tiramos nossos chapéus, ao que ele apenas retornou com um olhar displicente. Nós também encontramos o Príncipe Dom Miguel voltando de sua diversão agrícola, acompanhado de seu feitor. Ele é uma pessoa franzina e de aparência pálida, de aproximadamente

> dezesseis anos de idade. Passando próximo de seu ombro, nós prestamos a ele a mais respeitosa reverência, mas ele não nos honrou nem mesmo com a menor inclinação de sua cabeça.[38]

Tanto d. Pedro quanto d. Miguel mantinham-se em atividade constante: cavaleiros intrépidos e ousados, gostavam do ar livre. Empreendiam perseguições a cavalo pelas matas, em terrenos desconhecidos, que podiam durar horas, sem respeitarem climas nem horários. A obsessão de d. Pedro por velocidade e resistência levou-o a aventuras desastrosas. Ele próprio afirmava que, quando jovem, havia caído do cavalo cerca de 36 vezes.[39] Isso sem contar as ocasiões em que tombou, por imprudência, a carruagem de quatro cavalos que gostava de conduzir violentamente pelas ruas e arrabaldes do Rio de Janeiro. Por diversas vezes foi obrigado a ficar de cama, com costelas quebradas e outras lesões. D. Pedro também era afeiçoado à caça, paixão que compartilharia com a futura esposa, d. Leopoldina.

Outra diversão conjunta de d. Pedro e d. Miguel era formar, bem longe dos olhares de qualquer adulto, dois regimentos com os filhos dos escravos. Os regimentos, capitaneados cada qual por um dos príncipes e armados com paus e pedras, combatiam entre si. A surra acabava sobrando também para os irmãos. Certa vez, d. Pedro, por vários dias incapacitado devido a uma pancada que insistia ter recebido de uma queda de cavalo, despertou suspeitas no médico do paço, que acreditava que o ferimento na realidade fora provocado por um porrete.[40] Ele também teria se atrevido a dar combate, com seus subordinados, a um posto da guarda do palácio. O príncipe e seu pequeno batalhão teriam destroçado os soldados de seu pai. Pela ousadia, teve seu jovem regimento dissolvido, ganhando em troca a regência de uma banda militar.[41]

Serviçais e cortesãos

Lidando diretamente, na fazenda de Santa Cruz e na Quinta da Boa Vista, com cavalariços e criados de nível inferior, d. Pedro seria frequentemente visto com eles pelas tavernas do Rio de Janeiro. À educação aprendida com esses subalternos o príncipe deveu características que escandalizaram diversos cronistas estrangeiros. Conta-nos o sociólogo Gilberto Freyre:

> O erotismo grosso, plebeu, domina em Portugal todas as classes, considerando-se efeminado o homem que não faça uso dos gestos e dos palavrões obscenos. A mesma coisa no Brasil, onde esse erotismo lusitano só fez encontrar ambiente propício nas condições lúbricas de colonização.[42]

A relação de d. Pedro com os cortesãos que gravitavam ao redor do pai não era das melhores. A certo nobre que horrorizara-o com suas maneiras gentis e aduladoras, ordenou que o tratasse como homem.

Um amigo para toda a vida, com educação superior à média dos companheiros do príncipe, foi Francisco Gomes da Silva, apelidado de Chalaça. Era oito anos mais velho que d. Pedro, bastante espirituoso e brincalhão; assim como o amigo, gostava de tocar guitarra e dançar o lundu. Chalaça era mulherengo e um grande amante de bebidas, no que se diferenciava de d. Pedro, com quem podia contar quando abusava das cachaças e dos vinhos, uma vez que o príncipe só bebia moderadamente.[43]

Francisco Gomes, que galgaria diversos cargos na corte e continuaria servindo à casa de Bragança após a morte de d. Pedro, chegara com ela ao Brasil. O pai, Antônio Gomes da Silva, era "mestre ourives da prata e cravador de diamantes da coroa". Foi na oficina do pai de Chalaça, no Rio de Janeiro, que foram produzidos o cetro, a coroa e o espadim utilizados na aclamação de d. João VI. As peças hoje se encontram no Palácio da Ajuda, em Portugal. Francisco Gomes trabalhou como criado em uma das residências reais entre 1810 e 1816, quando foi expulso por ter engravidado uma governanta da fazenda de Santa Cruz. Depois, acabou virando funcionário do Tesouro.

Outro grande amigo vitalício de d. Pedro foi Antônio Teles da Silva Caminha de Meneses, marquês de Resende. A exemplo do Chalaça, Resende permaneceria fiel ao príncipe tanto nos bons momentos quanto na desgraça. Se estudarmos as cartas que d. Pedro trocou com ele, veremos que pouco ou nada ficavam a dever as brincadeiras da época às de hoje, sobretudo as de cunho sexual. Numa delas, por exemplo, d. Pedro brinca com Resende ao sugerir que o amigo não gostava do sexo feminino:

> [...] Se você fosse elegante, esbelto e amigo de moças, você teria pelas mulheres feito algum arranjo [...] mas que há de ser? Se você assenta, que aquele pãozinho aberto é boca do inferno e tem dentes. Desengana-se que provando há para ver, jamais fiará a sua coisa em unhas desconhecidas. Queira-me bem, que não lhe custa nada. [...][44]

Um império nos trópicos

Enquanto d. Pedro aproveitava indisciplinada e despreocupadamente a juventude, d. João tentava criar um império nos trópicos. Para isso, precisava tomar medidas para aparelhar a velha colônia. No Brasil, até a chegada da corte não havia, por exemplo, um sistema próprio de educação dotado de universidades — ao contrário das colônias espanholas na América; tampouco existiam manufaturas e todo o aparato capaz de fazer do Brasil a sede administrativa, política e cultural de um império. Diversas ações do príncipe visavam mudar esse quadro. A Imprensa Régia foi criada no Rio de Janeiro e, com isso, a produção de jornais e livros começou a ser feita no Brasil. D. João fundou diversas instituições, como a Academia Real de Belas Artes, o Jardim Botânico, o Banco do Brasil e a Escola de Cirurgia da Bahia (quando lá chegou, em fevereiro de 1808). Também mandou vir da Europa uma Missão Artística Francesa, com o objetivo de europeizar sua capital tropical na América.

Além de todos esses melhoramentos, d. João também procurou retaliar a invasão de Portugal pelas tropas francesas, aliadas aos espanhóis. Assim, ordenou a tomada da Guiana Francesa e conquistou, ao sul, após longos anos de batalhas, a Banda Oriental do Rio da Prata, que ficaria conhecida, enquanto fez parte do Brasil, como Província Cisplatina, hoje Uruguai. Na expedição militar enviada ao sul, estava o neto do marquês de Pombal, que aos quinze anos já ocupava a patente de capitão do exército português e, aos dezoito, juntou-se aos ingleses para combater as tropas francesas em Portugal. Após a libertação de seu país, ele seguiu para o Brasil com suas tropas e ajudou na tomada da Cisplatina, chegando a ser eleito para o governo da província do Rio Grande. Seu nome era João Carlos de Saldanha Oliveira e Daun, futuro duque de Saldanha.

De olho nos vizinhos

D. Carlota havia predito, em carta a seu pai,[45] que a destruição de sua família por Napoleão, na Espanha, seria questão de tempo caso ele deixasse o exército francês cruzar sua fronteira e atacar Portugal. A princesa tivera razão ao imaginar a voracidade do imperador da França. O pai de d. Carlota, rei Carlos IV, abdicou a coroa em 19 de março de 1808, onze dias após a família real desembarcar no Rio de Janeiro. D. Fernando VII, irmão da princesa, assumiu o poder, mas ambos, pai e filho, foram feitos prisioneiros por Bonaparte, que colocou seu próprio irmão no trono espanhol.

Os tumultos criados na Espanha por esse ato de Napoleão deram início a uma crise político-administrativa nas colônias espanholas na América. Isso animou a política imperialista portuguesa. A invasão das fronteiras coloniais espanholas poderia ser interpretada como defesa dos domínios dos Bourbon, uma vez que os principais representantes livres da família, d. Pedro Carlos e d. Carlota Joaquina, estavam morando no Brasil.

Logo foi travada uma guerra dentro da corte do Rio de Janeiro, durante a qual três partidos distintos foram criados.[46] O almirante Sidney Smith, que estava no Brasil, apoiou o desejo de d. Carlota Joaquina de se tornar regente da América espanhola. D. Carlota chegou a encontrar apoiadores entre os espanhóis e os refugiados de Buenos Aires no Rio de Janeiro; a eles, foi dada a alcunha de "carlotistas". Tais apoiadores a imaginavam desembarcando, qual d. João no Brasil, no Vice-Reinado do Rio da Prata, a fim de manter a colônia unida e coordenar, em segurança, a luta pela libertação na Europa.[47]

O outro partido, liderado por d. Rodrigo de Souza Coutinho, conde de Linhares e ministro dos Estrangeiros, via em d. Pedro Carlos, sobrinho do rei d. Fernando e de d. João, o melhor dos dois mundos. Tendo sangue Bourbon e Bragança nas veias, ele representava a esperança de unificar a península Ibérica e a América Latina sob uma mesma coroa. O terceiro partido, o de lorde Stragford, achava que quanto pior, melhor: se a América espanhola se desintegrasse, tanto mais conveniente para os interesses ingleses na região.

Visando maior aliança entre os Bourbon e os Bragança, e em apoio ao plano do conde de Linhares, d. João consultou d. Maria I a respeito de um possível casamento da princesa d. Maria Teresa, filha mais velha sua e de d. Carlota, com o infante d. Pedro Carlos. D. Maria teria respondido que não fazia mais política nem casamentos e mandou que Joaninha entregasse ao filho sua caixa de joias, pois não precisava mais delas. Como presente de casamento, d. João mandou que a filha escolhesse uma peça da avó. D. Maria Teresa pegou um dos melhores adereços, com grandes rubis e brilhantes; quando a Joaninha contou a d. Maria, esta lhe perguntou, num sobressalto: "E o que darão à mulher de Pedro quando ele se casar?"[48] Parecia que a avó louca era a única que não tinha ideias mirabolantes a respeito de quem assumiria o trono. Em sua demência, estava distante do quimérico sonho de um império gigantesco dos dois lados do Atlântico.

D. Pedro Carlos e d. Maria Teresa casaram-se no Rio de Janeiro em 13 de maio de 1810, aniversário de d. João. Passaram então a morar com o príncipe na Quinta da Boa Vista. Foi lá que, em novembro de 1811, nasceu d. Sebastião, o filho do casal. Seu nome homenageava a cidade de São Sebastião do Rio de Janeiro, que acolhera a família. O bebê real era o primeiro Bragança nascido no Brasil. Em 9 de dezembro, o príncipe regente conferiu ao primeiro neto o título de infante,[49] e assim o recém-nascido teve aberta a porta que levava à linha de sucessão portuguesa. Ele foi batizado no Rio de Janeiro em 17 de dezembro, aniversário da bisavó, a rainha; a cidade inteira engalanou-se para comemorar o evento.

Em março de 1812, o bibliotecário Luís Joaquim dos Santos Marrocos, que viera com a corte para o Brasil, confidenciou em carta enviada ao pai: "O senhor infante d. Pedro Carlos tem passado muito doente, creio que por excesso do seu exercício conjugal, e por isso fizeram separar os cônjuges, estando também a senhora d. Maria Teresa doente."[50] O infante faleceu no dia 26 de maio do mesmo ano. Segundo Luiz Norton: "Matara-o aquela fraqueza de peito que o trouxera sempre enfermiço e frouxo."[51] D. João, inconsolável, encomendou que erigissem o túmulo mais imponente que o Rio de Janeiro já vira para receber o corpo do sobrinho. Ainda hoje, a obra de mármore de três metros de altura pode ser admirada na capela de Nossa Senhora da Conceição, na Igreja de São Francisco da Penitência, no Largo da Carioca.

D. Maria Teresa acabou por transformar-se na filha predileta de d. João. Ao contrário de d. Pedro, o herdeiro presuntivo da coroa, ela tinha permissão para acompanhar o pai tanto nas reuniões do conselho de estado quanto nos passeios de carruagem que ele fazia ao redor de São Cristóvão. Logo certa animosidade tomou conta dos irmãos. Enquanto isso, d. Miguel, que diversas vezes apanhara — como predição do futuro — do exército de d. Pedro em Santa Cruz e na Quinta da Boa Vista, tomava cada vez mais o partido da mãe. Caso realmente assumisse a regência das províncias espanholas, D. Carlota pretendia levá-lo consigo e as filhas para Buenos Aires.[52] O resultado de todos esses planos só serviu para separar ainda mais a família. Em março de 1814, d. Fernando VII era recolocado no trono da Espanha. Qualquer projeto de união entre a península Ibérica e as províncias americanas foi então definitivamente arquivado por d. João — não, entretanto, por d. Carlota, que ainda conseguiria casar mais duas filhas com parentes espanhóis e fazer de uma delas a rainha da Espanha.

Um novo reino, um novo rei

A queda de Napoleão na Europa, além de restabelecer os Bourbon na Espanha, levou à realização do Congresso de Viena em 1814, onde foi discutida a reorganização das fronteiras e o futuro das casas reais governantes que o francês destituíra. D. João, para fazer Portugal ter voz diplomática ativa nesse encontro, elevou, em dezembro de 1815, o Brasil a Reino Unido a Portugal e ao Algarve. Desse modo, os diplomatas europeus não poderiam mais tratar Portugal com desdém, como uma corte distante e exilada em uma colônia. Com a elevação do Brasil à condição de reino, d. João reconhecia publicamente a quebra do pacto colonial, o que de fato ocorrera sete anos antes, com o estabelecimento da sede do reino português no país.

Em 20 de janeiro de 1816, d. Maria I, então com oitenta anos de idade, adoeceu. D. João, sempre muito carinhoso, não saiu do Paço da Cidade durante toda a doença da mãe, indo repetidas vezes visitá-la. Ela lhe dizia que não desejava ver ninguém e que queriam matá-la, enquanto ele tentava convencê-la de que, no fundo, queriam mesmo era curá-la. Dois meses depois, em 20 de março, às onze horas da manhã, a rainha faleceu. D. João, quando a viu sem vida, pôs-se a chorar desconsoladamente, abraçado a seu corpo. Os soluços do príncipe comoveram a todos os presentes.[53] Durante o enterro, seu rosto permaneceu banhado em lágrimas.

O corpo da rainha foi vestido com uma túnica branca bordada de ouro e um manto real de veludo carmesim, bordado da mesma maneira. Ficou assim exposto à visitação por três dias, em uma sala mortuária no paço. Pela meia-noite de 23 para 24 de março, um cortejo fúnebre, que d. João, d. Pedro e d. Miguel seguiram com tochas nas mãos, depositou o cadáver da rainha no convento de Nossa Senhora da Ajuda, junto ao de sua irmã, a infanta d. Maria Ana, falecida três anos antes.

Nos anos seguintes, a corte se engalanaria diversas vezes. No entanto, em lugar dos crepes negros em sinal de luto, os tecidos seriam coloridos. Haveria danças, fogos de artifício e música, além de muitos te-déuns, para o casamento do príncipe herdeiro e a aclamação de d. João como rei de Portugal.

Uma princesa importada

A AMIZADE da Inglaterra com Portugal era tal que d. João VI sufocava. As taxas alfandegárias exigidas pelos ingleses em troca da transferência e proteção da corte e da família real chegaram a 15%, contra os 16% que os produtos vindos de Portugal tinham que pagar para entrar no Brasil. A justiça para os cidadãos britânicos, assim como já acontecia anteriormente em Portugal, era resolvida pelos próprios ingleses, que tinham juízes próprios.

A intromissão da Inglaterra, contrária ao imperialismo lusitano na América espanhola, já irritara o príncipe a ponto de pedir a remoção do plenipotenciário britânico no Brasil. Além disso, o governo inglês começou a pressionar o governo de d. João para que se opusesse ao tráfico de escravos e extinguisse esse tipo de mão de obra, da qual o Brasil dependia inteiramente. Não que a Inglaterra estivesse totalmente envolta em sentimentos humanitários — longe disso. Somente em 1833 a escravidão foi abolida nas colônias inglesas. Segundo alguns historiadores, os ingleses, para lucrarem ainda mais no Brasil, precisavam ampliar o mercado consumidor do qual os escravos viviam à margem; em 1819, eles chegaram a representar um terço da população brasileira.[54] Outro fator, muito mais relevante economicamente, era que o parlamento britânico havia em 1807 promulgado um ato que abolia o comércio de escravos no império. A supressão do tráfico encareceu o processo de produção do açúcar inglês nas Antilhas, elevando o seu preço final no mercado internacional, enquanto que o produzido no Brasil, com mão de obra escrava, passou a ser mais atraente economicamente para a exportação.

Após a derrota de Napoleão na Europa, a Inglaterra, que já garantira, mediante um tratado diplomático de 1810, todas as regalias possíveis no Brasil, não via por que d. João e a corte deveriam continuar na América, e assim começou a pressionar pelo retorno dos portugueses à Europa.

Desde a expulsão das tropas francesas pelo exército inglês, em 1808, o marechal britânico William Beresford transformara Portugal em um virtual protetorado de sua nação. O país, abandonado pela corte, não passava agora de uma terra arrasada pela guerra, pelos saques dos franceses — e até das tropas inglesas — e pela carestia. Cerca de um sexto da população desaparecera: os que não haviam morrido, tinham fugido do país.[55] Não é difícil imaginar o porquê de d. João não ter pressa alguma de retornar à Europa.

Uma arquiduquesa austríaca

Diplomaticamente, era interessante que outra potência europeia da época se vinculasse à casa de Bragança. Mesmo tendo recebido duas sondagens — entre elas, a de um futuro rei das Duas Sicílias interessado em casar uma de suas filhas com d. Pedro —, d. João mirava mais longe. Além da Inglaterra, as demais potências europeias do período pós-napoleônico eram a Prússia, a Rússia e a Áustria. Inicialmente, foi tentada a união do príncipe herdeiro com uma das irmãs do czar Alexandre I da Rússia, mas as tratativas foram encerradas devido a divergências religiosas e ao apoio da Rússia às pretensões territoriais espanholas na América e na Europa. Os planos então se voltaram para a Áustria.

Não seria a primeira vez que os Habsburgo dariam uma princesa aos Bragança. Três austríacas já tinham sido rainhas consortes de reis portugueses, sendo a última delas d. Maria Ana d'Áustria, casada com o rei d. João V. A endogamia entre os Bragança e os Bourbon não provocava apenas anomalias congênitas e psíquicas (bem como a prevalência da epilepsia) na família real portuguesa, mas também acabou por criar uma árvore genealógica *sui generis*. D. Maria Ana d'Áustria, por exemplo, era mãe de d. José I e de d. Pedro III. D. José era pai de d. Maria I, que se casou com o tio d. Pedro III; assim, ela e o pai tornaram-se cunhados. Por sua vez,

d. Maria Ana d'Áustria era avó e sogra de d. Maria I e avó e bisavó de d. João VI, cujo avô, d. José I, era também seu tio, fazendo de sua mãe, d. Maria I, sua prima.

Assim, no início de 1816, o encarregado dos negócios portugueses na corte de Viena, Rodrigo Navarro de Andrade, começou as sondagens diplomáticas relativas ao casamento de d. Pedro com uma das filhas do imperador da Áustria, Francisco I. Os portugueses já esperavam ter questionada a permanência da corte na América. Acaso a princesa teria que partir da Europa e nunca mais retornar? A resposta que d. João mandou dar, se essa pergunta fosse feita, era que:

> [...] seu real intento é regressar à Europa, logo que haja conseguido preservar este Reino do Brasil do contagioso espírito revolucionário que conflagra pelas Colônias Espanholas; e que, outrossim, tenha inteiramente estabelecido e consolidado o novo sistema que tem começado a por em prática, para o fim de estreitar os enlaces entre Portugal, o Brasil, e as demais possessões da Coroa [...].[56]

A escolha da noiva recaiu sobre a arquiduquesa Leopoldina, o que deixou desconfortável o chanceler de Francisco I, príncipe Metternich, que já começara a entabular negociações para casá-la com um sobrinho do rei da Saxônia. Em 24 de setembro de 1816, a arquiduquesa, em carta à irmã Maria Luísa, relata a conversa que tivera com o pai imperador:

> Para relatar o desenvolvimento de todo o caso, falou-me nele o querido papai no mesmo dia em que se realizou o casamento de Maria. Deixou-me escolher entre aquilo de que escrevi uma vez a você, há tempo, e o presente. Dentro de dois dias, porém, devia estar decidida. Dois anos deveria esperar quanto ao primeiro e então ele iria escolher entre todas as princesas alemãs. Além disso, sabia-se que eu não lhe tinha agradado. Em resumo, o querido papai falou duma maneira que com um pouco de inteligência percebi que queria o último. [...] Pois, você sabe de experiência própria que uma princesa nunca pode agir como quer.[57]

A educação de d. Leopoldina

Casar-se com uma Habsburgo era ter consigo a melhor mulher que um governante poderia ter, e d. João sabia muito bem disso. A máxima instituída pela imperatriz

Maria Teresa da Áustria — *os outros que façam guerra, tu, Áustria feliz, casa-te* — já indicava o meio pacífico pelo qual o império dos Habsburgo garantia seu poder: a família criava as melhores princesas da Europa.

O dia a dia dos príncipes e princesas era minuciosamente planejado e incluía aulas, orações, visitas a membros da família e trabalhos no jardim. Tanto na residência de verão de Laxenburg como em Schönbrunn havia pequenos jardins onde as crianças da casa de Habsburgo podiam cultivar até quatrocentos tipos de plantas. "A educação moral e religiosa, a disciplina e a obediência vinham em primeiro lugar. Os filhos da casa imperial deviam ser educados para serem instrumentos submissos e úteis da política de Estado."[58] Disso deu boa mostra o casamento da arquiduquesa Maria Luísa com Napoleão.

O programa de ensino dos jovens da casa de Habsburgo incluía matérias como leitura, escrita, aritmética, alemão, francês, italiano, dança, desenho ou pintura, história, geografia, música e cravo; em módulo mais avançado, matemática (aritmética e geometria), literatura, física, latim, canto e trabalhos manuais.[59] Desde cedo, d. Leopoldina inclinou-se mais para as disciplinas de ciências naturais, interessando-se principalmente por mineralogia.[60] Ao estar certo o casamento com o herdeiro do trono português, a arquiduquesa passou a estudar com afinco tudo o que dizia respeito ao Brasil e Portugal e a aprender a língua da nova pátria que a aguardava.

A infância e a juventude de d. Leopoldina e sua família foram marcadas pelas guerras napoleônicas. Ao contrário dos Bragança, os Habsburgo não tinham para onde ir além das suas possessões dentro da Europa. A cada guerra travada contra os franceses, seus domínios diminuíam mais. Em 1805, Viena caiu perante as forças de Napoleão, que se instalou na residência imperial de Schönbrunn. D. Leopoldina, junto à mãe, teve de fugir da capital. Para a imperatriz, Napoleão seria o anticristo. Com a queda de Viena, chegara ao fim o Sacro Império Romano-Germânico. O pai de d. Leopoldina, até então imperador Francisco II do Sacro Império, outorgou-se o título de Francisco I, imperador da Áustria. Novamente, em 1809, o país travou guerra contra Napoleão e perdeu. Metternich, nessa época, passou a comandar as relações externas austríacas e tentou uma política de conciliação com a França, selando a aliança entre os dois países com a entrega da arquiduquesa Maria Luísa em casamento a Napoleão.

O Congresso de Viena e d. Leopoldina

A corte de Viena que d. Leopoldina deixou para trás era uma das mais fulgurantes da Europa. Após a queda de Napoleão, foi nessa cidade, sob o comando do príncipe Metternich, que a maior parte das cabeças coroadas e dos diplomatas europeus se reuniu para o Congresso de Viena. Na ocasião, d. Leopoldina conheceu reis da Europa e seus políticos mais importantes; participou também de várias festividades da corte, de jantares, passeios cerimoniais e visitas de cortesia. Presenciou a madrasta, doente, descansar grande parte do dia para à noite presidir as recepções sem passar a impressão de fatigada ou abatida. Os exemplos e modelos a serem seguidos vinham muito de perto. Logo cedo ela aprendeu a importância de representar, da melhor maneira possível, o papel para o qual havia sido destinada desde o berço.

D. Leopoldina deixou uma peça encantadora a respeito do dia a dia do Congresso. Trata-se de uma espécie de diário[61] em que podemos apreciar seu humor e inteligência — por exemplo, nas observações dedicadas a personagens como o rei de Württemberg:

> Depois de jantar e como o rei de Württemberg sentou-se no sofá quase não coube a tia Beatriz e quando ele se virou com o seu enorme ventre tirou fora da mão da tia Beatriz o leque. O príncipe Antônio queria ser amável com o rei de Württemberg que, forcejando para se levantar, tropeçou na cauda da tia e rolou no chão. Tivemos que tomar toda a nossa força de espírito para não arrebentarmos numa terrível risada.

Uma das diversões do Congresso foi proporcionada pelo grande baile realizado em 5 de outubro, sobre o qual a arquiduquesa comentou: "[...] Foi muito animado; eu dancei seguramente 20 *polonaises* com quase todos os príncipes. As duas *polonaises* alemãs dancei com o *Kronprinz* de Württemberg e com o Príncipe Carlos da Baviera; ambos dançam bem." No dia 10, um novo baile "para 4 mil pessoas": "Foi um bonito aspecto ver todas as pessoas reunidas e bem vestidas."

A última anotação do diário é de 14 de outubro de 1814. "Houve caça em Luxemburgo e aproveitei a minha liberdade para dá-la de presente a minha irmã Luísa. Entretive-me com ela conforme manda o coração." A arquiduquesa austríaca que tornara-se imperatriz dos franceses foi mantida escondida, assim como o rei de Roma, filho dela com Napoleão, durante o Congresso. D. Leopoldina, que nutria grande adoração por Maria Luísa, sua irmã mais velha, preferia trocar a caça, que no Brasil seria uma de suas grandes diversões ao lado do marido, pelo convívio familiar.

O casamento como negócio de estado

O estado das finanças austríacas talvez tenha sido um dos motivos que fizera o imperador Francisco I insinuar, a Leopoldina, que ela estaria melhor casada com d. Pedro. Não foi apenas Portugal que ficou debilitado após a era napoleônica. Todos os estados envolvidos na guerra continental tinham se valido de empréstimos para manter seus exércitos em campo. Com a Áustria, a situação era ainda pior: os empréstimos sucederam-se durante os vinte anos de guerra entre os Habsburgo e a França revolucionária. Francisco I já havia herdado um déficit crônico de seu pai, José II; em 1811, não houve outra saída além de declarar a falência do Estado e desvalorizar a moeda.[62]

Os austríacos comemoraram o casamento de sua arquiduquesa como uma abertura da Áustria ao comércio com o Brasil. D. Leopoldina sabia muito bem qual era seu papel nisso quando escreveu à irmã Maria Luísa, em novembro de 1816: "Faço a vontade de meu amado pai e posso ao mesmo tempo contribuir para o futuro de minha amada pátria, com as oportunidades que surgirão de novos contratos comerciais."[63]

A embaixada em Viena do marquês de Marialva, designado, por d. João, embaixador extraordinário para o noivado e o casamento — e, segundo as más línguas, o verdadeiro pai de d. Miguel —, ostentava uma grandiosidade e um fausto que conseguiram criar, na imaginação dos austríacos, a ideia de que o reino português era de uma riqueza sem fim. Marialva chegou secretamente a Viena em novembro de 1816, quando se encontrou primeiro com Metternich, depois com o imperador Francisco I e, no dia 16, com a arquiduquesa Leopoldina. O contrato de casamento, até então confidencial, foi assinado em 29 de novembro de 1816. A entrada oficial em Viena da embaixada de Marialva ocorreu em 17 de fevereiro de 1817, por meio de um cortejo de 41 carruagens puxadas por seis cavalos e servidas por cocheiros vestidos de libré. Desses veículos, 24 foram construídos especialmente para a ocasião.

O embaixador português presenteou grande parte do corpo diplomático e da nobreza austríaca com medalhões finamente trabalhados e barras de ouro. Mesmo os funcionários mais humildes receberam presentes exuberantes, como brincos de diamantes, peças de ouro e caixas trabalhadas com pedras preciosas.

No dia seguinte, 18 de fevereiro, em cerimônia realizada no palácio de Hofburg, d. Leopoldina tornava-se oficialmente noiva de d. Pedro. Em abril, recebeu de Marialva um retrato do príncipe em miniatura, cercado de diamantes e preso a um colar também de diamantes. Em carta de 9 de abril de 1817 à irmã Maria Luísa, ela comentou: "Acabo de receber o retrato do meu mui amado dom Pedro, não é excepcionalmente bonito, mas tem olhos maravilhosos e um belo nariz, mas seus lábios são ainda mais grossos do que os meus." Seis dias depois, o tema foi retomado: "O retrato do príncipe está me deixando transtornada, é tão lindo como um Adônis [...] ele todo atrai, tem expressão de 'eu te amo e quero te ver feliz' [...] já estou completamente apaixonada, o que será de mim quando vir o príncipe todos os dias?"

Apesar de Marialva pintar a família de Bragança com as melhores cores, informando a respeito da educação e do caráter do príncipe e da família amorosa à qual a arquiduquesa iria pertencer, a Áustria mantinha-se informada por seus próprios meios e já se sabia o que esperava Leopoldina na América. A própria princesa, em carta para a irmã, revelou a apreensão em relação ao caráter da futura sogra. O príncipe Metternich, que mantinha uma polícia secreta vasculhando as correspondências que entravam e saíam do império austríaco, acabou se inteirando a respeito do ambiente para onde d. Leopoldina se dirigia:

> Por falar no príncipe herdeiro [...] posto que não seja destituído de inteligência natural, é falho de educação formal. Foi criado entre cavalos, e a princesa cedo ou tarde perceberá que ele não é capaz de coexistir em harmonia. Além disso, a corte no Rio é muito enfadonha e insignificante, comparada com as cortes da Europa.[64]

A epilepsia de d. Pedro

Os austríacos sabiam até da epilepsia de que d. Pedro,[65] seus pais e irmãos sofriam — doença essa que os Bragança nunca tiveram qualquer intenção de esconder, como fica claro tanto à luz da correspondência de Luís Joaquim dos Santos Marrocos[66] quanto, durante o Primeiro Reinado, das notícias das crises do imperador no *Diário Fluminense.*

Em 13 de maio de 1816, no aniversário de d. João VI, tropas recém-chegadas de Portugal para a tomada de Montevidéu foram por ele passadas em revista, em uma de suas raras aparições a cavalo. Seus filhos d. Pedro e d. Miguel o acompanharam, chamando a atenção pelo porte garboso com que montavam e pelos trajes de oficiais que usavam. O evento realizou-se na Vila Real da Praia Grande, atual cidade de Niterói. Terminada a revista, houve o tradicional beija-mão, que se prolongou até as quatro da tarde, quando foi interrompido pela queda abrupta do príncipe d. Pedro. Segundo Alberto Rangel, o príncipe ficou com "a face imóvel; os olhos fixados; desordenados os movimentos; suas palavras eram incoerentes e da boca lhe escorria a espuma de um cão danado".[67] Levaram-no para uma casa próxima, onde ele pôde descansar até recuperar os sentidos e aliviar a dor de cabeça, quando foi então transportado para seus próprios aposentos. Tratava-se do sexto ataque sofrido pelo príncipe de dezessete anos.

A doutora Marleide da Mota Gomes e o doutor Miguel Chalub, da Universidade Federal do Rio de Janeiro, diagnosticaram-no, após um estudo de caso,[68] como alguém acometido por uma "epilepsia familiar possivelmente do grupo das epilepsias idiopáticas generalizadas com fenótipos variados com crises predominantemente do tipo tônico-clônica generalizado".

A epilepsia poderia ter sido a responsável direta pela agitação que sempre caracterizou d. Pedro, bem como por sua impulsividade e, até mesmo, sua hipersexualidade. Também seria possível creditar à doença a "questionada sanidade mental" do príncipe, que, como explicam os médicos, o conduziria a "paixão, excesso, fantasia, sonho, e transgressões de um senhor às normas estabelecidas". Outros aspectos comportamentais de d. Pedro, como a desatenção, a hiperatividade e a impulsividade, também seriam indício de transtorno de déficit de atenção com hiperatividade (TDAH), presente em até 23,5% dos casos de epiléticos.[69]

Embarque das tropas portuguesas rumo à campanha no sul do Brasil.

A noiva

Se, em Viena, Marialva exagerava a educação, a bondade e o gênio de d. Pedro, o caminho contrário também foi percorrido. Nos relatórios que enviava ao Rio de Janeiro, o marquês referia-se aos dotes intelectuais, científicos e artísticos de d. Leopoldina, à sua presença régia, sua doçura e sua bondade — nada, porém, quanto ao físico. A arquiduquesa, nascida em 22 de janeiro de 1797, era um ano e oito meses mais velha que d. Pedro. Como ela própria afirmou em carta à irmã, tinha o lábio inferior grosso — característica dos Habsburgo que seria herdada por seu filho, d. Pedro II —, cabelos de um loiro pálido e olhos azul-escuros.[70]

D. Leopoldina possuía traços finos, uma pele clara e delicada, medindo entre 1,55 m e 1,58 m.[71] O biógrafo Carlos Oberacker é enfático: "Consta [...] que Leopoldina não primava pela beleza, mas que era uma pessoa simpática e de modo algum uma pessoa feia."[72]

O casamento

Em 13 de maio de 1817, às sete horas da noite, d. Leopoldina casou-se com d. Pedro na igreja de Santo Agostinho, em Viena, por procuração. Representando o noivo estava o tio da noiva, o arquiduque Carlos. O casamento foi comemorado na capital austríaca até o dia 1º de junho, quando o marquês de Marialva recebeu 1.200 pessoas para um baile de gala, para o qual foram criadas músicas exclusivas.[73] Ao baile, seguiu-se uma ceia às onze horas da noite, na qual os Habsburgo comeram em baixelas de ouro e os demais convidados, em baixelas de prata. Uma hora depois, o baile recomeçou, terminando apenas às quatro da manhã do dia seguinte.

Rumo ao Novo Mundo

D. Leopoldina encarava perfeitamente bem a aventura que era conhecer a América. Além de sua personalidade romântica, fazia parte de seu caráter de cientista olhar, ver e sentir tudo por conta própria. Sua jornada para o porto da cidade de Livorno, na Itália, de onde embarcaria para o Brasil, começou em 3 de junho,[74] mas o embarque não seria tão imediato porque a esquadra que deveria levá-la à América tardava. As desculpas para o fato são as mais desencontradas:[75] ora Lisboa teve que enviar as fragatas destinadas a acompanhar o navio de d. Leopoldina para dar combate a piratas, ora tiveram que seguir ao Brasil para bloquear Pernambuco, onde estourara uma revolução.[76]

Durante a espera pelos navios portugueses, d. Leopoldina começou a descontar sua ansiedade na comida e no todo-poderoso príncipe Metternich, que fora encarregado de entregá-la, na Itália, à comitiva portuguesa. Para a raiva do príncipe, a arquiduquesa demonstrou ali toda a sua determinação, vivacidade e independência, chegando às raias da teimosia. Nervoso com o comportamento da jovem, que andava ansiosa pela chegada dos navios, Metternich escreveu à mulher: "A minha pequena arquiduquesa é uma criança em que eu, se fosse o pai, bateria." Como estivesse resoluta em embarcar tão logo a frota de navios chegasse, sem esperar o vento propício, o príncipe comentou que "os ventos seriam ainda mais teimosos do que ela".[77]

O primeiro caso público de d. Pedro

Enquanto todo esse drama se passava na Europa, d. Pedro teria se envolvido com uma jovem no Rio de Janeiro. A lembrança mais antiga desse relacionamento vem do francês Eugène de Monglave, que em 1827 mencionava a paixão do príncipe no Brasil por uma francesa "jovem, bela, sensível, tendo o grau supremo de todos os encantos que são prerrogativas do belo sexo de nossa pátria".[78]

A francesa seria uma dançarina chamada Noemi Thierry, e não só ela como a irmã[79] teriam sido alvo das atenções do impetuoso príncipe. Se dermos crédito à viajante inglesa Maria Graham, o príncipe teria chegado a se casar secretamente com a artista, que lhe deu um filho.[80] D. João e d. Carlota teriam se unido para retirar a amante da corte antes da chegada de d. Leopoldina, dando-lhe um oficial português por marido, oferecendo-lhes dinheiro e mandando-os para fora do Rio de Janeiro.

Melo Morais, por outro lado, narra duas versões para o mesmo episódio. Numa delas, o caso entre d. Pedro e Noemi ocorreu já com a princesa no Rio de Janeiro.[81] D. Pedro levava a esposa para passear na casa de Pedro José Caupers, para onde Noemi também ia; enquanto a família de Caupers entretinha a princesa, o príncipe entretinha a amante. A gravidez de Noemi teria feito d. João tomar as medidas a que Maria Graham se refere.

A outra versão[82] diz que, ao desembarcar d. Leopoldina no Rio de Janeiro, em 5 de novembro de 1817, a francesa, ainda na capital, estaria grávida de seis meses de um filho de d. Pedro. D. João, sabendo do caso, a teria obrigado a casar com um oficial português, enviando os dois a Pernambuco. Em ambos os relatos, a criança — como que para dar mais credibilidade à maldição que se abatia sobre os primogênitos dos Bragança — morreu. Uma nota mórbida é acrescida em algumas descrições: o bebê fora enviado embalsamado a d. Pedro, que o teria mantido em seu gabinete até a partida para o exílio, em 1831.[83]

Ainda sobre o relacionamento, o refugiado político José Estevão Grondona, exilado em Buenos Aires, publicaria, em 22 de maio de 1825, um panfleto em que constava, dentre vários ataques a d. Pedro: "Que pretendeis desse pai inumano, cruel e desnaturalizado, que consentiu a que por convivência da velha corte se mandasse sufocar o terno fruto do amor que tinha tido com uma infeliz francesa [?]"[84]

Os germânicos e o Brasil

O certo é que, em 14 de junho de 1817, enquanto se tentava ordenar a casa e ajuizar o príncipe, chegava ao Rio de Janeiro o navio *Imperador da Áustria*, que trazia tanto o barão Nevey Windschlag, encarregado dos negócios austríacos no Brasil, quanto o barão Hugel, secretário da embaixada austríaca. Além deles, outros germânicos começaram a chegar, entre eles o conde Fleming, ministro plenipotenciário da Prússia.

O casamento de d. Leopoldina deu seus primeiros frutos com a abertura das embaixadas alemãs no Brasil, do que não gostou nem um pouco, é evidente, a Inglaterra. Os ingleses até tentaram convencer Metternich, durante a espera dos navios portugueses na Europa, de que o melhor seria enviar d. Leopoldina a Lisboa, forçando a família real a voltar a seu país. O esperto diplomata austríaco, no entanto, respondeu que ela, após o casamento, passara a ser princesa da casa de Bragança, devendo obediência ao rei de Portugal; portanto, cumpriria a vontade de se juntar à família no Brasil.

Uma austríaca nos trópicos

Finalmente, após muita espera, d. Leopoldina embarcou para o Brasil em 13 de agosto. No começo de setembro, passaria pela Ilha da Madeira, onde por dois dias visitaria igrejas e quintas. Em 5 de novembro, o navio que a transportava chegou à baia de Guanabara. Em meio às salvas de tiros de canhão proporcionadas pelas fortalezas e navios da baía, os Bragança chegaram, no início da noite, para dar as boas-vindas à princesa a bordo. O rei apresentou a arquiduquesa ao filho, e d. Pedro teria entregue à esposa uma caixa de ouro repleta de diamantes lapidados. Diante do espanto de d. Leopoldina, d. João teria dito: "Vossa alteza vem para o país das pedras preciosas."[85] Segundo o relato da condessa de Künburg, acompanhante da arquiduquesa e testemunha ocular do primeiro encontro entre ela e o esposo, "ele [d. Pedro] estava sentado em frente da nossa princesa, os olhos baixos, levantando-os furtivamente sobre ela de tempo em tempo, e ela fazia o mesmo".[86]

Detalhe do desembarque de d. Leopoldina no Arsenal da Marinha, no Rio de Janeiro.

No dia seguinte, quando do desembarque, a nova princesa foi recebida em apoteose pela corte e pela cidade do Rio de Janeiro. Haviam sido construídos para a ocasião diversos monumentos, entre os quais o da rua Direita, com frente para o Arsenal da Marinha. Tratava-se de uma espécie de arco do triunfo grandioso, por onde o desembarque foi realizado. A obra, encomendada pela câmara do comércio, foi construída pelo arquiteto Grandjean de Montigny e decorado pelo pintor Debret, ambos da missão artística francesa. Ali, podiam-se admirar estátuas que representavam o Rio de Janeiro e o Danúbio. Os baixos-relevos no teto do arco traziam o Velho e o Novo Mundo unidos pelo símbolo do comércio. Além das iniciais do casal, lia-se: "À Feliz União o Comércio."[87]

Outros arcos foram erguidos ao longo do percurso do cais até a Capela Imperial. Em alguns deles, era possível ler, em medalhões, as virtudes atribuídas à princesa: bondade, amabilidade, doçura, sensibilidade, beneficência, constância, espírito, talento, ciência, encantos, graça e modéstia. Diversas bandas tocavam pelo caminho do cortejo. De um dos arcos, crianças pendentes jogavam flores naturais sobre o coche aberto em que iam d. João e d. Carlota, de um lado, e d. Pedro e d. Leopoldina, do outro. A princesa estava ricamente vestida de seda branca, com bordados de prata e ouro, ostentando também algumas das joias de diamantes com que fora presenteada. De sua cabeça pendia um fino véu de seda branca, que não impedia de ver seu rosto.[88]

Ao chegarem à Capela Real, d. Pedro desceu primeiro do coche e apressou-se em dar o braço a d. Leopoldina, ajudando-a a descer do veículo. Ao entrarem na igreja, acompanhados da corte e de diversos bispos, a música composta e regida pelo maestro Marcos Portugal irrompeu. Tendo a família real ocupado seu lugar e terminada a música, d. Miguel pegou d. Pedro pela mão; d. Carlota Joaquina fez o mesmo com d. Leopoldina. Em seguida, conduziram o casal para diante do bispo, onde se ajoelhou e recebeu as bênçãos nupciais. Após o ritual, foi entoado pelo coro um *Te Deum laudamus*, ao fim do qual todas as fortalezas e navios da baía deram salvas de canhões. A família real retirou-se então para o Paço da Cidade, em frente à Capela, de onde apareceram no balcão para assistir a uma parada militar e saudar a multidão que os ovacionava.

Às 11 horas da noite, d. Pedro e d. Leopoldina chegaram à Quinta da Boa Vista com d. João e toda a família. O rei fez questão de levar a nora para ver seu novo quarto, onde mandara colocar um retrato de seu pai, Francisco I; em seguida, deu-lhe um livro por ele encomendado na Áustria e que continha o retrato de toda a família que d. Leopoldina deixou para trás, o que a levou às lágrimas.[89] Para irritação da dama de companhia da jovem, e para espanto da própria princesa, tanto ela quanto o marido, seguindo a tradição da corte lusitana, foram despidos pelo rei, pela rainha e pelos demais príncipes, que só saíram do quarto após o novo casal, envergonhado, encontrar-se embaixo dos lençóis.[90]

Não sabemos o quão satisfatória foi, para d. Pedro, a primeira noite do casal, mas temos conhecimento da reação de d. Leopoldina por intermédio das cartas[91] que enviou ao pai e à irmã Maria Luiza:

São Cristóvão, 8 de novembro de 1817

Querido papai!

[...] Todos são anjos de bondade, especialmente meu querido Pedro, que além de tudo é muito culto. Embora esteja casada com ele há apenas dois dias, ele merece todo o meu respeito e atenção, pois o seu comportamento, sob todos os aspectos, é admirável. [...] Além disso o meu mui amado esposo não me deixa dormir, até que lhe disse sinceramente que estava abatida.

São Cristóvão, 8 de novembro de 1817

Amada Luísa!

[...] Faz dois dias que eu estou junto de meu esposo, que não é apenas lindo, mas também bom e compreensivo [...].

São Cristóvão, 12 de novembro de 1817

Amado papai!

[...] Meu esposo me incumbe de lhe pedir que o faça comandante de um regimento hussardo; esperando que o senhor não lhe negue tal pedido, cuja realização fá-lo-ia muito feliz, está lhe enviando suas medidas. Beijo-lhe as mãos inúmeras vezes, pedindo perdão pela letra ruim, mas meu infantil esposo está empurrando a minha mão [...].

É interessante a observação que d. Leopoldina tece ao pai, a respeito da educação de d. Pedro, na carta de 15 de dezembro de 1817:

Não tenho palavras para descrever minha felicidade, pois meu esposo tem bom coração e muitos talentos e boa vontade em se instruir, pois não é sua culpa se algumas pessoas acham que deveria ser diferente; isso é porque não o conhecem bem, pois, quanto mais se conhece ele, tanto mais parece melhor, por isso peço ao senhor que não acredite no que contam sobre ele, mas apenas no que lhe escrevo.[92]

As cartas de d. Leopoldina, assim como as dos demais príncipes e membros da corte, corriam o risco de ser interceptadas e lidas não só no Brasil, mas também na Europa, e por isso a princesa só se abria verdadeiramente quando confiava no mensageiro. De tal confiança gozou sua velha babá Annony, que partiu para a Europa no início de 1818. Por meio dela, e imaginando, erroneamente, que a carta nunca seria lida por mais ninguém além de Maria Luísa, d. Leopoldina resolve abrir o coração à irmã, contando tudo a respeito do marido, dos Bragança e da corte que a cercava:

[...] Encontro em meu esposo um verdadeiro amigo e um ser nobre; em poucas palavras quero descrevê-lo com toda a franqueza, convicta de que esta carta nunca cairá em outras mãos que não as tuas [...]. Ele me diz tudo o que pensa com

> franqueza e mesmo com certa rudeza; acostumado a que se lhe faça sempre sua vontade, tudo tem que se adaptar a ele, e até tenho que aturar algumas grosserias, porém vê que me magoam e assim chora comigo; além disso, estou convicta de que, com toda sua impetuosidade e maneira de pensar, me ama sinceramente, embora seja (devido a muitas circunstâncias infelizes em sua família) muito reservado e teimoso; conheço cada um de seus pensamentos; para mim, contudo, o que o torna querido e digno de proteção é o fato de continuar sendo amigo de seus amigos, mesmo que caiam em desgraça, e não poupar sacrifícios por eles, ao passo que é implacável com seus inimigos, além disso, se comporta impecavelmente para com seus pais, o que é muito difícil naquela situação infeliz em que um é contra o outro; honro e prezo muito meu sogro, uma vez que me demonstra muita bondade e amizade; o que me custa mais é estar todos os dias com certas pessoas, que seriam atuais no tempo de Henrique II, rei da França, o que é terrível; respeitarei minha sogra sempre como mãe de meu esposo, mas seu comportamento é vergonhoso, e infelizmente se veem as tristes consequências em suas filhas menores, que tem péssima educação e com dez anos sabem tudo como gente casada. Minha cunhada Maria Teresa é uma verdadeira amiga e a amo muito, porém, sabe Deus por que, meu esposo não me permite ter com ela.[93]

O Rio de Janeiro e os Bragança constituíam terreno espinhoso para d. Leopoldina. O marido, nutrindo ciúmes e insegurança com relação à irmã mais velha, Maria Teresa, que recebia mais atenção do pai do que ele, impedia a esposa de ter uma amiga verdadeira na família e na corte.

Passadas a chegada, as bodas, as festas e as novidades, a ansiedade da princesa converteu-se em frustração. A corte portuguesa no Brasil era um ambiente ao qual ela não estava acostumada. Em abril de 1818, cinco meses após desembarcar no país, começaram as queixas a Maria Luísa: "A terrível falta de qualquer distração e sarau me deixa bastante melancólica"; "Crê-me, nesta corte são inevitáveis os sacrifícios de toda sorte e o pobre coração e a mentalidade alemã sofrem com muitas duras lutas"; "É mais fácil tirar leite de pedra do que conseguir permissão de ir ao querido teatro". Em 1821, novamente em carta a Maria Luísa, desabafou: "No Brasil nunca se dança e meu esposo tem o encantador hábito de se divertir de todas as maneiras, porém os outros nunca podem rir e têm que viver como ermitões e sempre controlados pela política secreta"; "Eu gostaria sinceramente de dançar uma valsa de vez em quando". Ia longe o tempo em que dançava vinte *polonaises* em uma só noite.

Se na Áustria d. Leopoldina tivera liberdade para sair, podendo ir, contanto que acompanhada, até mesmo à rua, no Brasil as coisas eram diferentes. Ao pai, em dezembro de 1817, escreveu: "Nada conheço da cidade, porque meu esposo e o rei têm bons motivos para não querer que eu vá lá." Só lhe era permitido ir de carruagem à cidade para as festas religiosas que lá ocorriam.

Ao chegar ao Brasil, como ela mesma demonstrou nas primeiras cartas à família, d. Leopoldina foi muito bem recebida por d. Pedro, que de pronto lhe mostrou seu melhor lado. A pior faceta foi se deixando entrever mais lentamente. Aos poucos, a decepção romântica com o marido surgiu. Em carta a Maria Luísa, ela desabafou, em 7 de abril de 1820: "[...] Se hoje fosse livre, nunca mais casaria, pois [...] o santo matrimônio traz consigo muitos desgostos e aborrecimentos e o sacrifício da própria individualidade [...]."[94]

Um ano depois, em 24 de maio de 1821, novas queixas: "Começo a crer que se é muito mais feliz quando solteiro, pois agora só tenho preocupações e dissabores, que engulo em segredo, pois reclamar é ainda pior; infelizmente vejo que não sou amada."[95]

O confronto entre o Romantismo e a realidade

Da Europa, d. Leopoldina também trouxe ao Brasil algo além da missão artística e científica austro-alemã e da abertura do comércio entre os povos germânicos e o Brasil. A arquiduquesa vivera a infância e parte da juventude no ambiente em que nasceu o Romantismo, inaugurado simbolicamente pela obra *Os sofrimento do jovem Werther*, do escritor alemão Johann Wolfgang von Goethe. Essa escola viria a se contrapor ao Racionalismo e ao Iluminismo, favorecendo os sentimentos humanos, a emoção, o sentimentalismo, a supervalorização do amor, o nacionalismo, a busca pelo exótico e pelo selvagem, entre outros pontos.

D. Leopoldina conheceu Goethe pessoalmente e esteve com ele duas vezes na estação balneária de Karlsbad, em 1810 e 1812. Em ambas as ocasiões, estava acompanhando sua madrasta, a imperatriz Maria Ludovica, terceira esposa de Francisco I. Muito culta e inteligente, Maria exerceu grande ascendência sobre a formação intelectual da arquiduquesa.[96] A imperatriz ficou amiga do grande escritor alemão e com ele chegou a escrever e encenar, pessoalmente, uma peça teatral na estação de águas. Logo que retornou a Viena, em 1810, procurou se inteirar mais a respeito da produção literária de Goethe, apresentando-a a Leopoldina.

A melancolia, o amor, a paixão pelo príncipe do retrato e tantas outras palavras e revelações encontradas em suas cartas demonstram que d. Leopoldina estava imersa no ideal romântico. Esse ideal, ela quis transferir para um casamento dinástico, no qual os interesses de dois países se uniam simbolicamente por meio de um casal. Não se esperava que os esposos se apaixonassem um pelo outro. Se isso acontecesse, seria um acréscimo: o casamento dinástico era um negócio em que o papel da mulher consistia tanto em gerar herdeiros quanto em cumprir funções sociais e, em alguns casos, políticas. O amor romântico estava fora de questão, ali, tanto quanto estivera na ocasião do casamento de d. João com d. Carlota. Dotados de comportamentos diferentes, e após cumprirem seus deveres conjugais e gerarem herdeiros para a coroa, estes dois acabaram por morar em casas separadas, unindo-se apenas nas funções públicas. Porém, d. Leopoldina se apaixonou pelo marido, que também se encantou com a esposa, mas sua educação era muito diferente da dela, e suas expectativas, também.

No século XVII, madame D'Aulnoy escreveu sobre os jovens aristocratas ibéricos e disse que, desde os doze ou catorze anos, eles já começavam a ter amantes. Em vez de ficarem escondidas, essas mulheres eram ostentadas diante da sociedade, gerando bastardos que se criavam na promiscuidade junto com os filhos legítimos.[97] D. Pedro reeditaria esse personagem nos trópicos: enquanto d. Leopoldina sonhava com um casamento romântico, ele, com a sexualidade aflorada, dormia com Ana Sofia, que segundo alguns era enteada de Rochus Schüch, bibliotecário da princesa, e, segundo outros, sua esposa.

Tomando as rédeas do destino

APÓS CASAR-SE com d. Leopoldina, d. Pedro passou a ter alguém com quem efetivamente podia contar. Era ela não apenas companheira, esposa e mãe de seus futuros filhos, mas também alguém que supria, de alguma maneira, a educação que lhe faltara. Essa tarefa, d. Leopoldina tomou para si com prazer, como demonstram as diversas cartas que enviou aos familiares para relatar-lhes tanto seu esforço para ensiná-lo quanto a evolução intelectual do marido. Infelizmente, d. Leopoldina não explicita em quais áreas teria influído na cultura do príncipe. Mas é certo que não era apenas ele quem aprendia: nos primeiros anos de casados, os dois se dedicaram juntos ao estudo da música.

Quando chegou ao Brasil, em 1816, o ilustre Sigismund von Neukomm, discípulo de Haydn, pianista e compositor, já passara por diversas cortes europeias, como São Petersburgo, Viena e Paris. Neukomm foi o responsável pela popularização, em terras brasileiras, das obras de seu antigo mestre e de Mozart. Professor de música e de composição de d. Pedro e d. Leopoldina, ele registrou em carta um comentário a respeito de seu aluno principesco: "Eu tenho dois alunos (não conto com o Príncipe Real, que se ocupa da música como um Príncipe)." Já d. Leopoldina parecia não concordar com o músico. Em carta datada de 24 de janeiro de 1818, ela escreveu ao pai:

> O meu marido é compositor também, faz-vos presente de uma sinfonia e de um *Te Deum* compostos por ele. Na verdade são um pouco teatrais, o que é culpa do seu professor, mas o que vos posso assegurar é que ele próprio os compôs sem auxílio de ninguém.

O início do casamento de d. Pedro com d. Leopoldina foi calmo. Os dois ocupavam uma ala do Palácio de São Cristóvão, a eles destinada por d. João. Nesse período, d. Pedro, com ajuda da esposa e uns professores esporádicos, continuava a ser educado "como um príncipe". Além da música, ocupou-se também da teoria política e do estado. Tornou-se leitor das obras de Henri-Benjamin Constant de Rebecque, político e pensador francês com quem veio a se corresponder; também estudou a fundo, segundo Eugène de Monglave, as obras do jurista e filósofo italiano Gaetano Filangieri. crítico daqueles velhos princípios feudais que ainda existiam na Europa e contribuíam para o enriquecimento e o luxo excessivos da nobreza e do clero, em flagrante contraste com a miséria da população. O autor acreditava que uma revolução pacífica seria possível por intermédio do governante, mediante reformas e melhorias que deviam partir de cima para baixo e equilibrar as leis, a produção e a distribuição de renda.

Embora não tenha partido de d. João VI a iniciativa de educar o filho em princípios políticos novos e modernos, necessários a um governante que atuaria num mundo em mudança, a ânsia de d. Pedro por aprender — mesmo que de forma caótica e sem muita estrutura — lhe garantiria algum estofo no futuro. Inteligência para isso ele tinha; em carta ao irmão Francisco, d. Leopoldina afirmou, em janeiro de 1818: "Talento igual para a música e todos os estudos, como ele possui, ainda não tenho visto."

Futuramente, nas cartas enviadas aos filhos, d. Pedro alegaria que na verdade tivera sorte e que eles não podiam achar que o mesmo lhes aconteceria, que eram necessários muito estudo e aplicação para ocupar um trono e que bastavam ele e seu irmão Miguel como os últimos ignorantes da família.

"Real, Real, Real"

Após a morte de d. Maria I, em março de 1816, acreditava-se que a corte regressaria a Lisboa. Entretanto, d. João deixou-se ficar para realizar no Brasil o casamento de d. Pedro. Quem apostava que depois disso a corte finalmente partiria foi frustrado pela publicação, no início de 1818, de que ocorreria na cidade do Rio de Janeiro a aclamação de d. João como rei do Reino Unido de Portugal, Brasil e Algarve, d'Aquém e d'Além-Mar em África, Senhor da Guiné e da Conquista, Navegação e Comércio da Etiópia, Arábia, Pérsia e Índia.

Em 6 de fevereiro de 1818, de acordo com a tradição portuguesa, d. João foi aclamado. Apesar de uma coroa, um cetro e demais aparatos simbólicos fabricados no Rio de Janeiro para a ocasião, ninguém coroou o novo rei, nem ele pôs a coroa na própria cabeça, como fizera Napoleão, anos antes.

Segundo a tradição portuguesa, não se coroavam mais os reis em Portugal desde 1640, quando d. João IV dedicou a coroa a Nossa Senhora da Conceição, padroeira do país.[98] Mas isso não ofuscou o fausto da comemoração. Uma grande construção avarandada foi erigida para que o povo, da praça do Paço da Cidade,[99] pudesse enxergar toda a realeza e nobreza de Portugal. Uma verdadeira festa medieval foi preparada, com direito a rei de armas, arautos, passavantes e os demais cargos criados no auge do feudalismo, bem como heráldicas do Velho Mundo que entravam em gritante contraste com o clima, a fauna e a flora do Novo Mundo.

Aclamação de d. João VI no Paço da Cidade, no Rio de Janeiro.

A cerimônia iniciou-se no Paço da Cidade com a chegada de d. João à grande varanda central, que se destacava do conjunto pelo tamanho e pela largura. O cortinado era adamascado. Diante de si, o rei tinha os dois filhos, d. Pedro e d. Miguel. Este último, ocupando o posto de condestável do reino, assistiu a toda a cerimônia com a espada desembainhada e sustentada pelas mãos diante do rosto, como que para defender o rei e o reino a qualquer momento. D. João vestia um chapéu escuro adornado com plumas brancas e trajava roupa de gala, trazendo sobre os ombros um pesado manto de veludo vermelho em que se viam, bordados a ouro, os brasões de Portugal, Brasil e Algarve. Nas gravuras que sobreviveram, é possível ver o povo na praça protegendo-se, com sombrinhas, do sol. É de se imaginar como os europeus devem ter se sentido cobertos de mantos e veludos em pleno verão carioca.

Após a aclamação da multidão, o rei se sentou e recebeu, com a mão direita, o cetro de ouro. Seguiram-se então o juramento civil, feito ao desembargador do paço, e o juramento religioso, feito ao bispo. Depois, o rei voltou a sentar-se enquanto d. Pedro, com a mão sobre o Evangelho, jurava fidelidade ao pai, sendo nisso seguido por d. Miguel. Ambos beijaram a mão de d. João como símbolo de obediência e fidelidade. No futuro, os dois seriam acusados de romper o compromisso; um deles chegaria a ser acusado, pelo irmão, de parricídio.

Finalizada essa parte da cerimônia, a bandeira real foi desfraldada pelo alferes-mor enquanto o rei de armas convidava a nobreza e os altos funcionários do governo a jurarem fidelidade ao novo rei. Depois de aceitos os juramentos, o alferes-mor bradou da sacada para a multidão: "Real, Real, Real pelo Mui Alto e Mui Poderoso Senhor Rei d. João VI Nosso Senhor." Toda a assistência repetiu aos berros a frase, acima das notas ecoantes da orquestra que tocava entre o rei e seu povo. A festa seguiria por três dias no Rio de Janeiro, com direito a fogos de artifício em praças públicas; celebrações populares; e ruas e casas inteiramente decoradas com lanternas, que iluminavam toda a cidade à noite.

Por ocasião dos festejos, d. Pedro saudou o novo rei, seu pai, evocando a *Eneida* de Virgílio, obra que viera lendo no navio que os trouxera a salvo para o Brasil:

> [...] A posteridade, essa posteridade incorruptível que não poupa nem os reis, notará em V. Majestade um número infinito de pontos de contato morais e políticos com o herói da Eneida; como Eneias, V. Majestade veio lançar, depois de uma longa navegação, os fundamentos de um Estado que deve ser um dia o primeiro do mundo, como Eneias, V. Majestade será proclamando o modelo dos filhos e dos reis.[100]

Um herdeiro inquieto

À parte as manifestações públicas, oficiais e protocolares da corte, a participação do príncipe d. Pedro, com então 19 anos, era nula na política e nos negócios de estado. Os cortesãos de seu pai, a quem detestava devido a intrigas e fofocas, faziam de tudo para mantê-lo afastado do governo e do próprio rei. Seu espírito vivo, sua audácia, sua vontade de agir entravam não só em franco confronto com o modo contemporizador de d. João VI, mas ameaçavam os que gozavam da confiança e da boa vontade do monarca.

Em 1817, por exemplo, no auge da Revolução Pernambucana, cujo objetivo era transformar parte do Nordeste brasileiro em uma república, d. João teria sido informado por seus íntimos de que o príncipe d. Pedro, dado a ideias liberais, era simpático ao movimento. O jovem teria de pronto organizado um batalhão de voluntários e se oferecido ao pai para, à frente de seus homens, combater os rebeldes pernambucanos.[101] Em outra ocasião, d. Pedro teria amansado um cavalo para dar de presente a d. João, mas novamente os cortesãos que cercavam o rei advertiram-no de que se trataria de um truque, de que o cavalo era selvagem e o derrubaria. Revoltado com a atitude de desconfiança na recusa do presente, d. Pedro tomou o cavalo e saiu em desabalada carreira até dar cabo do animal, gritando que, se o pai não o montasse, ninguém mais o faria.

Entretanto, apesar de seu gênio afoito, indomável, imprudente, independente e aventureiro ter mais pontos de contato com a mãe, d. Carlota, a esta o príncipe respeitava e temia, uma vez que, mesmo adulto, recebia dela algumas bofetadas. Cartas guardadas no arquivo histórico do Museu Imperial, em Petrópolis, revelam que ele se lembrava da mãe ao retornar das caçadas na fazenda de Santa Cruz, enviando-lhe todas as presas que abatera. Ainda assim, d. Pedro estava longe de ser o filho querido de d. Carlota. Esse lugar era reservado a d. Miguel e às filhas mais novas, que ela conseguiu casar com os parentes da família real espanhola. D. João, apesar da maneira peculiar com que o demonstrava, parecia realmente apreciar d. Pedro e d. Maria Teresa, filha mais velha que fizera questão de tirar do raio de influência de d. Carlota. Carlota sempre veria o filho mais velho com certa desconfiança, graças às posturas políticas que afrontavam por completo as ideias absolutistas com as quais ela fora criada.

O pai o amava e se preocupava com ele, mas a seu modo, sem grandes demonstrações de afeto. Além disso, em virtude das ideias do jovem, mantinha-o afastado do governo. A mãe, por sua vez, não fazia grande questão de sua presença. D. Pedro nascera em Portugal, mas fizera-se homem no Brasil e aprendeu a amar a antiga colônia como se nela houvesse nascido. Educado segundo os princípios absolutistas, ele cresceu vendo Napoleão destroçar esses mesmos princípios e criar uma nova forma de governo, espalhando os ideais da Revolução Francesa para além das fronteiras da França. Isso influiu na mentalidade de jovens de toda uma geração, como bem demonstra o clássico *O vermelho e o negro*, do escritor francês Stendhal, em que o drama do personagem principal nasce de ele ter de escolher, para a vida, opções que inexistiam antes da Revolução Francesa e de Napoleão.

D. Pedro aparecerá, ao longo de sua trajetória, com um pé em cada lado do oceano: é liberal, mas com laivos absolutistas; preocupava-se com a esposa e os filhos, mas divertia-se à noite na casa de amantes esporádicas e oficiais. Dividido ele também permanecerá na eternidade, que ainda se mostrava distante quando, em meados de 1818, o rapaz de vinte anos descobriu que seria pai. No final desse mesmo ano, uma desgraça se abateu sobre a família. D. Maria Isabel de Bragança, irmã um ano mais velha que d. Pedro, partira para a Espanha em 1816 com a irmã menor, d. Maria Francisca. Ambas desposariam seus tios, irmãos de d. Carlota Joaquina. D. Maria Isabel casou-se com o rei da Espanha, Fernando VII; d. Maria Francisca, com o infante d. Carlos de Bourbon. Em dezembro de 1818, durante um parto difícil e prolongado, Maria Isabel, já debilitada pelo grande esforço, teve um ataque epilético e entrou em coma. Isso não foi percebido pelos médicos, que, na ânsia de salvarem o bebê, retalharam seu ventre numa cesariana desastrada. A rainha voltou à lucidez berrando de dor, e tanto d. Maria Isabel quanto a criança morreram em poucas horas. Os espanhóis, que devem a ela a criação do Museu do Prado, apelidaram-na de "a rainha que morreu duas vezes".

Uma nova herdeira

Ainda abalados com a morte da infanta, os Bragança se reuniram para o parto do primeiro filho de d. Pedro com d. Leopoldina, nascido no Palácio de São Cristóvão, na Quinta da Boa Vista, às cinco da tarde de 4 de abril de 1819. A menina recebeu o nome de d. Maria da Glória Joana Carlota Leopoldina da Cruz Francisca Xavier de Paula Isidora Micaela Rafaela Gonzaga. Nele constam, como de praxe, homenagens ao avô d. João (Joana); à avó d. Carlota; à mãe; a São Francisco Xavier e de Paula; a Santo Isidoro de Sevilha (Isidora), cuja data de morte é 4 de abril, dia do nascimento da menina; aos arcanjos Miguel e Rafael (Micaela e Rafaela); e a São Luiz Gonzaga. A criança recebeu o título de princesa da Beira, herdeira do Reino Unido do Brasil, Portugal e Algarve, e subiria ao trono português com o título de d. Maria II.

Batizada no Rio de Janeiro, ela foi consagrada pelo avô, d. João VI, a Nossa Senhora da Glória do Outeiro, para cuja igreja levou a menina nos braços, inaugurando uma tradição na família dos Bragança. D. Leopoldina e d. Pedro iriam ao menos uma vez por semana assistir à missa naquele templo, localizado em um outeiro aos pés do qual, naquela época, o mar chegava.

Novamente, diversas festas e comemorações se seguiram não só no Rio, como também em todo o mundo lusitano, que recebeu indultos, liberdades e graças por ocasião do nascimento real.

Cortejo para o batizado da princesa d. Maria da Glória na Capela Real, no Rio de Janeiro.

Revolução do Porto

Enquanto isso, gestava-se na Espanha uma revolução contra o absolutismo do rei d. Fernando VII. A revolta explodiria em janeiro de 1820. O exército e o povo obrigaram o rei a restaurar a constituição de Cadiz — apelidada de La Pepa — criada pelas Cortes (parlamento) em 1812, quando o monarca estava preso na França por Napoleão. A constituição fora revogada em 1814 com o retorno do rei. Além da constituição, a revolta também obrigou d. Fernando VII a instalar no poder um governo liberal.

Enquanto isso, do outro lado da fronteira espanhola, os portugueses estavam sendo virtualmente governados pelo marechal britânico William Carr Beresford, que assumira o comando do exército português. A tutela inglesa a Portugal buscava evitar que a Espanha invadisse o reino lusitano em retaliação à perda da Cisplatina, incorporada por d. João VI ao Brasil. Entretanto, o marechal Beresford não podia impedir que os ideais liberais e constitucionais chegassem à nação, com as finanças prejudicadas pela quebra do monopólio comercial com o Brasil. Os portugueses empobrecidos e o exército com soldos atrasados, ambos abandonados pelo rei e desesperançados, passaram a ver na mudança de governo ou numa nova união ibérica sob a coroa espanhola a saída para a situação em que a nação se encontrava.

Beresford chegou a atravessar novamente o Atlântico e, em maio de 1820, desembarcou no Rio de Janeiro para intimar d. João a voltar para Portugal. Além de todos os problemas existentes no país, ele não podia mais continuar no posto, pois fora nomeado governador de Jersey pela coroa britânica. D. João não partilhava da mesma urgência que Beresford queria dar aos negócios lusitanos. Ele chegou a convidar o militar para inspecionar as fortificações brasileiras, mas voltou atrás depois que o ministro plenipotenciário da Grã-Bretanha no Rio de Janeiro aconselhou que, se nem o rei nem nenhum membro da família real fosse para Portugal, seria melhor permitir que Beresford retornasse: caso eclodisse uma revolução no reino europeu, o comandante do exército ao menos estaria lá. O marechal embarcou de volta a Portugal em 13 de agosto, mas já era tarde: no dia 24, uma revolução eclodiu na cidade do Porto e se espalhou por todo o país. Logo uma junta governativa foi formada, sendo marcadas eleições para os representantes das Cortes. O parlamento português, que não se reunia desde 1697, deveria assumir a função de assembleia constituinte e elaborar uma carta para a nação. A junta, que passara a governar em nome do rei, também exigia o retorno de d. João VI.

Em 17 de outubro, um navio português chegou ao Rio de Janeiro com a notícia da revolução. O rei, então incrédulo, tinha que tomar uma decisão sobre o assunto, mas resolveu, como era de seu feitio, pedir a opinião de seus conselheiros e ministros. Dez dias depois, mandou divulgar uma carta em que admoestava seus súditos pela ousadia do ato e afirmava que decidiria quem da família partiria para Portugal e quem ficaria no Brasil. Dessa forma, julgava possível manter a integridade do Reino Unido, que Portugal estava disposto a contestar desde que começara a empobrecer e que os papéis de colônia e metrópole haviam se invertido.

Vai o pai ou vai o filho?

A farsa de 1807 era reeditada treze anos depois. Quem iria e quem ficaria? Novamente, d. Pedro era o favorito para ir, enquanto o rei permaneceria no Brasil. Dois partidos logo se delinearam. Um deles era movido pelo recém-chegado conde de Palmela, representante de Portugal no Congresso de Viena. Para ele, a constituição era uma necessidade e d. Pedro deveria partir para Portugal a fim de "presidir as Cortes e sancionar a Carta, cujas bases seriam estabelecidas pelo trono".[102] O outro, bem representado pelo advogado português Tomás Antônio, conselheiro de d. João, achava que todos deveriam ficar no Brasil, protegendo-se da "loucura" que tomara conta de Portugal; enquanto o povo português não se comportasse, dizia, o rei não deveria ceder um milímetro sequer de seu poder — em resumo: nada de voltar para lá e ratificar uma constituição. Desse modo, d. João tergiversou, ganhando tempo mais uma vez, agora até o final de janeiro de 1821, quando finalmente resolveu enviar d. Pedro a Lisboa. O príncipe havia sido mantido, como de praxe, fora da tomada de decisão. Mesmo com a resolução tomada, d. João perguntava aos conselheiros como deveria abordar o filho, o que falaria e o que argumentaria em caso de recusa.

A relação entre pai e filho era tortuosa. D. Pedro sabia de tudo o que estava ocorrendo e desejava partir para Portugal, segundo carta enviada ao amigo e conselheiro conde dos Arcos, ex-vice rei do Brasil e governador da Bahia:

> Meu conde e amigo. Dou-lhe parte, o Sarmento me disse que Tomás lhe dissera que eu não havia de ir porque ele não queria e que meu pai também não queria,

> mas iria a mana (d. Maria Teresa) com meu sobrinho e o mano (d. Miguel) debaixo do pretexto de tomarem conta das suas casas, deste modo não vamos bem e é necessário que o conde veja se meu pai decide a meu favor que é o que nós desejamos. Eu ontem disse à mana que sabia todas essas coisas porque mo haviam dito na cidade, e eu tinha muito interesse nisto porque a meu pai interessava igualmente ou se era possível ainda eu interessava mais, para ver se ela lhe vai contar, e se meu pai lhe diga amanhã alguma coisa mais ainda que ela lhe não diga nada inste o conde *oportum et importum* porque é de absoluta necessidade.[103]

Pai e filho viviam sob o mesmo teto e tinham que usar de subterfúgios, informantes e armadilhas, como aquela que d. Pedro armou com a irmã para ver se d. João mencionava algo a respeito da viagem. O respeito e o temor paternal, no que toca à falta de comunicação, faziam as famílias da época se assemelharem bastante às famílias disfuncionais atuais.

Nessa altura, não só o rei, mas também seus ministros e conselheiros, estavam envolvidos na questão, que já havia caído em domínio público e dividido o Brasil. Um folheto lançado no Rio de Janeiro pregava que nenhum membro da família de Bragança deveria deixar o país. Se o rei, ou qualquer outro, partisse para Portugal, alimentaria a revolução lá instalada. Se permanecesse no Brasil, não lhe dariam importância. Além do mais, o folheto afirmava que o monarca não precisava da antiga metrópole, ao passo que Portugal não sobreviveria sem a ex-colônia. Em resposta à publicação, foi impressa na Bahia uma peça que respondia a todas as questões propostas. Esse novo folheto alegava que, sem os portugueses, o Brasil estaria nas mãos dos estrangeiros, que exauririam todas as riquezas da nação e transformariam os brasileiros em escravos. Tal impresso era totalmente favorável à constituinte portuguesa, ao contrário do que fora publicado no Rio de Janeiro que pedia tanto a continuação do regime absolutista quanto a permanência da família real.

Além de todos os prós e contras expostos, a Revolução do Porto promoveu, no Brasil, uma crise entre portugueses e brasileiros. Se os portugueses na Europa já estavam fartos de serem governados pela ex-colônia, esta, por sua vez, não tinha qualquer desejo de voltar novamente, após 13 anos como sede da coroa, à sua antiga condição.

Assim como verificado entre os ministros, os conselheiros do rei e o povo das duas nações, a divisão de pensamento também encontrava lugar dentro da própria família real. D. Leopoldina, novamente grávida, assistia a tudo e lançava à irmã seu veredito: "Meu esposo pensa segundo os novos princípios e meu sogro segundo os bons e verdadeiros."[104] Os verdadeiros e bons princípios a que se referia eram os do absolutismo, em que ela nascera e fora criada.

Diante da indecisão de d. João, a Inglaterra e a Áustria começaram a pressioná-lo. O ministro plenipotenciário da Áustria, Sturmer, era favorável à ida de d. Pedro a Portugal e desconfiava, segundo despacho enviado a Metternich, que d. João era "tão arguto quanto falso". Tanto ele quanto o ministro inglês, Thornton, conseguiram que d. João concordasse com a partida, mas o monarca impôs, como condição, que apenas o filho partisse. D. Leopoldina e a princesinha d. Maria da Glória ficariam no Brasil, junto com o restante da família. Sturmer comunicou a Viena que desconfiava da solução. O ministro austríaco achava que seu objetivo era a desistência do príncipe de partir, no intuito de ter a seu lado a esposa e a filha, ou a submissão total do rapaz ao pai, que teria como reféns a nora e os netos. Ao diplomata, d. João chegou a questionar: "E se, quando o meu filho chegar a Portugal, o aclamarem rei?"

Enquanto isso, a união de todas as províncias brasileiras sob o poder do rei vacilava. Um levante em janeiro, no Pará, seguido de outro em fevereiro, na Bahia, romperam a unidade governamental do Brasil. Ambas as províncias aderiram ao novo governo instalado em Portugal e às Cortes de Lisboa, tornando-se favoráveis à constituinte. As notícias das rebeliões só chegaram ao Rio de Janeiro na segunda quinzena de fevereiro de 1821.

D. Pedro, apesar da ânsia em partir para Portugal, não deixaria a esposa. Tentou ganhar tempo junto ao conde de Palmela, pedindo ao ministro dos negócios estrangeiros e ao diplomata austríaco Sturmer que intercedessem junto a d. João para que a partida fosse adiada até o nascimento do filho, a fim de que ele e a esposa fossem juntos para Portugal. A ira de d. Leopoldina caiu sobre ambos os ministros, que insistiram na partida iminente de d. Pedro — tratava-se, afinal, de medida urgente, dado que até as províncias brasileiras juntavam-se à causa de Portugal. Tanto Palmela quanto Sturmer garantiram que fariam de tudo para que a esposa se juntasse ao príncipe depois de ter o bebê. Palmela receava que d. João, com seu hábito de tomar todas as suas decisões vagarosamente, desse para trás; Sturmer, por sua vez, tentava evitar, sem permissão de d. Leopoldina, que, se a coroa perdesse Portugal, ela fosse considerada culpada, uma vez que não deixara o marido partir sozinho.

No entanto, as coisas seriam resolvidas entre o próprio casal, conforme relata d. Leopoldina em carta ao capitão von Schaffer, a quem solicita ajuda:

> Debaixo do maior segredo, de modo que nem viva alma o possa sequer suspeitar, tenha o senhor a bondade de fretar para mim uma embarcação que zarpe brevemente para Portugal, visto que meu esposo deve seguir dentro de três dias e eu devo ficar aqui por tempo indeterminado por motivos que não estou autorizada a divulgar, não mos permitem, sou obrigada a procurar minha salvação na fuga legitimada pelo consentimento do meu esposo. [...] Queira procurar-me uma boa ama de leite [...] para meu filhinho que nascerá no mar [...]. Tudo isso debaixo do maior segredo, ninguém deve sequer suspeitar. [...][105]

A fuga romântica da esposa fiel, porém, não se fez necessária. No fim, d. Leopoldina venceu: segundo Sturmer, após jogar-se diante do sogro por três vezes no mesmo dia, pedindo que não a separasse do marido.[106] A lembrança de sua irmã com o filho em Viena, separada do exilado Napoleão Bonaparte, talvez a tenha levado a pensar que lhe aguardava destino semelhante. Segundo outra versão, d. João mandou a filha Maria Teresa procurar a nora a fim de apaziguá-la. Pediu que lhe informasse que, na verdade, nunca tivera real intenção de mandar d. Pedro a Portugal e que tudo não passaria de uma manobra para ganhar tempo.

D. Pedro mostrara certa dubiedade durante todo o processo de decisão quanto à partida. Inicialmente entusiasmado, seu ímpeto, talvez pela insistência do pai em que ele fosse sozinho e deixasse a mulher e os filhos no Brasil, arrefeceu mesmo após a promessa de que só iria após o parto da esposa e em sua companhia. Ao que parece, algo nesse ínterim pode ter acontecido e feito o príncipe mudar de ideia, desejando permanecer no Brasil. D. Pedro, em resposta a uma consulta de d. João, enviara-lhe um documento em que se mostrava favorável à constituição. Esta, porém, deveria ser conferida pela autoridade real, e não usurpada.

D. Pedro assume como personagem principal

Ainda tentando estabelecer a ordem e ter algum controle sobre a situação no Brasil, d. João mandou publicar, em 25 de fevereiro, um decreto em que convocava a reunião das Cortes em terras brasileiras. As cidades, vilas e ilhas portuguesas no

Atlântico deveriam enviar seus representantes ao Rio de Janeiro. Essa assembleia teria a função de examinar as propostas das Cortes de Lisboa e adaptá-las à realidade do Brasil. Na tentativa de resolver um problema, d. João criou outro. Seu decreto desafiava abertamente a autoridade das Cortes portuguesas e, com a ideia de uma legislação diferente para Brasil e Portugal, abria precedente para a separação política, algo que as tropas lusitanas, o núcleo forte do movimento constitucionalista português, não permitiriam.

O dia 26 de fevereiro mal começara quando os primeiros soldados do 3º batalhão de caçadores chegaram à praça do Rocio, atual praça Tiradentes, no centro do Rio de Janeiro. Por volta das três horas da manhã, formaram-se diante do teatro, e logo foram seguidos por uma bateria de seis peças. Junto aos soldados e oficiais, entre os quais havia um brigadeiro, estavam alguns líderes políticos que reivindicariam, se necessário à força, que o rei jurasse a constituição que ainda nem fora criada. Enquanto os batalhões saíam dos quartéis, dois informantes, o padre Gois e um oficial graduado que não quis participar da revolta, partiram para o Palácio de São Cristóvão, onde avisaram d. Pedro e d. João VI sobre o que estava ocorrendo na cidade.

D. João, tão vagaroso em suas decisões, demonstrou uma rapidez que quase ninguém seria capaz de reconhecer, mas que revela como, por trás de seu modo de fazer as coisas, algum método existia. Ele ordenou que d. Pedro partisse a cavalo até a residência do ministro Tomás Antônio, onde havia um decreto que mandara preparar em caso de emergência. Nele, o rei prometia aderir e adotar, para o reino do Brasil, a constituição que as Cortes de Lisboa elaborassem, ressalvadas as mudanças que deveriam ser feitas.

D. Pedro, cavaleiro exímio, chegou a galope à praça do teatro real por volta das cinco horas da manhã. Ao descer do cavalo, foi saudado pelos soldados. Com ar confiante e marcial, dirigiu-se ao pórtico do teatro, em cujo saguão reuniam-se os líderes do movimento. "Está tudo resolvido", teria dito, exibindo o decreto assinado pelo rei e datado do dia 24. "As tropas podem recolher-se aos seus quartéis e os oficiais podem ir beijar a mão de meu augusto pai."[107] O príncipe, no entanto, havia se enganado. Durante a leitura, interrompeu-o um amigo, o padre e advogado português Marcelino José Alves Macamboa, que dizia que o que eles queriam era a constituição tal e qual feita em Portugal, isto é, uma constituição única para as duas nações. O rei, além disso, deveria jurar em público que respeitaria a constituição portuguesa sem qualquer reserva. Por fim, eles exigiram que todo o ministério fosse demitido e que uma junta governamental, com treze nomes indicados pelos revoltosos, fosse organizada.

Teatro na praça do Rocio, palco dos principais acontecimentos políticos no Rio de Janeiro.

O príncipe tentou contemporizar, dizendo que não existia uma constituição portuguesa para ser jurada e que a do Brasil se faria da melhor maneira possível, decidida por seus próprios representantes. Tudo, porém, em vão. Sem escolha, d. Pedro retornou a São Cristóvão, onde reencontrou o pai e lhe expôs o ocorrido. Às oito horas, o príncipe chegou novamente ao pórtico do teatro. As nomeações exigidas tinham sido aceitas, cabendo ao rei indicar o cargo ocupado por cada um dos elementos da junta governamental. Com a mesma data retroativa, o novo decreto finalizava com: "Hei por bem desde já aprovar a Constituição que ali se está fazendo e recebê-la no meu reino do Brasil e nos mais domínios da minha coroa."[108]

D. Pedro reuniu como pôde, no teatro, os membros do Senado da Câmara,[109] funcionários mais graduados e todos a quem caberia alto cargo no governo; em seguida, fê-los jurar sobre o Evangelho a nova constituição a ser feita. Depois, do alto da varanda do teatro, leu para o povo e a tropa o decreto de d. João, fazendo por ele, na condição de procurador, o juramento solene, para o qual lhe segurava o Evangelho o bispo capelão. No entanto, aquele dia deveria mesmo pôr à prova os talentos de cavaleiro de d. Pedro. Não bastava tê-lo como procurador do pai; os manifestantes queriam o rei em pessoa no juramento solene. Assim, pela terceira vez o príncipe partiu rumo a São Cristóvão. Entre idas e vindas, já se somavam trinta quilômetros de cavalgada.

Se as novas ideias liberais davam mostra de sua força, a importância do rei e da família real não fora descartada, apesar de eles serem forçados a jurar uma constituição que não existia e que removeria parte de seu poder. A autoridade régia nunca mais seria a mesma depois do dia em que d. João se viu obrigado a obedecer à tropa e ao povo amotinados, mas ainda assim o viam como um líder, mesmo que simbólico. Talvez esses pensamentos lhe tenham surgido à cabeça enquanto ele se dirigia de carruagem à cidade, com d. Pedro cavalgando ao lado.

A multidão que se encontrava na praça regozijou-se ao ver o monarca. Ovacionando-o, chegaram a tirar os cavalos, e o próprio povo puxou a carruagem de d. João. O rei, exasperado por aquela efusão popular, acabou por ser ainda carregado até seus aposentos no Paço da Cidade, quando então percebeu que sua bengala de cabo de ouro com diamantes incrustrados fora roubada. No mesmo prédio em que ele fora aclamado rei, estava agora jurando, com a maior estoicidade possível, uma constituição que lhe tirava o absolutismo das mãos: ao menos conservaria o trono e a cabeça. Ao seu lado estava toda a família real, inclusive d. Carlota, que parecia contente com tudo o que estava ocorrendo. Absolutista convicta, ou ela demonstrava ser uma excelente atriz, ou finalmente começava a entrever que seus dias de exílio na América estavam contados.

Apesar de os ministros da Inglaterra e da Áustria oficiarem a seus países que o príncipe d. Pedro tomara controle da situação na praça pois também era um dos conspiradores, não existe qualquer prova concreta quanto a isso. Ao contrário, diz Palmela em uma carta que, na tentativa da tropa amotinada de aclamá-lo rei de Portugal ali mesmo, na praça do Rocio, ele foi o primeiro a gritar: "Viva el-rei d. João VI."

Desse dia em diante, d. João não teve mais como manter o príncipe afastado dos assuntos de estado. Ao novo ministro do estrangeiro e da guerra, Silvestre Pinheiro Ferreira, teria declarado que insistira em ter o príncipe presente na reunião do conselho e com os ministros:

> Como o príncipe toma parte nos negócios públicos, é de necessidade que a tome nas deliberações do governo. Tempo há que eu tenho pensado em chamá-lo a elas; e se o não tenho feito é porque se bem o seu voto não coarcte a minha soberana autoridade, não pode deixar de prender mais ou menos, segundo o grau de empenho que ele mostrar, a liberdade de opinar dos conselheiros. Mas esta, que foi razão até agora, cessa de o ser depois da época de 26 de fevereiro; e portanto aprovo e folgo que ele seja presente, como me haveis proposto.[110]

A partir de 26 de fevereiro, os fatos começaram a se suceder mais rapidamente. D. João concordou, durante uma reunião de ministros e conselheiros, em voltar a Portugal com a família e deixar d. Pedro no Brasil como príncipe regente.

Em 6 de março de 1821, em meio a tanta confusão, nascia mais um membro da família Bragança. D. João Carlos veio ao mundo no Palácio de São Cristóvão, às duas horas da tarde. D. Leopoldina sofreu para dar à luz esse filho. A criança, muito grande e gorda, só saiu até a metade de dentro da mãe sem ajuda. O braço direito do bebê estava na frente da cabeça, o que dificultou o parto. Três dias depois, segundo carta à irmã Maria Luísa, a princesa delirou a noite toda porque correra "risco de infecção abdominal, pois durante o parto deixaram que me resfriasse; o parteiro, que é muito habilidoso, ajudou rapidamente [...]. Agora estamos bem, eu e meu filho, embora ele tenha tido convulsões".[111]

A criança nascera, assim como o pai, com epilepsia. Em outro trecho da carta, d. Leopoldina contou o novo drama vivido pelo casal:

> Já deves ter ouvido de todos os acontecimentos constitucionais ocorridos nos estados portugueses; podes bem imaginar que influência têm sobre o meu estado de espírito, embora não pense contra eles, meu esposo jurou aqui a constituição, o rei vai para Portugal e levará consigo meus dois filhos, o que me é extremamente penoso.

Esta seria a garantia de que d. Pedro juraria a constituição que chegasse ao Brasil.

Na prática, com a revolta portuguesa no Rio de Janeiro, em fevereiro de 1821, o Brasil voltaria a receber ordens de Portugal. Não haveria uma constituição para cada reino, mas ao mesmo tempo os deputados brasileiros seriam convocados a Lisboa para tomar parte no processo constitucional.

Em 21 de abril, véspera da Páscoa, reuniu-se uma assembleia no Rio de Janeiro, mais especificamente na praça do Comércio,[112] espécie de Bolsa de Valores da época, um moderno prédio projetado em estilo neoclássico pelo arquiteto francês Grandjean de Montigny e inaugurado um ano antes, no dia do aniversário do rei.

A Assembleia era composta de eleitores paroquiais. Estes deveriam iniciar o processo de escolha daqueles eleitores da comarca que viriam a tomar parte no processo de seleção dos deputados a que caberia representar o Brasil junto às Cortes em Lisboa. O ministro Silvestre Pinheiro Ferreira aproveitaria a Assembleia tanto para explicar como se daria a transição do poder do rei para o príncipe regente quanto para pedir as opiniões e o consentimento dos eleitores.

Diante da novidade de um governo representativo, também o povo lotou o local. Os que não conseguiram entrar concentraram-se do lado de fora do edifício. Embalados pela distribuição de vinho por parte dos comerciantes portugueses, animavam-se cada vez mais com as notícias vindas de dentro do prédio.

Por volta das quatro horas da tarde, quando o juiz da comarca que presidiria a Assembleia estava prestes a apresentar os assuntos a serem trabalhados, foi impedido de falar. O padre Macamboa, que não era eleitor, apresentou-se junto com Luís Duprat na condição de defensor do povo, incitando os eleitores e a população contra o governo e exigindo que se adotasse naquele mesmo dia, como constituição, a espanhola La Pepa, até que a constituinte a ser elaborada em Lisboa redigisse uma inteiramente portuguesa.

Logo que soube do ocorrido no prédio da praça do Comércio, d. Pedro convocou dois batalhões, um de artilharia e outro de infantaria, e posicionou-os entre a cidade e São Cristóvão, visando proteger a residência real. Em seguida, partiu para o palácio. Havia já chegado, em São Cristóvão, uma delegação com a proposta da Assembleia, sendo aguardada a aprovação do rei. Aos ministros e conselheiros de d. João, juntou-se d. Pedro. Ante a insistência do ministro Silvestre em que o rei, completamente apático, deveria aceitar a constituição, o príncipe prometeu jogá-lo pela janela caso continuasse a insistir nesse absurdo. Apesar da argumentação do príncipe contra o aceite de uma constituição estrangeira, somente ele e o ministro da Marinha votaram contra.

Enquanto isso, na praça do Comércio, começou a correr o boato, devido à demora no retorno da delegação que partira para São Cristóvão, de que o rei não aceitaria a nova constituição. Para piorar, outro rumor dava conta de que uma imensa quantidade de ouro estaria sendo embarcada nos navios que levariam a corte de volta a Portugal. Tudo isso fez Duprat ordenar que um velho oficial presente na Assembleia fosse aos fortes exigir que disparassem contra qualquer nau que quisesse deixar o porto. No entanto, embora tenha conseguido chegar a uma das fortalezas, o militar acabou aprisionado no meio da baía por um barco com soldados comandados por d. Pedro.

Por volta das dez horas da noite, lavrou-se em São Cristóvão um decreto pelo qual d. João acatava o pedido da Assembleia e decretava que a constituição espanhola deveria ser observada no Brasil. A multidão na praça do Comércio, porém, em vez de se dispersar, como os ministros acharam que ocorreria, tornou-se mais virulenta e prosseguiu em sessão, propondo ao trono as exigências mais disparatadas e extremadas. Os radicais pressionavam os eleitores, tomados de pavor, a concordarem com tudo o que era exigido.

D. Pedro percebeu que as coisas estavam indo longe demais. Quem ditava as regras e o que deveria ser feito, por exemplo, bem como aqueles que deveriam ser os ministros que ajudariam o príncipe regente a governar o Brasil, não eram pessoas eleitas, mas demagogos que haviam transformado a Assembleia em um barril de pólvora prestes a estourar.

Passando por cima da autoridade do rei, que nada decidia, e ignorando também os ministros e o governador de armas da capital, d. Pedro ordenou ao general Jorge Avilez que os soldados avançassem para a praça do Comércio e desfizessem aquela casa de loucos. De início, pensou-se que apenas a presença do exército no local já faria a multidão se dispersar, mas então um primeiro tiro foi dado, e um soldado acabou morto. O local foi varrido a baionetas e coronhadas e esvaziado completamente. Houve mortes e prisões, bem como gente que se atirou do edifício e tentou fugir a nado. Às cinco horas da manhã da Páscoa, tudo havia terminado. No mesmo dia, um novo decreto de d. João VI, escrito por d. Pedro, dava por cancelada a adoção da constituição espanhola, alegando que ela fora imposta por pessoas que não representavam verdadeiramente o povo. Também do dia 22 é o decreto, com data de 7 de abril, que comunica oficialmente a partida da família real e a nomeação de d. Pedro como príncipe regente, cabendo a ele "o governo geral e inteira administração de todo o reino do Brasil".

Em menos de um mês, d. Pedro tinha mostrado ao que viera. Ele saiu das cavalariças e tavernas para assumir um destacado lugar de mando, com todos os defeitos, qualidades e grosserias que lhe eram imputados e por si próprio reconhecidos. Sempre seria um príncipe constitucionalista, com toda a problemática envolvida por quem foi educado para ser um absolutista. Sentimentos e ideias se confrontariam a todo momento. Personalista, dado a laivos voluntariosos que chegavam às raias do egocentrismo, d. Pedro tentaria, da forma que lhe pareceria correta, governar à luz das novas ideias liberais, mas mesmo isso foi feito a seu jeito. Ele não teria paciência para demagogos e aventureiros políticos como Duprat e o padre Macamboa, que quase fizeram estourar uma revolução.

No final das contas, d. João não levaria os netos para a Europa. Eles continuariam no Brasil, junto com d. Pedro e d. Leopoldina. O rei — ou "rei velho", como anos depois viria a ser lembrado, com certo ar saudosista, por alguns de seus antigos súditos brasileiros — embarcaria então para Portugal após revolucionar o Brasil em 25 de abril, aniversário de d. Carlota. Assim como ocorrera em Lisboa no ano de 1808, não houve grandes demonstrações de despedida, e o embarque foi realizado de madrugada. Junto com d. João, partiram mais de quatro mil pessoas, entre as quais funcionários, criados, ministros, diplomatas e suas famílias.

Antes do embarque, no dia 24, pai e filho teriam travado a última conversa privada de suas vidas. D. Pedro a rememoraria em carta a d. João datada de 19 de junho de 1822:

> Eu ainda me lembro e me lembrarei sempre do que Vossa Majestade me disse antes de partir dois dias, no seu quarto: "Pedro, se o Brasil se separar, antes seja por ti, que me hás de respeitar do que para algum desses aventureiros."[113]

A independência como negócio de família

OS PRIMEIROS dias do governo de d. Pedro como príncipe regente não foram dos mais auspiciosos. A população do Rio de Janeiro ressabiou-se do modo pelo qual a Assembleia fora dispersada. A praça do Comércio ficou vazia e foi evitada pelos negociantes durante algum tempo. Periodicamente, surgia uma placa no edifício em que se lia "Açougue dos Bragança" ou "Açougue Real", mas esta era rapidamente retirada pelas autoridades. Na Bahia, quando se soube do ocorrido no Rio de Janeiro, a praça do Comércio local foi decorada com crepes negros, em sinal de luto. As patrulhas na capital foram dobradas e, em diversas praças e locais estratégicos, batalhões do exército e peças de artilharia permaneciam em prontidão.

Entretanto, d. Pedro estava longe de ser tão cauteloso quanto o pai. Sempre ativo, altivo e imprudente, ele fazia questão de sair às ruas e vistoriar estabelecimentos públicos — enfim, ver e ser visto, sobretudo trabalhando. Acreditava ser seu dever dar exemplo e se preocuparia, ao longo de sua presença à frente dos negócios de Estado, com o micro e o macro: nada lhe passava despercebido.

O decreto de nomeação de d. Pedro como príncipe regente do Reino do Brasil definia tudo o que ele poderia fazer na administração dos negócios estatais e, até mesmo, eclesiásticos. Entre as prerrogativas cedidas por d. João, estava a de que o jovem príncipe poderia declarar guerra ofensiva ou defensiva a qualquer inimigo que atacasse o reino. O decreto real também assinalava que, em caso de impedimento, a regência seria assumida por d. Leopoldina. Além disso, impunha quatro ministros de Estado ao governo do príncipe. Para o cargo mais importante, o de Secretário de Estado dos Negócios do Reino do Brasil e Negócios Estrangeiros, foi nomeado o conde dos Arcos.

D. Marcos de Noronha e Brito, conde dos Arcos, era o vice-rei brasileiro quando do estabelecimento da corte no país, em 1808. Fora transferido ao Brasil em 1803, como governador do Pará. Com a chegada família real e a subsequente extinção do posto de vice-rei, partiu para a Bahia na condição de governador e retornou ao Rio de Janeiro, posteriormente, como ministro da Marinha. Nunca perdeu contato com o jovem príncipe; costumava enviar-lhe madeiras nobres e raras da Bahia, com as quais o rapaz praticava marcenaria.[114] Seria o primeiro dos muitos acusados de manipulá-lo. Os embaixadores estrangeiros no Brasil, sobretudo o britânico Thornton, referiam-se ao conde dos Arcos como "primeiro e praticamente único ministro" de d. Pedro. Isso, porém, não era bem verdade. O príncipe dificilmente se deixaria dirigir, ainda mais na posição que ocupava. À época da revolta da praça do Rocio, em 26 de fevereiro de 1821, havia já escrito ao conde para dizer que "não era homem que precisasse ser governado por outro". O problema acerca do nome do ministro, sobretudo entre os militares pró-constitucionalistas, estava em que ele alegara doença na ocasião, permanecendo em casa. Ele era um dos poucos nobres de alto escalão que não comparecera ao Teatro Real para jurar fidelidade à Constituição que viria de Portugal.

Um amigo de Napoleão como conselheiro

D. Pedro nutria pelo amigo e ministro o mesmo apreço que, para horror de d. Carlota Joaquina, demostrara para com o antigo general de Napoleão, Dirk van Hogendorp. O conde de Hogendorp, militar e administrador holandês, fora governador da parte oriental de Java, nas antigas Índias Holandesas, atual Indonésia. Suas ideias liberais haviam-no levado à prisão, em 1798, por defender o direito dos povos nativos das ilhas. Conheceu a Índia e, após a tomada da

Holanda pela França, serviu o exército francês. Durante o império napoleônico, chegou a governar cidades importantes da Alemanha; em Viena, onde conheceu d. Leopoldina, serviu como embaixador de Luís Bonaparte, rei da Holanda e irmão de Napoleão.

Fiel a este, foi nomeado governador de Nantes quando, tendo fugido da ilha de Elba, em 1815, o monarca retomou o trono. Após a queda definitiva do imperador, viu-se obrigado a exilar-se em 1816. Hogendorp chegou ao Brasil e adquiriu a fazenda Novo Sião, na Floresta da Tijuca, onde, segundo a viajante inglesa Maria Graham, vivia em uma "agradável casa de campo de aspecto simpático, no alto da encosta do Corcovado". Apesar de agradável, a casa era pequena, tendo apenas três cômodos e a varanda. O quarto de dormir fora pintado de negro, com esqueletos em tamanho natural pintados em poses alegres. Um dos quartos funcionava como depósito, no qual eram estocados barris de vinho de laranja e garrafas de licor feito com grumixama. Também segundo Graham, o licor era de ótima qualidade e lembrava o de cereja. Além das bebidas que fabricava, a fazenda contava com cerca de 20 a 30 mil pés de café.

Quem primeiro o visitou foi d. Leopoldina, que, ao caçar na mata insetos para sua coleção, foi dar à porta do exilado. Logo, acompanhou-a o marido. É de se imaginar a impressão que Hogendorp deve ter dado a d. Pedro. Além de seu lado liberal e constitucionalista e de ter sido ex-aluno de Kant, o holandês, segundo Maria Graham, era "uma ruína de um outrora belo homem; mas não perdeu o ar marcial. É alto, mas não magro demais; os olhos cinzentos brilham de inteligência e a linguagem pura e enérgica é ainda transmitida em voz clara e bem timbrada, ainda que um pouco gasta pela idade".

A fidelidade do velho militar destacou-se de tal maneira que Napoleão se lembraria dele em seu testamento, mas infelizmente o conde viria a falecer, em outubro de 1822, sem saber da herança. Hogendorp foi acometido por um mal súbito no meio da floresta. Alguns dias se passaram antes que seu corpo, parcialmente devorado por animais, fosse localizado pelos escravos. Quando o vestiram para o enterro, descobriram que seu corpo era tatuado como o dos nativos indonésios. Em uma carta ao irmão, Hogendorp afirmava que o príncipe o consultava "confidencialmente [...] para ouvir meu conselho e minha opinião".[115] Desse maneira, d. Pedro criava o estofo necessário para reinar dentro do liberalismo e cercado das mais diferentes personalidades.

D. Pedro ensaia seu lado liberal

Em 27 de abril, num de seus primeiros atos à frente do governo do Brasil, d. Pedro fez uma proclamação aos súditos em que sua veia liberal se fazia evidente. Ele reafirmou a intenção de zelar pela "felicidade do Brasil até que de Portugal chegasse a Constituição" e de antecipar "todos os benefícios da Constituição [...] conjugáveis com a obediência das leis". Assim, entre abril e maio, começaram a surgir decretos novos, nos quais o governante tentava criar uma base melhor para a economia brasileira, além de zelar pela propriedade privada — como no de 21 de maio, em que delimitou as regras de desapropriação de bens particulares tendo o "sagrado direito de propriedade" em vista.

Em 23 de maio, o príncipe emitiu um decreto que fundamentava as bases da liberdade individual das "pessoas livres". A partir de então, ninguém poderia ser preso sem emissão de ordem escrita por um juiz ou magistrado, a não ser em caso de flagrante delito. O decreto também especificava a impossibilidade de prisões sem culpa formada e exigia que o processo fosse resolvido em 48 horas, período em que réus e testemunhas seriam confrontados e o acusado gozaria de amplos meios de defesa. A partir desse ato, estava proibido prender em segredo e encarcerar os detentos em "masmorras estreitas, escuras ou infectas". Proibia-se, ainda, "o uso de correntes, algemas, grilhões e outros ferros inventados para martirizar homens ainda não julgados".

Outra medida de d. Pedro que visava desonerar os comerciantes e empreendedores, bem como incentivar a produção e o comércio de couros e carne seca, foi acabar com o imposto sobre o sal. No intuito de incrementar o comércio interno, ele eliminou ainda a taxa de 2% que então incidia sobre a navegação de cabotagem.

Juramento às bases constitucionais

No final de maio, haviam chegado de Portugal notícias referentes à adoção, pelas Cortes Portuguesas, de uma série de "bases" que serviriam como norte à elaboração da Constituição. Com as notícias vindas pelos jornais portugueses, não chegou nenhum pedido do parlamento para que o Brasil acatasse ou jurasse essas bases. Pelo contrário: era explícito no texto que nenhuma disposição constitucional seria adotada antes de os deputados brasileiros chegarem a Portugal e assumirem seus respectivos lugares na Assembleia Constituinte, algo que ainda não ocorrera. Só assim eles teriam oportunidade de debater tais disposições e votá-las.

Boa parte do governo brasileiro entendeu que nada deveria ser feito a respeito daquelas bases, inclusive d. Pedro. Os militares, contudo, sobretudo os constitucionalistas, passaram a divulgar que o conde dos Arcos, a julgar pelas atitudes de fevereiro de 1821, estivera influenciando o príncipe regente a não jurá-las. O fato é que a desconfiança nutrida por ambas as partes alimentou uma grande desavença. Cartazes e proclamas militares começaram a surgir pela cidade, acusando o governo de ser anticonstitucionalista. Isso indispôs os militares portugueses com d. Pedro e vice-versa.

Os militares queriam que o príncipe jurasse as bases da futura nova Constituição, demitisse o conde dos Arcos e estabelecesse uma junta de governo. Na madrugada de 5 de junho, voltando da fazenda de Santa Cruz, onde havia ido caçar, d. Pedro, farto de toda essa intriga, passou pelo quartel do 3º Batalhão de Infantaria Ligeira e intimou o capitão. Acusando-o de ser autor de proclamações subversivas que buscavam perturbar a paz, ameaçou-o dizendo-lhe que tomasse cuidado.

O ato intempestivo, a bravata, teve efeito contrário ao que era esperado. Quando chegou à Quinta, d. Pedro foi informado de que o 3º Batalhão partira em marcha para o quartel do 11º. Convocando o ministro do Exército, o regente exigiu que o tenente-general Jorge Avilez, comandante da divisão, fosse demitido do cargo. Avilez ignorou o pedido e colocou-se à frente das tropas. D. Pedro, então, foi mais uma vez enfrentar sozinho o exército, os soldados e os oficiais na praça do Rocio, a exemplo do que ocorrera em fevereiro. Em carta ao pai, ele descreveria a cena:

> Fui ao Rocio, chegando vieram todos os oficiais com o general à testa e eu lhes perguntei: — Quem é que fala aqui? A isto ficaram um tanto sobressaltados e eu repeti: — Quem fala? Disse o general: — Eu, pela tropa. — O que querem elas? Disse ele: Jurarmos as bases constitucionais portuguesas. Respondi: — Não tenho dúvida, mas ó o que sinto é que hajam homens que assentem que eu não tenho palavra tanto política quanto religiosa, tendo eu jurado *in totum* tanto

> por ser minha vontade a constituição tal qual as cortes fizeram, mas a minha não fica mal, mas sim a quem duvida da palavra de um príncipe comprometida por um juramento para mim tão sagrado.[116]

Apesar de seu discurso, as tropas continuaram rebeladas: só aceitariam voltar aos quarteis após terem seus pedidos atendidos. D. Pedro, por sua vez, também afirmou que nada juraria sem conhecer a real vontade do povo que governava, uma vez que o exército era somente parte da nação. Desse modo, com a anuência das tropas, do general Avilez e dos demais oficiais, foram convocados para o Teatro Real os vereadores da Câmara Municipal e os eleitores da comarca do Rio de Janeiro. Enquanto todos se reuniam, d. Pedro permaneceu à espera, no teatro, por um total de cinco horas. Ele parecia um dos poucos, ali, a manter a compostura e o sangue-frio. Ao velho conde Lousã, ministro de seu gabinete que em dado momento começara a chorar, o príncipe precisou dar uma sacolejada, inquirindo se ele havia perdido a cabeça.

Durante a reunião dos representantes do povo, chegou o pedido de renúncia do conde dos Arcos, que de sua residência tentou arregimentar, em vão, tropas brasileiras que marchassem contra os portugueses no Rocio. Pretextando ter que acompanhar a filha a Portugal, ele informava ao príncipe que deixaria o Brasil em 10 de junho.

As lembranças da carnificina do exército na praça do Comércio, em abril, ainda estavam bem vivas na cabeça dos vereadores e eleitores, que prontamente acataram tudo o que o exército pedia . D. Pedro seria obrigado a jurar as bases, o conde dos Arcos deveria abandonar o governo imediatamente e uma junta governamental, proposta pelo exército e eleita ali mesmo, com nove membros, passaria a supervisionar o trabalho do ministério e do príncipe regente.

Dando o melhor de si

D. Pedro perdia em todos os terrenos: além de ver dissolvida sua reputação junto à tropa, ficava reduzido a mero fantoche do governo. Não gozava mais de qualquer influência política, e para piorar tivera de partir não somente do governo, mas também do Brasil, o seu principal aliado. Naquela mesma noite, o príncipe retornou ao teatro, que, além de manifestações populares e bernardas militares, continuava se prestando à função primordial de exibir balés, óperas e outros tipos de divertimentos. Chegou ali por volta das oito da noite com a esposa, d. Leopoldina. Os dois assistiram à ópera; em seguida, foi declamado um poema em honra a d. João VI e apresentou-se, como atração extra, o Hino à Constituição, com letra e poesia de d. Pedro. O príncipe foi efusivamente saudado pela plateia; enquanto a cumprimentava, jubiloso, jurava para si mesmo que, se obrigado a retornar à praça do Rocio mais uma vez, partiria no dia seguinte do Brasil. Sua sede de poder era menor que seu amor-próprio.

Apaziguadas as tropas, d. Pedro tratava dos assuntos mais urgentes, entre eles a quase quebra do Banco do Brasil, praticamente insolvente devido à descapitalização gerada pela partida da corte. Era necessário apertar o cinto, e o próprio príncipe dava o exemplo.

Em carta ao pai datada de 17 de julho de 1821, ele informava:

> [...] Sem embargo de tudo isto já exposto, comecei a fazer bastantes economias principiando por mim: Mudei a minha casa para a Quinta de São Cristóvão a fim de irem para o Paço da Cidade todos os Tribunais, secretarias, e tudo quanto estava em casa paga por conta do Estado. Todas estas mudanças se fizeram quase de graça porque os escravos de Santa Cruz e desta quinta, que tem os seus ofícios, são os trabalhadores. [...] Pela cavalariça não se gasta senão milho, porque o capim é da Quinta: de 1.290 bestas fiquei só com 156; em uma palavra, a minha roupa, a da mantearia e tesouro é lavada pelas escravas, e eu não faço de despesa quase nada em proporção do que dantes era, mas se ainda puder economizar mais, o hei de fazer a bem da Nação.[117]

D. Pedro continuou a carta elencando minuciosamente as dívidas do estado, como se para demonstrar que o caos financeiro que imperava no Brasil não era culpa sua. Ele assumira a administração à beira da falência e agora dava o melhor de si: "[...] Não há maior desgraça do que esta em que me vejo, que é de desejar fazer o bem e arranjar tudo e não haver com quê."[118]

Na mesma missiva, o príncipe se refere a uma rebelião ocorrida na cidade paulista de Santos, em que soldados haviam se revoltado por conta do soldo atrasado, ocasionando mortes e prisões. D. Pedro também revela que, em São Paulo, fora eleita uma junta governamental de que José Bonifácio ocupava o cargo de vice-presidente, devendo-se a ele o sossego em que se encontrava tal província, "obedecendo-me menos no que toca a mandar dinheiro".

Um novo aliado

José Bonifácio e seus irmãos, Martim Francisco e Antônio Carlos, eram naturais de Santos, no litoral sul de São Paulo, filhos do coronel Bonifácio José Ribeiro de Andrada, proprietário do sítio Mongaguá, que deu origem à cidade que leva esse nome.

Como era de praxe nas famílias de posse, José Bonifácio foi estudar em Coimbra, a grande universidade lusitana. Aos 25 anos, em 1788, já se formara em Direito e em Filosofia. Dando prosseguimento à carreira acadêmica, especializou-se em matemática, mineralogia e história natural, entre outros ramos. Viajou à pesquisa e estudo por toda a Europa Ocidental, sob o patrocínio da coroa portuguesa. Estava em Paris quando a Revolução Francesa estourou. Retornou a Coimbra e lá passou a dar aulas, ao mesmo tempo que prestava serviços ao governo português, sobretudo em questões referentes ao declínio da extração de ouro e pedras preciosas nas minas brasileiras.

Bonifácio permaneceu em Portugal durante a invasão francesa e alistou-se no Corpo de Voluntários Acadêmicos, no qual chegou ao posto de comandante devido à sua capacidade de liderança. Já aposentado dos trabalhos reais, conseguiu de d. João, então príncipe regente, a autorização para retornar ao Brasil, onde chegou em 1819, com 51 anos. Junto do irmão, Martim Francisco, realizou pesquisas mineralógicas por São Paulo; ali, acabou organizando as eleições de 1821 e tomando parte no governo paulista, como d. Pedro viria a informar em carta ao pai.

A viajante inglesa Maria Graham, que conheceu José Bonifácio na década de 1820, descreveu-o como uma pessoa muito interessante, bastante polida, de estatura baixa, rosto magro e pálido. Segundo ela, assemelhava-se a alguém tomado por uma atividade febril que lhe consumia corpo e mente. Graham também reparou que o velho sábio, além de conhecer diversos ofícios, línguas e países, e além de tratar com nobres, reis e príncipes, era um namorador e amante incorrigível. Apesar da idade, gostava de farrear numa boa adega. Um particular interessante está no fato de que adorava crianças e as tratava como iguais. Em um bilhete a d. Pedro, d. Leopoldina descreve uma cena ocorrida na fazenda de Santa Cruz, onde José Bonifácio balançou a cabeça da futura rainha de Portugal, d. Maria da Glória, e afirmou: "Tem bastante juízo aí dentro."

Sua paixão por crianças, em especial pelos filhos, teria levado José Bonifácio a raptar a própria filha bastarda antes de sair da Europa e retornar ao Brasil. Entregou a menina à esposa para que fosse educada e mais tarde casou essa filha com o tio, Martim Francisco.

Uma particularidade dos três Andrada, José Bonifácio, Martim Francisco e Antônio Carlos, era a união inquebrantável dos laços familiares e o ódio figadal que os unia contra quem arrumasse briga com um deles. Inicialmente, eles e d. Pedro se ligariam a uma causa comum.

Além das veias liberal e econômica, d. Pedro também tinha uma dramática, como se verifica no auge da crise do Banco do Brasil. O "tísico banco", como a ele se referia, não teria mais dinheiro em quatro meses:

> [...] Ele de todo já não tem nem ouro, nem prata e só sim algum cobre que se tem cunhado depois de fundido e esse tirado de algumas embarcações [...]. Por consequência como não tem crédito, nem com que o alcance, os seus bilhetes valem muito pouco ou quase nada. Assim lembre-se V. M. deste infeliz que está pronto a sacrificar-se pela Pátria, como o tem mostrado, e V. M. presenciado. Não pense V. M. que eu me quero subtrair ao serviço da Nação e de V. M., mas sim às tristes e lamentáveis cenas e circunstâncias em que me acho. Peço a V. M. por tudo quanto há de mais sagrado, me queira dispensar deste emprego, que seguramente me matará pelos contínuos e horrorosos painéis que tenho, uns já à vista, e outros muito piores para o futuro, os quais eu tenho sempre diante dos olhos, e para isso ter o gosto de beijar a mão de V. M. e de assistir ao pé de V. M. por todas as razões expendidas, e não expendidas. V. M. perdoará o meu modo de escrever, mas é a verdade que o faz não sou eu, porém repare V. M. que o meu fim tem sido sempre bom, que é alcançar para V. M. delícias, para a Nação felicidade e glória, e para mim honra.[119]

Sem muitos aliados após a queda do conde dos Arcos, d. Pedro, juntamente com d. Leopoldina, aproximou-se dos militares que o haviam obrigado a jurar as bases da Constituição. Em comemoração à Revolução do Porto, os oficiais deram um baile em que o casal real se fez presente, retirando-se somente às seis horas da manhã do dia seguinte. D. Pedro, astuto, aproximava-se de todos, inclusive — segundo os comentários — da esposa do general Avilez. Talvez possamos depositar essa traição na cota de vingança do príncipe; não por acaso, José Bonifácio se lembraria dele no exílio como "Pedro Malasartes".

José Bonifácio de Andrada e Silva.

A recolonização do Brasil

A aproximação de d. Pedro com os militares era estudada, assim como provavelmente os desabafos desesperados ao pai. O príncipe já sabia das condições em que a família real se encontrava ao chegar a Portugal. Com a queda do absolutismo português após a Revolução do Porto, as Cortes trataram de revelar seu poder. Quando o rei chegou a Portugal, teve o desembarque adiado em um dia. D. João precisaria esperar para ser saudado, a bordo, por uma delegação enviada pela Assembleia. Não seria difícil intuir que as mensagens trocadas entre pai e filho passassem pela leitura de outras pessoas, que não precisavam suspeitar dos acertos existentes entre os dois antes da partida do rei do Brasil.

As Cortes portuguesas ficaram descontentes ao notar que d. Pedro, os filhos e d. Leopoldina não haviam partido com o restante da família real. Menos ainda alegrou-os o fato de d. João ter deixado o filho como príncipe regente do Brasil, cujo governo eles esperavam caber apenas às juntas, em comunicação direta com Lisboa. Em setembro de 1821, apenas 46 dos 82 deputados brasileiros haviam chegado às Cortes e tomado assento; desse total, somente uma parte eram brasileiros natos.

Foi nessa época que as Cortes resolveram acabar com tudo o que d. João construíra no Brasil de 1808 até então. Eles extinguiram a figura jurídica internacional do Reino do Brasil e não recriaram o vice-reino: todas as províncias brasileiras passavam a ser territórios ultramarinos portugueses; além disso, como os governos da Bahia, Pernambuco e Maranhão já faziam, os demais não deveriam reconhecer a autoridade de d. Pedro como príncipe regente do Brasil. Todas as províncias deveriam se reportar diretamente ao governo português na Europa. Foi decretado o fechamento de todos os tribunais, agências e repartições públicas criados após 1807 no Brasil, o que transformou os milhares de juízes, advogados, meirinhos e burocratas automaticamente desempregados em patriotas brasileiros pró-independência. Quanto ao príncipe d. Pedro, este deveria retornar à Europa com a família e realizar uma viagem pelo velho continente a fim de completar sua educação.

Os decretos das Cortes foram enviados ao Brasil em outubro, chegando às terras brasileiras no dia 9 de dezembro. D. Pedro, aparentemente decidido a cumpri-los, mandou que fossem publicados, ao lado de sua resolução de partir, na *Gazeta* no dia 11.

Dois meses antes, o príncipe havia mencionado, em carta ao pai:

> A independência tem se querido cobrir comigo, e com a tropa, com nenhum conseguiu, nem conseguirá, porque a minha honra e a dela é maior que todo o Brasil; queriam-me, e dizem que me querem, aclamar imperador; protesto a Vossa Majestade que nunca serei perjuro, que nunca lhe serei falso e que eles farão essa loucura, mas será depois de um e todos os portugueses estarem feitos em postas: é o que juro a Vossa Majestade, escrevendo nesta com o meu sangue estas seguintes palavras: juro sempre ser fiel a Vossa Majestade, à Nação e à Constituição Portuguesa.[120]

D. Pedro tentava sinalizar da melhor maneira possível que as coisas estavam desandando no Brasil, mas os deputados constituintes portugueses não tinham a real dimensão das questões brasileiras. Movidos pelo rancor de terem perdido a capital para o Rio de Janeiro e instados pela burguesia de Portugal, que empobrecera devido à quebra do monopólio e ao enfraquecimento de outros direitos sobre os produtos brasileiros, os deputados buscavam transformar o Brasil novamente em uma colônia.

Até então, todas as revoltas no Rio de Janeiro que haviam forçado juramentos a uma constituição inexistente, à constituição espanhola e à base de uma constituição que estaria por vir haviam sido orquestradas pelos militares, comerciantes e caixeiros portugueses, ciosos de que não poderiam perder seu poder sobre o Brasil. Tão logo os brasileiros ficaram cientes de que a independência usufruída desde a chegada da corte em 1808 e, sobretudo, desde a criação do Reino do Brasil em 1815 estava com seus dias contados, eles passaram a marcar a própria presença com mais força e vigor, inclusive nas forças armadas e na incipiente imprensa nacional.

A carta em que o príncipe informava a decisão de acatar o que fora decidido pelas Cortes portuguesas caiu como uma bomba sobre o Rio de Janeiro. Com a extinção do reino e o retorno à condição de mera colônia, mais de oitocentas famílias perderiam sua renda devido à extinção dos postos do governo e do judiciário, o que, por sua vez, afetaria igualmente os comerciantes, que não teriam para quem vender suas mercadorias. Além disso, ficava claro para os brasileiros natos no exército que somente militares portugueses poderiam ocupar determinados postos, a serem nomeados pelas Cortes.

D. Leopoldina, a articuladora do Fico

D. Pedro continuaria no Brasil até a eleição e posse da nova junta que governaria o Rio de Janeiro. Depois disso iria partir — estava resolvido... não fosse por d. Leopoldina. Com sete meses de gravidez, à espera da princesa Januária,[121] que nasceria em 11 de março, d. Leopoldina recusou-se a passar o final da gestação a bordo de um navio. Decidida, alternou entre choro e ameaças de que não embarcaria para parte alguma antes do nascimento da criança — até que d. Pedro concordou.

O que acontecera àquela jovem que, meses antes, também grávida, mostrava-se disposta a atravessar o Atlântico a nado atrás do navio que levaria o marido a Portugal? Se a d. Pedro, menos preparado do que a esposa na arte de governar, d. João alertara que fizesse a separação antes que outro a fizesse, teria o sogro conversado com a nora também antes de partir, aconselhando-a? É bem provável (tanto quanto a máxima de que, atrás de um grande homem, há sempre uma grande mulher).

D. Leopoldina tivera contato com os "Patriotas Brasileiros", grupo formado, entre outros, pelo frei franciscano Francisco de Santa Teresa de Jesus Sampaio, em cuja cela, no convento de Santo Antônio, conspirava-se, assim como nas lojas maçônicas, pela independência do país. Em carta de outubro de 1821, a princesa confidenciava com Maria Luísa:

> [...] Infelizmente acabou-se a esperança de viajar rapidamente para a Europa, o que, sendo bem honesta, é uma sorte, na situação crítica atual dos países europeus; o Brasil é, sob todos os aspectos, um país tão maduro e importante, que é incondicionalmente necessário mantê-lo. O Onipotente conduz tudo para o nosso bem e o bem comum vem antes do desejo individual, por mais intenso que seja [...].[122]

Como solicitara o sogro antes de partir, era preciso manter o Brasil sob a dinastia dos Bragança, unido debaixo de uma só coroa, e não despedaçado em dezenas de repúblicas como nas províncias espanholas da América do Sul. Essa era também a visão dos brasileiros (e até a dos portugueses natos que se haviam estabelecido no Brasil, uma vez que iriam à ruína com os decretos das cortes). Caso d. Pedro realmente deixasse o território brasileiro, por mais quanto tempo o Brasil acataria as ordens vindas de Portugal? D. João já não alertara o filho durante a partida, dizendo-lhe: "Pedro, se o Brasil se separar, antes seja por ti, que me hás de respeitar do que para algum desses aventureiros"? Sem dúvida, a educação da princesa, sobretudo em termos políticos, dava-lhe a visão de conjunto que ao marido faltava. Em maio de 1822, escrevendo ao marquês de Marialva, d. Leopoldina reafirmava sua convicção:

> Eis uma verdadeira sorte que tenha sido decidida a nossa permanência no Brasil, segundo minha maneira de ver, e, pensando em política, esse é o único meio de evitar a queda total da monarquia portuguesa [...]. O senhor pode estar certo de

que nós, brasileiros, nunca seremos capazes de sofrer as extravagâncias da Mãe--Pátria e que trilharemos sempre o caminho da honra e da fidelidade.[123]

Guiado pela esposa, pelo conselho do pai, pelo caos em que, antevia-se, o Brasil poderia cair após sua partida, ele garantiria ao menos um trono aos filhos, haja vista que a situação em Portugal, além dos desmandos das Cortes, era incerta. De Portugal, d. João VI alertaria o filho:

> Sê hábil e prudente, pois aqui nas Cortes conspiram contra ti, querendo os reacionários que abdiques em favor do teu mano Miguel. Tua mãe é pelo Miguel e eu, que te quero, nada posso fazer contra os carbonários que não te querem.

O Fico

D. Pedro acabou concordando em adiar a partida, contanto que fosse essa a vontade dos povos de Rio, São Paulo e Minas Gerais e que tais províncias se comprometessem em assumir a responsabilidade de tal ato perante as cortes. Sua firmeza aumentou após receber, em 1º de janeiro de 1822, uma enérgica carta do governo paulista, redigida por José Bonifácio:

> V.A. Real deve ficar no Brasil quaisquer que sejam os projetos das Cortes constituintes [...] Se V. A. Real estiver, o que não é crível, pelo deslumbrado e indecoroso decreto de 29 de setembro, além de perder para o mundo a dignidade de homem e de príncipe [...] terá também que responder perante o céu do rio de sangue que decerto vai correr pelo Brasil com a sua ausência [...].

No dia seguinte, d. Pedro escreveria ao pai:

> Ontem, pelas 8 horas da noite chegou de São Paulo [...] o ofício que ora remeto incluso para que V. Majestade conheça e faça conhecer ao Soberano Congresso, quais são as firmes intenções dos paulistas e por elas conhecer quais são as gerais do Brasil. Ouço dizer que as representações desta Província são feitas no dia 9 do corrente: dizem mais, que São Paulo escreveu para Minas. Daqui sei que há quem

> tem escrito para todas as províncias e dizem que tudo se há de fazer debaixo de ordem. Farei todas as diligências por bem para haver sossego e para ver se posso cumprir os decretos 124 e 125, (o que me parece impossível porque a opinião é toda contra por toda a parte).[124]

À resolução paulista, juntaram-se os fluminenses, com uma representação assinada por mais de oito mil pessoas desejosas da permanência do príncipe. A elas, somou-se a dos mineiros: das cidades de Barbacena e Mariana, chegaram novos pedidos pela permanência.

Quem não estava gostando muito de toda essa movimentação eram as tropas portuguesas no Rio de Janeiro. O general Avilez notificou ao príncipe o desejo do exército de encarcerar e enviar para Portugal aqueles "perturbadores da ordem pública". Em vão: a marcha dos acontecimentos não podia mais ser impedida. O gabinete de d. Pedro pediu demissão, restando ao príncipe receber sozinho os representantes do senado da Câmara do Rio de Janeiro, em 9 de janeiro, no Paço da Cidade. Lá, José Clemente Pereira proferiu um discurso, no qual colaborara frei Francisco de Sampaio. Nele se lia: "Senhor. A saída de V.A. Real dos Estados do Brasil será o fatal decreto que sancione a independência deste Reino." O discurso afirmava, em seguida, que o Brasil não podia retornar ao estado anterior de colônia e revelava a vontade das demais províncias, como São Paulo e Minas Gerais. Desse modo, d. Pedro capitulou e decidiu-se a ficar no Brasil.

Esse dia entraria para a história como o Dia do Fico, marcado pela célebre frase que teria sido proferida pelo príncipe: "Como é para o bem de todos e a felicidade geral da nação, estou pronto: diga ao povo que fico." A história, porém, não foi bem essa. A frase só surgiria no dia seguinte. A resposta real dada por d. Pedro, e que consta no livro da vereança, foi:

> Convencido de que a presença de minha pessoa no Brasil interessa ao bem de toda a nação portuguesa, e conhecido que a vontade de algumas províncias assim o requer, demorarei a minha saída até que as Cortes e meu Augusto Pai e Senhor deliberem a este respeito, com perfeito conhecimento das circunstâncias que tem ocorrido.

A frase que entrou para a história seria mais forte e precisa do que o texto original. Tratava-se de um verdadeiro toque de clarim aos patriotas brasileiros e um sinal de alerta às tropas portuguesas que estavam dispostas a acabar com aquilo.

D. Pedro jornalista

No início de fevereiro de 1822, d. Pedro, com o pseudônimo de "Sacristão da Freguesia de S. João de Itaboray", mandou publicar um panfleto no qual narrava o ato do Fico e os acontecimentos subsequentes.

> Nesse mesmo dia, depois de se retirar a Deputação, Sua Alteza Real mandou buscar o cavalo (porque tinha ido de carrinho), em que foi para a chácara acompanhado de todos os oficiais-militares do exército do Brasil. E, antes de partir, dizendo-lhe um que estava a seu lado:
>
> — Será melhor que Vossa Alteza Real vá em seu carro. — Sua alteza real respondeu:
>
> — Eu sei que me querem tirar os cavalos do carro, para o que já há diferentes pessoas dispostas, e eu aflijo-me de ver os meus semelhantes dando, a um homem, tributos próprios à Divindade. Eu sei que o meu sangue é da mesma cor que o dos negros.[125]

Essa seria uma das primeiras peças jornalísticas compostas pelo príncipe, que usaria diversos pseudônimos ao publicar cartas-resposta e artigos em jornais do Rio de Janeiro. Entre os pseudônimos que utilizou, constam: Inimigo dos Marotos, Piolho Viajante, Duende, Repórter Eleitoral, O Anglo-Maníaco, o Constitucional Puro, o Espreita, o Ultra-Brasileiro — usado em defesas da independência brasileira —, o Filantropo — quando defende a substituição do tráfico pela imigração europeia —, e o divertido Derrete-Chumbo-a-Cacete — que utilizava para falar mal dos portugueses no Brasil, pois estes tinham o apelido, entre outros, de "pés de chumbo".

Aquela não seria nem a primeira, nem a única vez que d. Pedro diria em público o que achava da escravidão no Brasil. Seria possível até imaginar que se tratava de uma peça publicitária destinada a acalmar a população escrava quanto às intenções do novo governante brasileiro, que se encaminhava para o rompimento com Portugal. No entanto, uma tal hipótese cai por terra quanto recordamos que, se era já alto o índice de analfabetismo entre a população livre, era muito maior entre os escravos.

O levante da Divisão Auxiliadora Portuguesa

No dia 11 de janeiro, o general Avilez, dizendo falsamente que fora demitido, dirigiu-se aos quartéis dos batalhões 11 e 15 para se despedir. Quando se retirou, foi saudado com vivas "ao general constitucional". Pouco depois, ambos os batalhões sublevaram-se e a revolta passou para os batalhões de artilharia. As tropas portuguesas foram para as ruas, onde destruíram vidraças e as iluminações festivas usadas na comemoração do "Fico" do príncipe — tudo isso aos berros de "essa cabrada se leva a pau", como registrado por d. Pedro em carta a d. João.

O príncipe estava no teatro com d. Leopoldina quando foi informado do que ocorria nas ruas. Ao ingressar na sala de espetáculos, notou a falta de Avilez, que sempre se fizera presente, e tomou isso como um sinal. Nesse ínterim, à porta do teatro, o coronel brasileiro José Joaquim de Lima e Silva e o tenente-coronel português José Maria da Costa, comandante do 11º Batalhão, desentendiam-se publicamente acerca dos acontecimentos do dia 9, e dessa discussão o militar português saiu ameaçando o brasileiro. Segundo uma testemunha, José Maria afirmava que os brasileiros não queriam a Constituição e que logo se veriam novamente reduzidos ao antigo cativeiro. Disse, ainda, que o príncipe seria levado a Portugal pelas orelhas. "Vocês foram nossos escravos, são e hão de continuar a ser e eu vou dar a prova." [126]

Segundo Maria Graham, presente no teatro, os sons que passaram a vir do camarote de d. Pedro após lhe ser informado o ocorrido começaram a abafar a voz dos atores. A plateia, preocupada com o que poderia estar acontecendo, começou a se levantar para sair, no que foi impedida pelo príncipe, que num discurso improvisado explicou o que então ocorria e as providências que já teria tomado. Afirmou, ainda, que o melhor para todos, no momento, era permanecer no teatro e terminar de assistir ao espetáculo, para que não prejudicassem o movimento das tropas nas ruas.

Após o fim da peça, d. Pedro foi escoltado até São Cristóvão por oficiais brasileiros; em seguida, despachou os filhos e d. Leopoldina, grávida de oito meses, para fora da cidade: às três horas da madrugada, partiram para a fazenda de Santa Cruz. Enquanto isso, o príncipe tratou de arregimentar as tropas favoráveis à sua decisão e seguiu para o Jardim Botânico, onde se localizava a fábrica de pólvora. Queria assegurar-se de que ela estava protegida e nas mãos dos brasileiros.

Desde a madrugada, uma companhia portuguesa ocupava o morro do Castelo para proteger o Arsenal de Guerra. Diversas patrulhas também se encontravam próximo ao largo do Moura, onde havia aproximadamente dois mil portugueses em armas. No Campo de Santana, em que se aquartelavam os batalhões brasileiros, juntaram-se a eles o povo do Rio de Janeiro, incluindo freis e padres armados e oficiais portugueses que se posicionaram contra Avilez e seus comandados. A pé e a cavalo, a massa da tropa pró-Fico era composta de mais de dez mil pessoas. No entanto, apesar de todo o ímpeto, a disciplina militar dos portugueses acabaria facilmente com essa tropa mal organizada, na qual muitos estavam armados apenas com o seu patriotismo. Além disso, a multidão encontrava-se disposta em campo pouco propício para um enfrentamento.

No fim, não houve enfrentamento algum. Avilez pediu permissão para se retirar a Niterói com suas tropas. Na batalha que não houve, só foi registrada uma única baixa: a de uma criança.

D. João Carlos, o protomártir da Independência do Brasil

Na noite de 3 de fevereiro, d. Pedro escreveu a José Bonifácio, a quem fizera ministro (o primeiro brasileiro no posto), o seguinte bilhete:

> José Bonifácio,
>
> Chorando escrevo esta a dizer-lhe que venham amanhã aqui, no despacho, às horas do costume, porque eu lá não posso ir, visto o meu querido filho [estar] exalando o último suspiro, e assim não durará uma hora. Nunca tive, e Deus permita que não tenha outra, ocasião igual a esta como foi o dar-lhe o último beijo e deitar-lhe

> a derradeira bênção paterna. Calcule, pelo amor que tem à sua família e ao meu filho, qual será a dor que transpassa o coração.
>
> Deste seu amo e amigo.
> *Pedro*
> São Cristóvão,
>
> 3 de fevereiro de 1822 às 8 e um quarto da noite.

Ao pai, no dia 4, enviaria a seguinte carta:

> Meu pai e meu senhor. Tomo a pena para dar a Vossa Majestade a mais triste notícia do sucesso que tem dilacerado o meu coração. O príncipe d. João Carlos, meu filho muito amado, já não existe.
> Uma violenta constipação cortou o fio de seus dias. Este infortúnio é o fruto da insubordinação e dos crimes da divisão portuguesa. O príncipe já estava incomodado quando esta soldadesca rebelde tomou as armas contra os cidadãos pacíficos desta cidade; a prudência exigiu que eu fizesse partir imediatamente a princesa e as crianças para a fazenda de Santa Cruz, afim de as por ao abrigo dos sucessos funestos de que esta capital podia vir a ser o teatro. Esta viagem violenta, sem as comodidades necessárias, o tempo que era muito úmido, depois de grande calor do dia, tudo enfim se reuniu para alterar a saúde do meu caro filho, e seguiu-se-lhe a morte.
> A divisão auxiliadora, pois, foi a que assassinou o meu filho e neto de Vossa Majestade. Em consequência, é contra ela que levanto minha voz. Ela é responsável na presença de Deus e ante Vossa Majestade deste sucesso, que tanto me tem aflito, e que igualmente afligirá o coração de Vossa Majestade.

D. Leopoldina e d. Pedro passaram a culpar as tropas portuguesas pelo estado de saúde do filho. Em 22 de janeiro, aniversário da princesa, tanto ela quanto o marido recusaram-se a receber um grupo de oficiais portugueses que vieram beijar-lhe a mão.

Após a morte do filho, farto de ver tantas vezes adiado o embarque das tropas de Avilez para Portugal, d. Pedro embarcou na fragata *União* e, em 9 de fevereiro, intimou-as a iniciarem o embarque até o dia seguinte; caso contrário, as declararia inimigas, tendo já passado ordens para que lhes fizessem fogo. Em dois dias, os tropas enfim partiam de volta a Portugal. Não só às tropas portuguesas, mas também às cortes, d. Pedro passaria a atacar após a morte de d. João Carlos, de quem nunca se esqueceria. Lembraria o filho ao expor, à época de sua abdicação, em 1831, os sacrifícios que fizera pelo Brasil.

Qualquer resto de respeito que d. Pedro pudesse ter em relação às Cortes portuguesas morreu junto com seu filho, a quem o frei franciscano Monte Alverne se referiria futuramente como "protomártir da independência brasileira".[127]

Tentando se aproximar do "Mano Miguel"

Em junho de 1822, escrevendo ao príncipe d. Miguel para tratar do casamento do irmão com sua filha mais nova, d. Maria da Glória, d. Pedro dizia:

> Rio, 19 de junho de1822.
>
> Meu mano.
> Neste momento acabo de escrever a meu pai e lhe peço, em meu nome e do Brasil, que o deixe vir para cá, porque é preciso para felicidade da nação toda e sua muito em particular. Não faltará quem lhe diga que não largue a casa do infantado, mande-os beber da merda. Também lhe hão de dizer que separando-se o Brasil, vem a ser rei de Portugal, torne-os a mandar. E depois de dizerem tudo quanto têm a dizer-lhe esses inimigos que o cercam, dê-lhe com um pau, venha para o pé de seu mano, que o estima, para entre os brasileiros que o veneram e para se namorar de perto e casar a seu tempo com a minha filha. Fortuna que não deve desprezar, sob pena de ser tolo ou estás traído e enganado pelos áulicos que o ordenam, e que cá morrem de fome por serem marotos. Venha, venha e venha que o Brasil o receberá de braços abertos, e será feliz. Tendo tudo muito seguro sem lhe custar nada e estar em perfeita segurança, o que lá lhe não acontece porque está no perigo do Delfim de França e nosso pai, no de Luís XVI, desgraçadamente, ao meu modo de ver. Resolva-se e venha juntar-se a este seu mano que lhe deseja tantas venturas como para si.
>
> Pedro.
>
> P.S.
>
> Nada é afetado, tudo é o que sinto.[128]

Foi esse o plano traçado pelo príncipe após saber, por d. João, que d. Carlota Joaquina e deputados da corte queriam sua renúncia ao trono de Portugal para substituí-lo por d. Miguel. Esta não seria sua primeira e nem a última tentativa de tirar o irmão da influência de d. Carlota. Com ambos os filhos no Brasil, o plano da rainha teria concretização impossível. D. Pedro tentava d. Miguel mediante o casamento com a sobrinha — afinal, se queria ser rei, que fosse como cônjuge da real herdeira. D. Miguel, porém, aconselhado pela mãe, apesar das diversas tentativas de d. Pedro, nunca voltaria a pôr os pés na ex-colônia.

O início da independência real

Sem os militares portugueses à porta e aconselhado por ministros do calibre de José Bonifácio, d. Pedro agora daria prosseguimento às reformas que começara ao assumir o cargo de príncipe regente. Em 16 de fevereiro, ele instituiu um colegiado de procuradores que deveria ter representantes de todas as províncias brasileiras e se reuniria, no Rio de Janeiro, em 2 de junho de 1822. Esse corpo seria consultivo — uma espécie de Conselho de Estado, ao qual caberia auxiliar o príncipe à medida que este fosse encaminhando o Brasil ao regime constitucional.

Na Bahia, em 17 de fevereiro, teve lugar uma revolta contra o governo e as tropas portuguesas. Os patriotas — em maior número, mas sem disciplina militar — perderam e tiveram que se retirar da cidade, dando início a uma violenta guerra civil. Os patriotas baianos foram saudados por d. Pedro, que prontamente decretou que as tropas portuguesas no Brasil deveriam se submeter à sua autoridade ou deixar o país.

Apesar de algumas cidades de Minas Gerais terem se mostrado, como São Paulo e o Rio de Janeiro, tanto fiéis à regência de d. Pedro quanto contrárias às ordens das cortes, o mesmo não aconteceu com uma de suas principais cidades: Ouro Preto. D. Pedro, percebendo a necessidade de integrar as três províncias por completo à sua causa, partiu para Minas em 25 de março. Com uma grande tropa para subjugar a cidade? Não: com quatro companheiros de viagem e uma escolta formada por três soldados.

A chegada do príncipe às cidades que ficavam ao longo do caminho causou o efeito que ele deveria ter imaginado: foi saudado entusiasticamente. Afinal, fora as efígies em moedas e medalhas, somente o povo da Bahia e do Rio de Janeiro havia visto e se aproximado de um membro da família real. Lembremo-nos de que, muito além de uma celebridade, condição de que gozaria nos dias de hoje, à época o príncipe era o ungido, o destinado a ocupar um trono ancestral e herdar nações.

Ao chegar a Ouro Preto, d. Pedro lançou um proclama para que a cidade se submetesse a ele, no que foi prontamente atendido. Pacificada Minas Gerais, o príncipe instituiu eleições e retornou ao Rio de Janeiro, onde foi recebido com júbilo pela população. Em 13 de maio, a maçonaria conferiria a ele o título de "Defensor Perpétuo do Brasil".

Uma semana depois, a Câmara do Rio de Janeiro solicitava dele a convocação de uma Assembleia Constituinte. O príncipe submeteu o pedido ao Conselho de Procuradores quando de sua reunião, em 2 de junho. Com o pedido aprovado por maioria absoluta, d. Pedro lavrou o decreto de 3 de junho que convocou a Assembleia, a se reunir no ano seguinte. Para a Bahia, ainda tomada pela guerra entre portugueses e brasileiros, despachou em julho um militar francês de nome Pierre Labatut, que vivenciara na Europa diversas batalha. Labatut ficaria à frente de uma expedição de cerca de trezentos soldados e oficiais cujo objetivo era prestar ajuda aos patriotas.

A marcha dos acontecimentos levou o príncipe, afoito por honras e glórias, a encarnar por completo o espírito de independência dos brasileiros, sobretudo após a morte de d. João Carlos. Em agosto, d. Pedro chamou de volta os deputados brasileiros junto às Cortes em Lisboa e declarou guerra às forças armadas portuguesas que ainda permaneciam no Brasil. Além disso, lançou manifestos às nações amigas para que, daquele momento em diante, tratassem diretamente com o governo local, e não mais com Portugal.

O assunto foi notícia nos principais jornais da Europa. Em setembro, fazendo uma análise dos últimos acontecimentos no Brasil, o jornal londrino *The Courier*[129] via assim a questão toda:

> Há algumas semanas aludimos à possibilidade de que a conduta do Príncipe Real, opondo-se à vontade das Cortes Soberanas e aos aparentes desejos de seu pai, resultaria de uma combinação política entre eles, a fim de garantir o Império Brasileiro para a Casa de Bragança [...].

As considerações continuavam. A imprensa britânica revelou seu conhecimento de uma carta íntima e particular trocada entre d. Pedro e d. João VI em 19 de junho, na qual o príncipe lembrava ao pai as palavras ditas antes de o rei partir do Rio de Janeiro: "Pedro, se o Brasil se separar, antes seja por ti, que me hás de respeitar do que para algum desses aventureiros." O jornal acrescentou ainda: "Estamos curiosos para saber o que as Cortes Soberanas dirão ao rei quando da revelação dos desígnios secretos que animaram o príncipe."

Após seu retorno a Portugal e a mudança do regime, o bonachão d. João, tendo as Cortes governando em seu lugar, abria todos os dias os jornais de Lisboa e dizia, segundo os cronistas da corte portuguesa: "Vamos ver o que eu decidi ontem." Com isso, fazia alusão às leis publicadas em seu nome e sem o seu conhecimento. Seria importante revermos a imagem de rei covarde e pusilânime, imaginando se, na realidade, não estaria ele por trás da independência brasileira, assegurando ao filho e ao futuro neto, d. Pedro II, a coroa do maior país da América do Sul.

De todo modo, não era apenas d. João quem jogava. Como ele mesmo afirmou em carta ao filho, o rei era o único a favor de d. Pedro. D. Carlota e os outros urdiam para que d. Miguel assumisse o trono. Talvez tenha partido desses antagonistas a divulgação, na Europa, da carta de d. Pedro falando que o pai o instruíra a separar o Brasil do império lusitano. A grave revelação de que o rei de Portugal estava mancomunado com o príncipe regente do Brasil poderia ser o suficiente, se bem conduzida a trama, para afastar d. João do trono português.

Nem tudo no Brasil, porém, obedecia rigidamente um plano preconcebido, e ainda havia muito trabalho a ser feito. Se alguns portugueses, funcionários públicos, militares etc. haviam se alinhado às ideias do príncipe, isso não ocorreu de maneira unânime. Tendo percebido o rumo que o país seguia, o governador do Rio Grande, general Saldanha, pediu demissão do posto e, buscando honrar seu juramento ao rei de Portugal, quis retornar à Europa. No entanto, foi preso e levado ao Rio de Janeiro, onde d. Pedro mandou soltá-lo. Tanto o príncipe quanto José Bonifácio tentaram aliciá-lo à causa brasileira, mas foi em vão. No fim, d. Pedro acabou por concordar com seu regresso a Lisboa, ao que se seguiria o de diversos outros amigos e antigos colaboradores.

Enquanto isso, São Paulo, que sob a liderança de José Bonifácio havia se alinhado ao príncipe, causava agora problemas. Parte do governo decidiu voltar-se a Portugal e expulsar Martim Francisco da junta governativa de São Paulo. O Andrada foi preso e enviado ao Rio de Janeiro. Ali chegando, foi nomeado ministro do Tesouro pelo irmão, que então ocupava o cargo de ministro de Estado dos Negócios do Reino do Brasil e Negócios Estrangeiros. A indisposição entre os irmãos Andrada e o governo paulista fez com que o presidente da junta de governo da província fosse demitido, mas, como ele não partisse para o Rio como ordenado, d. Pedro resolveu fazer o mesmo que fizera em Minas: ir apaziguar a capitania.

Sete de Setembro

D. PEDRO partiu do Rio de Janeiro para São Paulo em 14 de agosto. A cidade voltava à sua vida após a mudança de planos de d. João VI em 1807, que, em vez de mandar o filho para lá acompanhado de uma tia-avó, decidira embarcar a família inteira para o Rio de Janeiro.

No dia 13, antes de deixar a capital, d. Pedro publicou um decreto redigido por José Bonifácio, mediante o qual nomeava d. Leopoldina regente em seu lugar, sendo-lhe autorizado despachar com os ministros, os secretários e o Conselho de Estado enquanto o príncipe estivesse viajando.

D. Pedro vinha acompanhado de uma pequena escolta formada por um secretário, dois criados, o jovem militar brasileiro Francisco de Castro Canto e Melo e Francisco Gomes da Silva, o Chalaça. A exemplo do que ocorrera em Minas, durante a viagem a comitiva engrossou, recebendo a adesão de cidadãos notáveis da região do Vale do Paraíba. No dia 24, já no subúrbio paulista, d. Pedro pernoitou na Penha, de onde despachou Chalaça e Francisco de Castro, promovido por ele a alferes havia três dias, para verificarem o "espírito" dos moradores da cidade. Segundo recordaria Castro em 1864:

> A 24, 10º dia da jornada, passou o príncipe na povoação da Penha. À noite, por ordem do mesmo, eu e Francisco Gomes viemos à cidade, a fim de observarmos o estado em que ela se achava, e podermos prestar exatas informações a respeito; regressamos à meia-noite, dando notícias da perfeita quietação em que a tínhamos encontrado.[130]

Dom Pedro e sua comitiva entraram em São Paulo logo pela manhã. Os cavaleiros venceram a colina da Penha e avistaram, ao longe, uma outra cercada de várzeas, local fácil de ser defendido pela posição geográfica. O alto da colina ostentava as torres de oito igrejas, dois conventos e três mosteiros. Comparada ao Rio de Janeiro, a cidade era diminuta. Passando pela Várzea do Carmo,[131] d. Pedro subiu a Ladeira do Carmo[132] em direção ao então núcleo urbano, que pouco lembrava a capital. As construções eram, em sua maioria, feitas com pau a pique ou taipa de pilão, ambas usando o barro como elemento principal. Eram raros os edifícios feitos de pedra ou tijolo. As mulheres escondiam-se — viam, mas não eram vistas — por detrás das treliças e muxarabiês das janelas, herança moura que já fora banida do Rio por decreto de d. João VI. Ao contrário da antiga sede da corte, São Paulo não possuía iluminação pública, o comércio era de gêneros de primeira necessidade e havia poucos luxos e importados.

A escrava Lucréccia Cananeia Galvão, de nove anos, viu quando d. Pedro ingressou em São Paulo. Cento e doze anos depois, em 23 de dezembro de 1934, ela recordava, ainda lúcida:

> [...] Ele chegou a cavalo, acompanhado de muitos moços e trazia a sua roupa com um pouco de barro da estrada. [...] [ele era] um moço bonito, de olhar alegre e de barbas "suíças". Quando apeou do cavalo, então, causava admiração. Alto, elegante e sem luxo.[133]

Outra testemunha da entrada de d. Pedro foi Francisco de Assis Vieira Bueno, que tinha pouco mais de seis anos quando viu o príncipe adentrar a cidade, na manhã de 25 de agosto.[134] Ele se lembraria da chegada, dos fogos, do canhoneio e da festa. Vira o futuro imperador atravessar a galope a ponte do Carmo e parar no meio da ladeira, onde foi recepcionado pelo bispo d. Mateus Pereira e por representantes políticos. Vieira Bueno registrou um boato interessante em suas memórias: d. Pedro teria estado na cidade na véspera, na calada da noite, incógnito, junto com "Chico" de Castro. Teria ali conhecido a irmã divorciada do alferes, Domitila de Castro do Canto e Melo?

A futura marquesa de Santos, Domitila de Castro, apelidada Titília, poderia ser descrita como atraente para o modelo de beleza da época; era também simpática, espirituosa e muito divertida. Sua pele clara e bem cuidada deve ter chamado a atenção de d. Pedro, bem como seus olhos, de um profundo tom de verde. O nariz, delicado, era levemente curvo; a boca, bem feita, com dentes brancos. Por ser alta, seus quadris e seios avantajados não pareciam desproporcionais e não apresentava músculos ou ossos aparentes.

Nove meses mais velha que o príncipe e onze mais nova que d. Leopoldina, aos 24 anos Domitila já era mãe de três filhos e estava separada do marido, o alferes Felício Pinto Coelho de Mendonça. Felício era moço fidalgo da Casa Real, filho do capitão-mor Felício Pinto Muniz Coelho da Cunha, dono de lavras de ouro na fralda da serra de Cocais, onde a família estabelecera um feudo que originaria a cidade de Barão de Cocais. Felício e Domitila casaram-se em São Paulo no dia 13 de janeiro de 1813, partindo em seguida para Minas. Ali se estabeleceram, ela com 15 anos recém-completos e ele, 24. A união não foi das mais felizes porque Domitila, diferentemente das outras mulheres de seu tempo, não aguentou calada os maus-tratos do marido: pegou os filhos e retornou à casa paterna, no que foi logo seguida por ele.

Os dois tentaram refazer o casamento, mas Felício acabou mergulhando cada vez mais na bebida e em dívidas de jogo. Chegou ao ponto de falsificar a assinatura da mulher para poder vender terras em Minas que pertenciam ao casal. O fim do casamento se deu em 1819, quando Felício esfaqueou Domitila em público. Ele foi preso e ela passou quase dois meses entre a vida e a morte. Começava aí a briga entre as famílias de cada um pela guarda das crianças — uma disputa que chegaria ao conhecimento de d. João VI[135] e que ainda não fora resolvida quando da chegada de d. Pedro a São Paulo.

É fato que o jovem Francisco, além de guia da viagem, se tornou amigo de d. Pedro durante a jornada. Fazia parte do gênio do príncipe distinguir as pessoas que o serviam bem, sobretudo se tivessem problemas — e isso era o que a família do alferes mais tinha. Nessa época, o pai de Francisco, o militar João de Castro do Canto e Melo, apesar de ter solicitado sua reforma[136] no exército em abril de 1822 na patente de tenente-coronel, estava, assim como a grande maioria dos militares portugueses no Brasil, sem receber o soldo já havia meses. Enquanto isso, vivia do aluguel de mulas para a descida e a subida de mercadorias pela serra do Mar, próximo a um local denominado Moinhos.

A vinda de d. Pedro, em companhia do filho Francisco, representava uma ótima oportunidade para resolver não só a questão de sua aposentadoria, mas também duas outras. A pendência do divórcio de Domitila e a guarda dos filhos tidos com Felício era uma; a outra era interceder pelo genro, Antônio Bernardo Quartim, casado com a filha que João tivera fora do casamento, Maria Eufrásia de Castro. Quartim, por ter participado da revolta contra os Andrada, fora deportado para Jundiaí. A crônica familiar dos Quartim de Moraes dá como certo que foi Domitila quem conseguiu do príncipe a libertação do cunhado.

Antônio José de Oliveira,[137] casado com uma prima de Domitila e ajudante de ordens do imperador, deixou um relato curioso de um dos primeiros encontros entre ela e o príncipe em São Paulo, antes de 7 de setembro. D. Pedro, encantado em vê-la chegando numa cadeirinha transportada por escravos, teria dispensado um carregador e assumido ele próprio um dos varais, afirmando querer ver o peso da ocupante. Titília, entre risos encabulados, admirava-se: "Como vossa alteza é forte! Como vossa alteza é forte!"

Em meio a risadas e flertes, os escravos teriam sido enfim substituídos por homens da guarda de honra, com d. Pedro brincando que jamais Domitila teria negrinhos como aqueles.

Levando-se em conta o gênio indomável de d. Pedro I, que, às vésperas da Independência, haveria de ser esbofeteado em Santos por uma bonita escrava que beijara na rua, a história relatada bem poderia ser verdadeira.

Sabemos, pois d. Pedro deixou diversas vezes registrado em cartas para Titília, que ele passou a ter *amizade* com ela em 29 de agosto de 1822. A *amizade* a que o imperador se refere é bem menos inocente do que a palavra nos leva a imaginar: os dois passaram a ser íntimos nessa data, e o primeiro filho que teriam foi provavelmente concebido entre 29 de agosto e 14 de setembro.

D. Pedro foi bem recebido em São Paulo. Logo se organizaram diversos beija-mãos no Palácio do Governo, para onde acorreram não somente as autoridades da cidade, mas também pessoas vindas de vilas e lugarejos próximos. Foi esse o caso do idoso capitão-mor de Itu, Vicente da Costa Taques Góes e Aranha. De idade bem avançada, o capitão percorrera 113 quilômetros a cavalo para ter a honra de beijar a mão do príncipe. Este teve um ataque de riso ao ver o velho vassalo com um uniforme antiquado e uma peruca branca e empoada, os quais deviam ter sido moda uns cinquenta anos antes. Profundamente magoado e chocado com a atitude descortês de d. Pedro, o capitão-mor declarou altivamente: "Saiba Vossa Alteza Real que com esta farda, com que o sirvo já por muitos longos anos, servi aos senhores reis seus augustos pais, avós e bisavós."[138] Em seguida, curvou-se respeitosamente, retirando-se com tanta dignidade que fez o príncipe — homem impulsivo, de riso fácil, de educação abrutalhada e sem refinamento — cobrir-se de remorsos e ir se desculpar pela grosseria cometida. Ao longo de sua vida, atos impensados de d. Pedro iriam fazê-lo se arrepender e se desculpar muitas vezes; este é apenas um dos exemplos. Houve também casos em Minas e no Rio de Janeiro, nos quais sua esposa, d. Leopoldina, estava constantemente envolvida.

Tendo pacificado São Paulo, o príncipe ordenou que se realizassem novas eleições para ocupar os cargos do governo deposto da capitania. Enquanto isso, encarregou-se do governo local. Em 5 de setembro, desceu até a cidade de Santos, no litoral, para inspecionar as defesas do porto e visitar a família dos irmãos Andrada, naturais da cidade.

No dia 7, subiu de Santos a São Paulo pela estrada de ligação entre o litoral e o planalto. A tela de Pedro Américo intitulada *Independência ou Morte*, que hoje se encontra no salão nobre do Museu Paulista, não tem nenhuma relação fidedigna com o que de fato se passou na ocasião: exceção feita ao retrato de alguns envolvidos e a algo da topografia do local, o restante foi completamente inventado pelo pintor. Não que ele fosse um mentiroso contumaz — muito pelo contrário. Quando se solicitava o retrato histórico de um evento, valia mais o modo de contar a história — que fosse bonita e dignificasse os personagens envolvidos — do que a representação fiel. Na época, a construção de uma identidade nacional raramente era feita mostrando-se a realidade nua e crua dos eventos históricos.

Na verdade, d. Pedro não vestia uma farda de gala na ocasião, e sim uma fardeta azul de polícia, sem luxo algum. Trajava calças da mesma cor, botas grandes e envernizadas e um chapéu armado. Também levava sua espada. Ia montado em uma "besta baia gateada" (ou uma "égua possante gateada", ou ainda uma "bela besta baia").[139] De acordo com as memórias deixadas pelo primeiro comandante de sua guarda de honra, o coronel Antônio Leite Pereira da Gama Lobo: "Já havíamos subido a serra, quando d. Pedro queixou-se de ligeiras cólicas intestinais, precisando por isso apear-se para empregar os meios naturais de aliviar os sofrimentos." Ainda segundo Gama Lobo, assim que chegaram ao planalto, sozinhos ele e d. Pedro, pois o restante da comitiva ficara para trás, um correio vindo do Rio de Janeiro alcançou o príncipe e entregou-lhe ofícios e cartas enviadas pela regência. Ao lê-los, "disse-me que as Cortes queriam massacrar o Brasil".

Assim que a guarda de honra os encontrou, d. Pedro, tendo que parar e desmontar a todo momento por conta da disenteria, mandou que a comitiva "passasse adiante e fosse seguindo". Se o príncipe não os alcançasse antes, deveriam esperá-lo na estrada de São Paulo, ainda segundo Gama Lobo:

> Chegado ao [ribeirão do] Ipiranga, sem que ninguém aparecesse, fiz parar a guarda junto a uma casinhola que ficava à beira da estrada, à margem daquele riacho. Para prevenir qualquer surpresa, mandei o guarda Miguel de Godoy, que era um dos mais moços, colocar-se de atalaia[140] em lugar de onde pudesse descobrir a aproximação do príncipe para nos avisar com tempo de nos pormos em forma e escolta-lo à entrada da cidade.

Enquanto aguardavam a chegada de d. Pedro e do restante da comitiva, aproximaram-se da guarda de honra dois cavaleiros:

> Vimos chegar dirigindo-se para o nosso lado dois viajantes que logo reconhecemos serem pessoas de consideração. Eram Paulo Bregaro, oficial da Secretaria do Supremo Tribunal Militar, e o major Antônio Ramos Cordeiro, que a mandado de José Bonifácio vinham do Rio de Janeiro apressadamente, procurando d. Pedro.

Os correios traziam despachos do governo de Portugal e notícias das cortes, além de cartas de José Bonifácio e de d. Leopoldina. Em 28 de agosto, chegara ao Rio de Janeiro o navio *Três Corações*, que, tendo deixado Portugal em 3 de julho, trazia informações a respeito do que se passava em Lisboa. Soube-se — talvez por nota de deputados brasileiros no congresso, extratos da ata ou algum resumo das decisões — das resoluções que seriam adotadas em relação ao Brasil. Somente em 21 de setembro, pelo navio *Quatro de Abril*, chegariam as cartas régias obrigando a que fossem cumpridas.

As resoluções, debatidas nas Cortes em junho de 1822 e votadas em 1º de julho, negavam a petição enviada do Brasil para que se repensasse a fragmentação do reino em províncias ligadas diretamente a Portugal. Além do mais, as Cortes consideravam violenta e injuriosa a linguagem usada pelo governo provisório de São Paulo em carta a d. Pedro de dezembro de 1821, na qual pedia que não obedecesse às ordens de deixar o Brasil. Os membros do governo, incluindo José Bonifácio, agora ministro, deveriam ser presos, processados e julgados. Todas as decisões do príncipe ficavam anuladas, inclusive a criação do Conselho de Procuradores. Para piorar, d. Pedro e a família deveriam cumprir as ordens anteriores e retornar à Europa. Além disso, vinham também informações, da princesa e de José Bonifácio, do desembarque de tropas na Bahia e da chegada prevista de mais reforços portugueses, que fariam do local uma ponta de lança para varrerem do restante das províncias brasileiras quem se posicionasse com o príncipe pela unidade do Brasil.

Os despachos vindos do Rio de Janeiro ainda davam conta de uma reunião do Conselho de Estado, convocado e presidido por d. Leopoldina em 2 de setembro, no palácio de São Cristóvão. Além dos ministros, estavam também presentes os procuradores-gerais das províncias, entre eles José Gonçalves Ledo e José Clemente Pereira. Segundo o cronista Melo Morais, apoiado em informações que lhe passara o conselheiro Vasconcelos de Drummond, presente a essa reunião:

> [...] Ali se deliberou sem discussão, depois de José Bonifácio ter feito uma exposição verbal do estado em que se achavam os negócios públicos, e de concluir, dizendo ter chegado a hora de acabar com aquele estado de contemporizar com os seus inimigos, que o Brasil tinha feito tudo quanto humanamente era possível fazer para conservar-se unido com dignidade a Portugal, mas que Portugal em vez de acompanhar e agradecer a generosidade com que o Brasil o tratava, insistia nos seus nefastos projetos de o tornar à miserável condição de colônia, sem nexo e nem centro de governo, que portanto ficasse com ele a responsabilidade da separação. Propôs que se escrevesse ao sr. D. Pedro para que Sua Alteza Real houvesse de proclamar a independência sem perda de tempo. A princesa real, que se achava muito entusiasmada em favor da causa do Brasil, sancionou com muito prazer a deliberação do Conselho![141]

Segundo a historiadora Viviane Tessitore:[142]

> Leopoldina não teria tomado uma atitude de tal dimensão sem uma margem mínima de segurança de que d. Pedro ratificaria o seu ato. Poderia ser constrangedor e até arriscado. Mas o apoio de José Bonifácio, que integrava o Conselho e de quem se tornou amiga, confidente e admiradora, provavelmente contribuiu para encorajá-la.[143]

Ou seja, marido e mulher já haviam conversado seriamente a respeito de tomarem a frente do movimento que separaria o Brasil de Portugal. D. Pedro, portanto, daria o aval e ecoaria, de maneira impulsiva, a decisão do Conselho de Estado naquela tarde.

Junto dos despachos, haveria também uma carta de José Bonifácio:

> Senhor, as Cortes ordenaram a minha prisão por minha obediência à Vossa Alteza. E no seu ódio imenso de perseguição atingiram também aquele que preza em o servir com lealdade e a dedicação do mais fiel amigo e súdito. O momento

não comporta mais delongas ou condescendências. A revolução já está preparada para o dia de sua partida. Se parte, temos a revolução no Brasil contra Portugal, e Portugal atualmente não tem recursos para subjugar um levante que é preparado ocultamente para não dizer quase visivelmente. Se fica, tem Vossa Alteza contra si o povo de Portugal, a vingança das Cortes, que direi?, até a deserdação, que dizem já estar combinada. Ministro fiel, que arrisquei tudo por minha pátria e pelo meu príncipe, servo obedientíssimo do senhor D. João VI, que as Cortes têm na sua detestável coação, eu como ministro, aconselho a Vossa Alteza que fique e faça do Brasil um reino feliz, separado de Portugal, que é hoje escravo das Cortes despóticas. Senhor, ninguém mais que sua esposa deseja a sua felicidade, e ela lhe diz em carta que com esta será entregue que Vossa Alteza deve ficar e fazer a felicidade do povo brasileiro, que o deseja como seu soberano, sem ligações e obediências às despóticas Cortes portuguesas que querem a escravidão do Brasil e a humilhação do seu adorado príncipe regente. Fique, é o que todos pedem ao magnânimo príncipe que é Vossa Alteza, para o orgulho e felicidade do Brasil. E se não ficar, correrão rios de sangue nesta grande e nobre terra, tão querida do seu real pai, que já não governa em Portugal pela opressão das Cortes, nesta terra que tanto estima a Vossa Alteza e a quem tanto Vossa Alteza estima. José Bonifácio.

D. Leopoldina dizia ao marido:

Pedro, o Brasil está como um vulcão. Até no paço há revolucionários. Até oficiais das tropas são revolucionários. As Cortes Portuguesas ordenam vossa partida imediata, ameaçam-vos e humilham-vos. O Conselho do Estado aconselhava-vos para ficar. Meu coração de mulher e de esposa prevê desgraças, se partirmos agora para Lisboa. Sabemos bem o que tem sofrido nossos pais. O rei e a rainha de Portugal não são mais reis, não governam mais, são governados pelo despotismo das Cortes que perseguem e humilham os soberanos a quem devem respeito. Chamberlain vos contará tudo o que sucede em Lisboa. O Brasil será em vossas mãos um grande país. O Brasil vos quer para seu monarca. Com o vosso apoio ou sem o vosso apoio ele fará a sua separação. O pomo está maduro, colhei-o já, senão apodrece. Ainda é tempo de ouvirdes o conselho de um sábio que conheceu todas as cortes da Europa, que, além de vosso ministro fiel, é o maior de vossos amigos. Ouvi o conselho do vosso ministro, se não quiserdes ouvir o de vossa amiga. Pedro, o momento é o mais importante de vossa vida. Já dissestes aqui o que ireis fazer em São Paulo. Fazei, pois. Tereis o apoio do Brasil inteiro e, contra a vontade do povo brasileiro, os soldados portugueses que aqui estão nada podem fazer. Leopoldina.[144]

Ambos, tanto d. Leopoldina quanto José Bonifácio, apelaram para o orgulho de d. Pedro e tocaram na questão de que tudo o que ele fizera e decretara no Brasil seria desfeito pelas Cortes Portuguesas. Se acatasse as ordens das Cortes, d. Pedro deixaria o Brasil como virtual prisioneiro delas.

Infelizmente, até hoje nenhuma das cartas, nem a de d. Leopoldina, nem a de José Bonifácio, foram fisicamente localizadas. Sabe-se delas devido a publicações realizadas a partir da década de 1920 em que aparecem citadas, copiadas de um folheto raro de 1826, onde teriam sido publicadas inicialmente.[145] A se dar crédito a essas cartas, elas sim teriam o poder de levar o príncipe a se revoltar e tomar uma atitude intempestiva diante de todos, como fez, em vez de, por exemplo, lavrar um decreto e lê-lo no teatro naquela noite.

São interessantes duas passagens da carta de d. Leopoldina. *Com o vosso apoio ou sem o vosso apoio ele fará a sua separação. O pomo está maduro, colhei-o já, senão apodrece.* Esse trecho é como um eco daquilo que d. João teria aconselhado d. Pedro antes da partida em 1821: *Pedro, se o Brasil se separar, antes seja por ti, que me hás de respeitar do que para algum desses aventureiros.* D. Leopoldina e d. João provavelmente conversaram sobre o futuro do Brasil antes da despedida. Em outro trecho, ela diz: *Já dissestes aqui o que ireis fazer em São Paulo. Fazei, pois.* D. Pedro já teria então decidido a separação do Brasil de Portugal — embora a independência real se tenha dado quando do não cumprimento dos decretos e ordens régios vindos da antiga metrópole —, e essa seria feita em São Paulo? É o que a carta sugere.

Podem-se imaginar duas hipóteses para a questão. A primeira seria que, sem a unidade das três principais províncias do Centro-sul (Rio de Janeiro, São Paulo e Minas Gerais), a separação não daria certo por questões econômicas e administrativas. Como São Paulo estava em disputa interna, era necessário resolvê-la e juntá-lo ao grupo, o que d. Pedro fez ao dissolver o governo e assumi-lo até a posse dos novos eleitos. Apaziguada São Paulo e banidos para lugares distantes os que eram favoráveis às Cortes, estava assegurada a participação paulista no ato, e assim não haveria mais motivos para adiamento. Que tudo, então, fosse logo consumado.

A segunda hipótese é que, uma vez que o Fico fora realizado no Rio de Janeiro, seria interessante que outro ato de impacto ocorresse em uma província diferente. Assim, outros locais do Brasil receberiam destaque no processo de independência, não sendo apenas a capital o palco de tudo. Dessa forma, as demais províncias poderiam ter a sensação de estarem realmente participando coletivamente do ato, e não apenas acatando ordens vindas do Rio ou de Lisboa.

Segundo relato do padre Belchior, parente dos irmãos Andrada e testemunha ocular dos acontecimentos de 7 de setembro, d. Pedro, além das cartas de José Bonifácio e d. Leopoldina, bem como da decisão de separação tomada pelo Conselho de Estado, recebera mensagens de Chamberlain, diplomata inglês radicado no Rio de Janeiro. Padre Belchior refere-se ao britânico como o "espião" de d. Pedro. Também haveria outra carta junto às demais, escrita por d. João VI.

Assim como d. Leopoldina, que só se valia de pessoas confiáveis ao enviar cartas a parentes — podendo, desse modo, desabafar sobre a vida no Brasil, certa de que as missivas chegariam ao destinatário e não seriam violadas —, não teriam d. João VI e d. Pedro estabelecido algum meio seguro de comunicação, mediante o qual as cartas não eram vigiadas? Poderiam ter contado com a velha Inglaterra para isso? É uma hipótese. Em alguma dessas cartas, ele poderia ter tomado ciência não apenas das decisões das Cortes, mas também de que estava sendo chamado de *rapazinho* e de *brasileiro* por elas.

Após as cartas e os despachos terem sido entregues pelos correios a d. Pedro, este, novamente acometido pelas cólicas, afastou-se do restante do grupo na companhia do padre Belchior. Segundo o clérigo, d. Pedro pediu que ele lesse em voz alta o conteúdo do material recebido. Somando-se, à tensão causada pelas notícias, e levando-se em conta o mal-estar em que o príncipe se encontrava, é de se imaginar o quão irritado ficou.

Ainda segundo o padre Belchior, d. Pedro, após se ajeitar, teria amassado as cartas e as jogado ao chão, de onde foram recolhidas e guardadas pelo religioso. O príncipe teria então procurado, em meio a seus próprios pensamentos, ouvir o que o padre tinha a dizer a respeito.

> Depois, abotoando-se e compondo a fardeta [...] virou-se para mim e disse:
>
> — E agora, padre Belchior?!
>
> E eu respondi prontamente:
>
> — Se Vossa Alteza não se faz rei do Brasil será prisioneiro das Cortes e talvez deserdado por elas. Não há outro caminho senão a independência e a separação.

Em seguida, os dois caminharam para junto da comitiva que os aguardava, onde d. Pedro, de acordo com relatos de testemunhas e com as lembranças legadas por seu futuro secretário, o Chalaça, teria se consultado ainda com outros integrantes:

"S.M. meditou nas circunstâncias em que ele e o Brasil se achavam, e ouvindo os pareceres de muitas pessoas que escutara, sem que nenhuma delas suspeitasse inda para que era consultada, decidiu-se declarar de uma vez a independência do Brasil."

Após ter com os companheiros, o príncipe encaminhou-se em silêncio para os cavalos, seguido de perto pela comitiva. Então, exclamou:

> — Padre Belchior, eles o querem, terão a sua conta. As Cortes me perseguem, chamam-me com desprezo de *rapazinho* e de *brasileiro*. Pois verão agora quanto vale o *rapazinho*. De hoje em diante estão quebradas as nossas relações; nada mais quero do governo português e proclamo o Brasil para sempre separado de Portugal.

Em seguida, o príncipe teria se voltado para Francisco de Canto e Melo:

> — Diga à guarda que eu acabo de fazer a independência completa do Brasil. Estamos separados de Portugal. — O tenente Canto e Melo cavalgou em direção a uma venda onde se achavam quase todos os dragões da guarda.

Gama Lobo relembra:

> Poucos minutos poderiam ter-se passado depois da retirada dos referidos viajantes [refere-se aos correios Bregaro e Cordeiro], e eis que percebemos que o guarda que estava de vigia vinha apressadamente em nossa direção ao ponto em que nos achávamos; compreendi o que aquilo queria dizer, e imediatamente mandei formar a guarda para receber d. Pedro [...]. Mas tão apressado vinha o príncipe, que chegou antes que alguns soldados tivessem tido tempo de alcançar as selas.

Ainda segundo Gama Lobo:

> Havia de ser quatro horas da tarde, mais ou menos. Vinha o príncipe na frente. Vendo-o voltar-se para o nosso lado, saímos ao seu encontro. Diante da Guarda que descreveu um semicírculo, estacou o seu animal e de espada desembainhada bradou:

Eis o que escreve o padre Belchior:

— Amigos, as Cortes portuguesas querem escravizar-nos e perseguem-nos. De hoje em diante, nossas relações estão quebradas. Nenhum laço nos une mais. — E arrancando [o príncipe] do chapéu o laço azul e branco decretado pelas Cortes, como símbolo da nação portuguesa, atirou-o ao chão dizendo:

— Laços fora, soldados! Vivam a independência, a liberdade e a separação do Brasil!

Respondemos com um viva ao Brasil independente e separado, e um viva a d. Pedro. O príncipe desembainhou a espada, no que foi acompanhado pelos militares, os paisanos tiraram os chapéus. E d. Pedro disse:

— Pelo meu sangue, pela minha honra, pelo meu Deus, juro fazer a liberdade do Brasil.

— Juramos — responderam todos.

D. Pedro embainhou a espada, no que foi imitado pela guarda, pôs-se à frente da comitiva e voltou-se, ficando em pé nos estribos:

— Brasileiros, a nossa divisa de hoje em diante será Independência ou Morte!

Eram quatro e meia da tarde. Tomando as rédeas de sua besta, d. Pedro esporeou-a e, seguido da guarda e da comitiva, partiu a galope para São Paulo. Em meio ao turbilhão de pensamentos e emoções que o acometia, surgiam os primeiros acordes do *Hino da Independência*, que ele apresentaria naquela mesma noite.

Quando viajantes ilustres estavam para chegar, a municipalidade plantava, no alto da torre da igreja da Boa Morte, próximo a uma das entradas da cidade de São Paulo, vigias que ficavam a observar as estradas. Naquele início de crepúsculo, d. Pedro e sua comitiva eram esperados. A velocidade com que o príncipe vinha, deixando toda a comitiva e a guarda para trás, espantou os vigias. Mal eles fizeram soar os sinos de alarme, as outras igrejas e conventos replicaram os toques. D. Pedro levantava poeira cidade adentro, rumando para o palácio do governo, no pátio do Colégio, de onde vinha governando São Paulo desde que chegara. Logo atrás, aproximava-se Francisco de Castro do Canto e Melo.

Um cavaleiro em desabalada carreira foi o que viram os transeuntes e o povo que, ao som dos sinos, acorreu às janelas. Mesuras, cumprimentos e perguntas ficaram no ar. Algo decerto havia ocorrido: boas ou más notícias? Quem as deu foi Francisco de Castro, o segundo cavaleiro a chegar, logo atrás do príncipe. Seu semblante radiante denunciava algo. Foi chamado pelo capitão Antônio da Silva Prado, futuro barão de Iguape, que junto do desembargador João de Medeiros Gomes, ouvidor de Itu, e do padre Idelfonso Xavier[146] acorreu a uma das janelas de seu solar, no centro, entre a travessa de Santa Teresa e a rua do Carmo. Canto e Melo relatou o ocorrido, ponto por ponto, e a notícia espalhou-se por toda São Paulo. Então, a multidão começou a sair de suas casas para saudar o príncipe no palácio do governo.

Enquanto isso, d. Pedro, homem perfeccionista e detalhista, esboçou em um papel o molde de uma legenda em formato de "v" invertido. Em uma das "pernas" aparecia a palavra "Independência" e, na outra, "ou Morte". Tão logo Canto e Melo chegou, d. Pedro mandou que procurasse algum ourives para fundir a peça em ouro, a fim de que ambos a usassem no teatro à noite.

O teatro de São Paulo era pequeno, baixo e estreito; tinha somente um andar. Externamente, o edifico era pintado de vermelho e tinha três portas negras. A plateia, com 350 lugares, era ocupada pelos homens. Os camarotes eram 28; no de número onze, o do governador, esperava-se o aparecimento do príncipe regente a qualquer momento. Tratava-se do único camarote mobiliado. As famílias seguiam ao teatro acompanhadas de escravos que levavam cadeiras de casa, além de cestas de comida com frango assado, empanadas e cuscuz. O paulista, afinal, jantava cedo, e era normal que sentisse fome nas apresentações.

Francisco de Castro, às nove e meia da noite, abriu as cortinas do camarote em que acabava de chegar d. Pedro. Ali, o futuro imperador foi aclamado pelo povo paulista como o "primeiro rei brasileiro", brado puxado na plateia pelo padre Ildeofonso Xavier, em conjunto com Antônio Leite Pereira Lobo e João de Castro Canto e Melo, segundo recorda o coronel Manuel Marcondes de Oliveira Melo, testemunha ocular. "Nessa noite histórica, todos ouviriam no teatro, pela primeira vez, o *Hino da Independência*. D. Pedro compusera-o no final da tarde e início daquela noite."

Francisco de Castro, em relato sobre o evento, contou: "Fez-se, afinal, ouvir o hino, no qual tomaram parte o príncipe, d. Maria Alvim, d. Rita e outras senhoras."

No final do espetáculo, o príncipe poderia ter observado as cascas de queijo, os ossos de galinha e os caroços de azeitona que seriam deixados no chão, reminiscências das refeições que haviam matado a fome dos paulistanos naquela noite. No entanto, sairia antes do término da peça *O convidado de pedra*: as aventuras de d. Juan ele já conhecia; queria viver as próprias.

Em 8 de setembro, d. Pedro lançou uma proclamação aos paulistas em que anunciava relutantemente sua partida:

> Coisa nenhuma me poderia ser mais sensível do que o golpe que minha alma sofre, separando-me de meus amigos paulistanos a quem o Brasil e eu deve-

> mos os bens que gozamos e esperamos gozar de uma Constituição liberal e judiciosa.

No dia seguinte, legando o governo paulista a um triunvirato formado pelo bispo da cidade, d. Mateus, pelo ouvidor local e pelo comandante militar da praça de Santos, d. Pedro partiu para o Rio de Janeiro. A pequena comitiva que o acompanhou a São Paulo agora retornava engrossada por gente paulista que se estabeleceria na corte junto ao governo, como João de Castro do Canto e Melo e Boaventura Delfim Pereira, respectivamente pai e cunhado de Domitila. Boaventura chegaria a tomar parte no cerimonial da coroação de d. Pedro.

Em novembro, finalmente, o príncipe teria um tempo, no meio do turbilhão político dos arranjos e acertos da Independência, para escrever à amante paulista, que andara reclamando sua atenção por meio de duas cartas:

> Santa Cruz, 17 de novembro de 1822
>
> Cara Titília
>
> Foi inexplicável o prazer que tive com as suas duas cartas. Tive arte de fazer saber a seu pai que estava pejada de mim (mas não lhe fale nisto) e assim persuadi-lo que a fosse buscar e a sua família, que não há de cá morrer de fome, muito especialmente o meu amor, por que estou pronto a fazer sacrifícios.
> Aceite abraços e beijos e fo...
> Deste seu amante que
> suspira pela ver cá o quanto antes,
>
> O Demonão[147]

Em maio de 1823, o pai de Domitila, já reformado no posto de tenente-coronel do Estado Maior do Exército, passaria a receber sua aposentadoria de 80 mil réis na intendência da corte, no Rio de Janeiro. Por volta dessa época, deve ter ocorrido a mudança de sua família para a capital do império. Conforme prometera por d. Pedro, eles de fato não passariam fome por lá.

Consolidando um império

D. PEDRO, apostando corrida com sua guarda e os demais acompanhantes, partiu de São Paulo em 9 de setembro. Em geral, o correio a cavalo que ligava as duas cidades levava oito dias para entregar as cartas de um local ao outro; d. Pedro fez o mesmo percurso, enfrentando temporais e locais inundados, em cinco. O Chalaça ficaria em segundo lugar, chegando algumas horas após o príncipe ao Rio de Janeiro.

A cidade entrou em apoteose com a chegada de d. Pedro. No dia 15, ele foi ovacionado nas ruas e no teatro, onde compareceu com d. Leopoldina; no dia seguinte, em sua ida ao Paço da Cidade, ocorreu o mesmo. Sua popularidade estava no auge. Em 22 de setembro, após a chegada dos avisos régios que oficializavam no Brasil as determinações das Cortes, ordenando o retorno de d. Pedro a Portugal e anulando os decretos do príncipe, o futuro imperador tomou da pena e escreveu a d. João:

> [...] Embora se cometam todos atentados que em clubes carbonários forem forjados, a causa santa não retrogradará e eu antes de morrer, direi aos meus caros brasileiros: vede o fim de quem se expôs pela pátria e imitai-me.

Vossa Majestade manda-me, que digo, mandam as Cortes por Vossa Majestade que eu faça executar e execute os seus decretos. Para eu os fazer executar, era necessário que eu e os brasileiros obedecêssemos à facção; e para eu os executar era preciso que eu quisesse. E visto isso respondo em duas palavras por mim e por todos eles: não queremos.

[...] Digo (tomando a Deus por testemunha e ao mundo inteiro) a toda essa cáfila sanguinária que eu, como príncipe regente do Reino do Brasil e seu defensor perpétuo: hei por bem declarar todos os decretos pretéritos dessas facciosas, horrorosas, maquiavélicas, desorganizadoras, hediondas e pestíferas Cortes que ainda não mandei executar e todos os mais que fizerem para o Brasil nulos, írritos e inexequíveis, e como tais com um veto absoluto que é sustentado pelos brasileiros todos que dizem juntamente comigo: De Portugal nada, nada, não queremos nada. Se esta declaração tão franca irritar mais os ânimos desses lusos-espanhóis, que mandem tropa aguerrida, na guerra civil que nós lhes faremos ver até que ponto chega o valor dos brasileiros. Se por acaso se atreverem a contrariar a nossa santa causa, em breve verão o mar coalhado de corsários e a miséria, a fome e tudo quanto lhe pudermos dar em troco de tantos benefícios será praticado, contra estes corifeus; mas quer quando os portugueses os conhecerem bem, eles lhes darão o justo prêmio.

Jazemos por muito tempo nas trevas, hoje já vemos a luz. Se Vossa Majestade cá estivesse, seria respeitado e amado e então veria que o povo brasileiro, sabendo prezar a sua liberdade e independência, se empenha em respeitar a autoridade real, pois não é um bando de carbonários e assassinos como os que têm a Vossa Majestade no mais ignominioso cativeiro.

Triunfa e triunfará a independência brasílica ou a morte nos há de custar.

O Brasil será escravizado, mas os brasileiros não, porque, enquanto houver sangue nas veias, há de correr e primeiramente hão de conhecer melhor o rapazinho e até que ponto chega sua capacidade.

Peço a Vossa Majestade a mande apresentar esta as Cortes para o terem mais com que se divirtam e gastem ainda um par de moedas a esse estígio Tesouro. Deus guarde a preciosa vida e saúde de Vossa Majestade como todos nós brasileiros desejamos.

Sou de Vossa Majestade.
Filho que muito o ama e súdito que muito o venera.
Pedro[148]

Aparentemente, nem d. Pedro, nem o pai queriam uma guerra, uma vez que esta prejudicaria os negócios dos dois países. Quem melhor resumiu a situação foi o jornal inglês *The Courier*, que em 2 de novembro de 1822 publicou:

> O rei de Portugal expressou afinal inequivocamente a sua desaprovação, sincera ou fingida, da conduta de seu filho. Através de um decreto de 9 de outubro, datado de Lisboa, ele proibiu o habitual regozijo no aniversário do Príncipe Real, até que, pela obediência às leis e as suas (do Rei) ordens, ele se tenha tornado digno de sua benevolência real e paternal. Este é apenas um insignificante ato de ressentimento, se de fato algum ressentimento existe. Na situação em que está, porém, o Rei não pode aprovar publicamente uma conduta que seria difícil de acreditar que o tenha ofendido. [...] Ele deve estar intimamente satisfeito com um rumo de acontecimentos que conserva em sua família uma esplêndida herança, que, em outras condições, poderia ter sido perdida.[149]

Nesse período, duas proclamações pediam a aclamação do príncipe como governante do Brasil, ambas nascidas na maçonaria após proposta feita, na sessão de 14 de setembro, por Domingos Alves Branco Muniz Barreto. Enquanto Gonçalves Ledo se movimentava pelos canais maçônicos, pedindo ajuda dos irmãos para a decisão de se aclamar d. Pedro como imperador constitucional do Brasil, Clemente Pereira, presidente da Câmara Municipal do Rio de Janeiro, enviava a vilas e cidades do país, no dia 17, um manifesto que as exortava a aprovarem resoluções solicitando que o príncipe se tornasse seu governante. Um dos motivos para a escolha do título de imperador, em detrimento do de rei, também vinha dos ideais liberais da maçonaria: d. Pedro não subiria ao trono por direito divino, e sim eleito pelos povos que governaria isto é, em virtude da soberania e aclamação popular.[150]

Enquanto isso, os novos símbolos de poder foram refeitos. Em 18 de setembro, d. Pedro e José Bonifácio assinaram e rubricaram diversos decretos instituindo a nova bandeira e o novo brasão de armas, que levava as cores verde, da casa de Bragança, e amarela, da casa dos Habsburgo. O desmonte histórico praticado pelos republicanos recodificaria essas cores e as transformaria no verde de nossas matas e no amarelo de nosso ouro, nossa riqueza.

A aclamação de d. Pedro foi programada para 12 de outubro, data de seu aniversário de 24 anos. Apesar da chuva que caía sobre os cariocas naquele sábado, o povo foi em peso prestigiar seu novo governante no Campo de Santana,[151] que após a ocasião passou a ser chamado de Praça da Aclamação (ao menos até 1889, quando do advento da República). Por volta das nove horas da manhã, tropas selecionadas chegaram, formadas por fluminenses e paulistas. Infantaria, cavalaria, artilharia, granadeiros, caçadores e fuzileiros se alinharam na praça, à espera do futuro imperador. Enquanto isso, toda em festa e decorada, ostentando arcos do triunfo e coretos onde tocavam orquestras, a cidade ouvia as salvas dos fortes e dos navios à entrada da baía de Guanabara.

Por volta das dez horas da manhã, uma guarda de honra formada por oficiais fluminenses e paulistas e três moços de estribeira — um índio, um mulato e outro negro — chegou ao local, indicando a aproximação de d. Pedro. O imperador vinha acompanhado de d. Leopoldina e da filha, a princesa d. Maria da Glória. Seu destino era o palacete de madeira que d. João VI mandara construir em 1818 no Campo de Santana para as festividades populares de sua aclamação como rei de Portugal, Brasil e Algarves e que fora reconstruído.[152] Ali, d. Pedro e a família foram recebidos pelos vereadores e por um discurso de Clemente Pereira, presidente do Senado, em que se afirmava:

> Quer o Brasil sustentar a sua integridade, e defender a sua Independência, e antes morrer, que perdê-la; e também quer que a sua forma de governo seja a de um Império Constitucional, Hereditário na Família Reinante de Vossa Majestade Imperial e seus augustos sucessores o distinto título de Defensor Perpétuo do Brasil.

No final do discurso, invocando o "Santo Liberalismo, o doce amor da verdadeira Glória e da Sólida Grandeza", Clemente Pereira pedia que mostrassem ao "nosso jovem Imperador em vivas cores a fealdade da escravidão e a nobreza da Liberdade."

D. Pedro assim respondeu:

> Aceito o título de Imperador Constitucional, e Defensor Perpétuo do Brasil, porque tenho ouvido a Meu Conselho de Estado, e Procuradores Gerais e examinado as representações das Câmaras das diferentes províncias. Estou intimamente convencido que tal é a vontade geral de todas as outras, que só por falta de tempo não tem ainda chegado.

A essa resposta, todos os que estavam no edifício e na praça soltaram, em meio a abraços e congratulações, os mais calorosos vivas. A artilharia salvou 101 vezes; a infantaria descarregou três vezes para o ar. Vivas ao imperador, à imperatriz, à religião, à independência e à constituição foram entoados em altos brados. Seguiram todos à Capela Real — rebatizada de Capela Imperial — para uma bênção.

A imperatriz e a princesa partiram de carruagem, enquanto d. Pedro seguiu a pé pelas ruas, debaixo de um pálio sustentado por procuradores de diferentes vilas e cidades. Lenços brancos saudavam-nos pelas janelas. Todos pareciam participar da festa, que durou seis dias.

Em 1º de dezembro, foi feita a cerimônia de sagração e coroação de d. Pedro. José Bonifácio, o barão de Santo Amaro, frei Arrábida, o bispo capelão-mor e o monsenhor Fidalgo elaboraram uma cerimônia que pouco tinha a ver com a aclamação dos reis até então realizada em Portugal. Ela uniu o cerimonial de coroação dos imperadores romanos-germânicos com aquele de Napoleão e do rei da Hungria, em que se cortava o ar com a espada.[153]

Aclamação de d. Pedro e d. Leopoldina como imperadores do Brasil no Campo de Santana, Rio de Janeiro.

Um império dividido, uma independência conquistada

Numa cerimônia que durou horas e em que até uma carruagem de Napoleão esteve presente, a coroa de mais três quilos, o cetro e a espada de ouro garantiam um imperador, mas não automaticamente um império. Nem todas as cidades e vilas do Brasil haviam enviado suas aclamações a d. Pedro. A independência interessava ao sudeste brasileiro: era vantajoso para as elites de Minas, São Paulo e Rio de Janeiro ter uma sede de poder por perto, de forma que legislações e benefícios fossem realizados e obtidos rapidamente. O Brasil, no entanto, era imenso — e o sudeste, apenas uma parte sua.

Apesar de o marquês de Pombal ter proibido, no século XVIII, que o Brasil tivesse uma língua própria, a verdade é que, em 1822, nem todos falavam português na antiga colônia. A língua mais conhecida e utilizada no norte e no sul do país era a língua geral, que só se extinguiria completamente no final do século XIX. Dividia-se ela em dois ramos: a língua geral setentrional, conhecida como língua geral do norte ou língua geral amazônica, e a língua geral meridional, também chamada de língua geral paulista, em que se misturavam idiomas indígenas locais. Além do idioma, outra questão que dificultava a integração nacional era a geografia brasileira. Para o Maranhão e o Pará, era mais rápido, por exemplo, navios enviados de suas capitais chegarem a Lisboa do que ao Rio de Janeiro.

Na América, convencionou-se denominar "grito" qualquer proclamação ou declaração pública que anunciasse o rompimento com o *status quo* e oficializasse o movimento independentista. No México, existe o "Grito de Dolores"; na República Dominicana, o "Grito de Capotillo"; na Colômbia, o "Grito del 20 de Julio"; no Uruguai, o "Grito de Asencio"; e em Cuba, o "Grito de Yara". No Brasil, o ato de d. Pedro em São Paulo se tornaria conhecido como o "Grito do Ipiranga". Nem todos no Brasil, assim como na Europa, acolheram pacificamente o brado sul-americano.

A independência integral do território brasileiro esteve longe de ser harmônica. Aceitando o desafio proposto por d. Pedro na carta que enviara ao pai em 22 de setembro, as Cortes mandaram tropas para tentar reverter a desobediência do príncipe. O Brasil teve que se armar e contratar mercenários estrangeiros desejosos de lucrar com uma boa luta. Combateu-se no sertão e no mar, no norte, no nordeste e no sul.

Entre militares brasileiros e portugueses, foram milhares os mortos; houve, ainda, baixas civis, como o caso da sóror Joana Angélica de Jesus, antes mesmo do 7 de setembro: durante os distúrbios contra as tropas portuguesas no começo de 1822, a abadessa do Convento da Lapa, em Salvador, postou-se ante os soldados lusitanos que queriam invadir o edifício. Dizendo que só passariam por cima de seu cadáver, buscava evitar que estuprassem as internas sob sua proteção. Isso de fato ocorreu, sendo ela morta a golpes de baioneta. Essa seria uma das primeiras vítimas da independência. Somente em novembro de 1823, com a rendição da guarnição de Montevidéu, autorizada a partir para a Europa, o Brasil se veria livre de tropas portuguesas.

Lutas pelo poder na família Bragança

Enquanto isso, na Europa, as tropas da Santa Aliança invadiam a Espanha para acabar com a Constituição e instalar novamente os Bourbon em um trono absolutista. Como de costume, o que acontecia de um lado da fronteira afetava o outro. Em Portugal, o conde Amarante levantou o norte à causa absolutista. D. Miguel, assumindo postura política completamente oposta à do irmão d. Pedro, tomou a frente da revolta, que ficou conhecida com Vilafrancada. O que de fato queriam era a deposição de d. João, que, relutante, continuou fiel à constituição que jurara. Vendo, porém, o movimento popular anticonstitucional, acabou por se juntar à causa e tornar-se, num só golpe, o líder do movimento. As Cortes foram dispensadas; diversos políticos e ministros, presos e torturados. O absolutismo parecia voltar a Portugal, mas com d. João nunca se tinha absoluta certeza de nada. Em abril de 1824, d. Miguel, novamente à frente de uma revolta — desta vez, daquela que passaria à história portuguesa como Abrilada —, aprisionou seu pai no Paço da Bemposta por não ver os propósitos da revolta anterior aplicados integralmente. Voltou também a prender nobres e ministros, acusando-os de pertencerem à maçonaria e de comungarem com seus ideais liberais.

Numa pronta resposta ao movimento, os diplomatas estrangeiros em Lisboa, sob a direção do embaixador francês Hyde de Neuville, seguiram para o

Paço da Bemposta a fim de se colocarem ao lado de d. João. Quando impedidos de ingressar pela guarda de d. Miguel, Neuville teria dito que "Sua Alteza [d. Miguel] é um vassalo e nós não reconhecemos senão o rei e lembre-se, que se perdoam aos filhos dos reis os seus desvarios, mas se enforcam os seus cúmplices."[154]

Sendo-lhes prontamente liberada a passagem, os estrangeiros viram o estado de virtual prisioneiro em que se encontrava d. João, que não conseguia governar de fato. Em 9 de maio, um plano foi colocado em prática. A pretexto de ir para um passeio e jantar em Caxias, d. João saiu do palácio com a filha, d. Isabel Maria, e outras infantas, refugiando-se em seguida numa nau inglesa atracada no Tejo, a *Windsor Castle*. À entrada do rei, o navio disparou uma salva e içou tanto o pavilhão real quanto a bandeira portuguesa, transformando o local, fortemente guardado pela marinha britânica, em um paço improvisado. D. João convocou d. Miguel, que assumiu as consequências do golpe e aceitou o exílio. D. Carlota foi confinada em Queluz, uma vez que, pretextando doença, conseguiu não ser exilada — e olhem que d. João tentou: em carta ao cunhado, rei da Espanha, ele narrou todos os conflitos com a esposa.

> Desde o ano de 1806 tive provas convincentes dos projetos ambiciosos da rainha e dos indignos meios que ela procurava para os promover, chegando ao ponto de querer que eu fosse declarado inábil para continuar no governo. Não falarei nos múltiplos indícios de desafeição e de traição que subsequentemente nela tenho reconhecido até estes últimos tempos, em que, seduzindo a incauta mocidade de meu filho, o infante d. Miguel, o induziu, segundo todas as aparências, a tentar os atos de rebelião que são bem notórios, e que à custa do maior sacrifício consegui sufocar.

D. João terminava a carta sugerindo que o cunhado propusesse a d. Carlota "a necessidade de ir viver retirada em alguma província" na Espanha, ou ainda que partisse para a França ou Itália. Caso isso não acontecesse, d. João teria que tomar "outra resolução severa [...] para poder restituir a tranquilidade à minha Real Família e aos meus Estados".[155]

Desse incidente todo ainda teria resultado uma gravidez inesperada da infanta d. Isabel Maria, irmã de d. Pedro, que se tomara de amores por um aristocrático oficial britânico a bordo.[156]

D. Pedro, ao ser informado de tudo o que ocorrera em Portugal, escreveu ao pai:

> Rio de Janeiro, 15 de julho de 1824.
>
> Meu pai. O dever de filho e o amor que, como homem, consagro a Vossa Majestade me instam a que, pondo de parte a coroa que sobre minha cabeça foi colocada pela generosa nação brasileira, vá, por este modo, fazer constar a Vossa Majestade o desgosto que tive quando soube dos desatinos do mano Miguel e o quanto lhe desaprovo seu proceder, e se é verdade, segundo se diz, que ele fora traidor a Vossa Majestade, já, de hoje em diante, deixa de ser mais meu irmão, pois um bom filho jamais pode amar traidores.[157]

Aproveitando a ocasião, d. Pedro tocou na questão do reconhecimento do Brasil por Portugal:

> Permita-me Vossa Majestade que eu, como filho, lhe dê (posto que não pedidos) meus conselhos. Vossa Majestade, já, quanto antes, deve reconhecer a Independência do Brasil para seu próprio interesse. Da estabilidade do Império, jamais se pode duvidar, ele vai andando (apesar de alguns reveses que não enumero), sustentando-se e adquirindo cada vez mais força física e moral, que nunca poderá ser domada pelo velho e encanecido Portugal que, quanto mais quiser conquistar o Brasil, tanto mais se irá aniquilando, pois ele, sem o Brasil amigo, não tem comércio e sem comércio é nada. Posso assim falar, pois, de Portugal, já disse a Vossa Majestade que não queria nada.

D. Pedro lembrou que ele como imperador e d. João VI como rei estavam em guerra, e por isso deviam sustentar os direitos das duas nações de que eram chefes; como filho e pai, no entanto, tinham a obrigação de se amar. Por acreditar nisso, teceu diversos conselhos a d. João, solicitando-lhe que buscasse o reconhecimento do Brasil por parte de Portugal não somente pelo bem do povo português, mas também em vista da permanência do rei no trono.

> A vida de Vossa Majestade está em muito perigo, pois, em os fidalgos se unindo (como pretendem) ao descontente comércio, que se acha moribundo, ao desgraçado lavrador, que já não tem com que mate a fome à sua miserável família e ao artista, que não trabalha por não terem extração suas manufaturas, Vossa Majestade vai debaixo irremediavelmente e ninguém lhe poderá, infelizmente, valer. Reconhecendo, Vossa Majestade, a independência, o comércio toma alen-

> tos, o lavrador já tem dinheiro com que mate a fome à sua família, o artista já trabalha, em uma palavra, já tudo fica contente.

Novamente, d. Pedro buscou uma oportunidade para se dizer fiel ao pai, a quem recomendou

> [...] reconhecer a independência do império brasílico em um filho tão seu amigo, em um filho que se não fez imperador, pois foi o amor dos brasileiros em paga de serviços e as circunstâncias, vistas de antemão por Vossa Majestade, que me fizeram.

Lembrou-lhe também que d. João, em carta de 31 de março de 1822, havia lhe dito: "regularás a tua conduta conforme as circunstâncias em que te achares, regulando tudo com toda a prudência e cautela". Ainda demoraria um pouco — e sairia caro — o reconhecimento, por Portugal, da perda definitiva do Brasil.

Ledo × Andrada, império × república

O imperador, na carta que enviara ao pai, aproveitara para lhe informar que se tornara maçom. D. Pedro entrara para a nascente maçonaria brasileira no início de agosto de 1822, a convite de Gonçalves Ledo e de Clemente Pereira. O convite também acabou se estendendo a José Bonifácio. Alguns dias depois, o príncipe seria eleito grão-mestre, só aceitando a nova posição em 7 de outubro. Os maçons, para desconforto de d. Pedro e, principalmente, de José Bonifácio, que tinha Ledo e Clemente Pereira como republicanos, exigiam que o futuro imperador jurasse — mais uma vez! — a constituição que não existia. Enquanto a maçonaria trabalhava em favor da aclamação de d. Pedro, as coisas foram sendo levadas ao feitio de d. João VI, ou seja, em banho-maria.

Calendário perpétuo com elementos maçônicos em homenagem a d. Pedro.

Com os resultados favoráveis chegando das vilas e cidades do Brasil, Clemente e Ledo foram chamados por d. Pedro e José Bonifácio três dias antes da aclamação. Foi-lhes proibido que qualquer menção sobre um juramento prévio constasse da ata da Câmara do Rio e do discurso a ser pronunciado no dia da aclamação. Assim foi feito. Porém, devido a um editorial republicano que certo jornal carioca veiculara e que, segundo José Bonifácio, tivera como articuladores tanto Clemente quanto Ledo, nenhum dos dois estaria presente à coroação. O imperador, usando de seu posto de grão-mestre, fechou a maçonaria e decretou a prisão de ambos no final de outubro de 1822. Ledo conseguiu fugir para Buenos Aires, de onde passou a combater o governo de d. Pedro. Clemente Pereira não teve a mesma sorte: acabou sendo preso e exilado na França.

Tais ações, porém, não haviam sido motivadas apenas pela questão do juramento prévio a uma constituição inexistente e pela ameaça de republicanismo dentro da maçonaria; também o fizeram as renúncias de José Bonifácio e de seu irmão, Martim Francisco, aos cargos de ministro, uma vez que não haviam concordado com a decisão de anistiar os envolvidos na bernarda de Francisco Inácio em São Paulo, responsável por depor os Andrada e enviar Martim Francisco, preso, ao Rio de Janeiro, em meados de 1822. Tanto Ledo como Clemente Pereira haviam solicitado anistia aos envolvidos, o que piorara a animosidade que os Andrada lhes destinavam.

D. Pedro preferiu antes fechar a maçonaria e sacrificar Ledo e Clemente do que perder os dois Andrada, que retomaram seus postos em 30 de outubro de 1822. Os dois eram, no momento, imprescindíveis: enquanto José Bonifácio se convertia em seu principal ministro e em seu mais valioso conselheiro, Martim Francisco conseguira recuperar parcialmente as finanças nacionais. Apesar de o Banco do Brasil continuar combalido, com o déficit do governo chegando a seis mil contos (uma fortuna para a época), sua gestão regrada e o lançamento de bônus que ajudavam na guerra contra Portugal, entre outras ações, impediram que o governo se tornasse insolvente.

Certa história revela quão grande era a probidade de Martim Francisco. Em determinada ocasião, seu irmão José Bonifácio, após receber o salário, foi ao teatro e acabou por ser roubado. Ao saber do ocorrido, d. Pedro teria mandado chamar Martim Francisco e pedido que pagasse novamente ao conselheiro, ao que o ministro das Finanças teria retrucado: "Não, majestade. O ano tem doze meses, e não treze para os protegidos." Martim Francisco resolveu o problema do irmão dividindo o próprio salário com ele.

Valendo-se de seus postos no governo e da nova posição adquirida após 30 de outubro, os Andrada sentiram-se de tal maneira fortalecidos que recrudesceram ataques, prisões, investigações e admoestações contra todos os seus numerosos inimigos, quer no Rio, em São Paulo ou em outras províncias.

A dupla, porém, logo viraria uma tríade, com a inclusão do irmão Antônio Carlos, ex-deputado paulista nas Cortes de Lisboa que havia sido eleito para a

Assembleia Constituinte. Em 3 de maio de 1823, ela foi aberta por d. Pedro no edifício da antiga Casa da Câmara e Cadeia. O imperador chegou ao local tendo sua carruagem puxada por oito belas mulas; usava uma farda verde e um manto ornado com plumas amarelas, em forma de poncho. A coroa e o cetro, símbolos do poder do imperador, descansavam em uma mesa próxima ao trono quando d. Pedro pronunciou seu discurso, no qual inventariou as ações que o governo provisório praticara até então e reafirmou o que jurara ao povo no dia de sua coroação, na praça do Paço da Cidade:

> Como Imperador Constitucional, e mui especialmente como Defensor Perpétuo deste Império, disse ao povo no dia 1º de dezembro do ano próximo passado, em que fui coroado e sagrado, que com a minha espada defenderia a Pátria, a Nação e a Constituição, se fosse digna do Brasil e de mim. Ratifico hoje mui solenemente perante vós essa promessa, e espero que me ajudeis a desempenhá-la, fazendo uma Constituição sábia, justa, adequada e executável, ditada pela razão, e não pelo capricho, que tenha em vista somente a felicidade geral, que nunca será grande sem que esta Constituição tenha bases sólidas, bases que a sabedoria dos séculos tenha mostrado que são as verdadeiras para darem uma justa liberdade aos povos, e toda a força necessária ao Poder Executivo.

Ele enfatizou repetidamente, ao longo do discurso, que desejava que os deputados fizessem uma constituição que merecesse sua "real aceitação". Norteou ainda os trabalhos afirmando esperar que fosse criada uma divisão de poderes, tal como pregavam Locke, Rousseau e Montesquieu:

> Em que os três poderes sejam bem divididos de forma que não possam arrogar direitos que lhe não compitam, mas que sejam de tal modo organizados e harmonizados, que se lhes torne impossível, ainda pelo decurso de tempo, fazerem-se inimigos.

Apesar de certo esclarecimento e de suas noções de liberalismo, d. Pedro traria sempre consigo um conflito íntimo: além de ser português e brasileiro, era um liberal que gostava de mandar. Criado dentro do absolutismo, tinha consciência de seus deveres, mas muito mais dos seus direitos. Ao aceitar e lutar pela constituição, entendia que, ao ceder parte de suas prerrogativas, de sua antiga herança absolutista, os deputados deveriam fazer com isso algo de relevante — caso contrário, não concordaria com a Constituinte. Isso causou ruído logo de início, com alguns deputados afirmando que a constituição deveria ser digna do povo, e não do imperador.

Um imperador contra a escravidão

Há um rascunho no Arquivo Histórico do Museu Imperial[158] que demonstra que d. Pedro se dedicou arduamente a um texto contrário à escravidão no Brasil. É possível que essa tenha sido sua primeira ideia de discurso para a abertura da Assembleia, pois faz referência aos constituintes. Ao contrário da versão final, que acabou publicada, sob o pseudônimo O Filantropo, em 30 de maio no jornal *O espelho*, o rascunho não menciona o "senhor redator". Eis como o texto se inicia:

> O amor que consagro à minha Pátria, os princípios de uma justa liberdade que tenho, e o quanto me interesso pela prosperidade e grandeza deste Império, me instam a que faça patente ao Público as minhas ideias acerca do comércio da escravatura, que, segundo penso, é uma das causas do atrasamento em que, por ora, estamos. [...]
>
> Poucas pessoas ignorarão que a escravatura é o cancro que rói o Brasil!; posto isto, é mister extingui-la. [...] Ao primeiro golpe de vista, saltam aos olhos os imensos e incalculáveis males que a escravatura nos traz consigo. Estes males são o justo prêmio de um direito por nós arrogado, e não adquirido, porque me não consta que haja direito algum dos homens se escravizarem uns aos outros. [...]
>
> Deixamos de ser industriosos, não buscamos modo algum de ganhar a vida, nem trabalhando em benefício particular, nem em público; não fazemos invenção alguma para vivermos, porque quem tem um escravo, manda-o a ganho. Não lhe importa que ele roube, fira ou mate, contanto que ele lhe traga o dinheiro que lhe estipulou por dia. Se o escravo assim o não faz — pancada de criar bicho [...].

Ao longo do artigo, d. Pedro apresentou um arrazoado a respeito da substituição dos escravos por mão de obra imigrante e descreveu o plano, a ser futuramente implantado, de manter agentes na Europa para aliciar famílias e empregá-las ao bem do estado, pagando assim os custos com transporte para o Brasil. O plano levaria dois anos para ser posto em prática. Ele transformaria a frota do comércio negreiro em navios imigratórios e proibiria o tráfico, mas permitiria a manutenção dos escravos por seus donos, sem que pudessem, contudo, comprar novos. Os negros que nascessem pertenceriam ao senhor. Segundo o imperador, isso humanizaria a relação entre o proprietário e a propriedade.

Por fim, d. Pedro invocava:

> [...] Algum deputado da nossa Assembleia, daqueles que mais se interessam pela felicidade do Brasil, faça alguma indicação a este respeito, e que, tomando-a ela em consideração, hajam de acordar alguma medida ditada pela humanidade e justiça, a fim de nos fazer sair do letargo em que há trezentos anos temos estado.

A pregação não caiu em solo fértil. Os deputados representavam os interesses da elite, à qual pertenciam e pela qual eram eleitos; e ela era majoritariamente formada por latifundiários detentores de dezenas de milhares de escravos.

A Constituinte e a Constituição

SE REALMENTE havia algo com o qual tanto d. Pedro quanto os deputados concordavam era a necessidade de pôr fim à perseguição dos Andrada a seus inimigos. Um dos primeiros atos da Assembleia foi propor anistia a todos os presos políticos, entre os quais aqueles envolvidos na bernarda de Francisco Inácio. Entretanto, Antônio Carlos e seus partidários conseguiram derrotar a proposta. O aviso, no entanto, já estava dado: nem todos concordavam com o autoritarismo e o radicalismo dos irmãos. Em 6 de junho, ocorreu o atentado contra o jornalista Luís Augusto May, redator do jornal *A Malagueta*. Em artigo publicado no dia anterior, May dirigira ataques tanto ao ministério quanto ao imperador. Os irmãos Andrada, bem como o próprio d. Pedro, foram logo colocados entre os suspeitos, o que gerou uma onda de críticas dentro da Assembleia.

Em meados de junho, o deputado Muniz Tavares propôs uma lei radical, segundo a qual os portugueses no Brasil deveriam ser declarados brasileiros e conservar suas posses, contanto que houvessem dado provas de sua adesão à causa da Independência e à pessoa do imperador. Em plenário, a proposta foi sustentada por Antônio Carlos mediante um discurso que questionava a natureza ambígua do próprio imperador:

> [...] Até no ápice e sumidade da nação um ser, sim raro, e que despira todo o lusitanismo para professar de coração o genuíno brasileirismo, mas que como homem não poderá nunca sufocar de todos os gritos da sua origem.[159]

Ficava clara a afronta ao imperador e aos milhares de portugueses que se dividiam entre a causa da independência e sua origem lusitana, incluindo membros da elite, dos ministérios e da corte. A lei não foi aprovada, mas o estrago já estava feito; a intriga contra os Andrada tornou-se palpável.

Em 30 de junho de 1823, d. Pedro sofreu um dos mais perigosos acidentes de cavalo de sua vida. Segundo relatório enviado à Assembleia Constituinte em 8 de julho, o dr. Domingos Ribeiro dos Guimarães Peixoto, cirurgião da Imperial Câmara e assistente de Sua Majestade, o imperador, relatava que d. Pedro, vindo da chácara do Macaco na segunda-feira, dia 30, por volta das seis horas da noite,

> [...] ao chegar à ladeira perto do paço de S. Cristóvão, como corresse o selim tanto para a garupa do cavalo em que vinha, pela razão de estarem as silhas traseira mui largas, que estas ficaram nas virilhas do animal, que se corcoveava e desabridamente corria, Sua Majestade Imperial, receando resvalar juntamente com o selim e ser, em consequência, maltratado pelos muitos e violentos coices, sobretudo faltando-lhe o apoio da crina por se ter esta arrebentado e à qual lançara a mão, tomou a resolução de deitar-se abaixo, o que fez para o lado esquerdo.
>
> Depois de uma queda tão considerada, batendo com as costas em cheio sobre barro duro, não obstante levar de encontro o braço esquerdo, [...] soldados do telégrafo, que logo o acudiram e seguraram até que chegou Sua Majestade, a Imperatriz, acompanhada de seu criado, que ajudaram Sua Majestade Imperial a recolher-se ao paço [...] subiu a escada [...], seguro tão somente a uma bengala, como observei, quando o vi [...].

Na queda, d. Pedro contundiu duas costelas, a clavícula esquerda e o quadril, ficando preso ao leito em uma espécie de equipamento imobilizador desenvolvido pelo médico. O relatório concluía dizendo que, passados nove dias, o monarca estava recuperado. D. Leopoldina, em carta[160] de 9 de julho a seu pai, o imperador Francisco I da Áustria, fez eco ao doutor, informando que o marido estava melhor.

Em 15 de julho, Plácido Antônio Pereira de Abreu, servidor do Paço Imperial, recebeu uma carta e uma ameaça: sua vida correria perigo se não entregasse aquela mensagem para o imperador. Desesperado, ele não só cumpriu sua parte do combinado como, sem saber a quem comunicar, mandou publicar no dia seguinte, no Diário do Rio de Janeiro, que fizera a entrega a d. Pedro.

A mensagem, escrita em alemão, foi traduzida por d. Leopoldina. Infelizmente, o conteúdo não é conhecido até hoje, mas a reação do imperador, sim. Ele mandou chamar José Bonifácio e, enquanto este conversava noutra sala com a imperatriz, saiu do palácio junto com soldados armados. Em seguida, foi até a cidade, invadiu a sede do Apostolado,[161] encerrou a sessão que era ali realizada, apreendeu todos os papéis e fechou definitivamente a sociedade. Voltando ao Palácio de São Cristóvão, confrontou-se com José Bonifácio. No dia seguinte, José Bonifácio, acompanhado de seu irmão Martim Francisco, se demitiu dos cargos ocupados no ministério e na corte; sua irmã, por sua vez, deixou o posto de dama da imperatriz.

Essa é uma das inúmeras versões que dizem respeito à saída dos Andrada do ministério. Outras dão como certa a influência de Domitila de Castro, amante paulista do imperador, que teria recebido dinheiro para advogar a libertação dos prisioneiros políticos paulistas. Uma terceira diz, simplesmente, que o monarca, preso ao leito e recebendo os deputados da Assembleia Constituinte, ouviu o que tinham a dizer a respeito dos mandos e arbitrariedades dos Andrada, resolvendo, assim, conceder anistia geral.

Por meio de seu ministro da Justiça, d. Pedro mandou que fossem lavrados decretos que libertavam os prisioneiros políticos do Rio de Janeiro e das demais províncias, finalizando a devassa de São Paulo contra os que haviam participado da bernarda, anulando os decretos de deportação e concedendo anistia a todos. Tratava-se de um ato executivo, cuja decisão cabia a ele e ao ministro da Justiça; no entanto, por não terem sido consultados, os Andrada receberam-no como uma afronta.

Datada de 15 de julho,[162] a proclamação de d. Pedro é intitulada "Aos habitantes do Brasil". Nela, o imperador oficializava o fim das perseguições políticas; afirmava que só recentemente tivera conhecimento dos atos arbitrários e despóticos tomados contra seu povo; reafirmava os sagrados direitos que determinara logo de sua ascensão ao governo, ainda como príncipe regente: direito à segurança da pessoa, à propriedade e à inviolabilidade do lar; ressaltava que tais direitos haviam sido atacados e violados; e, por fim, revelava que raramente ouvia a verdade, mas a tinha buscado e percebido o mal que andava se abatendo sobre seu povo. Terminava assim a colaboração íntima entre os Andrada e o imperador. Os irmãos se dedicariam a seus cargos eletivos na Assembleia e se ocupariam diretamente do anteprojeto constitucional, o qual, embora ainda fixasse no imperador a chefia do executivo, passava a proibir-lhe dissolver o parlamento e imiscuir-se nos outros poderes.

Em 12 de agosto, os irmãos Andrada lançariam seu próprio jornal, *O Tamoio*, que continuava pregando, agora abertamente, o antilusitanismo e o pró-nativismo de seus ideais. Um dos primeiros números alertava para a presença e influência maciça dos portugueses no nascente exército brasileiro.

No início de setembro de 1823, estava pronto o anteprojeto da Constituição. Dos 242 artigos, a maioria agradava a d. Pedro, que não se deixava levar pelo rancor: ele não puniria a Constituinte por conta de seus principais autores. Até mesmo José Bonifácio tentou, segundo o diplomata austríaco barão de Mareschal, uma reaproximação com d. Pedro na ocasião. O velho conselheiro propôs ao imperador que o ministro-chefe apoiasse uma moção dos Andrada para que a Constituição fosse promulgada do modo como estava, sem discussão dos artigos em plenários. O monarca não aceitou a proposta, que classificou como antiparlamentar;[163] antes, queria o exame e o debate público de todos os 242 artigos.

Até o início de novembro, as discussões contra os portugueses na imprensa e na sociedade caminharam junto com os debates dos artigos constitucionais na Assembleia. No dia 5, dois oficiais portugueses invadiram uma loja no largo da Carioca e atacaram a bengaladas um boticário que julgavam, erroneamente, ter sido autor de um artigo contra os lusitanos. Martim Francisco e Antônio Carlos, no dia 10, aproveitaram o ocorrido para propor na Assembleia a aprovação de um decreto que retirasse os direitos civis dos militares portugueses e os deportasse. A Assembleia foi tomada por populares, que ouviam entusiasmados os discursos dos Andrada. Aquela parecia uma reedição do que ocorrera anos antes, na Praça do Comércio.

Enquanto isso, no exército, brasileiros natos formavam alas com os portugueses e denunciavam a demagogia que corroía a Assembleia e indignava os quartéis. D. Pedro teve que intervir e determinou, ao general Curado, que trouxesse as tropas para São Cristóvão, retirando-as da cidade. No dia 11, o imperador dissolveu o gabinete e nomeou o brasileiro Francisco Vilela Barbosa ministro-chefe. Este logo se comunicou com a Assembleia, explicando que as tropas estavam aquarteladas para que não houvesse mais desentendimentos; culpou também os jornais e alguns deputados pelo modo como as coisas estavam se desenrolando. Longe de se chegar a uma resolução pacífica, os parlamentares se recusaram a decidir acerca do caso, evitando tomar qualquer decisão contra os Andrada e os jornais envolvidos: só fariam algo se as tropas fossem retiradas para mais de quarenta quilômetros da cidade. Na ocasião, somente 24 dos 272 artigos da constituição haviam ido a plenário, e a aprovação da Carta, marcada por sentimentos antilusitanos, ameaçava estender-se por meses, talvez anos.

Uma Constituição outorgada

D. Pedro, notando que a Assembleia não estava disposta nem a tomar qualquer atitude a respeito da xenofobia contra os portugueses, nem a estabelecer punições à imprensa e aos deputados envolvidos, decidiu dissolvê-la. No decreto, declarou que daria ao Brasil uma constituição duas vezes mais liberal que aquela que estava sendo discutida. Tropas foram enviadas para a frente da Assembleia em 12 de novembro. Não houve resistência. Os Andrada e outros deputados foram presos e deportados para a França, enquanto d. Pedro seguiu para a igreja de Nossa Senhora da Glória do Outeiro a fim de agradecer o fato de tudo terminar sem derramamento de sangue.

No dia seguinte, o imperador nomeou um Conselho de Estado que tinha como principal objetivo elaborar um novo projeto constitucional. D. Pedro trabalharia junto com o Chalaça, estudando as Constituições de Portugal de 1822, da Noruega e da França. Quando achava algo aplicável ao Brasil, anotava, modificava o texto conforme o caso e o apresentava ao Conselho de Estado. O anteprojeto foi enviado às câmaras das vilas e cidades brasileiras, e mais da metade dos municípios retornou dando seu aval.

Em carta de fevereiro de 1824[164] ao marquês de Resende, seu diplomata na corte de Viena, d. Pedro assim refletia a respeito da importância de uma constituição:

> [...] Um imperante que não ama a liberdade do seu país, e que não dá aos povos aquela justa liberdade, que lhes assegure suas propriedades e pessoas, e que antes trabalha com mil malhos em fazer grilhões, não só para agrilhoar seus súditos, mas para, junto com outros imperantes, agrilhoar o mundo inteiro, é indigno de ser imperante, deve pertencer à classe das feras, e não dos homens, e ser proscrito da sociedade. [...] Amo a liberdade. E se me visse obrigado a governar sem uma Constituição, imediatamente deixaria de ser imperador, porque quero governar sobre coração com brio e honra, corações livres e não sobre corações lodosos, podres e servis, como os daqueles povos onde ainda não há Constituição, e que ainda no século presente aturam um jugo de ferro, que quando chegar a quebrar-se (como em breve acontecerá), ai dos imperantes.

D. Pedro outorgou a primeira carta constitucional ao Brasil em 25 de março de 1824, na Catedral da Sé do Rio de Janeiro. Houve missa pontifical, após a qual todo o texto da Constituição foi lido e jurado solenemente tanto pelo imperador quanto por

d. Leopoldina e as demais autoridades. À noite, no teatro, d. Pedro deu vivas à Constituição por cinco vezes, bem como à perpétua independência. Logo após a função, um incêndio criminoso destruiu o local.

Essa Constituição foi a que mais vigorou no país até hoje: de 1824 até 1889. Sua substituição só se deu devido à queda da monarquia. Ela continha os mais modernos princípios básicos de direito público da época, assim como um quarto poder: o Poder Moderador. D. Pedro não parecia achar que o poder de nomear ministros, de fazer tratados internacionais sem passar pela Assembleia, de dissolvê-la e convocar novas eleições bastasse para manter a ordem constitucional de um Brasil dividido entre portugueses e brasileiros. O Poder Moderador foi a fórmula jurídica encontrada para regular, mediante o direito de vetar leis, os demais poderes. Assim, inseria-se na Constituição mais avançada da época um elemento da monarquia absolutista.

Se analisarmos as propostas da Constituinte de 1823 e a Constituição de 1824, uma coisa fica clara: a segunda era realmente mais liberal em diversos pontos. Por exemplo: de acordo com ela, qualquer comunidade não católica tinha direito de ter o próprio local de culto. Quanto aos direitos invioláveis das pessoas e propriedades, a Constituição de 1824 listava 34 pontos, enquanto a anterior só mencionava seis.

Um ponto que ficou de fora e que se faz notar é a questão da escravidão no Brasil, contra a qual d. Pedro já se pronunciara. Tendo nas mãos a oportunidade de fazer algo, ele não apresentou nenhum artigo a respeito. Segundo o historiador Neill Macaulay, d. Pedro teria sufocado seus fortes sentimentos sobre o tema por acreditar que um assunto tão polêmico dificultaria a rápida aceitação da Carta Constitucional pelas cidades e vilas brasileiras. Futuramente, empregando o direito que a Constituição lhe conferia a respeito dos tratados diplomáticos — contanto que não envolvessem a união do Brasil com qualquer outro país —, ele tentaria se voltar contra o tráfico.[165]

O fato de d. Pedro só ter designado brasileiros natos para o ministério e para o Conselho de Estado não acalmou os ânimos de um país que se dividia entre portugueses e brasileiros. A vila de Campo Maior, no Ceará, não aceitou a Constituição, alegando que o imperador e sua família não mais governavam o Brasil após o golpe contra a Assembleia, em 12 de novembro. A pior reação, porém, veio de Pernambuco. As câmaras de Recife e de Olinda recusaram-se a jurar a Constituição e reconhecer o novo governador indicado por d. Pedro. Em 2 de julho de 1824, os políticos e cidadãos da província, instigados pelo jornalista e frei carmelita Joaquim do Amor Divino Caneca, proclamaram sua independência do Brasil, conclamando outras províncias do Nordeste a segui-la na chamada Confederação do Equador.

No uso dos poderes que a nova Constituição lhe dava, d. Pedro declarou suspensas as liberdades civis tanto em Pernambuco quanto no Ceará, para onde marcharam as tropas do brigadeiro Lima e Silva e a esquadra do mercenário escocês lorde Cochrane, feito almirante brasileiro e marquês do Maranhão. No final de outubro de 1824, a revolta fora abafada. Dezesseis pessoas foram presas, entre elas frei Caneca e o padre Mororó. Por serem considerados culpados de insurreição contra o governo, todos receberam pena de morte, a maioria por enforcamento, com exceção dos dois religiosos, que foram fuzilados. D. Pedro, tomando-os como exemplo, recusou-se a comutar as penas.

Alegoria do juramento à Constituição brasileira. O mercenário alemão Schlichthorst alegou, em suas memórias, que o rosto da índia seria cópia fiel daquele da marquesa de Santos.

Misturando o público e o privado

Entre ir ao teatro e à igreja todas as semanas, abrir e fechar a Assembleia, deportar os antigos aliados, dar uma constituição ao Brasil e acabar com uma guerra civil, d. Pedro cultivava uma vida pessoal ativíssima. Em 17 de fevereiro de 1823, nascia seu quarto filho, a princesa d. Paula Mariana, nome dado em homenagem a São Paulo e Minas Gerais. No final de 1823, d. Leopoldina estava grávida novamente, dando à luz a princesa d. Francisca em agosto do ano seguinte.

Além dos filhos com a esposa, da guerra contra Portugal e da guerra civil no Nordeste, d. Pedro também achava tempo para ter filhos com outras mulheres.

Em novembro de 1823, nascia Rodrigo Delfim Pereira, oficialmente filho da futura baronesa de Sorocaba, Maria Benedita de Castro do Canto e Melo, com o marido, Boaventura Delfim Pereira. Além de Domitila, d. Pedro também conquistara sua irmã, que, segundo o imperador, tivera um filho com ele "por um motivo bem simples, [...] não era burra".[166] E não era mesmo: antes da chegada de Domitila e do restante da família, que desembarcaria em peso no Rio de Janeiro em meados de 1823, Maria Benedita conseguiu, ao gerar um filho do imperador, que o marido, que já possuía cargo na corte, passasse a ser administrador de todas as propriedades da coroa.

Qual foi a reação de Domitila e do restante da família ao saberem do ocorrido, não se sabe ao certo. Futuramente, a favorita de d. Pedro seria acusada de tentar matar a irmã, mas tudo não passaria de uma armação contra ela envolvendo Maria Benedita e o marido. Enquanto durou o relacionamento entre d. Pedro e Titília, a rivalidade entre as duas pode ser percebida nas cartas em que o imperador se defende dos ciúmes da amante, como quando jura que não foi à casa nem "do grande nem do pequeno Boaventura".[167]

D. Pedro, tanto na imprensa quanto na vida particular, era bem criativo em seus pseudônimos. Nas cartas que trocou com Titília seria, no começo do relacionamento, o "Fogo-Foguinho", "Demonão" e "Seu Filho". Teria saudades de ir "aos cofres" da amante e de "apalpá-la por dentro e por fora". Era o imperador sem folhas de parreira, totalmente desnudo, vivendo uma intensa paixão carnal, pouco se importando com as marcas de esfaqueamento nas coxas de sua amante paulista.

Do primeiro filho que Domitila pode ter tido dele, a história não guardou rastro além da carta em que d. Pedro lhe contava ter falado sobre a gravidez com o velho coronel João de Castro. A criança pode não ter nascido viva, a mãe pode tê-lo abortado, ou ainda o filho pode ter morrido bebê.

Em setembro de 1823, Titília estava grávida novamente. Tecnicamente, ela continuava casada com o alferes Felício, que também morava no Rio de Janeiro à época. Apesar da separação física, a oficialização eclesiástica ainda não fora solicitada. Oficialmente, ela ainda era esposa dele, que tinha direitos sobre a criança esperada, o que devia preocupar o imperador. Com o avanço da gravidez, d. Pedro resolveu intervir no processo de separação de Domitila e Felício. À época, era a Igreja, e não o estado, quem definia a constituição do casal e, consequentemente, da família; somente ela poderia conceder a separação, observando, para tanto, as causas previstas, como maus-tratos que pudessem levar à morte.

Com a pressão do imperador, a justificação preparatória, que geralmente demorava semanas, foi realizada em quarenta e oito horas; em pouco mais de dois meses, a sentença de divórcio foi lavrada.

Seis dias após o início do processo, em 10 de março de 1824, quinze antes de d. Pedro promulgar a Constituição, Felício foi nomeado administrador da Feitoria do Periperi, pertencente à fazenda de Santa Cruz. Domitila conseguiu o divórcio e Felício, com um emprego novo, deixou o processo correr à revelia. Ao ser informado, porém, do nascimento da menina Isabel em 23 de maio, dois dias após a sentença, ele escreveu uma carta desaforada ao ex-cunhado Boaventura, falando mal de Titília. D. Pedro, ao tomar conhecimento do conteúdo da mensagem, assumiu para si a correção do alferes. A todo galope, seguiu até a sede da feitoria, esbofeteou Felício e prometeu surrá-lo caso não ficasse longe de Isabel e Domitila.

Isabel foi batizada em 31 de maio de 1824 na igreja de São Francisco Xavier do Engenho Velho. Foi registrada filha de pais incógnitos e exposta — ou seja, abandonada — na casa do coronel João de Castro. Seus avós maternos serviram de padrinhos.

Nas cartas trocadas com Domitila, d. Pedro chamava a menina de "nossa Belinha", ou então apenas "Bela". Ele cobria a criança de agrados: mandava-lhe pão de ló, frutas e até o estranho "bolo de cutia",[168] de que sabia que gostava; enviava também remédios e receitas quando adoecia. Diariamente, perguntava sobre sua saúde. Pensava frequentemente em seu futuro e, certa vez, garantiu a Domitila que Isabel seria "de mecê [...] inseparável até ter idade de aprender".[169]

O acerto de contas com Felício não seria nem a primeira, nem a última vez que d. Pedro defenderia Domitila e tomaria como afronta pessoal os seus problemas e humilhações. Em meados de setembro de 1824, Domitila tentou assistir à função do Teatrinho Constitucional São Pedro, um teatro particular onde só entravam associados e gente com convites especiais. Ela não se encaixava em nenhuma das duas condições. Quando d. Pedro chegou, soube que Titília fora barrada no saguão e colocada na rua como uma qualquer; segundo alguns boatos, chegara a ser tratada como prostituta.

Com os rompantes coléricos que lhe eram peculiares, o imperador saiu do teatro sem quase pisar nele. No dia 22, o intendente-geral da Polícia dava ordens para que o estabelecimento fosse fechado, indiciando os diretores segundo a lei de 20 de novembro de 1823 que proibia sociedades secretas. Como os estatutos não haviam sido submetidos à aprovação do governo, eles incorriam nas penas previstas pela lei. No fim, o processo acabou abandonado, mas não antes de os artistas serem despejados e terem seus trajes e cenários na rua, alimentando uma grande fogueira. Ao ver as chamas, um transeunte teria indagado:[170] "[...] Qual foi a razão de se fechar tão repentinamente o teatro?" "Ora" — replicou um dos diretores —, "por nenhum motivo, que eu saiba, senão que recusamos admitir em nossa lista a Nova Castro." A resposta era irônica. A história do amor entre Inês de Castro e d. Pedro I, o Cruel, oitavo rei de Portugal (1357-1367), que fizera da amante morta rainha, rendera mais de uma peça. A mais recente, à época, tinha o apelido de "Nova Castro".

Dando satisfação à amante sobre o ocorrido no teatro, d. Pedro escreveu:

> Meu bem,
>
> Aí vai o remédio que chegou neste momento da cidade, não me esqueço de nada seu. Já se mandou fechar o teatro, apreender papéis e proceder à devassa do que se sabe para meu esclarecimento. [...] Hoje já não trabalha o teatro, e estão todos de boca aberta.
>
> Seu amante, fiel e constante, O Demonão.[171]

A imperatriz do Brasil

Ao contrário de d. Pedro, d. Leopoldina, principal figura feminina da Independência do Brasil, não foi coroada. À coroação do marido ela assistiu ao lado da primogênita, d. Maria da Glória, permanecendo no alto da tribuna de honra e diante do trono colocado próximo ao altar.

Reconhecimento da participação política de d. Leopoldina não faltou. A prova disso veio, primeiro, da comissão de senhoras baianas que a visitou em maio de 1822, logo após o Fico, para entregar-lhe a "Carta das Senhoras Bahianas, felicitando-a pela parte por ela tomada nas patrióticas resoluções de seu esposo". Assinaram o ato 186 mulheres. Após a aclamação do marido, d. Leopoldina recebeu outro documento, agora das senhoras paulistas, que se puseram à disposição para salvar o trono do Brasil ao lado da imperatriz, se preciso fosse.

A ajuda de d. Leopoldina no processo da Independência não se limitou apenas a ficar ao lado do marido. Como no caso do Conselho de Estado, por ela presidido na ausência de d. Pedro, a imperatriz continuou auxiliando-o, inclusive diplomaticamente. Ela entrou em contato com o pai para se queixar da falta de cartas da família após a Independência e tentando explicar-lhe o que acontecera no Brasil. Pondo-se novamente do lado de d. Pedro, tratou de argumentar bem o que os levou a seguirem a linha da separação de Portugal — afinal, a coroação do marido como imperador por "aclamação dos povos" ia contra os ditames do Congresso de Viena. Ao menos em teoria, Portugal poderia exigir que as monarquias absolutistas signatárias do congresso iniciassem um esforço conjunto e invadissem o Brasil, restituindo-o à coroa portuguesa.

D. Leopoldina, assim como o marido, era contrária à escravidão. Auxiliando d. Pedro e o governo, ela trabalhou com o major von Schäffer, agente de imigração brasileira na Europa, para trazer colonos e mercenários estrangeiros ao Brasil. A imperatriz serviria até mesmo como intérprete entre os soldados de língua alemã e d. Pedro, que tinha enorme orgulho de seu batalhão de granadeiros germânicos.

Schäffer publicou na Europa um livreto a respeito do dia a dia da família imperial brasileira. Ter uma imperatriz alemã podia ser um alento às famílias que trocariam a Europa pelo novo mundo. Em certo aspecto, de fato o foi, pois os europeus, sobretudo os mercenários, procuravam cair nas boas graças de d. Leopoldina quando se viam sem recursos para retornar a seus países de origem. Eles raramente saíam de mãos vazias de suas entrevistas com a soberana, contribuindo assim para a calamitosa situação financeira da imperatriz. No livreto, Schäffer comentava a facilidade que era, em comparação aos dias atuais, chegar próximo aos governantes:

> Todas as sextas-feiras, cedo às 9 horas, há audiência pública no palácio residencial. Os audientes se reúnem na antessala sem distinção de posição e classe,

> mesmo sem roupa própria de corte, de modo que até pobres e descalços podem comparecer às audiências, e permanecem na ordem da entrada. O imperador fica sob um dossel diante de uma mesinha na sala de audiência, para onde entram os solicitantes, em fila, por uma porta e apresentam ao imperador seus pedidos escritos, ou o fazem oralmente, recebendo logo de costume resposta provisória.

Quanto a d. Leopoldina:

> Às sextas-feiras, a imperatriz, consoante o costume católico, visita a igreja [...] de Nossa Senhora da Glória, preferida por ela, e nela ouve missa. Fácil é o acesso até a imperatriz. A gente, ou se faz anunciar por alguns dos seus criados, ou espera à entrada da quinta e lhe fala quando ela entra ou sai.[172]

D. Pedro, ainda nos primeiros anos de reinado, seguiria uma rígida programação diária, da qual às vezes participava d. Leopoldina.

O imperador era sempre o primeiro a se levantar, por volta das cinco horas da manhã. Ao lado da mulher, visitava propriedades da Quinta da Boa Vista, lavouras e colonos. Depois os dois caçavam juntos ou iam ao Jardim Botânico averiguar, pessoalmente, o desenvolvimento da cultura de chá e de fruta-pão. Às vezes, d. Leopoldina acompanhava o marido nas incertas pelas repartições públicas e nas inspeções ao cais e ao arsenal. Na volta a São Cristóvão, a imperatriz recolhia-se a seus aposentos, separados dos do marido, enquanto o imperador recebia seus ministros. Ambos almoçavam separados, mas à tarde, depois do descanso de d. Pedro, que odiava ter a sesta interrompida, saíam de novo a passeio. Uma hora de repouso era o suficiente para pô-lo de pé novamente. Em geral, quando havia função, iam juntos ao teatro. D. Leopoldina, retornando ao paço, recolhia-se em sua ala do palácio, que era então fechada e só reabria na manhã do dia seguinte. Enquanto isso, d. Pedro continuava a noite em algum outro entretenimento. Não raro, ia dormir depois da meia-noite.

Imperador do Brasil, rei de Portugal

D. PEDRO era bastante pragmático e não agiria de outra forma ao lidar com o reconhecimento da independência brasileira. Somente alguns países, como os Estados Unidos e outros sem qualquer compromisso com Portugal, reconheceram a autonomia do Brasil. O restante, apesar de manter embaixadores estrangeiros no país, marcava diplomaticamente o passo enquanto a questão não era resolvida entre os principais interessados. Tudo isso, porém, não abalou d. Pedro, que em carta ao marquês de Resende exporia sua opinião sobre o assunto:

> Olhando eu o reconhecimento político como uma espécie de sanção dada por todas as nações à Independência do Brasil, não o acho, contudo, essencial para gozarmos daquelas felicidades resultantes a uma nação independente. [...] Apesar da falta do reconhecimento político, não deixam de entrar diariamente neste porto navios de todas as nações, motivo por que o comércio tem aumentado; a alfândega rende mensalmente duzentos e tantos contos e não rende mais (o que em breve acontecerá) por haver poucos cômodos para despachar-se mais fazenda.[173]

Em suma: a diplomacia podia esperar, mas a entrada de dinheiro, não. Sem ele não havia governabilidade, sendo impossível a manutenção do exército e dos funcionários. Na mesma carta, d. Pedro referiu-se a uma conversa que tivera com

Chamberlain, diplomata britânico no Rio de Janeiro. Este o informou de que tanto o gabinete inglês quanto o austríaco esperavam três coisas de d. Pedro:

> • Que os enviados de Portugal fossem bem tratados. Já veio tarde a súplica, e mais cedo, que chegasse, nenhuma outra coisa faríamos, pois o que fizemos é conforme à dignidade nacional;
> • Que somente os nossos navios de guerra tomassem os navios de guerra portugueses, e se suspendessem as hostilidades contra o comércio, visto que Portugal não fazia a guerra, antes queria a paz entre os dois hemisférios. A isto não assinto eu, porque esta intervenção, que Portugal procurou, mostra que não tem forças para nos atacar, nem quem o ajude a vir conquistar o Brasil, e como lhe falta a força física, quer ver se o governo do Brasil, com medo da intercessão, (não lembrado, que tem no seu braço escrito — Independência ou Morte) cai na esparrela de suspender as hostilidades e perde a força moral, donde se seguiria por consequência necessária a dissolução do Império;
> • Que para o futuro se tratasse da união das duas coroas brasileira e portuguesa.

Este último ponto era bastante delicado. D. Pedro, apesar do que futuramente se diria, nunca deixou de ser o herdeiro oficial de d. João VI. Entretanto, o imperador não via com bons olhos uma futura reunião de Brasil e Portugal sob uma mesma coroa:

> Nem eu, que sou brasileiro e amante da prosperidade do Brasil, poderia jamais consentir que ele houvesse de se unir a Portugal, e portanto, enquanto eu vivo, contem, que nunca se fará tal união e que deixarei em meu testamento que o Brasil, logo que veja um descendente meu ratificar algum tratado de incorporação com Portugal, o amaldiçoe e expulse de seu seio, por indigno de governar povos, amantes e zelosos de sua liberdade e inimigos do despotismo até pintado.

Essa tentativa de união, por meio da missão diplomática do conde de Rio Maior, enviada ao Brasil logo após a Vilafrancada, em 1823, mostrou-se infrutífera. Ao longo de 1824, também se tentou discutir em Londres, sem sucesso, o reconhecimento do Brasil por Portugal.

Ainda que d. Pedro não aceitasse uma união futura, d. João VI não cogitou deserdar o filho mais velho. Disso dão testemunho as três cartas régias portuguesas que o embaixador britânico sir Charles Stuart trouxe consigo para o início da conferência do reconhecimento da independência brasileira por Portugal, a ter lugar no Rio de Janeiro em julho de 1825. Em uma das missivas — a primeira, assinada por d. João no dia do seu aniversário, em 13 de maio de 1825 —, ele ordenava:

> [...] E por a sucessão das duas Coroas Imperial e Real diretamente pertencer a meu sobre todos muito amado e prezado Filho o Príncipe D. Pedro, nele, por este mesmo ato e carta patente, cedo e transfiro já, de minha livre vontade, o pleno exercício da soberania do Império do Brasil para o governar denominando-se Imperador do Brasil e Príncipe Real de Portugal e Algarve, reservando para mim o título de Imperador do Brasil e o de Rei de Portugal e Algarve com a plena soberania destes dois Reinos e seus domínios.

Ou seja, d. João reconhecia o antigo reino do Brasil como império e tomava, para si e seus descendentes, o título de imperador do Brasil e Rei de Portugal e Algarve, cedendo e transmitindo a d. Pedro, como seu sucessor explícito, o exercício pleno do cargo imperial do Brasil.

Um diplomata inglês no Brasil

Mas por que a Inglaterra se envolvia tanto nos assuntos da independência brasileira, a ponto de um britânico tomar parte nos negócios em nome do rei de Portugal? Em 1825, caducavam aqueles tratados comerciais entre o Brasil e a Inglaterra que haviam sido conseguidos por Stragford quando da mudança da corte em 1808, e por meio dos quais os comerciantes ingleses haviam obtido vantajosas taxas de impostos para negociar no país. Uma vez que os tratados estavam para expirar, era necessário que a Inglaterra procurasse mediar o conflito, podendo tratar diretamente com o Brasil independente sem melindrar o antigo aliado, Portugal.

Stuart desembarcou no Rio de Janeiro em 18 de julho de 1825. Segundo o diário do almirante inglês Graham Eden Hamond, ao irem à terra em Botafogo e se encaminharem para a casa onde o embaixador ficaria hospedado,

> [...] percebi as nossas costas uma carruagem, vindo em nossa direção, com uma escolta de guardas, o que revelou ser o Imperador do Brasil, dirigindo ele mesmo, um phaeton inglês puxado por quatro cavalos.
>
> Em consequência colocamo-nos em posição de sentido, tirando nossos chapéus no que ele também retribuiu, sem parar a viatura. Não tinha ido mais de ¼ de milha quando o vimos voltar e, ao aproximar-se de nós, puxou as rédeas e parou a carruagem.
>
> Apeou-se, ainda segurando as rédeas na mão esquerda, e perguntou a Mr. Chamberlain se era o embaixador. Ao lhe ser confirmado, um grande número de mesuras foi feito de ambos os lados e iniciou-se uma conversação em português [...] que durou cinco minutos, após o que subiu no seu phaeton e partiu. Tudo isso, não tenho dúvida, foi feito com o intuito de mostrar grande civilidade, mas é certamente bastante incomum para um imperador, e mostrou que ele não pode refrear sua curiosidade, pois não tenho dúvida de que estava passeando por ali expressamente para encontrar Sir Charles.[174]

D. Pedro estava ansioso para resolver ele mesmo a situação, tanto que assumiu imediatamente as negociações com Charles Stuart. Foram vários os encontros, a maioria a portas fechadas; no entanto, a partir dos despachos do embaixador à Inglaterra, conhecemos os temas tratados e as reações, muitas vezes enérgicas, do imperador — até mesmo contra o pai. D. Pedro taxou de absurda a ideia de

d. João fazer-se "imperador do Brasil", por exemplo. Outro ponto controverso foi a questão da futura união das duas coroas em d. Pedro, como herdeiro de Portugal. Segundo Stuart, o imperador teria proposto ceder o trono português para uma das suas filhas, mas, uma vez que o embaixador não tinha autorização portuguesa para negociar nesses termos, nada ficou acordado sobre isso no tratado final de 29 de agosto. D. Pedro acabou, no final das contas, por renunciar a uma participação direta nas negociações e por nomear um conselho para tratar com o diplomata.

Stuart, em relatório ao ministro das relações exteriores da Inglaterra, George Canning, deixou-nos um retrato vivo de quem era, naquela ocasião, d. Pedro:

> [...] Privado pela desconfiança do pai de qualquer educação, só a audácia de caráter, que possui em alto grau, sem a crueldade do irmão,[175] permitiu-lhe tirar partido de um conjunto de circunstâncias para alcançar a posição atual e, decidido a conservar esta, aproveitar-se-á antes dos acontecimentos do que seguirá qualquer sistema coerente de política. Como ninguém dentre os que o cercam se atreve a contradizê-lo, as medidas menos prudentes adotadas pelo governo são o resultado dos acessos de paixão que não domina, o que leva a lamentar mais do que todos, uma vez passado o acesso, os incidentes. Sabendo que os ministros, seja por incapacidade ou por sentimentos egoístas, não cuidam realmente do bem-estar do país, faz timbre em prescindir de suas opiniões, salvo em apoio dos objetivos que visa, em caso de repercussão na opinião pública. [...] Domina o seu gênio por completo, quando adequadamente rodeado, a prova está nas relações pessoais com estrangeiros, dos quais ouve, como no meu caso, verdades que lhe são em extremo desagradáveis, sem exceder-se em linguagem ou maneiras. No curso das negociações, sua moderação aliada à pronta compreensão foi tão notável que não vacilo em declarar que os assuntos tratados diretamente com ele se resolveram mais rápida e satisfatoriamente do que com todos ou alguns de seus conselheiros oficiais.[176]

Além do título de d. João como "imperador do Brasil", que de nada valia, e de sua benevolência em "conceder" uma independência que havia sido conquistada, Portugal recebia do Brasil uma grande indenização financeira.

O tratado foi publicado no Rio de Janeiro no dia 7 de setembro de 1825, quando da comemoração do ato da independência realizado em São Paulo três anos antes. Junto com o tratado, seguiu para Portugal uma carta de d. Pedro ao pai, na qual dizia:

> Vossa Majestade verá que fiz da minha parte tudo quanto podia e, por mim, no dito tratado, está feita a paz. É impossível que Vossa Majestade, havendo alcançado suas reais pretensões, negue ratificar um tratado que lhe felicita seus reinos, abrindo-lhe os portos ao comércio estagnado, e que vai por em paz tanto a nação portuguesa, de que Vossa Majestade é tão digno rei, como a brasileira, de que tenho a ventura de ser imperador.[177]

D. João respondeu ao filho:

> [...] Na conformidade do que me pedes, ratifiquei o tratado, tu não desconheces quantos sacrifícios por ti tenho feito, sê grato e trabalha também de tua parte para cimentar a recíproca felicidade destes povos que a Divina Providência confiou ao meu cuidado, e nisto darás um grande prazer a este pai que tanto te ama e a sua bênção te deita.[178]

Por uma questão semântica, d. Pedro havia discutido, e muito, a questão que Stuart impunha a ele de evitar no tratado a informação de que era imperador do Brasil "pela graça de Deus e pela livre aclamação dos povos". Afinal, na Carta Régia d. João alegava ter sido ele quem cedera ao filho esse título. Melindres à parte, o embaixador britânico teve que contar com duas pessoas da confiança de d. Pedro para que esse detalhe não acabasse com todo o tratado. Uma delas, segundo o próprio Stuart em carta a Canning de 5 de setembro, foi o futuro marquês de Barbacena, Felisberto Caldeira Brant. A outra era a amante paulista do imperador: "Devemos às boas graças do general Brant e à influência da senhora Domitila de Castro a remoção de um obstáculo que teria feito malograr toda a negociação."[179]

A amante política do imperador

O relacionamento de d. Pedro com Domitila já se tornara público em 1825. Em carta ao amigo marquês de Resende, o imperador vangloriava-se: "Tenho cá coisa boa que é genitivo de Castro, que é cunhada de quem vocês sabe. Boa Ventura. Tenho eu!"[180]

A importância da amante oficial pode ser medida pelo fato de sir Charles Stuart ter ido visitá-la antes de se avistar com a imperatriz do Brasil — fato esse que indignou a viajante inglesa Maria Graham. Longe de tentar evitar falatórios, o imperador não procurou mais mantê-la afastada de si após um novo incidente que a envolvera na Semana Santa daquele mesmo ano.

Se por insistência da amante ou se por resolução própria, não se sabe, d. Pedro ordenou a Joaquim Lobato, porteiro da Câmara Imperial, que levasse Domitila para assistir à missa de Páscoa na tribuna das damas do paço, na Capela Imperial. As tribunas de honra da igreja, localizadas acima do altar-mor, eram frequentadas apenas pela família imperial e pessoas do séquito. Domitila não tinha cargo nenhum no paço, muito menos um que lhe desse o direito a estar na tribuna das damas da imperatriz.

A baronesa de São Salvador dos Campos dos Goytacazes, Ana Maciel da Costa, primeira brasileira nata a receber um título de nobreza (em 1812), ficou atônita ao ver entrar na tribuna uma mulher que já estava sendo apontada como amante paulista do imperador. Rapidamente, ela se levantou e abandonou o local, sendo nisso seguida pelas demais damas de companhia de d. Leopoldina.

Novamente, assim como na ocasião do teatro, em que tivera a amante barrada, a reação de d. Pedro foi imediata. Na segunda-feira, 4 de abril, comemorava-se o aniversário da princesa d. Maria da Glória. Durante os aniversários dos membros da família imperial, era costume que o imperador e a imperatriz distribuíssem títulos, condecorações, mercês e perdões. Entre os nomes a serem contemplados com benesses, aparecia o de Domitila, designada dama camarista da imperatriz. Esse posto colocava-a acima de todas as demais damas de companhia e lhe conferia tanto o direito de ter acesso aos aposentos de d. Leopoldina quanto de acompanhá-la a todos os lugares, sendo-lhe destinado um lugar de honra, logo após os imperadores, em qualquer ocasião pública.

Com sua tentativa desastrada de vingar a honra de Domitila e dar uma resposta à baronesa de Goytacazes e às demais damas que se lhe tinham julgado superiores, d. Pedro acabou por atear fogo ao mundo diplomático da corte, que veio abaixo. Os diplomatas estrangeiros sediados no Rio correram cada qual para seus informantes e, logo depois, para a escrivaninha mais próxima, no intuito de informar a seus respectivos países quem era a amante oficial do imperador.

A amante, na época, se analisarmos muito friamente, era quase uma necessidade social. Devemos nos lembrar de que, primeiro, não havia modo de se prevenir de maneira segura a gravidez e, segundo, todo parto representava risco de morte para a mãe e para a criança. Não havia anestesia e, muito menos, um modo seguro de se realizar cesariana em caso de falta de dilatação. O homem, depois de alguns anos de casado, manter relações sexuais fora do casamento representava um alívio para grande parte das esposas, que, normalmente, já vinha parindo anualmente desde os 14 ou 15 anos de idade.

Uma coisa, porém, era ter uma ou várias amantes; outra era conferir-lhes o posto de favorita do imperador. D. Pedro, que não medira qualquer consequência e reagira de maneira estouvada, acabou elevando a sua a um dos cargos mais altos da corte, garantindo-lhe o direito de conviver com os soberanos e de trabalhar no palácio ao menos uma semana por mês. Isso deu a Domitila um peso político enorme, enquanto d. Leopoldina teve que suportar calada, dentro da própria casa, a presença da amante do marido.

A nomeação de Domitila foi claramente forçada por d. Pedro, que explodira de raiva com a afronta sofrida pela amante. Ele chegou a urdir um plano para humilhar ainda mais as damas do paço: mandou que fosse instalada uma tranca na porta de acesso à tribuna da Capela Imperial e deu ordens para que só fosse aberta quando a dama camarista chegasse. Com a amante, combinou que ela só apareceria na igreja quando o ofício religioso estivesse prestes a começar. Assim, todas ficaram em pé, sem assento, até sua chegada.[181]

O assunto ainda rendeu um poema de d. Pedro a Domitila, na qual o imperador louvava o ato da imperatriz de conceder, à paulista, a honra de ser dama da corte:

> Domitila, minha imperatriz do coração. Desde que pus meus olhos na tua formosura, quis ser todo e sempre teu. Queres, divina augusta de meu pensamento? É para ti estes versos, meu amor.
>
> Pedro

Filha dos césares, imperatriz augusta,
tu abateste altiva soberbia
com que tuas damas de raça ímpia
abater queriam quem delas não se assusta.
Vedes, aristocratas cafres, quanto custa
apezinhar aquela cuja alegria
consiste em amar a Pedro e a Maria,
Titília bela, sua causa é justa
O mérito, a verdade em todos os países

aparecerão sempre em grande esplendor.
Sustem-nos o soberano, são suas raízes.

Conta com Pedro, pois ele é defensor
do pobre, do rico, do Brasil, dos infelizes,
ama a justiça, de seu amigo é vingador.[182]

D. Leopoldina já tivera contato informal com Domitila. Em carta à amante, d. Pedro narrou o diálogo que travara com a esposa após o primeiro encontro de ambas: "[...] Ela me disse que mecê lhe disse que tinha a moléstia de Lázaro. [...] Eu respondi 'ou tenha ou não, cá para mim não me importa, porque não tenho tratos com ela.'"[183]

A tal "doença de Lázaro" é o que se conhece hoje como hanseníase ou, mais popularmente, lepra. À época, sem tratamento, a doença era contagiosa e causava mutilações. Quem teria uma leprosa como amante? Ao mesmo tempo, que imperatriz teria uma leprosa como dama de companhia? A tentativa que Domitila e d. Pedro empreenderam para disfarçar foi péssima, e os dois provavelmente se esqueceram da mentira inicial. De todo modo, numa corte hostil como aquela em que se encontrava, era necessário que d. Leopoldina fingisse não ver nem escutar nada.

Em informe encaminhado a Viena em 15 de abril, o diplomata austríaco no Rio de Janeiro, barão de Mareschal, comentou que d. Leopoldina comportara-se da melhor maneira possível quando Domitila lhe fora beijar a mão pela graça obtida. Segundo o diplomata, a imperatriz cedeu sabiamente aos desejos do marido, sem hesitar nem censurá-lo. Na folha que cobre o relatório, é possível ler uma anotação do imperador Francisco I: "Que homem miserável é o meu genro."

No aniversário de d. Pedro, em 12 de outubro de 1825, mais honrarias verteram do trono para cobrir não só Domitila, mas também seus parentes. Titília, além de dama da corte, foi feita viscondessa de Santos; seu irmão Pedro tornou-se cavaleiro da Ordem de Cristo e moço da Imperial Câmara; e o outro irmão, Francisco, recebeu a Ordem do Cruzeiro. D. Pedro tinha nos parentes de Domitila uma segunda família. Nas cartas em que os menciona à amante, refere-se aos pais dela como "meus velhos"; aos irmãos, trata carinhosamente por "manos".

O relacionamento entre d. Pedro e Domitila ocupava cada vez mais os mexeriqueiros da corte. No entanto, a imperatriz continuava a demonstrar um sangue-frio e uma compostura que a dignificavam aos olhos de todos. O barão de Mareschal escreveu a Viena:

> Parece-me impossível que a senhora arquiduquesa não veja o que se passa tão diretamente sob os seus olhos; mas sua alteza real tem a alta prudência de jamais fazer menção disso para com quem quer que seja e de simular que nada percebe. O senhor príncipe, em contrapartida, está cheio de atenção e de respeito para com ela e, apesar da existência de uma amante favorita, instante algum cessou de se mostrar bom marido e de aproveitar todas as ocasiões para fazer o elogio das virtudes de sua esposa e de elogiar a felicidade que presidiu a união.[184]

A referência à cidade de Santos no título da amante tinha uma intenção particular: fustigar os Andrada, naturais da cidade, em seu exílio na França. A notícia da graça cruzou como uma flecha o oceano Atlântico e atingiu o alvo com precisão. José Bonifácio, em carta ao conselheiro Drummond urrou de ódio:

> Quem sonharia que a michela[185] Domitila seria viscondessa da Pátria dos Andradas? Que insulto desmiolado! [...] Oh, meu bom Deus, por que me conservas a vida para ver o meu país enxovalhado a tal ponto![186]

A paz entre Portugal e o Brasil

Em novembro de 1825, foi publicada em Portugal a assinatura do tratado com o Brasil. As intrigantes "manas da Espanha" — as irmãs de d. Pedro Maria Teresa e Maria Francisca, que haviam se casado com tios espanhóis e rezavam com a mãe, Carlota Joaquina, a cartilha do absolutismo — logo escreveram ao pai.

Maria Francisca mandou a d. João em 25 de novembro, de Madri:

> Vossa Majestade só fica imperador no nome. Certamente que o mano Pedro tem sido um filho muito infiel a seu pai e que já não se podia esperar nada bom dele, porém nunca se podia esperar que o seu alucinamento chegasse ao ponto de dizer: Anuo a que Sua Majestade Fidelíssima tome para si o nome de imperador, pois estas não são palavras que se digam a um pai e muito menos a um soberano e pai, e o que ele quer mostrar é que recebeu a coroa do povo e não de Vossa Majestade. Muito sinto eu tudo isto e muito mais sinto que, no reinado

de Vossa Majestade, se perdessem aquelas ricas terras e que um filho imponha a lei a seu pai.[187]

Quatro dias depois, Maria Teresa também iria, de Madri, posicionar-se ao lado do pai, em detrimento de d. Pedro:

Confesso a Vossa Majestade que me horrorizou ver em um artigo do tratado que o mano Pedro diz que anua a que Vossa Majestade use do título de imperador. Que desgraça, meu senhor, ser tratado deste modo por um filho! Parece que Deus destinou a Vossa Majestade para sofrer e assim espero que lhe dará forças para resistir e triunfar, pois, como é sumamente justo, não ajudará um filho rebelde.[188]

Apesar das críticas familiares, tem-se a impressão de que as datas que acompanham o acordo constituem uma tentativa, por parte de d. João, de prestar honras a d. Leopoldina. Em 22 de janeiro de 1825, aniversário da nora, o rei decidiu pelo restabelecimento da paz entre as duas nações e nomeou, para dar início às tratativas, um gabinete português favorável à independência brasileira. Em 13 de maio, assinou a primeira das cartas régias que orientariam o plenipotenciário britânico. Muito embora fosse essa a data do aniversário de d. João, também era a do tratado de casamento entre d. Pedro e d. Leopoldina. Quanto a 15 de novembro, dia em que o monarca português quis divulgar que concordara com o tratado chegado do Brasil meses antes, tratava-se do dia de São Leopoldo da Áustria, padroeiro daquele país e dia do onomástico[189] de d. Leopoldina.

Enquanto d. João, provavelmente já informado da amante paulista do filho, cobria de deferências a nora, o apaixonadíssimo d. Pedro fazia o caminho inverso, ligando as efemérides relativas ao Brasil a Domitila:

Meu amor
e meu tudo...

27 de dezembro de 1825

No dia em que fazia três anos[190] que eu comecei a ter amizade com mecê assino o tratado do nosso reconhecimento como Império por Portugal. Hoje, que mecê faz os seus 27,[191] recebo a agradável notícia que no Tejo tremulara em todas as embarcações nele surtas o pavilhão imperial, efeito da ratificação do tratado por el-rei, meu augusto pai. Quando há para notar uma tal combinação de acontecimentos políticos com os nosso domésticos e tão particulares?

Aqui há o que quer que seja de misterioso, que eu ainda por ora não diviso, mas que indica que a providência vela sobre nós (e se não há pecado) até como aprova a nossa tão cordial amizade com tão célebres combinações [...].[192]

Os dois herdeiros

Ainda em 1825, d. Pedro teve mais motivos para comemorar. Tendo gerado somente filhas após a morte do príncipe d. João Carlos, d. Leopoldina enfim deu à luz um menino a 2 de dezembro, que recebeu o nome de Pedro e reinaria no Brasil com o título de d. Pedro II. Cinco dias depois, em outra residência, mais um Pedro nascia, este filho do imperador com Domitila. D. Pedro teria ficado tão empolgado com o nascimento dos dois meninos que chegou a cogitar, para o filho bastardo, um batizado repleto de todas as pompas na Capela Imperial. Porém mudou de ideia e o bebê foi batizado na igreja de São Francisco Xavier, no Engenho Velho, como filhos de pais incógnitos. O imperador planejou fazer da criança duque de São Paulo.

Guerra no Sul

No entanto, se tudo andava bem em alguns setores da vida particular do imperador, com o Brasil as coisas eram diferentes. Além da dívida de dois milhões de libras esterlinas a serem pagas a Portugal como indenização decorrente da assinatura do tratado entre as duas nações, na fronteira meridional do país havia conflitos.

Em abril de 1825, durante o processo de organização das Províncias Unidas do Rio da Prata, que dariam origem à Argentina, alguns exilados uruguaios vindos de Buenos Aires retornaram à Cisplatina, anexada por d. João ao Brasil quando da mudança da corte para a América. Tendo eles levantado a população espanhola contra o governo brasileiro, o general Lecor conseguiu manter Montevidéu e outras cidades, mas o interior permaneceu nas mãos dos portenhos. Após receber tropas do Rio Grande do Sul, Lecor preparou uma ofensiva contra os rebeldes, mas a força expedicionária acabou dizimada na batalha de Sarandi em 12 de outubro, aniversário de d. Pedro.

Algumas semanas depois, devido ao sucesso dos uruguaios dissidentes, o governo argentino decidiu aceitar oficialmente a petição para que a Cisplatina fosse admitida à união. Buenos Aires e outras províncias mandaram tropas para ajudar os uruguaios contra os brasileiros, o que levou d. Pedro a declarar guerra contra a Argentina em 10 de dezembro de 1825.

O autocrata liberal

Apesar do exacerbado liberalismo que era cantado, em toda a Europa liberal, como modelo a ser seguido, d. Pedro ainda se dividia entre ser um "imperador constitucional" ou um autocrata. O espírito liberal que almejava era sufocado por seu gênio dominador. Ao contrário de seu filho, o futuro d. Pedro II, ele não seria contemporizador; antes, agiria sempre como o motor que instigava tudo o que dizia respeito ao Brasil. Excessivamente consciente de seus direitos, relutava em dividi-los com alguém ou alguma instituição.

D. Pedro ainda não convocara o congresso, que só se reuniria novamente em maio de 1826. Além disso, tinha suspendido os direitos dos povos nas diversas províncias em que houvera sublevações contra ele, as quais ameaçavam a unidade territorial brasileira. Aqueles que, como ele, sonhavam com um país constitucional e um governo liberal em que o poder seria dividido entre o soberano e o parlamento haviam sido presos, executados ou deportados. Até mesmo os ministros que o cercavam começaram a sentir desconforto em servi-lo, uma vez que não havia, segundo o marquês de Barbacena, liberdade alguma para expor a mais leve discordância contra a vontade do imperador: era impossível permanecer num cargo "que de um lado tem a responsabilidade e de outro a impossibilidade de fazer a menor reflexão".[193]

Uma prova de que d. Pedro estava ciente de seu poder pode ser encontrada na demissão do ministro João Severiano. Em carta a outro ministro, o imperador explicava ter Severiano "invadido a minha imperial autoridade pondo na lista dois homens com hábito de Cristo que eu não havia despacho, e sendo os despachos de graças unicamente meus por a lei assim entender", mandou executar a demissão do ministro em outubro de 1824.

A viagem à Bahia

Com sublevações constantes no Norte e Nordeste brasileiros, seguidas por um levante de escravos que mataria diversas pessoas na Bahia, d. Pedro decidiu visitar a província no início de 1826, do mesmo modo como já havia feito com São Paulo e Minas Gerais. No entanto, ao contrário das duas viagens anteriores, com uma pequena comitiva e tendo o céu como teto de noite, a projetada viagem para a Bahia seria um evento imperial: não iria só d. Pedro, mas também seus principais ministros, militares, altos cortesãos, a imperatriz d. Leopoldina, a princesa d. Maria da Glória e a amante, Domitila. O embarque deu-se em 2 de fevereiro. O burburinho foi grande. No dia 13, o barão de Mareschal despachava a Viena:

> A viagem da corte à Bahia deu lugar a um grande escândalo. Ver o imperador fazer acompanhar-se no mesmo navio pela imperatriz, sua filha mais velha e sua amante oficial ofendeu necessariamente todo o mundo, mas o medo pessoal que a violência do caráter deste príncipe inspira fechou a boca de todos. — A senhora arquiduquesa que, naturalmente, se devia sentir a mais ferida, mostrou a este respeito a mais perfeita indiferença [...]: o único receio que ela se dignou exprimir referiu-se ao mau exemplo que isso daria à jovem princesa, criança precoce a quem nada escapa. Não sei se isto é sabedoria, filosofia prática ou despreocupação, mas a gente não se poderia conduzir com mais tato do que a arquiduquesa [...] o imperador recebeu cartas anônimas, onde o censuravam de levar a mulher só para servir de véu para a sua amante. Ficou por causa disso muito irritado e apressou-se em levar as cartas à imperatriz: esta recebeu tão estranha confidência com o seu costumado sangue-frio, dizendo-lhe que aquilo ou era falso, ou verdadeiro, que no primeiro caso não valia a pena ocupar-se com isso e no segundo seria preciso fingir que se despreza o boato para fazê-lo cair. O mais engraçado é que o sangue-frio da imperatriz enraiveceu o imperador, e ele censurou-a por não se aborrecer com ele; pôde observar-se em seguida

> que Sua Majestade aparecia constantemente em público com a senhora arquiduquesa e que ele redobrou de atenção e consideração para com ela.

A atitude de d. Leopoldina era política. Se por um lado o casamento lhe trazia certas obrigações, como aguentar calada as amantes do marido, por outro ela tinha maior noção do que d. Pedro do seu dever como imperatriz, estando pronta para aguentar as humilhações a fim de não desprestigiar a coroa perante o povo. Não lhe restavam alternativas: um escândalo público só agravaria a solidão que sentia naquela corte hostil. O imperador interpretou a reação da mulher como qualquer homem interpretaria: ela não se importava. D. Leopoldina, porém, se importava sim, mas só o demonstrava a quem lhe devia respeito e submissão. Era este o caso de seus funcionários germânicos, como se vislumbra numa carta ao seu secretário informal, o negociante e hoteleiro suíço Flach. Reclamando da crônica falta de dinheiro em que vivia, ela desabafou:

> O meu esposo se interessa somente pela maldita bruxa e à outra[194] pode acontecer o que quiser.[195]

A Schäffer, responsável na Europa pela vinda dos imigrantes germânicos ao Brasil, a imperatriz também foi franca:

> Aqui, infelizmente, anda tudo transtornado, pois, sinceramente falando, mulheres infames como se fossem Pompadour e Maintenon e ainda pior, visto que não têm educação alguma, [...] governam tudo torpemente.[196]

Porém, se uma coisa era aguentar a amante do marido por perto em alguns momentos, outra era conviver com ela num navio durante 24 dias, sendo por isso humilhada publicamente.

Apesar da tentativa de amigos íntimos em aconselhar d. Pedro a não se expor a escândalos, que o mundo tinha os olhos nele, que as pessoas do navio estavam atentas aos seus passos e ele devia respeito à filha de sete anos e à imperatriz, o imperador não lhes dava ouvidos: estava cego de paixão. Sem compostura alguma, tratava a amante com intimidade na frente de quem quer que fosse. Chamava-a publicamente de "minha Titília" e "minha rica viscondessa". D. Leopoldina, retirada à sua cabine, preferia comer sozinha a ser obrigada a dividir a mesa com d. Pedro, Domitila e a filha, que, acompanhando o pai na intimidade da favorita, passeava com esta de braços dados pelo convés.

No dia 26, os imperadores desembarcaram em Salvador, com d. Pedro fazendo questão absoluta de que "aquela dama", Domitila, estivesse no mesmo barco que os levaria à terra. Ficaram hospedados onde hoje se localiza o Palácio Rio Branco, na praça Tomé de Souza, próximo ao elevador Lacerda. No local, erguiam-se o Palácio do Governador e a Casa de Relação,[197] onde a corte recém-chegada de Portugal havia se instalado em 1808. As duas construções eram unidas por um passadiço, onde foi instalada a princesa d. Maria da Glória. O governo baiano destinou à imperatriz os aposentos da Casa de Relação, onde d. Carlota fora instalada anteriormente, enquanto d. Pedro e Domitila ficaram no Palácio do Governador.

Domitila acompanhava os soberanos nos eventos, despachos e beija-mãos em Salvador e região. Quando passeavam de carruagem, d. Pedro ia guiando, tendo a imperatriz ao seu lado e d. Maria da Glória e Domitila sentadas atrás. Mas não foi sempre que Titília estava disposta a acompanhá-los. Teve dor de ouvido, e d. Pedro, em cartas à mãe da amante, d. Escolástica, que ficara tomando conta dos filhos dos dois no Rio de Janeiro, contava que "já pondo-lhe sinapismos, já deitando-lhe bichas, e com tão feliz resultado que espero, porque já está muito mais aliviada, que amanhã ou depois já sai comigo, a minha senhora e filha no carrinho".

D. Pedro recebia da corte informes oficiais e particulares. Entre as questões pessoais, os cortesãos do paço, como o camarista da semana, informavam-lhe sobre a saúde dos filhos, fossem legítimos ou não. O menino que Domitila teve no final de 1825 não seria encontrado vivo pelos pais em seu regresso da Bahia. Essa seria a primeira das muitas perdas significativas que d. Pedro experimentaria em 1826.

Na Bahia, o imperador fez o que sabia fazer de melhor: mostrar-se ocupado com toda a esfera da administração pública. Ele visitou todas as instalações civis e militares de Salvador e região; em seguida, emitiu as ordens que considerava importantes para o local, abarcando desde as melhorias necessárias até a parte organizacional, passando por descomposturas em chefes e encarregados. O imperador proibiu que os funcionários do governo mandassem seus escravos fazer os serviços pelos quais os senhores recebiam; organizou a construção de um novo cais para o desembarque comercial, evitando atulhar os produtos descarregados dos navios diante do Arsenal da Marinha, que no momento da visita encontrava-se obstruído por sacos de farinha; num único dia, chegou a receber mais de seiscentas pessoas em audiência e a visitar as fortalezas. Além disso, não cuidava somente dos negócios baianos: mandou construir orfanatos, solicitou a melhoria da faculdade de medicina com materiais importados da Inglaterra, deu esmolas, puniu e condecorou quem devia. Quando na Bahia, ficou sabendo, pelo embaixador Charles Stuart, da intenção de Simão Bolívar de despachar um exército de doze mil homens como socorro à Argentina na luta contra o Brasil.

Em meados de março, d. Pedro e sua comitiva deixaram a Bahia, desembarcando no Rio de Janeiro em 1º abril. O imperador passou abruptamente pela multidão que, à sua passagem, se curvava na rua para tentar beijar-lhe a mão e, fugindo do calor, entrou em seguida na Capela Imperial, onde seria oficiado um *Te Deum* em ação de graças pela chegada segura dos imperadores. Enquanto isso, d. Leopoldina percorria com serenidade e compostura o caminho que ligava o desembarque do navio à capela, dando sua mão a ser beijada por quantos desejassem. Seu senso de dever e de dignidade era maior que o do marido.

Rei de Portugal

Vinte e três dias depois do desembarque dos imperadores, a fragata portuguesa *Lealdade* chegou ao Rio de Janeiro com uma notícia impactante. D. João VI havia falecido em 10 de março, aos 59 anos. Além do problema crônico que lhe acometia uma das pernas, não se sabia de nenhuma outra doença do rei, que ainda imaginava reinar por muitos anos. No entanto, em 4 de março d. João caiu estranhamente doente. No dia 6, um Conselho de Regência, presidido pela infanta d. Isabel Maria, foi criado por um decreto seu. Quatro dias depois, morria. Notícias desencontradas logo começaram a surgir. Segundo boatos, o rei teria sido envenenado por seu médico brasileiro, o carioca Teodoro Ferreira de Aguiar, cirurgião-mor da real câmara. Tais alegações levariam Aguiar ao suicídio em maio de 1827.

Segundo o arqueólogo português Fernando E. Rodrigues Ferreira, exames realizados nas vísceras de d. João VI, descobertas em São Vicente de Fora na década de 1990, mostram que o monarca de fato fora envenenado por arsênico.[198] De acordo com as pesquisas atuais, d. João teria começado a passar mal em 4 de março, logo após comer pão e frango, beber água e chupar algumas laranjas-

-baía. Ainda segundo o arqueólogo, a morte teria se dado um dia e meio depois, ou ainda dois dias — no mais tardar, portanto, a 6 de março, data em que o rei supostamente assinara o decreto de nomeação da regência. Pelo que diz a perícia grafotécnica, a assinatura no decreto não seria de d. João VI.

É provável que, ao assassinato do rei, tenha se seguido um golpe palaciano para impedir que os absolutistas tomassem o poder. O que sabemos de concreto é que as facções liberais e absolutistas logo começaram a se acusar mutuamente pela morte de d. João. Na chefia da regência, a infanta d. Isabel Maria, de posição moderada, assegurou o trono ao real herdeiro do seu pai, d. Pedro. Além da notícia oficial, a infanta despachou ao Brasil o médico suspeito de envenenar d. João, Teodoro Ferreira de Aguiar. O doutor fora instruído a contar de viva voz ao imperador os últimos acontecimentos. Aguiar retornaria para Portugal como membro da delegação diplomática brasileira em Lisboa e atuaria como correio secreto e informal entre os dois irmãos, como demonstram as diversas cartas entre d. Pedro e d. Isabel Maria, bem como entre o secretário do imperador, Francisco Gomes, e o dr. Aguiar, guardadas no Arquivo Histórico do Museu Imperial.

As "manas da Espanha", d. Maria Francisca e d. Maria Teresa, logo escreveriam ao irmão no Brasil para jurar fidelidade ao novo rei de Portugal; nas cartas, tocariam também na questão da herança deixada por d. João: pediam para não serem esquecidas na partilha, uma vez que tinham filhos. Nenhuma das duas demonstrou qualquer indício de terem chamado d. Pedro de filho ingrato meses antes.

D. Miguel, de seu exílio vienense, escreveu para d. Isabel Maria em 2 de abril, afirmando que não tomava partido entre as facções políticas que se acusavam mutuamente e desejavam o poder a qualquer custo. Declarou que, se preciso fosse, a irmã estava autorizada a divulgar a carta que lhe enviava, na qual tanto apoiava o decreto que d. João promulgara no dia 6 para nomear a junta quanto jurava fidelidade a d. Pedro, a quem reconhecia como legítimo herdeiro do trono português.[199] Para d. Pedro, d. Miguel escreveu em 6 de abril de Viena:

> Mal preparado para resistir à tamanha dor, longe da pátria e de tudo quanto me poderia ministrar alguma consolação, grande alívio experimento no meu pesar em dirigir-me hoje a Vossa Majestade Imperial para lhe oferecer os protestos da minha mais rendida vassalagem, reconhecendo em Vossa Majestade Imperial o meu legítimo soberano, como herdeiro e sucessor da coroa de nossos gloriosos maiores.[200]

Enquanto não chegavam a Portugal notícias a respeito do que d. Pedro pretendia fazer com o trono e a nação herdados, as especulações eram as mais disparatadas, sobretudo da parte da rainha d. Carlota Joaquina, que, em carta de outubro de 1826 à filha d. Maria Francisca, na Espanha, informava-a: "Anteontem chegou um navio do Rio de Janeiro e corre a notícia que o Pedro quer fazer deste reino colônia, mandando para aqui um vice-rei e que manda uma deputação para vir buscar suas irmãs."[201]

D. Isabel continuou mantendo como prisioneira, no Palácio de Queluz, a sua mãe, que, embora se queixasse dos espiões que a rodeavam em sua casa e dentro do próprio quarto, conseguia enviar cartas para as filhas na Espanha, que por sua vez as encaminhavam a d. Miguel em Viena. D. Isabel chegou a dobrar a guarda do Palácio, mandando mais um esquadrão de cavalaria e um de infantaria, para vigiar melhor a mãe, apesar dos protestos desta.[202]

Em 26 de abril, dois dias depois de tomar ciência da morte do pai, d. Pedro enviou aos membros do seu Conselho de Estado, no Brasil, o seguinte ofício:

> Meu pai e senhor d. João VI morreu a 10 de março e, por decreto de 6 do referido mês, organizou uma regência para governar o Reino até eu determinar o

que me aprouvesse como herdeiro daquele Reino [...]. É de absoluta necessidade assentarmos em primeiro lugar o que se deve em relação às circunstâncias delicadas da opinião do Império, zeloso da sua indispensável independência, e em segundo lugar o que se deve em relação a Portugal.

Quanto ao Império, perguntarei se se opõe a sua independência que o imperador seja rei de Portugal, governando-o do Brasil, e ficando existindo como existem duas nações totalmente independentes qual a brasileira e portuguesa? Se é oposto à Constituição? Agora, pelo lado da utilidade para o Império, se é útil ou poderá vir a ser que do Brasil seja governada uma nação europeia, sendo esta a portuguesa? No caso de convir, que se deve determinar a respeito do seu governo? No caso de não convir, como deve ser feita a abdicação e em quem?[203]

Enquanto as respostas não chegavam, ele produziu, junto com o secretário Francisco Gomes da Silva, o Chalaça, uma constituição para Portugal, outorgando-a no dia 29 como d. Pedro IV; na ocasião, também concedeu anistia ampla e irrestrita aos portugueses e confirmou o Conselho da Regência com a presidência de sua irmã, a infanta d. Isabel Maria. No dia seguinte, marcou as eleições em Portugal. Em 2 de maio, após ler os pareceres de seus conselheiros, emitiu a carta régia de sua abdicação condicionante ao trono português em nome de sua filha, d. Maria da Glória. Em um trecho do decreto, explicitava as condições da abdicação:

[...] Hei por bem, de Meu moto próprio, e livre vontade, Abdicar, e Ceder de todos os indisputáveis, e inauferíveis Direitos, que Tenho à Coroa da Monarquia Portuguesa, e à Soberania dos mesmos Reinos, na Pessoa da Minha sobre todas muito amada, prezada, e querida Filha, a Princesa do Grão-Pará D. Maria da Gloria, para que Ella como Sua Rainha Reinante, os Governe independentes deste Império, e pela Constituição, que Eu Houve por bem Decretar, Dar, e Mandar jurar por Minha Carta de Lei de vinte e nove de Abril do corrente ano: e outro sim Sou Servido Declarar, que a dita Minha Filha Rainha Reinante de Portugal, não sairá do Império do Brasil, sem que Me Conste Oficialmente, que a Constituição foi jurada conforme Eu Ordenei, e sem que os Esponsais do Casamento, que pretendo Fazer-lhe com o Meu muito Amado, e Prezado Irmão, o Infante D. Miguel, estejam feitos, e o Casamento concluído; e esta Minha Abdicação e Cessão não se verificará, se faltar qualquer destas Condições.

Guardadas as devidas proporções, a constituição conferida por d. Pedro a Portugal, chamada de Carta, era tão liberal quanto aquela dada ao Brasil. Até então, no período que se seguiu à morte de d. João VI, Portugal havia instalado um governo que jurara fidelidade a d. Pedro IV, que mandara cunhar moedas com seu rosto, que governava em seu nome e que enviara ao Brasil uma delegação oficial para prestar, em nome do povo e do governo, respeito ao novo soberano português. A lua de mel durou apenas cinco meses, mais precisamente até a constituição chegar. Antes disso, houvera preferências acerca de quem deveria assumir o trono, mas não o questionamento da legitimidade de d. Pedro como herdeiro. A questão só se tornou controversa após a chegada da Carta Constitucional. Argumentos segundo os quais d. Pedro não seria mais português e, portanto, não poderia assumir como soberano do reino seriam usados pelos miguelistas a fim de justificar a ilegalidade da Carta e do irmão no trono de Portugal.

Gravura representando a outorga da Constituição de Portugal por d. Pedro e sua abdicação em nome da filha, d. Maria da Glória.

Com a nova Constituição, as famílias aristocráticas e a igreja perderiam muitos dos benefícios que datavam já da época feudal. Praticamente todo o clero português preferia um governo absolutista, em que o temor a Deus poderia levar a um maior controle do povo e de suas ofertas à Igreja. Desde o morticínio suscitado durante a Revolução Francesa, liberalismo, democracia e constituição eram ideias de maçons, e não de católicos. A pequena nobreza, vivendo no campo e exercendo poder senhorial sobre as populações locais, sentiu-se ameaçada ao ser banida da Câmara dos Pares pela nova constituição. O órgão passaria a ser formado apenas por duques, condes e marqueses. Os magistrados também ficaram melindrados, pois perderiam dinheiro e influência com a divisão de poderes instituída por meio da Carta outorgada por d. Pedro.[204]

Para regozijo dos liberais, que já preparavam um levante na cidade do Porto, e para irritação dos absolutistas, a Carta Constitucional foi jurada em Portugal no dia 29 de julho de 1826. Não, porém, sem uma clara ameaça de golpe por parte do general Saldanha, que declarou ao governo que, se este não cumprisse os desígnios de d. Pedro IV e jurasse a Constituição portuguesa, faria com que ela fosse jurada pelo exército, colocando assim o governo na ilegalidade.

Logo em seguida, em 1º de agosto, a infanta d. Isabel Maria assumia, por uma proclamação, a regência em nome do irmão e da sobrinha. Não fora esse, contudo, o plano de d. Pedro: ele desejava que d. Miguel fosse ao Rio de Janeiro casar-se com d. Maria da Glória e, depois, seguisse para Lisboa já feito regente em nome dela e lugar-tenente do irmão até a maioridade da menina. Isso causou estremecimento entre d. Pedro e a infanta d. Isabel Maria, até que ela jogou no rosto do irmão a própria Carta Constitucional que ele havia redigido:

> 1º porque o artigo 92 diz expressamente que <u>durante a menoridade do rei</u> (ou rainha), o Reino será governado por uma regência, a qual pertencerá ao parente mais chegado do rei (ou rainha), segundo a ordem da sucessão e que seja maior de vinte e cinco anos. Quem me podia, pois, disputar a regência <u>durante a menoridade</u> de minha augusta sobrinha? Eu não tenho culpa de nascer primeiro que o mano Miguel. 2º Porque se o mano Miguel, nem mesmo depois de casado com minha querida sobrinha, pode governar o Reino, como o havia de governar durante a sua menoridade? 3º Se o mano Miguel pelo artigo 100, segundo me parece, não pode ser tutor; como há de ser regente? [...] O mano Miguel ainda não jurou a Constituição. Se a não quer jurar, não pode

> ser considerado como português. Se a jura e está como deve estar, pelos arranjos e determinações do meu querido mano e nosso legítimo rei, ele não pode ser regente pelas razões que acima apontei, umas fundadas na Constituição e outras na política e pública utilidade.[205]

Somente em 4 de outubro d. Miguel juraria a constituição portuguesa, em uma cerimônia na corte vienense. No dia 29, ele assinava o contrato de casamento com a sobrinha carioca. D. Pedro ainda tinha esperança de conseguir levar o irmão ao Brasil (talvez para mantê-lo longe das intrigas), chegando a envolver o sogro, o imperador da Áustria, como mediador da questão.

No entanto, ter uma mãe como d. Carlota Joaquina e irmãs como as que viviam na Espanha dispensava a d. Pedro a necessidade de mais inimigos. De sua prisão domiciliar no Palácio de Queluz e por meio de agentes secretos, d. Carlota tratava de envenenar a relação entre os irmãos e de gestar uma guerra civil em Portugal, financiada pela herança que recebera do pai, o falecido rei da Espanha. Em 26 de outubro, ela escreveu a d. Miguel:

> [...] Peço-te que ainda que te preguem e pintem com todas as boas cores que eles possam a tua ida para o Rio de Janeiro que não vás, porque eu sei que é para te agarrarem lá, e dar cabo de ti; nem metas o pé em nenhuma embarcação e muito menos na nau que vier do Rio de Janeiro buscar-te, porque sei de certo que está a tramar armada para te sacrificar, pois os pedreiros[206] [...] não querem que tu cá venhas nunca: entretanto a Nação toda, e a tropa, não querem para seu rei senão a ti, e estão fazendo os maiores sacrifícios para o conseguir, como tu hás de saber [...].[207]

Quanto às irmãs, mancomunadas com a mãe, teriam escrito para d. Miguel algumas cartas que foram mostradas ao marquês de Resende por seu portador, o barão de Vila Seca. Resende repassou a notícia e o conteúdo das missivas em despacho ao ministro das relações exteriores do Brasil.[208] Nelas, as infantas sugeriam a d. Miguel que fosse o quanto antes à Espanha para, em seguida, à frente de um exército, partir para Portugal como rei, considerando d. Pedro usurpador do trono.

O mais interessante de toda essa correspondência e trama está em que os envolvidos realmente acreditavam que o sistema constitucional era algo que o demônio inventara contra o absolutismo, no qual todos eles, pela graça de Deus, ocupavam um lugar divinamente estabelecido, a fim de que governassem seus povos de acordo com Sua vontade. No modo de pensar de grande parte dos Bragança, constituição significava ateísmo e anarquia.

Enquanto isso, no Brasil, d. Pedro abriu os trabalhos da nova Assembleia em maio de 1826, sem porém se dissociar dos problemas de Portugal. Tanto não o fez que, em parte de sua "fala do trono", isto é, do discurso que inaugurava os trabalhos, ocupou-se da morte do pai e da questão portuguesa, a qual, em breve, indisporia o imperador com seus súditos brasileiros, que o acusariam de dar mais importância aos negócios de Portugal que aos da ex-colônia.

A perda da fiel aliada

APÓS A morte de d. João, d. Pedro, agora chefe de família, deve ter imaginado que tudo podia. Não se sabe se influenciado pela amante, resolveu reconhecer a filha que lhe dera. A menina, Isabel, fora registrada como ilegítima, e o bispo do Rio de Janeiro, d. José Caetano da Silva Coutinho, não gostou nada da ideia de rasgar e refazer a página do livro de assento da igreja de São Francisco Xavier do Engenho Velho.

Enfrentando a oposição do religioso, d. Pedro mandou publicar um decreto ministerial em que declarava a paternidade, reconhecida pelos ministros Lages, Inhambupe e José Feliciano Fernandes Pinheiro. Assim, obrigava a reforma do livro de registro da sacristia. Na nova certidão, constava apenas o nome do pai: quanto à mãe, dizia apenas que era "limpa de sangue", ou seja, não era judia. Oficialmente, d. Pedro deu ao velho coronel João de Castro, avô da criança, a incumbência de criá-la, permanecendo, desse modo, a filha junto da mãe.

Um dia após o aniversário de Isabel Maria, a Belinha, em 24 de maio, foi realizada uma grande festa na casa da amante, que agora morava em um palacete enorme e novo que d. Pedro mandara construir a menos de um quilômetro da Quinta da Boa Vista. Lá foram comemorados o reconhecimento e o título que a menina recebeu do pai: duquesa de Goiás. O título colocava a menina acima de todos os demais membros da corte e da nação brasileira. Isabel não se curvaria a ninguém além dos membros da família do imperador. Até Domitila devia reverência à filha.

Os convidados começaram a chegar ao meio-dia. Os ministros que assinaram o decreto estavam presentes, bem como o capitão da guarda do imperador, o primeiro ajudante de campo, o secretário de gabinete, os viscondes de Barbacena e Gericinó, entre outros. O luto em memória a d. João VI fora abrandado para o evento. O imperador foi recebido à porta pelo velho Castro, que carregava a neta nos braços. Terminada a leitura do documento de reconhecimento e do título conferido, d. Pedro perguntava a quem se aproximava dele: "Já foi beijar a mão de minha filha?" Ou então insistia com a menina: "Duquesa, dá a mão a beijar ao sr. Fulano."

No dia 28, Isabel, acompanhada pelo avô, foi apresentada oficialmente a d. Leopoldina. Segundo o embaixador espanhol, a imperatriz, após manter o sangue-frio perante a corte, encerrou-se em seus apartamentos privados, onde passou o dia todo chorando. Com esse reconhecimento, a pequena Isabel começou a frequentar o paço e brincar com seus meios-irmãos. Se d. Leopoldina tinha paciência, o mesmo não se podia exigir dos filhos, ainda mais devido à proteção e predileção que, segundo percebiam, d. Pedro destinava à menina.[209]

Para explicar publicamente a decisão do imperador, seu secretário, Francisco Gomes, fez uma relação histórica dos reis europeus, inclusive portugueses, que haviam reconhecido filhos ilegítimos. Afinal, a própria casa de Bragança não fora criada a partir de um bastardo da casa de Avis?[210] De posse de tais informações, jornais como o *Diário Fluminense* de 10 de junho e o *Spectador Brasileiro* do dia 14, nitidamente influenciados pelo governo imperial, teceram louvores a d. Pedro por ter reconhecido a criança. No entanto, nem todos aceitaram bem a notícia. Segundo o relatório do cônsul francês Guinebaud, na Bahia:

> O povo clama [...] contra a fraqueza e a vilania dos conselheiros do monarca, apologistas públicos e, por escrito, de sua conduta em relação à jovem duquesa de Goiás, filha natural, fruto de duplo adultério vivo, legitimada e reconhecida, a pretexto de que os reis franceses Henrique IV e Luiz XIV tinham feito o mesmo. Entretanto, não obstante verificar a existência do grande desprestígio do governo imperial, não diviso ainda sintoma algum de rebelião.

D. Leopoldina, porém, seguia com sua olímpica paciência, para descontrole do diplomata austríaco no Rio de Janeiro, que no final de junho relatava a Viena:

> A 29 de junho festejou-se d. Pedro em casa do veador da Imperatriz [...]. D. Pedro, d. Leopoldina, as jovens princesas, lá passaram o dia em companhia da viscondessa de Santos, da Goiás, sua mãe, seu avô e todo o resto da famí-

lia materna. A despeito dessa estranha mistura, o dia passou tão alegre e tão tranquilamente como se a poligamia estivesse legalmente estabelecida no país.

D. Pedro deixava-se ficar cada vez mais na casa da amante, onde mantinha uma sala de despachos. Saía constantemente para passear com a filha e Domitila em público. No início de agosto de 1826, partiu para a fazenda de Santa Cruz levando a amante e a duquesinha. D. Leopoldina e os filhos ficaram em São Cristóvão, e enquanto d. Pedro gozava de férias, o governo ficou completamente parado.

Ninguém mais duvidava do que acontecia. D. Pedro parecia não fazer mais questão alguma de esconder a relação. O povo começou a se incomodar com a traição ostensiva, e os muros cariocas amanheciam com caricaturas de d. Pedro, Domitila e d. Leopoldina. Numa delas, a imperatriz esfaqueava a amante, enquanto d. Pedro implorava para que ela perdoasse Titília. Em outra, ele era o cavalo que puxava a carruagem de Domitila, que controlava as rédeas.

As inquietações das ruas finalmente chegaram ao palácio. Em 24 de agosto, quando o futuro d. Pedro II seria reconhecido publicamente como herdeiro do trono, o intendente da polícia recomendou que não se fizesse uma apresentação de gala no teatro para comemorar a data. Dois dias depois, uma delegação da Assembleia chegou ao palácio com o ato de reconhecimento e foi apresentada ao bebê. Quem segurava o futuro imperador nos braços era ninguém menos que o pai de Domitila, João de Castro, agora no cargo de estribeiro-mor.

Como se algo houvesse de errado além do escândalo público, d. Pedro deu ordens para que as tropas fossem aquarteladas, dobrando também as patrulhas e as guardas. O imperador visitou pessoalmente, na calada da noite, diversos quartéis. Deve ter sido informado de que um golpe contra Domitila e sua família vinha sendo preparado. Nesse momento, ele parece ter percebido o quão longe tinha ido e passou a dar mais atenção à esposa, tanto em público quanto em particular; como resultado, d. Leopoldina engravidou novamente. A reaproximação, contudo, foi efêmera. A 12 de outubro de 1826, o imperador cobriu a amante e seus familiares de graças. Domitila teve o título elevado e, de viscondessa, tornou-se marquesa de Santos. A justificativa não se pautava mais pelos "bons serviços prestados à imperatriz", como se pode observar no texto do decreto:

> [...] Faço saber aos que esta Minha carta virem que, querendo dar um público testemunho do alto apreço em que tenho os serviços prestados pela Viscondessa

> de Santos, Dona Domitila de Castro Canto e Melo [...] tratando da Minha Muito Amada e Querida Filha a Duquesa de Goiás, desde que me dignei a entregar-lhe, e querendo fazer-lhe honra e mercê em atenção a tão distintos serviços, que sobremaneira tem penhorado Meu Coração, Hei por bem acrescentá-la em grandeza com o Título de Marquesa de Santos. [...]

O pai de Titília foi feito visconde de Castro, o cunhado Boaventura recebeu o título de barão de Sorocaba, todos os irmãos foram feitos gentis-homens do paço, um deles recebeu a patente de coronel e dois primos passaram ao cargo de guarda-roupas do imperador.

No entanto, João de Castro não usufruiria por muito tempo do seu novo título. Acamado desde meados de outubro, recebeu a extrema-unção no dia 18, por volta das dez da noite. O imperador demonstrou publicamente seus sentimentos: acompanhado da imperatriz e de d. Maria da Glória, agora rainha de Portugal, visitou o visconde de Castro e foi com a família rezar pela melhora do militar. Além disso, teria passado quase uma semana à cabeceira do doente, servindo quase como enfermeiro.

O visconde de Castro morreu aos 85 anos em 2 de novembro de 1826. Seu faustoso funeral, com convites, velas, músicos, tochas e diversas missas, foi pago pelo imperador, que não era conhecido por ser financeiramente generoso com a família, quanto mais com amigos. D. Pedro perdia o pai biológico no começo do ano e o pai afetivo, "seu velho" João de Castro, no final. Em seus arroubos característicos, fez pelo "pai brasileiro" o que não pôde pelo português.

A partida da aliada mais fiel

Até então, d. Leopoldina suportara calada tudo o que tinha vindo da parte do marido, mas d. Pedro passara todos os limites ao abandonar a própria casa por dias a fim de servir de enfermeiro à cabeceira do moribundo visconde. A imperatriz enfim explodia.

Segundo o cozinheiro do palácio, cujo relato o barão de Mareschal recolheu em um de seus informes a Viena, d. Leopoldina teria chegado a dar ao marido um ultimato: deveria escolher entre ela e a amante. Caso a escolhida fosse Domitila, que lhe fosse permitido retornar para junto de seu pai na Áustria.[211] No dia 22 de outubro, na ausência de qualquer resposta de d. Pedro, d. Leopoldina foi procurar o diplomata austríaco e comunicou-lhe suas aflições, sem contudo entrar em detalhes. No dia seguinte, carecendo de quaisquer notícias do imperador, teria mandado que arrumassem as roupas do marido e as levassem à casa da amante. Em vez de cumprir a ordem, um criado foi avisar a d. Pedro, que voltou o mais rápido possível ao Palácio de São Cristóvão, onde o casal teria discutido. O imperador, depois de muito gritar e esbravejar, atirou-se aos pés da imperatriz e pediu-lhe perdão.

Desde o início de novembro, d. Leopoldina não se encontrava bem de saúde: acometiam-na fortes dores na perna, coxa e pé. Além da indisposição física, havia também outra psíquica: por conta da relação aberta do marido com a amante, a imperatriz entrou em depressão. Chorava muito e dizia ter saudades de sua babá. Em 5 de novembro, deixou de comparecer à inauguração oficial da Academia Imperial de Belas Artes porque estava, segundo as memórias do visconde de São Leopoldo, “incomodada”. A depressão, já observada em 1825 pela viajante inglesa Maria Graham, piorou com a nova gravidez.

Não era apenas d. Leopoldina que não estava bem. A Guerra da Cisplatina virou um sorvedouro de homens e dinheiro, ameaçando agora até mesmo a existência das antigas fronteiras meridionais a oeste de Livramento. A desorganização das tropas e da administração no sul do país era tão grande que d. Pedro, levando reforços, resolveu partir pessoalmente para a frente de batalha. Antes da partida, inicialmente prevista para 20 de novembro, teria havido um beija-mão na corte em despedida ao imperador. O que aconteceu nesse evento, por não haver relato de nenhuma testemunha ocular, tem sido motivo de especulação até os dias de hoje.

Com base em informes diplomáticos e relatos colhidos por viajantes, pode-se inferir que d. Pedro, na tentativa de apaziguar os ânimos, buscou colocar d. Leopoldina e Domitila juntas, lado a lado, durante o beija-mão. Assim, demostraria à corte que estava tudo em paz e que os acontecimentos do final de outubro, com a ameaça da imperatriz de deixar o Brasil, haviam sido apenas boatos. Ainda sem encontrar-se completamente restabelecida, d. Leopoldina não quis comparecer ao evento, sobretudo ao lado da marquesa. D. Pedro teria perdido a cabeça e, numa altercação com a imperatriz, provocado nela hematomas que foram notados pelo embaixador francês, o marquês de Gabriac.

Diz a lenda que, durante a discussão, d. Leopoldina teria caído por uma escada interna utilizada para ligar a parte íntima aos salões oficiais. Segundo boato que corre entre visitantes e funcionários do Museu Nacional, localizado no antigo palácio de São Cristóvão, essa escadaria seria amaldiçoada e faria vítimas graves até hoje. Se a queda da imperatriz tivesse acontecido, muito provavelmente ela teria quebrado alguns ossos, como aconteceu às demais vítimas dessa escada;

isso, por sua vez, não teria passado despercebido na corte. Na madrugada de 19 para 20 de março de 2012, durante os trabalhos da arqueóloga Valdirene do Carmo Ambiel, uma tomografia computadorizada realizada nos restos mortais da imperatriz constatou apenas que d. Leopoldina não tinha um dos dentes do siso. Nenhum osso quebrado havia ali, nenhum trauma que pudesse ter causado aborto ou óbito.

Apesar das comprovações científicas, os acontecimentos revelam que algo de fato pode ter ocorrido em 20 de novembro de 1826. D. Pedro, afinal, desistiu de embarcar naquela data, alegando como motivo o estado de saúde da esposa. D. Leopoldina, entretanto, não melhorou, e d. Pedro embarcou da mesma maneira três dias depois. Mareschal informou a Viena: "Tive a honra de vê-la e fui testemunha da maneira com que o imperador, que parecia fortemente comovido, lhe testemunhava seu pesar em abandoná-la nesse estado." A despedida entre marido e mulher foi eternizada pelo médico e historiador Melo Morais:[212]

> Na véspera da viagem do imperador para o Rio Grande do Sul ela [Leopoldina] lhe fez presente de um anel com dois pequenos brilhantes, cujo anel abrindo-se tinha dois corações com o nome de ambos: ela mostrando-lhe disse chorando: eu morro: você quando vier do Rio Grande já não me há de achar. Aqueles que na vida foram desligados sejam unidos depois da morte. Ele a abraçou, chorando ambos muito; e ela lhe disse: que tudo lhe perdoara, e nenhum rancor lhe tinha.[213]

A primeira parada de d. Pedro na viagem ao sul foi em Santa Catarina, aonde chegou cinco dias depois da partida e de onde escreveu, para a esposa e a amante, cartas praticamente idênticas, nas quais descrevia as particularidades da viagem. Na carta para Domitila, porém, havia um estendido final apaixonado.[214]

Enquanto isso, na corte, a saúde da imperatriz declinava. O barão de Mareschal insistiu em que os médicos publicassem boletins diários sobre a evolução da paciente e mudou-se para o Palácio de São Cristóvão durante sua enfermidade.

Em um dos informes que enviou ao governo austríaco, o diplomata afirmou que Domitila dera provas de imprudência e tolices, sendo aconselhada a fingir indisposição e não aparecer mais no paço enquanto a imperatriz não melhorasse. O conselho, porém, não surtiu efeito, e em novo relatório Mareschal afirmou:

> Restringi-me estritamente a estar presente, nada aconselhei e nada exigi e observei com olho frio os ares imperiosos da amante, que atravessou os apartamentos como se viesse para tomar posse, e o tom arrogante e escandaloso com que se

> queixava de que a camareira-mor que, segundo o costume, presidia à consulta dos médicos, não abandonava tudo para recebê-la.

Logo os cariocas ficaram sabendo da doença da imperatriz. O embaixador da Prússia, Theremim, oficiava a Berlim:

> O povo encontrava-se literalmente de joelhos implorando ao Todo-Poderoso pela conservação da imperatriz. As igrejas nunca se esvaziaram, e nas capelas domésticas todo mundo ficava prostrado de joelhos. Os homens formavam procissões, não das do tipo comum que importunam, mas com verdadeira devoção, onde corriam muitas lágrimas.

Com a ausência de d. Pedro da corte e a doença de d. Leopoldina, Domitila percebeu que cargo e título não compravam respeito. A camareira-mor, marquesa de Aguiar, proibiu que qualquer pessoa entrasse nos aposentos da imperatriz, a fim de evitar que a amante perturbasse a doente. Os ministros chegaram a cogitar que a marquesa fosse enviada para fora do Rio de Janeiro, mas não conseguiram aprovar a moção por unanimidade e desistiram da ideia. Informada do fato pelo ministro da Justiça, Domitila enfureceu-se. Segundo o negociante inglês John Armitage, ela teria tentado forçar a passagem para entrar nos aposentos de d. Leopoldina, sendo porém barrada pelo marquês de Paranaguá, que se postou diante da porta do quarto e afrontou-a: "Tenha paciência, senhora marquesa, vossa excelência não pode entrar."

Presa à cama com dores, tosse, diarreia e febre durante catorze dias, d. Leopoldina abortou um feto masculino em 2 de dezembro. Até os dias de hoje, não obstante os exames no cadáver da imperatriz, existe quem acredite na lenda de que o aborto e sua subsequente morte teriam sido causados por um chute que d. Pedro lhe dera antes de partir para o sul, ou ainda que todo o quadro clínico de d. Leopoldina estaria ligado ao fato de ter sido jogada escada abaixo pelo marido.

Segundo os boletins médicos existentes, o feto abortado pela imperatriz tinha entre dois meses e meio e três. Nesse período da gestação, o feto dentro do útero está bem protegido pelo anel ósseo formado pela sínfise púbica, pelo ilíaco e pelo sacro. Um simples pontapé, por mais forte que fosse d. Pedro, não destruiria esses ossos e atingiria o útero. Além disso, mesmo se fosse esse o caso, o óbito e a expulsão do feto ocorreriam em questão de horas, e não dias. D. Pedro teria batido na esposa em 20 de novembro; no dia 23, ele embarcou; o navio partiu no dia 24, e o aborto ocorreu somente em 2 de dezembro.

Depois disso, d. Leopoldina entrou em delírio quase contínuo, no qual maldizia Domitila e mandava afastar a duquesa de Goiás de seus filhos. No dia 4, teve uma leve melhora, confessou-se e recebeu os sacramentos. Em seguida, teria rogado para ver os criados e lhes pediu perdão por qualquer ofensa que pudesse ter cometido. Pedia constantemente para ver os filhos, que lhe eram levados. D. Maria da Glória, com sete anos, ficou bastante impressionada com a agonia da mãe.

A virada do dia 10 para 11 de dezembro foi assim descrita por Mareschal:

> Sua Majestade continuava a estar num estado convulsivo, o desânimo aumentando a cada momento e não lhe permitindo mais do que tons de fracos gemidos; a respiração extremamente curta, o pulso muito fraco depois de 24 horas; enfim às 10 horas da manhã a morte terminou os seus sofrimentos, sem esforço, sem estertor, suas feições de modo algum eram alteradas, e ela parecia ter adormecido pacificamente e na posição mais natural.

Ainda em informe ao governo austríaco, o diplomata informou que d. Leopoldina faleceu sem deixar disposições testamentárias, o que vai contra uma suposta carta ditada pela imperatriz nos momentos finais de sua vida. Essa missiva seria uma das "provas" das agressões sofridas pela monarca antes da partida de d. Pedro.

Uma carta estranha

A carta, endereçada à irmã Maria Luísa, ex-imperatriz dos franceses, teria sido ditada por d. Leopoldina à marquesa de Aguiar em 8 de dezembro. Nela, a imperatriz relatava as agruras pelas quais vinha passando: "Há quase quatro anos, minha adorada mana, como vos tenho escrito, que por amor de um monstro sedutor me vejo reduzida ao estado da maior escravidão e totalmente esquecida do meu adorado Pedro."

Este trecho da carta faz eco aos comentários do povo de que d. Pedro a teria maltratado: "[...] Maltratando-me na presença daquela mesma que é a causa de todas as minhas desgraças. Muito e muito tinha a dizer-te, mas faltam-me forças para me lembrar de tão horroroso atentado que será sem dúvida a causa de minha morte."

Caderno de imagens

Infante d. João, futuro rei d. João VI, filho de d. Maria I e de d. Pedro III
COLEÇÃO MUSEU DA INCONFIDÊNCIA/ IBRAM/MINC – MINAS GERAIS

D. Carlota Joaquina, infanta da Espanha, aos 10 anos, em 1775
Pintura de Mariano Salvador Maella
COLEÇÃO MUSEU DO PRADO, MADRI

D. Maria I, rainha de Portugal, avó de d. Pedro
O.S.T. atribuido a Giuseppe Troni
COLEÇÃO PALÁCIO NACIONAL DE QUELUZ, PORTUGAL

D. Pedro entre três e quatro anos de idade
O.S.T. atribuído a Augustin Esteve (circa 1800)
COLEÇÃO PARTICULAR – SÃO PAULO

D. Pedro com seis anos
Pastel sobre papel feito por d. Maria Francisca Benedita, sua tia-avó, 1804
COLEÇÃO PALÁCIO NACIONAL DA AJUDA, PORTUGAL

D. Pedro criança, miniatura em marfim
MUSEU IMPERIAL/IBRAM/MINC – PETRÓPOLIS

D. Pedro com 19 anos
Têmpera sobre marfim (miniatura)
Jean Phillipe Goulu, RJ, 1817
PALÁCIO NACIONAL DE QUELUZ, PORTUGAL

D. João VI e d. Carlota Joaquina
Pintura de Manuel Dias de Oliveira (circa 1815)

Desembarque de d. Leopoldina no Arsenal da Marinha, em novembro de 1817. De costas, em primeiro plano, d. Pedro de braço dado com d. Leopoldina. À direita na tela, os irmãos de d. Pedro. Diante do casal está d. Carlota Joaquina, com um toucado de plumas vermelhas, e entrando na carruagem, d. João VI. – O.S.T. de Jean Baptiste Debret, 1818
MUSEU NACIONAL DE BELAS ARTES/IBRAM/MINC, RIO DE JANEIRO

D. Pedro e d. Leopoldina na reunião ocorrida na Real Quinta da Boa Vista na noite de 7 de novembro de 1817. O casal dança a música "Augurio de felicità" tocada ao piano pela princesa d. Maria Teresa. Ao fundo a corte reunida e d. João VI no trono.
AQUARELA SOBRE CARTÃO. COLEÇÃO PARTICULAR

Arquiduquesa Maria Leopoldina da Áustria
Aquarela sobre cartão (miniatura), Friedrich Johann Gottlieb Lieder, circa 1815

D. Leopoldina
O.S.T., Joseph
Kreutzinger, circa 1817
COLEÇÃO
KUNTSHISTORISCHES
MUSEUM, VIENA

D. Pedro e d. Leopoldina, como príncipes do Reino Unido de Portugal, Brasil e Algarve – GRAVURAS DE JEAN FRANÇOIS BADOUREAU, A PARTIR DE DESENHO DE JULES ANTOINE VAUTIER. LISBOA, PORTUGAL, 1821

D. Pedro I, imperador do Brasil
MINIATURA, MUSEU IMPERIAL/IBRAM/MINC – PETRÓPOLIS

D. Leopoldina, imperatriz do Brasil
MINIATURA, GUACHE SOBRE CARTÃO – MUSEU IMPERIAL/IBRAM/MINC – PETRÓPOLIS

Proclamação da Independência
O.S.T., François René Moreaux, 1844
MUSEU IMPERIAL/IBRAM/MINC – PETRÓPOLIS

Independência ou morte
O.S.T., Pedro Américo, 1888
COLEÇÃO MUSEU PAULISTA/USP – SÃO PAULO

Coroação de d. Pedro I como imperador do Brasil na Capela Imperial. D. Pedro sentado no trono; no extremo oposto, no alto, aparecem na tribuna de honra d. Leopoldina e a princesa d. Maria da Glória, futura rainha d. Maria II de Portugal

O.S.T. JEAN BAPTISTE DEBRET, 1826 –
MUSEU NACIONAL DE BELAS ARTES/IBRAM/
MINC – RIO DE JANEIRO

Leque comemorativo à Constituição Brasileira
MUSEU IMPERIAL/IBRAM/MINC – PETRÓPOLIS

Medalha-estojo com a Constituição Imperial
MUSEU IMPERIAL/IBRAM/MINC – PETRÓPOLIS

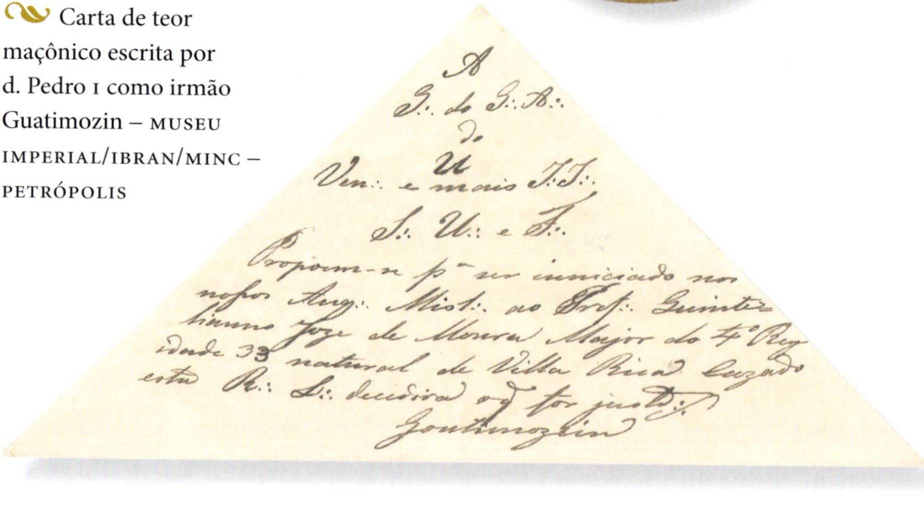

A
G.: do G.: A.:
do
U
Ven.: e mais II.:
S.: U.: e F.:
Propome-se p.ª ser iniciado nos nossos Aug.: Mist.: ao Prof.: Quintiliano Joze de Moura Major do 4º Reg. idade 33 natural de Villa Rica casado esta R.: L.: decidira o q̃ for justo.
Guatimozin

Carta de teor maçônico escrita por d. Pedro I como irmão Guatimozin – MUSEU IMPERIAL/IBRAN/MINC – PETRÓPOLIS

D. Pedro I, imperador do Brasil. Ao fundo, a baía de Guanabara, em primeiro plano, o outeiro e a igreja de N. Senhora da Glória, e, em segundo plano o Pão de Açúcar
O.S.T., Henrique José da Silva, RJ, 1824
MUSEU IMPERIAL/IBRAN/MINC - PETRÓPOLIS

D. Pedro e d. Leopoldina visitando os órfãos da Casa dos Expostos
O.S.T. Simplício Rodrigues de Sá, 1826
FUNDAÇÃO ROMÃO DUARTE, RIO DE JANEIRO

Rainha d. Maria II
O.S.T. Thomas Lawrence, 1829 – ROYAL COLLECTION, LONDRES

Retrato de d. Pedro I, imperador do Brasil, circa 1830 – O.S.T. Manuel de Araújo Porto-Alegre, Rio de Janeiro.
MUSEU IMPERIAL/IBRAM/MINC – PETRÓPOLIS

AO LADO ACIMA:
Domitila de Castro do Canto e Melo, marquesa de Santos
O.S.T. s/autor, circa 1830.
MUSEU HISTÓRICO NACIONAL/IBRAM/MINC
RIO DE JANEIRO

Conselheiro Francisco Gomes da Silva, o Chalaça
O.S.T. Rodrigo Simplício de Sá, circa séc. XIX
MUSEU HISTÓRICO NACIONAL/IBRAM/MINC

D. Maria Isabel

D. Maria Francisca de Assis

D. Isabel Maria

D. Maria Teresa

D. Maria da Assunção

D. Ana de Jesus Maria

O.S.T. Nicolas Antoine Taunay, circa 1816

COLEÇÃO PALÁCIO NACIONAL DE QUELUZ - PORTUGAL

Imperatriz Amélia
Litografia, Henri Grevedon, 1830
COLEÇÃO CLÁUDIA THOMÉ WITTE

NA PÁGINA AO LADO:
Infante d. Miguel
O.S.T. Johann Nepomuk Ender, 1827, Viena
COLEÇÃO PALÁCIO NACIONAL DE QUELUZ - PORTUGAL

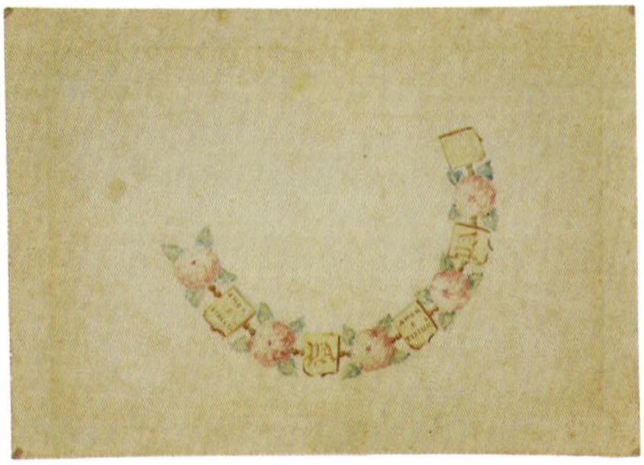

Esboços do projeto para a Ordem da Rosa, mandada fazer por d. Pedro I em comemoração ao seu casamento com d. Amélia de Leuchtenberg
Aquarelas sobre cartão, Pezerat e Eugene de la Michellerie, 1829
COLEÇÃO MUSEU IMPERIAL/IBRAM/MINC - PETRÓPOLIS

Ordem da Rosa, criada por d. Pedro como forma pública de demonstrar a sua regeneração moral.
Cercada de minirrosas, a condecoração possui em uma das faces, no centro, os monogramas entrelaçados de d. Pedro e d. Amélia com a inscrição "Amor e Fidelidade" escrito ao redor, e na outra face a data do casamento no centro e os nomes "Amélia" e "Pedro".
COLEÇÃO CLÁUDIA THOMÉ WITTE

Bênção matrimonial de d. Pedro I e d. Amélia de Leuchtenberg na Capela Imperial, Rio de Janeiro. Atrás de d. Pedro I, veem-se os filhos representados, em primeiro plano, d. Pedro II, seguido de d. Januária, d. Paula Mariana e d. Francisca

O.S.T. JEAN BAPTISTE DEBRET, CIRCA 1830

Aquarela de Auguste Pallière retratando a chegada de d. Amélia à Quinta da Boa Vista, Rio de Janeiro

COLEÇÃO MUSEU IMPERIAL/IBRAM/MINC - PETRÓPOLIS

Meu Querido Paye e meu Sen

Tenho tantas saudades de

V M I e tanta penna

de lhe não beyjar a mão

como obediente e respeit

zo filho

Pedro

Peço a V M

I hum bocadinho

de cabello de V M I

[illegible]

D. Pedro II com cerca de três anos
Guache sobre cartão, Nicolas Antoine Taunay
MUSEU IMPERIAL/IBRAM/MINC – PETRÓPOLIS

NA PÁGINA AO LADO:
Cartas de despedida dos filhos a d. Pedro.
À esquerda, a da princesa d. Paula Mariana.
ARQUIVO HISTÓRICO DO MUSEU IMPERIAL/
IBRAM/MINC - PETRÓPOLIS

D. Pedro, duque de Bragança
O.S.T. atribuido a João Baptista Ribeiro, 1834
COLEÇÃO MUSEU IMPERIAL/ IBRAM/MINC - PETRÓPOLIS

Caricatura representando d. Miguel, à direita, com o czar da Rússia, chefe da Santa Aliança, e do outro lado d. Pedro, com o rei da França, Luís Filipe, apoiando-o contra o irmão – Litografia colorida, Honoré Daumier, 1832
COLEÇÃO MUSEU IMPERIAL/ IBRAM/MINC – PETRÓPOLIS

Litografia colorida representando a vitória constitucional. No alto, da esquerda para a direita, d. Amélia, d. Pedro e d. Maria II de Portugal. Abaixo, d. Pedro restitui aos portugueses a Constituição e a rainha
Litografia colorida, 1833 – COLEÇÃO MUSEU IMPERIAL/IBRAM/MINC - PETRÓPOLIS

D. Pedro

Desenhado do natural no dia 25 de Setembro de 1834

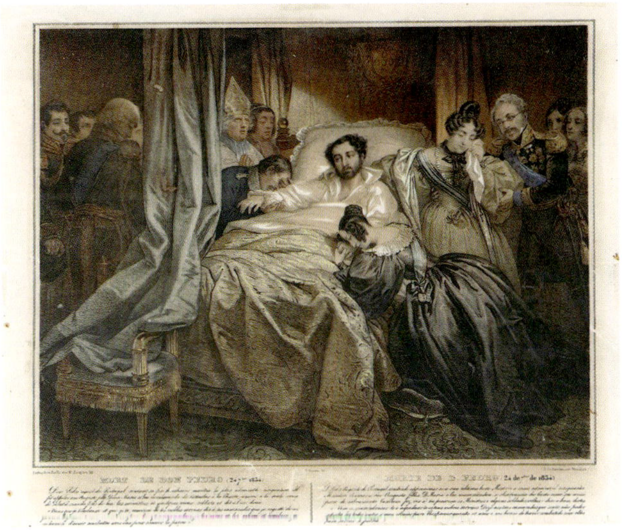

Morte de D. Pedro. D. Maria II está ajoelhada junto à cama do pai, enquanto d. Amélia está em pé, à direita, sendo consolada pelo marechal Saldanha
Desenho e litografia feita por Nicolas-Eustache Maurin, Paris, 1836
COLEÇÃO PALÁCIO NACIONAL DE QUELUZ - PORTUGAL

D. Pedro II, no centro, d. Francisca, à esquerda, e d. Januária, à direita, em luto pela perda do pai. Litografia, Félix Émilie Taunay, s.d.
COLEÇÃO MUSEU IMPERIAL/IBRAM/MINC – PETRÓPOLIS

NA PÁGINA AO LADO:

Desenho de d. Pedro morto feito por José Joaquim Rodrigues Primavera em 25 de Setembro de 1834. Esse desenho, que serviu de base para uma gravura feita por Maurício José do Carmo Sendim, litografada por Dias da Costa, foi ofertada ao filho de d. Pedro, d. Pedro II, em sua primeira visita a Portugal. O original encontra-se no ARQUIVO HISTÓRICO DO MUSEU IMPERIAL, EM PETRÓPOLIS

D. Amélia viúva e d. Maria Amélia, filha do segundo casamento de d. Pedro I
Litografia colorida à mão, executado por Fidelino José da Silva, circa 1840
COLEÇÃO MUSEU IMPERIAL/IBRAM/MINC - PETRÓPOLIS

D. Pedro II com aproximadamente 21 ANOS O.S.T., Antônio Araújo de Souza Lobo, circa 1850
COLEÇÃO MUSEU NACIONAL DE BELAS ARTES/IBRAM/MINC — RIO DE JANEIRO

NO ALTO, À ESQUERDA:
D. Pedro aos 50 anos
Foto de Matthew Brady, 1876
LIBRARY OF CONGRESS - WASHINGTON

D. Pedro aos 14 anos
Litografia, s.a., s.d
COLEÇÃO MUSEU IMPERIAL/IBRAN/MINC - PETRÓPOLIS

D. Pedro II aos 46 anos
O.S.T. Pedro Américo, 1872
COLEÇÃO MUSEU IMPERIAL/IBRAM/MINC - PETRÓPOLIS

Maria Isabel de Alcântara e Bourbon, condessa de Iguaçu por casamento
Última filha de d. Pedro com a marquesa de Santos – O.S.T. Ferdinand Krumholz, 1851
COLEÇÃO MUSEU HISTÓRICO NACIONAL/IBRAM/MINC – RIO DE JANEIRO

D. Francisca, princesa de Joinville
O.S.T. Franz Xaver Winterhalter, 1846

NA PÁGINA AO LADO:

A "princesa flor" d. Maria Amélia, filha de d. Pedro com d. Amélia
O.S.T. Friedrich Dürck, circa 1849
COLEÇÃO MUSEU IMPERIAL/IBRAM/MINC – PETRÓPOLIS

Condecorações encontradas com d. Pedro:

Ordem do Tosão de Ouro
@ FOTO DE VICTOR HUGO MORI

Placa da Ordem da Torre e Espada
@ FOTO DE VICTOR HUGO MORI

Placa das Três Ordens Militares (de Cristo, São Bento de Avis e Santiago da Espada)
@ FOTO DE VICTOR HUGO MORI

Crânio de d. Pedro, foto realizada durante os trabalhos de exumação dos primeiros imperadores do Brasil, na Cripta Imperial do Monumento à Independência, em São Paulo
@ FOTO DE MAURICIO DE PAIVA

Reconstrução facial forense de d. Pedro realizada por Cícero Dias em 2019.

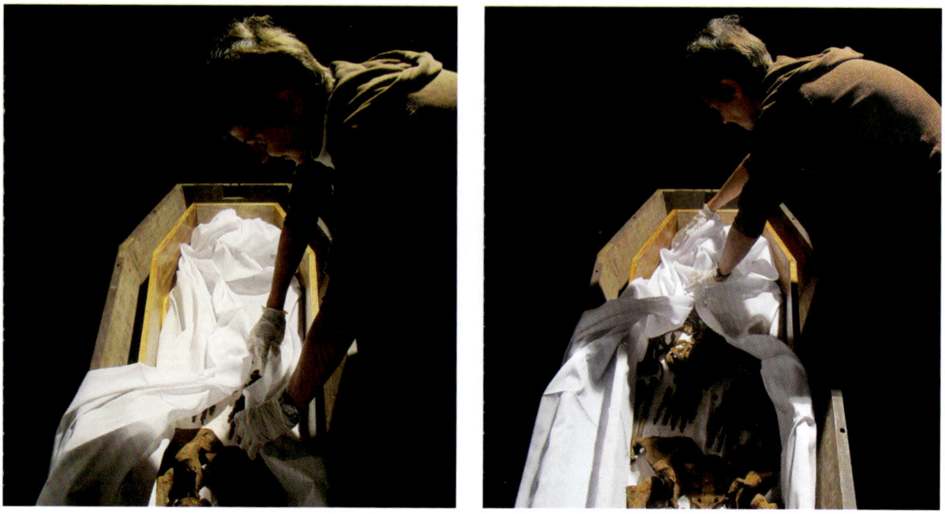

A arqueóloga Valdirene Ambiel amortalhando a ossada de d. Pedro
@FOTO DE VICTOR HUGO MORI

Após limpos e tratados, os restos mortais de d. Pedro ganham novo repouso
@ FOTOMONTAGEM DE VICTOR HUGO MORI

Faltavam-lhe forças para se lembrar do "horroroso atentado", mas não para continuar ditando mais da metade do total da carta, falando sobre credores e as dívidas que estes haviam contraído para ajudá-la financeiramente.

Em outra parte, d. Leopoldina descreve a pessoa a quem a carta está sendo ditada: "A marquesa de Aguiar, de quem bem conheceis o zelo e o amor verdadeiro que por mim tem, como repetidas vezes te escrevi, essa minha única amiga que tenho, é quem lhe escreve em meu lugar."

No fim, ela manda recomendações para que paguem tudo o que deve aos credores, além de dispor que os filhos sejam educados pela marquesa de Aguiar até que "o meu querido Pedro não disponha em contrário".

Essa carta vem sendo aceita e defendida cegamente por grande parte dos historiadores, sem questionamento algum — qual um dogma. Afinal, compõe o tentador quadro da esposa mártir ao qual o mito de d. Leopoldina se amalgamou e do qual grande parte dos estudiosos se servem. Todavia, uma análise desapaixonada e fria levanta alguns questionamentos:

1) Em nenhuma outra carta conhecida d. Leopoldina trata a irmã por "mana". Sempre a chama de caríssima ou queridíssima Luísa,[215] independentemente de a mensagem seguir por correio diplomático ou por mensageiro particular de confiança. Se d. Leopoldina alguma vez escreveu queixando-se de Domitila para a irmã, essas cartas foram destruídas por Maria Luísa, pois nunca apareceram — ao contrário das missivas em que a imperatriz faz menção à amante do marido e foram endereçadas aos secretários Flach e Schäffer.

2) A marquesa de Aguiar não é mencionada em nenhuma outra das mais de trezentas cartas conhecidas da imperatriz.

3) O tipo de tratamento dispensado à irmã na missiva não era o usual. Para ilustrar melhor a questão, segue um poema escrito pelo poeta russo Puchkin em 1828. Ele ilustra bem a questão da utilização dos pronomes pessoais "tu" e "vós":

Ela o vós neutro, sem querer,
Trocou no tu afetuoso; Fez-me de ventura nascer
Sonhos do espirito amoroso.
Demoro, pensativo, ali:
Não mais vê-la é-me impensável.
E digo: "Como sois amável!"
Mas penso: "Como quero a ti!"[216]

O poema mostra a diferença de intimidade no uso dos dois pronomes pessoais. Em alguns países europeus — a Alemanha, por exemplo —, é até hoje impensável chamar alguém com quem temos pouca familiaridade pelo pronome "tu", uma vez que é íntimo demais.

D. Leopoldina, em todas as demais cartas à irmã, trata-a com a familiaridade que é própria aos parentes, usando "você" e "tu". Na última carta, porém, assume uma postura que denuncia falta de intimidade com a interlocutora, e, até mesmo, grande respeito, ao se utilizar da segunda pessoa do plural, o "vós". Por que faria isso em sua carta de despedida? Fantasiosa seria a hipótese de a marquesa de Aguiar substituir o "tu" afetuoso pelo "vós" majestático na carta que a ama moribunda ditava à ex-imperatriz dos franceses: "Não vos tornarei a ver! Não poderei outra vez repetir que vos amava, que vos adorava!"

4) Em parte da missiva, há uma menção direta ao embaixador austríaco: "Faltaria ao meu dever se além de ter declarado ao Mareschal e ao Cadolino que tenho dívidas contratadas para sustentar os pobres [...]." O diplomata austríaco, pela carta, teria sido informado por d. Leopoldina desses débitos e tinha recomendação para pagá-los, o que contraria o relato de Mareschal, que mencionou a Viena a falta de disposições da imperatriz.

Todos os que se ocuparam do estudo dessa carta serviram-se, até hoje, de uma cópia que hoje está no Arquivo Histórico do Museu Imperial. A original nunca foi encontrada nem no Brasil, nem no exterior. A cópia que existe em Petrópolis está escrita em português, com uma única frase em francês dizendo que a transcrição foi feita de acordo com um original expedido em 12 de dezembro de 1826. Essa versão apareceu no Rio de Janeiro em 5 de agosto de 1834 — quase oito anos após a morte da imperatriz — para ser registrada com o tabelião Joaquim José de Castro. Testemunharam: César Cadolino, J. M. Flach, J. Buvelot e Carlos Heindricks. Desses, comprovadamente com dois, Cadolino e Flach, d. Leopoldina contraíra grandes dívidas.

Sendo falsa, a carta poderia servir a dois propósitos: primeiro, confessaria as dívidas da imperatriz; depois, acusaria d. Pedro de matar a esposa, denunciando seus abusos. Essa não seria a única carta suspeita contra o imperador a surgir no Brasil durante a década de 1830, como veremos adiante.

Alegoria em que d. Leopoldina aparece no céu enquanto, na terra, choram por ela. Ao fundo, no centro da gravura, pode ser vista a Quinta da Boa Vista.

O Brasil sem d. Leopoldina

Com a morte da imperatriz, o Rio de Janeiro caiu em pranto convulso. Os sinos dobravam toque de finados e os canhões das fortalezas disparavam de dez em dez minutos. Até o final da tarde, toda a população vestia luto. Não havia casa em que ao menos um morador não tivesse ido mais de uma vez aos portões do palácio, a fim de saber notícias da saúde da imperatriz. O alemão Carl Seidler notou as faces mudas de dor e desespero de negros, mulatos, portugueses, ingleses, italianos e alemães. Todos choravam a morte de Leopoldina. Maria Graham anotou que "os pobres negros andaram pelas ruas por muitos dias gritando: Quem tomará agora o partido dos negros? Nossa mãe se foi!".

O ódio e a frustração que a população sentia, obviamente, voltaram-se contra a amante. O batalhão de mercenários alemães ameaçou rebelar-se. O palacete de Domitila foi apedrejado, e seu cunhado Carlos Oliva, baleado. Acusavam abertamente a marquesa de, em conluio com o barão de Inhomirim, médico de d. Leopoldina, tê-la envenenado. O ministro da Guerra e o intendente-geral da polícia movimentaram-se para proteger a favorita do imperador em sua ausência.

O caos que imperou durante a doença e a morte de d. Leopoldina não deixou de atingir o próprio ministério, que, por incompetência ou excesso de pruridos diplomáticos, recusou a ajuda de navios britânicos e franceses. Estes poderiam ter entregado rapidamente os despachos referentes à doença e morte da imperatriz a d. Pedro. Porém, por não acharem "decoroso", os ministros não pediram ajuda ao embaixador britânico, que logo teria deslocado um navio da frota do Atlântico e levado o imperador de volta ao Rio, na esperança de que pudesse encontrar a esposa ainda com vida. Em vez disso, os ofícios sobre a doença de d. Leopoldina chegaram junto com a notícia de seu falecimento, levados por um navio norte-americano.

Ainda no sul, d. Pedro havia recebido informes desencontrados. Os ministros contavam que a capital estava em polvorosa e insinuavam sobre as causas morais que teriam levado d. Leopoldina a óbito. Enquanto isso, o intendente-geral da polícia tranquilizava o imperador: corrigindo o relatório dos ministros, dizia que o Rio de Janeiro estava em paz. Quem desempatou foi Domitila, que escreveu a d. Pedro dizendo que a morte de d. Leopoldina tinha servido de desculpa para ser insultada. Ela fora proibida de entrar no paço e suspeitava de que os ministros tivessem instigado o povo contra ela. O gabinete conspirava para criar uma regência para d. Pedro II e aprisionar o imperador no sul. Domitila implorava pela volta do amante. O próprio barão de Mareschal diria a d. Pedro, quando de seu desembarque, que se a imperatriz houvesse falecido entre os dias 5 e 6, provavelmente teria estourado uma revolução na capital.[217]

O imperador mostrou-se o mais cauteloso possível em seu retorno. Deu ordens para que o pavilhão imperial não fosse hasteado no navio e tomou providências para não demonstrar que estava chegando. Ao se avistarem dois navios de guerra brasileiros entrando no porto, em meados de janeiro, acharam que o imperador estivesse a bordo, mas d. Pedro fez os comandantes se comunicarem com a terra e avisarem que ele havia ficado no sul.

Ainda a bordo, d. Pedro escreveu a Domitila:

Bordo da nau Pedro Primeiro entrando no Rio de Janeiro a

15
18—27
1

Minha querida
filha do meu
coração e
minha amiga

Teu tio Manuel Alves, meu íntimo amigo e inseparável companheiro de dia e de noite, é portador deste. Ele, minha filha, te contará os incômodos, sofrimentos, aflições, pesares e, mais que tudo, o desgosto pela morte da minha adorada esposa. [...] Ele te contará do célebre sonho que tive em 11 do mês passado, que desde então data a minha aflição e disposições para vir unir-me contigo e junto de teu peito e sobre ele depositar minhas lágrimas. Eu tomo nojo por oito dias é esta a única razão que faz com que eu não vá logo, como desejava, [...] e sim vá à noite, como teu tio combinou contigo. Pedro Primeiro, que é teu verdadeiro amigo, saberá vingar-te de todas as afrontas que te fizeram, ainda que sua vida lhe custe. [...]

D. Pedro confiou-lhe de viva voz o sonho que teve no dia da morte da esposa. Infelizmente, só nos resta conjeturar que tenha tido uma premonição de algo errado no Rio de Janeiro e temido pela vida da amante e dos filhos.

O imperador desembarcou no Rio de Janeiro em 15 de janeiro de 1827. Ao chegar, praticamente escondido, dirigiu-se a São Cristóvão e tomou diversas providências. Uma delas foi escrever ao visconde de São Leopoldo ordenando que lavrasse os decretos de demissão dos ministros marqueses de Paranaguá, Baependi, Caravelas e Inhambupe.[218] Não somente o ministério seria limpo dos conspiradores e dos que afrontaram a amante de d. Pedro. Também seriam dispensados do paço o confessor e antigo professor, frei Antônio de Arrábida, bem como a camareira-mor, a marquesa de Aguiar.

Durante o ofício fúnebre em memória da imperatriz, realizado na Capela Imperial em 25 de janeiro, dia de São Paulo, d. Pedro pareceu bastante comovido aos membros do corpo diplomático e à corte, ora amassando um lenço contra os olhos inchados, ora concentrado em seu livro de orações. No meio do ofício, foi feita uma pausa de uma hora para o almoço, no qual d. Pedro foi servido em uma das tribunas junto da família de Domitila, que se encontrava novamente grávida.

O orador, frei Francisco do Monte Alverne, recordou uma das principais qualidades de d. Leopoldina — a virtude:

> Para gloria da dinastia imperial, a primeira imperatriz do Brasil será a desesperação de todas as que lhe sucederem. Para a glória da Religião, a virtude conduziu todos os seus passos; e quando a verdade apagando as inscrições pomposas, que a lisonja consagra aos reis, vier julgar suas ações, confessará que a imperatriz brasileira possuía um coração ainda maior que seus destinos, cioso do esplendor de seu augusto esposo, indiferente ao brilho efêmero do século, compadecido com os desgraçados; que ela foi religiosa sem fanatismo, grande sem altivez, modesta sem afetação, mãe carinhosa, esposa terna, o amor, as delícias, o objeto constante da saudade dos brasileiros.[219]

Parte dessa oração, proferida diante do imperador, de sua favorita e de toda a corte, externava uma preocupação latente: quem ocuparia o espaço deixado pela morte da imperatriz?

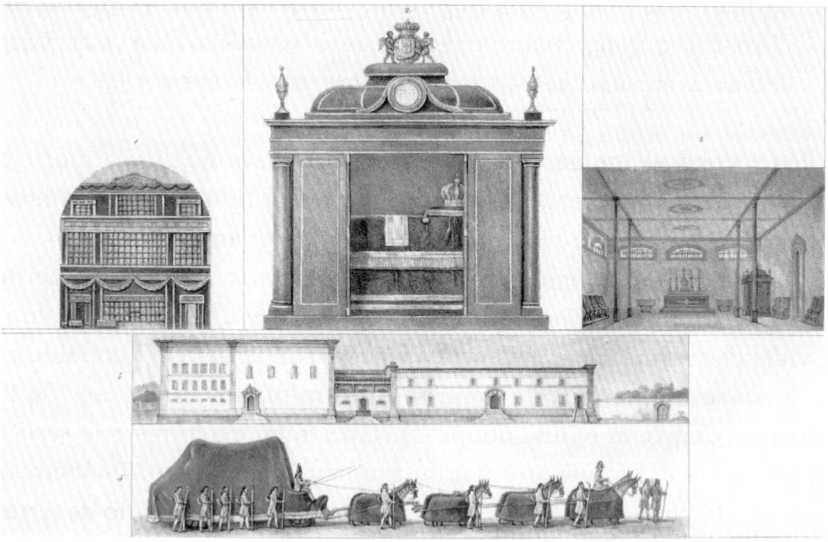

Acima, local de sepultamento de d. Leopoldina, no antigo Convento da Ajuda; abaixo, o carro funerário que conduziu seus restos mortais ao local de repouso.

Dias turbulentos

NO INÍCIO de 1827, aos 28 anos, d. Pedro era imperador do Brasil, ex-rei abdicante de Portugal — porém ainda cuidando dos negócios portugueses em nome da filha —, pai de cinco filhos (fora os bastardos), jovem cheio de responsabilidades e repleto de idiossincrasias. Ao mesmo tempo que procurava acertar de primeira tudo o que começava, parecia não ter tempo para esboços e arrependimentos — sobretudo arrependimentos. Ao menos até se achar viúvo.

Na abertura da Assembleia, em maio de 1827, os deputados e ministros viram um d. Pedro com que não estavam acostumados. O jovem imperante, ao ler a parte de sua fala em que se referia ao falecimento de d. Leopoldina, titubeou; sua voz enfraqueceu e as lágrimas correram pelo seu rosto.

O principal biógrafo de d. Leopoldina, Carlos Oberacker, tentou de todas as maneiras, no seu livro a respeito da primeira imperatriz brasileira, provar que ela não era feia. Esta era uma briga figadal que o autor tinha com Alberto Rangel, primeiro biógrafo da marquesa de Santos. Rangel acreditava que a falta de graça e de beleza de d. Leopoldina facilitara o advento de Domitila na vida de d. Pedro. Não podemos medir as belezas do passado senão pela estética da época. Além disso, se fosse para falarmos em beleza *versus* amor, poderíamos citar um exemplo contemporâneo, também da realeza: a princesa Diana, primeira esposa do príncipe Charles da Inglaterra, era jovem e bonita, mas foi preterida em favor de uma antiga amante casada, Camilla Parker-Bowles, mãe de família e catorze anos mais velha que a rival.

D. Pedro realmente amava a esposa, do seu jeito peculiar, como peculiares são todos os modos de se amar alguém. Ele escreveu um poema a respeito da perda de d. Leopoldina, esculpiu uma coroa de madeira para colocar sobre seu caixão, produziu uma placa para identificá-la. A falta da imperatriz, mulher mais experiente e mais culta — o que talvez pudesse até mesmo incomodar os brios de alguém tão poderoso como o imperador, a quem faltavam a cultura e a substância que a esposa possuía —, logo se fez notar.

A cena pública na abertura da Assembleia não seria a única. No dia do aniversário da duquesa de Goiás, também em maio, foi realizada uma festa em São Cristóvão na qual d. Pedro parecia ausente, distante. Em dado momento, a marquesa de Santos teria dado pela falta do amante, e ao procurá-lo pelos salões do palácio o teria encontrado abraçado a um retrato de d. Leopoldina, chorando. A relação entre Domitila e d. Pedro, após a morte da imperatriz, não terminou: continuaria por mais três anos. Entretanto, não teria mais o fogo e a paixão de antes. Por essa época, ele já assinava as cartas à marquesa usando a expressão "seu amo e senhor, o Imperador".

A morte de d. Leopoldina deixava um vácuo no poder que não se sabia se e por quem seria preenchido. Alguns cortesãos mais afoitos tentavam provar genealogicamente que Domitila descendia de Inês de Castro; tencionavam, assim, achar um rastro da realeza lusitana na favorita, a fim de torná-la candidata viável ao posto de imperatriz do Brasil.

Uma noiva para d. Pedro

Mas, apesar dos rumores (entre os quais aquele de que d. Pedro faria da amante duquesa do Grão-Pará ou de Santa Cruz), o imperador tinha noção que a principal figura depois dele no país havia já sido consagrada pelo povo como "anjo tutelar do império brasileiro", graças a seu envolvimento no processo da independência e à bondade com que tratava os que lhe pediam ajuda. Era necessário ocupar esse lugar com alguém que não fosse publicamente reconhecido como algoz de d. Leopoldina, o que era o caso da marquesa.

Passado o período inicial de luto, d. Pedro pediu conselhos ao ministro da Áustria no Brasil, o barão de Mareschal, quanto a um novo casamento. O diplomata preparou-lhe um dossiê em que expunha claramente os dois maiores entraves para conseguir uma nova esposa: a amante e a filha bastarda. D. Pedro afirmou que, quanto à duquesa de Goiás, não viveria sem a filha. Quanto à marquesa de Santos, ela estava no sétimo mês de gestação e não a mandaria embora da corte antes que tivesse a criança: não colocaria a mãe e o bebê em risco por decisões precipitadas.

Pelo relatório que Mareschal enviou a Viena, sabe-se que d. Pedro disse ter conversado com Domitila em 21 de junho de 1827 quando então pôs um fim no relacionamento. O imperador teria acordado com a ex-amante que lhe daria uma pensão e educaria tanto a duquesa de Goiás, como sempre quisera, quanto a criança que nasceria em breve. A marquesa teria o direito de escolher onde morar, mas o próprio d. Pedro a teria aconselhado a deixar a corte.

Em julho, d. Pedro, como homem aparentemente reformado, confessava em carta ao sogro que não fora um bom marido para d. Leopoldina, pedindo perdão a Deus por isso:

> [...] Toda a minha maldade acabou, que de hoje em diante não cairei nos erros em que até agora tenho caído e dos quais todos me arrependo e tenho pedido a Deus perdão, prometendo nunca mais os cometer, desejo casar-me para viver conforme a minha religião e edificando os meus súditos, que têm precisão de bons exemplos dados por mim.

Toda a Europa comentava a respeito do adultério de d. Pedro, como testemunha carta particular recebida por Albino José Barbosa de um ex-colega da Universidade de Coimbra, Joaquim Francisco de Sá:

> Lisboa, 14 de setembro de 1827,
>
> [...] Há muito que não temos notícia do Brasil, desejo saber se está com efeito concluída a paz entre Buenos Aires, o que muito desejo. Aqui se diz que S. M. desterrará a Marquesa de Santos, por lhe constar que se falava mal dele por causa dela etc. e gabam muito essa ação. Outrossim, dizem que ele mandará pedir a filha do Rei da Baviera. Valha a verdade. [...]

D. Pedro na realidade enganava o barão de Mareschal. Houve, sim, um real distanciamento entre os amantes a partir de 27 de junho. Mas eles continuavam se encontrando, principalmente à noite, na casa dela, depois que todos já haviam se recolhido. Voltava-se ao ritmo inicial do relacionamento — sem escândalos e sem alardes, com maior discrição, como bem comprovam as cartas trocadas. Quando havia alguém por perto, ele escrevia à marquesa como seu governante. Sozinho, a conversa era outra: "Ainda agora te respondi como imperador, agora te escrevo como teu filho, amigo e amante a mostrar-te que estou saudoso de ti."[220]

A escravidão: d. Pedro × Assembleia

Além dos negócios pessoais e os de Portugal, as preocupações de d. Pedro aumentavam a cada dia. A Guerra da Cisplatina estava longe de terminar, quanto mais com vitória favorável ao Brasil. O imperador tinha feito o que fazia de melhor: fora até o local verificar tudo o que estava errado; saíra emitindo decretos que demitiam funcionários corruptos e incompetentes, que nomeavam administradores capazes e que ordenavam a melhoria de instalações militares; e confraternizara pessoalmente com as tropas, o que deu novo ânimo à guerra ao final de 1826, quando esteve no sul. Os esforços de d. Pedro e do marquês de Barbacena, que assumiu o comando do exército, ajudaram a elevar o moral; o número de deserções caiu e aumentou o de voluntários. Entretanto, em fevereiro de 1827, o reestruturado exército do sul caiu em uma emboscada preparada pelos uruguaios e argentinos, na qual praticamente toda a cavalaria foi perdida, sendo obrigado a retirar-se para Porto Alegre. Por outro lado, as perdas argentinas foram grandes também, o que levou Barbacena a declarar que a Batalha de Ituzaingó fora, na realidade, um empate. A nota tragicômica dessa batalha ficou por conta de os argentinos terem tomado parte da bagagem do exército brasileiro. Numa arca, encontraram a Marcha da Vitória, escrita por d. Pedro especificamente para o desfile do exército brasileiro após ter ganhado a guerra. A partitura, nas mãos dos argentinos, se transformou na Marcha Ituzaingó, que até hoje é o hino da presidência da República Argentina.

A má vontade da maioria dos políticos da Assembleia para com a questão do sul do Brasil vinha do fato de o solo da região não ser próprio para a plantação de açúcar e café. Por conseguinte, os senhores escravocratas que dominavam a Câmara dos Deputados não tinham por que perder tempo defendendo um território que não lhes daria nenhum ganho importante. No entanto, outra questão, pendente desde 1826, explodiu na Assembleia no início da legislatura de 1827.

Das diversas cláusulas da convenção que d. Pedro havia acertado, em novembro de 1826, com o embaixador Charles Stuart, uma em particular acirrou os ânimos dos deputados: três anos após a assinatura, a Marinha Britânica transformaria em alvo de captura qualquer navio que transportasse escravos em direção ao Brasil.

Isso enfureceu a bancada escravocrata de Minas Gerais. O principal líder mineiro, Bernardo Pereira de Vasconcelos, pregava, por exemplo, que ninguém havia demonstrado cabalmente que a escravidão desmoralizava uma nação. Segundo ele, uma comparação entre o Brasil e outra nação sem escravos poderia provar seu ponto. Vasconcelos logo se tornaria o líder de toda a bancada escravocrata e conservadora da câmara, que não era pequena. O próprio jogo democrático ajudava a aumentar seu tamanho, pois, sendo o voto livre em uma sociedade estritamente escravista, raras seriam as vozes a favor da abolição — como as de d. Romualdo, Nabuco e poucos outros — que se ouviriam na Assembleia durante o Primeiro Reinado.

D. Pedro, que já dissera, à época do Fico, que seu sangue era igual ao dos negros, acreditava que ninguém tinha o direito de possuir outro ser humano como propriedade sua. Ele já havia libertado alguns escravos na fazenda de Santa Cruz e dado-lhes terra e emprego no mesmo local. Além disso, não se deixava transportar por escravos em liteiras ou cadeirinhas: sempre andava a cavalo ou de carruagem, geralmente dirigindo ele mesmo o veículo. Na viagem que fizera ao sul, conseguiu que dois escravos que o haviam ajudado fossem libertados por seus proprietários. Entretanto, como homem de contradições que era, também manteria negros e os venderia quando partisse do Brasil.

Mediante o acordo com a Inglaterra no final de 1826, d. Pedro buscava implementar de forma gradual a abolição no Brasil, usando para isso uma das disposições da Constituição: seu direito de assinar tratados internacionais sem que tivessem de passar por aprovação na Assembleia. Ao mesmo tempo, era esse corpo legislativo que fazia as leis e controlava a arrecadação tanto dos impostos quanto dos fundos governamentais. No fim, o imperador poderia decretar e assinar o tratado que quisesse: sem o apoio legislativo, nada seria posto em execução.

Em pouco tempo, a Assembleia, dominada por conservadores e escravocratas e jogando conforme as regras constitucionais, transformou-se em oposição ao imperador e seu ministério. Os deputados conseguiram aprovar leis que lhes possibilitavam controlar o sistema judiciário das províncias, e no final de 1827 o código penal proposto pela Assembleia estipulava a pena de morte, em caso de rebelião, quase apenas aos escravos, sendo virtualmente impossível, pela legislação, condenar homens livres por crimes de motim ou traição. Isso deixaria os republicanos e separatistas confortáveis com seus planos para o Brasil. Dominando a dotação do exército — e podendo, assim, enfraquecê-lo —, a Assembleia tinha condições de acabar com a unidade nacional caso minasse a autoridade de d. Pedro, o que o vinha deixando exasperado.

Além disso, fazia parte do tratado de 1826 o reconhecimento dos termos negociados com d. João quando da chegada da corte ao Brasil: os ingleses continuariam tendo tribunais e justiça próprios dentro do território brasileiro. O temor dos brasileiros estava em que, no caso de serem pegos (ou seja, estavam já cogitando burlar a lei que proibia o tráfico de escravos), seriam julgados por tribunais ingleses no próprio país, segundo a legislação da Inglaterra e não do Brasil.

Não era apenas aos brasileiros que desagradava a extraterritorialidade britânica no Brasil, mas também ao próprio d. Pedro. O imperador, no entanto, precisava dos ingleses e não queria melindrá-los — o que, porém, melindrava os brasileiros. Mais uma vez, uma força expedicionária britânica se encontrava em Portugal, a pedido de d. Pedro, para garantir a paz entre liberais e absolutistas. O imperador também precisava deles para conseguir imigrantes irlandeses para o Brasil.

Devido às complicações pela forma pouco ortodoxa que o enviado brasileiro, o dr. Flach, empregava para captar alemães para o Brasil, a emigração dos germânicos ficou suspensa na Europa. Além da substituição da mão de obra, d. Pedro queria imigrantes para o exército, sobretudo no intuito de engrossar as tropas no sul contra a Argentina. Entretanto, a imigração irlandesa tornou-se um problema no Rio de Janeiro, sendo uma das causas da revolta dos mercenários ocorrida em 1828.

A questão portuguesa: a previsão da infanta

Em 3 de julho de 1827, ao se aproximar o aniversário de 25 anos de d. Miguel (idade que lhe permitiria, segundo a Constituição portuguesa, assumir a regência), d. Pedro fez dele seu lugar-tenente e regente do reino de Portugal. O imperador recusou-se a escutar a infanta d. Isabel Maria, por quem talvez estivesse indisposto graças aos cortesãos portugueses que desembarcavam no Rio de Janeiro aos borbotões. Havia quem imaginasse que d. Isabel queria ser rainha, ou ao menos governar durante a menoridade da sobrinha. Em carta de agosto de 1826, ela lançou um alerta, antevendo o futuro com muito mais clareza do que d. Pedro:

> [...] Eu devo falar claro ao meu querido mano e rei no momento em que o mano Miguel entrar em Portugal. Portugal vai nadar em sangue e tudo está perdido. Ele não deve entrar em Portugal sem que a nossa legítima rainha chegue a idade de reinar, marcada pela Constituição, pelo menos sem que o sistema constitucional esteja arraigado e seguro entre nós; de outra sorte, eu repito, tudo está perdido... Pelo amor de Deus, meu mano, não se iluda a este respeito.[221]

Um atentado na Glória

Enquanto tudo isso se desenrolava na Europa, em 13 de agosto de 1827 Domitila deu à luz mais uma filha de d. Pedro, que foi chamada de Maria Isabel. O imperador a reconheceu[222] e tinha planos de, no futuro, conferir-lhe o título de duquesa do Ceará.[223] Foram seus padrinhos o futuro d. Pedro II e a duquesa de Goiás. Ao contrário das outras vezes, não ocorreu grande alarido na corte, e o batizado realizou-se sem a presença do pai.

Dois dias depois do nascimento da menina, haveria a tradicional festa da Irmandade da Glória, com um foguetório que atraía toda a nobreza e aristocracia carioca, incluindo a família imperial, devota como era da santa do outeiro. Naquele ano de 1827, porém, as pesadas chuvas impediram a festa, que foi adiada para o dia 19.

No mesmo dia, partia o marquês de Barbacena para a Europa. Após o fracasso de sua campanha no sul, Barbacena fora nomeado por d. Pedro para tratar do reconhecimento, pela Inglaterra e França, de d. Maria da Glória como rainha de Portugal; também caberia ao marquês avistar-se pessoalmente com o infante d. Miguel, em nome do imperador.

À noite, d. Pedro foi ao outeiro da Glória com a filha d. Maria da Glória, dedicada à santa, a fim de assistir à queima dos fogos de artifício na casa do barão de Sorocaba e da irmã de Domitila, Maria Benedita. Era comum que d. Pedro pernoitasse ali quando havia festas na comunidade. A propriedade era tão grande quanto a frequência do visitante nela, e sua presença constante fez com que Boaventura Delfim mandasse erguer outra construção no terreno somente para uso do monarca. Desse modo, ele poderia pousar na chácara dos barões de Sorocaba quando estivesse tarde demais para voltar a São Cristóvão ou aos aposentos no Paço da Cidade.

Domitila era ciumenta, o que fica evidente nas cartas que d. Pedro lhe enviava. A relação com a irmã Maria Benedita era repleta de brigas e altercações por conta do antigo caso dela com o imperador. Domitila não deve ter gostado de saber que o amante passara mais uma noite na casa dos barões de Sorocaba. No dia seguinte, após o festejo, o monarca partiu com Boaventura, seu administrador, para a fazenda de Santa Cruz.

Três dias depois, voltando de carruagem para casa durante a noite, Maria Benedita teve seu veículo alvejado a tiros. Ela não se feriu: teve apenas um vidro do veículo estraçalhado. Pedindo a seus criados que nada revelassem sobre aquilo, despachou um mensageiro a Santa Cruz para informar ao marido sobre a tentativa de assassinato. Na carta, a baronesa dizia que fora vítima de uma emboscada e que suspeitava que o tiro houvesse partido de um oficial do regimento de São Paulo, íntimo da marquesa. Declarou, ainda, que seu próprio irmão, José de Castro, estaria junto do soldado.

Tomando ciência do ocorrido, o imperador imediatamente acreditou na culpa da amante. Em mais um de seus rompantes, retornou à corte no dia 25 e recebeu o intendente-geral da polícia, Alberto Aragão, que leu para ele os relatos dos últimos acontecimentos. Por não saber do atentado da Glória ou não mencioná-lo, foi demitido durante a audiência. No dia seguinte, uma torrente de ordens choveu contra o palacete da marquesa, atingindo diversos alvos.

O imperador ordenou que Domitila e seus irmãos embarcassem imediatamente para a Europa[224] e retirou da marquesa a guarda de suas duas filhas, a recém-nascida Maria Isabel e a duquesa de Goiás, que foram morar com ele na Quinta da Boa Vista. Quem levou a ordem foi o bispo de São Paulo, d. Manuel Joaquim Gonçalves de Andrade, que se encontrava então no Rio de Janeiro. Amigo dos Castro Canto e Melo desde a época em que moravam em São Paulo, ele intercedeu junto ao imperador para que Domitila aguardasse o término do resguardo de parturiente. Em outubro, a marquesa prometia ir embora — não, porém, para a Europa, e sim para a cidade de Santos.

D. Pedro concordou com o acordo e começou a punir o restante dos envolvidos no caso. No começo de setembro, ordenou o embarque para o Recife do 5º Batalhão de Caçadores de Linha, estacionado em São Cristóvão. Também conhecido como Batalhão de São Paulo, era formado por moços de famílias paulistas, que tinham na marquesa praticamente uma madrinha. Ao comandante Carlos Maria Oliva, cunhado de Domitila, bem como a Pedro e José, irmãos da amante, d. Pedro ordenou que partissem do Rio de Janeiro e se juntassem às tropas na Cisplatina.

Segundo se especula, Domitila só tomaria ciência de que Rodrigo Delfim Pereira era filho de d. Pedro com a irmã em junho de 1827, quando a relação entre a marquesa e o imperador esfriara e ele começou a procurar uma nova esposa. Isso a teria motivado a tentar o assassinato. No entanto, poderia existir ainda outra motivação para o crime. Alguns cortesãos, cientes do desgaste para a imagem da monarquia que a relação do soberano com a marquesa vinha causando não só no Brasil, mas também entre os europeus, podem ter elaborado uma armadilha contra Domitila.

Seria difícil matá-la sem transformá-la em mártir e provocar uma caçada aos assassinos. Por outro lado, envolvê-la em um incidente de ciúmes contra a irmã seria tão escandaloso que o imperador teria de agir, como efetivamente o fez. Um dos que mais lucrariam com isso seria o barão de Mareschal e, por conseguinte, a Áustria, que, empenhada em ajudar d. Pedro a conseguir nova esposa na Europa, ficaria mais aliviada ao assegurar que Domitila não estava mais próxima do trono.

O próprio cunhado da marquesa poderia ter urdido o plano. A baronesa de Sorocaba não chamou a polícia, mas mandou um correio para a fazenda de Santa Cruz, onde estavam o marido e d. Pedro. O imperador, em carta a Domitila enviada meses depois, chamaria Boaventura Delfim de "barão de Soca-Rabo",[225] dizendo ter sido iludido por ele.

Até hoje não se tem qualquer indício do que efetivamente ocorreu e de quem teria sido o real culpado pelo atentado. O que se sabe é que, em determinado momento, d. Pedro teve certeza da inocência de Domitila, pois não se falou mais em exílio. A prova disso vem da retomada da correspondência entre os amantes em setembro. No dia 12 desse mês, a marquesa, "adornada e bonita", segundo o marquês de Gabriac, compareceu à sessão de gala no teatro imperial.

Como o relacionamento entre os dois retornara em segredo, os cortesãos não sabiam o que fazer, pois achavam que a amante do imperador havia caído em desgraça. Cumprimentar a marquesa seria uma afronta a d. Pedro? E se não a cumprimentassem, Domitila ficaria sentida? O monarca, ao perceber o espetáculo paralelo que havia sido criado, acabou com o clima ao acenar para ela de seu camarote. O barão de Mareschal, incomodado com tal gesto, pressionou o governo austríaco para que arranjasse logo uma noiva ao monarca, que começava a se queixar da falta de notícias de Viena.

As cartas trocadas entre os amantes comprovam que ambos voltaram a se relacionar na primeira quinzena de setembro, mas de maneira discreta. Arranjos para não aparecerem muito juntos no teatro também eram necessários:

> Como tu tens estado sem ires [...] ao Teatro, e tendo nós muito apetite de assistirmos à Comédia Francesa, e podendo-o não ir eu hoje ao Teatro, e ir depois de amanhã parecer combinação entre nós, [...] assentei de ir esta noite ao Teatro, um pouco para evitar todas as suspeitas e podermos viver sossegados. Eu bem conheço que muitos escrúpulos são maus; mas, neste nosso caso, e posição delicadíssima, convém muito uma perfeita fantasmagoria. Manda-me dizer o que te parece, que é impossível que te não pareçam duas coisas: primeira, muito escrúpulo; segunda, muito bom pensamento, para gozarmos um do outro sem que os outros se divirtam à nossa custa.[226]

No entanto, essa "fantasmagoria" e discrição cairiam por terra no aniversário de d. Pedro, em 12 de outubro, quando cobriria quase todos os que estiveram direta e indiretamente implicados no caso da tentativa de assassinato — parentes e amigos de Domitila — com títulos, cargos e comendas. Aquela era sua forma de se desculpar por tê-los considerado culpados pelo crime, segundo relatou em conversa com Mareschal em dezembro. As nomeações, contudo, caíram como uma bomba sobre a Europa e prejudicaram bastante seu projeto de se casar novamente.

A fama de d. Juan

O plano de deixar nas mãos da Áustria a seleção de uma noiva para o imperador teve momentos tragicômicos. Segundo relatório de 13 de maio de 1828 ao marquês de Aracati, ministro do Exterior, o marquês de Barbacena disse ter havido precipitação em ambas as cortes, mas que as faltas ocorridas em Viena foram piores.

Ainda segundo ele, que estava na Europa em missão confiada por d. Pedro, princípios básicos para nortear as conversações não foram respeitados. Nenhum soberano deveria pedir a mão de uma noiva sem ter certeza de que o pedido seria concedido; as consultas, portanto, deveriam ser feitas de maneira indireta, a fim de salvaguardar a dignidade do soberano em caso de negativa. Barbacena também achava que deveriam ser empregados, na tarefa, súditos do soberano pretendente, e não outros de quem não se podia exigir responsabilidade. Afinal, mesmo os estrangeiros não fazendo exatamente o que lhes fora pedido, era preciso ainda agradecê-los. Outro ponto era o segredo em que toda a negociação deveria ter ocorrido desde o início. Isso evitaria a intriga das potências que poderiam se sentir prejudicadas pela nova aliança matrimonial pretendida.

O marquês de Barbacena.

Se d. Pedro errou em dois pontos — tendo depositado o futuro do seu casamento nas mãos de um estrangeiro e dado ampla divulgação à ida para a Europa dos emissários que levavam os pedidos de casamento —, com relação a Viena Barbacena apontava, além de todos os três pontos, a precipitação e a falta de cuidado com que tudo fora feito, algo que não se esperaria nunca do caráter sério e contido dos alemães.

Em meados de 1827, chegaram a Viena cartas de d. Pedro e do barão de Mareschal. O imperador mostrava-se arrependido de seus pecados e dizia ter mudado. Além disso, informava que mandaria d. Maria da Glória para ser criada na corte do avô até ter idade para reinar, quando então se casaria com o tio, d. Miguel, que seria o seu regente em Portugal. O diplomata austríaco no Brasil garantia a mudança do comportamento de d. Pedro em relação à amante.

Todas essas notícias foram bem recebidas na Áustria, onde comoveram sobretudo a imperatriz Carolina, madrasta de d. Leopoldina e irmã de Luís I, rei da

Baviera. Esta passou a ver o imperador do Brasil como um convertido, a quem o Espírito Santo havia tocado; daquele dia em diante, só o chamaria de herói.

A imperatriz, que até então nunca havia deixado seu esposo, o imperador da Áustria, sozinho, partiu diligentemente para a Baviera a fim de conseguir uma das princesas, suas sobrinhas, para d. Pedro. Nesse ínterim, o restante da Europa, informado pelas gazetas locais, só davam como certas algumas poucas coisas com relação ao imperador do Brasil: que tinha uma brilhante reputação como soberano e pai e que, na qualidade de marido, era suspeito de muitas faltas. Assim que se soube na Europa de seu novo projeto de casamento, as gazetas da Alemanha retomaram o assunto e disseram verdadeiros horrores a respeito do tratamento que d. Pedro dera a d. Leopoldina.

Obviamente, as princesas da Baviera, em meio a tantas informações desencontradas e sabendo que, se aceitassem o pedido de casamento, teriam que embarcar em dois meses para o Brasil, acabaram cada qual dando uma desculpa e recusaram a proposta. Em seguida, o príncipe de Metternich enviou uma representação a Turim. Embora o rei da Sardenha achasse a proposta interessante, a rainha queria saber da dotação que a princesa receberia se sobrevivesse ao marido. Foi consultado o embaixador do Brasil em Viena, que explicou tudo e enviou uma cópia da Constituição brasileira para o país. A rainha disse que precisava de tempo para considerar e que também tinha que fazer certas novenas de sua devoção.

Enquanto a princesa e a rainha rezavam, chegavam à Europa as gazetas do Rio de Janeiro de 12 de outubro de 1827, com a lista de nomeações feitas no aniversário de d. Pedro. Os títulos e graças concedidos aos quatro irmãos de Domitila e trinta e tantos parentes, bem como a Ordem do Cruzeiro conferida a todos os oficiais do Batalhão de São Paulo que faziam a guarda da favorita do imperador, foram o suficiente para que todos os jornais da Europa noticiassem que d. Pedro havia tido uma recaída e se encontrava novamente nos braços da amante. Além disso, espalhou-se que os bispos e arcebispos do Brasil haviam, no dia de sua sagração, jantado com a marquesa para agradar a d. Pedro.

Após todas essas notícias, a princesa da Sardenha, de joelhos e banhada em lágrimas, pediu para o rei que a livrasse de ir para o Brasil. Depois de mais essa negativa, Viena ainda tentou o Reino de Württemberg, mas a resposta foi a mesma. A publicidade era tanta em relação às tratativas de casamento por parte da Áustria que o ministro do Reino das Duas Sicílias em Viena, em uma audiência a Metternich, ofereceu a filha do seu rei para se casar com o imperador do Brasil. Metternich teria perguntado a ele se havia anuência da corte napolitana, e o embaixador disse que realizaria as consultas de praxe. Quando o diplomata oficiou a Nápoles a respeito do assunto, o rei prontamente o desautorizou, afirmando que sua filha não embarcaria para a América. D. Pedro teve negada, assim, uma princesa que nem pedida fora!

Barbacena tentou diplomaticamente, em Viena, ter contato com pessoas da confiança de Metternich: uma amiga e o secretário do príncipe. Por meio deles, descobriu que havia aversão à possibilidade de d. Pedro gerar novos herdeiros varões. Caso o imperador se casasse novamente e tivesse filhos, a precedência das princesas, filhas de d. Leopoldina e netas do imperador Francisco I, cairia — ou seja: se o herdeiro masculino do trono brasileiro, o futuro d. Pedro II, morresse jovem, quem herdaria o trono seria um filho do sexo masculino nascido do segundo casamento. Para piorar, caso algo acontecesse com a jovem rainha de Portugal, d. Maria da Glória, um filho homem desse segundo casamento poderia ser colocado no trono português, jogando definitivamente para escanteio a futura regência do infante d. Miguel.

Era esse o estado de coisas que Barbacena relatou a d. Pedro quando de seu retorno ao Rio de Janeiro, em maio de 1828. No mesmo dia da entrevista entre ambos, 13, o imperador escreveu para Domitila:

> O marquês de Barbacena é chegado, e sua vinda é motivada pela necessidade de me expor de viva voz os entraves que tem havido ao meu casamento em consequência de sua estada aqui na Corte, de onde se torna indispensável sair por este mês até ao meado do futuro junho, o mais tardar. [...] Conheço o amor que a marquesa consagra à pátria e à minha família. Mas fique certa que esta é a minha derradeira resolução, bem como carta que lhe escrevo, a não me responder com aquela obediência e respeito que lhe cumpre como minha súdita e principalmente minha criada.

Domitila podia respeitá-lo como soberano, mas tratava d. Pedro como igual. Apesar do floreado das palavras, muitas das quais mal escritas e em péssimo português, sua resposta revelava uma mulher de gênio forte:

> V. Majestade sabe mui bem que, se eu vou fazer este passeio, é só para lhe fazer a vontade. Não que eu tais tenções tivera de sair daqui para parte alguma. Assim, senhor, não posso ir para o mês que vem, sim nos princípios de julho. Não sou destas de saco às costas, já lhe faço esta vontade, e assim peço-lhe não me mortifique mais.

D. Pedro não se fez de rogado e cobrou que a amante mantivesse a palavra empenhada anteriormente. Era necessário que saísse antes da partida do marquês de Barbacena, que levaria d. Maria da Glória para Viena:

> Minha filha infalivelmente sai até dois do mês de julho, e por isso eu muito desejo que a marquesa saia pelo menos seis dias antes, o que vem a ser 26 de junho, porque muito convém que os que vão possam dizer "a marquesa já saiu", e não "está para sair". Todos acreditarão o que aconteceu e não o que está para ser, que pode não ser, e o negócio é grave e mui grave. Na sua primeira [carta] presta-se a tudo que eu lhe mandar, pede-me instruções, e agora que lhe escrevo diz-me que não pode antes de princípios de julho [...]. Sustente sempre aquela palavra que uma vez der e não faça rodeios, veja bem a quem a dá e qual é a magnitude do negócio que é dependente do cumprimento de sua palavra.

Domitila continuou se impondo:

> Perdoe-me que lhe diga isto: eu não preciso de conselhos, não sou como V. M., as minhas respostas são todas nascidas do meu coração. [...] eu sempre disse que sairia no princípio de julho [...]. Eu torno de novo a fazer esta vontade, sairei até o fim deste mês que vem e Deus permita sejam todas as suas vontades feitas assim como eu as faço. Eu tive criação, sei conservar a minha palavra [...]

A marquesa, porém, versada nas artes femininas, também sabia quando se fazer de vítima: "[...] Eu ainda não tenho destino algum [...] rogava-lhe que me mandasse dizer por quanto tempo quererá que eu esteja separada da minha casa, ora nisto pode ter coração."

No fim, Domitila deixou o Rio de Janeiro antes da partida do marquês de Barbacena para a Europa levando d. Maria da Glória para o avô em Viena. Desse modo, todos que estavam no navio poderiam jurar que d. Pedro havia rompido definitivamente com a amante e que esta havia saído da corte.

Entre dois continentes

ENQUANTO TODO esse drama era vivido no Brasil, em Portugal desenvolvia-se outro que viria a ter consequências na outra margem do Atlântico. D. Miguel fez uma longa viagem pela Áustria, França e Inglaterra, a qual incluiu uma estada na Stratfield Saye House, casa de campo do duque de Wellington, que vencera Napoleão na Batalha de Waterloo em 1815. Wellington, à época, era o conservador primeiro-ministro da Inglaterra, que temia que os efeitos da Revolução Francesa chegassem ao Império Britânico. Ao desembarcar em Portugal, d. Miguel jurou, a 26 fevereiro de 1828, fidelidade à rainha d. Maria II, ao seu irmão, o rei d. Pedro IV, e à Carta Constitucional perante as Câmaras Alta e Baixa do Parlamento e diante dos representantes diplomáticos na corte. Seu primeiro decreto estabeleceu que todos os atos da sua regência deveriam ser expedidos em nome de d. Pedro IV de Portugal.

No mesmo período, grupos a soldo da rainha d. Carlota Joaquina, ainda presa em Queluz, puseram-se no pátio do Palácio da Ajuda para insultar os liberais e os constitucionalistas portugueses, chegando até a apedrejar carruagens. Quando de sua chegada a Lisboa, em 22 de fevereiro, d. Miguel havia ido a um *Te Deum* na Sé da cidade, onde foi ovacionado pela população. Agentes de d. Carlota infiltrados na multidão davam vivas a "d. Miguel I, nosso rei absoluto", e gritavam "Morra d. Pedro e a Constituição"; a única reação do príncipe foi sorrir.

No dia 1º de março, uma nova multidão acercou-se do paço para dar vivas ao rei absoluto. Instigado pelo clero e pela nobreza, e demais descontentes com a constituição outorgada por d. Pedro, d. Miguel dissolveu o parlamento sem marcar nova eleição, como determinava a Carta Constitucional. A sociedade continuou pressionando e atiçando o príncipe a assumir a coroa para si. Uma deputação de lentes da Universidade de Coimbra partiu para Lisboa a fim de convidar o infante a se fazer rei, e dois dos professores foram assassinados por alunos liberais. D. Isabel Maria, que se retirara para junto da irmã, d. Maria d'Assunção, estava correta nas predições que fizera a d. Pedro. A chegada de d. Miguel afundaria Portugal em sangue. No início de abril, o duque de Wellington mandou que a força expedicionária britânica em Portugal retornasse.

Em 25 de abril, d. Miguel foi aclamado rei de Portugal pelo Senado de Lisboa, mas recusou o título. Disse que somente o aceitaria se viesse dos Três Estados (velha instituição do Antigo Regime formada por clero, nobreza e burguesia) e convocou-os. Os diplomatas protestaram, e a guarnição da cidade do Porto revoltou-se e marchou sobre Coimbra.

Os Estados Gerais reunidos propuseram que d. Miguel assumisse como rei de Portugal, o que de fato ocorreu por aclamação em 7 de julho. Rapidamente, de maneira brutal e sanguinária, os liberais e os constitucionalistas foram perseguidos. Alguns fugiram de Portugal; os que não tiveram a mesma sorte foram mortos pelos miguelistas. Os que haviam conseguido escapar seguiram para a Inglaterra ou para a Ilha Terceira, nos Açores, único ponto do reino que se manteve fiel ao constitucionalismo, a d. Pedro e a d. Maria II.

D. Miguel I.

Novamente o casamento

Tudo isso, porém, só seria conhecido no Brasil meses depois. Em julho, chegavam mais negativas de princesas europeias à proposta de casamento com d. Pedro, que era tomado pela raiva e pelo desespero. Diversos rascunhos escritos nos momentos de ira, e nunca despachados para a Europa, davam por terminada qualquer tentativa de conseguir nova noiva. Se ninguém o queria, também ele não queria mais ninguém. Quem narrou o ocorrido foi seu fiel secretário, o Chalaça:

> A tal cartinha do marquês de Resende, escrita em Londres a 18 de julho do corrente relativa ao casamento deu-me o que fazer, pois que V. Ex. bem conhece o gênio do Nosso Amo, botou por fora, falou, gritou, escreveu e eu tremendo deixei passar um dia, e escrevi tudo que me mandou.[227]

No final, ainda segundo o Chalaça, d. Pedro, mais calmo, pensou melhor e decidiu que Barbacena deveria continuar com a missão que lhe tinha sido confiada antes de deixar o Brasil, independentemente de qualquer ajuda da Áustria. As instruções[228] de d. Pedro eram claras: o marquês deveria conseguir uma princesa que, por seu nascimento, formosura, virtudes e instrução, pudesse fazer a feli cidade do monarca e do Brasil. Porém, se houvesse dificuldades para "se reunir as quatro condições, podereis admitir alguma diminuição na primeira e quarta, contanto que a segunda e a terceira sejam constantes".

A rainha de Portugal no exílio

Somente em setembro, ao chegar a Gibraltar, o marquês de Barbacena soube que d. Miguel dera um golpe contra d. Pedro, d. Maria da Glória e a Constituição, assumindo como rei absolutista português. Ao contrário dos planos que lhe haviam sido confiados, Barbacena, que suspeitava das intenções de Metternich e da Áustria, deixou a comitiva vienense esperando pela menina em Gênova e partiu para a Inglaterra. Lá, o rei recebeu d. Maria da Glória como rainha de Portugal, e ao redor da menina se instalou um núcleo de portugueses fiéis a ela e à Constituição, entre os quais sua tia Ana de Jesus Maria, então marquesa de Loulé, que tivera de partir às pressas para o exílio com a chegada de d. Miguel ao poder.

Ana de Jesus, filha favorita de d. Carlota, havia caído de amores por certo fidalgo, filho de um dos melhores amigos e confidentes do rei d. João VI, o primeiro marquês de Loulé, morto em um estranho acidente no Paço de Salvaterra dos Magos. O filho, d. Nuno José Severo de Mendonça Rolim de Moura Barreto, herdeiro do título, era considerado o homem mais bonito da Europa à época. Além de Ana de Jesus, outra irmã de d. Pedro apreciava o belo jovem: a regente d. Isabel Maria. No entanto, foi Ana quem acabou por tomá-lo como esposo, em cerimônia realizada a 5 de dezembro de 1827 na capela do Palácio de Queluz. Tratou-se de um casamento repentino e sem grandes pompas, sobretudo porque a infanta casava mal. Neta, filha e irmã de reis, unira-se a um fidalgo abaixo de sua posição. Não obstante conservasse todas as honras de alteza sereníssima, teve que renunciar formalmente, em nome dos futuros filhos e de si mesma, a qualquer direito à coroa portuguesa.

O marquês da Fronteira, junto com o corpo diplomático, foi dar os cumprimentos ao jovem casal quando soube do casamento. Em relato, afirmou que, ao chegarem à Quinta do Peres, onde o casal havia se instalado, não puderam se avistar com d. Ana de Jesus: "Ficamos maravilhados quando os criados nos disseram que tínhamos dois motivos para dar parabéns pois que tinha nascido uma menina e se batizava naquele momento." Fazia sentido a pressa e o casamento desigual: d. Ana de Jesus havia casado grávida de nove meses, obrigada por d. Carlota.

Com a aguardada ida de d. Miguel a Portugal, o casal ficaria em uma péssima situação. Embora fosse ajudante de ordens do infante, o jovem marquês de Loulé era um liberal fervoroso. A temeridade era dupla: ele engravidara a irmã do futuro regente e assumia posição política oposta à dele. A ferocidade das reações de d. Miguel era bem conhecida, inclusive por d. Carlota, que, subornando um comerciante inglês, conseguiu despachar o desafortunado casal para a Inglaterra. Lá, d. Ana de Jesus entrou em contato com d. Pedro e contou-lhe o que havia acontecido consigo. O irmão ficou mais chocado pela posição social do cunhado do que por ser tio.

> Minha mana. Franco como sempre fui, sou e serei, não posso em primeiro lugar de estranhar-lhe seu procedimento como considerando a diferença que há entre as diversas hierarquias deste mundo; mas vendo que a mana escreve e me diz que me dá parte do acontecido, e que nossa mãe foi a causa: pondo de parte me-

lindres e pontos de honra e olhando a questão e suas circunstâncias como seu irmão filantropo e cristão, não posso deixar de me condoer muito da má sorte, vindo que foi obrigada, por me ser fiel, a vender o que tinha para comer e, portanto, conte já com oito contos de réis, que lhe serão dados por Rothschild, uma vez com uma mesada de quatrocentos mil réis. Muito desejaria poder ser-lhe mais proveitoso, mas tenho filhos e a mana não ignora qual é a minha dotação. Aceite os protestos de amizade (a qual de novo se faz credora) [...].[229]

Rompimento de d. Pedro com d. Miguel

Em agosto de 1828, d. Pedro soube da traição do irmão e da ida em segurança da filha para a Inglaterra. Wellington, o primeiro-ministro britânico, uniu-se a Metternich, e assim Áustria e Inglaterra tentariam fazer com que a princesa d. Maria fosse enviada para Portugal, com o tio, ou para Viena, com o avô. Seria então a rainha de Portugal, se casaria com d. Miguel, conforme estabelecera d. Pedro anteriormente, e tudo ficaria resolvido. E quanto à Constituição? Era melhor esquecê-la e deixar o príncipe governar Portugal do seu jeito. Wellington enviou lorde Stragford para que tentasse, junto do barão de Mareschal, chegar a um acordo com d. Pedro. Porém, antes da chegada do britânico, d. Pedro já havia denunciado internacionalmente o irmão como usurpador da coroa de d. Maria II.

No final de outubro de 1829, o imperador emitia o seguinte decreto:

> Tendo eu, pelo meu real decreto de 3 de março de corrente ano, renunciado todo direito que indisputavelmente tinha à coroa portuguesa, para que ficasse completa a minha abdicação feita por carta régia de 2 de maio de 1826 na minha muito amada e querida filha d. Maria II, aquele decreto foi fundado na expressa suposição de [...] sincera obediência de meu irmão o infante d. Miguel às minhas reais ordens [...].
>
> Os acontecimentos, que ao tempo daquele meu decreto de 3 de março do corrente ano se passavam em Portugal e que seguidamente se foram desenvolvendo até se completar pelos meios mais criminosos a escandalosa usurpação

> da coroa, mostravam não somente que era falsa a generosa suposição em que se fundava aquele meu real decreto [...] mas também que meu irmão o infante d. Miguel [...] havia feito caducar todas as condições da minha abdicação de 2 de maio de 1826, já desprezando e rejeitando o título por que governava em meu real nome, já usurpando para si o título e a qualidade de monarca reinante, [...], já destruindo de fato a Carta Constitucional da Monarquia e já finalmente tornando por todos estes atos inexequível o decreto da minha completa abdicação [...].
>
> 1º Declaro irrita, nula e de nenhum efeito a abdicação condicional que fiz da coroa portuguesa, [...]
>
> 2º [...] Hei por bem, de meu moto próprio e livre vontade, de novo abdicar e ceder os indisputáveis e inauferíveis direitos que tenho à coroa portuguesa e à soberania dos reinos de Portugal, Algarve e seus Domínios, na pessoa de minha muito amada e querida filha d. Maria da Glória [...]. Sou, porém, servido declarar que esta minha cessão e abdicação não será completa, senão quando a sobredita minha filha d. Maria II chegar à maioridade, [...]
>
> 3º Sou, outrossim, servido revogar, como pelo presente revogo, para que fique de nenhum efeito, o meu real decreto de 3 de julho de 1827, pelo qual nomeei meu irmão o infante d. Miguel regente e meu lugar-tenente nos reinos de Portugal, Algarve e seus Domínios [...].

No dia do aniversário de d. Maria da Glória, em 4 de abril de 1829, apesar de ela estar na Inglaterra com o marquês de Barbacena e suas damas de companhia, houve no Paço Imperial do Rio de Janeiro uma celebração em que d. Pedro recebeu, dos diplomatas estrangeiros na corte, os votos em nome da filha. Lorde Stragford e o barão de Mareschal haviam preparado um discurso que enfatizava o fato de ela ser apenas a rainha *de jure*, isto é, "pela lei", "pelo direito". O rei de fato era d. Miguel, que lá estava governando como d. Miguel I, após ter tomado o poder. Stragford pediu que o pai de d. Maria II fosse pudente e confiasse em seus aliados para fazê-la rainha portuguesa de fato, junto com o esposo prometido.

D. Maria II, rainha de Portugal.

Segundo relato de Francisco Gomes, que estava presente à cerimônia, a Barbacena:

> Disse [Stragford] e ficou como quem esperava resposta, mas nosso amo olhou muito para ele, deu uma risadinha amarela, daquelas do Senhor d. João VI, e fez-lhe uma cortesia; o homem embaraçou e retirou-se. Seguiu-se o barão de Mareschal — tenho a honra de fazer meus cumprimentos pelo aniversário da rainha [...] ia continuando, mas nosso amo atalhou dizendo *de jure*, ele assarapatou-se e foi-se.[230]

D. Pedro, naquela altura de sua ira, não ouviria sermões de dois estrangeiros que queriam que ele entregasse a filha ao irmão que o traíra e tomara para si o trono português. Não havia etiqueta que salvasse as aparências. Tanto o barão de Mareschal quanto Stragford saíram do paço sabendo muito bem que haviam desagradado muitíssimo o monarca por lhe sugerirem o que fazer quanto ao destino de d. Maria. Segundo o ofício do diplomata norte-americano, o barão de Mareschal fez uma reverência e retirou-se do salão sem terminar de pronunciar o discurso que d. Pedro interrompera. O imperador, virando-se para o camarista que estava ao seu lado, teria dito: "Estes dois filhos da puta pensavam pilhar-me, mas eu mandei-os passear."[231]

A Assembleia contra d. Pedro

Em 1829, os trabalhos na Assembleia começariam cedo. Houvera convocação extraordinária para se resolver questões complicadas, como a crise financeira e, consequentemente, o Banco do Brasil. Mais uma vez, em seu discurso inaugural, d. Pedro solicitou uma legislação que promovesse e fortalecesse a imigração estrangeira ao Brasil; mostrou também seu descontentamento com o que lhe parecia ser um abuso da liberdade de imprensa no império.

Apesar de não existir censura prévia à imprensa, esta não podia tocar em alguns temas sem ferir a Constituição, como a religião católica e a figura do imperador, que era inviolável e, portanto, não podia ser alvo direto de críticas. Desse modo, sem poder culpar o monarca pelos problemas, os jornais atacavam livremente os ministros e o secretário Francisco Gomes. Usavam de subterfúgios para chegar a d. Pedro, referindo-se a ele, por exemplo, como o "nosso caro Imperador", mas tendo "caro", no caso, o sentido de dispendioso, e não de querido. Também um anagrama de Pedro, "Poder", era constantemente atacado na imprensa, sem que nada pudesse ser feito. Em qualquer processo movido por abuso de liberdade de imprensa, dava-se ganho de causa para os jornais, uma vez que o júri era composto de seus pares.

A tentativa de revolta em Pernambuco, onde se tentara instalar uma república em fevereiro de 1829, foi motivo de discussões acirradas na Assembleia. Os deputados pediram explicações oficiais aos ministros da Justiça e do Exército quanto às atitudes tomadas durante o levante, quando prerrogativas e direitos constitucionais da população haviam sido novamente suspensos. Dois decretos teriam sido lavrados — um pelo ministro da Justiça e outro pelo do Exército — em favor da execução dos culpados por tribunais militares, sem que o assunto tivesse passado, porém, pelo Conselho de Estado.

A Assembleia criou uma Comissão Parlamentar de Inquérito, a primeira das inúmeras CPIs que o Brasil viria a ter. Se os parlamentares declarassem os ministros culpados, d. Pedro os demitiria. Entretanto, por uma pequena margem, eles saíram livres das acusações. Segundo relatam, em suas respectivas memórias, tanto o conselheiro Drummond quanto o bispo d. Romualdo, d. Pedro empenhou-se pessoalmente junto a aliados para fazer a defesa dos seus ministros na Assembleia. Ainda segundo Drummond, o imperador teria chegado a pagar pelo voto de alguns dos deputados, em prática que nada diferia da que viria a consagrar-se no presidencialismo.

D. Pedro irritava-se cada vez mais com a atitude do Legislativo, que em vez de cumprir seu papel e legislar, queria afrontá-lo e questionar seus ministros, por ele tidos quase como serviçais. Pela Constituição, cabia ao imperador demitir e constituir os ministros e ministérios, a exemplo do que ocorre no sistema presidencialista. O que a Assembleia estava fazendo ao tentar se imiscuir em suas prerrogativas constitucionais?

A questão, porém, era muito mais profunda e se agravaria até transformar-se em crise. Alguns deputados e segmentos da sociedade, incluindo os jornais que se opunham aos ministérios de d. Pedro, como o *Aurora Fluminense*, já falavam abertamente em ministros responsáveis — ou seja: o gabinete ministerial deveria ser escolhido pelo imperador dentre os deputados do partido majoritariamente eleito para o parlamento. Isso contrariava a Constituição, que determinava caber ao imperador a livre escolha de seus ministros. D. Pedro lutaria até o fim para manter essa prerrogativa.

No início de 1829, o imperador pensou seriamente em dissolver o parlamento. Em cartas enviadas a seus conselheiros privados, como o frei Arrábida, o barão de Inhomirim e o marquês de Paranaguá, perguntou-lhes: 1) em que estado de fermentação revolucionária eles viam o Brasil; 2) que remédios achavam convenientes; 3) se era oportuno emendar a Constituição; 4) se era melhor verificar, depois de conciliar-se com os vários soberanos que por ele nutriam aversão, se poderiam enviar uma força para apoiá-lo, a fim de que viesse a elaborar uma Constituição nova e verdadeiramente monárquica; e 5) em que época se deveria pôr em prática tal plano. As cartas foram escritas em 17 de março, e a discussão perdurou até maio.

A resposta do seu antigo professor e confessor, Arrábida, foi a mais contundente. Ele previa que, se tropas estrangeiras desembarcassem no Brasil para esse fim, a nação mergulharia em sangue. Quanto ao que d. Pedro havia escrito, aconselhou-o: "Queime, senhor, queime o papel que contiver esse quesito, que só pensando se julgaria crime quanto mais sabido."[232]

A proposta de d. Pedro claramente almejava um alinhamento diplomático com as potências europeias que formavam a Santa Aliança. Foram esses países e os seus exércitos que haviam invadido a Espanha, dissolvido o parlamento e restituído o poder do rei anos antes. No entanto, o imperador refletiu após ler as respostas dos conselheiros e abandonou qualquer projeto de fechar novamente a Assembleia: ficaria apenas na vontade de dar ao Brasil uma nova Constituição. Cada vez mais d. Pedro tomava ciência de que aquela que elaborara era imperfeita, facilitando a manutenção dos conservadores e escravocratas no poder e permitindo a destruição do império por meio das revoltas.

Mesmo assim, d. Pedro morreria lutando pelo que acreditava, e em 1º de outubro de 1829, buscando se antecipar ao 13 de março de 1830, quando, pelo tratado de 1826 com os britânicos, o tráfico de escravos deveria ser proibido, seu ministro da Marinha decretou que não seria mais permitido que navios negreiros partissem para a África desde o Brasil. Essa proibição foi letra morta, uma vez que a Assembleia, tomada por deputados escravocratas, nada fez para implementar a medida.

O retorno da favorita

Se d. Pedro e o Legislativo novamente se digladiavam no Brasil, as coisas na Europa não estavam melhores. As tentativas de Barbacena de conseguir uma noiva para o imperador resultavam tão infrutíferas quanto as levadas a cabo de boa ou má vontade por Metternich e Francisco I. Às negativas anteriores, somavam-se agora as das princesas da Suécia e da Dinamarca. As ordens de Barbacena eram arrumar o mais rápido possível uma noiva para seu monarca e, assim que isso ocorresse, levá-la, junto com a filha que estava na Inglaterra, para o Brasil. D. Pedro mandava que lhe trouxessem a filha, não a rainha de Portugal. Era o pai quem falava, não o estadista.

Em 21 de abril de 1829, Francisco Gomes oficiava ao marquês de Barbacena: "[...] O contratempo com a Dinamarca excitou novamente em nosso Amo a Paixão (nunca sufocada) pela marquesa, e já a mandou buscar."[233]

Desde o final de 1828, Domitila já dera mostras de que não suportava ficar em São Paulo longe das filhas e da casa. No segundo semestre daquele ano, a última menina que tivera com d. Pedro, e que teria sido feita duquesa do Ceará, morrera de meningite, longe da mãe. No final do ano, altiva, afirmando que d. Pedro já devia ter se esquecido dela e que nada faria para prejudicar os negócios do imperador, escreveu ao amante para dizer-lhe que estava voltando ao Rio de Janeiro. D. Pedro, com todos os problemas que enfrentava — as cortes europeias que pareciam zombar dele e humilhá-lo quanto à questão do casamento; a filha de dez anos que penava as agruras do exílio na Inglaterra; a traição do irmão; os obstáculos cada vez maiores que o atrapalhavam no governo do Brasil —, não precisava incluir na lista o retorno da marquesa à corte e o falatório que isso geraria na Europa.

O imperador respondeu Domitila de imediato e enviou também uma carta à mãe dela. A d. Escolástica pedia, com bem poucos modos e educação, que colocasse juízo na cabeça da filha, lembrando que a marquesa devia tudo o que tinha a ele e, portanto, devia-lhe obediência. Teceu também ameaças contra ela e a família:

> Uma pessoa que saiu do nada por meu respeito devia, por um reconhecimento eterno, fazer o que eu lhe tenho até pedido. [...] eu lhe declaro, mui expressamente, que, se a marquesa se apresentar no Rio sem ordem minha, eu suspendo-lhe as mesadas, a ela e a toda aquela pessoa de sua família que influi para este sucesso, bem como a demito de dama e privo de entrarem no Paço seus parentes.

Aflita, dona Escolástica respondeu:

> [...] Por mim está prevenida, muito de antemão, para não dar um só passo sem positiva determinação de V.M.I. [...] Sinto meu senhor, e sinto n'Alma, que uma produção de meu desgraçado ventre viesse ao mundo para dar motivos de inquietações a V. Majde.

Em São Paulo deixou-se Domitila ficar até que, já desencantado de conseguir noiva na Europa, d. Pedro mandou chamá-la, em abril — não, porém, sem antes despachar para a França madame Saisset e seu marido. Clemence Saisset tornara-se amante de d. Pedro após a saída da marquesa da corte. Assim que os primeiros sinais de gravidez surgiram, o imperador mandou que o casal partisse para fora do Brasil, levando consigo uma gorda compensação e a promessa de uma pensão.

Aos olhos de d. Pedro, o barão de Mareschal e a Áustria falharam em cumprir suas promessas. Mareschal teve certeza de que caíra em desgraça perante o monarca quando lhe apresentou o retrato de duas novas princesas. D. Pedro desconversou e ainda escarneceu, dizendo que as pinturas deveriam ser falsas e que, agora, se ocuparia apenas da sucessão portuguesa. Mentia ao austríaco para que essa informação chegasse à Áustria.

Apesar das contínuas tentativas dos marqueses de Barbacena, Pedra Branca e Rezende, bem como de outros diplomatas brasileiros na Europa, as coisas pareciam fadadas ao fracasso. Segundo explicação do próprio imperador ao barão de Mareschal, era muito humilhante arcar com as recusas das princesas; o melhor seria fingir que nunca pensara em se casar novamente. Ao chamar a marquesa de Santos para a corte, toda a Europa teria certeza de que não partira de d. Pedro o projeto de um novo casamento.

Em 8 de abril, d. Pedro escrevia para a mãe de Domitila, que ficara em São Paulo:

> Viscondessa. Agora acaba de chegar um soldado de São Paulo com nove dias, e diz que topara o Lima em Mogi, que chegava a um deste mês. Portanto, não contemos ter o gosto de ver a marquesa antes de sexta-feira santa ou sábado de Aleluia, que será uma Aleluia completa.

Passadas as festividades da Páscoa na corte, que naquele ano caíra em 19 de abril, d. Pedro foi para a fazenda de Santa Cruz esperar Domitila. Impaciente como de hábito, antecipou-se à chegada da marquesa, indo aguardá-la duas léguas adiante, em Itaguaí. Ficaram hospedados em Santa Cruz até quase o final do mês. No início de maio, Domitila voltava em apogeu à corte, para desconsolo do barão de Mareschal, que observava a cidade e os cortesãos indo em peso visitar a favorita, caindo assim em sua graça e na do imperador. O diplomata francês Pontois foi quem melhor resumiu a situação toda:

> A marquesa de Santos realmente retornou, como anunciei [...]. Uma multidão de cortesãos correu para sua casa, com uma mesquinharia e cinismo peculiar a este país, para receber de volta aquela de quem eles tinham, não muito tempo antes, comemorado a desgraça com tanta alegria, e que, desde então, sempre gostavam de insultar.[234]

O diplomata austríaco oficiava a Metternich que havia murmúrios a respeito de um casamento entre d. Pedro e Domitila. Segundo ele, Felício, o marido vivo da marquesa, não seria um problema difícil de resolver num país em que a vida de uma pessoa sem relevância não era grande obstáculo, sobretudo quando uma família grande e pouco recomendável pela sua moralidade tinha interesses nisso. Mareschal pintava os Castro como um misto de Bórgia e Corleone. Ao mesmo tempo, alimentava a certeza, em Viena, de que d. Pedro não tinha mais interesse em se casar com uma princesa de sangue nobre.

O auge de Domitila deu-se em 24 de maio, no aniversário da duquesa de Goiás. Às três horas da tarde, a riquíssima carruagem da marquesa de Santos, ornada com seu brasão e trazendo criados vestidos de libré, entrou pelos portões da Quinta da Boa Vista. O imperador havia ordenado que o porteiro de sua imperial câmara, João Valentim de Faria de Souza Lobato, o mesmo que conduzira Domitila à tribuna das damas de honra na Semana Santa de 1825, abrisse a porta da carruagem para que ela descesse. Nesse momento, bandas marciais tocaram, os porta-bandeiras curvaram os pendões imperiais em sua direção e a guarda prestou-lhe as devidas continências, como se fosse ela a imperatriz do Brasil.

Belamente vestida, Domitila tinha o colo enfeitado por uma grossa cadeia de ouro. Em cada anel, lia-se "Pedro I". Pendente do colar, próximo aos seios, trazia emoldurado em brilhantes o retrato do imperador. D. Pedro esperava-a com sua farda de gala repleta de condecorações. A marquesa, após uma mesura, beijou a mão do soberano e das princesas e deu um beijo no rosto da filha. Em seguida, conversou um pouco com o imperador e partiu para seu palacete, onde a esperava um banquete e um baile.

O imperador chegou à casa da marquesa às oito da noite, quando o banquete para sessenta pessoas foi servido em rica baixela de prata, presenteada por ele mesmo. Aquela foi uma das recepções mais brilhantes do Primeiro Reinado. O baile que se seguiu foi aberto por d. Pedro e Domitila. Só que nem tudo era festa: para lembrar o problema da sucessão portuguesa, foi passada uma subscrição cujo objetivo era doar dinheiro aos 148 perseguidos políticos e refugiados portugueses que haviam chegado duas semanas antes ao Rio de Janeiro, fugindo do absolutismo de d. Miguel.

D. Amélia

Seis dias depois, na Cantuária, Barbacena e o representante da duquesa Augusta de Leuchtenberg, Planat de La Faye, assinavam um tratado de casamento. De um lado, Amélia de Leuchtenberg, princesa bávara, sobrinha do rei da Baviera e neta da imperatriz Josefina, primeira esposa de Napoleão; do outro, d. Pedro I.

Após a recusa de mais uma princesa, dessa vez uma de Baden, a mãe da menina, que via com gosto o casamento da filha com d. Pedro (opinião diferente da do marido), lembrou-se de uma parente, a duquesa Augusta de Leuchtenberg. A viúva do príncipe Eugênio de Beauharnais tinha uma filha em idade para casar-se, e a grã-duquesa de Baden recomendou que Barbacena procurasse a família na Baviera.

A princesa Amélia de Leuchtenberg reunia três das quatro qualidades pedidas por d. Pedro: era bonita, virtuosa e culta. O nascimento, entretanto, deixava a desejar. Os Leuchtenberg não eram benquistos pelo então rei da Baviera, irmão de Augusta. Enquanto Napoleão esteve no auge, fora interessante tecer aliança matrimonial entre o príncipe Eugênio, enteado de Bonaparte, e uma princesa bávara; com a queda do imperador francês, contudo, aquilo tornara-se um incômodo dentro da família real.

Marquês de Barbacena pedindo a mão de d. Amélia em casamento. Da esquerda para a direita: o marquês, o príncipe Augusto, irmão de d. Amélia, a duquesa Augusta de Leuchtenberg e d. Amélia.

Quando Eugênio, devido à queda de Napoleão, perdeu o posto de vice-rei da Itália, refugiou-se com a família na Baviera, onde comprou terras que lhe davam direito a titulações na alta nobreza. Entretanto, com exceção da duquesa Augusta, filha e irmã de rei, a família não gozava de uma posição nobre vantajosa. Com a morte de Eugênio, Augusta seria responsável por terminar de educar e casar a prole. Apesar da fama de d. Pedro na Europa, para os Leuchtenberg ele era um ótimo partido. A duquesa não só casava muito bem uma das filhas, mas também conseguia que d. Pedro concedesse ao irmão mais velho da noiva um título de duque com o tratamento de Alteza Imperial.

Em meados de junho, d. Pedro recebia as primeiras notícias referentes aos arranjos de seu casamento. Sem que as coisas ainda estivessem certas, porém, só começou a preparar Domitila para o fim do relacionamento no início de julho. Nesse mês, recebeu uma miniatura com o retrato da linda noiva de 17 anos, um ano mais velha que Francisca, a primeira filha da marquesa. Durante o resto do ano, chegariam diversos informes sobre a princesa Amélia, entre os quais do marquês de Resende, presente no casamento por procuração realizado em Munique. Numa das cartas, Resende praticamente pedia ao amo que se comportasse, usando de uma familiaridade que lhe era permitida devido aos anos de convívio:

> Senhor, eu não fui quem escolheu esta princesa, e por isso posso e devo ser acreditado. Ela é bela e é esse o seu menor predicado. É a única de tantas princesas pedidas que teve ânimo para desprezar intrigas para passar o oceano e para ir unir a sua a sorte de V.M.I. Mas tudo isto é menos que o fundo de virtude, da boa educação, da bondade, da doçura, da dignidade, do juízo e da instrução que a adornam [...]. Faça feliz a única princesa que o quis, e a que, pelo que vejo, sinto e creio, pode e há de encher as medidas do seu coração.[235]

Em outra, mais relaxada, fez inconfidências referentes aos dotes da noiva:

> [...] Direi que esta interessante formosura ajuntando [...] as qualidades que devem ornar uma princesa, os dotes que enobrecem uma pessoa particular, chamando sobretudo minha atenção [...], a saber: um ar de corpo como o que o pintor Corregio deu nos seus quadros à Rainha de Sabá, e uma afabilidade que aí há de fazer derreter a todos, fez com que eu exclamasse na volta para a casa: valham-me as cinco chagas de N.S. Jesus Cristo, já que pelos meus enormes pecados não sou imperador do Brasil. Que fará o nosso amo, na primeira, na segunda e em mil e uma noite? Que sofreguidão! Os dedos hão de parecer-lhe hóspedes... Basta, quando não onde me levará a minha descrição?[236]

D. Pedro parou de frequentar a casa da amante e mudou-se para sua propriedade de Botafogo, afastando-se o máximo possível da tentação. O Chalaça, em carta a Barbacena, informou-lhe que o amo havia mudado completamente: chegava cedo em casa e só saía acompanhado de um ajudante de ordens.

Em 24 de julho, o capitão Paulo Barbosa chegou ao Rio de Janeiro com o contrato expedido por Barbacena. O ministro Clemente Pereira foi enviado para informar oficialmente a Domitila que o casamento do imperador fora contratado e que ela deveria deixar o Brasil. D. Pedro compraria todas as suas propriedades, inclusive as que lhe dera. Pagaria a fortuna de trezentos contos de réis por tudo, dando-lhe a oportunidade de ficar com a mobília.

Porém, como diria Francisco Gomes a Barbacena: "A excelentíssima arrumou os pés às paredes." Dessa vez Domitila brigaria para não sair. D. Pedro enviou, para que conversassem com ela, o tio da marquesa, Manuel Alves, o cunhado Oliva, o irmão José de Castro, entre outros, mas nada a demoveu. Titília não iria para fora do Brasil: negava-se a qualquer custo, dizendo que não era escrava e que a Constituição protegia seu direito de ir e vir. Que d. Pedro cassasse seus direitos!

Enquanto Domitila se entrincheirava em seu palacete, o Chalaça pedia ao almirante inglês que atrasasse a partida da corveta que levaria o contrato assinado de casamento de volta para a Europa, tentando assim ganhar tempo para enviar a notícia da capitulação da ex-favorita. Mas isso não ocorreu. D. Pedro deu a ela um ultimato: se até o dia 27 não enviasse uma resposta definitiva, ele retiraria dela todos os benefícios que recebia das repartições da Casa Imperial e lhe deixaria unicamente com a pensão mensal de um conto de réis que tinha por decreto.

No meio da tempestade, Domitila, em lugar de dar uma resposta, mandou um escravo perguntar sobre a saúde da duquesa de Goiás. D. Pedro mandou responder que ela estava bem e assim ficaria sempre, não sendo mais necessário pedir notícias. De volta para a marquesa ele enviou todos os presentes que ela lhe mandara e deu ordens para que todas as repartições não dessem mais coisa alguma a ela. Seus escravos e criados foram retirados. Seus cavalos, tratados na estrebaria de São Cristóvão, foram entregues, e o imperador ordenou que ela e a mãe devolvessem as nomeações de damas do paço. Todos os criados do palácio receberam ordens de não visitá-la. Se o fizessem, seriam demitidos.

Em 30 de julho, d. Pedro despachou para a Europa o contrato de casamento assinado. Para a infelicidade de Barbacena, a notícia da saída da marquesa da corte não seguiu junto. Caso contrário, poderia calar a imprensa britânica, que noticiara, no começo do mês, o casamento do imperador com Domitila.

De 8 a 11 de agosto, d. Pedro serviu-se do cunhado de Domitila, o coronel Oliva, para negociar a partida da ex-amante. Um arranjo foi feito: em vez do pagamento pelas propriedades, ela concordava em trocá-las por outras, na região central da cidade. Achando que assim tudo estava arranjado, o imperador só percebeu no dia 12 que, com isso, Domitila visava continuar no Rio de Janeiro.

Enfurecido com a tentativa de ludibriá-lo, d. Pedro enviou no mesmo dia seu ajudante de ordens, o marechal Moraes, ao palacete. Sua missão era alertar a marquesa de que, se ela não saísse do Rio de Janeiro em uma semana, o imperador prometia passar um decreto anulando a pensão de um conto de réis que recebia e fazer o procurador da coroa tomar-lhe as propriedades.

Domitila finalmente capitulava. Vendeu a d. Pedro, em escritura lavrada a 17 de agosto, seus terrenos, casas e chácaras, bem como o camarote no teatro. Com toda a família, inclusive o cunhado Oliva e o irmão José de Castro, partiu para São Paulo. A única que se salvou do expurgo dos Castro Canto e Melo foi a baronesa de Sorocaba. Domitila embarcou em 27 de agosto para Santos, a bordo do navio *União Feliz*, dois dias antes de completar oito anos do início de seu relacionamento com d. Pedro.

Um de seus sobrinhos ficou no Rio por mais algum tempo, resolvendo o envio da mobília e dos demais bens da família para São Paulo. Aquela que chegara à capital escondida, com pouquíssima bagagem, agora era obrigada a fretar uma escuna para transportar o equivalente a 60 bestas carregadas, fora os 52 escravos.

Domitila também partia levando, no ventre, aquela que seria sua última filha com d. Pedro: Maria Isabel, nascida em São Paulo no início de 1830. Em uma carta autobiográfica, Maria Isabel deixou registrado que, segundo se comentava na família, ao saber que a ex-amante estava grávida, d. Pedro teria tentado esganá-la, alegando que o filho não era dele. Domitila foi salva pelo irmão, José, que ofereceu a própria cabeça ao imperador caso o filho fosse de outra pessoa. Maria Isabel seria criada pela mãe, enquanto Isabel Maria, a duquesinha de Goiás, permaneceria com d. Pedro. Mãe e filha nunca mais se veriam.

A nova imperatriz

Em 16 de outubro, fundeava na baía de Guanabara a fragata *Imperatriz*, que trazia a bordo d. Amélia, futura imperatriz do Brasil. Junto vinham d. Maria da Glória, o marquês de Barbacena e o irmão de d. Amélia, o príncipe Augusto, futuro duque de Santa Cruz. Assim que d. Pedro soube da chegada, foi de barco até o navio e correu para cumprimentar, antes de mais nada, a filha, a pequena rainha portuguesa, que mesmo tão nova já passara por tantos infortúnios; em seguida, dirigiu-se à jovem e bela noiva. No dia seguinte, sob um céu tempestuoso, os viajantes desembarcaram no Arsenal da Marinha e se encaminharam à Capela Imperial para uma bênção de núpcias, ocasião em que foi apresentada uma missa composta por d. Pedro para a ocasião.

Para comemorar o novo casamento, o imperador criou a Ordem da Rosa, cujos dísticos — de um lado, "Pedro e Amélia"; do outro, "Amor e Fidelidade" — sintetizavam a promessa do imperador de ser exclusivamente devoto à esposa, demonstrando assim, a todo o mundo, que era um novo homem. De fato, ele conseguiu ficar longe de escândalos, apesar de a saúde e o tempo de vida que ainda lhe restavam serem fatores que devemos levar em conta nessa equação de fidelidade.

O marquês de Barbacena também foi bastante comemorado. D. Pedro nobilitou-o na recém-criada Ordem da Rosa e concedeu a seu filho mais velho o título de visconde — tudo para mostrar que a dedicação e o trabalho do nobre em proteger d. Maria da Glória e ter-lhe conseguido uma nova esposa tinham sido bastante apreciados.

Seguiram-se festas, bailes e óperas como forma de dar as boas-vindas à nova imperatriz brasileira. A rainha d. Maria II foi instalada no antigo palacete da marquesa de Santos, em frente à Quinta da Boa Vista. Provavelmente Portugal foi o primeiro país a ter sua sede de poder e corte instaladas não apenas em território estrangeiro, mas também na antiga casa da amante de um imperador.

O terror em Portugal

Enquanto um governo português no exílio era instalado — e os Açores, junto com certas legações diplomáticas na Europa, como a dos Países Baixos e a da França, mantiveram-se fieis a d. Pedro e d. Maria II —, Portugal enfrentava a ira de d. Miguel e seus asseclas. Caçavam-se maçons e liberais como cães.

As irmãs d. Isabel Maria, ex-regente, e d. Maria d'Assunção foram feitas prisioneiras. Segundo relato de um oficial britânico,

> a dissipação da corte de Dom Miguel fez a situação da Infanta Dona Isabel Maria e de sua real irmã extremamente desagradável, na verdade, essas augustas pessoas eram completos prisioneiros do estado, sob a vigilância dos espiões mais deprava-

> dos e sem princípios, e as senhoras de suas cortes eram frequentemente submetidas a todo tipo de grosseria e irritação.[237]

De Londres, o marquês de Palmela escrevia:

> Chegou também o paquete de Lisboa com notícias de 27. Ainda não recebi as minhas cartas, mas segundo ouço, continua e aumenta cada vez mais a opressão e o terror em Portugal, ao ponto de se achar presa no Paço a infanta D. Isabel Maria e quatro bispos suspensos do exercício de suas funções.[238]

Em uma carta secreta e inédita, escrita em novembro de 1829, a infanta d. Isabel Maria, burlando a censura de d. Miguel, narrou a d. Pedro, com desespero, não só sua situação como a de Portugal:

> Mano, desejo que tenha passado bem de saúde. O mano há de perdoar todos os erros, pois julgo que até já não sei pegar em uma pena para escrever duas palavras, pelos motivos que o mano não ignora. Como o portador é seguro, por isso me atrevi a fazer-lhe esta carta expondo-lhe bem o estado interno de tudo aqui. A miséria é extraordinária, os insultos da mesma maneira, as prisões atulhadas de pessoas, as mais dignas e firmes ao seu juramento e leais ao mano, às vistas deste chamado governo são grandes. O que lhe peço muito e muito é que veja como há de acabar por uma vez com tudo isto e que não [ceda] na demanda, nem se quer cinco réis, pois senão estamos perdidos. O mano tem coragem, faça um rasgo do seu valor de mim, não trato o que tenho sofrido. Só eu sei não me tem metido onde queriam porque de todo não podem, pois sabem decerto que então haveria uma revolução dos bons portugueses, pois todos sabem, graças a Deus, que por coisa nenhuma me tem feito mudar de sentimentos nem [hão de] fazer, pois prezo mais morrer de fome se necessário do que mudar de princípios, os quais são e [hão de], se Deus quiser, firmes mais de que uma rocha. Até a morte com isto digo tudo. Adeus. Torno-lhe que não se esqueça de nos mostrar quem é. Sua mana verdadeiramente sua amiga e fiel. Isabel.[239]

D. Pedro realmente não cederia, mas, com a opinião pública acusando-o cada vez mais de interessar-se antes pelos assuntos de Portugal do que pelos do Brasil, no momento era impossível qualquer reação que não fosse por meio da diplomacia.

O tempo das armas, contudo, não tardaria em chegar.

Renúncia

ENTRE O exílio da ex-favorita e a chegada de Barbacena com d. Maria II e d. Amélia, outros personagens voltaram à cena no Rio de Janeiro. Os irmãos Andrada deixaram o exílio. Primeiro retornaram ao Brasil Martim Francisco e Antônio Carlos; em julho de 1829, chegou à cidade José Bonifácio, que se apresentou a d. Pedro e à nova imperatriz após o término das festividades. O imperador e o velho conselheiro retomaram a antiga amizade e esqueceram as mágoas. D. Pedro estava apaixonado demais para guardar qualquer rancor, e o velho Andrada, viúvo, parecia mais encarar o papel de "advogado do diabo", como informou o diplomata norte-americano Tudor a seu país, do que ter qualquer intenção de voltar ao governo. O imperador apresentou José Bonifácio para a jovem d. Amélia na condição de "melhor amigo".

Sem medo de ter que dizer o que precisava ser dito para — nas palavras do próprio Andrada — o "bem do país, do trono e nosso", ele falou, mesmo com d. Pedro tentando interrompê-lo, tudo o que achava da situação envolvendo o governo e o Legislativo; também insistiu para que o imperador se reconciliasse com a opinião pública, pedindo, para isso, a ajuda da jovem d. Amélia.

Juntos, José Bonifácio e a nova imperatriz, que passou a confiar no marquês de Barbacena após a viagem que fizeram ao Brasil, apoiariam o nome deste último para a chefia de um novo gabinete. O imperador tentaria então algo novo: o marquês seria virtualmente um primeiro-ministro, ficando responsável pelas escolhas dos ministros e suas pastas e reservando para si próprio a das Finanças, dado que esperava tirar o Brasil da inflação galopante em que se encontrava.

Um novo acidente

A nomeação foi feita em 4 de dezembro. Três dias depois, dirigindo uma de suas carruagens em altíssima velocidade, d. Pedro capotou o veículo na rua do Lavradio, localizada na região central da cidade do Rio de Janeiro. Ele, que estava no banco do cocheiro, foi arremessado para a rua e caiu inconsciente. O irmão de d. Amélia, príncipe Augusto, quebrou o antebraço direito, ao passo que a rainha d. Maria II sofreu uma forte contusão na cabeça. A imperatriz e sua dama, por sua vez, nada sofreram além de algumas pequenas escoriações.

Segundo consta no relatório de seu médico, o barão de Inhomirim, d. Pedro,

> [...] no ato da queda, que foi sobre o lado direito, perdeu os sentidos por espaço de cinco minutos, voltou a si, e posto em repouso, reconheceu-se que tinha fraturado a sétima costela verdadeira no seu terço posterior, e a sexta no seu terço anterior, uma ligeira contusão sobre a fronte, e alguma distensão no quarto direito.[240]

D. Pedro teve de ser cuidado na casa do marquês de Cantagalo, que morava na própria rua do Lavradio. Somente no início de 1830 o imperador estaria bom o bastante para voltar à Quinta da Boa Vista, onde continuou sua convalescença. Durante a grande queda anterior, em 1823, d. Pedro havia destituído os Andrada; dessa vez, passaria os dias contabilizando, para seu susto, o quanto lhe custara trazer uma nova imperatriz para o Brasil. Sempre que precisava ficar de cama, o imperador acabava julgando mais satisfatoriamente o que estava acontecendo ao seu redor, o que determinava as atitudes que tomaria ao se recuperar.

A procura das princesas e o casamento com d. Amélia haviam lhe causado um rombo no valor de mais de 180 contos de réis, uma fortuna para a época. Num Brasil afundado na inflação, d. Pedro precisava dar o exemplo: pagaria o débito que criara com o tesouro, de onde tinham partido os recursos que financiaram Barbacena. Alegando que suas contas deveriam ser o mais específicas e discriminadas possível, a fim de evitar problemas, o imperador passou a atormentar o marquês com exigências que envolviam não apenas gastos contabilizados e não realizados, mas também valores superfaturados e sérias divergências quanto ao câmbio. A operação toda levaria meses.

O Chalaça

Enquanto isso, em 20 de janeiro, d. Pedro, já um pouco recuperado do acidente com a carruagem, compareceu com d. Amélia e d. Maria II a um baile no prédio do Senado. A primeira dança foi realizada pela imperatriz e seu galante irmão, uma vez que d. Pedro ainda não tinha condições físicas para tal. Durante o baile ocorreu um incidente envolvendo o secretário de d. Pedro, Francisco Gomes da Silva. O Chalaça teria obrigado a orquestra a tocar uma quadrilha que não constava no programa original, ofendendo ainda, segundo o jornal *Astrea*, tanto os músicos quanto um general brasileiro. Começava assim a orquestrada operação de Barbacena, dos Andrada e do partido nativista, que desejavam se ver livres dos portugueses que circulavam ao redor do imperador no chamado "o gabinete secreto".

Petrópolis

Enquanto o Chalaça se defendia ao máximo dos ataques desferidos contra si, enviando artigos anônimos para os jornais a fim de discutir a xenofobia dos nativistas contra os servidores nascidos em Portugal, d. Pedro e d. Amélia subiam a serra em direção à fazenda do padre Corrêa. Ali o imperador, dando continuidade ao costume de d. João, costumava veranear, para desespero da irmã do falecido padre, que tinha de ceder a casa e sua paz a ele, sua família e sua corte.

D. Amélia quis pôr um fim ao incômodo causado pela falta de tato do marido e instou que d. Pedro comprasse uma das fazendas da região para ter algo seu em que descansar. À venda, na época, encontrava-se a propriedade chamada Córrego Seco. D. Pedro adquiriu a fazenda, para onde chegou a encomendar um projeto que nunca seria construído: o Palácio da Concórdia. Herdada por d. Pedro II, e com as dívidas sobre ela saldadas como presente da Assembleia ao imperador, a fazenda tornou-se o núcleo inicial da atual cidade de Petrópolis, na serra fluminense.

Morre d. Carlota

Na serra, d. Pedro recebeu de um correio uma carta do irmão, d. Miguel. O que queria o usurpador?

> Meu querido mano da minha maior estima,
>
> Tendo da maior satisfação para mim as vezes que procuro saber da saúde do mano, e dos mais queridos sobrinhos, a quem desejo mil venturas, assim como a mana sua digna esposa, esta se torna bem sensível pela triste notícias que lhe dou do falecimento da nossa querida e extremosa mãe que o ente supremo foi servido chamar à sua divina presença no dia 7 de janeiro do corrente as 3 e 3/4 da tarde, sofrendo uma morte verdadeiramente cristã: ela se lembrou do mano deixando-lhe a joia que lhe remeto; assim como também lhe remeto por esta ocasião a parte que lhe coube por falecimento do nosso augusto pai, e a prenda que lhe deixou a tia Princesa. Desejo que o mano goze a melhor saúde seguida de uma série de prosperidades que de todo o coração lhe deseja este que sempre foi, e se preza ser, seu irmão muito amigo.
>
> Queluz, 6 de fevereiro de 1830
>
> Miguel.[241]

O "irmão muito amigo" escrevia para d. Pedro como se nada houvesse, como se não tivesse feito as irmãs prisioneiras, prendido e matado portugueses que se lhe opunham, dividido o reino entre absolutistas e constitucionalistas e usurpado o trono da sobrinha. O imperador, que à época já chamava publicamente o irmão de "assassino" do pai, era comunicado por ele da morte da mãe. D. Carlota, segundo rumores, não teria tido morte tão cristã assim. Abandonada até por d. Miguel, que não a procurou mais depois de chegar a Portugal, teria se envenenado. Mas não renegou o filho ingrato — pelo contrário: em seu testamento, legou o que podia ao caçula.

D. Carlota Joaquina, em gravura de 1827.

D. Pedro é obrigado a se afastar dos amigos

D. Pedro, ao tomar conhecimento da morte da mãe, voltou para o Rio de Janeiro e vestiu luto por oito dias. De volta à cidade, soube que a perseguição dos nativistas contra o Chalaça e contra João da Rocha Pinto estava piorando de tal modo que o marquês de Barbacena, por "temer" pela vida dos dois e querer o bem da monarquia brasileira, sugeriu ao imperador que os enviasse para fora do Brasil. Desse modo, d. Pedro despachou seus bons servidores, mas não sem antes cuidar pessoalmente da bagagem do Chalaça, verificando até se tinha roupas quentes o suficiente para sobreviver à Europa e se o estoque de bebidas a bordo do navio — logo ele, que não bebia! — bastava para a travessia do Atlântico.

Em carta ao marquês de Resende, d. Pedro contava boa parte das agruras que vivenciou naquele período. Chegou até mesmo a desabafar sobre a vida sexual com a nova esposa:

> Em casa por ora nada, mas o trabalho continua e em breve darei cópia de mim, e farei a Imperatriz dar cópia de si, se ela me não emprenhar[242] a mim, que é a única desgraça que me falta a sofrer. [...] Agora já propósito firme de não... se não em casa, não só por motivos de religião, mas até porque para o pôr assim [desenho de um pênis ereto] *já não é pouco dificultoso.*

Já quando mantinha relações com a marquesa de Santos, d. Pedro, em carta à favorita, informou-lhe a respeito de uma doença sexualmente transmissível que havia adquirido e que passara para Domitila. Depois, o imperador sofreria com cálculos renais e outros problemas urinários. Por fim, quando seu furor erótico parecia arrefecer, acabou por conseguir uma esposa jovem, linda, educada, submissa e atraente.

Na carta a Resende, ele continuou:

> [...] Vamos vivendo mal e pobremente, para não dizer porcamente; mas Barbacena, que está ao leme, e dirige tudo = abaixo de mim =, está esperançado de alcançar vitória = *hagasse el miracolo, hagalo el diabolo*. Sto. Amaro[243] *lá vai tratar da questão portuguesa. Gomes e Rocha passear, em suma ministerial e*

> *constitucionalmente postos* fora ao que eu anuí por interesse deles, e meus; não que eles estejam fora da minha graça, e a prova é que lhes dou pensões. [...]

O Chalaça jamais cairia no desfavor de d. Pedro: serviria ao imperador até sua morte e se tornaria, posteriormente, secretário de d. Amélia. Seguia agora do Brasil para a Inglaterra, onde continuaria a trabalhar como secretário do imperador, encarregado de seus negócios particulares na Europa. Servir — e bem — aos Bragança parece ter sido seu único propósito e dever, diferentemente daqueles que criavam intrigas ao seu redor.

Um plano ambicioso em troca da coroa portuguesa

Quanto ao marquês de Santo Amaro, d. Pedro enviou-o como embaixador especial junto às cortes de Londres, Paris e Viena, em missão secreta. Ordenou-lhe[244] que negociasse, com as potências europeias, apoio na questão da sucessão da coroa portuguesa. Em troca, ofereceria apoio brasileiro à política da Santa Aliança referente ao antigo domínio espanhol na América, dividido e subdividido em diversas repúblicas. As negociações previam que d. Miguel continuaria no trono. D. Pedro se permitiria até mesmo retomar as negociações do casamento entre o irmão e a filha, desde que esta, quando completasse dezoito anos, não se opusesse. D. Miguel teria que enviar ao Rio de Janeiro um encarregado capaz de tratar de tais assuntos. O imperador também voltaria a considerar o envio de d. Maria II ao avô em Viena, contanto que, entre as diversas questões elencadas nos tópicos passíveis de discussão, d. Miguel decretasse anistia ampla e irrestrita aos presos, degredados e emigrados políticos.

Em troca, d. Pedro declarava que, se fosse o caso, o Brasil ajudaria a Europa a instituir nas repúblicas hispano-americanas monarquias constitucionais, sobretudo se fossem entronizados príncipes da família dos Bourbon. Também exigiu que os europeus concordassem com uma nova anexação da Cisplatina ao Brasil ou, ainda, com a criação de um estado fantoche do Brasil no local. Seu objetivo era ter um estado-tampão que evitasse que Brasil e Argentina tivessem uma larga fronteira em comum e que permitisse o acesso brasileiro ao rio da Prata. O interessante dos planos diplomáticos estava em que, se d. Pedro concordava com monarquias constitucionais na América, não tocava no assunto "constituição" ao falar de Portugal. Pelo visto, estava mesmo disposto a fazer pacto com o próprio diabo — no caso, com Metternich — para ver a filha no trono português.

Numa tentativa de se aliar ao rei da França, o despótico Carlos X, contra d. Miguel, d. Pedro imaginou casar d. Maria II com um dos filhos do monarca francês. A ideia, porém, assim como aquela de se unir à Santa Aliança, também cairia por terra com a nova revolução que estourou na França. Carlos X, demonstrando cada vez mais seu viés autoritário, tentara modificar a constituição do país e acabar com a liberdade de imprensa. Foi deposto e substituído, por ação do congresso, pelo príncipe Luís Filipe, que passaria à história como o "rei cidadão", modelo mais burguês e menos imperial de governante. Para a presidência do seu Conselho de Estado, Luís Filipe nomeou o ídolo intelectual de d. Pedro, o filósofo Benjamin Constant. O imperador brasileiro, em carta a Rocha Pinto, deu vivas à revolução que havia deposto o tirano, completando: "Faço bem em não deixar de ser constitucional!" Sem dúvida, se tivesse implementado as ações que concebera em 1829 — fechar o congresso e mudar a Carta —, provavelmente teria tido o mesmo destino de Carlos X.

D. Pedro e Benjamin Constant continuavam a se corresponder. O francês era um dos que, junto com a infanta d. Isabel Maria, achava que o imperador do Brasil deveria se dirigir à Europa e, de lá, dar combate ao irmão e entronizar a filha. Isso, segundo Constant, levaria à guerra do constitucionalismo, vitorioso na América, contra a Europa absolutista.

D. Pedro × Barbacena

Apesar de José Bonifácio ter apoiado a indicação de Barbacena para o ministério, em substituição ao impopular José Clemente Pereira, o velho Andrada estranhou o fato de o marquês ter mantido ali Miguel Calmon. Calmon fora ministro das Finanças na época em que Barbacena e a rainha d. Maria II encontravam-se na Europa, sendo um dos responsáveis pela calamitosa política de emissão de moedas sem lastro, pelo que foi apelidado, à época, de o "maior falsário do Brasil". Barbacena havia tomado para si essa pasta, colocando Calmon no ministério do Exterior.

Em meio aos cálculos pelos quais verificava as contas de seu casamento com d. Amélia, d. Pedro resolveu avançar mais e contabilizar também os valores destinados à manutenção de d. Maria da Glória na Inglaterra. Quando Miguel Calmon ainda era ministro da Fazenda, o imperador ordenou que colocasse à disposição do marquês de Barbacena parte do dinheiro que o Brasil devia a Portugal pelo tratado de reconhecimento de 1825. Esse dinheiro, enviado a Londres, foi transferido para Caldeira Brant por meio da legação brasileira na Inglaterra. Agora, d. Pedro queria verificar a documentação referente às transferências, convocando Calmon para prestar contas desses documentos. O ministro tergiversou, desconversou e, por fim, afirmou que explicaria tudo ao imperador de viva voz, sem porém entregar-lhe nada por escrito. Irritado, d. Pedro o xingou e obrigou a se demitir do governo, o que foi feito em 26 de setembro.

Se onde há fumaça há fogo, logo d. Pedro voltou-se para Barbacena e pediu que entregasse a pasta das Finanças, pois conduziria uma auditoria interna nas contas. Uma vez que a investigação também diria respeito a Caldeira Brant, ele não poderia continuar com o ministério. D. Pedro pediu que se tornasse responsável pelo ministério do Exterior, posto vago pela recente renúncia de Miguel Calmon. A pasta das Finanças seria dirigida, durante a auditoria, pelo fiel e responsável marquês de Paranaguá.

Ofendidíssimo, Barbacena recusou-se a ir para a outra pasta. Disse a d. Pedro que havia assumido o ministério das Finanças com grande sacrifício pessoal e que não queria ir para o do Exterior. Se d. Pedro não o quisesse mais na pasta em que estava, trocaria o gabinete por sua plantação de cana na Bahia. Num movimento mais do que suspeito, contudo, pediu que, se precisasse realmente deixar o cargo, lhe desse mais oito dias nele. O imperador, temendo que os livros do ministério fossem adulterados, demitiu sumariamente Barbacena em 28 de setembro. O que se deu então foi catastrófico para todos os lados. Irritado com sua demissão, registrada por d. Pedro como se fora "a pedido", ou seja, como se Barbacena a tivesse solicitado, o ex-ministro reclamou dizendo que na verdade fora exonerado.

D. Pedro, sem se fazer de rogado, lavrou novo decreto em 30 de setembro de 1830, no qual explicitou que os motivos da demissão, tornados públicos, eram para "tomarem-se as contas da Caixa de Londres, examinando-se as grandes despesas feitas pelo marquês de Barbacena, do Meu Conselho de Estado, tanto com Sua Majestade Fidelíssima, Minha Augusta Filha, como com os emigrados portugueses na Inglaterra, e especialmente com o Meu Casamento".

Essa ação de d. Pedro levou o marquês a expor publicamente não só os gastos como todo o problemático processo pelo qual conseguira uma noiva europeia para o imperador. O que antes só fora tema de conversas de diplomatas e de sussurros pelos corredores do palácio e repartições passou a ser de conhecimento geral. Barbacena soltava sua defesa impressa e escancarava ao Brasil que nenhuma princesa com que d. Pedro tentara se casar o quisera, só lhe sendo possível conseguir d. Amélia por se ter flexibilizado a questão relativa ao seu nascimento, uma das quatro exigências feitas pelo imperador. Desse modo, a imperatriz era mostrada ao público como mercadoria de segunda linha, o que muito a deve ter desgostado, pois via Barbacena até então como seu herói. D. Amélia tinha, assim, uma de suas primeiras desilusões não só com o Brasil, mas também com os brasileiros.

A libertinagem de imprensa

Evitando acusar o monarca, o que era crime segundo a Constituição, o marquês afirmou que sua queda fora armada por conselheiros secretos que o haviam envenenado junto ao imperador. Todos os ministros caídos, desde os Andrada, sempre culparam alguém — nunca haviam feito nada de errado. Antes existia a marquesa de Santos como bode expiatório; na falta desta, eram agora os portugueses, sobretudo os que integrariam o tal "gabinete secreto". Apesar de Rocha e Chalaça já não estarem no Brasil havia meses, a imprensa oposicionista e nativista pegou essa questão e fez dela um verdadeiro cavalo de batalha, chegando a publicar diversas notícias falsas acerca do retorno do Chalaça ao Brasil, país em que nunca pisaria novamente.

Além da perseguição aos portugueses que comporiam o fantasioso "gabinete secreto", outra falácia se consolidou após a queda do governo de Carlos X na França. No Brasil, os jornais passaram a advertir que, se o "poder" derrubasse a Constituição, seu destino seria igual ao do rei francês. Logo se cunhou um mote para descrever o sentimento que se espalhava pelo Brasil: "Viva o imperador, enquanto constitucional." Isso deveria deixar d. Pedro irritadíssimo, questionando quanto tempo levaria para o povo e a tropa fazerem-no jurar novamente a Constituição que ele mesmo concedera ao país.

A onda xenófoba que assolava o Brasil tinha chegado a seu ápice: naquele momento, qualquer português era suspeito de qualquer coisa. O Rio de Janeiro, repleto de exilados portugueses que tinham procurado se salvar junto de sua soberana, era justamente o local mais perigoso. Os jornais culpavam-lhes por maquinarem contra o Brasil, alegando que apoiariam d. Pedro numa pretensa suspensão da Constituição e numa suposta reunião do país com Portugal. A histeria provocada por uma ameaça imaginária, criada por uma imprensa oposicionista e descontrolada, teve lances literalmente trágicos, como o assassinato em São Paulo do médico e jornalista italiano conhecido como Líbero Badaró.

Badaró era editor do *Observador Constitucional*, em que ninguém do governo era poupado, sobretudo d. Pedro I. Na época em que se soube da queda de Carlos X, os estudantes da Academia de Direito em São Paulo tomaram a frente das comemorações pela queda do tirano anticonstitucional francês. Valendo-se de banda de música e tochas, eles cantaram e dançaram madrugada adentro, celebrando a nova revolução vinda da França. Quem não gostou muito disso foram as autoridades constituídas. O ouvidor da comarca,[245] Cândido Ladislau Japiaçu, processou alguns dos estudantes, que foram defendidos por Badaró no jornal: o editor chamava o ouvidor de *Caligulazinho*.

Líbero Badaró acabou sendo assassinado por conta de suas opiniões políticas. Às dez horas da noite de 20 de novembro, foi alvejado próximo de sua residência, na rua Nova de São José.[246] Dias depois, falecia tendo nos lábios a famosa frase: "Morre um liberal, mas não morre a liberdade." Para a história do Brasil, ele entrou como o patrono dos jornalistas. Antes de morrer, no entanto, teria reconhecido que aqueles que o haviam cercado e alvejado eram alemães, o que a opinião pública logo interpretou como acusação aos "mercenários" em vias de serem expurgados do exército. Contra eles também falavam agora os militares brasileiros, que achavam injusto que seus colegas estrangeiros recebessem salários maiores.

Para completar a situação, o desembargador Japiaçu foi apontado como mandante do crime. Enviado ao Rio de Janeiro para ser julgado, porém, seus pares o inocentaram por falta de provas.

Antes do recesso da Assembleia, os deputados cobraram do governo explicações acerca do que fora feito com a encomenda de armamento aprovada pelo ex-ministro interino do Exército em fins de 1829. A suspeita de que o governo planejava um golpe contra a Constituição e a Assembleia era cada vez maior. Por outro lado, os deputados haviam assumido uma nova palavra de ordem no segundo semestre de 1830: o federalismo. Conferir maior poder regional às províncias era uma forma de escapar das ordens diretas do governo central. Por outro lado, não só d. Pedro, mas também diversos políticos e jornalistas achavam isso uma temeridade, um passo rumo à desintegração nacional.

Viagem a Minas Gerais

No meio de tantos distúrbios e do mal-estar generalizado criado pela política e pela imprensa ao redor de d. Pedro, o imperador decidiu empreender, no final do ano, uma viagem de três meses para Minas Gerais, província que concentrava o maior número de políticos favoráveis à federalização do Brasil. Talvez recordando que sua presença em Minas e em São Paulo, anos antes, fora suficiente para restaurar a ordem, achou que agora conseguiria fazer o mesmo.

Uma voz, porém, teria surgido para alertá-lo do quanto o trono havia se distanciado do povo — ao menos se tomarmos a carta em questão por legítima. Sem um pingo de polidez ou diplomacia, o marquês de Barbacena, ao tomar conhecimento do projeto de d. Pedro de deixar a capital e seguir para Minas, lhe escreveu em 15 de dezembro:

> Senhor. O momento de uma crise está mui próximo, e eu temo que V.M.I. iludido por uma facção, como acaba de acontecer a Carlos X, não evite o abismo em que pode sepultar-se a si, ao trono, e à família imperial. [...] Estamos nas vésperas dela [da revolução], mas V.M. ainda pode sustar semelhante calamidade, suspendendo a sua viagem para Minas, e tomando desde já nova atividade e outro norte; mude de sistema e identifique-se com os brasileiros; separe de junto de sua pessoa, e de sua casa, essa quadrilha de portugueses, que o tornam inimigo da nação; praticando isso com sinceridade e firmeza, V.M. suspenderá a resolução, e pouco a pouco recuperará as afeições do povo [...]. Se, porém, V.M., prosseguindo na carreira que atualmente trilha, hostil à nação, e instrumento cego de uma facção inimiga do Brasil, persistir, todavia, em realizar a viagem a Minas, talvez nunca mais volte ao Rio de Janeiro, e é esse o menor mal que prevejo. Um dos tios avós de V.M.I. acabou seus dias em uma prisão em Cintra. V.M.I. poderá acabar os seus em alguma prisão de Minas a titulo de doido, e realmente só um doido sacrifica os interesses de uma nação, da sua família, e da realeza em geral, aos caprichos e seduções de criados caixeiros portugueses [...]. Ainda há tempo, senhor, de manter-se V.M.I. no trono, como o deseja a maioria dos brasileiros, mas se V. M. indeciso, continuar com as palavras de constituição e brasileirismo na boca, a ser português e absoluto de coração, neste caso a sua desgraça será inevitável, e a catástrofe que praza a Deus não seja geral, aparecerá em poucos meses; talvez não chegue a seis [...].[247]

Além do vaticínio sobre a tormenta que estava para se abater sobre o imperador, Barbacena permanecia culpando o gabinete secreto, isto é, a camarilha de cortesãos portugueses que aconselhavam d. Pedro. Continuava jurando fidelidade ao imperador, mas disse que, por d. Pedro tê-lo impedido de escrever em jornais, havia sido obrigado a lançar o panfleto em que se defendeu das acusações. Do mesmo modo, afirmou que todas as suas contas já haviam sido revisadas e aprovadas pelo imperador.

D. Pedro não se deixou influenciar por Barbacena, a quem havia declarado inimigo, proibindo qualquer amigo ou criado seu de visitá-lo. Assim, partiria para Minas com d. Amélia, que no futuro se lembraria com desgosto da viagem. Apesar de ser bem recebido pelo governo, o povo não lhe fez a festa que imaginara. Pelo contrário: após retirar-se o imperador, as casas que o hospedaram foram apedrejadas, enquanto as pessoas que o tinham cortejado eram apupadas nas ruas. Ao longo da viagem, várias das cidades em que ele chegava celebravam as exéquias de Líbero Badaró, com os sinos dobrando o toque de finados o dia inteiro.

Em Ouro Preto, d. Pedro discursou para a multidão diante do antigo palácio dos governadores. A fala praticamente resumiu-se a uma proclamação antifederalista, recebida com frieza pela população local. A viagem estava sendo um fracasso. D. Pedro sentiu na pele o quanto ele e seus súditos haviam se distanciado. Provavelmente lhe deve ter passado pela cabeça como havia sido recebido, em 1822, tanto em Minas Gerais quanto em São Paulo, bem como o modo como tudo aquilo havia ficado para trás.

Em vez de retornar ao Rio de Janeiro no dia 17 de março, como previsto, já no dia 11 chegou ele à Quinta da Boa Vista. O embaixador francês noticiou a seu governo que, ao procurá-lo no palácio para lhe dar as boas-vindas, notou na fisionomia do imperador a perturbação gerada pela viagem, assim como o descontentamento e as preocupações. Em meio a todo esse mal-estar, avistava-se novamente com sua irmã, a infanta d. Ana de Jesus, agora marquesa de Loulé. No ano anterior, em outubro de 1830, chegara-lhe uma carta dela para d. Pedro informando que estava grávida novamente e que gostaria de que ele e a rainha de Portugal, d. Maria II, fossem padrinhos da criança. De pronto, o irmão mandou chamá-la ao Brasil, tirando-a do exílio em que se encontrava na França.

O jornal *O Repúblico* de 5 de março perguntou, com um misto de ironia e insolência:

> Que sereníssima senhora infanta foi uma que veio de Toulon, com 49 dias de viagem, da qual nos dá notícia o Diário do Rio? É a pergunta que todos se fazem

mutuamente, pois desejam saber que personagem é essa, e a que família pertence, e também se possível fosse, onde está. Mas, com essa sereníssima chegou também o senhor de Loulé com sua família. Ouvi que se deram salvas à chegada do senhor marquês, porque é cunhado do Imperador: mas quem pagaria a pólvora? O marquês seu cunhado ou a nação?

Garrafadas

Em 11 de março, membros da corte e da comunidade portuguesa do Rio de Janeiro comemoraram a chegada de d. Pedro à cidade. Com foguetes, bombas, fogueiras e girândolas, os portugueses passaram a provocar os brasileiros, dando vivas ao imperador. A isso, se lhes respondiam os nativistas: "Viva a Constituição!", ou ainda "Viva d. Pedro II!". Os donos de imóveis que não ostentavam luzes festivas nas janelas eram intimados por bandos de portugueses a aderirem à festa.

Duas facções, a dos nativistas e a dos portugueses, logo passaram a se confrontar — inicialmente, com insultos, logo convertidos em ações físicas. Os brasileiros foram expulsos da rua da Quitanda, no centro do Rio, debaixo de garrafadas, atiradas pelos portugueses do alto de seus sobrados. Os distúrbios duraram três dias, alimentados como foram pela imprensa e pelos políticos. Somente no dia 15 a polícia entrou em ação. Entre os presos, encontravam-se jovens oficiais brasileiros que tinham se envolvido em brigas contra os portugueses, o que agravou ainda mais a situação.

No dia 17, d. Pedro e d. Amélia finalmente foram até a cidade para um *Te Deum* na Capela Imperial, em ação de graças pelo bom retorno da viagem a Minas. A aparição do imperador encorajou ainda mais os portugueses, que viam nele seu defensor. Os lusos se acercaram do casal, que foi recebido por mais de cinquenta cavaleiros portugueses vestidos em uniformes de gala e dando vivas. Os nativistas presentes, por outro lado, gritavam em resposta: "Viva a federação!" Após a missa, houve beija-mão no Paço da Cidade. Tanto na igreja quanto no palácio, poucos brasileiros importantes apareceram, e a falta de membros do exército foi notável.

Ultimato

No dia seguinte, o padre Custódio Dias, deputado por Minas Gerais, foi à Quinta da Boa Vista entregar ao imperador uma petição. Esta era encabeçada pelo senador Vergueiro e assinada por 23 deputados e exigia a punição dos estrangeiros que tinham perturbado a ordem pública nos dias anteriores, atacando os brasileiros sob o pretexto de serem federalistas. Segundo o barão Daiser, ministro austríaco que substituíra Mareschal na corte do Rio de Janeiro, d. Pedro "teve tal impressão que se sentiu indisposto".

Na petição, os parlamentares não apenas exigiam que fosse feito algo a respeito dos portugueses, mas ainda deixavam claro que, se o governo nada fizesse, interpretariam tal atitude como claro sinal de que os brasileiros deveriam vingar eles mesmos as afrontas e crimes cometidos. "A ordem pública, o repouso do Estado, o trono mesmo, tudo está ameaçado se a representação [...] não for atendida e os seus votos completamente satisfeitos."

Uma tentativa de reconciliação

Após a viagem a Minas e seu retorno a uma cidade dividida, d. Pedro havia perdido a certeza de que sua presença ainda era capaz de magnetizar as massas. Devido ao desgaste de sua imagem, ele não exercia mais o fascínio dos anos anteriores. Havia também perdido completamente o senso de governo. Era preciso ser um liberal de fato — não apenas no plano filosófico, no plano das ideias. Porém, d. Pedro também era alguém que detestava parecer fraco: como afirmou o historiador Otavio Tarquínio de Souza, tratava-se de um homem presunçoso, obstinado e voluntarioso. Tinha desprezo por ceder, transigir. Em vez de escolher um ministério de reconciliação nacional, escolhendo ao menos algum nome dos que encabeçavam a petição enviada no dia 18, d. Pedro, para não perder o hábito, derrubou o gabinete e constituiu um novo. Dessa vez, todos os ministros escolhidos eram brasileiros, mas nenhum daqueles que se encontravam nos postos-chave inspirava confiança no povo, nos políticos e na imprensa.

Aquela foi uma medida completamente inócua para a crise, mas outras deram alguma sobrevida ao Primeiro Reinado: Francisco de Lima e Silva, homem de confiança dos liberais e nativistas, foi recolocado no posto de comandante das Armas da Corte; todos os oficiais brasileiros aprisionados durante os distúrbios foram libertados; e, por ofício enviado ao conde de Sabugal, chefe de governo de d. Maria II, mandou que o governo português no exílio chamasse os súditos da rainha à ordem. Os portugueses retornaram para seus navios e residências.

Enquanto jornais como o *Diário Fluminense* de 23 de março conclamavam os brasileiros "dignos desse nome" a se unirem ao trono e ao imperador, relembrando em vão tudo o que d. Pedro havia feito pelo Brasil, outros como *O Repúblico* afirmavam que o monarca estava mais para Pedro IV do que para Pedro I, convocando o povo a lutar contra os portugueses.

"Viva d. Pedro II!"

Nesse clima, chegou-se a 25 de março, dia em que d. Pedro havia outorgado a constituição ao Brasil. Tratava-se de data festiva nas cidades brasileiras, sobretudo na sede do poder, o Rio de Janeiro. Ali, haveria parada militar no Campo de Santana, o que atraiu grande multidão como de costume. Nenhum entusiasmo, porém, foi demonstrado com a chegada do imperador ao local, exceção feita à manifestação de júbilo de uns tipos malvestidos, um bando de vagabundos pagos para saudá-lo. O asco de d. Pedro ao ver a cena foi tão forte que dispersou-os com o chicote estalando no ar. Outro grupo, esse formado por cerca de quarenta jovens, postou-se próximo do imperador durante a parada e deu constantes vivas à independência, ao Brasil, à Constituição e, é claro, ao imperador "enquanto constitucional". Enquanto isso, o restante da multidão vaiava ou aclamava os diversos batalhões que desfilavam de acordo com a tendência destes serem pró ou contra o governo.

Ao chegar à tribuna do desfile, onde não encontrou mais nem o imperador, nem parte da comitiva imperial, o barão Daiser foi conversar com d. Amélia, que parecia aflita. Por ela, tomou conhecimento de que, pouco antes do final da parada, o novo ministro do Exército, general Morais, dissera ao soberano que estava indo ao *Te Deum* que haveria na igreja de São Francisco de Paula. Os liberais tinham promovido a cerimônia em comemoração à Constituição. D. Pedro afirmou que não iria pois não fora convidado, mas o general aconselhou-o a ir.

A falta de convite não era um lapso, mas uma desfeita proposital: buscavam humilhá-lo. O imperador, entretanto, talvez na tentativa de provar que ainda era adepto do constitucionalismo e que desconhecia o significado da palavra medo, resolveu impor sua presença. Pegou seu cavalo e dirigiu-se à praça, onde hoje se ergue uma estátua em homenagem a José Bonifácio, no centro do Rio. D. Pedro ainda era um belo homem e conservava o porte marcial. Era alto para a média da época, forte; embora a gordura já começasse a preencher seu rosto, pernas e quadril, continuava a se impor por onde passava. No uniforme bem talhado e asseado, parecia imponente ao desmontar do cavalo.

Não lhe faltou calma e sangue-frio ao entrar na igreja. Um cidadão tomou sua mão para beijar e exclamou: "Viva o Imperador, enquanto for constitucional!", ao que d. Pedro respondeu: "Sempre fui e hei de dar provas de o ser, e tanto que sem me convidarem para a função aqui estou."[248] Cumprimentando as pessoas, abriu alas e foi logo atrás das folhas verdes e amarelas que estavam sendo distribuídas, a fim de identificar os nacionais. Ao se aproximar do altar-mor, dirigiu-se aos que haviam idealizado a cerimônia e, desculpando-se, afirmou ter ido sem ser convidado. Argumentaram que só brasileiros haviam sido chamados, ao que ele teria retrucado: "E eu também não sou brasileiro?"[249] Todos se calaram.

O frei Francisco do Monte Alverne, membro de sociedades secretas e liberal em altíssimo grau, fez o sermão, que teve ares de comício público. Entre suas afirmações, estava a de que o povo não havia combatido pela escolha de um senhor. Falou também que o Brasil e os brasileiros não mais aceitariam "ministros ineptos ou tirânicos, que tornaram odiosa a autoridade real". No final, dirigindo-se a d. Pedro, exclamou: "Um anátema de execração fulmine aqueles que, pregando a doutrina do absolutismo, apagam os brasões de vossa glória."

A saída de d. Pedro foi um pouco mais tumultuada do que a entrada. Pessoas exclamavam à sua passagem: "Viva o Imperador enquanto constitucional!", ao que ele retrucava: "Fui, sou e sempre serei constitucional." Se, porém, diziam: "Viva d. Pedro II!", respondia: "É ainda criança!"

Os ministros da França e da Áustria relataram, em seus respectivos despachos, que à saída da igreja d. Pedro foi detido pelo braço por um homem que, após encarar o imperador, perguntou se ele agora estaria disposto a governar conforme a Constituição. D. Pedro, aturdido e pasmo diante da audácia do cidadão, respondeu sem titubear que nunca tivera outra intenção. O homem soltou-o e disse que, "nesse caso, Senhor, podeis contar com o nosso amor e fidelidade". A multidão que assistiu à cena, extasiada pela resposta do imperador, correu para lhe dar mais folhas verdes e amarelas e para ajudá-lo a subir em seu cavalo. A ânsia por ajudar foi tanta que d. Pedro quase se viu jogado do outro lado da sela.

Ao voltar ao Campo de Santana, e procurando esconder a profunda impressão que toda a cena da igreja causara em seu íntimo, relatou a todos o ocorrido. Apesar da voz firme e do modo como narrava a ocasião em que a multidão quase o vitimara ao alçá-lo ao cavalo, seu rosto pálido, suas feições desfeitas e o olhar de espanto traíram-no.

Razão × paixão

Ocorria uma verdadeira inversão de critérios. D. Pedro havia de fato pensado em mudar a Constituição em 1829, mas fora dissuadido por seus conselheiros. Naquele momento, quem queria mudar alguma coisa eram os deputados, que desejavam acabar com a centralização do poder mediante a federalização do Brasil, o que, no entender do imperador, ia contra a Constituição que todos haviam jurado. No entanto, os políticos e jornalistas colocavam-se como guardiões da legalidade e vendiam essa imagem à população, ao mesmo tempo que pintavam d. Pedro como traidor. Se, em 1829, o imperador já concebera ter de depender de tropas estrangeiras para derrubar a Constituição e criar outra, depois do que presenciara no Campo de Santana, com os batalhões que estavam ao lado do povo sendo ovacionados, não tinha qualquer ilusão de que poderia contar com o exército para algo. Mesmo assim, achou que talvez pudesse fazer alguma coisa com a chegada de um batalhão de tropas ligeiras que vinha de Santa Catarina, não contaminado com os ares políticos do Rio.

Na Sexta-Feira Santa, em 1º de abril, d. Pedro e a corte assistiam à procissão do Paço da Cidade enquanto, no quartel de artilharia próximo ao local, o editor do jornal *O Repúblico* distribuía a nova edição do jornal aos soldados, dizendo falsamente que mais brasileiros haviam sido mortos por portugueses. Estando já o ar envenenado, a verdade e a mentira se resumiam mais à paixão do que à razão. As informações, portanto, acabaram por chegar ao povo nas ruas, que passou a murmurar contra o imperador. Ao passarem diante do balcão onde estava d. Pedro, os homens não tiravam mais os chapéus em sinal de respeito. As tropas falavam em pegar as armas e depor o tirano ali mesmo. Francisco de Lima e Silva interveio, apaziguou os oficiais e convenceu d. Pedro a retornar para a Quinta da Boa Vista.

No dia seguinte, lá estava *O Repúblico* novamente nas ruas, conclamando o povo contra d. Pedro. No domingo, novas brigas entre os brasileiros, que os provocaram, e os portugueses encheram o dia. Outras manifestações contra o "tirano" tiveram lugar; casas residenciais e comerciais de portugueses foram invadidas e depredadas, e qualquer um que parecesse ser fiel a d. Pedro era agredido.

A última festa do Primeiro Reinado

O Brasil parece fadado a sofrer golpes de estado após festas grandiosas. Se muito é lembrado o Baile da Ilha Fiscal, que marcou o final do Segundo Reinado, pouco comentado é o último grande acontecimento social do Primeiro: o aniversário da rainha d. Maria II.

O imperador, perdido ou imprudente, resolveu comemorá-lo em 4 de abril, realizando um beija-mão à menina no seu palacete, antiga residência da marquesa de Santos. Lá compareceram a corte portuguesa da rainha-menina, os diplomatas estrangeiros e os demais súditos de Portugal. Com os tumultos que estavam acontecendo entre os brasileiros e os portugueses, uma comemoração puramente lusitana era um despropósito e só irritaria ainda mais os nativistas.

Além da rainha, também estavam ali o príncipe d. Pedro, com 5 anos de idade, e as demais princesas. Toda a corte, brasileira e portuguesa, enfim reunia-se para saudar a rainha de Portugal na casa da ex-amante do imperador do Brasil. Mais insólito que isso, só mesmo a falta de bom senso de d. Pedro.

Após o concerto, foi servida uma ceia, quando então um ajudante de ordens invadiu o palacete procurando pelo imperador. A cidade estava novamente em revolta; novos assassinatos ocorriam. D. Pedro, que até então estava animado, levantou-se sobressaltado e foi à caça dos ministros da Justiça e da Guerra, a quem atacou duramente. Não haviam eles dito que todas as providências tinham sido tomadas e que a cidade estava em ordem? Como então estava ardendo? D. Pedro pegou ambos pelo braço e tentou fazer com que tomassem alguma atitude, mas foi por eles informado de que não havia mais o que ser feito.

Logo, um novo ajudante de ordens chegaria informando que a situação piorara. Todos os diplomatas esperavam alguma atitude de d. Pedro, que, porém, estava quieto e nada dizia. Foi nesse momento que o general conde do Rio

Pardo, ex-ministro do Exército, se aproximou e disse que estava ali para derramar seu sangue pelo soberano, mas que as coisas não poderiam continuar como estavam. Pediu então que d. Pedro tomasse alguma decisão, ao que o imperador o autorizou a despachar patrulhas para os cruzamentos dos caminhos que ligavam a cidade a São Cristóvão, a fim de que os insurretos não os pegassem desprevenidos.

Os embaixadores foram unânimes em achar que d. Pedro havia perdido o espírito. Ele não conseguiu tomar nenhuma decisão rápida que pudesse dar segurança tanto a eles quanto à cidade. O embaixador austríaco, aproximando-se da dama de companhia da imperatriz Amélia, a baronesa Sturmfeder, tentou convencê-la a tentar algo junto aos soberanos, a fim de que o imperador se resolvesse a alguma atitude: "Pelo amor de Deus, tome o imperador alguma decisão firme; ele é ainda mais forte do que acredita." A baronesa, incrédula, respondeu: "Tendes certeza?", ao que o diplomata retrucou: "Não há tempo para perder e em caso algum as coisas podem piorar com um ato de coragem." Por fim, a cidade voltou a aquietar-se e todos puderam retornar para suas respectivas casas.

O 7 de abril

No dia seguinte, d. Pedro demitiu novamente o ministério e convocou outro, que ainda continuaria longe de lograr a reconciliação nacional esperada — sobretudo por haver nele dois ministros nascidos em Portugal. No dia 6, os líderes liberais e nativistas começaram a convocar o povo para as ruas, mas o local de ajuntamento escolhido foi o Campo de Santana, uma vez que o editor de *O Repúblico* e os mais radicais se haviam estabelecido próximo ao Paço da Cidade.

Por volta da uma hora da tarde, já havia no local umas seiscentas pessoas; às três horas, duas mil; e, às cinco, quatro mil. À medida que o dia findava, a multidão ia crescendo. No início da noite, chegaram os militares do quartel de artilharia próximo. Ciente do ajuntamento, d. Pedro enviou uma proclamação a ser lida na praça: dizia ao povo que se acalmasse, que nunca deixaria de ser constitucionalista e que continuaria mantendo a Constituição. Também pedia que confiassem nele e em seu gabinete.

A proclamação foi feita em pedaços, enquanto a multidão exigia que d. Pedro reintegrasse o antigo ministério. Uma delegação de juízes paroquiais foi enviada à Quinta da Boa Vista com o intento de passar a mensagem do povo ao imperador. Às sete da noite, d. Pedro recebeu-os e, polidamente, explicou que estava dentro de seu direito constitucional demitir e nomear ministros e que, se ele permitisse que o povo se imiscuísse em suas escolhas, não estaria apenas indo contra a Constituição jurada, mas também deixando de ser o representante dos interesses permanentes da nação e tornando-se mero instrumento na mão da maioria. Foi então que pronunciou a frase que é até hoje deturpada: "Tudo farei para o povo, mas nada pelo povo." Ao ser transmitida pelos juízes a fala do soberano, a multidão pediu, aos gritos, "morte ao tirano".

Às onze da noite, a maior parte das unidades do exército já estava com o povo. Francisco de Lima e Silva enviou ao imperador seu ajudante de ordens, a fim de dizer-lhe que não haveria mais como dispersar a multidão. Aconselhou d. Pedro a não demorar muito para fazer o que o povo exigia, pois o risco de os radicais guiarem a massa para derrubarem a monarquia era grande. Para completar o quadro, o batalhão do imperador havia desertado de São Cristóvão, bem como a artilharia a cavalo. O palácio encontrava-se totalmente desprotegido.

D. Pedro, tentando uma última cartada, mandou um oficial procurar o senador Vergueiro e levá-lo para São Cristóvão. Pretendia convidá-lo para formar um novo governo. Enquanto isso, permaneceu em uma das salas do palácio com d. Amélia, os ministros, membros do corpo diplomático estrangeiro e o ajudante de ordens de Lima e Silva. Esperaria um tempo razoável pela resposta do senador, se é que este se deixaria ser encontrado. Estava disposto a abdicar. Para os embaixadores, argumentou que todos os que haviam nascido no Brasil estavam no Campo de Santana, contra ele. Não o queriam como governante porque era português e, independentemente do que fizesse, sempre tentariam se livrar dele de alguma maneira. D. Pedro acreditava, não sem razão, que o filho, o futuro d. Pedro II, levava uma vantagem sobre o pai: ter nascido no Brasil.

Eram quase três horas da madrugada do dia 7 quando o oficial retornou dizendo que não havia conseguido encontrar o senador Vergueiro em canto algum. D. Pedro retirou-se da sala para o escritório e retornou logo depois, com um pedaço de papel em que se lia:

> Usando do direito que a Constituição me concede, declaro que hei muito voluntariamente abdicado na pessoa de meu muito amado e prezado filho, o sr. d. Pedro de Alcântara. Boa Vista, sete de abril de mil oitocentos e trinta e um, décimo da independência e do Império.
>
> *Pedro.*[250]

Aclamação de d. Pedro II.

Parte III

Europa – 1831-1834

França

AMPARADO PELOS embaixadores da França e da Inglaterra, d. Pedro conseguiu asilo em navios estrangeiros ancorados na baía de Guanabara. Pontois, diplomata francês que passara a madrugada toda em São Cristóvão com o imperador, deixou-nos uma lembrança do que viu:

> [...] Vimos simultaneamente o doloroso quadro do poder descaído, o nobre espetáculo da resignação e da coragem na desgraça, pois o imperador [...] soube melhor abdicar do que reinar. No decurso dessa noite inolvidável para quantos a testemunharam, o soberano se ergueu acima de si próprio e mostrou constantemente uma presença de espírito, uma firmeza e uma dignidade notáveis, provando o que esse desditoso príncipe teria podido ser com uma educação melhor e com mais nobres exemplos sob as vistas.[1]

D. Pedro estava calmo — provavelmente, porque já havia acalentado a ideia da abdicação em 1829: primeiro, quando imaginou que teria que ir pessoalmente a Europa para arrumar uma noiva, sem a autorização da Assembleia; depois, pouco antes do dia 7 de abril, durante uma discussão com o Conselho de Estado. Segundo as memórias do visconde de São Leopoldo:

> [...] Em sessão do conselho de Estado, correndo mais viva a discussão, e com o devido respeito dando-se a entender que o próprio imperador havia dado causa aos males que se previam iminentes, instou Sua Majestade para que se explicassem francamente; pelo que o marquês de Caravelas, tomando a palavra, mostrou os ressentimentos que contra ele havia. Então o imperador prorrompeu em uma exposição enérgica e tocante dos sacrifícios que fizera pelo Brasil, recordando com emoção a morte de seu filho d. João Carlos e concluído, que estava decidido a retirar-se, e fazia votos para que aqui fossem felizes e se regessem em paz.[2]

D. Pedro partiu logo pela manhã com d. Amélia, d. Maria II, sua irmã e o genro, os recém-chegados marqueses de Loulé; acompanharam-no também alguns cortesãos, poucos funcionários, uns soldados brasileiros ainda fiéis e seu médico pessoal, João Fernandes Tavares. Quando saíra da Quinta da Boa Vista em direção à praia de São Cristóvão, onde embarcariam, uma grande comitiva de servidores e escravos seguiu as carruagens que conduziam seus amos. A guarda da marinha inglesa por pouco não teve que usar de força para impedir que uma multidão de negros invadisse o bote que levava d. Pedro. Em 20 de junho daquele ano, a Gazeta de Lisboa noticiaria que "por ter querido dar a liberdade aos escravos", o Brasil havia fugido das mãos de d. Pedro, "porque a sua determinação de abolir o comércio dos negros não deixou de contribuir, segundo dizem, para o inimizar com a Assembleia Legislativa, em grande parte composta de cultivadores e colonos". Sem o imperador, as sucessivas regências nada fariam pelo problema da escravidão no Brasil. No mesmo ano da abdicação, em novembro, por pressão da Inglaterra, o governo brasileiro criou a lei Feijó, que daria caça aos navios negreiros, conforme estipulado no tratado assinado por d. Pedro em 1826. Essa, no entanto, seria uma lei para "inglês ver": somente na década de 1850, com a Lei Eusébio de Queiroz, o problema do tráfico seria efetivamente atacado.

A preocupação com os filhos

Assim como seus escravos e serviçais, os filhos de d. Pedro ficariam no Brasil, mas só saberiam da partida do pai e da madrasta quando despertassem. D. Pedro não acordou as crianças para se despedir. De que adiantaria o susto de acordar no meio da noite e saber que ficariam órfãos? Ele passou pelos quartos das meninas e do garoto. Deve ter observado o filho de cinco anos dormindo a sono solto, tranquilo, e pensado que era melhor deixá-lo. Talvez se tratasse do último sono em paz daquele que fora dormir criança e acordaria imperador.

As filhas, as princesas d. Paula Mariana, d. Francisca e d. Januária, seriam deixadas como "time reserva". Nas anotações feitas por d. Pedro ainda a bordo do navio *Warspite*, ancorado na baía de Guanabara, percebe-se o embate entre o pai e o estadista. Como pai, não queria ele ficar longe de todos os filhos, que amava terna e carinhosamente; como chefe de sua dinastia, contudo, sabia que tratava-se de medida necessária. Se o futuro d. Pedro II falecesse, as irmãs, ao permanecerem no Brasil, continuariam herdeiras do trono, garantindo, na falta do menino, a sucessão para os Bragança. De todo modo, a luta do dinasta com o pai foi grande: sucessivos são os rascunhos em que ele ora manda deixar uma filha e trazer as outras ao navio, a fim de partir com elas para a Europa, ora ordena que deixem duas, para partir apenas com uma. Mesmo no dia 7, quando os embaixadores estrangeiros foram à embarcação, d. Pedro solicitou que tentassem, junto à Assembleia brasileira, que as filhas lhe fossem devolvidas; acabou, porém, por deixar todos no Brasil.

Também no dia 7, mal chegado a bordo, pediu a José Bonifácio que assumisse a tutoria das crianças. Assim que recebeu a nota em que o velho Andrada agradecia a lembrança e confiança de d. Pedro, de quem aceitava o encargo, o ex-imperador fez um decreto retroativo, fazendo constar que fora emitido antes de sua renúncia — caso contrário, seria invalidado. A Assembleia concordou com a nomeação do Andrada, o que deve ter dado algum descanso a seu coração de pai.

Essas e outras passagens da tempestuosa saída de d. Pedro podem ser analisadas em um livro de anotações escritas pelo ex-imperador e organizadas sob o título de *Miscelânea*. O volume encontra-se, hoje, no Arquivo do Museu Imperial, em Petrópolis. As anotações que ali figuram foram todas feitas a bordo do navio. Nelas existem rascunhos de despachos e decretos, cópias de cartas expedidas e recebidas, além de contabilidades e desabafos, como a anotação que surge logo após a questão da tutoria de José Bonifácio:

> Este decreto não apareceu senão depois do ato da abdicação ao qual procedi pelas 3 ½ horas do dia 7, porque naquela ocasião não havia remédio senão obedecer aos rogos da força armada, e de uma populaça em anarquia, que queria o ministério que eu tinha demitido por incapaz, e por desconfiar que fazia-se traidor, ou então abdicar para salvar a honra e não ferir a constituição naquela parte em que me era concedido nomear e demitir livremente o ministério de Estado. Tomei o expediente de abdicar e deste modo, pondo defronte todas as considerações, salvei a minha honra, que prezo acima de tudo.

Preparando a partida

Entre os dias 6 e 7 de abril, em meio à abdicação e às inúmeras visitas e decisões que teve que tomar a bordo do *Warspite*, d. Pedro não deve ter dormido nada. Já estava há mais de vinte e quatro horas desperto, e outras tantas teria ainda pela frente. Passados os primeiros instantes de emoção, a razão e o raciocínio lógico passaram a nortear as ações do ex-imperador.

Do navio, começou a despachar para terra ordens de embarque, venda ou doação de seus bens. Cobrava dívidas, vendia ações, ordenava o que deveria ser embarcado, vendido, doado ou transferido aos filhos. Porque ia para o exílio, precisava de dinheiro e contabilizava de carruagens aos mais ínfimos centavos.

Seus recursos provinham da dotação do governo e das propriedades produtivas que deixava, como a fazenda de Santa Cruz. Ao mesmo tempo, não podia deixar os filhos desamparados. Meticuloso, trabalhou a bordo para fechar as contas da Casa Imperial até o dia 27 de dezembro do ano anterior, quando partira para Minas Gerais. Não era mesquinho, contudo: perdoaria algumas dívidas e ainda doaria casas, sítios e propriedades para os amigos e os servidores leais que permaneciam no Brasil. Também era cobrado por dívidas que por ora não pagaria, embora as anotassem para serem saldadas quando pudesse — alguns de seus credores só viram o dinheiro após sua morte. Cobrou também o novo governo, chefiado por uma regência trina provisória, por aquilo que ainda lhe deviam.

"Um bocadinho de cabelo"

No meio de todos esses cálculos, o ex-imperador recebeu cartas dos filhos que haviam permanecido no palácio. De d. Pedro II recebeu duas, logo em 7 de abril — uma incompleta, com letra de criança, e outra com uma caligrafia melhor e mais firme, que explicava a primeira:

> Meu pai e meu senhor
>
> Principiei a escrever a V.M.I. pela minha própria letra, mas não pude acabar, entrei a chorar a tremer-me a mão pude, remeto para prova de minha verdade o princípio que tinha feito. Eu, todos os dias rogarei ao céu pelo melhor dos pais que uma desgraça tão cedo me fez perder, sempre serei obediente filho e seguirei os ditames de meu augusto pai. Beijo as mãos de V.M.I. como obediente filho. Pedro
> P.S. Os meus criados beijam a mão de V.M.I. com o maior respeito e saudades.

No outro bilhete, esse sim com a letra infantil de d. Pedro II, além de marcado com borrões nas palavras "pai", "saudades" e "Pedro", provocados pelas lágrimas da criança, está escrito: "Meu querido pai e meu senhor. Tenho tantas saudades de V.M.I e tanta pena de não lhe beijar a mão. Com obediente e respeitoso filho Pedro. Peço a V.M. um bocadinho de cabelo de V.M.I."

Já que não veria mais o pai, que ao menos este deixasse um chumaço de seu cabelo para que o principezinho de cinco anos tivesse dele alguma recordação.

Apesar da tutoria de José Bonifácio, diversos seriam os servidores que se transformariam em espiões de d. Pedro I no paço, dando conta de como estavam os filhos durante seu exílio na Europa.

De volta à Europa

Enquanto isso, a paciência dos ingleses — que viram sua nau capitânia no Rio de Janeiro virar um escritório de negócios, com ações sendo vendidas pelos agiotas e financistas que iam e viam para tratar de negócios com d. Pedro — estava terminando. O mesmo acontecia com a paciência dos nativistas no Rio de Janeiro. Boatos já se espalhavam de que tropas inglesas e francesas se preparavam para desembarcar e reconduzir, junto com os portugueses que haviam permanecido em terra, d. Pedro ao trono. Por conta disso, a comunidade lusitana no Rio passou a ser ameaçada de extermínio. O almirante britânico, no intuito de salvaguardar a colônia portuguesa no Rio de Janeiro, passou d. Pedro e a comitiva para o navio *Volage*. O *Warspite* ficaria para ajudar a garantir a ordem na capital do império brasileiro.

D. Pedro partiu com d. Amélia e sua comitiva em 13 de abril. A filha, d. Maria II, a irmã e o cunhado, os marqueses de Loulé, foram instalados no navio francês

La Seine, que ainda ficaria mais uma semana no Rio. O comandante francês do navio que levaria a rainha portuguesa exilada, bem como diversos de seus compatriotas lusitanos, recebera expressamente de d. Pedro a ordem de não deixar que a filha desembarcasse em alguma das ilhas portuguesas a caminho da Europa. D. Pedro já perdera alguns filhos para o Brasil e faria questão de manter a única que levava consigo perto de si, não permitindo que se transformasse em bandeira viva na mão dos descontentes com o governo absolutista do "mano Miguel".

Durante semanas, o navio que transportava d. Pedro pelo Atlântico navegou por mar tranquilo. Na sexta semana, mais especificamente em 27 de maio, uma grande tempestade causou enorme mal-estar em d. Amélia e alvoroçou o inquieto d. Pedro, que, em vez de tentar se proteger, fez questão de desenhar a tormenta e o modo como ela se abatia contra o navio e o mar revolto. Logo o desenho seria enviado ao filho d. Pedro II, junto com uma carta explicando o ocorrido. O pequeno imperador do Brasil guardaria a imagem ao lado da cama, imaginando as aventuras que o pai estaria vivendo.

Durante a viagem, d. Pedro descobriu que d. Amélia estava grávida. O bebê fora concebido quando o pai ainda usava a coroa brasileira, e portanto aquela seria uma princesa brasileira como as que deixava para trás.

No final de maio, o ex-imperador aportou no Faial, onde se encontrou com representantes do governo local e enviou comunicação à regência constitucional portuguesa no exílio, que se havia estabelecido ali perto, na ilha Terceira. Começaria então um novo desafio. Após tantos anos no Brasil, d. Pedro voltava para a Europa a fim de ser o guardião e protetor dos direitos da filha, d. Maria II, e de se bater pela causa constitucional portuguesa.

O *Volage* aportou em 10 de junho de 1831 no porto de Cherbourg, na Normandia, mesmo lugar em que, 113 anos depois, no dia 6 de junho de 1944, desembarcariam tropas vindas do outro lado do Canal da Mancha. Numa das famosas fotos da operação que pôs fim ao regime nazista na Europa, é possível ver soldados aliados combatendo na *rue* D. Pedro, que existe até hoje em Cherbourg como uma homenagem ao ex-imperador que por lá passara.

As principais autoridades da cidade subiram no navio às oito horas da manhã, no intuito de cumprimentar d. Pedro. O desembarque ocorreu às três e meia da tarde, com os marinheiros britânicos em trajes de gala bradando nove vivas ao ex-imperador, em cuja homenagem a *Volage* e os canhões de terra deram salvas de 21 tiros.

"Dom Pedrô" logo se tornou celebridade local, sendo saudado como liberal e constitucional. Agora aburguesado, assemelhava-se ao rei-cidadão Luís Filipe, que havia se declarado rei dos franceses e não da França. Desde meados de 1500, aquela região marítima francesa já se entrosava com o Brasil e seus nativos, os índios. Catarina Paraguaçu, a "princesa do Brasil", cruzara o Atlântico trezentos anos antes de d. Pedro. Foi batizada na França e casou-se em St. Malo com o "Caramuru" Diogo Álvares Correa. Depois de seu retorno à Bahia, passou a ser considerada a mãe da miscigenação brasileira.

A relação dos franceses com o Brasil Colonial, devido ao tráfico do pau-brasil, havia sido tão intensa que, em 1550, foram levados índios à França para que representassem, na cidade de Rouen, os hábitos e costumes nativos. À beira do rio foram criadas duas aldeias indígenas, uma dos tupinambá e outras dos tabajara. Além dos tupinambá ali presentes, engrossaram a representação, como figurantes fantasiados de índios brasileiros, marinheiros e prostitutas seminus. Por conta do intenso comércio entre a França e o Brasil, até hoje igrejas da Normandia e da Bretanha guardam, em suas decorações, esculturas de índios, araras e papagaios, bem como exemplares da flora brasileira.

Uma vez que o Brasil já estava no subconsciente do normando e do bretão, receber d. Pedro foi uma ocasião especialíssima para a região, que honrou o ex-imperador brasileiro como se no poder ainda estivesse. Fora as salvas devidas a um chefe de estado, d. Pedro ainda passaria em revista cinco mil homens da Guarda Nacional. Além disso, o governo da região disporia ao príncipe decaído uma propriedade em que poderia habitar enquanto estivesse por ali. Foi também saudado com diversos discursos, todos dizendo, no fundo, a mesma coisa: os franceses reconheciam em d. Pedro um governante liberal, um doador de constituições, um defensor dos direitos individuais que preferiu renunciar a ferir a Constituição que outorgara ao Brasil. Claro que houve aí uma jogada estratégica do ex-monarca, que enviara, para ser publicado pelos jornais estrangeiros, um artigo em que expunha sua versão do que ocorrera no Brasil.

Para Cherbourg, convergiram os amigos de d. Pedro na Europa. O marquês de Rezende renunciou à embaixada brasileira em Paris a fim de seguir o companheiro em suas aventuras pelo exílio. Francisco Gomes da Silva e outros, avisados por ele do que acontecera no Rio, também tinham ido se encontrar com o ex-imperador. Logo, por insistência do marquês de Rezende, d. Pedro partiu para Londres. A situação era clara: França e Inglaterra — esta última, sobretudo após a queda do gabinete conservador — não viam com bons olhos o governo tirânico de d. Miguel, que só era reconhecido pelos Estados Unidos, por Roma e pela Espanha.

Os cidadãos portugueses e estrangeiros que simpatizavam com o liberalismo ou se opunham ao governo de d. Miguel — ou que ao menos eram suspeitos disso

— iam para o cárcere e tinham a sorte decidida em 24 horas, após as quais eram invariavelmente chicoteados ou mortos. Um cidadão francês foi chicoteado, o que irritou Paris e levou o almirante Roussin, em julho de 1831, a bloquear o Tejo. Roussin aprisionou oito navios portugueses até que d. Miguel assinasse um tratado humilhante, segundo o qual o governo português, além de dar garantia aos súditos franceses, teria de arcar com pesadas indenizações pelos maus-tratos e prisões arbitrárias cometidos contra eles. Apesar desse tipo de pressão, porém, nem a Inglaterra nem a França iria às vias de fato. Fazer isso seria atrair, contra aquelas nações liberais, os países da Santa Aliança, que recentemente haviam invadido a Espanha e restaurado os direitos absolutistas dos Bourbon. Seria melhor encarar a questão do trono português como se não passasse de um grande imbróglio de família.

O "duque de Bragança" na Inglaterra

D. Pedro, incentivado por Rezende, foi à Inglaterra buscar ajuda. Não sem razão. O amigo do ex-imperador, afinal, achava que a velha aliada portuguesa continuava vendo o pequeno estado da Península Ibérica como sua zona de influência. Após três semanas em Cherbourg, d. Pedro atravessou o canal até Londres. Apesar de também ser bem recebido — afinal, os dois governos, o inglês e o francês, tinham nele um aliado natural contra o absolutismo de d. Miguel —, nada de prático e concreto conseguiu. Ele chegou a se avistar com o secretário de Estado para assuntos estrangeiros, lorde Palmerston, com o primeiro-ministro, conde Grey, e com o rei, Guilherme IV. Dos três, o mais favorável aos planos de d. Pedro fora o secretário de estado: o rei lhe era indiferente e o primeiro-ministro não se mostrara tão entusiasmado quanto o colega de gabinete.

No dia 29 de junho, o duque de Bragança — título que d. Pedro assumira na viagem a Londres e pelo qual passaria a ser conhecido — foi recebido em um jantar de gala oferecido pelo rei no palácio de Saint James. Além de todos os ministros e de diversos políticos britânicos, o corpo diplomático estrangeiro em Londres também se fez presente. Desse modo, d. Pedro teve contato com o príncipe de Talleyrand, embaixador francês que o receberia para um jantar na embaixada de seu país em 4 de julho.

Talleyrand, tomado por alguns como cínico, afirmava que servia à França e não a regimes políticos. Esse pensamento o mantivera ligado ao poder do Antigo Regime francês, da Revolução, de Napoleão, de Carlos X e, por fim, de Luís Filipe. Na condição de um dos principais diplomatas da Europa durante o Congresso de Viena de 1814, teria sido um dos responsáveis pelo fato de o Brasil ter passado de Colônia a Reino Unido, ao menos segundo alguns historiadores. Tal sugestão teria partido dele para que Portugal deixasse de ser visto como estado de segunda ordem tutelado pela Inglaterra. Dessa vez, o conselho que dava a d. Pedro seria de grande valia. Deveria retornar para a França, mais especificamente a Paris, onde decerto seria muito bem recebido — sobretudo se chegasse durante as comemorações do primeiro aniversário da Revolução de Julho, que derrubara Carlos X do trono no ano anterior.

A causa da rainha portuguesa tinha diversos apoiadores. Tratava-se de gente que, a exemplo de Talleyrand, Palmertson e toda a comunidade lusitana no exílio, via a questão com os melhores olhos. Porém, faltava dinheiro. Em Londres, d. Pedro tentara levantar fundos com negociantes portugueses, mas as quantias ofertadas haviam sido ínfimas. Era necessário armar navios e contratar mercenários para invadir Portugal e estabelecer d. Maria II no trono. Pelo que o duque via, porém, da Inglaterra e da França não viriam senão simpatias. Seguindo o conselho de Talleyrand, ele partiu novamente e foi a Paris na companhia do marquês de Resende.

Paris

Havia um motivo por que d. Pedro fora sozinho, sem a esposa: queria testar o chão onde pisava. Apesar de ser muito bem visto como nobre liberal e constitucional, sua esposa grávida, d. Amélia, era neta da ex-imperatriz Josefina; e, uma vez que Napoleão adotara os filhos desta, era também neta postiça do Corso. Uma lei de 1816 impedia que qualquer descendente de Bonaparte viesse a se estabelecer na França.

Tão logo chegou à casa do marquês de Resende em Paris, no final da tarde de 26 de julho, d. Pedro e seu amigo tomaram conhecimento de uma mensagem enviada pelo rei Luís Filipe os convidando para jantar naquela mesma noite. Estava tarde demais para responder, e d. Pedro resolveu fazer isso arrumando-se e indo diretamente ao palácio. Os convivas já reclamavam da fome e do atraso do rei e da rainha quando as portas dos aposentos pessoais de suas majestades se abriram e Luís Filipe e a rainha Maria Amélia, de braços dados com d. Pedro, entraram no salão.

A rainha Maria Amélia era tia da falecida d. Leopoldina, irmã de sua mãe. Talvez por isso, ou talvez pela fama de libertino de que gozava na Europa, d. Pedro tenha se comportado esplendidamente na ocasião, sendo notada sua timidez para com as damas que lhe eram apresentadas. O ex-imperador foi praticamente adotado como sobrinho pelos reis franceses. Curiosamente, a linhagem de Luís Filipe e d. Pedro se cruzaria na primeira e segunda geração de ambos. A filha de d. Pedro, d. Francisca, se tornaria princesa de Joinville por seu casamento com um dos filhos de Luís Filipe, enquanto um neto desse rei francês, Luís Filipe Maria Fernando Gastão de Orléans, o conde d'Eu, se casaria com uma das netas do duque, a futura herdeira do trono brasileiro, princesa Isabel. Quanto à lei de banimento, Luís Filipe assegurou que ela não se aplicaria à esposa de d. Pedro, que poderia seguir com ele para Paris.

A timidez de d. Pedro só terminou quando este foi apresentado pela rainha Maria Amélia ao general marquês de La Fayette. O velho político liberal francês, apelidado de "herói dos dois mundos", uma vez que havia se batido pela causa da Revolução Americana e Francesa, era um dos homens vivos que o ex-imperador mais admirava — Benjamin Constant havia falecido no final de 1830. Assim, ao lado do velho político — responsável pela escolha de Luís Filipe para rei da França —, d. Pedro expandiu-se. Cobriu-o de cumprimentos, demonstrou-se maravilhado e adotou logo postura de intimidade, o que seduziu o marquês e acabou por transformá-lo em um dos principais aliados franceses à causa da rainha de Portugal. Jules de Lasteyrie, neto do marquês, se juntaria ao duque de Bragança na causa constitucional portuguesa, lutando ao seu lado.

Por insistência do rei, d. Pedro deixou-se ficar mais alguns dias em Paris, sendo convidado para os eventos que celebrariam a Revolução de Julho e para os demais convescotes sociais. No dia seguinte, 27, em que se comemorava a queda do rei Carlos X, d. Pedro, a cavalo e escoltado por um regimento de cavalaria, juntou-se ao rei Luís Filipe e a seus dois filhos. Cavalgaram juntos em direção à praça da Bastilha, onde aguardava-os o primeiro evento: a colocação da pedra fundamental da Coluna de Julho, ainda hoje existente. O rei francês colocou a pedra, enquanto d. Pedro martelou-a para que assentasse.

Quem imaginaria que d. Pedro, tratado pela imprensa brasileira como um déspota — como o ex-rei francês Carlos X —, acusado de planejar acabar com a Constituição que outorgara ao Brasil, estaria, meses depois de sua renúncia, sendo ovacionado pelo povo francês e ajudando a erguer o monumento em lembrança ao movimento que sepultara de vez o absolutismo na França em 1830? Naquele mesmo dia, ele iria ao Panteão, no Quartier Latin, a fim de inaugurar, junto com Luís Filipe, uma placa em memória dos mortos da revolução do ano anterior. Lá, assistiu um coro entoar o *Hino aos mortos de julho*. A letra era de um jovem literato: Victor Hugo.

Por diversas vezes, a curiosidade dos franceses com relação a d. Pedro foi tão grande que ele teve que ser resgatado da multidão por ajudantes de ordens de Luís Filipe. A todo momento, era ovacionado com "Vivas ao imperador constitucional!". Que diferença do "enquanto constitucional" gritado há menos de um ano pelos brasileiros! Tal como fizera com a inglesa Maria Graham tempos atrás, ele saiu cumprimentando o povo, dando-lhe a mão não para que a beijassem, mas para um forte aperto. Naquela altura, d. Pedro já havia apeado do cavalo e caminhava junto do povo, que o crivava de perguntas — queriam saber desde a idade da filha rainha até a veracidade da informação de que trouxera consigo, do Brasil, um enorme tesouro. D. Pedro cruzou os portões do Palácio Real conduzindo seu cavalo pelas rédeas. Tinha certeza de que caíra nas graças dos parisienses, que o tinham apelidado, por conta do penacho em seu chapéu militar, de *don Perdreau* (d. Perdiz).[3] Naquela mesma tarde, ele receberia, das mãos do rei, a Grã-Cruz da Legião de Honra.

Nos demais dias, novas comemorações ocorreram, em que d. Pedro, sempre presente ao lado do rei, era ovacionado pela multidão. No entanto, a imprensa francesa pouco diferia da brasileira, e logo a exposição a que d. Pedro se deixava levar faria dele um dos assuntos mais comentados. No caso do atraso para o jantar, disseram que o imperador havia chegado ao palácio com um pires na mão, sem ter sido convidado. Logo a imprensa parisiense se dividiria entre os defensores e opositores do duque de Bragança.

A causa portuguesa

A causa de sua filha era o que efetivamente o movia. D. Pedro aproveitava todas as ocasiões propícias para aparecer diante do público e conquistá-lo, em uma estratégia que atualmente seria reconhecida como jogada de *marketing*. Porém, quando longe da multidão, procurava usar o prestígio conquistado a fim de angariar fundos para a expedição contra d. Miguel, bem como no intuito de pressionar o governo francês a entregar-lhe os navios portugueses que o almirante Roussin continuava a reter como garantia de que o tratado de 14 de julho com d. Miguel seria cumprido e as indenizações, pagas. A França, no entanto, alegando neutralidade, só cederia os navios se a guarnição optasse pela causa da rainha. D. Pedro decidiu que era hora de retornar a Londres para tentar conseguir algo mais tangível. Dessa vez, partia com d. Amélia e d. Maria II, apesar das diversas tentativas de Luís Filipe de retê-lo na França.

Em Londres, d. Pedro se hospedaria mais uma vez no hotel Clarendon e seria bem recebido pelo rei Guilherme IV, chegando a passar dois dias no castelo de Windsor com d. Amélia e a filha. Na capital inglesa d. Amélia reviu a irmã de seu pai, sua tia Hortênsia de Beauharnais, ex-rainha da Holanda.

Em conferência com lorde Palmertson e com o primeiro-ministro Grey, discutiu-se tanto a melhor maneira de fazer valer a carta constitucional que d. Pedro dera a Portugal quanto o modo de recuperar o trono para a filha. O impasse, contudo, continuava. Se por um lado a Inglaterra apoiava a causa, não ajudaria nem com dinheiro, nem com homens. Os exilados portugueses e d. Pedro que tentassem, com os financistas de Londres, levantar dinheiro a juros para a causa da rainha. D. Maria II foi ovacionada diversas vezes pela colônia portuguesa exilada na capital inglesa, e em 14 de agosto mais de quatrocentos portugueses desfilaram perante a rainha-menina.

Em carta de 9 de agosto a um amigo no Rio de Janeiro, d. Pedro revelava de Londres que não era apenas a causa da rainha que encontrava problemas financeiros, mas também seu futuro:

> [...] Por estes 7 dias parto para França, pois Londres é mui caro, e eu não posso com a despesa apesar de andar com um prumo na mão: veremos se em França será melhor. Vou vender a minha prata e as joias para fazer um fundo, para poder viver, e andar de camisa branca e engomada sem dever a ninguém coisa alguma [...].[4]

Para quem quisesse ouvir, ele dizia que não roubara como fizera Barbacena, e por isso só contava com o dinheiro de suas propriedades e daquilo que conseguira levantar antes de partir do Brasil. Os sacos cheios de ouro e diamantes que a imprensa europeia pintava nas arcas e baús vindos com o ex-imperador só existiam na imaginação dos jornalistas. D. Pedro possuía um montante que lhe bastava para não passar necessidade, mas temia colocá-lo inteiramente à causa da filha. Se porventura tudo aquilo malograsse, como ficariam a ex-imperatriz grávida e d. Maria?

Primeiro na França e depois em Londres, cada vez mais os portugueses no exílio, assim como os liberais espanhóis exilados por conta do absolutismo em sua pátria, aproximavam-se de d. Pedro, vendo nele seu herói liberal. Havia grupos espanhóis que acalentavam mais uma vez a ideia da união ibérica, recorrente há quase trezentos anos. Dessa vez, achavam que d. Pedro conseguiria derrubar não apenas o governo português, mas também o espanhol, governando toda a península de maneira liberal. A megalomania de d. Pedro, porém, não chegaria a tanto. Ele já havia abdicado de duas coroas. Outras duas lhe seriam ainda ofertadas — a da Espanha e a da Grécia —, mas também essas recusaria.

Depois de uma frustrada tentativa de levantar doze mil libras, junto à casa bancária Rothschild, para o governo português exilado nos Açores, d. Pedro assinou em 14 de agosto um contrato com financistas liderados pelo exilado espanhol Juan Alvarez y Mendizábal, banqueiro judeu. Mendizábal imaginava, não sem razão, que, se o absolutismo fosse derrubado em Portugal, a Espanha seria a próxima, o que lhe possibilitaria voltar para casa. Além disso, devemos também ter em mente que a Carta Constitucional portuguesa outorgada por d. Pedro previa a liberdade de culto, o que era ótimo para judeus e protestantes. Já d. Miguel via com bons olhos a expulsão dos judeus de Portugal, sem perceber que isso acarretaria a fuga de capital português para outros países mais tolerantes, como a Inglaterra e a França.

Ao menos na Inglaterra, d. Pedro conseguiu o aval de Palmerston para arregimentar, ali, navios e soldados para o exército que deveria libertar Portugal. O duque de Bragança convocou o marquês de Palmela, presidente da regência portuguesa instituído por ele nos Açores, para que fosse a Londres cuidar dos detalhes da expedição a ser realizada contra d. Miguel.

Partindo novamente para Paris, d. Pedro aceitou a oferta do rei Luís Filipe e se instalou no Castelo de Meudon. A suntuosa residência, localizada na Île de France entre Paris e Versalhes, era provavelmente a casa mais luxuosa que d. Pedro habitara até então. Se comparada à Quinta da Boa Vista, é provável que apenas o sistema sanitário, que funcionava à base de penicos, fosse equiparável. A propriedade, que possuía um belo jardim projetado por Le Nôtre, fora redecorada com cristais, pratarias e tapeçarias do acervo da coroa em honra a d. Pedro e sua família. A última vez em que a propriedade havia sido restaurada fora a pedido Napoleão, que a desejava como residência do seu filho, rei de Roma e sobrinho de d. Pedro e d. Leopoldina. Hoje, somente parte do antigo esplendor pode ser vislumbrado, uma vez que o local foi destruído em 1870 durante a Guerra Franco-Prussiana.

Mas, apesar do luxo e da exuberância cultural que Paris lhe propiciava, d. Pedro ainda pensava no Brasil e nos brasileiros. Em carta escrita às vésperas de 7 de setembro de 1831, disse ele a um amigo no Rio de Janeiro:

> Muito estimo que os negócios públicos vão bem, eu tomo pelo Brasil aquele mesmo vivo interesse que sempre tomei, e mui principalmente no dia de amanhã, em que faz anos que eu, e eu só declarei no alto da Piranga a Independência do mesmo Brasil.[5]

Inquieto, d. Pedro sonhava com o Brasil e os filhos que lá deixara enquanto combinava, com os portugueses, sua próxima aventura. Ele não ficaria no castelo de Meudon mais que dois meses. Em 12 de outubro, comemoraria seu aniversário em outro endereço: rua des Courcelles, 10, no centro de Paris. Como um ímã, ele não atraía apenas os emigrados liberais portugueses e espanhóis, mas também os ultraliberais parisienses, monitorados com suspeita pelo governo local. Ao ser questionado por ministros franceses a respeito de algumas dessas visitas, d. Pedro, mandando tudo pelos ares, decidiu que deveria ter sua própria casa, a fim de receber quem bem entendesse. Isso, no entanto, não foi capaz de estremecer sua relação com o rei, que no dia de seu aniversário o foi cumprimentar, acompanhado da rainha, na nova casa burguesa.

Um pouco de diversão

Vivendo agora próximo dos entretenimentos que Paris oferecia, como teatros, óperas e balés, d. Pedro era encontrado com facilidade nos principais espetáculos, saraus e bailes oferecidos na capital. Comparecia regularmente ao Teatro Nacional da Ópera Cômica, onde o camarote real lhe era franqueado. Foi assim, de tanto assistir a eventos no local, que conheceu o compositor do *Barbeiro de Sevilha* e de tantas outras óperas e peças musicais, Gioachino Rossini. O maestro presenteou d. Pedro com partituras autografadas, enquanto d. Pedro lhe enviou suas composições musicais. Rossini, fosse por educação, interesse ou vontade de lisonjear d. Pedro, solicitou sua permissão para apresentar uma abertura musical de autoria sua.

O *The Harmonicon*, de Londres, disse a respeito do espetáculo de 29 de outubro:

No sábado foi apresentada uma Grande Abertura composta por d. Pedro. O ex-imperador não esteve apenas presente como dirigiu em pessoa a execução dessa peça, tomando especial cuidado em marcar as passagens importantes, em ter os fortes e pianos adequadamente observados e o andamento estritamente observado. Essa obra foi muito aplaudida.[6]

Gravura de d. Pedro realizada quando de sua estada em Paris.

Logo após uma segunda apresentação da peça, agora conduzida pelo próprio Rossini perante o rei e a rainha da França, a *Revue Musicale* noticiou: "Essa abertura [...] é de uma feitura correta e mostra que seu autor tem um amplo conhecimento dos recursos da orquestra. Foi muito aplaudida."[7]

Trinta anos depois, em carta ao imperador do Brasil, d. Pedro II, Rossini recordaria assim a peça regida e seu autor:

> [...] Fiz executar no Teatro Italiano uma Abertura de sua composição que era adorável. Ela teve grande sucesso, e como, por discrição, eu não nomeei o autor, os cumprimentos foram dados a mim, erro que não desagradará seu augusto filho, que poderia bem se lembrar de me enviar um pouco do café tão célebre de vosso país.[8]

Apesar da tentativa de conseguir um cafezinho de graça, Rossini parece não ter mentido nem tentado fazer lisonja, pois pediu e obteve, de d. Pedro, licença para apresentar outra peça musical do ex-imperador.

No entanto, a imprensa que tanto atormentara d. Pedro no Rio de Janeiro fazia o mesmo agora em Paris. Os jornais que se opunham ao governo de Luís Filipe logo atacaram seu protegido, apelidado por eles de *Don Perdu* (D. Perdido). Enquanto uns alegavam que a música do ex-imperador fora um dos principais motivos de o povo brasileiro exigir sua abdicação, outro jornal noticiava que, para d. Pedro conquistar Portugal, bastava tocar sua música, que faria os soldados do irmão saírem correndo. O articulista Ludwig Boerne, misto de crítico cultural e político, desancou d. Pedro e sua música ao chamá-la "detestável". Afirmou ainda que melhor faria o ex-imperador em tirar o irmão do trono do que o público do teatro. Entretanto, não é possível confiar na imparcialidade de alguém que começa sua crítica com: "Houve [...] um concerto ao qual eu não compareci [...]." O articulista mesmo afirmou que boa parte de seu comentário se baseava no depoimento de "alguém" que dissera não gostar da música, tendo por isso deixado a sala.

Além dos teatros e demais divertimentos mundanos, d. Pedro, como pequeno burguês que era, ia também às compras, até mesmo sozinho. Aproveitava, assim, para comprar brinquedos para os filhos que estavam no Brasil. Andava lutando pelo direito de uma das filhas, mas não se esquecia dos demais: enviava "bonitos", como chamava os brinquedos, para d. Pedro, d. Francisca, d. Paula Mariana e d. Januária.

A duquesa de Goiás, afastada da Quinta da Boa Vista em 1829, antes da chegada de d. Amélia, fora estudar em Paris naquele mesmo ano. Agora, passava os finais de semana longe do internato, na companhia do pai, de d. Amélia, d. Maria II e de Augusta, duquesa de Leuchtenberg e sogra de d. Pedro, que fora a Paris para auxiliar a filha nos momentos finais da gravidez.

A última filha de d. Pedro com a marquesa, nascida em São Paulo em 1830, também preocupava o ex-imperador. Em julho, no meio das negociações em Londres, o marquês de Resende escreveu a Domitila:

> [...] Fique, pela presente, na inteligência [em que por ventura nunca deixara de estar] de que S.M.I decidido [como sempre esteve] a felicitar a senhora dona Maria Isabel e não descuidará de chamá-la, a fim de mandá-la educar com aquele cuidado e decência, que exija a sua categoria, bem como, há pouco, acabou de fazer com a sua irmã, a sra. Duquesa de Goiás [...].[9]

Domitila, contudo, que já havia perdido uma filha para d. Pedro, não desejava perder outra: a menina permaneceria consigo e seria educada no Brasil.

D. Pedro, além de escrever longas cartas aos filhos, nas quais falava de saudade e da distância, bem como de seu amor por eles e pelo Brasil, também costumava admoestar José Bonifácio, o tutor das crianças, homem moroso na hora de detalhar a vida dos pequenos príncipes ao pai.

Fim da festa

Os divertimentos e a vida burguesa de d. Pedro na capital da França, onde cuidava da família e de seus negócios, andava incomodando tanto o marquês de Palmela quanto os demais exilados, entre eles o general Saldanha. Estes reclamavam de certa apatia por parte do duque e acusavam-no de se divertir em vez de partir com a expedição contra Portugal. É bem verdade: ele inegavelmente se divertia em Paris, e os jornais assim o mostravam. No entanto, estava longe de ser indiferente à sua antiga pátria. D. Pedro e a família vestiram luto após um malsucedido levante liberal ocorrido em Portugal no dia 10 de setembro. Os revoltosos foram massacrados pelas tropas de d. Miguel, com 44 pessoas sendo presas e enforcadas.

Praticamente forçado pelos portugueses no exílio, d. Pedro concordou em dispor de 25 mil libras suas pela causa da filha. Desse modo, conseguiram uma fragata e uma corveta, respectivamente rebatizadas de Amélia e Terceira. A elas se juntaram dois navios mercantes decrépitos, adquiridos como refugo da Companhia das Índias Ocidentais: passaram a chamar-se Rainha de Portugal e D. Maria II. Ambos foram armados na Inglaterra e logo afastados de lá, a fim de que o governo inglês não fosse acusado de ser conivente com os planos de d. Pedro. Os navios seguiram para Belle-Île-en-Mer, no litoral da Bretanha, enquanto a França fingia que nada via.

D. Pedro ainda se demoraria em Paris, e Palmela, em carta enviada ao príncipe, adivinhava o porquê. Como pai — "e pai extremoso", nas palavras com que a si próprio se referia —, d. Pedro não partiria com a expedição enquanto d. Amélia não desse à luz o bebê que esperava. A criança, mais uma menina, nasceu em 1º de dezembro de 1831. A princesa recém-chegada recebeu o nome de Maria Amélia em homenagem à rainha da França, sua madrinha. Mesmo após o nascimento da menina, d. Pedro continuaria em Paris até o final de janeiro.

Gravura da princesa d. Maria Amélia, filha de d. Pedro com d. Amélia.

A pesquisadora Cláudia Witte, biógrafa de d. Amélia, levanta uma hipótese interessante: d. Pedro pode ter ficado um pouco mais em casa a fim de esperar o fim das seis semanas de resguardo da esposa. Assim, teria o duque a esperança de engravidar novamente d. Amélia. Quem sabe dessa vez viria um filho varão? Essa é uma possibilidade real, uma vez que mais nada o prendia a Paris. Uma frota naval bastante remendada, incapaz de meter muito medo, já estava às suas ordens desde 8 de janeiro, bem como mais de sete mil homens, entre exilados portugueses e mercenários.

No dia seguinte ao nascimento de d. Maria Amélia, em 2 de dezembro de 1831, d. Pedro teria mais motivos para comemorar: além da nova criança, havia também o aniversário de d. Pedro II. No meio de tanta euforia, seria acometido por uma crise epilética que o deixou de cama no dia seguinte. Em 10 de janeiro, o ex-imperador escreveu para a aia dos filhos no Brasil, Mariana Carlota de Verna Magalhães Coutinho, futura condessa de Belmonte.[10] Na carta, informava que ficara contente em saber que os filhos haviam oferecido um chá em comemoração ao aniversário do pai. E arrematou: "Vejo que ao menos meus inocentes filhos podem mostrar claramente que são bons filhos, sem que esta prova seja considerada um crime."

Em seguida, narrou a festa que dera em comemoração ao aniversário de d. Pedro II:

> No dia dos anos do imperador meu filho eu também cá fiz o que o meu amor me pediu, e o que minhas circunstâncias, bastante apertadas me permitiram; dei um jantar ao qual foram convidados o ministro do Brasil e toda legação, e bastantes brasileiros distintos, e os embaixadores da família. [...]
> No dia antecedente do aniversário da minha coroação, a sra. Duquesa de Bragança, minha amada esposa, deu felizmente à luz uma linda menina [...]. Já saberá pelas folhas públicas que o ministro do Brasil serviu de testemunha porque esta minha filha, posto que nascida na França, é brasileira porque foi concebida antes da minha abdicação [...].

D. Pedro não descuidava de nenhum detalhe. A presença do embaixador brasileiro na França era necessária quando do parto para que atestasse ter visto a criança ligada pelo cordão umbilical à mãe, sendo portanto verdadeira filha de d. Pedro e de d. Amélia. Isso a colocava como princesa brasileira, uma vez que fora, como o ex-imperador fazia questão de informar, "concebida antes da minha abdicação".

Saudoso dos filhos e do Brasil, d. Pedro comentou a respeito na carta:

> Muito prazer me tem causado os pequenos desenhos do menino e menina, posto que eu esteja quase certo que Simplício teve neles grande parte, contudo um só risco que cada um tenha feito, por meus filhos, é mui bastante para que eu os estime como se todos fossem feitos por eles. Veja se alguns outros que fizeram para me mandar poderá vir entre eles algum *d'après-nature* de alguma vista que eu conheça pois meu prazer deste modo será dobrado, repetidas vezes desenrolo o panorama de São Cristóvão e passo bastante tempo a vê-lo, e a verter lágrimas nascidas de um coração todo brasileiro.

Ele podia estar se divertindo na França; podia, do mesmo modo, estar ocupado com aquilo que dizia respeito à expedição contra d. Miguel. No entanto, o Brasil e os filhos que lá deixara faziam-no ir às lágrimas.

Quanto à saúde, as pedras nos rins que o atormentavam desde o Rio de Janeiro, a travessia do Atlântico e o início da residência em Paris não o preocupavam mais; d. Pedro alegava que o frio lhe fizera bem. A vida familiar, como aqui descreve, era das mais agradáveis possíveis:

> [...] a pequena duquesa de Goiás está linda e adiantadíssima, toca mui bem piano [...], minha esposa estima-a como a sua filhinha, em suma, d. Mariana, pelo que toca ao doméstico tudo vai bem; assim a política me deixasse gozar este belo país; mas os negócios de Portugal em que está comprometida a minha honra, glória e futuro de minha filha, a rainha, me impedem o gozo, como já disse, das delícias deste belo país.
>
> No dia 20 e mais até o fim deste mês, me embarco para as ilhas na esquadra que a força de fadigas pude arranjar a fim de partir das ilhas em frente da expedição contra o usurpador do trono de minha filha e assassino de meu pai e da carta constitucional.

De fato, ele partiria antes do fim de janeiro. No dia 25, d. Pedro despediu-se da família: de d. Amélia, da rainha d. Maria II, com doze anos, da duquesa de Goiás, então com quase sete, e da pequena Maria Amélia. Uma filha de cada amor. O ex-imperador deixava sua casa, sua família e seus amigos brasileiros, portugueses e franceses para dar combate ao irmão, a quem passara a acusar de ter assassinado d. João VI.

O Quixote

D. Pedro abdicara em abril de 1831. Partindo do Brasil, chegou a Cherbourg, na França, em junho, seguindo logo depois para Londres. Dali, encaminhou-se para Paris, onde desembarcou no final de julho. De Paris, foi mais uma vez a Londres, de onde retornou à França em agosto. Em janeiro de 1832, partiu em definitivo para os Açores. Em sete meses, esteve em dezenas de cidades, três países e duas das mais importantes capitais da Europa. Negociara apoio à causa da rainha com homens de armas, políticos de diversas nacionalidades e financistas. Armara uma expedição contra o irmão, fizera centenas de amigos na Inglaterra e na França, regera uma orquestra e tornara-se celebridade entre os parisienses. Esse poderia muito bem ser o resumo de uma vida inteira, mas, para alguém como d. Pedro, tratava-se de apenas dez meses de aventuras e correrias.

Da Bretanha, ele zarparia com seus navios remendados para o arquipélago dos Açores, onde ancoraria no dia 10 de fevereiro. A última ilha ainda absolutista fora tomada em agosto do ano anterior, estando agora sob controle do governo português liberal no exílio.

Quase sem dinheiro, dotado de poucos navios dignos desse nome, d. Pedro iria com menos de oito mil homens dar combate ao irmão, que tinha à sua disposição cerca de 80 mil soldados. D. Pedro era figura realmente quixotesca, digna do quarto em que, no palácio de Queluz, havia nascido.

O rei soldado

D. PEDRO partia junto do cunhado, o marquês de Loulé, e de Jules de Lasteyrie, neto do general La Fayette, cujo avô, junto com mais de duzentas pessoas, viera se despedir do duque de Bragança e desejar-lhe sucesso na empreitada. Os marquês de Resende e o Chalaça, amigos sempre fiéis, permaneceriam em Paris para cuidar dos negócios do ex-imperador e de sua família.

Em 2 de fevereiro, d. Pedro chegou de Nantes a Belle-Île-en-Mer, onde foi novamente festejado com um baile e um desfile da guarda nacional. Logo que desembarcou na ilha francesa na qual a frota e seu exército o esperavam, passou ambos em revista e presidiu pessoalmente o juramento feito pelos marinheiros e soldados.

Além das centenas de estrangeiros contratados, o exército era engrossado por uma grande quantidade de exilados portugueses. Alguns já tinham feito parte de algumas expedições lançadas infrutiferamente contra d. Miguel desde 1828; a maioria estava à beira da miséria, vivendo da caridade da própria colônia e do governo no exílio. Entre os diversos portugueses na Belle-Île que se bateriam ao lado de d. Pedro pela causa constitucional e liberal, estavam os escritores portugueses Alexandre Herculano e Almeida Garrett.

Parte da esquadra, comandada pelo almirante Sartorius, zarpou em 10 de fevereiro para os Açores. Devido ao mau tempo, não seguiram para Angra, na Ilha Terceira, a capital do arquipélago; foram, antes, para São Miguel, onde aportaram no dia 22. Entre bailes, jantares, manobras militares, treinamentos e inspeções, d. Pedro se deixou ficar ali até 2 de março, chegando à Ilha Terceira no dia seguinte.

Tão logo desembarcou na capital, assumiu definitivamente a regência em nome da filha, d. Maria II, nomeando em seguida um conselho de ministros. Enquanto as tropas chegavam a fim de serem rigidamente treinadas para a invasão do continente, d. Pedro governava. Aproveitando que não tinha um Legislativo que tolhesse suas iniciativas, transformou o estado português, por meio de decretos e leis, em um dos mais modernos da Europa. Em 19 de maio, assinou o decreto n° 21, pelo qual fazia com que os alvarás criados pelo marquês de Pombal no século XVIII para acabar com a escravidão no Reino de Portugal também passassem a valer nos Açores e na Ilha da Madeira. Outras leis foram elaboradas no intuito de assegurar as propriedades e direitos individuais, a exemplo daquelas que havia dado ao Brasil quando de sua atuação como príncipe regente. Junto com o ministro da Fazenda e da Justiça, José Xavier Mouzinho da Silveira, ele desenhou um Estado novo, banindo resquícios feudais como os impostos para a manutenção da Igreja e os antigos tribunais e privilégios a que tinham direito os nobres, os militares, o clero e os membros de corporações.

Crendo-se ainda capaz de controlar profundamente todas as instâncias do governo, além de leis d. Pedro fez também inspeções surpresa em departamentos governamentais. À alfândega, cujo expediente deveria começar às oito horas da manhã, d. Pedro chegou às nove. Como não encontrasse ninguém, trancou a porta e levou a chave consigo. Na mesma tarde, lavrou um decreto que exonerava todos os funcionários e nomeava outros.

Os três meses que a força expedicionária passou na Ilha Terceira foram de intensas manobras e exercícios militares. No entanto, havia também certa folga para que gozassem dos prazeres da vida. Longe da esposa d. Amélia, d. Pedro voltava a procurar mulheres fora de casa. Nos Açores, encontrou então uma moça que, até hoje, a lenda local pinta com as melhores cores. D. Pedro teria tido um filho bastardo com a irmã Ana Augusta, do Convento da Esperança. Sim, isso mesmo: uma freira. Estranho? A julgar pela narrativa do major Charles Shaw, mercenário escocês e subcomandante do batalhão britânico, nem tanto. Este afirmava que ele e seus homens haviam se divertido muito com as religiosas, que eram "bastante corretas durante o dia", mas mantinham a casa aberta ao escurecer. Shaw só reclama de que eram feias, sujas e descuidadas, além de cuspirem constantemente no chão. Eram mulheres, porém.

Além da obrigação e do prazer, a lembrança dos filhos era uma constante na vida de d. Pedro. Em março, recém-chegado na Ilha Terceira, escreveu para d. Pedro II:

Angra, 11 de março de 1832

Meu querido filho do meu coração. De Paris, sempre que tive ocasião, te escrevi. Hoje, que daqui a tenho por um navio que parte diretamente para o Rio, não a quero perder para te dar notícias minhas e pedir as tuas. Eu estou bom de saúde, porém muito ocupado com a grande e muito gloriosa empresa de fazer uma expedição, à testa da qual marcharei, a fim de derribar a tirania, restabelecer o império da lei, o paládio da liberdade, a Carta Constitucional que, quando rei de Portugal, dei espontaneamente a, hoje muito desgraçada, nação portuguesa.

Eu não podia, de modo algum, tendo abdicado em ti a coroa do Brasil para não fazer verter sangue de meus concidadãos, deixar de colocar-me à frente da causa portuguesa, visto ser a causa da humanidade, da liberdade e de tua irmã, além de que, pela Carta Constitucional, eu sou chamado a tomar a Regência [...]. Tenho até aqui cumprido com os deveres de pai para com a minha filha, e de homem livre para com a humanidade e a liberdade.

[...]

Espero que tu leias com atenção esta carta. Nela verás o interesse que tomo por ti como teu pai e teu amigo, e pelo Brasil, que desejo ver bem governado, como brasileiro que sou e muito amigo da minha pátria adotiva, a qual pertence meu coração.

Adeus, meu amado filho. Recebe a bênção que te deita,

Teu saudoso pai e teu amigo,
D. Pedro, duque de Bragança

P.S. Muitos recados a todos que se lembrarem de mim

D. Pedro escrevia para três receptores diferentes: o filho de seis anos, que entenderia aquilo que dizia respeito à saudade, ao amor e ao estudo; a esse mesmo filho, mas mais velho, que entenderia no futuro as questões políticas a que d. Pedro fazia menção; e à regência brasileira, de quem desconfiava, não sem razão, que passaria os olhos em suas cartas antes de as entregarem às crianças.

A fama de d. Pedro na Europa e o efusivo modo como fora recebido ali haviam suscitado no Brasil, entre os políticos, o temor de que o ex-imperador voltasse com um exército para retomar o trono, fazendo-se regente em nome do filho até que este atingisse a maioridade. Alguns políticos brasileiros simpatizavam com essa ideia; era este o caso dos irmãos Andrada e de seu partido caramuru, como veremos adiante.

Enquanto os políticos no Brasil cogitavam proibir que o antigo imperador pisasse novamente na nação que ajudara a libertar, d. Pedro tentava, a distância e no meio de uma guerra civil, cobrar de seus filhos o estudo. Para d. Maria II, escreveu:

> São Miguel, 10 de junho de 1832
>
> Minha querida Maria. Recebi a tua cartinha de 10 de maio escrita um pouco mal para a tua idade e adiantamento. Parece-me que tu não tens cuidado muito de estudares, e enquanto Mamam não me mandar dizer que tu te aplicas como no meu tempo eu não deixarei de te mostrar sempre que tenha ocasião o meu desprazer: quando tu, minha filha, chegares a uma idade mais avançada, tu não deixarás de conhecer que eu tinha razão de te desejar ver instruída, o efeito de não ter recebido uma educação conveniente eu tenho sentido, tudo que tenho feito tem sido porque Deus me tem favorecido, eu não quero que tu me julgues para o futuro um pai descuidado de tua educação, antes quero que me tenhas por severo.
>
> O amor que te tenho, minha querida filha, é que faz falar-te tão claro, eu espero que tu estudes d'ora em diante como convém a quem tem que reger uma Nação que precisa de bons exemplos e de uma rainha assaz instruída [...].

Além do estudo, d. Pedro também exigia da menina que não comesse tanto e controlasse sua alimentação, pois estava ficando acima do peso. Também lhe recomendaria cuidado com o corpo: era preciso que fizesse exercícios e saísse mais ao ar livre.[11]

Enquanto isso, as tropas estacionadas nos Açores começavam o embarque. A expedição partiu em 27 de junho. A frota agora contava com mais de cinquenta embarcações. Tanto as tropas quanto os navios haviam sido engrossados pelo que havia já nos Açores e o que chegara ao longo dos meses. Todavia, não representavam ainda algo de muito poderoso: já havia quem apelidasse a frota de "calhambeque".

Porto

O ponto de escolha para o desembarque em Portugal foi a região da cidade do Porto, uma das mais liberais da nação. Fora a que mais havia sofrido ao se levantar contra d. Miguel. Segundo o historiador Neill Macaulay, uma tática colocou medo na guarnição da região, formada por cerca de treze mil soldados: os navios de d. Pedro apareceram "fantasiados" no horizonte. De realmente grande, havia menos de meia dúzia de embarcações; o restante era formada de pequenos navios, que foram cobertos com grandes estruturas a fim de enganar quem os visse de longe. Funcionou: a guarnição achou que se tratava de grandes navios de guerra e de transporte de tropas.

Vista da praia de Armosa de Pampelido.

Corria o rumor de que d. Pedro estava chegando com mais de trinta mil soldados, quando o número total não chegava a oito mil. A maior parte das tropas miguelistas estava concentrada ao redor de Lisboa. Esperava-se que d. Pedro atacasse diretamente a capital. Quando os absolutistas viram os navios no horizonte em formação de batalha, decidiram recuar, achando que se tratava de uma enorme força de invasão comandada pelo duque de Bragança.

Na tarde de 8 de julho, d. Pedro, liderando o desembarque, teria proclamado a seus homens:

> Soldados! Aquelas praias são as do malfadado Portugal: ali, vossos pais, mães, filhos, esposas, parentes e amigos suspiram pela vossa vinda, e confiam nos vossos sentimentos, valor e generosidade. Vós vindes trazer a paz a uma nação inteira, e a guerra somente a um governo hipócrita, despótico e usurpador [...].

Levando-se em consideração que mais de 80% do exército libertador era formado por mercenários estrangeiros, aquela era, na realidade, uma peça de *marketing*. Uma vez que o discurso seria publicado e distribuído, o intuito de d. Pedro era fazer com que a população local o identificasse antes como libertador do que invasor.

No dia 9, montando um simples animal de carga, devido à dificuldade de desembarcar os cavalos por conta do mar violento, d. Pedro entrou na cidade do Porto. Adiante, seguiam soldados do exército liberal com hortênsias de cores branca e azul na boca de suas armas. O azul e o branco eram as cores da causa constitucional.

Além do problema com o desembarque dos animais, havia o fato de os camponeses da região terem fugido com os seus. A esperança de que as tropas miguelistas e a população portuguesa vissem a força expedicionária como salvadora e se juntassem à causa liberal caiu por terra. Essa utopia fora realmente alimentada por diversos ministros, como Mouzinho da Silveira e o próprio d. Pedro.

O clero, que havia cerrado fileira ao lado de d. Miguel, dominava o corpo, a alma e a mente dos camponeses. Enquanto o usurpador era adorado por ser próximo da população, gostar de corridas de cavalos e touradas, d. Pedro não passava do homem que havia tomado para si a colônia mais rica de Portugal, causando grande miséria à população.

Parte da multidão no Porto, entusiasmada pela chegada das tropas liberais, seria a mesma que aplaudiria qualquer outro vencedor. Havia, é bem verdade, os que realmente se uniriam a d. Pedro contra d. Miguel — sobretudo os prisioneiros do Estado, que arrombariam a cadeia tão logo soubessem da chegada do regente. Muitos foram os homens que passaram a deixar, como d. Pedro e seu exército, a barba crescer. Tratava-se de uma promessa que cumpririam enquanto Lisboa não fosse libertada.

Mas os constitucionalistas não contavam com a simpatia dos populares (influenciados como eram pelo clero), nem dos nobres, dos militares e dos funcionários públicos — enfim, de quem mais temia a perda de seus privilégios. Os que se alinharam a d. Pedro foram os maçons, os judeus — em grande parte, financistas receosos da volta de uma inquisição religiosa na Península Ibérica — e os intelectuais, entre os quais incluíam-se diplomatas, generais, políticos e outras pessoas de inteligência que faltavam ao grupo dos absolutistas. Desabafando com d. Pedro II, o ex-imperador escrevia em 12 de agosto de 1832: "Este povo está fanatizado pelos padres, e não tem, até agora, dado provas de amor à liberdade. Parece impossível que isto aconteça no meio da Europa civilizada, e no século 19!"

Apesar de dominada a cidade do Porto e diversos outros pontos estratégicos da região, d. Pedro e sua tropa haviam caído em uma armadilha. Após algumas batalhas contra os absolutistas na região — as quais d. Pedro acompanhou com a ajuda de uma luneta desde o ponto mais alto do terreno, indiferente aos tiros de canhão e mosquetes que reverberavam à sua volta —, foi necessário se concentrar dentro da cidade. Seria o famoso Cerco do Porto, que durou de julho de 1832 até agosto de 1833.

Em meio aos preparativos para a defesa da cidade, d. Pedro não esquecia os filhos. Vendo que a carta anterior, em que dera bronca em d. Maria II, surtira efeito, ele responderia à rainha:

> Porto, 18 de julho de 1832
>
> [...] Eu estou contentíssimo contigo, agora por ver, e saber, que tu sentiste que eu estivesse desgostoso em consequência de te mostrares um pouco preguiçosa: agora porém que tu, segundo me dizes, e eu creio, tratas de estudar como convém e me dás provas disto, eu me glorio de ter uma filha tão obediente e minha amiga, como tu és. [...]

A educação vinha sempre em primeiro lugar — sempre. Para todos os filhos, fossem legítimos ou bastardos, o conselho seria o mesmo: estude para conseguir seu lugar no mundo. Em vez de se fiarem no nascimento, eles deveriam fazer por merecer.

D. Pedro tentou retirar suas tropas e reorganizá-las, e para isso pediu ajuda, por meio de Palmela, ao lorde Palmerston. O secretário do Exterior disse que poderia enviar a marinha britânica para evacuar d. Pedro e as tropas até os Açores, mas, uma vez concluída a operação, a Inglaterra daria por encerrada a questão portuguesa e reconheceria d. Miguel. O que ocorreria em seguida era fácil de imaginar: todas as demais nações seguiriam a política inglesa, deixando arruinados aqueles que tinham apoiado financeiramente a causa. Os liberais, quando muito, poderiam se contentar em em fundar um novo país nos Açores ou em negociar sua rendição desde lá. D. Pedro, ao saber da resposta de lorde Palmerston, pediu que Palmela esquecesse que a consulta fora feita e começou a preparar a cidade para o cerco.

O ex-imperador participava de tudo. Acordava cedo e era visto pelos soldados com a pá na mão, cavando trincheiras; onde quer que estivesse, fazia ali uma refeição para não perder tempo. Com a aproximação das tropas miguelistas, o bombardeio à cidade teve início em 25 de agosto — inicialmente, de maneira esporádica, enquanto acertavam as miras; dois dias depois, de maneira sistemática.

Em meio à chuva de balas, d. Pedro escreveu a d. Pedro II em 28 de setembro, a fim de agradecer-lhe a carta que lhe tinha enviado. Saudoso do Brasil, desabafou também com o filho:

> [...] Eu faço ardentes votos aos céus, para que a minha adotiva pátria seja feliz, e tu com ela. Não permitirá Deus que nos vejamos ainda um dia, nesse abençoado país, quando tu imperares, em pessoa, e que não possam haver suspeitas de que eu desejo, o que nunca desejei? Ah! Que meus olhos se me enchem de lágrimas, quando penso que um dia ainda poderei ver-te, e morrer naquele país, em que tu imperas; em que estão minhas filhas; naquele país, ao qual jamais meu coração deixou de pertencer, apesar de tanto que sofri pelo amar, como se fosse nele nascido!

Entre setembro e outubro, os miguelistas fizeram dois grandes ataques para tomar a cidade. O primeiro, em 29 de setembro, dia de São Miguel, foi inspirado pelos padres, que diziam que o arcanjo Miguel em pessoa os conduziria à vitória. Fanatismo religioso à parte, quem ganhou o dia foram os liberais: seu exército era mais bem treinado, e a batalha, que durou quase o dia todo e chegou até as ruas da cidade, deixou um rastro de quatro mil baixas miguelistas, entre feridos, mortos e aprisionados. Do lado constitucional, foram cem os mortos e trezentos os feridos. Naquele conflito, d. Pedro destacou-se, sendo visto em todo canto sob o pesado tiroteio. Demonstrando coragem e sangue-frio, ele inspirou seus homens, que lhe creditaram essa primeira vitória. A outra batalha se desdobrou às vésperas do aniversário do ex-imperador, no dia 11 de outubro, quando o bombardeio tornou-se constante mais uma vez. As tropas miguelistas atacaram uma fortificação liberal próxima ao Porto e foram escorraçadas com vultosas perdas.

D. Pedro, duque de Bragança.

Com a renúncia do conde de Vila Flor, d. Pedro assumiu a posição de comandante em chefe do exército e convocou ao Porto todos os portugueses emigrados para se juntar à causa. Isso incluía o general Saldanha, que havia permanecido em Paris. D. Pedro conseguiu no exílio juntar as forças necessárias para o empreendimento a que se prestara levar adiante.

Tais forças, no entanto, não eram lá muito unidas. Um exemplo era a inimizade entre Saldanha e Palmela, que, após chegar ao Porto e tomar parte na batalha de São Miguel, renunciou à chancelaria e retornou para Londres como embaixador de d. Pedro, pois não ficaria na mesma cidade que seu inimigo. Essas uniões costuradas por d. Pedro em prol de um objetivo comum se desmanchariam tão logo a causa contra d. Miguel estivesse ganha. Da Inglaterra, Palmela, trabalhando freneticamente com Mendizábal, conseguiria cavalos e equipamentos para o Porto, além de novos homens.

Foi no Porto que d. Pedro recebeu, com bastante atraso, carta de uma de suas filhas no Brasil, a princesinha d. Paula Mariana. Por ser ela uma criança enferma, sempre foi grande a preocupação que inspirou no pai. Muitas das viagens que fizera — e até mesmo a mudança temporária de São Cristóvão para a casa que pertencera a d. Carlota Joaquina em Botafogo, assim como a subida para temporadas na serra — haviam sido motivadas pela busca de melhores ares para a menina.

> Meu adorado pai e meu senhor,
>
> Todas as vezes que se me franqueia os meios de escrever a V.M.I. é dia de alegria, e muito mais quando eu tenho de felicitar a V.M.I. pelo dia 12 do corrente, para mim dia querido, e que será sempre respeitado até meus últimos alentos; pois que meu amor filial assim o exige, e eu, senhor, mais que todos obrigada a V.M.I. nunca me pudera esquecer os desvelos comigo pranteados na minha longa doença, que só o amor de um pai como V.M.I. não esmoreceu em tão teimoso mal; graças a Providência, agora vou continuando a passar bem peço a V.M.I. deite a sua benção a quem submissamente beija a mão de V.M.I. como filha obediente e amiga verdadeira. Paula 12/10/1832.[12]

Essa é provavelmente a última carta da filha ao pai. D. Paula Mariana faleceu no Rio de Janeiro em 16 de janeiro de 1833. D. Pedro foi avisado de que ela não estava bem e tratou logo de escrever a José Bonifácio, tutor das crianças.

> Porto, 14/03/1833
>
> [...] Eu sou pai, e pai extremoso e o meu amigo não se pode me não digas de que eu lastimo o não me achar aí por todos os motivos e mui principalmente porque me passado que meus esforços nascidos do mais puro amor é que a influência que como pai poderia exercer para lhe fazer tomar os remédios obteria um muito maior resultado sobre a desgraçada enferma; que pode ser que a esta hora, em que escrevo, já não exista.

No meio da guerra, de um cerco miserável que ceifava diariamente a vida da tropa e da população, d. Pedro culpava-se por não estar perto da filha no Rio de Janeiro, a fim de monitorar os remédios que a jovem deveria tomar. Já antevendo o pior, implorou para José Bonifácio:

> Se desgraçadamente ela tiver morrido eu julgo impossível que o meu amigo se nisso tenha se lembrado de duas coisas para minha mais me fazer conhecer a sua amizade: a primeira é de ter guardado para mim um bocado do seu lindo cabelo, a segundo é de ter feito depositar no Convento de Nossa Senhora da Ajuda e no mesmo lugar que se acha depositada sua boa mãe, a minha Leopoldina, pela qual ainda hoje derramo lágrimas de saudade, posto que tenha a fortuna de ter encontrado uma tão amável e tão virtuosa esposa como a imperatriz Amélia que tanto me ama e a meus filhos e que de mim é tão correspondida e esta segunda não leve lugar eu lhe peço, como pai, e como pai desolado, se peça que me faça o favor de ir em pessoa depositar aos pés do corpo de sua mãe este pedaço de seu ventre e de nessa mesma ocasião rezar por uma e por outra.[13]

Enquanto d. Pedro chorava por d. Leopoldina e pela filha que intuía ter morrido, o Porto fazia o mesmo por seus mortos. Com o aperto do cerco, a fome, o tifo e a cólera começaram a dizimar a cidade, fazendo com que cerca de quatro mil pessoas morressem em seis meses. Enquanto os soldados comiam os cavalos mortos, o povo devorava cachorros, gatos, mulas e ratos. D. Miguel agora supervisionava o cerco em pessoa.

Confirmada a morte de d. Paula Mariana, d. Pedro escreveu aos filhos no Brasil, em abril de 1833:

> [...] Ah meu caro filho e adoradas filhas, quão desgraçado é vosso pai por ser separado de vós, há mais de dois anos, e por último perder vossa irmã!! Ainda era preciso este golpe profundo para mais lhe dilacerar o coração!! Resta-me, ao menos, no meio de tudo isto. o prazer de saber, com certeza, que gozais de saúde e que desejais notícias minhas para vossa consolação [...]. Gozo de boa saúde, apesar [...] de todas as privações e incômodos que se experimentam nesta heroica cidade sitiada, há mais de seis meses, rigorosamente, e vivendo debaixo de uma abóbada de balas de artilharia e de bombas, que chovem de toda a parte, como não é fácil se fazer uma ideia exata sem se ver: contudo, nem eu nem os meus companheiros de armas perdemos as esperanças de podermos em breve, por um golpe atrevido, fazer decidir a questão [...]

Além de escrever aos filhos e amigos no Brasil, a d. Amélia e às filhas em Paris, d. Pedro trabalhava feericamente na cidade sitiada. O dia a dia do ex-imperador foi descrito do seguinte modo:

> Por seu gênio laborioso, pouco tempo tomava de repouso; recolhia-se à sua câmara pela meia-noite, e às quatro horas da manhã já estava pronto esperando por seus ajudantes de ordens, em companhia dos quais saía a visitar toda a linha de defesa, a dar as necessárias providências; recolhia-se ao paço pelas dez horas a tomar algum alimento, e ficava trabalhando com seus ministros no despacho e dando audiência até as duas horas da tarde, quando então, outra vez, saía, dirigindo-se uns dias por todas as oficinas de obras militares, vendo, examinando e acelerando os trabalhos das mesmas; outros dias destinava-se aos diferentes hospitais a visitar os feridos; aquela carinhosa visita era igualmente feita ao hospital dos prisioneiros feridos a quem dirigia expressões de humanidade [...]. Concluída a visita recolhia-se ao paço pelas seis horas, tomava assento na sua mesa a jantar com todos os oficiais do dia, findo o qual, entrava em Conselho de Estado sobre os diversos assuntos do governo; e concluído, lá ia aparecer no teatro para satisfazer à multidão de espectadores, que ansiosos, ali o desejavam ver.[14]

A tática repetitiva dos absolutistas, que consistia em primeiro intensificar o bombardeio sobre a cidade e depois mandar as tropas avançarem para o local bombardeado, estabeleceria uma nova rotina para d. Pedro no Porto. Ao começarem a cair as primeiras bombas, ele dirigia-se à igreja, rezava e comungava. Depois, seguia para a trincheira mais próxima do local bombardeado a fim de surpreender as tropas inimigas, que logo avançariam para aquele ponto. Partia brincando a respeito do perigo de vida a que estava se expondo, para desespero de seus generais e admiração de seus comandados, tanto portugueses quanto estrangeiros.

Para alguém sempre ativo, com o gênio de d. Pedro, ficar preso sob fogo cerrado numa cidade sitiada não era a melhor das experiências. Ao filho no Brasil confidenciava em maio de 1833:

> [...] Por hora não há nada de novo por cá que mereça ser relatado: continuarão as bombas e as balas que chegam a todos os lugares desta cidade; mas em breve espero tomar a ofensiva e ou vencer salvando estes descaçados povos, ou acabar de espada na mão como convém à minha honra [...]

À época, o irrequieto d. Pedro foi descrito, por um oficial inglês que o visitara, como alguém de "estatura mediana, ereto e ativo: seu aspecto não é bom e não dá a impressão de saúde: a grande fadiga que ele tem suportado e a vida sem conforto que tem levado não conduzem com a sua boa aparência". É provável que d. Pedro, quando do inverno europeu, já tivesse adquirido tuberculose. O tenente-coronel Lovell Badcock descreve-o ainda como homem de boas maneiras e espírito conciliatório; era, além disso, um radical abstêmio, preferindo sempre água. Durante os brindes, só tomava um cálice de vinho.

Da França, por intermédio de d. Amélia e seus partidários, chegou ao Porto o marechal Solignac, a quem logo d. Pedro passou o comando do exército. No entanto, para somar-se às privações por que ali passavam, agora a marinha constitucional conduzida por Sartorius ameaçava rebelar-se por falta de pagamento. Ela deixou de cumprir ordens, e, assim, uma tentativa de desbaratar as forças de d. Miguel unindo as forças liberais de terra e mar perdeu-se em 24 de janeiro.

No dia 28, o general Saldanha chegou ao Porto, onde recebeu o comando de três divisões. Outras divisões seriam comandadas pelo conde de Vila Flor, agora duque da Terceira, e por sir Thomas Stubbs. Numa tentativa de liberar uma via de comunicação terrestre para a chegada de mantimentos à cidade, Saldanha e seus homens puseram-se a trabalhar ferozmente na construção de fortificações entre o Porto e a cidade de Foz, onde em 4 de março foram atacados pelos absolutistas, que perderam a batalha e sofreram grandes perdas. O Porto, entretanto, mal teve tempo de comemorar, já que, alegando mau tempo, os navios de Sartorius partiram para águas espanholas. Sabe-se, hoje, que a tempestade pouco teve a ver com a retirada da frota: na realidade, Sartorius estava tentando vender os navios!

Mendizábal veio novamente ao socorro de d. Pedro e dos liberais. Ele não só conseguiu dinheiro para pagar Sartorius e seus marinheiros, mas ainda obteve um novo almirante, Charles Napier, que partia para Portugal com seis meses de salários adiantados no bolso. Já em janeiro, d. Pedro havia solicitado um novo almirante aos seus homens em Londres e na França. Estava até mesmo disposto a aceitar lorde Cochrane, o excêntrico escocês que fora contratado durante a guerra de independência do Brasil. O novo almirante rendeu Sartorius em 2 de junho, partindo em seguida para ser recebido por d. Pedro.

O ex-imperador deve ter achado que Mendizábal, Palmela e todos os outros que chegavam com Napier haviam enlouquecido. Apresentaram-lhe um homem atarracado, com uma roupa imunda e um pano amarrando a cabeça pelo queixo, devido a uma nevralgia. Disseram que aquele era o novo almirante da esquadra liberal. Napier fazia questão de explicar a d. Pedro o plano que havia preparado, mas o duque de Bragança recusou-se a ouvir, mandando-o conversar com Solignac.

Napier achava, não sem razão, que boa parte do exército de d. Miguel estava tão concentrado no cerco do Porto que Lisboa poderia ser alvo mais fácil do que se imaginava. O plano era arriscado: além de retirar seis mil homens do Porto, seria utilizada toda a frota na operação.

Após um conselho de guerra, Solignac afirmou que tudo aquilo era um absurdo. D. Pedro declarou que se conformaria com o que o conselho decidisse, pois, como viria a afirmar em carta para um amigo, "[...] sendo esse negócio essencialmente português, era por tão dignos patriotas que ele devia ser decidido e que minha vontade em negócio de tão alta monta devia ser subordinada à decisão da maioria [...]".[15]

D. Pedro lutava como pai, pelo direito da filha ao trono. Era seu regente e tutor natural, mas parecia se considerar menos português e patriota do que os militares ali presentes. Por conseguinte, viria deles a resolução final sobre o assunto.

Lisboa

O conselho decidiu pela investida contra Lisboa, mas com menos homens do que Napier queria. Mesmo assim, um indignado Solignac deixou o cargo, obrigando d. Pedro a assumir novamente como comandante geral, agora colocando, acertadamente, o general Saldanha como chefe do estado-maior. O comando da força expedicionária foi dado a Vila Flor, ao passo que o duque de Palmela seria o lugar-tenente de d. Pedro, responsável pelo governo das regiões que as tropas conseguissem libertar. No lugar de seis mil homens, partiriam apenas 2.600; o restante guarneceria o Porto.

Em vez de se dirigir diretamente a Lisboa, decidiu-se que a expedição iria mais adiante, na tentativa de tomar a província do Algarve, no extremo sul de Portugal. De lá, avançariam até a capital. Na noite de 24 de junho, o duque da Terceira, Vila Flor, desembarcou com seus homens a quarenta quilômetros da cidade de Faro, capital do Algarve, tomando-a no dia 27 após encontrar pouca resistência. O duque de Palmela estabeleceu um governo provisório na região, enquanto Napier retornava com seus navios para dar combate aos vasos de guerra que haviam partido de Lisboa em seu encalço.

Napier contava com 176 canhões; a armada absolutista, com 372. Mesmo assim, a Batalha do Cabo de São Vicente, ocorrida em 5 de julho, pendeu para o lado dos liberais: Napier tomou dois navios de guerra miguelistas, bem como duas fragatas e uma corveta. No mesmo dia, no Porto, os absolutistas, notando que a guarnição fora diminuída, tentaram novamente tomar a cidade, mas não conseguiram e sofreram pesadas baixas.

Tendo sido notificado a respeito da batalha naval, na qual perdera a supremacia marítima, e da invasão do Algarve, d. Miguel decidiu-se por mais uma investida contra o Porto, ocorrida em 25 de julho. Dessa vez, a batalha levaria mais de nove horas. Parte da defesa da cidade cedeu e tropas miguelistas chegaram a invadi-la, mas foram corajosamente enfrentadas pelo general Saldanha. Este liderou um contra-ataque com dezoito oficiais de cavalaria e vinte lanceiros, fazendo as tropas inimigas recuarem. As baixas de d. Miguel totalizaram mais de seis mil soldados.

O irmão mais novo de d. Pedro, porém, não perderia apenas essa batalha: de sua posse sairia também a capital. No dia 24, Lisboa foi ocupada pelos constitucionais. Uma revolta liberal estourou na cidade ante a aproximação, pelo Tejo, das tropas do duque da Terceira e dos navios de Napier. Nas duas cidades mais importantes de Portugal, tremulavam as cores azul e branca da causa constitucional, da rainha-menina carioca, filha de d. Pedro e d. Leopoldina. Em 28 de julho, chegando em um barco a vapor, o ex-imperador desembarcou na cidade que deixara 25 anos antes.

Após ter ido cumprimentar Napier na nau capitânia *D. João VI*, d. Pedro desembarcou no cais do Arsenal da Marinha às três e meia da tarde, em meio a esfuziantes vivas por parte da multidão que tinha ido recebê-lo. Em seguida, montou em um cavalo e passou por várias ruas a fim de saudar a população, atendendo a um pedido da Comissão Municipal. Logo depois, assistiu a um *Te Deum* e a uma missa de ação de graças; então, recebeu, no palácio da Ajuda, diversos perseguidos pelos miguelistas, que lhe foram narrar as atrocidades pelas quais haviam passado por terem se mantido fiéis à rainha.

No dia seguinte, às dez horas da manhã, foi com o camarista, o capelão e o ajudante de campo ao Mosteiro de São Vicente de Fora. No jazigo dos reis portugueses, o capelão celebrou uma missa pelo repouso de d. João VI e de d. Carlota.

Segundo o jornal *Chronica de Lisboa*:[16]

> Depois que sua Majestade Imperial, com os piedosos sentimentos de uma sólida religião teve assistido ao Santo Sacrifício, veio junto do túmulo de seu augusto pai, e ajoelhando, em quanto se rezavam as orações da igreja pelo repouso dos mortos, o amor filial se manifestava derramando copiosas lágrimas sobre os reais despojos de um pai que findara seus amargurados dias vítima da perseguição que sua majestade imperial hoje debelava. Acabadas as rezas, sua majestade imperial escreveu num papel que pregou sobre o túmulo:
>
> Um filho te assassinou;
>
> Outro filho te vingará.
>
> 29 de julho de 1833 - D. Pedro

Apesar das constantes afirmações, não existe prova concreta de que d. Miguel tenha culpa pela morte do pai. D. Pedro, sempre como bom articulador e — em termos atuais — marqueteiro, sabendo como ninguém manipular a mídia e a massa, usaria o boato contra o irmão.

Em 3 de agosto, escrevendo de Lisboa, deu ele as boas novas aos filhos no Brasil:

> Meu querido filho e amadas filhas. Quis a Divina Providência coroar os meus esforços dando às armas da rainha uma vitória no lado de além do Tejo no dia 24 do passado e uma outra muito grande no Porto no dia 25 que me habilitou a partir no dia 27 para esta cidade aonde tenho sido recebido o melhor que se pode imaginar. Não vos cansarei com os detalhes de tudo que se tem passado e limitar-me-ei a dizer-vos que a nossa perda em Almada e no Porto não excedeu 300 homens e que a do inimigo passou de 6.000 sem exageração porque assim o confessam os nossos inimigos. Muitos parabéns dou a Chiquinha pelo dia de ontem grandes saudades foram as minhas. Ah meus amados filho e filhas quanto é triste para um pai que tanto ama seus filhos como eu os amo ver-se separado deles! [...]

Apesar de Lisboa, do Porto e de parte do Algarve terem sido tomados, ainda havia muito a ser feito. O marquês da Fronteira se lembraria, nas suas memórias, dos primeiros dias de d. Pedro na capital portuguesa:

> O imperador, com a atividade que o caracterizava, levava em Lisboa a vida que levara no Porto, fazendo traçar a linha de defesa da capital [...], fazendo construir redutos e baterias que eram ineditamente artilhadas, organizando batalhões nacionais e regimentos de todas as armas.[17]

A operosidade de d. Pedro seria notada também por Napier:

> Era o homem mais ativo que tenho visto; levantava-se cedo, e para tudo olhava pessoalmente; e, conhecendo o caráter demorado dos portugueses, tinha razão; se não fosse a sua atividade a expedição jamais teria dado à vela das ilhas dos Açores. Era homem de valor, mas não de um repente, de impulso, ou então não o teriam persuadido a permanecer no Porto, em lugar de avançar no momento que desembarcou, ou a abandonar a intenção de embarcar na Esquadra com cinco mil homens.[18]

Tendo perdido uma batalha para o duque da Terceira, d. Miguel e seu exército levantaram o cerco do Porto e partiram para Coimbra. Lá, juntaram-se a outras forças, como a do duque de Cadaval, que vinha com as tropas miguelistas que tinham abandonado Lisboa. Preparou-se, assim, uma ação contra a capital. Inexplicavelmente, o exército demorou mais de duas semanas para atravessar uma região que lhe continuava fiel. A vagarosidade da tropa do irmão foi uma bênção para d. Pedro e os liberais, que tiveram mais tempo para fortificar Lisboa e treinar novos milicianos. No total, contavam ali com um exército de 38 mil homens.

Desse modo, chegou-se ao 5 de setembro, dia no qual as tropas de d. Miguel partiram, bem cedo, à conquista da capital. Após um longo conflito, em que por duas vezes os miguelistas se lançaram contra as fortificações liberais, o líder absolutista retirou-se do campo de batalha derrotado, voltando para a posição que ocupava anteriormente.

A luta fora encarniçada. O duque da Terceira teve o cavalo morto e saiu ferido, e d. Pedro escapou por pouco: um tiro de canhão matou um soldado ao seu lado. No dia 14, novamente, as tropas miguelistas tentaram avançar, mas foram malsucedidas um vez mais.

Gravura de d. Pedro feita a partir de um desenho dele ao vivo de 1832.

Novamente em família

Logo após a libertação de Lisboa, d. Pedro enviara a Paris o marquês de Loulé, seu cunhado, para trazer d. Maria II, d. Amélia e sua filhinha, a princesa Maria Amélia, que não via havia quase dois anos.

Napier, testemunha ocular, conta o que viu no reencontro familiar, ocorrido em 22 de setembro:

> O Imperador tinha preparado um magnífico escaler de vinte e quatro remos, e quarenta e oito homens, pintado de azul e branco, indo os homens vestidos das mesmas cores, onde embarcou no Arsenal com dois Ajudantes de Campo, e eu, para ir receber a imperatriz, e a Rainha; e tão impaciente estava ele, que partiu sem Corte nem Ministros. Eu nunca o vi tão alegre e satisfeito; subiu para bordo pouco acima de Belém; foi recebido ao portaló pela Imperatriz que o abraçou e beijou com o maior afeto: A Rainha estava muito comovida, e não pode conter as lágrimas. A pequenina princesa Amélia, sua filha mais nova, ocupou muito a sua atenção: ela ficou algum tanto assustada de lhe ver as barbas crescidas, e não correspondeu muito às suas carícias.[19]

O desembarque da rainha d. Maria II ocorreria no dia seguinte, quando, acompanhada de d. Pedro, d. Amélia e os ministros e oficiais da corte, deixaria o navio ao meio-dia. Assim que o barco que os transportavam partiu em direção a cais, uma salva de 21 tiros foi dada. Diversas embarcações a vela cobriam o Tejo. As janelas das casas estavam cheias de curiosos, e a multidão tomava o cais. As cores da rainha, o branco e o azul, eram vistas em bandeiras, roupas, vestidos, casacas.

A calma e a festa eram aparentes. Além dos batalhões que formavam alas entre o Terreiro do Paço e a Sé, o exército nas cercanias permanecia em armas para evitar atentados. Os oficiais tinham recebido ordens para não saírem de seus postos em hipótese alguma.

O desembarque se deu ao meio-dia e meia, quando uma salva de 21 tiros, dados pelos fortes e navios ancorados, encheu o ar em saudação à rainha. D. Maria, ao receber o general Saldanha, fê-lo na mesma hora marechal. A rainha tomou o braço esquerdo da imperatriz e o direito do pai, que lhe sussurrou algo; de pronto, ela exclamou: "Viva a Carta Constitucional!", ao que a multidão lhe correspondeu, dando também vivas a D. Maria, a d. Pedro e d. Amélia.

No dia 25, d. Maria II enfim sentou-se em seu trono. A imperatriz ficou à sua esquerda e d. Pedro, no chão, abaixo do pódio onde o assento real se encontrava. O ex-imperador devia sentir-se parcialmente realizado. Ainda faltava dar cabo de d. Miguel e do exército absolutista, bem como conquistar mais de três quartos de Portugal.

Com a tomada de Lisboa, a Inglaterra e a França enviaram representantes diplomáticos creditados junto ao novo governo. Aquele era o reconhecimento de que as coisas, ao menos diplomaticamente, caminhavam bem.

Enquanto isso, do outro lado da fronteira espanhola estourava uma guerra civil. Com a morte do cunhado e tio de d. Pedro, d. Fernando VII, em 29 de setembro, a filha deste, d. Isabel II da Espanha, subiu ao trono. Até então somente herdeiros do sexo masculino tinham direito a herdar a coroa, entretanto, pouco antes de morrer, d. Fernando aboliu a lei sálica. Quem não gostou disso foi o irmão do rei, d. Carlos, que era, até então, seu sucessor natural.

D. Carlos era casado com d. Maria Francisca, irmã de d. Pedro, tão contrária a este quanto a princesa d. Maria Teresa, que também continuava morando na Espanha. Logo uma aliança se consolidou entre as infantas — tão boas em conspirar quanto a falecida mãe, d. Carlota Joaquina —, d. Miguel e d. Carlos. A mãe de d. Isabel II, a rainha d. Maria Cristina, nomeada regente da filha, por sua vez, aliou-se aos elementos liberais espanhóis e a d. Pedro, em Portugal. Logo, toda a Península Ibérica estava em pé de guerra contra d. Carlos, as infantas portuguesas, suas cortes e forças, fazendo de Portugal uma base para invadirem a Espanha. Uma desculpa para que as forças da Santa Aliança interviessem na península era tudo o que a Inglaterra e a França menos desejavam. A Inglaterra, que antes da vitória de Napier praticamente abandonara d. Pedro e suas tropas à própria sorte, agora lhe oferecia ajuda para resolver logo a guerra. As tratativas culminariam numa quádrupla aliança entre Inglaterra, França, Espanha e Portugal, que ditaria os futuros termos de rendição a d. Miguel.

Agora, d. Pedro relutaria em aceitar ajuda inglesa. Continuaria lutando com os que haviam realmente se mostrado valorosos, amigos e fieis: Saldanha, Terceira e Napier. Este último, carecendo de frota inimiga a enfrentar, fora transformado em general e agora lutava em terra.

No início de outubro, Saldanha avançou contra as tropas de d. Miguel, que se defenderam enquanto o grosso do exército miguelista recuava até Santarém, onde mantiveram posição.

D. Pedro adoece

D. Pedro revezava-se entre Lisboa, onde presidia o gabinete de governo, e Cartaxo, onde Saldanha montara acampamento, quando sua saúde começou a declinar. Em novembro, ao passar pela cidade de Almada, o duque de Bragança apanhou um resfriado que rapidamente evoluiu para uma forte bronquite, seguida de febre e falta de ar. Nem bem havia se restabelecido, partiu para junto de Saldanha em Cartaxo, onde teve uma recaída. A febre e a falta de ar pioraram, e pela primeira vez foi notado sangue no seu catarro.[20]

Em 2 de dezembro, dia do aniversário de d. Pedro II, ele escreveu ao filho para lhe dar os parabéns:

> Meu querido filho, parabéns. Este dia é para mim, e deve ser para todos os brasileiros dos maiores: sim, meu amado filho, da tua existência estão pendentes os destinos da pátria, daquela mesma pátria que tão ingrata foi para comigo, e que eu apesar de tudo, desejo ver prosperar. [...]

Além dos negócios em Portugal, d. Pedro, como sempre dividido, preocupava-se com o rumo que a política brasileira seguia:

> Eu faço ardentes votos ao céu por ti, e pelo Brasil e tremo quando me lembro que o império está tocando a meta da sua desmembração: decretadas sejam as alterações projetadas, a guerra civil a mais horrorosa virá enlutar o horizonte brasileiro, ainda mais do que ele está. Muito folgarei se a Assembleia Geral [...] cuidar de reunir todos os partidos com o único fim de salvar a nação da anarquia firmando, como convém e ao mesmo tempo, o sistema monárquico constitucional. Se isto assim acontecer, e eu puder ainda, em um desses dias, apertar-te em meus braços vendo a minha adotiva pátria tão feliz como desejo, então eu me reputarei completamente venturoso [...].

Nessa carta, d. Pedro referia-se às diversas rebeliões ocorridas no Brasil durante o período regencial, as quais se estenderiam de 1831 até 1841 e colocariam em risco a integração física do território nacional. Teria ele que cruzar novamente o Atlântico para preservar o império do filho? Não haveria nem tempo, nem saúde para tanto. Em dezembro, vendo-se obrigado a retornar a Cartaxo, d. Pedro sofreu lá um "considerável ataque de sufocação, simulando asthma [asma], e com grande cópia de salivação sanguínea".[21] Uma junta médica, convocada pelo dr. Tavares, começou a acompanhar de perto a saúde do duque de Bragança. Segundo o marquês de Fronteira, a condição do ex-imperador inquietava os seus amigos e Portugal inteiro, e os médicos divergiam a respeito do melhor tratamento. Uns aconselhavam que d. Pedro fosse para as termas em Caldas da Rainha; outros, que fosse respirar os ares de Cintra ou de Mafra; uns terceiros, que se mudasse do Palácio das Necessidades para o da Ajuda, ou mesmo para Queluz.[22]

D. Pedro, entretanto, não era o único doente da família. Do outro lado, d. Miguel e uma das irmãs que ainda mantinha consigo, d. Maria d'Assunção, contraíram cólera. D. Miguel recuperou-se, mas a irmã não, falecendo em 7 de janeiro. Assim como fizera quando da morte de d. Carlota Joaquina, o rival tentou avisar d. Pedro, mas este recusou-se a abrir a carta que lhe fora enviada, pedindo que a devolvessem ao destinatário.

Enquanto isso, a guerra civil continuava. Apesar de uma tentativa de mediação feita pelos governos da Espanha e da Inglaterra, a luta entre d. Miguel e d. Pedro prosseguiu. No início de janeiro, começou a operação dos liberais que buscava conquistar o restante do território português.

Queda de José Bonifácio da tutoria dos príncipes

Mais uma vez, em meio aos negócios portugueses, interpunham-se a d. Pedro questões que envolviam o Brasil e os filhos que lá deixara. Em dezembro de 1833, fora preso José Bonifácio. Só assim a Regência brasileira conseguiu destituí-lo da tutoria dos jovens príncipes e substituí-lo pelo marquês de Itanhaém. Em carta aos filhos de 7 de abril de 1834, d. Pedro declarou:

> Meu querido filho, e amadas filhas. Que dia de luto e de tristeza é este para mim. Foi neste mesmo dia que vi obrigado a separar-me do Brasil e de vós! Salvei a minha honra; evitei a guerra civil, é verdade, com isto me deveria eu, em parte, consolar, porém o amor que vos consagro e ao Brasil não permite que minha dor seja diminuída: a minha saudade cada dia se acha mais aumentada. [...]

Quanto à saúde, mentia: "A cautela que tenho tomado, e o assíduo tratamento conseguiram triunfar da doença: acho-me atualmente no meu antigo estado de forças e de vigor."

Sempre preocupado com a criação dos filhos, mencionava na carta a mudança da tutoria: "[...] Deus permita que as mudanças que houveram não tenham influído na vossa educação e estudos. Eu espero que o marquês de Itanhaém tenha o mesmo cuidado em vós que tinha o tutor que eu nomeei."

Uma maldição

Um dos principais conspiradores pela saída de José Bonifácio da tutoria das crianças foi a futura condessa de Belmonte, Mariana Carlota de Verna Magalhães, que pediu exoneração de seu cargo de dama camarista devido ao autoritarismo do tutor. Após a queda do velho Andrada, d. Mariana voltou ao paço como camareira-mor. D. Pedro, que detestou o fato e a postura dela, escreveu-lhe em seguida para rogar-lhe uma verdadeira praga.

> [...] Vejo que está novamente no Paço e encarregada da educação moral do meu filho e filhas, espero, e desejo, que seja igual, à que eu lhe dava, e que d. Mariana não ignora, não gostando eu das mudanças que houve [...]. Peço-lhe [...] faça guardar o decoro devido a meus filhos e não permita de maneira alguma que as pessoas desconhecidas, mal educadas, ou de conduta esquivosa tenham trato ou conversação com eles; muito me tem afligido o que por aqui se diz das companhias e reuniões, que aí se fazem no Paço, de pessoas que nem por nome conheço, mas de quem não ouço falar bem, nem política nem moralmente; enfim eu confio que terá todo o cuidado e que dirigirá meus filhos pelo caminho da virtude, com a lição, bons exemplos, e lembre-se que se fizer comprovar o contrário, quando não seja castigada neste mundo, infalivelmente o será no outro.[23]

D. Miguel parte para o exílio

Enquanto isso, em abril de 1834, o duque da Terceira, que havia tomado Amarante, ameaçou Vila Real. Ali estavam agora reunidas as forças do cunhado de d. Miguel e de d. Pedro, o infante da Espanha d. Carlos, que lutava pelo trono da Espanha. Antes que o exército espanhol e o exército liberal português se unissem, d. Carlos saiu da cidade e partiu para Santarém, onde se juntou a d. Miguel. Em 22 de maio, d. Miguel e d. Carlos, devido ao cerco que se formara em torno dessa cidade, a abandonaram por Évora. No dia seguinte, após a decisão dos generais miguelistas de pedirem a paz, foram enviados emissários para Saldanha e Terceira. No dia 26, diante do primeiro secretário da legação britânica em Lisboa, os absolutistas se renderam e aceitaram os termos impostos — entre eles, a expulsão de d. Miguel e d. Carlos da Península Ibérica.

D. Miguel seguiria para Sines, de onde partiria, em um navio inglês, para o exílio. Iria se instalar em Roma, onde se colocaria sob a proteção do papa e, bem longe do irmão, declararia que fora coagido a assinar a Convenção de Évora-Monte. Uma lei do mesmo ano baniria d. Miguel e toda a sua descendência da linha de sucessão ao trono português.

Dias depois, em Elvas, a antiga regente de Portugal, infanta d. Isabel Maria, era libertada pelas tropas constitucionais. Segundo o marquês de Fronteira:

> Soube, por nós da Convenção de Évora-Monte, [...], da desmoralização dos batalhões do usurpador, e, finalmente, da queda do reinado de d. Miguel. Pareceu-me o mais satisfeita possível, com as importantíssimas notícias de que éramos portadores.[24]

D. PEDRO.

Com palavras mais duras que elegantes
Glória bradou, e liberdade, e patria.

O Brasil sem Pedro

LOGO APÓS a partida de d. Pedro do Rio de Janeiro, os jornais oposicionistas passaram a falar claramente contra ele — atitude outrora punível, tendo-se em vista a cláusula constitucional que considerava inviolável a figura do imperador. Quanto aos ex-imperantes, porém, a constitucional brasileira nada dizia.

Foi assim que, às vésperas do 7 de setembro de 1831, lançaram um livreto intitulado *Cartas dos dois amantes de S. Cristóvão, separados pela revolução do dia 7 de abril.*[25] Trata-se de um romance epistolar. A história desenvolve-se por meio da troca de correspondências entre uma criada do Paço Imperial e um soldado. Ao longo da leitura, é possível perceber o desespero da criada, que caíra no erro de seguir para o exílio com o ex-imperador. Ela acreditara que d. Pedro havia renunciado para salvar a Constituição e sua honra, ao contrário do soldado seu amante. No final, a criada arrepende-se de sua decisão de partir do Brasil e abandonar seu amado, sendo acometida pelo terror de ser usada sexualmente por seu senhor. Embora não seja nomeado, o tal senhor evoca claramente a lubricidade de d. Pedro, que após a renúncia passara a ser explorada cada vez mais pela imprensa brasileira.

O que antes não se podia dizer com clareza passou a ser escancarado, sobretudo pelo jornal *Sete de Abril,* cujo nome visava glorificar a revolução brasileira que depusera o "tirano". Em suas páginas, d. Pedro e a marquesa de Santos seriam os alvos principais. Nem quando da morte da princesinha d. Paula Mariana manteve-se o respeito — pelo contrário: o tema surgiu como oportunidade para falar sobre o imperador e sua ex-amante, bem como a respeito da morte de d. Leopoldina:

> Relação de um moderado.
>
> Abaixo o Ministério! Abaixo o Club da Floresta! Como é possível suportar por mais tempo um Governo, que fez sair para a rua o enterro de S. A. I. a Senhora D. Paula, sem ter feito o competente convite à Senhora Duquesa de Goiás, e à Senhora Marquesa de Santos? [...] Abaixo o Club da Floresta, de onde partem essas desatenções, para com as pessoas mais atendíveis. [...] Já esta falta de etiqueta na morte da Senhora D. Leopoldina, saudosa Mãe da Senhora D. Paula, trouxe a queda do Ministério de então, tão depressa como o ex-Imperador chegou do Rio Grande.[26]

O ataque moral contra d. Pedro continuaria, sempre alimentado pela munição que ele mesmo proporcionara. Achando que tudo podia e não entendendo, como d. Leopoldina entendera, que exemplos morais deveriam emanar do trono, o ex-imperador e sua ex-amante eram motivo de comentários nos mais diversos contextos. Por exemplo, neste ataque do *Sete de Abril* a um discurso realizado na Assembleia em 1833, quando a figura de d. Pedro foi enaltecida.

> [...] Tecendo o panegírico de seu senhor d. Pedro, a pedido de certa gente caramuru, em cujo bando muito se distingue [...], louvou-o até por coisas que ele nunca fez, como por exemplo, a Universidade do Rio de Janeiro, e a abundância da água na Carioca [...]. Coitado do pobre velho! falta-lhe a memória, e sobeja-lhe o furor de atacar os que nem são nem querem ser servis!... Já que citou o Decreto para a tal Universidade, [...], por que não cita a portaria, ou o que quer que seja, que fez Primeira Dama a Marquesa de Santos, em desfeita a tantas Senhoras honradas, que se não queriam misturar com tal mulher? [...] os motivos desta promoção cobrem de rubor as faces de quem os conhece [...]. O infame panegirista de d. Pedro não pode ignorar isso, por que até se sabe, que ele dissera, à vista dos estonteamentos dos últimos dias desse Príncipe, que depois da morte da virtuosa Imperatriz, todos os negócios de d. Pedro haviam desandado, em castigo do que lhe fizera; e esta proposição é na verdade o mais picante epigrama, ou pedrada nas

janelas dessa célebre marquesa, de quem muitas coisa se disseram na morte da Imperatriz, que pareceram confirmadas pelo Baronato de Inhomirim [...].[27]

Conspirações

Três meses após a abdicação, ainda em 1831, tomou corpo um novo partido político no Brasil: o Partido Restaurador, também conhecido como Partido Caramuru. Os caramurus, herdeiros da tradição lusitana do sebastianismo, queriam o retorno de d. Pedro I ao Brasil. Os membros do partido eram homens da elite governamental brasileira capitaneados pelos irmãos Andrada. Seu desejo era o de que d. Pedro assumisse tanto a tutoria dos filhos quanto a regência em nome de d. Pedro II, até que este atingisse a maioridade.

Tirando proveito das decepções causadas pelos vencedores do 7 de abril, que pouco ou nada mudaram em relação ao governo de d. Pedro I, os caramurus acabaram vencendo na corte a eleição de 1833. Fortalecidos pela imprensa e pela característica combatividade dos Andrada, o ideal foi tomando forma na mídia e nas ruas. Abaixo-assinados pelo retorno do imperador começaram a aparecer tanto na sociedade civil como entre os militares.

Tudo isso, é evidente, à revelia de d. Pedro I, que em 13 de julho de 1832, no Porto, avisou de viva voz ao deputado brasileiro Cunha Matos:

> Esses que se lembram no Brasil do meu nome para fazerem outra bernarda, sempre são bem asnos! Não sabem que eu abdiquei a coroa do Brasil por minha própria vontade? Eu me retirarei de Portugal no caso das Cortes portuguesas decidirem que não posso ser regente do reino por ser cidadão brasileiro, e se os portugueses não se quiserem aproveitar dos benefícios que lhes fiz, retiro-me então para a Alemanha.[28]

Ainda, porém, que d. Pedro não pensasse nisso, o marquês de Resende conspirava, de Paris, com José Bonifácio e o visconde de Itabaiana. Os três tentavam tecer uma trama que almejava não apenas a aceitação do plano por d. Pedro, mas também a participação da imperatriz d. Amélia no processo. Em carta de 14 de maio de 1832 ao visconde de Itabaiana, Resende explicitou assim a situação:

> [...] Desde já asseguro a V.E. debaixo de juramento em presença da divindade e sobre a minha palavra de honra, que tanto o imperador d. Pedro 1 e a imperatriz, sua augusta esposa, como eu, não temos jamais cessado de ser bem cordialmente brasileiros; e que estamos todos com a mesma pronta vontade dispostos a fazer todos quantos sacrifícios, razoavelmente falando, pudermos fazer para evitar e, se for preciso, combater, com os mais eficazes e poderosos remédios, o mal que ameaça de assolar o Brasil. [...] O imperador d. Pedro I, que com a abdicação que fez da coroa do Brasil não largou nem perdeu o título de Defensor Perpétuo do Brasil, que conservou como divisa no seu escudo d'armas como duque de Bragança, título este que hoje é, como V. E. muitas vezes me observou, mais brasileiro do que português; é também como pai do imperador o senhor d. Pedro II e de suas augustas irmãs, residentes no Brasil, o seu tutor e curador natural [...].

Para José Bonifácio, Resende escreveu dois dias depois, a 16 de maio, uma carta de igual teor, afiançando que tanto ele quanto d. Pedro e d. Amélia estariam dispostos a retornar ao Brasil se isso resultasse benéfico ao país. Talvez tais mensagens, que provavelmente chegaram ao Rio de Janeiro por meios sigilosos, tenham alimentado a imaginação dos caramurus a tal ponto que despacharam Antônio Carlos Ribeiro de Andrada à Lisboa libertada, aonde chegou em setembro de 1833. Houve entrevista entre ele e d. Pedro, da qual resultou, no dia seguinte, a carta em que o ex-imperador coloca no papel sua posição oficial sobre o assunto:

> Lisboa, 14 de setembro de 1833.
>
> Senhor Antônio Carlos de Andrada Machado pareceu-me conveniente dar-lhe por escrito as mesmas respostas que lhe dei de boca outro dia e da maneira seguinte:
>
> Artigo 1º
>
> A minha abdicação está valiosa: jamais tive tenção de a declarar nula.
>
> Artigo 2º
>
> Eu não tenho dúvida alguma de fazer todos os sacrifícios pessoais, menos o da minha honra, pelo Brasil e de prestar à minha adotiva pátria e a meus filhos todos os serviços de que eu seja capaz. Porém, eu acho-me engajado, por honra, na defesa dos direitos de minha filha a senhora d. Maria II, rainha de Portugal e da Carta

Constitucional, e não posso dispor de mim sem que fique inteiramente desligado das obrigações que contraí para com a nação portuguesa. Depois poderei ir prestar ao Brasil os serviços que de mim exigir a nação, mas, para que isto tenha lugar, será mister, como eu marcho sempre conforme com a lei e desejo respeitar como sempre respeitei a Constituição brasileira, que as municipalidades expressem a vontade nacional, e que a Assembleia Geral declare, solenemente, que convém que eu volte ao Brasil para, na qualidade de regente, o governar durante a minoridade do imperador meu filho, e que a mesma Assembleia Geral me envie uma deputação a dar-me parte da sua resolução e a pedir-me, ao mesmo tempo, que eu haja por bem anuir ao voto nacional, legalmente expressado.

Artigo 3º

Se isto assim tiver lugar e eu nessa ocasião me achar desligado das obrigações que hei contraído, por honra, e hoje por gratidão para com a nação portuguesa, não hesitarei um só momento e imediatamente partirei para o Rio, animado daquele mesmo sincero amor [pelo Brasil] que sempre me animou e que nunca em mim se extinguirá. Tomei a resolução de escrever-lhe esta para que a faça chegar ao conhecimento daquelas pessoas que, em deputação, o mandaram à minha presença, e que cegos pelo muito amor que me consagram, a meus filhos e ao Brasil seriam a causa, se eu abraçasse seus planos, de uma terrível guerra civil, que acabaria com o Império. Eu, pelo menos, o reduziria ao último estado de desgraça.

Eu amo muito o Brasil; eu amo muito a meus filhos e a todos os meus concidadãos; eu amo muitíssimo a minha honra e a minha reputação; eu respeito sobremaneira o juramento que voluntariamente prestei à Constituição brasileira para ir empreender coisas que não sejam legais e que não sejam conformes com a vontade geral da Nação brasileira a que pertenço.

Eu faço ardentes votos ao Altíssimo pela prosperidade do Império e felicidade dos meus filhos e concidadãos e muito estimarei poder ainda prestar-lhes algum serviço mesmo à custa dos maiores sacrifícios mas, [para] que isto possa ter lugar, é mister que tudo se passe como acima deixo dito.

Aproveito esta ocasião para lhe assegurar que sou seu afeiçoado

D. Pedro.[29]

A resposta de d. Pedro deve ter caído como um balde d'água fria sobre os caramurus, que precisariam trabalhar para que o retorno do ex-imperador se tornasse um ato legal. D. Pedro nunca chegaria ao país como conquistador do trono do próprio filho.

O governo brasileiro apavora-se

Antes da partida de Antônio Carlos para a Europa — e provavelmente motivada por ela —, em 7 de julho de 1833 a sessão da Câmara dos Deputados no Brasil foi interrompida para um pronunciamento do ministro das Relações Estrangeiras, Bento da Silva Lisboa. Bento, num arrazoado de meter medo, expôs, entre outras coisas, o estado em que o Rio de Janeiro e outras províncias do Brasil se encontravam, nas quais elementos conspiravam, pelas ruas e pela imprensa, em favor do retorno de d. Pedro.

Além disso, o ministro tentou provar que o contrato que d. Pedro havia firmado com as tropas mercenárias apresentava uma cláusula segundo a qual os soldados se obrigavam a se bater pelo ex-imperador em qualquer lugar do mundo, e não somente em Portugal. Segundo o ministro, isso demonstrava a intenção do ex-imperador em invadir o Brasil e instalar-se novamente no trono, tão logo resolvesse o problema da sucessão portuguesa. Na conclusão de seu arrazoado, Bento da Silva afirmou que vinha

> [...] procurar no seio dos escolhidos da nação, os meios extraordinários que serão necessários empregarem para vingarmos os nossos direitos quando eles sejam ofendidos. Os ministros e secretários das outras repartições vos farão as competentes propostas a este respeito.[30]

E assim ocorreu. Os próximos a se apresentaram à câmara foram os ministros da Justiça e da Guerra. Empregando os ditos "meios extraordinários" para evitar que d. Pedro invadisse o Brasil, como os ministros e o governo pareciam temer, o executivo despejou uma torrente de leis a serem discutidas e votadas, entre as quais normas legais que puniam rebeliões de escravos e cerceavam a liberdade de imprensa. A oposição atacou o governo afirmando que tudo aquilo não passaria de um golpe da regência. Uma Comissão Parlamentar de Inquérito foi criada para tentar impedir o retorno de d. Pedro. Essa protoavó de todas as CPI vagarosas e inúteis só teve fim quando da morte do ex-imperador.

Em 1834, quando a Assembleia se reuniu novamente, qualquer esperança de que o Legislativo brasileiro pedisse o retorno de d. Pedro caiu por terra. A proposta apresentada na Câmara dos Deputados foi a de seu banimento definitivo do Brasil. Por um placar de 61 contra 19, os deputados aprovaram a resolução que tornava ilegal seu retorno, mesmo quando na condição de mero cidadão comum. A resolução, entretanto, foi barrada no Senado. Houve quem, mesmo contrário a d. Pedro e ao próprio sistema monarquista, revoltou-se contra tal ideia. Foi esse o caso do médico e deputado baiano Antônio Ferreira França. Em discurso na Câmara, Antônio afirmou que d. Pedro era o autor da independência do país e, se quisesse voltar ao Brasil sem intenções de antagonizá-lo, deveria ser recebido de portas abertas.

Um agente duplo

Tanto interna quanto externamente, o governo regencial do Brasil tentava controlar a situação criada por um possível retorno de d. Pedro. Para isso, não deixou de lançar mão de armas como a espionagem. Prestou-se a esse papel ninguém menos que o genro da baronesa de Sorocaba, o financista judeu José Buschental. Em carta a José da Costa Carvalho, um dos membros da Regência Trina Permanente que governou o Brasil de 1831 a 1835, Buschental informou de Londres, no dia 20 de junho de 1832:

> Não tenho por algum tempo o que fazer em Londres, resolvi empregá-lo inteiramente a me dedicar à comissão que me encarregou o exmo. sr. Feijó, a quem tenho a honra de escrever por este paquete. O sr. Francisco Gomes da Silva chegou a esta praça logo que lhe fiz parte do desejo que tinha de lhe falar. Entreguei-lhe as cartas dos grandes e pequenos caramurus e pude, por sua surpresa e conversa, ver que d. Pedro não está ao fato do que se passa no Rio em seu nome, porém, não contente com isto, tomei a resolução de ir para Paris, aonde espero pelo J. da Rocha Pinto e outros da suíte, saber exatamente o que o ex-imperador pretende a respeito do Brasil, e não desespero conseguir (com trabalho, é verdade) o fim que se propôs o ministro, quando de tão importante missão me incumbiu [...].

Ou seja, o informante fazia o papel de agente duplo: ao mesmo tempo que intermediava o envio das cartas do partido restaurador ao Chalaça, secretário de d. Pedro, informava aos regentes a respeito do assunto e das reações que suscitava.

No final das contas, segundo cartas conservadas até hoje no Instituto Histórico e Geográfico Brasileiro, Buschental não conseguiu apurar quase nada de concreto a respeito de um possível plano de invasão brasileira por d. Pedro. Contudo, se por um lado não havia nenhum plano concreto, podia-se inventar um. Talvez tenha sido isso o que pensou o responsável por uma carta fictícia envolvendo o nome do duque de Bragança.

A falsa invasão de Fernando de Noronha

Trata-se de uma missiva encontrada no acervo do barão Studart (Documento da Coleção Studart, livro nº 5). Apesar de o documento não ser original, foi anotado por ele em seus registros documentais. Escrita pelo conde de Vila Flor, depois duque da Terceira, a carta é datada de 27 de fevereiro de 1832 e destinada ao dr. M. F. da C., morador da Bahia. Nela, o secretário de d. Pedro informava que o ex-imperador andara dividido entre os pedidos dos portugueses e dos brasileiros, mas que,

> [...] não podendo desatender às requisições de comparecença de sua Imperial Pessoa, feita pelos seus fiéis vassalos de ambos os polos, decidiu-se (pondo seu coração na balança da razão) a favor do Brasil para em tempos mais oportunos, e com vantagens, que ele oferecer, livrar então os seus compatriotas portugueses dos ferros da vergonhosa escravidão. [...]
>
> S.M., assíduo em promover a felicidade dos seus vassalos, torna a atravessar pela 3ª vez a linha do Equador, e pretende tocar com a precisa demora na Ilha de Fernando,[31] donde tomará o expediente que mais lhe convier, pois o seu desembarque, se no Pará, se no Aracati, porto do Ceará, onde contamos com o Pinto Madeira, já ocupando aquela província, ou nessa cidade, se ainda estiver, como de presente, na presidência o deputado Barros Paim [...].

Tão logo soubera da abdicação do ex-imperador, em 1831, o militar e abastado proprietário de terras Joaquim Pinto Madeira, mencionado na carta, levantou-se em armas no Ceará e dominou a Vila do Crato e região. Madeira acreditava que os liberais haviam obrigado d. Pedro a abdicar e resolveu dar cabo deles, matando todos os membros da facção em que ele e seus homens tinham conseguido tocar. Madeira acabou se entregando ao general Labatut no final de 1832, sendo executado em novembro de 1834.

Associar o nome de d. Pedro a cartas que ele não escreveu ou que lhe faziam menção parece ter sido prática constante dos meios políticos no período de 1832 a 1834. Aquela que Vila Flor teria enviado ao Brasil em nome do duque é uma peça de ficção. O peso dessa atitude entre os aliados e os voluntários portugueses que queriam destituir de d. Miguel do trono seria, para dizer o mínimo, o principal empecilho para d. Pedro mudar de ideia e dar nova direção e missão ao seu exército de mercenários e refugiados.

Dois anos depois, foi a vez de aparecer no Rio de Janeiro a suposta missiva derradeira da imperatriz. No seu leito de morte, Leopoldina informaria, entre outras coisas, que d. Pedro teria sido o culpado pelo "horrível atentado" que a levava ao túmulo. A tentativa da oposição de criar factoides para desestabilizar líderes políticos é uma arte antiga e perene.

Os espiões de d. Pedro

Enquanto a regência mandava gente ao exterior para seguir os passos de d. Pedro, no Brasil o ex-imperador também contava com seus agentes. Mas interessavam-lhe mesmo eram notícias dos filhos, como se depreende de uma carta escrita pelo comerciante José Gonçalves da Silva ao imperador d. Pedro II em 1861.

Perseguido sob a alegação de tráfico de escravos, José Gonçalves justificou-se desta maneira ao imperador: "O meu crime consiste em ter desde 1822 até a época que acabo de citar, acompanhado o sr. d. Pedro I, em ter sido durante 19 anos o guarda fiel de seus interesses, comunicando-lhe todas as ocorrências." Disse, ainda, que estivera presente tanto no Ipiranga quando na ocasião da morte da imperatriz d. Leopoldina; também havia se despedido pessoalmente de d. Pedro I a bordo do *Volage*, em 13 de abril de 1831. Junto com um "compadre", diz ainda a carta, José Gonçalves comprara uma embarcação para manter d. Pedro informado, na Europa, dos filhos e da situação do país.

Outro espião, dessa vez atuando no próprio palácio imperial, foi o bibliotecário francês Germano Lassere. Após a demissão de José Bonifácio em dezembro de 1833, o tutor que o substituiu, o marquês de Itanhaém, notificou a regência, em ofício de 15 de janeiro de 1834, de que haviam sido encontrados na biblioteca diversos documentos comprometedores, escritos pelo próprio punho de Lassere. Tratava-se de cópias de notas diplomáticas e informações sobre acontecimentos no paço.

A demissão de José Bonifácio da tutoria dos príncipes buscava eliminar a influência dos membros do partido restaurador dentro do próprio paço. Juízes de paz da capital foram enviados a São Cristóvão com a ordem. Nada, contudo, demoveria o Patriarca da Independência da função que lhe fora conferida pelo próprio pai das crianças. Desse modo, só saiu do palácio preso, escoltado por cem soldados até sua casa na Ilha de Paquetá, onde permaneceu confinado em prisão domiciliar. Aos setenta anos de idade, terminava enfim sua vida pública. José Bonifácio faleceria precisamente sete anos após sua nomeação como tutor dos príncipes, em 6 de abril de 1838.

De volta a Queluz

TERMINADA A guerra em Portugal por meio do Tratado de Évora-Monte, de 26 de maio de 1834, os "liberais do dia seguinte", nas palavras do marquês de Fronteira, passaram a acusar d. Pedro de traidor.

A multidão, na verdade, queria sangue. Ela queria que d. Miguel morresse, assim como haviam morrido tantos liberais condenados por ele. O tratado de 26 de maio, cujas cláusulas preestabelecidas haviam sido ponderadas por Inglaterra, França, Espanha e Portugal, previa anistia total aos miguelistas, até mesmo mantendo os militares partidários de d. Miguel em seus respectivos postos. Ele devolvia as propriedades de todos os que haviam participado das hordas absolutistas, além de garantir ao ex-tirano uma pensão anual de sessenta contos de réis.

No dia 27, ao se dirigir ao Teatro São Carlos, em Lisboa, d. Pedro teve sua carruagem alvejada por pedras e lama. Para quem já havia enfrentado tanta coisa desde a época em que era príncipe-regente — inclusive tropas brasileiras obrigando-o, dia sim, dia não, a jurar constituições que nem sequer existiam —, lama e pedra representavam muito pouco.

Sem recuar, d. Pedro entrou no teatro, onde as vozes de reprovação contra Évora-Monte se espalharam do saguão à plateia. A irritação da maioria do público crescia cada vez mais, agravada pela distribuição de muitos impressos do tratado, cujo efeito foi o contrário do desejado. Em vez de se regozijarem todos pelo término da guerra, culpavam d. Pedro de várias coisas — entre elas, de ser bondoso com o irmão, poupando-lhe a vida e dando-lhe uma pensão generosa; também incomodava-lhes o perdão a todos os miguelistas. Na tentativa de acalmar os clamores do público, o duque de Bragança pôs-se a se explicar, mas suas palavras irritaram ainda mais a turba. "Esta cena demagógica, tão altamente ofensiva à pessoa daquele que acabava de libertar a nação do pesado jugo da tirania",[32] não tranquilizara nada nem ninguém.

Alguém teria ouvido vir do alto, do camarote onde d. Pedro se encontrava, a palavra *canalha*, o que exacerbou ainda mais a ira da plateia contra o regente, fazendo-a jogar moedas em sua direção. As vozes levantavam-se ainda mais descompostas, motivo que levou alguns a temerem pela vida do duque. Dois de seus ajudantes de ordens e um general da força armada apareceram no salão do teatro para apaziguar o povo, mas foram humilhados e ofendidos não apenas pelo público presente, mas também pela tropa, que recusou a ordem de prender alguns indivíduos para se tentar acabar com aquela balbúrdia.

Tremendo e com falta de ar, d. Pedro, tentando ainda chamar a multidão à ordem, foi acometido por um violento ataque de tosse e levou o lenço à boca, quando uma onda de sangue vermelho e espumoso manchou-o por inteiro. O público em revolta calou-se ao presenciar a cena.[33] Recomposto, mas muito pálido, d. Pedro voltou-se ao maestro e a orquestra e disse com voz forte: "Pode começar!"

Com a mudança para o palácio de Queluz, lugar onde nascera, d. Pedro teve leve melhora entre o início de julho e o começo de agosto. Entretanto, estava tão debilitado que as cartas que antes escrevia aos borbotões eram agora ditadas ao seu fiel secretário, Francisco Gomes da Silva. Ele parara de caçar e de montar em virtude da falta de fôlego e só passeava com a mulher e as filhas de carruagem e pelos arredores de Queluz, cada vez diminuindo mais o percurso. Quanto ao seu fascínio pelo teatro, arrefeceu. Raramente comparecia a alguma função, e quando o fazia não ficava até o final.

"Adeus, Porto, nunca mais te verei"

Em 8 de julho, segundo aniversário do desembarque no Porto, d. Pedro, d. Amélia e a rainha d. Maria II foram a Lisboa para a celebração oficial da data. A corte inteira notou a extrema palidez, a tosse constante, o nariz afilado e os olhos fundos de d. Pedro. Apesar dos alertas dos médicos, ele insistia em cumprir a promessa que fizera aos moradores do Porto, levando-lhes a rainha assim que possível. O navio que os conduziria seria a vapor, um dos motivos por que o doutores lhe tentavam barrar a viagem: queriam, estes, até mesmo que o tipo de lenha a ser queimada fosse trocada por outra menos prejudicial aos frágeis pulmões do ex-imperador.

Como sempre, porém, prevaleceu a vontade de d. Pedro, que levou a esposa e a filha para a cidade do Porto, onde passaram 10 dias. D. Pedro, d. Maria II e d. Amélia desembarcaram no Porto em 26 de julho de 1834, exatamente um ano depois da partida dele dessa cidade para Lisboa, quando, em sua proclamação, prometera aos moradores retornar com a rainha. Além do simbolismo do ato, que marcava a vitória contra os miguelistas e o reconhecimento do valor dos portuenses à causa da rainha, d. Pedro apresentou a cidade para a filha e a esposa. Em 28 de julho, ele as levou ao antigo convento de Santo Antônio para lhes apresentar o Museu Portuense, que fora criado por determinação sua em abril de 1833. Desde essa época, começaram os trabalhos para recolher de instituições religiosas e casas abandonadas bens artísticos a que, pela primeira vez, os portugueses teriam acesso. Esse foi o primeiro museu público de Portugal. A ideia de sua criação era permitir que os artistas nacionais pudessem usufruir dos bens artísticos para estudo, bem como dar acesso à população em geral para que pudesse se instruir. Hoje, o museu criado por d. Pedro ainda existe, encontra-se instalado no Palácio dos Carrancas, no Porto, e tem o nome de Museu Nacional Soares dos Reis. Em proclamação escrita para a ocasião, o duque de Bragança afirmou:

> Apesar de não estar completamente restabelecido da minha doença, da qual tantas fadigas e trabalhos, por vós presenciados, foram a principal causa, eu não quis por mais tempo demorar a minha vinda a esta muito nobre e muito leal cidade, em companhia da vossa rainha, com o fim de me congratular pessoalmente convosco, pela terminação honrosa da guerra civil, cumprindo com a promessa que vos fiz

no dia 26 de julho do ano passado [...]. Entre vós tendes a vossa Rainha, que vos agradece tantos esforços, e sacrifícios que por ela tendes feito, e vos louva pela heroicidade que mostrastes, a qual poderá vir a ser imitada, mas nunca excedida. [...]

Eu desejaria poder demorar-me mais de dez dias entre vós; porém estando mui próximo o dia em que deve ter lugar a abertura das Cortes, é de absoluta necessidade que eu me ache na capital alguns dias antes. Eu conto para o ano seguinte; se a minha saúde mo permitir, vir com a rainha, em estação oportuna, e por terra, visitar as províncias do norte, e nessa ocasião, tornar a ter o prazer de passar alguns dias nesta heroica Cidade. Porto 27 de julho de 1834 - D. Pedro, Duque de Bragança.[34]

Ao que tudo indica, d. Pedro já previa que não veria mais o Porto e que pouco tempo de vida lhe restava. Diz certa história que, ao ver a multidão de homens e mulheres acenando ao navio que partia, d. Pedro, respondendo aos acenos com um lenço, voltou-se para d. Amélia e d. Maria II e perguntou-lhes: "Enganei-vos? Não são eles meus fiéis portuenses?" E, olhando novamente para a terra: "Adeus, Porto, nunca mais te verei."[35]

Dr. Tavares, seu médico, preocupado com a viagem, notou que d. Pedro, depois de uma aparente melhora, estava tendo uma recaída. Desconfiava de que o excesso de exercício, o ar cheio de enxofre das salvas dos canhões e a poeira das estradas do Porto e região haviam agravado ainda mais seu quadro clínico. Em 2 de agosto, ao retornar a Queluz, d. Pedro teve um novo ataque.

A abertura das Cortes e a Regência

Era imprescindível que o regente da jovem rainha abrisse a primeira convocação das Cortes, marcada para 15 de agosto. D. Pedro teve que enfrentar a escadaria do antigo mosteiro de São Bento, que fora transformado em sede do parlamento português. Após o esforço, chegou muito pálido e ofegante à sala de reunião. O marquês de Fronteira, em suas memórias, lembrou-se de que o duque de Bragança mais parecia um defunto que outra coisa.

Com voz titubeante e pouco firme, ele teve fôlego suficiente para ler um discurso longo, no qual fez um balanço de tudo o que ocorrera até então, desde a usurpação do trono até a vitória completa dos constitucionalistas. As Cortes reunidas tinham uma preocupação urgente: referendar ou não o nome de d. Pedro como regente oficial da filha. O próprio duque chegou a duvidar de que isso poderia acontecer. Como se sentia brasileiro de coração, achava que os portugueses talvez quisessem outra pessoa na função. Talvez a irmã, a ex-regente Isabel Maria, fosse uma ideia viável. Se isso ocorresse, d. Pedro tinha já um plano, revelado a um político brasileiro que o visitara em 1833: iria se retirar para a Alemanha.[36]

Viraria então um cidadão comum, morando na terra da esposa e da sogra. Proativo e irrequieto como era, é de se imaginar a dor de cabeça que daria ao rei da Baviera, tio de d. Amélia. Luís I chegou a criar uma galeria em que mandou retratar, entre outras beldades da época, algumas amantes que tivera. Se d. Pedro tivesse ido para a Alemanha, provavelmente o monarca teria um concorrente de peso.

Enquanto as Cortes reunidas decidiam se d. Pedro seria oficialmente reconhecido como regente da filha, o ex-imperador decidiu sair de Lisboa. Assim, ninguém poderia dizer que estava exercendo pressão sobre os deputados e os pares do Reino, como confirmam informações do marquês de Resende e do dr. Tavares.[37]

Caldas da Rainha

D. Pedro teria optado por ir às termas na cidade de Caldas da Rainha, apesar de a junta médica tentar, de início, dissuadi-lo. Se os vapores do navio e o enxofre das salvas de tiro já lhe haviam prejudicado a respiração no Porto, o ar sulfuroso das águas termais por certo não lhe faria bem. Mesmo assim, d. Pedro, acreditando que um período de descanso na estação poderia recuperá-lo, decidiu contrariar os médicos e partir.

Ele, d. Amélia, a rainha e seus companheiros, entre eles o inseparável Chalaça, foram de navio até a cidade de Vila Franca. Lá chegando, o ex-imperador precisou descansar antes de seguir viagem.

Um dos primeiros relatórios médicos emitidos na cidade dizia que d. Pedro, apesar do cansaço da rápida viagem, não sofrera quase nenhum incômodo. Aquele seria o primeiro de vários boletins médicos em que se fingiria um estado de saúde irreal. No primeiro dia, d. Pedro saiu a passeio com o dr. Tavares e o Chalaça, mas retornou meia hora depois. À tarde, arriscou um passeio a cavalo com d. Amélia e a rainha.

Ele e seus acompanhantes assumiram a rotina da estância: bebiam as águas medicinais, caminhavam e frequentavam as termas. No entanto, por conta de uma piora do duque, em 24 de agosto abandonaram todos Caldas e regressaram a Queluz. O cansaço de d. Pedro foi tanto que tiveram que pernoitar em Vila Franca dessa vez. Apesar de toda a preocupação de se manter longe de Lisboa, as Cortes ainda não haviam decidido a respeito da regência.

Algo que deveria ser simples — mera confirmação *de jure* do que até então se verificara *de facto* — acabou se transformando em um grande problema. Havia os que não queriam d. Pedro como regente, os que o aceitavam com poderes limitados e, por fim, os que o aceitavam como regente pleno.

Além disso, tudo o que fora conseguido e discutido enquanto se preparara a invasão era agora rediscutido pelos políticos, que, entre outras coisas, não queriam concordar com o pagamento devido ao espanhol Mendizábal pelo levantamento de fundos para a guerra.

Um dos principais opositores de d. Pedro era o cunhado marquês de Loulé. O rompimento teria ocorrido, segundo alguns, pelo modo como d. Miguel fora poupado de responder por seus atos criminosos. Loulé liderou, na Câmara dos Pares, a moção dos que queriam d. Pedro como regente dotado de poderes limitados. Após muita discussão nas duas câmaras, o duque de Bragança acabou escolhido como regente sem restrições. Dos nobres, apenas Loulé e mais dois votaram contra.

D. Pedro, confirmado como regente, e com os boletins médicos disfarçando o seu real e preocupante estado de saúde, decidiu partir para o Palácio da Ajuda. Tratava-se de uma estratégia. Já que teria de prestar juramento público ao assumir oficialmente como regente, que fosse em algum lugar que tivesse amplos salões para receber a corte e os deputados e menos escadas. Ele não tinha mais condições físicas para subir a escadaria do antigo mosteiro de São Bento, onde as Cortes se reuniam.

O marquês de Fronteira, presente ao juramento, deixou-o assim registrado:

> A sessão real em que o Regente deu o seu juramento foi solene. As Câmaras estavam representadas pela totalidade dos seus membros, o vestuário dos Pares e dos Deputados dava um certo aspecto às sessões reais, que infundiam o respeito devido a tal ato.
>
> [...] As galerias, que não eram muito espaçosas, estavam guarnecidas de tudo quanto havia de mais distinto na capital.
>
> O Regente infundia o maior respeito, consideração e entusiasmo, porque lhe devíamos tudo quanto presenciávamos, mas os nossos corações estavam magoados, porque descobríamos, na sua palidez, no quanto lhe custava a andar e numa tosse constante, a gravidade da sua moléstia.[38]

Por que d. Pedro, que abdicara as coroas de Portugal e do Brasil, fazia tanta questão de, mesmo agonizante, se ver nomeado regente? Sua confirmação como tal era também, por reciprocidade, o reconhecimento, por parte de todos os deputados portugueses e Pares da Câmara, da legitimidade de d. Maria II como rainha de Portugal.

Piora da saúde de d. Pedro

Uma nova crise de falta de ar se seguiu ainda no Palácio da Ajuda, de onde os boletins médicos continuavam ocultando a verdade: D. Pedro, tuberculoso, estava morrendo. A manutenção das aparências só funcionava do outro lado do Atlântico, onde os filhos, sem o verem, acreditavam realmente no que as missivas diziam. Em 2 de setembro, d. Pedro II escreveu em sua última carta ao pai, que não a recebeu: "Meu querido pai do coração. Sinto muito que estivesse doente e agora, já sei que está melhor, o que estimo muito."[39]

Doze anos depois do 7 de setembro de 1822, o dr. Tavares, por meio de mais um boletim, afirmava:

> Os sintomas graves e incômodos que afligiam Sua Majestade Imperial, o Senhor duque de Bragança têm, há quarenta e oito horas, diminuído, de tal sorte que permitem esperar com probabilidade que breve cessarão eles, fazendo entrar o Augusto doente na desejada convalescença.

Mas d. Pedro, com seu estado agravado e após ter certeza de que iria morrer, decidiu, contra a opinião de todos os médicos, ir para Queluz, porque queria voltar à terra, ao palácio e ao quarto em que nasceu e morrer na mesma cama em que viera ao mundo. Durante a viagem, teve uma síncope, da qual acharam que ele não sairia com vida, mas conseguiu resistir. Em 10 de setembro, instalava-se derradeiramente em Queluz, mais especificamente no quarto Dom Quixote, de onde não sairia mais com vida. Antes, porém, passando por uma das salas do palácio e vendo o retrato do irmão, d. Miguel, d. Pedro expressou-se com pesar a respeito de tudo o que havia acontecido entre eles. Isso colocou em estado de atenção os cortesãos diante da possibilidade de o duque de Bragança realizar alguma disposição favorável ao irmão.

Suas forças esvaíam-se, sua respiração era cada vez mais difícil. No dia 15, ditou um novo testamento, confirmando em parte o que fizera anteriormente em Paris, antes de partir com a expedição para os Açores. Falava em dívidas, nos filhos legítimos e nos naturais, nos amigos. Nomeava d. Amélia tutora das crianças que ficaram no Brasil. Para o cunhado Augusto, irmão de d. Amélia e futuro marido de d. Maria II, legaria sua espada. Também nessa época, segundo o despacho do consulado do Brasil em Lisboa, d. Pedro teria disposto que seu corpo fosse transportado para o Rio de Janeiro, para que ficasse no Brasil, terra que adotou, o que acabou não ocorrendo. Somente no dia 17 é que, devido à fraqueza em que se encontrava, conseguiu assinar o novo testamento. Também foi neste mesmo dia que recebeu a extrema-unção.

Apesar da debilidade em que se encontrava, d. Pedro ainda precisou encontrar forças para escrever uma carta às Cortes. Dada a importância do seu teor, era preciso que fosse do próprio punho.

No dia 18, na Câmara dos Deputados, uma discussão a respeito da ajuda dada aos lavradores, presidida pelo vice-presidente da casa, Marciano de Azevedo, foi interrompida pelo presidente, frei Francisco de São Luís, que irrompeu salão adentro dizendo que recebera uma importante mensagem de d. Pedro. Era preciso lê-la imediatamente. Em seguida, passou-a ao primeiro secretário, que se incumbiu da tarefa:

> Senhores deputados da Nação Portuguesa, sempre franco e fiel aos meus juramentos, e obedecendo à voz da minha consciência, vou participar-vos, que tendo ontem cumprido os deveres de filho da Igreja Católica e de pai de família, julgo também do meu dever participar-vos que o mesmo estado de moléstia, que ontem me ditou aquelas resoluções, me inibe de tomar conhecimento dos negócios públicos, em cujas circunstâncias vos peço queirais prover de remédio. Eu faço os mais ardentes votos ao céu pela felicidade pública. Palácio de Queluz, 18 de setembro de 1834. D. Pedro Regente

A Assembleia e as galerias lotadas, em choque com o que ouviam, deram espaço a um profundo e respeitoso silêncio. Logo, porém, foi este cortado pelo presidente, que, com a voz embargada, disse ser necessário e urgente constituir comissão para dar parecer àquele documento, propondo que a câmara continuasse em sessão permanente até que o assunto fosse resolvido.

A última vontade de d. Pedro, não explícita no documento, seria feita. No mesmo dia 18, por volta das quatro horas da tarde, o relator, general Saldanha, leu à Assembleia o parecer final da comissão. D. Maria era emancipada aos 15 anos de idade e assumiria na plenitude o governo do Reino, de acordo com a Carta Constitucional. Finda a leitura do documento, a Assembleia votou unanimemente pela proposta. A câmara alta também entrou em discussão, e houve quem quisesse que a regência fosse assumida pela infanta d. Isabel Maria, o que foi rejeitado.

Melo Beyer, par do reino, foi enviado a Queluz para comunicar a resolução das câmaras, sendo recebido pelo ex-imperador em seu quarto. D. Pedro estava cercado pelas filhas, pela esposa, por médicos e amigos. O pai, feliz em ver a filha ascender ao trono, deu-lhe diversos conselhos a respeito do modo de governar, recomendando clemência aos indivíduos que tivessem cometido crimes e delitos contra ele. A d. Amélia, solicitou que seu coração fosse enviado à cidade do Porto em reconhecimento aos sacrifícios feitos pela população durante o cerco.

D. Pedro queria se despedir e abraçar a todos — a rainha, a esposa, os amigos. À distância, abençoou os filhos ausentes; do exército, despediu-se com um abraço no mais velho dos marechais, o duque da Terceira. Ao seu ajudante de ordens, coronel Pimentel, pediu que fosse buscar um soldado do 5º Regimento dos Caçadores, de quem d. Pedro era coronel honorário. Queria agradecer pelos serviços heroicos e bravos prestados por aquele batalhão durante o Cerco do Porto, bem como a ele pessoalmente. Pimentel, agindo rapidamente, voltou com o soldado nº 82, Manuel Pereira, que servira ao lado de d. Pedro no cerco. Com bastante esforço, o ex-imperador abraçou-o e lhe pediu que transmitisse aos demais soldados o mesmo abraço, em sinal de saudade e apreço por seus serviços

Enquanto d. Pedro agonizava em seu leito, d. Maria II tornava-se efetivamente rainha de Portugal. Na manhã de 20 de setembro, ela saiu de Queluz para o Palácio das Necessidades, em Lisboa, onde presidiu ao Conselho de Estado. À uma hora da tarde, em São Bento, foi realizado o ato do juramento. Como primeiro decreto de seu governo, concedeu a seu pai a ordem da Torre e Espada, em reconhecimento dos serviços prestados. Às quatro horas da tarde, novamente em Queluz, lançou-se ao quarto de d. Pedro esperando ainda encontrá-lo vivo, colocando-lhe no peito a medalha que, em 2012, quando de sua exumação, encontrava-se ainda junto de seu corpo.

D. Pedro recebe, em sua cama, um soldado do 5º Regimento de Caçadores.

O que se seguiu, d. Amélia de Leuchtenberg conta em carta escrita à sua enteada, d. Januária:

Lisboa, 29 de setembro de 1834.

Minha cara filha. Eu te escrevo com o coração retalhado de dor, não sabendo verdadeiramente como te anuncie o terrível acontecimento que me torna desgraçada por todo o resto de minha vida!!! Admiras-te de se passar tanto tempo sem receberes notícias minhas, o que depreendo de vossa boa carta de 7 de junho, que recebi os dias passados, ai de mim! O estado de teu infeliz pai que, de dia em dia, se tornava pior, era a causa do meu silêncio, porque eu não o deixava e me esforçava incessantemente em provar-lhe por meus cuidados e ternura quanto o amava! Minhas súplicas foram vãs, os socorros da arte inúteis, Deus quis chamá-lo a si!!! Ele expirou em meus braços no Palácio de Queluz, a 24 de setembro, pelas 2 ½ horas da tarde, depois de longos e cruéis sofrimentos que suportou com uma resignação e piedade edificantes! Não se iludindo nunca a respeito do seu estado, se preparou para a morte e fez suas disposições alguns dias antes do fatal momento, em que roubado à sua esposa aflita e a seus pobres filhos, passou para uma melhor vida. Morreu como um santo mártir e filósofo cristão e jamais houve uma morte tão tranquila! Está no céu presentemente, meus caros filhos, junto de vossa excelente mãe e de vossa boa irmã Paula, e roga por nós. Ele prometeu e disse também para vos escrever que no seu leito de morte ainda vos abençoava!! Ele agora está no céu, e Deus o terá indenizado multiplicadamente de todos os sofrimentos que teve na terra. Nós, eu, sua infeliz viúva, e vós, todos seus infelizes filhos órfãos, somos dignos de compaixão, porque perdemos o nosso melhor amigo e protetor! Rogai e chorai comigo, meus infelizes filhos, e Deus tenha piedade de nós. No dia 27 à noite teve lugar o enterro, vosso pai foi depositado na igreja do antigo Convento de São Vicente, junto de seus avós. Seu coração será transportado para o Porto, segundo sua última vontade. Em seu testamento, também me nomeou tutora de todos vós, meus bons filhos, e este sinal de seu afeto me tocou muito, porque me prova que ele sabia apreciar o que eu vos tinha. Quanto serei [sic] feliz de poder voar, meus amados filhos, para vos provar, ao menos, que vós ainda tendes uma mãe que vos ama e quer votar-se a vós! Porém, de longe como de perto, eu não pensarei e não me ocuparei senão de vós, pedindo a Deus que vele sobre vós e que me dê força para viver até que eu tenha a consolação de vos tornar a ver, de vos abraçar e abençoar. Tende sempre em lembrança vosso bom pai e seu espírito vos guie e aclare em todas as vossas ações. Minha cara e boa Januária, como não tenho tempo de escrever a teu irmão e a tua irmã, mostra-lhes esta carta que será também para eles e abraça-os de minha parte, guardando para ti um terno beijo.

De tua afetuosa e infeliz mãe e amiga,

Amélia

Tu não podes fazer ideia da tristeza que reina aqui, até os miguelistas choram, dizendo que eles perderam o seu protetor. E é, ao menos para mim, uma consolação ver a maneira tocante com que os portugueses testemunham sua veneração, seu amor e seu reconhecimento à memória do herói, a quem tive a fortuna de ser unida, e que os livrou sacrificando sua própria vida. A enfermidade de teu infeliz pai data do Porto. Pela autópsia do corpo, viu-se que o pulmão direito estava cheio de água, que pesava para mais de 2 litros, e o esquerdo não [existia?]. O coração estava dilatado. Ah! Meu Deus, como deve [ter] sofr[ido] teu infeliz pai!!!

Ajunto aqui cabelos de teu pai para ti, teu irmão e tua irmã.

Tuas irmãs te abraçam, bem como a Pedro e Francisca.[40]

O corpo de d. Pedro foi preparado pelo seu médico pessoal, dr. João Fernandes Tavares. Segundo afirmou o jornal *Correio da Europa* em 28 de novembro de 1867: "Foi seu corpo por mim embalsamado, seu magnânimo coração preparado para ter longa duração, e tanto a teve que a comissão médica que foi ao Porto vinte e quatro anos depois para examinar-lhe a conservação achou no mais perfeito estado esta relíquia sagrada."

O escritor António Feliciano de Castilho[41] assim se recordaria do sepultamento de d. Pedro:

A noite ia pura e calmosa, e o céu limpo e semeado de estrelas; são as noites que a natureza parece estar oferecendo à melancolia. E nós girávamos miudamente, e com passo distraído pelas ruas inundadas de portugueses, certamente de todos os partidos, e entretanto todos absorvidos na tristeza. Há um não sei que de terno em pensar que tantas almas estranhas estão em harmonia com a nossa, e tomam parte na nossa mesma pena!...

Os corpos do exército que formavam alas iam

aterrados como fracas mulheres, e o choro caía ao longo de bastantes faces queimadas pelos fogos da guerra. Isto, e as armas voltadas; enroladas as bandeiras; os tambores cobertos de fumo, rufando destemperados; e a música em tom sumido como receando misturar alguma coisa festiva com as mágoas de tantos órfãos [...].

À medida que o som das rodas e a luz dos archotes que iluminavam a carruagem em que seguia o corpo de d. Pedro se iam insinuando pelas ruas e travessas,

> um murmúrio geral se levantou, as janelas se apinharam de figuras enlutadas, e o coche fúnebre apareceu, e lentamente passou como uma visão sinistra que deixa rastro para toda a vida. Um ano há, pouco mais, que ele atravessava estas mesmas ruas, entrando a capital resgatada [...].

Incapaz de prosseguir devido à imensa multidão que lotava as ruas, Castilho seguiu em direção ao rio Tejo, onde ouviu quando

> a artilharia trovejou toda simultaneamente, como dando o último Vale; e a meia noite bateu. Era aquele o momento em que nos braços de seus generais ele era introduzido na mansão de seus antepassados na igreja de São Vicente de Fora [...].

Sepultamento de d. Pedro na Igreja de São Vicente de Fora.

No Rio de Janeiro, a notícia da morte de d. Pedro abalou tanto seus partidários quanto aqueles que, um dia, lhe foram contrários. Tão logo soube do falecimento do ex-imperador, José Bonifácio, não mais tutor dos príncipes imperiais e vivendo exilado na Ilha de Paquetá, escreveu a d. Pedro II em 15 de dezembro:

> Carregado de pesares e de profunda amargura, eu vou dar os pêsames pela irreparável perda de seu augusto pai, o meu amigo. Não disse bem, d. Pedro não morreu,

> só morrem os homens vulgares, e não os heróis. Eles sempre vivem eternamente na memória ao menos dos homens de bem, presentes e vindouros; e sua alma imortal vive no céu, para fazer a felicidade futura do Brasil e servir de um modelo de magnanimidade e virtudes à Vossa Majestade Imperial, que o há de imitar, e as suas augustas irmãs, que nunca o perderão da saudade.[42]

Evaristo da Veiga, dono da antilusófona *Aurora Fluminense* e um dos antagonistas de d. Pedro no 7 de abril, publicou na edição nº 987, de 3 de dezembro de 1834:

> Agora que o nome de d. Pedro deixou de ser o estandarte de uma facção que ameaçava o futuro e a glória do nosso país, podemos dizer afoitamente que o ex-imperador do Brasil não foi um príncipe de ordinária medida; que existia nele o gérmen de grandes qualidades que defeitos lamentáveis e uma viciosa educação sufocaram em parte; e que a Providência o tornou um instrumento poderoso de libertação, quer no Brasil, quer em Portugal. Se existimos como corpo de Nação livre, se a nossa terra não foi retalhada em pequenas repúblicas inimigas, aonde só dominasse a anarquia e o espírito militar, devemo-lo muito à resolução que ele tomou de ficar entre nós, de soltar o primeiro grito de nossa Independência: Portugal, se foi livre da mais negra e aviltante tirania, se teve estabelecidos seus foros, se goza dos benefícios que aos povos cultos assegura a fruição do regime representativo, deve-o a d. Pedro de Alcântara, cujas fadigas, sofrimentos, e sacrifícios pela causa portuguesa lhe mereceram em grau subido o tributo da gratidão nacional. No Brasil, seus erros ulteriores, os desvarios de 7 anos,[43] tinham como apagada a recordação de seus grandes serviços; em Portugal, d. Pedro faleceu no momento mesmo em que punha o remate glorioso à empresa que começara.

A busca por um culpado

Como de praxe, buscou-se um culpado pela morte de d. Pedro. Fora o imperador envenenado?, questionavam alguns. Logo, o pobre dr. Tavares, que o tratava desde o Brasil, foi apontado como culpado. O médico, aos olhos dos portugueses, tinha dois defeitos: era mulato e, pior, brasileiro!

De família pobre, João Fernandes Tavares fez seus estudos iniciais no Rio de Janeiro. Acabou se apaixonando por uma moça, cuja família não via com bons olhos o relacionamento. Quando Tavares foi surpreendido num plano de fugir com a garota, o pai da jovem deu queixa ao intendente-geral de polícia, que o intimou a assentar praça no Quartel das Tropas de Lima, no Campo de Santana. Era isso ou sair do Rio de Janeiro.

Sem ter qualquer vocação para o exército, Tavares foi pedir ajuda a um tio mestre de obras, que lhe garantiu recursos financeiros ir para a Europa. Assim, estudou medicina em Portugal, defendendo o doutorado na Faculdade de Medicina de Paris em 1823.

Retornando ao Brasil, passou a clinicar no Rio de Janeiro. Trazia de Paris uma invenção que acabou lhe valendo o apelido de "doutor Canudo": um estetoscópio, o primeiro que os cariocas viam. Dr. Tavares usava-o constantemente. À época, o instrumento de fato se assemelhava, pelo seu formato comprido e cilíndrico, a um canudo de madeira.

Profundo conhecedor de venenos — o que deporia contra ele no futuro —, foi por ter curado uma escrava do marquês de Baependi de uma picada de cobra que ingressou no círculo da corte. Passou a ser médico da casa da marquesa de Santos e, por intermédio desta, conheceu d. Pedro, de quem virou médico particular, seguindo o ex-imperador ao exílio e ao Cerco do Porto.

No laudo em que explicava a autópsia realizada, o dr. Tavares analisou todos os órgãos vitais de d. Pedro que haviam sofrido alguma alteração, como o baço, o coração, o fígado e os rins; também explicou as diversas doenças de que o imperador padecera relacionando causa e efeito. A questão pulmonar se destaca como principal fator da *causa mortis*. É interessante notar que, além da tuberculose, a falta de cuidado consigo mesmo, em suas loucas e desabaladas aventuras a cavalo, pode ter enfraquecido seus pulmões devido às quedas que sofrera. Segundo o dr. Tavares:

> Convém declarar nesta ocasião, que há doze ou treze anos S.M.I. deu uma grande queda, em que fraturou duas costelas; que em fins de 1829 caiu outra vez, e, além de outras lesões, quebrou de novo sete costelas. S.M.I. dizia muitas vezes que contava haver dado trinta e seis grandes quedas.[44]

No entanto, se a capacidade respiratória de d. Pedro já ficara abalada pelas quedas sofridas, o tipo de tratamento também pode ter contribuído para apressar sua morte. Em seu laudo, o dr. Tavares inicialmente afirmou que ele e uma conferência de médicos haviam obstado à partida do ex-imperador ao Porto em julho de 1834. Segundo o relato da autópsia, d. Pedro tinha voltado pior a Lisboa por ter, entre outras causas, respirado o "ar enxofrado na ocasião de tiros". Se o ar repleto de enxofre prejudicara ainda mais os pulmões de d. Pedro, os ares sulfurosos de Caldas da Rainha não teriam o mesmo efeito?

No laudo, talvez para dividir a culpa de um possível passo errado no tratamento da doença de d. Pedro, o médico assinala que "S.M.I. tomou a resolução de ir às Caldas da Rainha por vontade própria e por consentimento unânime dos doutores Barão de Inhomirim, Francisco José de Almeida, Francisco Soares Franco, e pelo meu".

Outro ponto em que o dr. Tavares tenta se defender no laudo é quando afirma que "não foi meio quartilho de águas de Caldas bebido por três vezes, nem um banho de onze minutos [...] quem agravou tão consideravelmente a moléstia".

Além do tipo de tratamento, outro fator depunha contra o médico: sua especialização em venenos e a tradução que fizera para o português do livro *Tratado dos venenos e seus antídotos*, escrito por um de seus antigos professores de Paris, o dr. Mateus Orfila.

Achado o "bode expiatório", causas não faltaram para conspirações. Tavares trabalharia a soldo dos miguelistas, que queriam d. Miguel de volta. Ou então tratava-se de uma trama maçônica para dominar Portugal. A fim de combater as acusações, d. Maria II concedeu ao médico, em dezembro de 1834, o título de cavaleiro de Nossa Senhora de Vila Viçosa, "em testemunho de gratidão pelos assíduos cuidados e reconhecido interesse com que se esforçou para prolongar a vida de dom Pedro". Apesar de sempre contar com a proteção da rainha e de d. Amélia — que para ele conseguiu um título de nobreza portuguesa em 1872, tornando-o visconde de Porto Ferreira —, a perseguição sofrida em Portugal foi tamanha que ele resolveu retornar ao Brasil, estabelecendo-se em Niterói.

Em sua pátria, também esteve sujeito a desconfianças e acusações, fossem elas veladas ou não. D. Pedro II não o reintegrou ao serviço da corte e nunca aceitou recebê-lo. Em artigo publicado em 7 de abril de 1853 no *Jornal do Comércio*, no Rio, o dr. Tavares retomou a questão que o atormentava: "Há quase dezenove anos que sobre mim pesa uma calúnia horrorosa e até hoje deferi em justificar-me, convencido que vivi sempre de que o bom senso universal refutaria tão atroz e absurda suspeita julgando impossível a existência de um tal crime."

Na capital, participou da criação do Imperial Instituto Médico Fluminense em 1867, sendo seu primeiro presidente; em 1838, também fora um dos fundadores do Instituto Histórico e Geográfico Brasileiro.

Epílogo

Pedro, seus amores e seus frutos

Os amores

AS AMANTES de d. Pedro foram tão numerosas e variadas quanto seus tons de pele, nacionalidades ou posições sociais, fazendo do primeiro imperador brasileiro um verdadeiro democrata do amor. Algumas das mulheres pouco mencionadas que teriam se deixado cair na lábia do fogoso príncipe foram:

- Ludovina Soares da Costa, atriz portuguesa que atuou no Rio de Janeiro.
- Maria Joana, esposa do general Antônio Correia Seabra.
- Régine de Saturville, esposa do joalheiro Lucien Saturville, estabelecido na rua do Ouvidor.
- Ana Rita Pereira da Cunha, filha do marquês de Inhambupe e esposa de um criado íntimo de d. Pedro, Plácido Antônio Pereira de Abreu.
- Joaquina Avilez, esposa do general Avilez.
- Madame Adèle Bonpland, francesa que, segundo Maria Graham, quisera tomar a posição de Domitila de Castro na corte. Para tanto, buscou aliados na sociedade carioca e na comunidade estrangeira no Rio de Janeiro.

Se prosseguíssemos, essa lista, baseada em relatos e fofocas, não teria fim. É impossível não se lembrar de Evaristo da Veiga ao pensarmos no imperador morto aos 36 anos: "Não foi um príncipe de ordinária medida." Tudo com d. Pedro era exagerado, inclusive sua fama. O mercenário austríaco Carl Schlichthorst, no livro de memórias que dedicou à sua estada no Brasil, afirma que d. Pedro teria gerado 43 filhos.

Não seria difícil chegar a um número como esse, ou mesmo maior, se juntássemos as histórias familiares e boatos. Além dos filhos que o ex-imperador reconheceu em testamento, existem aqueles cujas famílias não permitiram o escândalo de concordar com o reconhecimento do fruto proibido. Teria sido esse o caso, por exemplo, de Florisbela Umbelina Rodrigues Horta (1807-1882), que, em 1827, supostamente deu à luz uma filha de d. Pedro batizada de Ignácia Carolina Soares de Gouvêa. A família de Florisbela arrumou-lhe um marido que aceitou a condição da noiva, deixando resolvida a questão.

O grande número de filhos e casos — fossem passageiros ou não — alimentou a fama de d. Pedro e, com ela, a quantidade de rebentos atribuídos a ele. Se considerarmos os levantamentos de Pedro Calmon, Alberto Rangel, Assis Cintra, entre diversos outros pesquisadores, teremos mais dez crianças, chegando a um total de trinta:

- Um com Joana Mosqueira.
- Um com Ana Steinhaussem Schuchs.
- Um com Gertrudes Meirelles de Vasconcellos.
- Um com Luísa Clara de Menezes.
- Um com Letícia Lacy.
- Um com Adozinda Carneiro Leão.
- Um com Andreza dos Santos, escrava quituteira do Convento da Ajuda.
- Um com a esposa de um de seus ministros.
- Uma menina batizada como Isabel de Bourbon e Bragança, moradora do Rio de Janeiro.
- Uma menina igualmente batizada de Isabel, que morava na França.

Antigos funcionários do Arquivo Nacional, no Rio de Janeiro, sob a supervisão de José Gabriel Calmon da Costa Pinto, à época diretor da Divisão de Pesquisa e Atividades Técnicas, trabalharam na investigação e levantamento de todos os nobres brasileiros e teriam localizado diversos bastardos de d. Pedro. Eles chegaram à conclusão de que diversas crianças batizadas na igreja de São Francisco Xavier do Engenho Velho, cujo padrinho era d. Pedro, poderiam ser seus filhos. Aceitando-se a hipótese, o número de 43 dado por Schilishcthorst não seria só facilmente alcançado, mas também ultrapassado por larga margem.

Porém, se no meio de tantos defeitos evidentes e evidenciados, fosse obrigatório escolher uma só qualidade de d. Pedro, essa provavelmente seria a hombridade de assumir as consequências de seus atos, de modo especial os frutos de seus amores, quer fossem oficiais ou clandestinos.

Dos filhos legítimos reconhecidos ou citados em seu testamento, há um total de nove, assim distribuídos: de seu casamento com d. Leopoldina, quatro; de sua união com d. Amélia, uma. De seus relacionamentos extraconjugais: com a Marquesa de Santos, duas; com a baronesa de Sorocaba, um; e com madame Saisset, um filho.

Essa conta, obviamente, refere-se às crianças vivas quando da elaboração do último testamento. Se contarmos as abortadas ou já falecidas à época, bem como as últimas que teria tido e não chegou a legitimar, somaríamos 21 filhos:

- Um com Noemy Thierry.
- Oito com a imperatriz d. Leopoldina.
- Cinco com a marquesa de Santos.
- Uma com a imperatriz d. Amélia.
- Um com a baronesa de Sorocaba.
- Um com a atriz uruguaia Carmen Garcia.
- Um com madame Saisset.
- Um com a freira sineira, Ana Augusta Peregrino Faleiro Toste.
- Um com a criada de d. Maria II, Maria Libânia Lobo.

Das mulheres presentes na lista acima, não foram ainda mencionadas com mais detalhes nesta obra:

- Ana Augusta Peregrino Faleiro Toste (1809-1896), freira do Convento de São Gonçalo, na Ilha Terceira, Açores. Do relacionamento dela com d. Pedro, nasceu um menino em 1832, batizado também de Pedro. A criança foi colocada na roda dos enjeitados e faleceu aos 4 ou 5 anos. O menino foi protegido por Manuel José Pereira Leal, alto funcionário e fiel servidor de d. Pedro nos Açores. O enterro da criança foi coberto de pompa pelos liberais da ilha.
- A atriz uruguaia Maria del Carmen Garcia, que, depois de uma temporada no Rio de Janeiro e de um rápido romance com d. Pedro, foi despachada para Montevidéu no início de 1828, grávida do imperador. Ao cair de uma cadeira em que subira para alcançar a parte de cima de um armário, sofreu um aborto em setembro de 1828. As cartas trocadas entre Carmen Garcia e d. Pedro revelam que o imperador a vinha auxiliando no que fosse necessário e que provavelmente cuidaria da criança quando esta nascesse.[1]
- D. Maria Libânia Lobo, mãe de um dos últimos bastardos de d. Pedro, supostamente nascido em dezembro de 1833. D. Maria Libânia fora uma jovem criada da rainha d. Maria II, que acabou sendo madrinha de batismo

desse meio-irmão. Seu nome era Pedro de Alcântara e o apelido, Pedro Real (1833-1908).

Os frutos

O Mardel é um homenzinho pitoresco [...] d'uma vez, a um figurão que se dizia filho natural de d. Pedro IV e que mostrava desvanecido a toda a gente o retrato do rei que tinha na sala, perguntando:

— Heim, com quem se parece?... — escreveu ele a seguinte quadra:

Do imperador,
de quem diz que é filho,
tem o retrato na sala,
mas da p... que o pariu,
não tem retrato nem fala.[2]

A respeito dos filhos ilegítimos ou legitimados, d. Pedro reservou-lhes a terça parte de seus bens, revalidando às vésperas de sua morte, em 17 de setembro de 1834, as disposições testamentárias realizadas em Paris no ano de 1832:

Deixo a metade da dita terça à minha querida filha a senhora Dona Isabel Maria de Alcântara Brasileira, Duquesa de Goiás: deixo a outra metade dividida em três partes iguais sendo destas uma para Rodrigo Delfim Pereira, outra para Pedro Alcântara Brasileiro [...]. Recomendo a sua majestade imperial a senhora Dona Amélia Augusta Eugênia de Leuchtenberg, Duquesa de Bragança, minha querida e adorada esposa, que chame para ao pé de si minha querida filha Dona Isabel Maria de Alcântara Brasileira, Duquesa de Goiás logo que ela tiver completado a sua educação, e que durante ela lhe assista com a sua imperial proteção e amparo, bem como a Rodrigo Delfim e a Pedro de Alcântara Brasileiro e àquela menina que lhe falei e que nasceu na cidade de São Paulo no Império do Brasil no dia vinte e oito de fevereiro de mil oitocentos e trinta, e desejo que esta menina seja chamada a Europa para receber igual educação que se está dando à minha sobredita filha a Duquesa de Goiás [...].

A predileção pela primeira filha que teve com a marquesa de Santos é clara. A duquesa de Goiás foi, de todos os herdeiros, uma das mais favorecidas. Como mostra o testamento, ficou com a metade da terça parte dos bens de que d. Pedro poderia dispor como quisesse. A menina devia ser realmente graciosa, e o pai apaixonado não era o único a se deixar encantar pela beleza daquela morena de olhos escuros. A duquesa Augusta de Leuchtenberg, quando de sua estada em Paris para acompanhar o final da gravidez de sua filha, d. Amélia, em dezembro de 1831, conheceu a duquesa de Goiás e lançou a seguinte nota em seu diário: "Uma criança encantadora, impossível de não amar. Que pena que a rainha não seja como ela."[3] "Rainha", no caso, referia-se a d. Maria II, que já dera trabalho à tutora Maria Graham no Rio de Janeiro e daria trabalho tanto a d. Amélia quanto a quem mais tentasse educá-la e controlar seu gênio, tão forte como o do pai.

Um anônimo

Estudando-se o formal de partilha[4] dos bens deixados por d. Pedro, descobrimos que o valor total herdado pela duquesa de Goiás foi de 35:231$402 (trinta e cinco contos, duzentos e trinta e um mil e quatrocentos e dois réis), enquanto os filhos legítimos ficaram com 28 contos cada um e os bastardos, Rodrigo e Pedro Saisset, com 11 contos e 700 mil réis.

Uma anotação na partilha chama a atenção para um "anônimo" que também recebeu a mesma quantia dos demais bastardos. No testamento, d. Pedro divide a terça parte dos seus bens em duas cotas iguais, cabendo uma delas à duquesa de Goiás e a restante, subdividida em três frações, a Rodrigo, Pedro e o restante para a "senhora Dona Amélia", que deveria "lhe dar aquela aplicação que verbalmente lhe fiz constar". No mesmo testamento, ele se refere à irmã da duquesa de Goiás, outra filha que tivera com a marquesa de Santos e que estava em São Paulo; seu desejo era que a imperatriz tomasse a menina sob sua proteção e a fizesse educar na Europa.

Talvez o tal dinheiro tivesse esse fim. Um dos indícios está em que d. Amélia teria tentado entrar em contato com a marquesa para fazer valer a vontade de d. Pedro, sem, porém, que Domitila tivesse concordado em se separar também dessa filha. De que o valor foi entregue a Maria Isabel, não existem provas concretas; possuímos apenas a informação de que representantes da casa bancária

Samuel Phillips, procuradores de d. Amélia no Brasil, entraram em contato com a marquesa para falar sobre a menina.

A educação de todos em primeiro lugar

Porém, se de fato houve favorecimento à duquesa de Goiás, quanto a todos os filhos (legítimos, bastardos e legitimados) a preocupação era uma só: a educação — aquela que ele não tivera e que desejava a cada um dos herdeiros.

Com a morte do barão de Sorocaba, d. Pedro enviou o filho que teve com a baronesa para ser educado no exterior. Para o marquês de Barbacena, ele escreveu em 2 de março de 1829 no intuito de informar que o menino, de seis anos, não sabia ler nem escrever. Decidido a tomar a educação do filho para si, mandava-o à Europa e pedia que Caldeira Brant cuidasse de seus estudos:

> A respeito de meu filho Rodrigo [...] ele ainda não sabe ler, nem escrever; [...] peço-lhe que o mande aprender a nossa língua, além de tudo que deve estudar, pois não quero que, depois de grande, me apareça por cá dizendo: — minha cavalo, minha Pai, etc. Se o mandasse estudar em França achava melhor, pois, pelo pouco que sei desse país, vejo que o governo muito tem cuidado dos colégios, e, como a moda é ser religioso, moda que Deus desse ao Brasil, me parecia melhor ser educado em França [...], segundo todos os estudos que lhe possam ser necessários para qualquer carreira política; mas, com muita especialidade, para a militar, quer marítima, quer terrestre.

À duquesa de Goiás, internada no Sacré Coeur, em Paris, d. Pedro escreveu do Rio em 5 de maio de 1830, ainda antes de sua abdicação:

> Trabalha por merecer alguma opinião, e não te fies na tua hierarquia, pois a civilização tem feito ver aos monarcas, e aos grandes, que não basta o nascimento, que é necessária uma boa educação e saber [...].

À rainha Maria II em 18 de julho de 1832, d. Pedro lembrou, quando no Porto:

> Tu conheces perfeitamente que é indispensável aos monarcas terem saber; e que, no século em que vivemos, e em que os povos estão mais esclarecidos, e já não engolem patranhas, é mister que seus reis mereçam, pelas suas boas qualidades, virtudes, e saber o respeito, de seus súditos, e não pelo seu nascimento que nada vale perante o mundo livre.

De Lisboa, recomendou ainda a d. Pedro II, em 2 de dezembro de 1833:

> Peço-te, meu adorado filho, que te não esqueças nunca de mim; que estudes; e que te faças digno de governar tão grande império. Mui útil seria que tu tomasses, bem como tuas irmãs, lições de geografia e de história, na idade em que tu estás e tuas manas esta qualidade de lições servem de suavizar o peso que causam as mais enfadonhas. [...] Muito te agradeço os desenhos que me enviaste em carta tua e de tuas irmãs datada de 3 de setembro: eles são lindos, mostram bem o adiantamento em que seus autores se acham e fazem acreditar que igual adiantamento eu devo supor nos mais estudos.
>
> [...] Sim, meu amado filho, é muito necessário, para que possas fazer a felicidade do Brasil, tua pátria de nascimento e minha de adoção, que tu te faças digno da nação sobre que imperas pelos teus conhecimentos, maneiras etc. etc., pois, meu adorado filho, o tempo em que se respeitavam os príncipes por serem príncipes unicamente acabou-se. No século em que estamos, em que os povos se acham assaz instruídos de seus direitos, é mister que os príncipes igualmente o estejam e conheçam que são homens e não divindades, e que lhes é indispensável terem muitos conhecimentos e boa opinião para que possam ser mais depressa amados do que mesmo respeitados [...].

A todos os que conseguiu prover, d. Pedro tentou, no curto tempo de sua existência, levá-los a se prepararem para a vida.

Feitos do outro lado dos lençóis

Em carta redigida no Rio de Janeiro em 22 de abril de 1830, quatro anos antes de sua morte, d. Pedro voltou-se ao marquês de Resende a fim de apresentar-lhe um levantamento de todos os seus filhos ilegítimos ou legitimados. Todos seriam citados de alguma forma em seu testamento ou nas disposições cujo cumprimento pediu a d. Amélia.

> Meu Resende. Esta vai acusar-lhe a recepção de todas as que me tem escrito [...] — A estas horas já tens visto minha filha Duquesa [1], e mesmo o pequeno Pedro [2] que lá nasceu em 7 de junho. Parece-me que, no interná-lo, não o fiz mal; aquele que foi feito naquela noite de 27 de janeiro de 1823, e nasceu a 5 de setembro do mesmo ano, por um motivo bem simples, que a mãe não era burra, e se chama Rodrigo [3], e que lhe morreu o pai putativo, está na Inglaterra. Em São Paulo existe também uma, feita [4] enquanto os senhores levaram tempo a me arranjarem casamento. Em casa por ora nada, mas o trabalho continua e em breve darei cópia de mim, e farei a Imperatriz dar cópia de si, se ela me não emprenhar a mim, que é a única desgraça que me falta a sofrer.

As crianças citadas na carta são:

1. Isabel Maria, a duquesa de Goiás (1824-1898).
2. Pedro de Alcântara Brasileiro de Saisset (1829-1902), filho de Clemência Saisset, nascido em Paris em 1829.
3. Rodrigo Delfim Pereira (1823-1891), filho do imperador com a baronesa de Sorocaba. O menino foi assumido por Boaventura Delfim Pereira, marido de Maria Benedita, falecido em 20 de março de 1829.
4. Maria Isabel, futura condessa de Iguaçu (1830-1896).

Espalhados pelo mundo, os filhos de d. Pedro tiveram destinos díspares: da Corrida do Ouro, na Califórnia, à alta nobreza alemã; da diplomacia internacional à nefasta herança da epilepsia.

As filhas com a marquesa de Santos

Isabel Maria de Alcântara Brasileira, duquesa de Goiás. Após retirá-la da mãe em 25 de agosto de 1827, d. Pedro educou-a na companhia dos meios-irmãos em São Cristóvão. Com a chegada de d. Amélia, entretanto, retirou-a do palácio e enviou-a para o outro lado da baía de Guanabara. A menina foi alojada no Palacete da Praia Grande, hoje batizado Palácio São Domingos, em Niterói.

Augusto de Leuchtenberg, irmão de d. Amélia, tranquilizou a mãe em carta de 19 de outubro de 1829, informando que a filha da marquesa de Santos não estava na corte quando a noiva desembarcou. Augusto também contou que havia agradecido pessoalmente ao cunhado pelo ato, pois "a desinformada Amélia teria ficado, com certeza, muito espantada se tivesse encontrado tal criança em sua casa".[5]

De Niterói, a pequena duquesa de Goiás, então com cinco anos, embarcou em 25 de novembro de 1829 para a França, onde seria educada. Segundo carta de Francisco Gomes, secretário de d. Pedro, ao visconde de Pedra Branca, era recomendável dar à duquesa "a melhor [educação] possível para fazer uma freira, com a menor despesa possível, sem contudo faltar à decência devida a uma filha de S.M.I., posto que bastarda".[6]

A viagem foi um verdadeiro tormento. O navio foi acometido por uma tempestade, fazendo água, e quase imóvel por conta do estado das velas. Durante nove dias, vagaram próximo ao porto de Brest,[7] sem conseguir ancorar devido aos ventos contrários. A tripulação e os passageiros que levavam a filha do imperador à Europa tiveram surto de febre; e a duquesa passou a se queixar de dor no peito. A situação era desesperadora quando Paulo Martins de Almeida, responsável pela criança, resolveu mandar o comandante mudar o percurso e seguir para Plymouth, ondc ancoraram em 8 de fevereiro de 1830, dois meses e meio após terem zarpado do Brasil.

Isabel Maria foi recebida pelo almirante lorde Northesk e, depois, partiu para Londres, onde foi acolhida pelo encarregado dos negócios brasileiros, Mello Mattos. Houve também homenagens por parte dos diplomatas portugueses fiéis a sua meia-irmã, d. Maria II. Enquanto isso, o visconde de Itabaiana e Resende procuravam lugar em Paris que pudesse abrigar a filha de Domitila e d. Pedro. O local escolhido foi o Sacré Coeur, instituição de qualidade, onde eram educadas as meninas da aristocracia francesa. Isabel Maria conheceria no colégio uma outra jovem estudante: a nobre espanhola Eugênia de Montijo, futura esposa de Napoleão III e imperatriz da França.

D. Pedro, mesmo distante, não descuidou da filha. Inúmeras pessoas mandavam-lhe pareceres a respeito do desenvolvimento da menina, e os relatórios médicos, que eram apresentados trimestralmente por ordem do imperador, passaram a ser enviados todos os meses ao Brasil. Os informes das freiras e dos diplomatas davam conta de que Isabel era esperta, de que já estava lendo fluentemente o francês, começava a fazer trabalhos com agulha e retinha com facilidade as histórias que lhe eram contadas. Não era muito afeita, porém, aos estudos de piano. Tinha também uma boa voz e gostava de cantar. Era, segundo um dos relatórios, alguém de extrema docilidade, mas mudava de humor quando obrigada a estudar.

Após a morte de d. Pedro, em 1834, d. Amélia cumpriu o desejo do marido e tomou conta da menina. Isso, porém, não lhe exigiu nenhum esforço, uma vez que Isabel Maria já havia convivido com a ex-imperatriz durante seu exílio parisiense, quando tanto ela quanto a mãe se encantaram pela menina. A propósito, não foi apenas d. Amélia quem conviveu com ela, mas também a própria rainha de Portugal, d. Maria II: apesar de brigarem muito em São Cristóvão devido à predileção de d. Pedro I pela filha que tivera com a marquesa, mais velhas as duas passaram a se dar bem. Dos Açores, em carta de junho de 1832, assim d. Pedro recomendou que d. Maria II procedesse: "P.S. Um abraço com cautela na mana Amélia, outro, sem nenhuma, na Isabel."[8]

Também a duquesa Augusta de Leuchtenberg ajudou na criação da menina: em Munique, na Baviera, tomou-a sob sua proteção. Em março de 1839, quando contava a jovem com quinze anos, Isabel Maria entrava para o Instituto Real de Moças da cidade, onde, segundo a biógrafa de d. Amélia, Ligia Lemos Torres, "as princesas e as jovens da nobreza permaneciam numa vida semimundana até a apresentação na corte".

Em janeiro de 1841, d. Amélia escreveu ao enteado d. Pedro II a fim de dar-lhe notícias da duquesa de Goiás: "Todos estão muito contentes com Isabel Maria no instituto, e minha mãe escreveu que ela cresce e se embeleza todos os dias."

A questão do dote da duquesa brasileira também ocupou a cabeça de d. Amélia, que, junto com os irmãos da menina, d. Pedro II e d. Maria II, contribuiu para o casamento, encarregando-se do enxoval juntamente com sua mãe, a duquesa Augusta. Em 1842, mandou notícias ao imperador a respeito da meia-irmã. Tinha acertado, na Alemanha, o casamento de Isabel Maria com Ernesto Fischler, conde de Treuberg e barão de Holzen, proprietário de terras rico e aparentado com a família real da Prússia. Era treze anos mais velho que a noiva. Em novembro, d. Amélia solicitou que d. Pedro II concedesse ao futuro cunhado a Ordem da Rosa.

O casamento da duquesa de Goiás foi celebrado no Palácio Leuchtenberg, em Munique, no dia 17 de abril de 1843. Isabel teve dois casais de filhos. As meninas, nascidas em 1844 e 1846, receberam os nomes de Maria Amélia e Augusta.

Subtraída muito cedo à verdadeira mãe, Isabel Maria não se recordava mais dela. A duquesa encontrou na família Leuchtenberg, por intermédio de d. Amélia e de sua mãe, os elementos maternos de que necessitava. A família de Bragança também nunca se afastou da moça. A duquesa mantinha correspondência com d. Pedro II, d. Francisca e d. Januária. D. Pedro II e Isabel Maria chegaram a se reencontrar durante uma viagem do imperador à Europa, quando ele passou por Munique.

De acordo com uma história transmitida oralmente por diversas gerações de descendentes da duquesa de Goiás, d. Pedro II teria também visitado a irmã no castelo de Holzen, na Baviera, o que teria gerado uma cena pitoresca: o monarca, chegando ao edifício, avistou um jardineiro que cuidava das macieiras do pomar e apresentou-se, dizendo que queria ver Isabel Maria. O funcionário entrou no castelo anunciando que havia um lunático nos jardins dizendo ser o imperador do Brasil.

Por conta de uma tentativa desastrada do conde de Iguaçu em contatar Isabel Maria, esta enfim ficou sabendo da existência de sua mãe no Brasil. Iguaçu, filho do marquês de Barbacena, havia se casado com Maria Isabel, a outra filha de d. Pedro com a marquesa de Santos. Como provas da maternidade, foram enviadas a ela cartas trocadas entre d. Pedro e a marquesa, nas quais os dois falavam da filha.[9] A relação entre d. Amélia e a duquesa de Goiás estremeceu por conta dessa revelação, cujo conteúdo fora até então cuidadosamente ocultado segundo o desejo de d. Pedro, que desejara salvaguardar a posição social da filha.

A duquesa ficou viúva em maio de 1867, seis meses antes de perder a mãe no Brasil. Isabel Maria faleceu em Murnau, na Baviera, em 3 de novembro de 1898, exatos 31 anos após a morte da marquesa de Santos sem nunca terem se revisto.

Isabel Maria, duquesa de Goiás.

Maria Isabel de Bragança e Bourbon, condessa de Iguaçu

Em 28 de fevereiro de 1830, nasceu em São Paulo, durante o período em que sua mãe se exilou da corte, Maria Isabel de Alcântara Bourbon, como consta em seu termo de batismo e no atestado de óbito. Seu nascimento foi complicado, uma vez que Domitila resolvera pular o Carnaval no oitavo mês de gestação. No entrudo, nome pelo qual a brincadeira era conhecida, as pessoas atiravam umas contra as outras certas bolas coloridas feitas de cera e recheadas com água perfumada. Tratava-se das chamadas laranjinhas ou limõezinhos de cheiro. Em 2 de fevereiro, Domitila foi atingida bem na barriga por um desses objetos.

Segundo a própria Maria Isabel, em carta biográfica a uma amiga:

> Estando ela por infelicidade dela e minha com uma imagem da Senhora da Conceição que ela sempre trazia ao pescoço pendente, e justamente caiu a laranjinha sobre ela, e eu, que estava de frente, fui que levei a Conceição na testa. Desde esse dia até o dia 28 eu levei de convulsões no ventre de minha mãe. Nasci com a testa metida para dentro com a imagem perfeita. Foi preciso eu ficar ano e meio presa no quarto e tudo calafetado para eu não apanhar ar para assim eu ficar perfeita da testa.[10]

Durante curto período, uma paciente Domitila esperou para saber se o imperador reconheceria a filha e o que deveria fazer com ela. Como nada se decidisse a respeito disso durante a permanência de d. Pedro no Brasil, a marquesa de Santos resolveu batizar Maria Isabel, após a abdicação do monarca, no dia em que fazia seis anos que ele conferira o título de duquesa de Goiás a Isabel Maria.

Em 24 de maio, na casa da viscondessa de Castro, o bispo Manuel Joaquim batizou a criança. No ato de batismo, consta que Maria Isabel fora abandonada na casa da avó — que tinha, em suma, pai e mãe desconhecidos. Isso facilitaria um futuro reconhecimento da menina por parte do pai, como já havia ocorrido com a duquesa de Goiás.

Da Europa, algum tempo depois, Domitila recebeu uma carta do marquês de Resende informando-a das intenções de d. Pedro de educar a menina em terras europeias, mas o projeto não logrou e o contato esfriou novamente. Em 1839, quando Domitila havia ido para a corte matricular a filha no colégio Hitchings, escola exclusiva para meninas da elite carioca, recebeu a visita de um representante da imperatriz d. Amélia, que tentava fazer cumprir a vontade de d. Pedro.

A marquesa, apesar de se dizer favorável a fazer o que o pai da criança pedira quando no leito de morte, informou que a menina não lhe era um fardo e que, devido à epilepsia que herdara de d. Pedro, era melhor adiar por mais algum tempo a viagem. Em 1840, a duquesa de Bragança voltaria à carga e seria mais uma vez diplomaticamente dispensada pela marquesa, que permaneceria ao menos com essa filha perto de si.

Em 1848, Maria Isabel casou-se com Pedro Caldeira Brant, conde de Iguaçu, com quem teve cinco filhos: Maria Isabel, Pedro de Alcântara, Maria Teresa, Isabel Maria e Deulinda. Não foi esse, contudo, um casamento feliz. O temperamento da esposa não ajudava, enquanto o marido era viciado em jogos de azar.

Até no diário de d. Pedro II[11] há referência às desavenças do casal. Em 1862, o imperador recebeu João da Silva Carrão, membro do Partido Liberal e amigo de Domitila. Esse conselheiro solicitava, em nome da marquesa, que o conde de Iguaçu, a serviço do imperador no Rio de Janeiro com um soldo de quinhentos mil réis por mês, passasse alguns anos em São Paulo junto da mulher. A marquesa ainda solicitava que o meio-irmão da filha dividisse a pensão que pagava ao genro em duas partes, passando uma delas à condessa, que não recebia nenhum centavo do marido. Carrão também teceu comentários sobre o gênio de Maria Isabel, afirmando que a mãe mal podia com ela e que o conde podia mais, ao que d. Pedro anotou no diário: "Não creio."

O imperador resolveu ser diplomático em sua resposta a Domitila e anotou no diário: "Eu respondi que não proibia o Iguaçu que ficasse em São Paulo e estava pronto a aconselhá-lo que não deixasse a mulher a não ser em companhia da mãe dela, mas que eu partia do princípio de que o marido é quem deve mandar em casa."

Já muito antes de 1862, os problemas entre Maria Isabel e Pedro Caldeira Brant aborreciam tanto Domitila quanto o brigadeiro Rafael Tobias, segundo marido da marquesa. Em 1858, no seu testamento, o brigadeiro fez constar que já pagara um dote de quarenta contos de réis à "dona Maria de Isabel de Alcântara Bourbon, cuja quantia entreguei no ato do seu infeliz casamento com o conde de Iguaçu".

Se Iguaçu tinha seus vícios, também os tinha Maria Isabel, e a mãe bem conhecia a filha que tinha:

> Recebi a vossa carta. Vejo tudo o que nela me dizeis. Já não tenho expressões para vos pedir e vos dizer que não há quem não sofra com seus maridos, as mais virtuosas sofrem, quanto mais aquelas que dão motivos. Tenho também recebido cartas

> de vosso marido que com razão se queixa dos vossos desvarios. Eu, por desgraça minha, o conheço, e mais: vos conheço. Estais sem juízo de todo, e se vos separares de vosso marido separai-vos de vossa mãe, isto vos digo de todo o meu coração.[12]

Maria Isabel não escutou a mãe e, depois de doze anos separada, em 26 de abril de 1874, acabou entrando com pedido oficial de divórcio. Na ocasião, alegou que o marido a expulsara da própria casa, obrigando-a a pedir dinheiro para se manter. Pedro Caldeira Brant teria batido na esposa com violência, provocando ferimentos. Além disso, Maria Isabel acusou-o de adultério com empregadas da casa e outras mulheres. O divórcio saiu em 1876.

Com o tempo, a beleza de Maria Isabel, que tanto encantou o poeta Álvares de Azevedo, acabou por se esvair. Rodrigo Otávio[13] lembrava-se da filha da marquesa por volta de 1876: "Conheci pessoalmente a condessa de Iguaçu e, pelos meus dez anos, tive muitas ocasiões de vê-la de perto. Meu pai foi seu advogado. [...] Era uma velha adiposa, feia, com uma belida[14] em um dos olhos, e sem elegância no trajar. Falava muito alto e dirigia-se a todos, referindo-se sempre, de modo brutal, ao imperador e a figurões da Corte."[15]

O historiador Victor Figueira de Freitas morou, quando menino, na rua da Vitória, localizada em Santa Efigênia, bairro da região central de São Paulo, próximo à casa da condessa de Iguaçu, que ficava na rua dos Protestantes, nº 31. Lembrava-se de assistir "a alguns dos tristes espetáculos que proporcionava aos vizinhos curiosos aquela infeliz filha legitimada de d. Pedro I, herdeira muito mais dos impulsos grosseiros de seu pai do que das nobres qualidades e do estoicismo de sua mãe". Victor recordava-se de que a condessa, no final da vida, era assistida por uma única serviçal "preta, talvez sua antiga escrava". "Podemos mesmo acrescentar que foi a condessa — sem o querer por certo e a respeitável distância — a nossa primeira professora de 'nomes feios'".

Freitas afirmou ainda que presenciava furtivamente, da janela de sua casa, os "pileques" que tomava a condessa e os palavrões que proferia quase diariamente. Nessas ocasiões, Maria Isabel aos brados dizia: "Eu não sou a condessa de Iguaçu, sou condessa de Água Suja." O conde de Iguaçu seria um "grande libertino [...] jogava tudo quanto lhe passasse pelas mãos, a ponto de jogar certa vez a posse temporária, precária, da esposa, a condessa, quando a sorte o desamparou e nada mais lhe restava, nem mesmo o próprio pundonor".[16]

Maria Isabel faleceu de arteriosclerose em sua casa, a 5 de setembro de 1896. Em 7 de setembro, foi sepultada ao lado de sua mãe, no cemitério da Consolação, em São Paulo.

Maria Isabel de Bragança e Bourbon, condessa de Iguaçu.

O filho da Baronesa de Sorocaba

Filho da irmã da marquesa de Santos com d. Pedro I, Rodrigo Delfim Pereira nasceu em setembro de 1823 e foi batizado em novembro do mesmo ano. Após a morte do barão de Sorocaba, o imperador, horrorizado com o fato de o filho ainda não saber ler nem escrever, enviou-o à Europa em 1829, a fim de que fosse educado. Apesar de d. Pedro preferir que ele frequentasse alguma escola na França, o marquês de Barbacena matriculou-o em um colégio na Inglaterra.

Em outubro de 1831, Rodrigo, já alfabetizado em inglês, escrevia[17] ao pai:

Highgate, 14 de outubro de 1831

Sire

É meu primeiro dever, tendo aprendido a escrever, dirigir-me a Vossa Majestade, para agradecer-vos por vossa bondade, outorgando-me uma boa educação, e assegurar-vos que eu estou me esforçando, tanto quanto posso, para progredir em meus estudos, e particularmente na língua portuguesa, para que eu possa futuramente tornar-me merecedor do favor e amparo de Vossa Majestade.

Eu espero que Vossa Majestade e vossa Ilustre Consorte estejam no gozo de perfeita saúde, e, implorando a benção de Vossa Majestade, tenho a honra de subscrever-me,

De Vossa Majestade

Obediente e devotado súdito

Rodrigo

Educado inicialmente na Inglaterra, foi estudar em Paris após a morte de d. Pedro, tutelado pela imperatriz d. Amélia. Acabou ingressando na carreira diplomática brasileira, servindo na França, na Inglaterra e em Portugal. Eventualmente, retornava ao Brasil. Em 1851, casou-se, no Rio de Janeiro, com Carolina Maria Bregaro, sobrinha de Paulo Bregaro, o correio da independência. A noiva era treze anos mais nova que ele.

Os dois tiveram casa no Rio de Janeiro e em Petrópolis. Segundo o historiador Tobias Monteiro e o escritor Antônio Pacheco Ferreira Viana, d. Pedro II teria tido um caso com a bela cunhada.

Em 1876, liquidando seus bens na corte, Rodrigo e a mulher foram morar definitivamente em Portugal. A casa que lhes pertenceu em Petrópolis ainda se encontra de pé, na avenida Koeler. Sua sobrinha, a princesa Isabel, adquiriu-a com o marido, o conde D'Eu, por 45 contos de réis. Localizada diante da catedral de Petrópolis, é conhecida hoje como Palácio da Princesa, sede da Companhia Imobiliária de Petrópolis.

Quando de seu falecimento, em 1891, o meio-irmão, d. Pedro II, anotou no diário que continuou a alimentar no exílio:

5 de junho de 1891 (6ª f.)

[...] Lettre de Lisbonne. Fala da morte de pessoas conhecidas. De Delfim Pereira "caballero de haute mine et adorablement bon... qui avait du sang royal dans les veinas" — com efeito era o que se chama bom rapaz e meu irmão embora meu pai não o declarasse em ato público, e de outros [...].[18]

Sua viúva, Carolina Maria Bregaro Pereira, viveu até 1915. O casal deixou diversos descendentes em famílias ilustres da nobreza e da alta sociedade portuguesa. Um desses descendentes é Francisco José Pereira Pinto Balsemão, nascido em 1937. Jornalista e político, foi deputado e um dos fundadores do Partido Popular Democrático, depois PSD. Atuou como presidente do Conselho de Ministros de Portugal entre 1981 e 1982.

O filho de madame Saisset

Em 30 de dezembro de 1828, um casal francês de sobrenome Saisset, formado por comerciantes estabelecidos na rua do Ouvidor, no Rio de Janeiro, embarcava apressadamente para a Europa com seus dois filhos pequenos. A modista Clemence havia se envolvido com d. Pedro I, enquanto o marido aparentemente fazia vista grossa. Até que, por fim, ela engravidou do imperador.

Prometendo, por escrito e com testemunho de seu bibliotecário particular, Germano Lassere, uma pensão vitalícia a ela, ao marido e à criança que esperava, d. Pedro conseguiu despachá-los para longe do Brasil. Tanto Resende quanto Barbacena, na Europa, e o Chalaça, no Brasil e depois em Portugal, teriam que trabalhar arduamente para manter os Saisset sob controle. Por conta do atraso nos pagamentos, os dois a todo momento ameaçavam fazer um escândalo, chegando até mesmo a insinuar que tinham, consigo, correspondências comprometedoras entre d. Pedro e Clemence.

O primeiro a ter contato com os Saisset na Europa foi Barbacena, que de Londres escreveu, escandalizado, a d. Pedro:

Permita V.M.I, a um criado velho, e fiel pedir-lhe mui respeitosamente que não escreva mais a mulher desta ordem. O diploma [referência à carta com o acordo

> financeiro acertado] poderei haver à mão logo que tiver 3 mil libras, mas como haver as cartas que V.M.I. escreveu-lhe antes, e depois de sua partida? Estas cartas são apresentadas a muita gente, e suponho por agora só prestam motivos a desagradáveis observações, servirá como tudo no futuro para invectivas e processos, quando V.M. suspender a pensão.

D. Pedro, que escrevera a Barbacena temendo que o marido de Clemence a maltratasse por conta do caso e da gravidez, foi tranquilizado pelo marquês, que deu a entender que Saisset não aparentava qualquer pudor em receber dinheiro pelos préstimos da esposa. Além disso, afirmou:

> Madame Saisset tem sobre a mesa da sala onde recebe as visitas um papagaio do Brasil, que atrai a atenção de todos, e ela, com ar de riso, e uma voz mais baixa, diz a cada um — o imperador que me deu. Esse papagaio pertencia à falecida imperatriz. Se por infelicidade alguém parece duvidar de um tal presente, chovem os elogios de V.M., e então em voz mais alta: — Oh, Sim, você não conhece o imperador, ele é um homem charmoso, cheio de espírito e graça, veja só suas cartas... Esta cena é representada todos os dias em Sabloniere Hotel e continuará em Paris. Espero que V.M.I. lembrando-se deste fato não escreverá mais a nenhuma filha de Jerusalém, e que reconhecerá nesta penível exposição os sentimentos de um verdadeiro e fiel criado.

Em Paris, quando Barbacena conseguiu levantar parte da quantia a ser pagar aos Saisset, as coisas mudaram: Clemence, instruída por seu marido, não lhe devolveu o acordo feito no Rio de Janeiro, mantendo-o até que tudo fosse quitado. Somente em junho de 1829 as coisas se resolveriam, quando do adiantamento da pensão de um ano e o pagamento integral de 75 mil francos.

Nada, porém, parecia demovê-los da ânsia pelo dinheiro. Resende, que os conheceu e ficou tão repugnado com os achaques dos Saisset que afirmou não poder mais atravessar os umbrais de seu apartamento, afirmou em carta ao Chalaça que muito provavelmente o marido deveria ter ido ao Brasil de caso pensado, a fim de jogar a mulher na frente do imperador e, assim, garantir sua fortuna.

No entanto, as coisas não saíram como os Saisset haviam previsto. Somente parte do prometido foi pago, acumulando-se anos de pensões não saldadas antes e depois da morte de d. Pedro. Apesar dos infindáveis rogos do casal — até mesmo a d. Amélia, diretamente —, somente em 1841 Francisco Gomes da Silva informou ao casal que o inventário terminara, assim como a partilha dos bens.

Da quantia que d. Pedro lhe legara em testamento, o saldo final a ser pago a Pedro Saisset somava pouco mais de dez contos de réis.

Pedro de Alcântara Brasileiro foi educado em um dos melhores colégios de Paris: o Liceu Louis le Grand, onde se formou em letras. Também obteve diploma em direito pela Faculté de Droit de Paris. Além do francês, falava inglês e espanhol.

Com espírito aventureiro, Pedro Saisset partiu para Nova York, onde chegou em 1848. Quase imediatamente, embarcou no *Hector*, um dos primeiros navios a fazer a volta pelo cabo Horn, no extremo sul da América, para contornar o continente e chegar à Califórnia. Depois de uma viagem de seis meses, Pedro desembarcou em São Francisco em 2 de julho de 1849.

Quando deixou a França, seus pais lhe deram cinco mil dólares em mercadorias para que vendesse na Califórnia. Deveria regressar à França em seguida, onde iniciaria sua carreira militar. No entanto, após desembarcar os passageiros e a bagagem, o capitão do *Hector* zarpou levando toda a mercadoria. Pedro, tendo apenas umas centenas de dólares e alguns baús de roupas para uso pessoal, teve literalmente de arregaçar as mangas; sem nunca ter feito qualquer trabalho braçal, passou a trabalhar em um navio que fazia a travessia da baía de São Francisco.

Juntando dinheiro, logo tornou-se um dos primeiros estrangeiros a possuir terras em seu próprio nome na Califórnia. Pedro adquiriu uma faixa com vários acres de terra na estrada de Alviso, em San Jose, onde construiu uma cabana como residência. Passado o tempo, foi fazendo no local os melhoramentos necessários para transformá-la em uma fazenda.

O filho do imperador gostava de narrar como, após ter comprado, em 1853, uma propriedade na First Street, em San Jose, colocou sua cabana em uma carreta e foi conduzindo os cavalos através da janela da sua casa portátil até o novo terreno — aventura que o pai, d. Pedro, provavelmente apoiaria.

Pedro Saisset foi um grande empreendedor. Em seus primeiros dias na Califórnia, mexeu com navegação, propriedades, seguros. Mais tarde, em 1882, fundou e presidiu a empresa de eletricidade Brush Electric Light. Foi também agente consular da França na Califórnia por cerca de trinta e cinco anos, até sua morte. Acabou se afastando dos negócios, mas sempre esteve pronto a dar conselhos. Costumava dizer que "custa tão pouco tornar os outros felizes, então por que não fazer?".

Em 1864, ele retornou para a França em virtude do falecimento de sua mãe. Ali, recebeu do testamenteiro de Clemence um pacote em que se lia: "Para enviar a Pedro de Alcântara Brasileiro, filho natural de S. M. Dom Pedro I, Imperador do Brasil. Se ele recusar por si mesmo, que ele aceite por seus filhos."[19]

Foi somente assim, em 15 de dezembro de 1864, que Pedro Saisset tomou conhecimento de sua origem. Ele apressou-se em copiar toda a documentação de que tomara conhecimento, as cartas trocadas entre os Saisset e os encarregados de negócios de d. Pedro I, uma miniatura do imperador seu pai e diversas outras informações pertinentes. Em seguida, enviou-as ao imperador d. Pedro II no Brasil. Junto com as cópias, seguia uma carta, na qual pedia proteção para si e para seus filhos, dispondo-se até a se mudar para o Brasil e aprender a falar o português.

O que Pedro Saisset desconhecia é que somente ele não sabia de sua filiação. O esposo de Clemence já retornara ao Rio de Janeiro no início da década de 1840 a fim de reclamar a herança deixada por d. Pedro, aproveitando para tentar se aproximar do meio-irmão do filho. D. Pedro II sabia bem quem era Pedro Saisset desde muito antes de 1865, quando a documentação enviada da França chegou. De início, o imperador teria, devido aos apelos constantes de madame Saisset, se interessado pelo rapaz, financiado seus estudos e cogitado até mesmo enviá-lo a Munique, sob os cuidados do sábio dr. Martius. O projeto, contudo, foi abandonado, não havendo indicações do porquê.

Se d. Pedro II respondeu à carta de 1865 enviada pelo meio-irmão, também não há indícios que esclareçam — ao menos não emergiram ainda dos arquivos. Infelizmente, em nenhum trecho dos diários de d. Pedro II é dito se ele se avistou com o irmão quando de sua visita aos Estados Unidos, em 1875. O único ponto de contato descoberto é Londres: em 1877, o livro de visitas do imperador acusa que ele recebeu, em 26 de agosto, o capitão de fragata Ernest de Saisset, irmão de Pedro Saisset.

Pedro Saisset faleceu em sua casa na Califórnia em 1902. Foi casado com Maria Palomares, com quem teve quatro filhos: Pierre, Ernest, Henrietta e Isabel. Dos quatro, somente Isabel se casou, e nenhum deles deixou descendente. Isabel, a última neta de d. Pedro na Califórnia, faleceu em 22 de abril de 1950, legando terrenos da família e toda a sua coleção de joias, arte e objetos pessoais à criação do Saisset Museum, sob a responsabilidade da Universidade de Santa Clara. O museu e as peças, sobretudo a coleção de pinturas feitas por seu irmão Ernest de Saisset, que estudara arte na tradicional *Académie Julian*, em Paris, seguem expostas até hoje.

Pedro Saisset.

Os filhos oficiais

O único filho que d. Pedro I teve com sua última esposa, a ex-imperatriz d. Amélia, foi uma menina nascida em Paris no final de 1831. Ela recebeu o nome de sua madrinha, a rainha Maria Amélia da França, e ficou conhecida pelo apelido de "princesa Flor". Mesmo passados anos desde a morte de d. Pedro, d. Amélia ainda lutava pelo reconhecimento da filha como princesa do Brasil. Tratava-se de uma questão de posição social, de *status*, que definiria o lugar da menina aos olhos da nobreza mundial. O assunto só foi solucionado após a maioridade de d. Pedro II.

A jovem e linda princesa — adjetivos que os retratos respaldam — teve um fim trágico que viria a aumentar os sofrimentos de d. Amélia: contraiu tuberculose, a mesma doença que matara seu pai. Apesar de todo o tratamento, ela não resistiu e faleceu na Ilha da Madeira aos 21 anos, em 4 de fevereiro de 1853.

A princesa Flor chegou a ficar noiva do grão-duque Maximiliano, irmão do imperador Francisco José da Áustria, ambos sobrinhos de d. Leopoldina e de d. Pedro I. A profunda dor causada pela morte da princesa levou Maximiliano a fazer uma peregrinação pelos locais onde d. Maria Amélia estivera. Em seu diário, ele deixou registrado que a morte da princesa significava o fim de alguém que parecia destinada a lhe dar tranquilidade e felicidade.

Maximiliano visitou o Brasil, onde conheceu os primos e se encantou com a única monarquia existente na América. Buscando, segundo ele, "por sobre as ondas do oceano um alívio que a Europa não pode mais dar à minha alma perturbada", encararia a louca aventura proposta por Napoleão III de se fazer imperador do México. D. Amélia, a imperatriz viúva que fizera herdeiro de seus bens na Baviera o homem que ela "ficaria feliz em ter como genro", teve que mudar suas disposições após a execução de Maximiliano em terras mexicanas. Ainda diante do pelotão de fuzilamento, o grão-duque pediu que a medalha da Virgem Maria que usava fosse enviada à imperatriz d. Amélia.

D. Amélia, que viveu enlutada toda a vida — pelo marido, pelo irmão e pela filha —, faleceu em Lisboa, no Palácio das Janelas Verdes, em 26 de janeiro de 1873. Seu corpo, embalsamado, encontra-se no Brasil, mais precisamente na Cripta Imperial, no Monumento da Independência.

Os filhos de d. Leopoldina

D. Maria da Glória

Nascida no Rio de Janeiro em 4 de abril de 1819, d. Maria da Glória assumiu o trono às vésperas da morte do pai. Um dos últimos atos de d. Pedro I foi conceder a mão de d. Maria II ao cunhado, o príncipe Augusto de Leuchtenberg, duque de Santa Cruz, a quem o ex-imperador também legou sua espada. O casamento ocorreria por procuração em Munique, no final de 1834, com o príncipe chegando a Lisboa em janeiro de 1835. Todavia, d. Maria e Augusto não ficariam casados por muito tempo.

O príncipe faleceu menos de três meses depois de sua chegada, em março de 1835, causando comoção popular em Lisboa e perseguição ao chefe do governo, o duque de Palmela, acusado de envenenar um membro da família real portuguesa. Segundo os pasquins e a boataria que tomou ares de revolta popular — o que fez com que a casa de Palmela chegasse a ser invadida —, o duque pretendia que a rainha se casasse com um filho seu, e por isso teria matado o príncipe Augusto.

Depois de dois casamentos fracassados — primeiro, com seu tio d. Miguel, que lhe tomara o trono; depois, com o príncipe Leuchtenberg —, d. Maria casou-se em 1836 com o príncipe Fernando de Saxe-Coburgo-Gotha, primo do príncipe Alberto, marido da rainha Vitória. D. Maria II e a rainha inglesa manteriam contato constante por meio de cartas.

O reinado de d. Maria II foi bastante tumultuado. O conflito entre liberais e conservadores foi uma constante. Diversas vezes foi a Carta Constitucional modificada, e nomes como Alexandre Herculano, entre outros, vieram a público se arrepender de haver combatido no Porto com o pai da rainha, devido à má condução dos negócios públicos.

D. Maria II faleceu em 15 de novembro de 1853, aos 34 anos, em consequência do parto do seu 11º filho. Estava nos braços de sua madrasta, a imperatriz d. Amélia.

D. Maria II com o príncipe herdeiro do trono português, em 1837.

D. Januária

Nascida em 11 de março de 1822, logo após o Dia do Fico, d. Januária recebeu seu nome em homenagem à cidade do Rio de Janeiro, ficando conhecida como "a princesa da independência". Em agosto de 1836, fez seu juramento solene como princesa imperial do Brasil e herdeira do trono, permanecendo assim reconhecida até o nascimento do primeiro filho de d. Pedro II. Casou-se aos 22 anos, em abril de 1844, com o conde de Áquila, irmão da esposa de d. Pedro II.

D. Pedro II, à época do casamento de d. Januária, foi assim descrito pelo embaixador austríaco no Rio de Janeiro:

> Ele tem um bom coração, é estudioso, aplicado e moral, mas devido à direção errada de sua educação, suas maneiras não são nem graciosas nem amáveis. Ele é suspeitoso, sombrio, reservado e tem a vida a mais retraída [...].

O esposo de d. Januária, por outro lado, buscava

> levar a vida o mais alegre possível. Popular por suas maneiras afáveis e graciosas, e pelas boas relações em que vive com a princesa Januária, tão justamente adorada por todos quantos têm a honra de a aproximar, sua posição teria sido fácil se, habituado aos usos europeus, ele não se tivesse chocado com as maneiras do Imperador, do Paço e dos Ministros, e se tivesse conseguido vencer uma susceptibilidade bem natural de parte de um Príncipe educado numa corte europeia.[20]

Logo, d. Pedro II, com dezenove anos, deixaria de se entender com o cunhado. O mordomo do Paço Imperial, Paulo Barbosa, alimentando a intriga, passou a levantar suspeitas com relação a d. Januária e o esposo. Em breve, rumores de um golpe palaciano, em que d. Pedro II seria destituído pela irmã, chegaram até as ruas do Rio de Janeiro, a ponto de o embaixador austríaco pedir a Metternich instruções a respeito do que deveria fazer se isso efetivamente ocorresse: seguir com d. Pedro II para o exílio ou permanecer no Brasil, ao lado da nova Habsburgo no trono?

O mal-estar entre d. Pedro e o casal assumiu tão grandes proporções que o imperador optou por não convidar a irmã e o cunhado para a comemoração de seu aniversário de casamento. No fim, d. Januária, cansada das humilhações e de ver seus amigos e criados destituídos indiscriminadamente de suas posições na corte, alegou estar doente e precisar ir para a Europa se tratar. Como herdeira do trono, a situação era melindrosa, e necessitava-se da aprovação da Assembleia. D. Pedro II tergiversou o quanto pôde, até receber um ultimato do cunhado; então, decidiu ceder.

Princesa d. Januária, condessa de Áquila, com dois de seus filhos:
Luís (ao centro) e Filipe (ao lado).

O casal partiu para a Europa em outubro de 1844. Em 1845, com o nascimento do primeiro filho de d. Pedro II, d. Afonso, d. Januária deixou de ser a principal herdeira do trono e estabeleceu-se definitivamente na Europa com o marido. Sua vida não foi das mais felizes: o duque de Ávila gastava a fortuna que não tinha e causou problemas financeiros ao casal, que mais de uma vez foi ajudado tanto por d. Pedro II quanto por d. Amélia. D. Januária teve quatro filhos e faleceu em Nice, França, em 1901, sendo a única dos irmãos a chegar ao século XX.

Dos filhos de d. Januária, vale especial menção Filipe de Bourbon (1847-1922). O príncipe era irriquieto como o avô d. Pedro, e por conta disso a mãe, esgotadas todas as tentativas de tentar educá-lo, pediu ajuda ao irmão, d. Pedro II. O rapaz foi mandado ao Brasil, onde, em 1869, assentou praça como cadete na Escola Militar. Para desespero do tio imperador, porém, foi no país tão insubmisso quanto na Europa, a ponto de d. Pedro retirá-lo do paço para que não influenciasse de maneira negativa os netos. Ele chegou a escandalizar a princesa Isabel ao afirmar categoricamente que não acreditava em Deus.[21]

D. Paula Mariana

D. Paula Mariana nasceu em 17 de fevereiro de 1823, sendo pelos pais batizada em homenagem a São Paulo e Minas Gerais. Faleceu às vésperas de completar 10 anos. Graças à sua curta vida, que passou praticamente toda enferma, seus irmãos apelidaram-na de "Santinha".

Sempre buscando a melhora da filha, d. Pedro chegou a cogitar enviá-la para tratamento na Europa, mas acabou por abandonar o projeto. Na incessante busca por "melhores ares", o imperador levava-a periodicamente para a região serrana do Rio de Janeiro, de clima ameno e mais saudável. Por conta disso, acabou adquirindo a fazenda do Córrego Seco, onde d. Pedro II ergueria futuramente a cidade de Petrópolis.

D. Paula, assim como desejou seu pai, foi sepultada junto à mãe no Convento de Ajuda. Com a demolição do edifício no início do século XX, os corpos dos membros da casa imperial que lá se encontravam foram transferidos para o convento de Santo Antônio, no largo da Carioca, onde estão até hoje, com exceção do de d. Leopoldina, transferido em 1954 para a Cripta Imperial, no Monumento da Independência, em São Paulo.

D. Francisca

Nasceu em agosto de 1824, e seu nome foi uma homenagem à Comarca do Rio São Francisco, separada de Pernambuco por decreto de d. Pedro I e anexada a Minas Gerais em julho de 1824, sendo três anos depois incorporada à Bahia. Essa retaliação de parte de Pernambuco foi uma das consequências da Confederação do Equador.

Em 1838, aportava no Rio de Janeiro o navio *Hércules*, trazendo a bordo Francisco, príncipe de Joinville, terceiro filho do rei Luís Filipe da França. Francisco conhecera d. Pedro I e ao lado dele cavalgara, em 1831, pelos Champs-Elysées, durante as comemorações do aniversário da Revolução de 1830. No Brasil, conheceu d. Pedro II e as irmãs e participou da insípida vida da corte, até que resolveu partir para expedições em Minas e Espírito Santo. Convivendo com d. Januária e d. Francisca, encantara-se pela "Chica", nome por que era conhecida na família. Em 1843, retornou ao Brasil como comandante da fragata *Belle Poule*, que anos antes levara o corpo de Napoleão da Ilha de Santa Helena a Paris, para ser enterrado.

Casou-se com d. Francisca em 1º de maio de 1843, na capela do Palácio de São Cristóvão. Como presente de casamento, os noivos receberam do rei Luís Filipe um cofre de joias confeccionado pela Real Manufatura de Sèvres em bronze, esmalte e placas de porcelana; nele, estão retratadas cenas da vida e dos feitos navais do príncipe. A peça está atualmente exposta no Museu Imperial, em Petrópolis. Além do dote de mais de setecentos contos de réis, uma fortuna para a época, a princesa

d. Francisca também recebeu aproximadamente 25 léguas quadradas ao nordeste da província de Santa Catarina, à margem esquerda do rio Cachoeira. Futuramente, com a deposição do sogro, em 1848, do trono da França, d. Francisca e seu marido negociariam suas terras no Brasil com a Companhia Colonizadora Alemã. Nascia, assim, a Colônia Dona Francisca, que deu origem à cidade de Joinville.

Seu porte, sua educação e suas maneiras garantiram o sucesso de d. Francisca na corte francesa, que a apelidou de "La Belle Françoise". No exílio, dedicou-se aos filhos e ao marido. Nunca se esquecendo do Brasil, manteve intensa correspondência com d. Pedro II, até mesmo admoestando-o a tratar com severidade o nascente partido republicano. Durante a Guerra Civil norte-americana, o inquieto príncipe de Joinville, junto com os filhos e dois sobrinhos, partiu para os Estados Unidos a fim de se colocar à disposição da causa da União contra os Confederados.

D. Francisca faleceu em Paris, na França, em 1898.

D. Francisca, princesa de Joinville, por volta dos 56 anos.

D. Pedro II

O conde de Gestas, em ofício enviado em 1827 ao ministro do Exterior da França, disse sobre o futuro d. Pedro II:

> Fui [...] recebido pelo imperador depois de jantar e rodeado pelos filhos. Pude ainda admirar a robustez da Rainha de Portugal e a do pequeno Príncipe Imperial

que, tendo apenas dois anos, corre, grita, e compreende o francês e, entretanto ainda mama.

Segundo o historiador José Murilo de Carvalho, biógrafo de d. Pedro II,[22] o último imperador do Brasil, apesar de não conviver com a mãe, assemelhava-se mais a ela do que ao pai, o que demonstra que a insistência e a pressão de d. Pedro I para que os filhos estudassem deram resultado — e talvez até mais do que o desejado.

A neta de d. Pedro I, a princesa d. Isabel, se sentiria sufocada no que apelidou de "Convento de São Cristóvão", em lugar de palácio. Seu pai, que passara toda a infância praticamente recluso, sem contato com nenhum brilho, mesmo que opaco, das festas de uma corte imperial, se dedicaria sempre ao Brasil e aos estudos. Até nos momentos de lazer estudava, realizando ditados em grego e latim para suas duas filhas, d. Isabel e d. Leopoldina.

Segundo José Murilo de Carvalho:

> D. Pedro I era comandado por emoções, às vezes contraditórias, a que não aprendera a impor barreira alguma. Era impulsivo, romântico, autoritário, ambicioso, generoso, grosseiro, sedutor. Era capaz de grandes ódios e grandes amores. D. Pedro II foi educado para não se parecer com o pai. Ensinaram-lhe a controlar ódios e amores, a ser contido, racional, equilibrado, previsível.[23]

Entretanto, era só o verniz de d. Pedro II que era mais grosso que o do pai e não lascava facilmente. Por baixo de toda educação, polidez e cultura, moviam-no as mesmas paixões. Ele talvez tenha perdido para o progenitor em número de amantes e de filhos, legítimos ou não. Entretanto, sua fogosidade com as amantes, mais bem ocultadas que as do seu pai, também deixou registros. Assim como o pai, d. Pedro II também teve uma favorita, a condessa de Barral. É verdade que o caso foi tratado de maneira muito mais discreta que aquele de d. Pedro I com a marquesa de Santos, mas não é menos verdadeiro o fato de que a esposa de d. Pedro II, a imperatriz d. Tereza Cristina, se viu obrigada a conviver com a condessa dentro da própria casa, onde trabalhava como preceptora das princesas imperiais.

D. Pedro II foi declarado maior de idade pela Assembleia brasileira em julho de 1840, aos 14 anos. Tratou-se do chamado Golpe da Maioridade, que derrubou a regência do partido conservador. Novamente, os dois irmãos Andrada ainda vivos, Antônio Carlos e Martim Francisco, estiveram envolvidos no processo, assim como o Partido Liberal e o Clube da Maioridade. Eles achavam que a figura de um soberano governando a nação no lugar de uma rotação de regentes, cada qual de um partido político distinto, transmitiria segurança e continuidade, além de voltar a integrar todo o território nacional, ainda envolto nas revoluções secessionistas da era regencial.

D. Pedro II reinou no Brasil por 58 anos, desde a abdicação do pai, em 7 de abril de 1831, até o golpe militar que instituiu a república brasileira, em 15 de novembro de 1889; com os negócios de Estado, lidou diretamente de 1840 até 1889. Sua filha e princesa herdeira do Brasil, d. Isabel, assumiria a regência brasileira nos diversos períodos em que se ausentou o pai, a exemplo do que fizera anteriormente sua avó, d. Leopoldina.

As viagens de d. Pedro pelo mundo tinham mais caráter particular do que efetivamente de Estado. Sua intensa sede de conhecimento o levou ao Egito, à Terra Santa, a São Petersburgo e a diversas capitais da Europa, bem como aos Estados Unidos. Guardada no Arquivo Histórico do Museu Imperial, em Petrópolis, sua correspondência revela, assim como seus diários, uma pessoa interessada em tudo o que ocorria em seu tempo. Foi amigo e correspondente de personalidades mundiais, como os escritores Victor Hugo, Alessandro Manzoni e Alexandre Herculano, os cientistas Alfred Nobel e Louis Pasteur, a quem d. Pedro II apoiou financeiramente, e o compositor Richard Wagner, entre diversos outros — incluindo o conde de Gobineau, um dos responsáveis pelo mito da raça superior.

Em 1876, d. Pedro seguiu para os Estados Unidos. Foi o único chefe de Estado presente às comemorações do centenário da independência daquele país. Lá, visitou e participou do júri da Exposição Universal na Filadélfia, em que diversos inventos eram demonstrados, entre eles o telefone de Graham Bell. D. Pedro já conhecera o inventor anteriormente, devido a seu interesse pelo método de ensino de surdos-mudos desenvolvido pela família de Bell, que tinha tradição em corrigir a fala e treinar portadores de deficiência auditiva. Foi graças à intervenção do imperador que o inventor pôde apresentar pessoalmente seu invento, o telefone. O júri estava pronto para postergar, para o dia seguinte, a verificação do aparelho, mas Alexander tinha que partir para Boston e não estaria presente quando de sua análise. D. Pedro interveio e salvou o dia de Bell, garantindo-lhe o reconhecimento mundial.

Após sua deposição, em 15 de novembro de 1889, no aniversário de 36 anos da morte da irmã, d. Maria II, d. Pedro II partiu para o exílio na Europa, vindo a falecer em Paris aos 66 anos, no mês de dezembro de 1891. A República da França, afrontando o governo republicano brasileiro e convencendo a princesa d. Isabel, que desejava uma cerimônia familiar, realizou um funeral de Estado para o ex-imperador brasileiro.

Pela Paris em que d. Pedro I cavalgara sessenta anos antes, ao lado do rei Luís Filipe, passou com todas as pompas o carro fúnebre de seu filho, d. Pedro II.

Além de membros da família imperial brasileira, estiveram presentes os ex-reis da Espanha e Duas Sicílias, assim como o conde de Paris, herdeiro do trono francês, diversos nobres e representantes da realeza europeia, o governo francês e grandes intelectuais do período. Todos prestaram respeitos ao ex-imperador na Igreja de la Madeleine, onde o corpo foi velado. Oitenta mil soldados do exército francês, todos em uniforme de gala, honraram o ex-imperador brasileiro, enquanto os cavalos, as bandas militares e as bandeiras ostentavam sinais de luto.

Apesar da chuva e da baixa temperatura, uma multidão de cerca de 300 mil pessoas acompanhou o féretro em direção à estação de trem, de onde o corpo seguiria para ser sepultado, junto da esposa, do pai, da irmã e dos avós, no Panteão de São Vicente de Fora, em Lisboa.

O jornal norte-americano *New York Times*, comentando o falecimento de d. Pedro II, afirmou que ele fora "o mais ilustrado monarca do século" e que o governante tornara o "Brasil tão livre quanto uma monarquia pode ser". D. Pedro I sabia, em sua época, que nenhum governante, brasileiro ou não, deveria jactar-se de sua ignorância. Tinha consciência da sua e da limitação que ela lhe impunha — talvez mais psicologicamente do que na prática. O primeiro imperador brasileiro certamente teria orgulho de seu herdeiro.

Estátua equestre de d. Pedro, inaugurada em 1866. Encontra-se no Porto, mais especificamente na praça Liberdade.

Últimas palavras

A última carta de d. Pedro aos brasileiros

UM MISTÉRIO ainda ronda o dr. Tavares, médico que assistiu d. Pedro até o final de sua vida: teria sido ele quem recebeu do ex-imperador o ditado de uma carta aos brasileiros? A missiva, impressa no Rio de Janeiro, em 1835, pela Tipografia Fluminense de Brito & Cia., veio a público sob o título: "Carta Póstuma de d. Pedro, duque de Bragança, aos Brasileiros". A ele, seguiam-se os dizeres: "a qual foi remetida pelo doutor T...". No início da carta, d. Pedro explica que todos a sua volta dormiam, exaustos por velarem sua cabeceira; o único que restava acordado, e que choraria copiosamente ao tomar nota de suas palavras, era um amigo fiel. Logo após a introdução, o imperador lança-se aos antigos súditos da pátria que adotara de coração.

> Uma irresistível simpatia, uma saudade sem par, me chama para vós Brasileiros! Eu sou vosso patrício, vosso patrício por escolha, por adoção, por voluntária decisão de alma embora nascesse eu em Portugal, é no Brasil que eu nasci ao sentimento de mim mesmo, é no Brasil, sob o benigno céu, seu sol resplandecente, no seio da sua virginal e incomparável natureza, que minha juventude floresceu, e que a vida com os seus mistérios, a mocidade com os seus encantos, se manifestaram a minha alma; é no Brasil que eu fui filho, esposo, pai, cidadão, soberano, legislador, fundador de um império! [...] Meu estado não me consente escrever [...].

> Já estou quite com Portugal. Paguei plenamente a dívida que contratei com o meu nascimento; regenerei suas instituições; dei-lhe uma Constituição e duas vezes a liberdade, e por ele morro na flor dos meus anos. Mas convosco, Brasileiros, a minha consciência não me outorga tão satisfatório testemunho. Terei cumprido com todos os deveres de Fundador do Império: Mas, o foro interior me acusa de ter parado na metade da tarefa. Sem dúvida eu vos suavizei o caminho da independência; eu vos salvei da horrenda anarquia que devora vossos vizinhos; eu vos dei um pacto social concorde com a vossa civilização [...]; porém não era bastante redigir e promulgar esta constituição; preciso fora dar-lhe o indispensável andamento promulgando previa ou simultaneamente todas as leis orgânicas e códigos de que ainda em parte careceis depois de doze anos [...].
>
> [...] Com a constituição que eu dera cuidei que tudo estava feito e que podia descansar sob a sua égide à moda dos reis que nasceram em tão feliz posição: era pedir sombra à arvore apenas plantada e que anda não criara raízes e folhagens.
>
> [...] As preocupações do nascimento, a falta de educação e de experiência, as alucinações da juventude sequiosa de delícias, e prazeres, a falaciosa linguagem dos cortesães da diplomacia, a falta de moral e pouca esfera dos meus primeiros conselheiros, tudo me desviou da estrada de glória e do liberalismo em que de entrada me lançara com entusiasmo e candura [...].
>
> Embora [...] me tenham indigitado como inimigo do Brasil, embora me tenham acusado de aspirar à tirania. Eu tirano? Brasileiros! Nenhum de vós, no fundo de sua alma, o tem acreditado. Quem vos deu a Independência e a Constituição, que não sacrificou vida, usurpou propriedade, ou violou lei alguma no decurso de mais de cinco anos em que a ditadura de fato esteve nas suas mãos, acaso mereceu o oprobrioso título de tirano? Eu inimigo do Brasil? Quem vendo a sua administração desmoronada, e perdendo as esperanças de fazer a vossa felicidade preferiu abdicar, a fazer correr sangue para sustentar a sua autoridade, nunca foi vosso inimigo, a quem oferecendo-se em holocausto, no momento de se exilar para outro hemisfério, confiou a vós aquilo que tinha de mais caro [...], todos os filhos que gerara, quatro anjos encantadores, que seus olhos mortais jamais haverão de tornar a ver, seus braços jamais haverão de estreitar, este decerto não vos havia perdido nem a afeição, nem a confiança nas vossas virtudes, e no amor excessivo que outrora lhe havíeis consagrado.

Ao longo da carta, d. Pedro fala de política e diz que nunca fora sua intenção, resolvidos os negócios portugueses, retornar ao Brasil e virar regente do filho. Também toca em uma questão que sempre lhe fora particularmente cara — a abolição da escravidão:

> Não posso deixar de vos dirigir uma advertência acerca da escravidão dos negros. A escravidão é um mal e um atentado contra os direitos e a dignidade da espécie humana, mas as suas consequências são menos danosas aos que padecem o cativeiro do que à nação, cuja legislação admite a escravatura, é um cancro que devora sua moralidade. Porém esta praga, quando herdada das gerações anteriores, quando afiançada pelas leis, quando complicada com os misteres da produção, não pode ser sanada violentamente, sem que a existência social perigue. Só quando o trabalho livre for mais barato que o cativo a escravidão findará de per si. Esforçai-vos pois para avançar este desejado resultado, promovendo pelos meios apropriados, e sobretudo pelos melhoramentos materiais das vias de comunicação a população dos homens livres.

Em seguida, faz ele um apanhado dos partidos e políticos proeminentes no Brasil, concluindo:

> Brasileiros! Eu deixo meu coração à heroica Cidade do Porto, teatro da minha verdadeira glória, e o resto do meu despojo mortal à cidade de Lisboa, lugar da minha nascença: porém vós possuís a relíquia mais preciosa, a emanação vivente do meu ser, meu filho! Meu filho único! Brasileiro não pode estimar em demasia este caro penhor [...] Com esta dádiva eu resgatei tudo quanto deixei de cumprir convosco do excelso dever [...] Meu Deus! a tua benção permaneça eternamente sobre os Brasileiros e meu Filho.
>
> Paço de Queluz, às 4 horas da madrugada de 23 de setembro de 1834.

Essa carta pode ser questionada — como qualquer outra. Teria realmente d. Pedro ditado a mensagem, cerca de 34 horas antes de morrer? Trata-se de uma missiva longa demais para ser ditada por alguém cujo pulmão entrava em colapso. De todo modo, d. Pedro nunca primou por fazer o que realmente esperavam dele, nunca deixou de se arriscar até o fim; teimoso, faria o que queria e como queria.

As ideias contidas nessa última carta[24] fazem eco a outros pensamentos de d. Pedro, também mencionados nesta obra, que vieram à luz mediante trechos escritos por seu próprio punho. Embora pouco recomendável, não seria improvável que o ex-imperador dedicasse suas últimas forças a uma longa carta, no intuito de esclarecer possíveis mal-entendidos a respeito de atos que poderiam comprometer sua imagem para a posteridade.

Estátua equestre de d. Pedro I inaugurada em 1862. Localiza-se na atual praça Tiradentes, no centro da cidade do Rio de Janeiro.

O imperador nu

Independentemente da tentativa de se explicar, os atos e intenções de d. Pedro continuam sendo julgados, até hoje, de maneiras tão contraditórias quanto ele. O país que, desde o centenário da Independência, em 1922, buscava trazer seu corpo é o mesmo que tenta apagar hoje um passado imperial, no qual mulheres ocuparam o posto máximo da liderança brasileira. Mesmo se nos limitarmos ao âmbito do patrimônio histórico, o trabalho da arqueóloga Valdirene Ambiel, que em 2012 buscou a preservação dos restos mortais dos imperadores do Brasil, já evidencia o estado de negligência em que se encontrava o sepulcro deles. Havia até mesmo o risco de ruir o sarcófago de granito em que d. Pedro estava depositado, transformando literalmente em pó os restos mortais do imperador.

Sempre recordarei o ambiente impregnado com o cheiro de urina que vinha do lado de fora das antigas portas de bronze da cripta imperial, que hoje servem de mictório público. O mesmo país que trouxera o corpo de d. Pedro o trata hoje como refugo. O líder que soube abrir mão do Brasil e das demais coroas que lhe foram oferecidas também chegou a perder a Constituição — aquela de bronze — que jazia sobre o seu sarcófago, roubada em plena luz do dia.

Bertold Brecht escreveu: “Miserável país aquele que não tem heróis. Miserável país aquele que precisa de heróis.” Aparentemente, o Brasil encontra-se no limite entre os dois tipos de países miseráveis a que o dramaturgo alemão se refere. Os brasileiros têm o hábito de jogar quem se destaca na lata de lixo da história nacional; ao mesmo tempo, de lá retiram homens e mulheres limpos e brilhantes quando de alguma necessidade política ou quando é preciso reafirmar algo tão vazio quanto efêmero.

Com o passar do tempo, d. Pedro foi transformado, no Brasil, em personagem mais digno das antigas pornochanchadas. Não se trata mais de alguém que possa servir de exemplo ou lição para algo mais profundo do que saber que o quadro *Independência ou morte* retrata uma cena falsa, afinal o ex-imperador não foi retratado nele com desarranjo intestinal. Mesmo em Portugal ele está longe de ser uma unanimidade. O atual chefe da Casa de Bragança, descendente por parte de pai de d. Miguel e por parte de mãe de d. Pedro, chegou a questionar num documentário televisivo o que d. Pedro tinha ido fazer no país.

Se hoje não se sabe ao certo o que fazemos com a memória de d. Pedro, já na época de sua morte alguns indícios nos levam a crer que, em Portugal, ele poderia se tornar alguém indesejado. O marquês de Fronteira recordou que, ao terminar o sepultamento do duque de Bragança, em 1834,

> um deputado, que estava a meu lado e cujo nome não mencionarei, apesar de ter já falecido, quis resignar-se e resignar-me, dizendo-me: O imperador morreu quando devia. Eu respondi-lhe que Deus sabia quando ele devia morrer, mas que nós, soldados do Exército Libertador, sabíamos quando ele tinha querido morrer, que fora nas linhas do Porto e de Lisboa, expondo diariamente a sua vida pelos direitos da filha e pela liberdade da pátria.
>
> O deputado era da oposição; não era tolo nem mau, mas o mundo é assim.

Sendo ou não da oposição, como afirmou Fronteira, a realidade é que o deputado pode ter antevisto uma verdade. D. Pedro era, como toda a sua vida demonstrara, um homem de começos; era o braço forte que, do gesto grandiloquente da Independência àquele de abrir com a própria pá uma trincheira, nada temia, nada poupava — nem a saúde, nem a saudade dos filhos. Enfim, ele soube sacrificar-se para transformar as palavras gastas nas Assembleias em verbos de ação. D. Pedro seria, nas palavras de Martin Luther King, o homem digno de viver, pois esteve disposto como ninguém a morrer por uma causa.

Ansioso por glórias como d. Sebastião, o primeiro imperador brasileiro abraçava causas ciente de sua importância e da construção de sua imagem para as próximas gerações. Sua letra denuncia-o. Quando a carta ou o bilhete não tinha importância, era displicente, descuidado com a ortografia e a caligrafia. Quando, porém, sabia que redigia algo que seria visto por várias pessoas — e antevendo até mesmo a posteridade —, sua letra mostrava-se impecável, do que dá mostras, por exemplo, a carta escrita à filha d. Maria II em 11 de julho de 1832, na qual informa que a cidade do Porto fora tomada.[25]

Por outro lado, sendo homem de tantas iniciativas, ele tinha pouca ou nenhuma paciência. Não era a pessoa mais pacífica e cordata para continuar uma obra que exigiria equilíbrio, manobras políticas, negociações demoradas, tato e refinamento. Como bem recordou Napier:

> Tendo tomado uma resolução era firme e determinado, até mesmo obstinado; só a última extremidade o poderia ter induzido a abandonar a luta. Era mais facilmente inflamado com os bons sucessos, do que abatido pela adversidade; era franco e segundo julgo sincero, e o aborrecia tanto a intriga quanto a mentira. Era mau político e príncipe inexperto, porque, se não gostava de um indivíduo, não se dava ao trabalho de ocultar.
>
> Não perdoava facilmente aos seus inimigos, mas não era cruel para com eles, nem era muito benigno para com os seus amigos.
>
> Para fazer o resumo do seu caráter, as suas boas qualidades eram propriamente suas; as más, devidas à falta de educação; e homem nenhum conhecia mais esse defeito do que ele próprio.

Viver a vida nos torna conscientes de nosso caráter. À medida que prosseguimos em nossa trajetória e história, à medida que criamos o nosso caminho, temos cada vez mais consciência de nós mesmos, de nossas virtudes e falhas. "A fruta é fina, posto que a casca seja grossa", disse d. Pedro de si próprio. Por isso, insistiria tanto na educação dos filhos; ele via a falha em si — era-lhe um fardo pesado confiar no que julgava ser mera sorte, como desabafou a d. Maria II: "[...] O efeito de não ter recebido uma educação conveniente eu tenho sentido, tudo que tenho feito tem sido porque Deus me tem favorecido [...]."

Como um dos elementos mais observadores da transição entre o absolutismo e o liberalismo, d. Pedro aprendeu por si próprio que o lugar de ninguém estava garantido pelo nascimento, mas somente por merecimento próprio. O estudo e o preparo eram imprescindíveis.

Não pensava assim somente em relação aos filhos. Afinal, no artigo 179, parágrafo 23, da Constituição que legou ao Brasil, ele dispôs sobre a instrução primária gratuita a todos, independentemente de cor, religião, credo ou posição social. Essa mesma Carta declarava que competia às Assembleias locais, e não ao imperador ou ao Executivo, legislar sobre a instrução pública, seus estabelecimentos e os meios próprios para promovê-los, o que explicaria, em parte, a falta de iniciativa provincial nesse âmbito. O oposto ocorreria com as faculdades de Medicina, os cursos jurídicos e as demais Academias, que estavam subordinados à esfera do Executivo nacional e efetivamente funcionavam.

É interessante, ainda, notar que antagonistas seus, como Evaristo da Veiga, não pouparam elogios a d. Pedro, colocando em sua conta fatos benignos para o Brasil. A unidade territorial é um exemplo: "Se existimos como corpo de Nação livre, se a nossa terra não foi retalhada em pequenas repúblicas inimigas, aonde só dominasse a anarquia e o espírito militar, devemo-lo muito à resolução que ele tomou de ficar entre nós." Até mesmo um republicano como o deputado baiano Antônio Ferreira França levantou-se para defender d. Pedro, declarando ser obrigação do Brasil recebê-lo de volta caso o ex-imperador quisesse retornar sem intenção de antagonizar a nação.

Em sua conta, também deve ser creditada a transição do absolutismo ao liberalismo e ao regime constitucional, que teve nele seu principal protagonista e defensor. Se é verdade que se deve muito à elite brasileira formada em Coimbra o crédito da formação do Brasil como corpo livre e independente, foi sob o comando de d. Pedro que essas mudanças ocorreram, motivadas por sua vontade, guiada pelas novas ideias políticas do século XIX a que abraçara.

Graças à exacerbada sexualidade de d. Pedro — cuja motivação talvez viesse do tipo de epilepsia de que sofria —, não faltaram elementos que levassem a compará-lo a um ogro devorador de donzelas. Suas inúmeras conquistas sexuais, bem como sua relação ambígua com as esposas e as amantes, evidenciaram aspectos contraditórios inerentes à própria humanidade do príncipe. Soma-se a esse aspecto o ideal, o chamado à causa liberal, até mesmo como uma forma de sobrevivência e de se atualizar aos novos tempos. Para os mais cínicos, a defesa da nova política por parte de d. Pedro nada mais era que a tentativa de perpetuar não somente a si, mas a própria família no poder; para os mais crédulos, podemos ter um vislumbre, por meio desses mesmos ideais, de como ele percebia e acreditava que a vida deveria realmente ser.

A riqueza de uma personalidade como a de d. Pedro se revela nas inúmeras faces que nos demonstrou. Como homem íntegro e inteiro, alguém que não mandava recados, fez-se e reinventou-se diversas vezes, conforme as necessidades. Isso traz à tona uma verdade imutável e de difícil aceitação: como esse homem, repleto de sérios defeitos morais e contradições políticas, pode ter seu nome ligado a grandes passagens da história do liberalismo mundial? O que incomoda na imagem de d. Pedro é sua aflorada humanidade. Raramente a vida, na concepção consciente que temos dela, corresponde ao que de fato é: um emaranhado resultado das ambivalências próprias dos seres humanos. Um personagem como d. Pedro enfatiza bem essas idiossincrasias que a maioria disfarça e que são tão despudorada e afrontadoramente lançadas diante de todos os que se ocuparam da figura dele; que em cartas para uma amante e para José Bonifácio não teve pudor nenhum em começar com: "Nu em pelo respondo."

Alegoria que mostra d. Pedro no céu enquanto Portugal o chora.

Anexo

D. Pedro I – Imperador do Brasil: doença e morte

AO CONTRÁRIO da morte de sua primeira esposa, d. Leopoldina da Áustria, primeira imperatriz do Brasil, que sempre esteve envolta numa aura de especulações, rumores e informações contraditórias, a causa da morte precoce (dezoito dias antes de completar 36 anos) de d. Pedro, primeiro imperador do Brasil, parece-nos ser bastante mais consensual.

D. Pedro (Pedro de Alcântara Francisco António João Carlos Xavier de Paula Miguel Rafael Joaquim José Gonzaga Pascoal Cipriano Serafim de Bragança e Bourbon) é sempre referido como I do Brasil ou IV de Portugal. Apesar de estar historicamente correto, é bom recordar que governou com o título de rei de Portugal e dos Algarves apenas escassos dias, entre a morte de seu pai, o rei d. João VI (1767-1826), e o dia em que outorgou uma constituição a Portugal (muito semelhante à brasileira) e abdicou de seus direitos em favor da filha, d. Maria da Glória, futura rainha d. Maria II.

Existem três biografias de grande qualidade que nos dão a informação necessária para a determinação da causa de morte de d. Pedro. Na de Paulo Rezzutti,[1] podemos encontrar vários relatos que começam a dar pistas muito claras sobre a doença de d. Pedro:

- Em novembro, ao passar pela cidade de Almada, o duque de Bragança [D. Pedro] apanhou um resfriado que rapidamente evoluiu para uma forte bronquite, seguida de febre e falta de ar. Nem bem havia se restabelecido, partiu para junto de Saldanha no Cartaxo, onde teve uma recaída. A febre e a falta de ar pioraram, e pela primeira vez foi notado sangue no seu catarro.
- Em dezembro, vendo-se obrigado a retornar a Cartaxo, d. Pedro sofreu lá um "considerável ataque de sufocação, simulando asthma [asma], e com grande cópia de salivação sanguínea".
- A 27 de maio de 1834, no Teatro São Carlos, em que d. Pedro foi vaiado por causa do tratado de Évora-Monte,

> tremendo e com falta de ar, d. Pedro, tentando ainda chamar a multidão à ordem, foi acometido de um violento ataque de tosse e levou o lenço à boca, quando uma onda de sangue vermelho e espumoso manchou-o por inteiro.

- Em 8 de julho, segundo aniversário do desembarque no Porto, d. Pedro, d. Amélia [D. Amélia de Leuchtenberg, segunda esposa de d. Pedro] e a rainha d. Maria II foram a Lisboa para a celebração oficial da data. A corte inteira notou a extrema palidez, a tosse constante, o nariz afilado e os olhos fundos de d. Pedro.
- Dr. Tavares, seu médico, preocupado com a viagem, notou que d. Pedro, depois de uma aparente melhora, estava tendo uma recaída [...] Em 2 de agosto, ao retornar a Queluz, d. Pedro teve um novo ataque.
- D. Pedro, confirmado como regente, e com os boletins médicos disfarçando o seu real e preocupante estado de saúde, decidiu partir para o Palácio da Ajuda. Tratava-se de uma estratégia. Já que teria que prestar juramento público ao assumir oficialmente como regente, que fosse num lugar que tivesse amplos salões para receber a corte e os deputados e menos escadas. Ele já não tinha condições físicas para subir a escadaria do antigo mosteiro de São Bento, onde as cortes se reuniam [atual Assembleia da República Portuguesa].
- Uma nova crise de falta de ar se seguiu ainda no Palácio da Ajuda, de onde os boletins médicos continuavam ocultando a verdade: d. Pedro, tuberculoso, estava morrendo.

- D. Pedro decidiu voltar à terra, ao palácio, ao quarto e à cama em que viera ao mundo. Em 10 de setembro, intalava-se derradeiramente em Queluz, mais especificamente no quarto Dom Quixote, de onde não sairia mais com vida.
- Suas forças esvaíam-se, sua respiração era cada vez mais difícil.
- "[...] A enfermidade [...] data do Porto. Pela autópsia do corpo, viu-se que o pulmão direito estava cheio de água [certamente derrame pleural], que pesava mais de 2 litros, e o esquerdo não [existia?]. O coração estava dilatado."

Na biografia de Eugénio dos Santos,[2] docente da Universidade do Porto, podemos igualmente encontrar informações úteis acerca da doença e morte de d. Pedro.

- Nunca ele fora saudável, robusto, capaz de resistir às arremetidas do tempo. Além de epiléptico, de deficiências renais, vomitava com alguma frequência, partira as costelas em sucessivas quedas de cavalo e alimentava-se parcamente... O cerco do Porto causara-lhe numerosas moléstias, de que resultaram febres, tosse permanente, edemas nas pernas e nos pés, insônias. Sentia-se debilitado e cada vez com menos forças. Respirava com dificuldade.
- [...] Sentia-se esmaecer progressivamente e, ao voltar à capital, terá exclamado: "Adeus Porto, nunca mais te verei". Piorava constantemente. Perdera cor da pele do rosto, as mãos emagreciam e esbranquiçavam-se, os olhos afundavam-se nas faces e a barba negra quase lhe escondia a silhueta.
- Anunciada a sua morte, procedeu-se à autópsia. Por ela se soube que o seu organismo estava todo minado de mazelas. Não havia partes intactas ou imunes à usura do tempo.

E, finalmente, na biografia de d. Maria II de Maria de Fátima Bonifácio,[3] docente da Universidade Nova de Lisboa, pode-se ler: "Nas semanas seguintes, assistiu ao agravamento da doença de d. Pedro, uma tuberculose contraída durante o cerco do Porto".

Além das biografias mencionadas, tivemos ainda acesso ao Arquivo Almeida,[4] onde estão descritos os tratamentos feitos a d. Pedro. Graças a essa documentação, ficamos a saber a respeito dos constantes relatórios clínicos, com a terapêutica preconizada por cada um dos seis médicos, aparentemente sob a supervisão do dr. Tavares, que os assina todos.

Pelas datas, percebemos que essa fase de tratamento se desenrolou ainda no Palácio da Ajuda, e apenas no relatório do dia 9 de setembro de 1834 abordou-se a conveniência da transferência para o Palácio de Queluz, onde, como é sabido, d. Pedro veio a falecer.

Os principais medicamentos administrados a d. Pedro foram:

- Diuréticos, provavelmente para o "edema do pulmão" diagnosticado pelo dr. Almeida. D. Pedro tinha um volumoso derrame pleural (algo muito habitual na tuberculose pulmonar), como foi constatado na autópsia.
- Mercúrio, associado no imaginário coletivo ao tratamento da sífilis, mas também muito utilizado como cicatrizante, anti-hemorrágico, laxante, antirreumático, anti-hipertensor etc. – uma verdadeira panaceia! No caso de d. Pedro, certamente era usado como anti-hemorrágico devido às hemoptises.
- O aloé, ou aloés, hoje bem conhecido e documentado, era usado pela sua atividade antimicrobiana, anti-inflamatória e no tratamendo da tuberculose. Como não havia antibióticos, dava-se aloé, cuja atividade devia ser escassa ou nula. Esse medicamento também era usado no tratamento de psoríase, queimaduras e hiperglicemia.
- Ruibarbo, entre muitas outras indicações, era usado para tratar a obstipação, de que d. Pedro certamente sofria, já que os laxantes são uma constante nas prescrições, assim como um "ataque hemorroidal", algo frequente em quem sofre de prisão de ventre.
- Tônicos em vinho.
- Sangrias.
- Morfina, certamente para as "dores no peito", várias vezes referidas nos diários clínicos.
- Pingos de ópio, certamente pela mesma razão.
- *Digitalis*, também conhecida como dedaleira, uma planta que deu origem aos medicamentos digitálicos, usados para aumentar a força contrátil do miocárdio (músculo cardíaco). Ainda hoje são indicados em casos de insuficiência cardíaca grave ou certas formas de arritmia. Provavelmente, a *Digitalis* foi administrada a d. Pedro porque, a determinada altura, o coração deve ter começado a ficar arrítmico e/ou a perder força

contrátil devido ao enorme esforço para respirar numa fase terminal da tuberculose.

- Fricções e banhos estimulantes nas mãos e nos pés.
- Sulfato de quinino – d. Pedro pode ter tido nesse meio tempo uma crise de malária, já que viveu no Brasil, país tropical, onde essa doença é endêmica, porque nos diários se fala em "ataques". Intui-se que se tratavam dos calafrios típicos da malária, também conhecida como paludismo.
- Pós de Dover, um medicamento tradicional contra o frio e a febre desenvolvido por Thomas Dover.
- Água de Selby (?).
- Cataplasmas e sanguessugas sobre o fígado.
- E vários outros tratamentos ilegíveis.

Não nos parece haver margem para dúvidas, já que todos os relatos apontam numa única direção: d. Pedro sofria de tuberculose pulmonar, doença muito prevalente no século XIX (e não só), a qual o viria a vitimar. Convém lembrar que na época não existia qualquer tratamento para a tuberculose além de termas e bons ares, que, de fato, em nada contribuíam para a cura dessa doença. Não esqueçamos que o primeiro medicamento eficaz no tratamento da tuberculose foi a estreptomicina, descoberta em 1944 por Selman Waksman (laureado com o Prêmio Nobel em 1952), 110 anos após a morte de d. Pedro.

A tuberculose pulmonar[5] é uma das mais antigas doenças conhecidas que afetam o ser humano e é causada pela bactéria *Mycobacterium tuberculosis*. A doença afeta habitualmente os pulmões, embora em um terço dos casos possa envolver outros órgãos, e se não tratada, pode conduzir à morte no espaço de cinco anos em mais de metade dos casos. A transmissão ocorre por partículas inaladas oriundas de doentes infetados.

A tuberculose pulmonar resulta de uma infecção inicial com o bacilo da tuberculose e, se não diagnosticada e tratada, pode evoluir rapidamente. As lesões iniciais aumentam de tamanho, e o derrame pleural é um achado comum, que resulta da penetração do bacilo da tuberculose no espaço pleural.

A extensão do envolvimento parenquimatoso pulmonar varia grandemente, desde pequenos infiltrados a doença cavitária grave (vulgo cavernas tuberculosas).

Na fase inicial da doença, os principais sintomas são insidiosos e consistem principalmente em febre e suores noturnos, perda de peso, anorexia (falta de apetite), mal-estar geral e fraqueza. Os doentes têm habitualmente expectoração purulenta ou com sangue, podendo chegar a hemorragias fatais.

Pedro de Freitas, MD, PhD
Dezembro de 2021

Bibliografia

Arquivo Almeida, Biblioteca da Ajuda/Palácio Nacional da Ajuda - Museu do Tesouro Real.

BONIFÁCIO, Maria de Fátima. *D. Maria II*. Lisboa: Temas e Debates, 2007.

KASPER, Dennis L. et al. *Harrison's Principles of Internal Medicine*. 16th ed. New York: McGraw Hill, 2005.

REZZUTTI, Paulo. *D. Pedro IV – a história não contada*: o homem revelado por cartas e documentos inéditos. Alfragide: Casa das Letras, 2016.

SANTOS, Eugénio dos. *D. Pedro IV: liberdade, paixões, honra*. Lisboa: Círculo de Leitores, 2012.

Cronologia

1797

22 de janeiro: Nasce em Viena, Áustria, no Palácio Schönbrunn, a princesa Carolina Josefa Leopoldina, filha de Francisco I, imperador da Áustria e II da Alemanha, rei da Hungria, e de d. Maria Teresa de Bourbon de Nápoles.

27 de dezembro: Nasce em São Paulo, Brasil, Domitila de Castro do Canto e Melo, futura marquesa de Santos.

1798

12 de outubro: Nasce em Queluz, às seis e meia da manhã, o príncipe d. Pedro de Alcântara, filho dos príncipes d. João e d. Carlota Joaquina e neto da rainha d. Maria I de Portugal.

1801

11 de junho: D. Pedro torna-se príncipe da Beira devido à morte de seu irmão mais velho, d. Antônio.

1807

29 de novembro: Partida da corte e da família real portugesa para o Brasil.

1808

21 de janeiro: Desembarca em Salvador, Bahia, o príncipe regente d. João.

6/7 de março: Chegada ao Rio de Janeiro de d. João, d. Pedro e parte da família real.

1812

31 de julho: Nasce em Milão d. Amélia Augusta Eugênia Napoleona de Beauharnais, filha do vice-rei da Itália, o príncipe Eugênio de Beauharnais, e da princesa bávara Augusta Amélia.

1815

16 de dezembro: O Brasil é elevado à categoria de Reino Unido de Portugal e Algarves.

1816

20 de março: Morre no Rio de Janeiro a rainha d. Maria I.

29 de novembro: É assinado, em Viena, o tratado de casamento entre d. Pedro e d. Leopoldina.

1817

9 de janeiro: D. Pedro recebe o título de príncipe real do Reino Unido de Portugal, Brasil e Algarves.

13 de maio: Celebrado em Viena o casamento de d. Pedro com d. Leopoldina, por procuração.

13 de agosto: Embarca em Livorno, com destino ao Brasil, a princesa d. Leopoldina.

5 de novembro: D. Leopoldina chega ao Rio de Janeiro.

6 de novembro: Abençoa-se, na Capela Imperial, a união de d. Pedro com d. Leopoldina.

1818

6 de fevereiro: D. João VI é aclamado rei de Portugal, Brasil e Algarves no Rio de Janeiro.

1819

4 de abril: Nasce no Palácio de São Cristóvão, às cinco horas da tarde, a primogênita de d. Pedro e d. Leopoldina, a princesa d. Maria da Glória, futura d. Maria II de Portugal.

3 de maio: D. Maria da Glória é batizada na Capela Real, tendo os avós, d. João VI e d. Carlota, como padrinhos.

1820

26 de abril: Nasce, no Palácio de São Cristóvão, o príncipe d. Miguel, segundo filho de d. Pedro e d. Leopoldina. Falece, porém, pouco depois.

1821

19 de fevereiro: Após a Revolução do Porto, as cortes determinam o retorno de d. Pedro a Portugal, permanecendo no Brasil d. João VI.

6 de março: Nasce, no Paço de São Cristóvão, o príncipe da Beira, d. João Carlos, terceiro filho do príncipe d. Pedro e d. Leopoldina.

22 de abril: D. João VI nomeia d. Pedro regente e lugar-tenente do rei, para que governe o Brasil em sua ausência.

25 de abril: D. João VI retorna para Portugal.

1822

9 de janeiro: Dia do Fico.

4 de fevereiro: Falece, no Paço de São Cristóvão, d. João Carlos, príncipe da Beira.

11 de março: Nasce, no Paço de São Cristóvão, a princesa d. Januária, quarta filha de d. Pedro e d. Leopoldina, cognominada "Princesa da Independência".

13 de maio: D. Pedro é proclamado Defensor Perpétuo do Brasil e Regente Constitucional.

3 de junho: Convocação de uma Assembleia Geral Constituinte e Legislativa no Brasil.

7 de setembro: D. Pedro proclama a Independência do Brasil.

18 de setembro: Por decreto de d. Pedro I, são estabelecidas as novas armas e bandeira do Brasil.

12 de outubro: Por proposta de José Clemente Pereira apresentada em 21 de setembro, d. Pedro I, em sessão extraordinária, é aclamado Imperador Constitucional do Brasil.

1º de dezembro: Coroação e sagração de d. Pedro I, na Capela Imperial, como Imperador Constitucional e Defensor Perpétuo do Brasil. Criada por d. Pedro I a Ordem Imperial do Cruzeiro, para celebrar a sua aclamação e sagração. É criada a Imperial Guarda de Honra de D. Pedro I.

1823

17 de fevereiro: Nasce, no Paço de São Cristóvão, a princesa d. Paula Mariana, quinta filha de d. Pedro I e d. Leopoldina.

24 de fevereiro: É batizada, às cinco horas da tarde, na Capela Imperial, a princesa d. Paula Mariana.

3 de maio: É instalada a Assembleia Geral Constituinte e Legislativa.

4 de novembro: Nasce Rodrigo Delfim Pereira, filho de d. Pedro I e Maria Benedita de Castro Canto e Melo, baronesa de Sorocaba.

11/12 novembro: Fechamento da Assembleia Nacional Constituinte.

12 de novembro: É criado o Conselho de Estado.

1824

25 de março: D. Pedro outorga a primeira Carta Constitucional do Brasil, que vigoraria por 65 anos.

30 de abril: Revolta de d. Miguel por instigação de sua mãe, a rainha d. Carlota Joaquina. Ficou conhecida como Abrilada.

23 de maio: Nasce, no Rio de Janeiro, Isabel Maria de Alcântara Brasileira, primeira filha de d. Pedro I e Domitila de Castro Canto e Melo.

26 de maio: Os Estados Unidos da América reconhecem a independência do Brasil.

2 de agosto: Nasce, às nove horas da noite, no Palácio de São Cristóvão, a princesa d. Francisca, sexta filha de d. Pedro I e d. Leopoldina.

1825

29 de agosto: Portugal reconhece a independência do Brasil.

18 de outubro: A Inglaterra reconhece a independência do Brasil.

24 de outubro: A França reconhece a independência do Brasil.

25 de outubro: Inicia-se uma guerra entre Brasil e Argentina pela província Cisplatina.

2 de dezembro: Nasce, no Paço de São Cristóvão, d. Pedro, o sétimo filho de d. Pedro I e de d. Leopoldina, futuro d. Pedro II.

7 de dezembro: Nasce Pedro de Alcântara Brasileiro, segundo filho de d. Pedro I e Domitila de Castro Canto e Melo.

27 de dezembro: A Áustria reconhece a independência do Brasil.

1826

2 de fevereiro: Viagem dos imperadores à Bahia.

13 de março: Falece, no Rio de Janeiro Pedro de Alcântara Brasileiro, segundo filho de d. Pedro e Domitila.

1º de abril: Retorno dos imperadores da Bahia.

10 de março: Morre d. João VI, aos 59 anos, no Real Palácio da Bemposta, em Lisboa.

16 de abril: É criada por d. Pedro I a Ordem d. Pedro I, Fundador do Império do Brasil, a fim de comemorar o reconhecimento da independência.

26 de abril: A regência e as Cortes Gerais portuguesas reconhecem d. Pedro como legítimo herdeiro ao trono de Portugal.

29 de abril: D. Pedro outorga a Carta Constitucional de Portugal.

2 de maio: D. Pedro abdica condicionalmente do trono português em favor de sua filha, d. Maria da Glória, que passa a ser conhecida como d. Maria II.

6 de maio: É aberta por d. Pedro I a primeira legislatura da Assembleia Legislativa do Império do Brasil.

20 de maio: D. Pedro reconhece como filha Isabel, que passa a se chamar Isabel Maria.

24 de maio: Isabel Maria recebe o título de duquesa de Goiás, com tratamento de Alteza.

29 de julho: É jurada a Constituição outorgada por d. Pedro I aos portugueses.

23 de novembro: Embarque de d. Pedro para a Guerra da Cisplatina.

11 de dezembro: Morre, no Rio de Janeiro, a imperatriz d. Leopoldina.

1827

15 de janeiro: d. Pedro retorna para o Rio de Janeiro.

13 de março: Brasil e Inglaterra ratificam a convenção para o término do tráfico negreiro.

13 de agosto: Nasce, no Rio de Janeiro, Maria Isabel Alcântara Brasileira, terceira filha de d. Pedro I e Domitila de Castro Canto e Melo.

25 de agosto: D. Pedro recebe as filhas que teve com Domitila no palácio, para serem criadas.

1828

22 de fevereiro: D. Miguel é aclamado rei absoluto do Reino de Portugal e Algarves.

Maio: Retorno do marquês de Barbacena, que expõe a d. Pedro as dificuldades de conseguir uma nova esposa para ele na Europa.

Julho: Partida do marquês de Barbacena para a Europa, levando d. Maria II.

Agosto: Cessam as hostilidades entre Brasil e Argentina.

25 de outubro: Falecimento de Maria Isabel, quarta filha de d. Pedro com a marquesa de Santos.

1829

30 de maio: Ratificado em Munique, Alemanha, o tratado de casamento entre d. Pedro I e d. Amélia.

2 de agosto: D. Pedro se casa por procuração, em Munique, com a princesa d. Amélia de Beauharnais.

30 de agosto: Com destino ao Brasil, embarcam em Portsmouth, na fragata *Imperatriz*, d. Amélia, d. Maria II e o príncipe Augusto de Leuchtenberg.

31 de agosto: Nasce Pedro de Alcântara Brasileiro, filho de d. Pedro I e madame Saisset.

16 de outubro: Chega ao Brasil d. Amélia.

17 de outubro: Abençoa-se, na Capela Imperial, o casamento de d. Pedro I com d. Amélia.

25 de novembro: Partida da duquesa de Goiás para a Europa.

1830

7 de janeiro: Morre, no Palácio de Queluz, em Lisboa, d. Carlota Joaquina, mãe de d. Pedro I.

6 de fevereiro: É adquirida por d. Pedro I a fazenda do Córrego Seco, que dará origem à cidade de Petrópolis.

28 de fevereiro: Nasce, em São Paulo, Maria Isabel de Alcântara e Bourbon, quarta e última filha de d. Pedro I e Domitila de Castro Canto e Melo.

1831

11 de março: Retorno de d. Pedro e d. Amélia ao Rio de Janeiro, após viagem a Minas Gerais.

13 de março: Distúrbios populares no Rio de Janeiro, conhecidos como a Noite das Garrafadas.

5 de abril: D. Pedro I organiza seu ministério, chamado de "ministério dos marqueses". A nomeação do ministério e a consequente demissão do anterior causa revolta popular.

6 de abril: Por decreto, d. Pedro I nomeia José Bonifácio tutor de seus filhos menores.

7 de abril: D. Pedro I abdica da coroa do Brasil em favor de seu filho, d. Pedro II.

13 de abril: D. Pedro parte do Brasil a bordo da nau *Volage*.

10 de junho: D. Pedro desembarca em Cherbourg, na França.

1º de dezembro: Nasce, em Paris, d. Maria Amélia, filha de d. Pedro e de d. Amélia.

1832

21 de janeiro: D. Pedro, duque de Bragança, faz em Paris seu primeiro testamento.

12 de fevereiro: D. Pedro parte de Belle-Île-en-Mer para os Açores, acompanhado de uma força expedicionária.

22 de fevereiro: D. Pedro desembarca em São Miguel, nos Açores.

3 de março: D. Pedro desembarca na capital dos Açores, Angra, onde assume a regência em nome de d. Maria II.

27 de junho: D. Pedro parte dos Açores para Portugal continental, à frente da expedição liberal.

8 de julho: Desembarque das tropas de d. Pedro no Mindelo.

9 de julho: D. Pedro chega à cidade do Porto. Início do Cerco do Porto.

1833

16 de janeiro: Falece no Paço de São Cristóvão, com dez anos incompletos, a princesa d. Paula, filha de d. Pedro I e d. Leopoldina.

28 de julho: Entrada de d. Pedro em Lisboa.

1834

26 de maio: Assinatura da Convenção de Évora-Monte, que pôs fim à guerra civil em Portugal.

24 de setembro: D. Pedro morre em Queluz, às duas e meia da tarde.

1853

4 de fevereiro: Morre de tuberculose, na Ilha da Madeira, a princesa d. Maria Amélia, filha única de d. Pedro I e da imperatriz d. Amélia.

15 de novembro: Morre, em Lisboa, d. Maria II, filha de d. Pedro I e d. Leopoldina.

1873

26 de janeiro: Morre d. Amélia, segunda imperatriz do Brasil.

1891

31 de janeiro: Morre Rodrigo Delfim Pereira, filho de d. Pedro I e de Maria Benedita de Castro Canto e Melo, baronesa de Sorocaba.

5 de dezembro: Morre, em Paris, d. Pedro II, filho de d. Pedro e d. Leopoldina.

1896

5 de setembro: Morre, em São Paulo, Maria Isabel de Alcântara e Bourbon, a condessa de Iguaçu, filha de d. Pedro com a marquesa de Santos.

1898

27 de março: Morre, em Paris, d. Francisca, filha de d. Pedro e d. Leopoldina.

3 de novembro: Morre, em Murnau, na Baviera, Isabel Maria, a duquesa de Goiás.

1901

13 de maio: Morre em Nice, França, d. Januária, filha de d. Pedro e d. Leopoldina.

1902

16 de março: Morre Pedro de Alcântara Brasileiro de Saisset em San Jose, Califórnia.

Notas

Prólogo

1 Demonão e Fogo-Foguinho eram formas como d. Pedro I assinava suas cartas à amante, a marquesa de Santos.

2 Aparentemente, segundo deduções preliminares, a terra seria da região do Porto, cidade para a qual legou o seu coração e onde sofreu longo e tormentoso cerco pelas tropas de seu irmão.

3 Para mais informações: AMBIEL, Valdirene do Carmo. *Estudos de Arqueologia Forense aplicados aos remanescentes humanos dos primeiros imperadores do Brasil depositados no monumento à Independência* [online]. São Paulo: Museu de Arqueologia e Etnologia, Universidade de São Paulo, 2013. Dissertação de Mestrado em Arqueologia. Acesso em 4 jul. 2015. Disponível em: <http://www.teses.usp.br/teses/disponiveis/71/71131/tde-27032013-173516/>.

4 Segundo documentação preservada no Instituto Histórico e Geográfico de São Paulo e no Arquivo Geral da Província Franciscana da Imaculada Conceição no Brasil.

5 CERRI, Luis Fernando. *Usos públicos da história no Brasil contemporâneo: demandas sociais e políticas de Estado*. pp. 3-19.

6 REIS, João José. *A morte é uma festa*, p. 139.

7 Idem.

Parte I: Portugal – 1798-1808

1 KINDER, D.P. e FLETHCER, J.C. *O Brasil e os brasileiros*, vol. II, p. 107.

2 D. Pedro IV. Disponível em: http://www.dpedroiv.parquesdesintra.pt/cronologia/1798/julho/d/preparativos-para-o-nascimento-de-d-pedro/7#datas. Último acesso em: 24/10/2014.

3 Determinados tecidos eram legalmente proibidos de entrar em Portugal. É provável que a tal "renda fina" tenha vindo de fora do país. Sobre o assunto: PEDREIRA, Jorge Miguel. *Indústria e atraso económico em Portugal (1800-1825): uma perspectiva estrutural.* p. 563-596.

4 Gazeta de Lisboa nº 39, 28/09/1798.

5 RESENDE, Marquês de. *Elogio histórico do senhor rei D. Pedro IV*. p. 5.

6 Op. cit., p. 6.

7 LACOMBE, Lourenço Luiz. *João VI*, p. 145.

8 Ofício do Marquês de Louriçal, apud BEIRÃO, Caetano Maria de Abreu. *Dona Maria I, 1777-1792*, p. 321.

9 A Real Barraca era um palácio de madeira, um edifício comprido, térreo. O prédio foi construído em 1757, após o grande terremoto que destruiu grande parte da cidade de Lisboa. D. José I, depois do terremoto, passou a temer construções de pedras.

10 ROBERTS, Jeniffer. *D. Maria I*, p. 62.

11 PEREIRA, Ângelo. *D. João VI, Príncipe e Rei*, vol. I, pp. 45-6.

12 BOMBELLES, Marc Marie. *Marquis, Journal d'un Ambassadeur de France au Portugal, 1786-1788*, p. 313.

13 BEIRÃO, Caetano Maria de Abreu. *Dona Maria I, 1777-1792*, p. 447.

14 *HISTÓRIA de el-rei D. João VI*, p. 127.

15 NOGUEIRA, Francisca L. *Carlota Joaquina, cartas inéditas*, pp. 87-8.

16 Carlota Joaquina faz menção aos Bourbon franceses, isto é, aos reis Luís XVI e Maria Antonieta.

17 Carlota aqui dá prova de sua inteligência e perspicácia, uma vez que prevê o que realmente aconteceria: o aprisionamento do pai e do irmão e a instalação de um irmão de Napoleão no trono espanhol.

18 NOGUEIRA, Francisca L. *Carlota Joaquina, cartas inéditas*, pp. 74-5.

19 Referência a d. João.

20 NOGUEIRA, Francisca L. *Carlota Joaquina, cartas inéditas*, p. 76.

21 LIGHT, Kenneth. *A viagem marítima da família real*, p. 23.

22 MACAULAY, Neill. *D. Pedro I*, p. 20.

23 PEREIRA, Ângelo. *Os filhos Del-Rei D. João VI*, p. 71.

24 Idem, p.72.

25 RESENDE, Marquês de. *Elogio histórico*, p. 5.

26 PROENÇA, Martinho de Mendonça de Pina e. *Apontamentos para a educação de hum menino nobre.* Lisboa Occidental, p. 2.

27 VASCONCELOS, Maria Celi Chaves. *Igreja e educação: a influência da catequese nos primórdios da literatura pedagógica.* In: *Religião, violência e exclusão*, p. 82.

28 PEREIRA, Ana Cristina; TRONI, Dana. *A vida privada dos Bragança: de D. João IV a D. Manuel II - O dia a dia na Corte*, pp. 131-2.

29 "Junot, a Tempestade".

30 BRANDÃO, Raul. *El-Rei Junot*, p. 105.

31 ABRANTES, Duquesa de. *Memoires de la Duchesse d´Abrantés*, p. 181.

32 Idem, p. 187.

33 NOGUEIRA, Francisca L. *Carlota Joaquina, cartas inéditas*, pp. 87-8.

34 LIMA, Manuel de Oliveira Lima. *D. João VI no Brasil*, vol. 1, p. 40.

35 LIMA, Manuel de Oliveira Lima. *D. João VI no Brasil*, vol. 1, p. 38.

36 PEREIRA, Ângelo. *D. João VI, os filhos d´el rey*, p. 107.

37 MORAIS, A.J. de Melo. *História da trasladação da corte portuguesa para o Brasil*, p. 53.

38 PEREIRA, Ângelo. *D. João VI, os filhos d'el rey*, p. 130.
39 Idem, p. 132.
40 MADELIN, Louis. *Histoire du consulat et de l'*Empire: *l'*affaire d'Espagne (1807-1809), p. 82.
41 SECO, Visconde do. *Exposição analytica, e justificativa da conducta, e vida publica do visconde do Rio Seco*, pp. 2-3.
42 MONTEIRO, Tobias do Rego. *Notas referentes à fuga da família real para o Brasil.* [S.l.], [19__]. 1 p. Orig. Ms. 63,04,005 nº 144 Biblioteca Nacional, Rio de Janeiro.
43 BRANDÃO, Raul. *El-rei Junot*, p. 157.
44 Francisco Laranja, capitão de fragata e patrão-mor das galeotas reais.
45 BRANDÃO, Raul. *El-rei Junot*, p. 117.
46 MONGLAVE, Eugène de. *Correspondance de Don Pèdre Premier...*, p. 13.

Parte II: Brasil – 1808 - 1831

1 MORAIS, A.J. de Melo. *História da trasladação da corte portuguesa para o Brasil*, p. 67.
2 Correspondência do conde da Ponte ao visconde de Anadia, em 16 de julho de 1807. In: CERQUEIRA E SILVA, Ignácio Accioli de. *Memórias históricas e políticas da província da Bahia*, vol. III, p. 28.
3 Atual República de Maurício, no oceano Índico.
4 DORIA, Luiz Gastão d'Escragnolle. *Um amigo do Brasil (Ferdinand Denis)*, pp. 225-226.
5 Idem, p. 226.
6 ARMITAGE, João. *História do Brasil*, p. 27.
7 GOMES, Laurentino. *1808...*, p. 211.
8 HOLANDA, Sérgio Buarque de (org.). *A herança colonial: sua desagregação.* História Geral da Civilização Brasileira, vol. I, tomo II, p. 13.
9 MORAIS, A.J. de Melo. *História da trasladação da corte portuguesa para o Brasil*, p. 74.
10 Idem, p. 68.
11 Idem, p. 69.
12 Seu nome se deve ao modo como o açúcar brasileiro era transportado para Portugal. Ele viajava nos navios em fôrmas com o aspecto de cones invertidos, conhecidas como "pães de açúcar". O produto obtido pela moagem da cana-de-açúcar, a garapa, era nelas depositado depois de cozido. Por um furo feito no ápice, o líquido escorria; no final do processo, restavam tão somente os cristais de açúcar.
13 COSTA, Sérgio Correa da. *Every Inch a King*, p. 16.
14 MORAIS, A.J. de Melo. *Crônica geral do Brasil*, vol. II, pp. 171-2.
15 LUCCOCK, John. *Notas sobre o Rio de Janeiro*, p. 96.
16 SCHWARCZ, Lilia Moritz. *As barbas do imperador*, p. 36.
17 BARDY, Claudio. *O século XVIII*, pp. 102-4.
18 Manuel de Araújo Porto Alegre, apud PRADO, J.F. Almeida. *Tomas Ender*, p. 100.
19 PRADO, J.F. de Almeida. *Tomas Ender*, p. 104.
20 LOUREIRO, João. *Cartas de João Loureiro escriptas ...*, p. 286.
21 CRULS, Gastão. *O Rio de Janeiro no primeiro quartel do século XIX*, p. 132.
22 MORAIS. A.J. de Melo. *Crônica geral do Brasil*, vol. 2, p. 160.
23 Idem.

24 PEREIRA, Ângelo. *Os filhos del-rei*, pp. 72-3.
25 MACAULAY, Neill. *Dom Pedro I*, p. 48.
26 Idem, p. 49.
27 Idem.
28 MORAIS. A.J. de Melo. *Crônica geral do Brasil*. vol. II, p. 212.
29 PIMENTEL, Alberto. *A corte de D. Pedro IV*, p. 13.
30 WALSH, Rev. R. *Notices of Brazil in 1828 and 1829*, vol. I, p. 183.
31 MACAULAY, Neill. *Dom Pedro I*, p. 53.
32 WALSH, Rev. R. *Notices of Brazil in 1828 and 1829*, vol. I, p. 183.
33 MACAULAY, Neill. *Dom Pedro I*, p. 54.
34 RANGEL, Alberto. *Os dois ingleses Stragford e Stuart*, p. 29.
35 MACAULAY, Neill. *Dom Pedro I*, p. 59.
36 PEREIRA, Ângelo. *Os filhos de el-rey*, p. 74.
37 WALSH, Rev. R. *Notices of Brazil in 1828 and 1829*, p. 182.
38 HENDERSON, James. *A history of the Brazil*, p. 63.
39 TAVARES, João Fernandes. *Autos da autópsia do corpo de d. Pedro de Alcântara, duque de Bragança*, p. 1.
40 MACAULAY, Neill. *Dom Pedro* I, p. 50.
41 MONTEIRO, Tobias. *Elaboração da Independência*, vol. I, p. 148.
42 FREYRE, Gilberto. *Casa grande e senzala*, p. 438.
43 COSTA, Sérgio Correa. *Every Inch a King*, p. 30.
44 Arquivo Histórico do Museu Imperial, I-POB-27.01.1825-PI.B.c
45 Ver p. 46.
46 NOGUEIRA, Francisca L. *Carlota Joaquina, cartas inéditas*, p. 47.
47 Idem, p. 45.
48 MORAIS, A.J. de Melo. *Crônica geral do Brasil*, vol. II, p. 161.
49 SANTOS, Luís Gonçalves dos. *Memórias para servir à história do Reino do Brasil*, vol. I, p. 235.
50 MARROCOS, Luís Joaquim dos Santos. *Correspondência de Luís Joaquim dos Santos Marrocos*, p. 70.
51 NORTON, Luiz. *A corte portuguesa no Brasil*, p. 69.
52 MACAULAY, Neill. *D. Pedro I*. p. 24.
53 MORAIS, A.J. de Melo. *Crônica geral do Brasil*, vol. II, p. 159.
54 CALÓGERAS, Pandiá. *Formação histórica do Brasil*, pp. 63-4.
55 MARTINS, Oliveira. *História de Portugal*, p. 527.
56 Ofício secreto do marquês de Aguiar para o marquês de Marialva, 15/3/1816, apud MONTEIRO, Tobias. *Elaboração da Independência*, p. 157.
57 KANN, Bettina; LIMA, Patrícia Souza. *Cartas de uma imperatriz*, p. 247.
58 Idem, p. 66.
59 Idem, p. 65.
60 OBERACKER Jr., Carlos H. *A imperatriz Leopoldina*, p. 34.
61 Museu Imperial, Arquivo Histórico, I POB [c.1817] L. B. do 1-11.
62 KANN, Bettina; LIMA, Patrícia Souza. *Cartas de uma imperatriz*, p. 59.
63 Carta de d. Leopoldina para Maria Luisa, 26/11/1816, apud KANN, Bettina; LIMA, Patrícia Souza. *Cartas de uma imperatriz*, p. 262.
64 Staatskanzlei. Brasil: Personalien, 10 de novembro de 1818. Extrato de carta escrita pelo barão de Eschwege no Brasil para o amigo vienense Baumbach, apud RAMIREZ, Ezequiel Stanley. *As relações entre a Áustria e o Brasil*, p. 11.

65 RANGEL, Alberto. *Transanteontem*, pp. 43-69.

66 MARROCOS, Luís Joaquim dos Santos. *Correspondência de Luís Joaquim dos Santos Marrocos*, p. 58.

67 RANGEL, Alberto. *Transanteontem*, p. 56.

68 Dom Pedro de Bragança, Imperador do Brasil e Rei de Portugal, pessoa com epilepsia e comportamento peculiar. Disponível em http://www.epilepsia.pt/Imgs/articles/article_84/artigo-d-pedro-i-e-iv.pdf.

69 DURAN, Marcos Henrique Coelho. *Comorbidade Epilepsia e TDAH: aspectos clínicos, eletrencefalográficos, comportamentais e psicossociais*. Tese de doutorado. Unicamp, 2011: http://www.bibliotecadigital.unicamp.br/document/?code=000811680.

70 OBERACKER Jr., Carlos H. *A imperatriz Leopoldina*, p. 62.

71 Segundo medição dos restos mortais de d. Leopoldina executada, em maio de 2012, pela arqueóloga Valdirene do Carmo Ambiel.

72 OBERACKER Jr., Carlos H. *A imperatriz Leopoldina*, p. 62.

73 Joseph Wilde teria composto, para a ocasião, as *Danças para a festa do baile brasileiro*.

74 Allgemeine Zeitung, 4 de junho de 1817 p. 4.

75 OBERACKER Jr., Carlos H. *A Imperatriz Leopoldina*, p.92.

76 Um dos líderes desta revolução era Antônio Carlos Ribeiro de Andrada Machado e Silva, irmão de José Bonifácio. Seu objetivo, entre muitos outros, era declarar a república na província e raptar Napoleão da ilha de Santa Helena, onde fora exilado, para o Brasil.

77 OBERACKER Jr., Carlos H. *A imperatriz Leopoldina*, p. 94.

78 MONGLAVE, Eugène de. *Correspondance de don Pèdre Premier*, p. 23.

79 RANGEL, Alberto. *Dom Pedro I e a marquesa de Santos*, p. 70.

80 GRAHAN, Maria. *Escorço biográfico de d. Pedro I*, pp. 61-2.

81 MORAIS, A.J. de Melo. *Crônicas da história do Brasil*, vol. II, p. 261.

82 Idem, p. 181.

83 Idem, p. 261.

84 Proclamação da Sentinela da Liberdade a Beira do Mar da Praia Grande, refugiada em Buenos Aires aos habitantes livres do Brasil. Buenos Aires, 22/5/1825 – Arquivo Histórico do IHGB – DL 1377, pasta 18, docs. 10 a 16.

85 MORAIS, A.J. Melo. *Crônica geral do Brasil*, vol. 2, p. 180.

86 OBERACKER Jr., Carlos H. *A imperatriz Leopoldina*, p. 111.

87 SANTOS, Luís Gonçalves dos. *Memórias para servir à história do Reino do Brasil*, vol. II, p. 175.

88 Idem, p. 183

89 OBERACKER Jr., Carlos H. *A imperatriz Leopoldina*. p. 118.

90 Idem.

91 KANN, Bettina; LIMA, Patrícia Souza. *Cartas de uma imperatriz*, pp. 313-6.

92 Idem, p. 316.

93 Ibidem, pp. 332-3.

94 OBERACKER Jr., Carlos H. *A imperatriz Leopoldina*, p. 182.

95 KANN, Bettina; LIMA, Patrícia Souza. *Cartas de uma imperatriz*, p. 379.

96 OBERACKER Jr., Carlos H. *A imperatriz Leopoldina*, p. 22.

97 Apud FREYRE, Gilberto. *Casa-grande e senzala*, p. 441.

98 Outra versão para o fato, recolhida pelo pintor francês Debret, que esteve presente na cerimônia, dizia que o rei de Portugal não era mais coroado desde que d. Sebastião desaparecera com a coroa na batalha de Alcácer-Quibir. Isso, porém, não é correto, pois também d. Sebastião fora apenas aclamado.

99 Atual praça XV, no centro do Rio de Janeiro.

100 MONGLAVE, Eugène de. *Correspondance de don Pèdre Premier*, pp. 20-1.
101 Idem, p. 26.
102 PALMELA, Duque de. *Despachos e correspondência...*, tomo I, p. 142.
103 MARTINS, Francisco José da Rocha. *O último vice-rei do Brasil*, p. 110.
104 KANN, Bettina; LIMA, Patrícia Souza. *Cartas de uma imperatriz*, p. 372.
105 Idem, p. 378.
106 OBERACKER Jr., Carlos H. *A imperatriz Leopoldina*, p. 204.
107 FERREIRA, Silvestre Pinheiro. *Memórias e cartas biográficas*, p. 252.
108 Coleção das Leis do Brasil – 1821, parte II, p. 22.
109 Equivale atualmente à Câmara dos Vereadores.
110 FERREIRA, Silvestre Pinheiro. *Memórias e cartas biográficas*, p. 258.
111 KANN, Bettina; LIMA, Patrícia Souza. *Cartas de uma imperatriz*, p. 377.
112 Atual Casa França-Brasil, no centro do Rio de Janeiro.
113 Arquivo Histórico do Museu Imperial, I-POB-09.01.1822-PI.B.c 1-7.
114 Ver p. 75.
115 OBERACKER Jr., Carlos H. *A imperatriz Leopoldina*, p. 195.
116 MONGLAVE, Eugène de. *Correspondance de don Pèdre Premier*, p. 4.
117 Idem, p. 6.
118 Idem, p. 7.
119 Idem, p. 12.
120 Idem, p. 13.
121 O nome da princesa Januária lhe foi dado pelos pais como homenagem ao Rio de Janeiro.
122 KANN, Bettina; LIMA, Patrícia Souza. *Cartas de uma imperatriz*, p. 383.
123 Idem, p. 399.
124 MONGLAVE, Eugène de. *Correspondance de don Pèdre Premier*, p. 21.
125 Carta escripta pelo Sachristão da Freguesia de S. João de Itaboray ao Reverendo Vigário da mesma Freguesia, narrando os acontecimentos dos dias de 9 e 12 de janeiro deste ano. Obras Raras, Biblioteca Nacional, RJ.
126 MONTEIRO, Tobias. *Elaboração da Independência*, tomo 1, p. 416.
127 GALVÃO, Ramiz. *O púlpito no Brasil*, p. 136.
128 Arquivo Histórico do Museu Imperial, I-POB-14.03.1822-PI.B.c 1-2 (d2).
129 *The Courier*, 14 de setembro de 1822.
130 A memória escrita por Francisco de Castro Canto e Melo foi publicada inicialmente na *Revista Comercial*, de Santos, a 29 de dezembro de 1864; em seguida, figurou em diversas outras publicações, entre as quais a *Revista do IHGB*, tomo 41, segunda parte (1878), e a *História do Brasil Reino e do Brasil Império*, de Melo Morais.
131 Atual Parque D. Pedro II.
132 Atual av. Rangel Pestana.
133 *Correio Paulistano*, 23/12/1934. p. 2.
134 BUENO, Francisco de Assis Vieira Bueno. *Recordações evocadas da memória*.
135 Biblioteca Nacional, Fundo Coleção Documentos Biográficos. Localização: C-0458,038.
136 Aposentadoria.
137 RANGEL, Alberto. *D. Pedro I e a marquesa de Santos*, p. 98 et seq.
138 TAUNAY, Affonso de E. *Depoimentos vários sobre a corte de D. Pedro I e sobre este monarcha*. In: ______. *Do reino ao império*. São Paulo: Diario Official, 1927. pp. 127-8.

139 OBERACKER Jr, Carlos H. *O grito do Ipiranga.*
140 Vigia.
141 MORAIS, A.J. de Melo. *História do Brasil Reino e do Brasil Império*, tomo I, p. 384.
142 Historiógrafa da Central de Documentação e Informação Científica (CEDIC), da PUC-SP.
143 Revista Galileu, ed. Globo, ano 8, nº 86, setembro de 1998, p. 88.
144 OBERACKER Jr, Carlos H. *O grito do Ipiranga*, pp. 446-7.
145 Sobre essa questão, ver OBERACKER Jr, Carlos H. *O grito do Ipiranga.*
146 Carta do Barão de Iguape a Francisco de Castro do Canto e Melo. Arquivo Histórico, Museu Imperial, Maço 135 doc. 6612.
147 RANGEL, Alberto. *Cartas de d. Pedro I à marquesa de Santos*, p. 53.
148 Arquivo Histórico do Museu Imperial, II-POB-22.09.1822-PI.B.c 1-2.
149 *A imprensa estrangeira e a Independência do Brasil.* Revista Em Cultura, p. 141.
150 RODRIGUES, José Honório. *Independência, revolução e contra-revolução*, vol. 1, p. 260.
151 Atual praça da República, na cidade do Rio de Janeiro.
152 O local foi destruído em 1841 durante os preparativos para os festejos da coroação de d. Pedro II. Os pavios dos fogos postos para secar se incendiaram, explodindo o edifício.
153 RODRIGUES, José Honório. *Independência, revolução e contra-revolução*, vol. 1, p. 269.
154 NOBRE, Eduardo. *Paixões reais*, p. 45.
155 COSTA, Sérgio Corrêa da. *As quatro coroas de d. Pedro I*, pp. 37-8.
156 NOBRES, Eduardo. *Paixões reais*, p. 47.
157 Arquivo Histórico do Museu Imperial, II-POB-15.07.1824-PI.B.c (d1).
158 Arquivo Histórico do Museu Imperial: I-POB-1823-PI.B.fa
159 Anais da Constituição, tomo II, p. 113.
160 KANN, Bettina; LIMA, Patrícia Souza. *Cartas de uma imperatriz*, p. 423.
161 Espécie de confraria paramaçônica criada pelos irmãos Andrada, na qual o imperador tinha o título de arconte-rei e os artigos a serem propostos na Assembleia Constituinte eram previamente discutidos.
162 *PROCLAMAÇÕES, cartas, artigos de imprensa*, pp. 177-9.
163 MONTEIRO, Tobias. *História do Império. Elaboração da independência*, pp. 764-5.
164 Arquivo Histórico do Museu Imperial, II POB 00.02.1824 p PI.B.c 1-3.
165 MACAULAY, Neill. *Dom Pedro I*, p. 188.
166 REZZUTTI, Paulo. *Titília e o Demonão*, p. 158.
167 Idem, p. 313.
168 Idem, p. 138.
169 Idem, p. 105.
170 ARMITAGE, João. *História do Brasil: desde o período da chegada da...*, p. 242.
171 REZZUTTI, Paulo. *Titília e o Demonão*, p. 109.
172 *A imperatriz Maria Leopoldina*, p. 17ss.
173 Arquivo Histórico do Museu Imperial, II POB 00.02.1824 p PI.B.c 1-3.
174 HAMOND, Graham Eden. *Os diários do Almirante...*, pp. 7-8.
175 Referência a d. Miguel.
176 WEBSTER, *Gran Bretaña y la independencia de la América Latina, 1812-1830.* Tomo 1, p. 395, apud SOUSA, Otavio Tarquínio de. *A vida de D. Pedro I*, tomo II, p. 641.
177 Arquivo Histórico do Museu Imperial, Maço LIII – doc. 2523.
178 Arquivo Histórico do Museu Imperial, Maço LIV – doc. 2994.
179 SOUSA, Otavio Tarquínio de. *A vida de D. Pedro I*, tomo II, p. 638.

180 Arquivo Histórico do Museu Imperial, I-POB-27.01.1825-PI.B.c.
181 REZZUTTI, Paulo. *Titília e o Demonão*, p. 133.
182 RANGEL, Alberto. *Cartas de Pedro I à marquesa de Santos*, p. 615.
183 Ibidem, p. 516.
184 Despacho de 24 de outubro de 1825, apud OBERACKER Jr., Carlos. *A imperatriz Leopoldina*, p. 379.
185 Meretriz, prostituta.
186 ANDRADA E SILVA, José Bonifácio de; ANDRADA, Antônio Carlos Ribeiro de; ANDRADA, Martim Francisco Ribeiro de. *Cartas andradinas*, p. 14ss.
187 Arquivo Histórico do Museu Imperial, I-POB-25.11.1825-MF.E.c.
188 Arquivo Histórico do Museu Imperial, I-POB-29.11.1825-MT.c.
189 Dia do santo que tem o mesmo nome da pessoa.
190 29 de agosto de 1825.
191 Na realidade, Domitila, nascida em 27 de dezembro de 1797, fazia 28 anos.
192 Arquivo do Museu Histórico Nacional.
193 AGUIAR, Antônio Augusto de. *Vida do marquês de Barbacena*, p. 188.
194 Referência a si mesma.
195 OBERACKER Jr., Carlos H. *Comentários às cartas da imperatriz Leopoldina a João Martinho Flach*. Revista do IHGSP, n 93, p. 199.
196 KANN, Bettina; LIMA, Patrícia Souza. *Cartas de uma imperatriz*, p. 450.
197 Palácio da Justiça.
198 Entrevista de 2007 à RTP, sob o título *Câmara clara - A morte de D. João VI*. A autoria é de Inês Fonseca Santos.
199 Arquivo Histórico do Museu Imperial, II-POB-06.04.1826-MI.P.c (a1).
200 Arquivo Histórico do Museu Imperial, II-POB-06.04.1826-MI.P.c (d1).
201 ANGELO, Pereira. *Os filhos de el-rei D. João VI*, p. 538.
202 Arquivo Histórico do Museu Imperial, II-POB-16.01.1827-IM.P.c 1-4.
203 Arquivo Histórico do Museu Imperial, II-POB-26.04.1826-PI.B.do (d1).
204 COSTA, Sergio Correa da. *As quatro coroas de d. Pedro I*, p. 204.
205 Arquivo Histórico do Museu Imperial, II-POB-14.10.1826-IM.P.c.
206 Maçons.
207 Arquivo Nacional, Torre do Tombo, PT/TT/CAM/M21/00024.
208 Arquivo Histórico do Museu Imperial, II-POB.30.10.1826-Men.o1-2.
209 MORAIS, A.J. de Melo. *Crônica geral do Brasil*, tomo II, p. 254.
210 Arquivo Histórico do Museu Imperial, I-POB-1826-IM.do.
211 O embaixador sueco no Rio de Janeiro, em despacho diplomático, informou em 19 de agosto de 1826 que era voz corrente a partida de d. Leopoldina para a Áustria. Arquivo Histórico do Instituto Histórico e Geográfico Brasileiro. Lata 326 D19_VI.
212 Parece haver um fundo de realidade na cena descrita por Melo Morais, uma vez que a tia de d. Leopoldina, a rainha Maria Amélia, em carta para Maria Luísa datada de 7/3/1827, menciona que a imperatriz brasileira teria dito ao imperador, durante a despedida: "Adeus para sempre, pois não o verei mais [...]."Ver OBERACKER Jr., Carlos H. *A imperatriz Leopoldina*, p. 431.
213 MORAIS, A.J. de Melo. *Crônica geral do Brasil*, Tomo II, pp. 256-7.
214 RANGEL, Alberto. *Textos e pretextos*, p. 200.
215 KANN, Bettina; LIMA, Patrícia Souza. *Cartas de uma imperatriz*.
216 Púchkin, Alexandr. *Poesias escolhidas*. Trad. José Casado. p. 29.
217 Carta do barão de Mareschal ao príncipe de Metternich. Rio de Janeiro, 2/02/1827. Biblioteca Nacional. Localização: 64,01,005 n.007.

218 PINHEIRO, José Feliciano Fernandes. *Memórias do visconde de S. Leopoldo,* p. 8.
219 RAMIZ, Galvão. *O púlpito no Brasil*, p. 135.
220 RANGEL, Alberto. *Cartas de Pedro I à marquesa de Santos*, p. 285.
221 Arquivo Histórico do Museu Imperial, II-POB-14.10.1826-IM.P.c
222 Arquivo Histórico do Museu Imperial, I-POB-18.08.1827-Sil.a.
223 O título não foi dado oficialmente, mas até em São Paulo já se sabia que seria outorgado no futuro, como demonstra uma carta de Antônio Mariano de Azevedo Marques ao seu irmão José Xavier, datada do segundo semestre de 1828.
224 REZZUTTI, Paulo. *Titília e o Demonão*. p. 289.
225 Idem, p. 245.
226 Idem, p. 251.
227 Arquivo Histórico do Museu Imperial, II-POB-1828-PI.B.do 1-259.
228 Arquivo Histórico do Museu Imperial, II-POB-20.06.1827-PI.B.c.
229 Arquivo Histórico do Museu Imperial, II POB 1828 PI.B.do 1-259(d1).
230 Arquivo Histórico do Museu Imperial, II-POB-1828-PI.B.do 1-259.
231 LIMA, Manuel de Oliveira. *D. Miguel no trono*, p. 97.
232 Arquivo Histórico do Museu Imperial, I-POB-17.03.1829-PI.B.c.
233 Arquivo Histórico do Museu Imperial, II-POB-1828-PI.B.do 1-259.
234 Ofício de 23 de maio de 1829, *apud* RANGEL, Alberto. *D. Pedro I e a marquesa de Santos*, p. 253.
235 Arquivo Histórico do Museu Imperial, II-POB-14.01.1829-Men.c 1-37.
236 *CORRESPONDÊNCIA do marquês de Resende*. In: Revista do Instituto Histórico e Geográfico Brasileiro, ano 80, nº 134, pp. 353-4.
237 HIPPSLEY, A.J. *Reminiscences of the late War of Succession in Portugal*, p. 55.
238 PIMENTEL, Alberto. *A Corte de d. Pedro IV*, p. 221.
239 Arquivo Histórico do Museu Imperial, I-POB-13.11.1829-IM.P.c
240 *Diário do Rio de Janeiro*, n. 8, 10/dez/1829, p. 29.
241 Arquivo Histórico do Museu Imperial, II-POB-06_02_1830-MI.P.c.
242 Engravidar.
243 José Egídio Álvares de Almeida, marquês de Santo Amaro.
244 DESPACHO 21 abr. 1830, AHI 316/01/12. *Instruções de Miguel Calmon du Pin e Almeida...*, apud Cadernos do CHDD, ano VII, n. 12, pp. 120-6.
245 Corregedor.
246 Atual rua Líbero Badaró.
247 AGUIAR, Antônio Augusto de. *Vida do marquês de Barbacena*, pp. 803-10.
248 *O repúblico*, 30 de março de 1831.
249 MONTEIRO, Tobias. *História do Império: o Primeiro Reinado*, vol. 2, p. 198.
250 Arquivo Histórico do Museu Imperial, III-DMI-07.04.1831-PI.B.C.

Parte III: Europa – 1831-1834

1 DORIA, Luiz Gastão d´Escragnolle. *Uma testemunha diplomática do Sete de Abril*, p. 188.
2 PINHEIRO, José Feliciano Fernandes. *Memórias do visconde de S. Leopoldo*, p. 24.
3 ASSUPÇÃO, Maurício Torres. *A história do Brasil nas ruas de Paris*, p. 41.
4 PASCUAL, A.D. de. *Rasgos memoráveis do senhor dom Pedro I*, p. 128.

5 Idem, p. 129.
6 Apud ASSUMPÇÃO, Maurício Torres. *A história do Brasil nas ruas de Paris*, p. 55.
7 Idem.
8 Idem, p. 57.
9 Arquivo do Instituto Histórico e Geográfico de São Paulo, lata 175, doc. 50.
10 Biblioteca Nacional, Manuscritos, 64,02,002 nº 021.
11 Torre do Tombo, cartório da extinta casa real, AHMF cx7321.
12 Arquivo do Instituto Histórico e Geográfico Brasileiro, coleção Hélio Viana, DL 1376, pasta 5.
13 Idem, DL175-38
14 *O cerco do Porto*, p. 174-5.
15 PASCUAL, A.D. de. *Rasgos memoráveis do senhor dom Pedro I*, p. 159.
16 Chronica Constitucional de Lisboa, nº 5, quarta-feira, 31.jul.1833, p. 16.
17 FRONTEIRA, Marquês da. *Memórias*, 5ª série, vol. III, p. 16.
18 NAPIER, Carlos. *Guerra de sucessão em Portugal*. vol. II, p. 342.
19 NAPIER, Carlos. *Guerra de sucessão em Portugal*, vol. II, p. 334.
20 TAVARES, João Fernandes. *Autos da autópsia do corpo de d. Pedro de Alcântara*, p. 2.
21 Idem.
22 FRONTEIRA, Marquês da. *Memórias*, 5ª série, vol. III, p. 140.
23 Biblioteca Nacional, Manuscritos, 64,02,002 nº 021.
24 FRONTEIRA, Marquês da. *Memórias*, 5ª série, vol. III, p. 100.
25 Rio de Janeiro: Na Typographia de R. Ogier, 1831.
26 *O Sete d'Abril*. Rio de Janeiro, sábado, 2 de fevereiro de 1833, nº 10, p. 3.
27 *O Sete d'Abril*. Rio de Janeiro, sábado, 28 de maio de 1833, nº 44, p. 3.
28 Anais da Câmara, 1833, tomo 2, p. 48.
29 Arquivo Histórico do Museu Imperial, Maço 98. Doc. 4820.
30 Anais da Câmara dos Deputados, 7 de junho de 1833.
31 Ilha de Fernando de Noronha.
32 SORIANO, Luz. *História da Guerra Civil*, Terceira época, tomo V, p. 372.
33 PIMENTEL, Alberto. *A corte de D. Pedro IV*, p. 215.
34 *O cerco do Porto...*, pp. 175-6.
35 Idem, p. 167. Também [OWEN, Hugh]. *A Guerra Civil em Portugal...*, p. 273.
36 Anais da Câmara, 1833, tomo II, p. 48.
37 PIMENTEL, Alberto. *A corte de D. Pedro IV*, p. 239.
38 FRONTEIRA, Marquês de. *Memórias do marquês de Fronteira*, 5ª parte, vol. 3, pp. 116-7.
39 Instituto Histórico e Geográfico Brasileiro, Manuscritos, Fundo Wanderley Pinho, DL1571 -06.
40 Arquivo Histórico do Museu Imperial, I-AMI-29.9.1834-A.B.C.
41 CASTILHO, Antônio Feliciano de. *Tributo Português à memória do Libertador*, p. 36ss.
42 Arquivo Histórico do Museu Imperial, Maço 100 Doc. 4904.
43 Provável referência ao caso de d. Pedro com a marquesa de Santos, que durou esse período.
44 Tais informações serviram como base para que a arqueóloga Valdirene Ambiel pudesse confirmar a identidade da ossada de d. Pedro, uma vez que lhe foi possível identificar as marcas de fraturas.

Epílogo

1 Arquivo Histórico do Museu Imperial, I-POB 03.03.1828 Garc C. 1-8.
2 BRANDÃO, Raul. *Memórias*, p. 94.
3 ADALBERT, Príncipe da Baviera. *Die Herzen der Leuchtenberg*, p. 75.
4 Arquivo Histórico do Museu Imperial, Maço 100 - Doc. 4940.
5 ADALBERTO (príncipe de Baviera). *Die Herzen der Leuchtenberg*, p. 57.
6 Arquivo Histórico do Museu Imperial, II-POB-23.09.[1829]-IM.c 1-18.
7 França, região da Bretanha.
8 Torre do Tombo. AHMF CR 134-22.
9 Coleção adquirida pelo embaixador Caio de Melo Franco em Paris às vésperas da Segunda Guerra, e, posteriormente, vendidas para o político Ademar de Barros, que as presentou a sua amante.
10 RANGEL, Alberto. *D. Pedro I e a marquesa de Santos*, p. 394, doc. 62.
11 Anuário do Museu Imperial, vol. 17, p. 133.
12 Apud RANGEL, Alberto. *D. Pedro I e a marquesa de Santos*. p. 302.
13 Rodrigo Otávio Langgaard de Meneses (1866-1944). Jurista brasileiro, foi vice-presidente da Liga das Nações e ministro do Supremo Tribunal Federal.
14 Mancha na córnea.
15 OTÁVIO, Rodrigo. *Minhas memórias dos outros*, p. 314.
16 FREITAS, Victor F. de. *Os últimos anos da condessa de Iguaçu*. In O Estado de Minas, 17 de junho de 1962.
17 Arquivo Histórico do Museu Imperial, I-POB-14_10_1831-Per.c.
18 Museu Imperial — caderneta nº 39.
19 "Pour remettre á Pedro de Alcantara Brasileiro, fils naturel de S.M. Dom Pedro I, Empereur du Brésil. S'il refuse por lui même, qu'il acepte por ses enfants."
20 Ofício de Rechberg, ministro da Áustria no Rio, datado de 22 de outubro de 1844, apud LYRA, Heitor. *História de d. Pedro II — ascensão*, p. 262.
21 BRAGANÇA, Carlos Tasso de Saxe-Coburbo e. *A intriga*, pp. 290-1.
22 CARVALHO, José Murilo. *D. Pedro II*, p. 17.
23 Idem.
24 Durante a elaboração desta biografia, obtive a informação de que uma instituição particular portuguesa possuiria a missiva original. Apesar de diversos contatos, porém, não foi possível obter deles, até o momento, a confirmação da posse.
25 Arquivo Nacional da Torre do Tombo, AHMF, Caixa 7321, maço 9.

D. Pedro I - Imperador do Brasil: doença e morte

1 REZZUTTI, 2016.
2 SANTOS, 2012.
3 BONIFÁCIO, 2007.
4 Biblioteca da Ajuda/Palácio Nacional da Ajuda - Museu do Tesouro Real.
5 KASPER, 2005.

Bibliografia

Fontes manuscritas

Arquivo Histórico da Província Franciscana da Imaculada Conceição do Brasil — São Paulo

Arquivo Nacional — Rio de Janeiro
- Fundo Casa Real e Imperial/Mordomia
- Fundo Alberto do Rego Rangel
- Fundo Marquês de Barbacena

Museu Imperial — Petrópolis
- Arquivo Histórico
- Arquivo Grão-Pará

Biblioteca Nacional/Seção de Manuscritos — Rio de Janeiro
- Coleção Independência do Brasil
- Coleção Tobias Monteiro
- Coleção Paulo Taclac

Instituto Histórico e Geográfico Brasileiro — Rio de Janeiro
- Arquivo Hélio Viana
- Arquivo Wanderley Pinho

Torre do Tombo - Lisboa
- Cartório da Extinta Casa Real

Fontes primárias impressas

1. Coleções, jornais, relatórios

"A Imprensa estrangeira e a Independência do Brasil". *Em Cultura*. Brasília: Ministério da Educação e Cultura. Departamento de Documentação e Divulgação, 1972, pp. 134-46.

Allgemeine Zeitung, 4.jun.1817.

Anais da Constituição, tomo II.

Anais da Câmara, 1833, tomo II.

Chronica Constitucional de Lisboa, 31.jul.1833.

Coleção das leis do Brasil de 1821.

Correio Paulistano, 23.dez.1934.

Diário do Rio de Janeiro, 10.dez.1829.

Gazeta de Lisboa, 28.set.1798.

O Repúblico, 30.mar.1831.

O Sete D'Abril, 2.fev.1833.

________, 28.mai.1833.

PEDRO II, Dom. *Diário de 1862*. Anuário do Museu Imperial, vol. 17, 1952. pp. 15-291.

PROCLAMAÇÕES, cartas, artigos de imprensa. Rio de Janeiro: Biblioteca do Sesquicentenário, 1973.

TAVARES, João Fernandes. *Autos da autópsia do corpo de d. Pedro de Alcântara, duque de Bragança*. Lisboa: Impressão de João Nunes Esteves e Filho, 1834.

DESPACHO 21 abr. 1830 AHI 316/01/12. "Instruções de Miguel Calmon du Pin e Almeida, ministro dos Negócios Estrangeiros, para José Egídio Álvares de Almeida, marquês de Santo Amaro, embaixador extraordinário e plenipotenciário na França e Grã-Bretanha". *Cadernos do CHDD*, ano VII, n. 12, pp. 120-126, 2008.

2. Livros e artigos

A IMPERATRIZ Maria Leopoldina: documentos interessantes publicados para comemorar o primeiro centenário da sua morte, ocorrida no dia 11 de Dezembro de 1826. Rio de Janeiro: Arquivo Nacional, 1926.

ABRANTES, Duchesse de. *Memoires de la Duchesse d´Abrantés*. 12ª ed. Paris: Société d'éditions littéraire et artistiques, 1902.

ANDRADA E SILVA, José Bonifácio de; ANDRADA, Antônio Carlos Ribeiro de; ANDRADA, Martim Francisco Ribeiro de. *Cartas andradinas. Correspondência particular de José Bonifácio, Martim Francisco e Antônio Carlos dirigida a Antônio de Meneses Vasconcelos de Drummond*. Rio de Janeiro: Leuzigner & Filhos, 1890.

ARMITAGE, João. *História do Brasil desde o período da chegada da família de Bragança em 1808 até a abdicação de d. Pedro I em 1831, compilada à vista dos documentos públicos e outras fontes originais, formando uma continuação da história do Brasil de Southey*. Belo Horizonte: Itatiaia; São Paulo: Edusp, 1981.

BOMBELLES, Marc Marie, *Journal d'un ambassadeur de France au Portugal, 1786-1788*. Paris: Roger Kann, 1979.

BUENO, Francisco de Assis Vieira Bueno. *A cidade de São Paulo: recordações evocadas de memória, notícias históricas*. São Paulo: Academia Paulista de Letras, 1976.

CALDEIRA, Jorge (org.). *Brasil, a história contada por quem viu*. São Paulo: Mameluco, 2008.

CARTAS dos dois amantes de São Christovão. Rio de Janeiro: Na Typographia de R. Ogier, 1831.

CASTILHO, Antônio Feliciano de. *Tributo Português à memória do Libertador*. Lisboa: Impressão Galhardo, 1836.

CORRESPONDÊNCIA do marquês de Resende. Revista do Instituto Histórico e Geográfico Brasileiro, tomo 80, pp. 155-506, 1916.

FERREIRA, Silvestre Pinheiro. *Memórias e cartas biográficas*. Anais da Biblioteca Nacional, Rio de Janeiro, v. 2, 1877.

FRONTEIRA, Marquês de. *Memórias do marquês de Fronteira e d'Alorna D. José Trazimundo Mascarenhas Barreto ditadas por ele próprio em 1861*. 5 vols. Coimbra: Impr. da Universidade, 1928-1932.

GRAHAM, Maria Dundas. *Diário de uma viagem ao Brasil e de uma estada nesse país durante parte dos anos 1821, 1822, 1823.* São Paulo: Nacional, 1956.

________. *Escorço biográfico de dom Pedro I.* Rio de Janeiro: Fundação Biblioteca Nacional, 2010.

HAMMOND, Graham Eden. *Os diários do almirante Graham Eden Hammond.* Rio de Janeiro: J.B, 1984.

HENDERSON, James. *A history of the Brazil.* Londres, Longman, 1821.

HIPPSLEY, A. J. *Reminiscences of the late War of Succession in Portugal; and of Oporto, during the Siege of 1832 and 1833.* Colburn´s United Service Magazine and Naval and Military Journal, 1846, part III, Londres, H. Hurst.

KANN, Bettina; LIMA, Patrícia Souza. *Cartas de uma imperatriz.* São Paulo: Estação Liberdade, 2006.

KINDER, D. P.; FLETHCER, J. C. *O Brasil e os brasileiros.* 2 vol. São Paulo: Nacional, 1941.

LOUREIRO, João. *Cartas de João Loureiro escriptas do Rio de Janeiro ao conselheiro Manoel José Maria da Costa e Sá, de 1828 a 1842.* Revista do Instituto Histórico e Geográfico Brasileiro. Tomo LXXVI, Parte II. Rio de Janeiro, 1914.

LUCCOCK, John. *Notas sobre o Rio de Janeiro.* São Paulo: Nacional, 1969.

MARROCOS, Luís Joaquim dos Santos. *Correspondência de Luís Joaquim dos Santos Marrocos.* Anais da Biblioteca Nacional, vol. 56, 1934.

________. *O bibliotecário do rei.* Rio de Janeiro: Biblioteca Nacional, 2007.

MONGLAVE, Eugène de. *Correspondance de Don Pèdre Premier, Empereur Constitutionnel du Brésil, avec le Feu Roi de Portugal Don Jean VI, son Père, durant les Troubles du Brésil; traduite sur les lettres originales; précédée de la Vie de cet Empereur et suivie de pièces justificatives.* Paris: Tenon, 1827. p. 13.

NAPIER, Carlos. *Guerra de Sucessão em Portugal pelo almirante Carlos Napier.* 2 vols. Lisboa: Typographia Commercial, 1841,

O CERCO do Porto em 1832 para 1833. Porto: Typographia de Faria & Silva, 1840.

OBERACKER Jr., Carlos H. *Comentários às cartas da Imperatriz Leopoldina a João Martinho Flach.* Revista do Instituto Histórico e Geográfico de São Paulo. São Paulo: IHGSP, 1997. vol. 93.

________. *O duque de Santa Cruz: Augusto Duque de Leuchtenberg e o Brasil*. Jahrbuch für Geschichte von Staat, Wirtschaft u. Gesellschaft Lateinamerikas, Bd. 26. Köln/Wien: Böhlau Verlag, 1989.

OWEN, Hugh. *A guerra civil em Portugal. O sítio do Porto e a morte de Don Pedro.* Londres, [s.e.], 1836.

OCTÁVIO, Rodrigo. *Minhas memórias dos outros*. 1ª Série. Rio de Janeiro: José Olympio, 1934.

PALMELA, Duque de. *Despachos e correspondência*... 4 tomos. Lisboa: Imprensa Nacional, 1851.

PASCUAL, A.D. de. *Rasgos memoráveis do Senhor Dom Pedro I*. Rio de Janeiro: Laemmert, 1862.

PINHEIRO, José Feliciano Fernandes. *Memórias do Visconde de S. Leopoldo José Feliciano Fernandes Pinheiro*. Revista do Instituto Histórico e Geográfico do Brasil, tomo 38, parte 2ª.

PRESAS, D. José. *Memórias secretas de Carlota Joaquina*. Brasília: Edições do Senado Federal, 2013.

RANGEL, Alberto (notas); ARAÚJO, Emanuel (coord.). *Cartas de Pedro I à marquesa de Santos*. Rio de Janeiro: Nova Fronteira, 1984.

RESENDE, Marquês de. *Elogio histórico do senhor rei D. Pedro IV*. Lisboa: Typographia da Academia, 1867.

REZZUTTI, Paulo. *Titília e o Demonão. Cartas inéditas de d. Pedro I à marquesa de Santos*. São Paulo: Geração Editorial, 2011.

RIO SECO, Visconde do. *Exposição analytica, e justificativa da conducta, e vida publica do Visconde do Rio Seco*. Rio de Janeiro: Imprensa Nacional, 1821.

SAINT-HILAIRE, Auguste. *Viagem à província de São Paulo e resumo das viagens ao Brasil, província Cisplatina e missões do Paraguai*. São Paulo: Martins, 1945.

SANTOS, Luís Gonçalves dos. *Memórias para servir à história do Reino do Brasil*. Lisboa: Imprensa Régia, 1825, 2 vols.

SCHLICHTHORST, C. O. *Rio de Janeiro como é (1824-1826)*. Brasília: Senado Federal, 2000.

SEIDLER, Carl. *Dez anos no Brasil*. São Paulo: Martins Fontes, 1941.

SORIANO, Simão José da Luz. *História do cerco do Porto*. Porto: A. Leite Guimarães, 1889 e 1890, 2 vols.

TAUNAY, Affonso de E. *Depoimentos vários sobre a corte de D. Pedro I e sobre este monarcha*. In: ______. *Do reino ao império*. São Paulo: Diario Official, 1927. pp. 127, 128.

WALSH. Rev. R. *Notices of Brazil in 1828 and 1829*. Londres: Frederick Westley and A. H. Davis, 1830, 2 vols.

Fontes secundárias

1. Livros

ALMEIDA, Sylvia Lacerda Martins de. *Uma filha de d. Pedro I: dona Maria Amélia*. São Paulo: Companhia Editora Nacional, 1973.

ADALBERTO, Príncipe da Baviera. *Die Herzen der Leuchtenberg: Chronik einer napoleonisch-bayerisch-europäischen Familie*. Müchen: Prestel, 1963.

AGUIAR, Antônio Augusto de. *Vida do Marques de Barbacena*. Rio de Janeiro: Imprensa Nacional, 1896.

ASSUMPÇÃO, Maurício Torres. *A história do Brasil nas ruas de Paris*. Rio de Janeiro: Casa da Palavra, 2014.

BARDY, Claudio. *O século XVIII*. In: SILVA, Fernando Nascimento (org.). *Rio de Janeiro e seus quatrocentos anos: formação e desenvolvimento da cidade*. Rio de Janeiro; São Paulo: Record, 1965.

BEIRÃO, Caetano Maria de Abreu. *Dona Maria I, 1777-1792*. 4ª ed. Lisboa: Empresa Nacional de Publicidade, 1944.

BRAGANÇA, Carlos Tasso de Saxe-Coburgo e. *A intriga*. São Paulo: SENAC, 2012.

BRANDÃO, Raul. *El-rei Junot*. 2º ed. Porto: Renascença Portuguesa, 1919.

BRANDÃO, Raul. *Memórias*, vol. 1. Lisboa: Vercial, 1996.

CALÓGERAS, João Pandiá. *A política exterior do Império*. Rio de Janeiro: Imprensa Nacional; IHGB, 1927, 3 vols.

_________. *Formação histórica do Brasil*. São Paulo: Nacional, 1967.

CARVALHO, José Murilo. *D. Pedro II*. São Paulo: Companhia das Letras, 2007.

CERQUEIRA E SILVA, Ignácio Accioli de. *Memórias históricas e políticas da província da Bahia*. Bahia, Imprensa Oficial do Estado, 1931.

CERRI, Luis Fernando. *Usos públicos da história no Brasil contemporâneo: demandas sociais e políticas de Estado*. Araucaria. Revista Iberoamericana de Filosofía, Política y Humanidades, ano 8, n. 15, pp. 3-19, 2006.

CHAVES, Castelo Branco. *A emigração francesa em Portugal durante a Revolução*. Lisboa: Instituto da Cultura e Língua Portuguesa, 1984.

COSTA, Sérgio Correa da. *As quatro coroas do imperador*. Rio de Janeiro: Paz e Terra, 1995.

_________. *Every Inch a King. A Biography of Dom Pedro I first emperor of Brazil*. Londres: Robert Hale & Company, 1972.

COSTA, Wilma Peres. *Do Domínio à Nação: impasses da fiscalidade no processo de Independência*. In: JANCSÓ, István (org.). *Brasil: formação do Estado e da Nação*. São Paulo: Ed. Hucitec, 2003, pp. 143-193.

CRULS, Gastão. *O Rio de Janeiro no primeiro quartel do século XIX*. Anuário Museu Imperial, 1946, pp. 127-40.

D. PEDRO d'Alcântara de Bragança 1798-1834. Imperador do Brasil, Rei de Portugal. 2ª ed. Lisboa: Of gráficas Manuel A. Pacheco, Lda., 1987.

DALBIAN, Denyse. *Don Pedro, empereur du Brésil, roi de Portugal (1798-1834)*. Paris: Plon, 1959.

DALBIAN, Denyse. *Le sejour de L'Empereur d. Pedro a la cour de Louis-Philippe*. In: *D. Pedro I e dona Leopoldina perante a história: vultos e fatos da Independência*. São Paulo: IHGSP, 1972. pp. 218-227.

DANTAS, Júlio. *Figuras de ontem e de hoje*. Lisboa: Companhia Editora, [s.d.]

DEBRET, Jean-Baptiste. *Viagem pitoresca e histórica ao Brasil*. São Paulo: Martins, 1954.

FAZENDA, José Vieira. *Antiqualhas e memórias do Rio de Janeiro*. Rio de Janeiro: Revista do Instituto Histórico e Geográfico Brasileiro, 1921-27, 5 vols.

FREYRE, Gilberto. *Casa Grande e Senzala*. Rio de Janeiro: José Olympio, 1946, 2 vols.

GUIMARÃES, Argeu. *Em torno de um casamento de d. Pedro II*. Rio de Janeiro: Zelio Valverde, 1942.

GUIMARÃES, A . C. Daraújo: *A corte no Brasil: figuras e aspectos*. Porto Alegre: Ed. do Globo, 1936.

GOMES, Laurentino. *1808 — Como uma rainha louca, um príncipe medroso e uma corte corrupta enganaram Napoleão e mudaram a História de Portugal e do Brasil*. 2ª reimpressão. São Paulo: Editora Planeta do Brasil, 2007.

LAMEGO, Luís. *Dom Pedro I, herói e enfermo*. Rio de Janeiro, 1939.

HAMMOND, Graham Eden. *Os diários do almirante Graham Eden Hammond*. Rio de Janeiro: J.B, 1984.

HISTÓRIA de el-rei D. João VI, primeiro rei constitucional de Portugal e do Brasil. Lisboa: Typographia Universal, 1866.

HOLANDA, Sérgio Buarque de (org.) *A herança colonial: sua desagregação*. História Geral da Civilização Brasileira, 4ª ed, vol. 1. São Paulo: Difel, 1976.

LACOBE, Lourenço Luiz. *João VI*. Anuário do Museu Imperial, 1948, p. 145.

LEMOS, Juvêncio Saldanha. *Os mercenários do imperador*. Rio de Janeiro: Biblioteca do Exército, 1996.

LEWIN, Linda. *Surprise Heirs II: Illegitimacy, Inheritance Rights, and Public Power in the Formation of Imperial Brazil, 1822-1889*. Stanford: Stanford University Press, 2003.

LIGHT, Kenneth. *A viagem marítima da família real: a transferência da corte portuguesa para o Brasil.* Rio de Janeiro: Zahar, 2008.

LIMA, Manuel de Oliveira. *D. João VI no Brasil. 1808-1821.* Rio de Janeiro, Jornal do Commercio, 1908, 2 vols.

________. *D. Miguel no trono.* Coimbra: Imprensa da Universidade, 1933.

________. *Dom Pedro e dom Miguel: a querela da sucessão.* Brasília: Edições do Senado Federal, 2009.

LUSTOSA, Isabel. *D. Pedro I. Um herói sem nenhum caráter.* São Paulo: Companhia das Letras, 2006.

LYRA, Heitor. *História de d. Pedro II - Ascensão.* São Paulo: Nacional, 1939.

MACAULAY, Neill. *Dom Pedro I: a luta pela liberdade no Brasil e em Portugal, 1798-1834.* Rio de Janeiro: Record, 1993.

MADELIN. Louis. *Histoire du consulat et de l'Empire: L'affaire d´Espagne (1807-1809).* Paris: Hachette, 1937.

MARTINS, Francisco José da Rocha. *O último vice-rei do Brasil.* Lisboa: Oficinas Gráficas do ABC, s.d.

MARTINS, Oliveira. *História de Portugal.* 3ª ed. Lisboa: Viúva Bertrand, 1882, 2 vols.

MONTEIRO, Tobias. *História do Império A Elaboração da Independência.* Belo Horizonte: Itatiaia, 1981, 2 vols.

MONTEIRO, Tobias. *História do Império: O Primeiro Reinado.* Belo Horizonte: Itatiaia, 1982. 2 vols.

MORAIS, A. J. de Melo. *A independência e o Império do Brasil.* Brasília: Senado Federal, Conselho Editorial, 2004.

________. *História da trasladação da corte portuguesa para o Brasil.* Rio de Janeiro: E. Dupont, 1872.

________. *Crônica Geral do Brasil.* Rio de Janeiro: Garnier, 1886. 2 vols.

________. *História do Brasil Reino e do Brasil Império.* Belo Horizonte: Itatiaia; São Paulo: Edusp, 1982.

________. *O marquês de Barbacena.* Brasília: Universidade de Brasília, 1982.

NOBRE, Eduardo. *Paixões reais.* Lisboa: Quimera, 2002.

NOGUEIRA, Francisca L. *Carlota Joaquina, cartas inéditas.* Rio de Janeiro: Casa da Palavra, 2007.

NORTON, Luiz. *A corte de Portugal no Brasil.* 2ª ed. São Paulo: Nacional, 1979.

OBERACKER Jr., Carlos H. *A Imperatriz Leopoldina. Sua vida e sua época. Ensaio de uma biografia.* S.l.: Conselho Nacional de Cultura, 1973.

PEDREIRA, Jorge Miguel. *Indústria e atraso económico em Portugal (1800-1825): uma perspectiva estrutural.* Análise Social, vol. XXIII (97), pp. 563-596. 1987.

PEREIRA, Ana Cristina; TRONI, Dana. *A vida privada dos Bragança: De d. João IV a d. Manuel II — O dia a dia na corte*. Lisboa: A Esfera dos Livros, 2011.

PEREIRA, Ângelo *As senhoras infantas filhas d'el rey D. João VI*. Lisboa: Editorial Labor, 1938.

________. *D. João VI, príncipe e rei*. Lisboa: Empresa Nacional de Publicidade, 1953-58, 4 vols.

PIMENTEL, Alberto. *A corte de D. Pedro IV*. Porto: Imprensa Portuguesa, 1896.

PRADO, J. F. de Almeida. Tomas Ender. *Pintor austríaco na corte de d. João VI no Rio de Janeiro. Um episódio da formação da classe dirigente brasileira. 1817-1818*. São Paulo: Nacional, 1955.

PROENÇA, Martinho de Mendonça de Pina e. *Apontamentos para a educação de hum menino nobre*. Lisboa Occidental: Na Officina de Joseph Antonio da Sylva, 1734.

RAMIREZ, Ezekiel Stanley. *As relações entre a Áustria e o Brasil 1815-1889*. São Paulo: Nacional, 1968.

RANGEL, Alberto. *Dom Pedro Primeiro e a marquesa de Santos*. 2ª ed. Tours: Arrault e Companhia, 1928.

________. *Os dois ingleses: Strangford e Stuart*. Rio de Janeiro: Arquivo Nacional, 1972.

________. *Textos e pretextos*. Tours: Arrault e Companhia, 1926.

________. *Trasanteontem (episódios e relatos históricos)*. São Paulo: Martins, 1943.

REIS, João José. *A Morte é uma festa*. São Paulo: Cia. das Letras, 1991.

REZZUTTI, Paulo. *Domitila, a verdadeira história da marquesa de Santos*. São Paulo: Geração, 2013.

RIBEIRO, Maria de Lourdes Borges. *Na trilha da Independência. História e Folclore*. Rio de Janeiro: Ministério da Educação e Cultura, 1972.

ROBERTS, Jeniffer. *D. Maria I — a vida notável de uma rainha louca*. Lisboa: Casa das Letras, 2012.

RODRIGUES, José Honório. *Independência, revolução e contra revolução*. Rio de Janeiro: Francisco Alves, 1975, 5 vols.

SANTOS, Amilcar Salgado dos. *A Imperatriz D. Leopoldina*. São Paulo: Escolas Profissionais Lyceu Coração de Jesus, 1927.

SCHLICHTHORST, C. O. *Rio de Janeiro como é (1824-1826)*. Brasília: Senado Federal, 2000.

SCHWARCZ, Lilia Moritz. *As barbas do imperador: D. Pedro II, um monarca nos trópicos*. São Paulo: Companhia das Letras, 1998.

SCHMIDT, Maria Junqueira. *A segunda imperatriz do Brasil*. São Paulo: Melhoramentos, 1927.

SILVA, Maria Beatriz Nizza da. *Cultura e Sociedade no Rio de Janeiro (1808-1821)*. São Paulo: Nacional, 1978.

SILVA, Paulo Napoleão N. B. Nogueira. *Pedro I, o português brasileiro*. 2ª ed. Rio de Janeiro, Gryphus, 2003.

SISSON, S. A. *Galeria dos brasileiros ilustres*. Brasília: Senado Federal, 1999. 2 vols.

SORIANO, Luz. *História da Guerra Civil e do estabelecimento do governo parlamentar em Portugal comprehendendo a história diplomática militar e política d´este reino desde 1777 até 1834*. Lisboa: Imprensa Nacional, 1866-1890. 19 v.

SOUSA, Octávio Tarquínio de. *A vida de D. Pedro I*. Rio de Janeiro: José Olympio. 1952. 3 vols.

________. *História dos fundadores do Império do Brasil: fatos e personagens em torno de um regime*. Belo Horizonte: Itatiaia; São Paulo: Edusp, 1988.

SCHUBERT, Mons. Guilherme (coord.). *200 anos: Imperatriz Leopoldina*. Rio de Janeiro: IHGB, 1997.

TAVARES, Silva. *A vida amorosa de d. Pedro IV*. Lisboa: Livraria Clássica Editora, 1934.

TORRES, Lygia Lemos. *A imperatriz dona Amélia*. São Paulo: Typ. Elvino Pocai, 1947.

VASCONCELLOS, barão de; SMITH DE VASCONCELLOS, barão. *Archivo Nobiliarchico Brasileiro*. Lausanne: La Concorde, 1918.

VASCONCELOS, Maria Celi Chaves. *Igreja e educação: a influência da catequese nos primórdios da literatura pedagógica*. In: LEMOS, Maria Teresa Toiríbio (org). *Religião, violência e exclusão*. Rio de Janeiro: 7Letras, 2006. p. 82.

VIANNA, Hélio. *D. Pedro I e d. Pedro II, acréscimos às suas biografias*. São Paulo: Nacional, 1966.

________. *D. Pedro I jornalista*. São Paulo: Melhoramentos, 1967.

2. Periódicos

CÂMARA, José Aureliano Saraiva. *Um documento inédito da vida de d. Pedro I*. Revista do Instituto Histórico do Ceará, pp. 5 a 15, 1961.

DORIA, Luiz Gastão d´Escragnolle. *Um amigo do Brasil (Ferdinand Denis)*. Revista do Instituto Histórico e Geográfico Brasileiro, tomo LXXV, parte I, pp. 217-230, 1912.

________. *A imperatriz Leopoldina*. Revista do Instituto Histórico e Geográfico de São Paulo, vol. 16, 1911.

_______. *Uma testemunha diplomática do Sete de Abril.* Revista do Instituto Histórico e Geográfico Brasileiro, tomo LXXIV, parte II, pp. 181-194, 1911.

FLEUISS, Max. *Sessão especial... Centenário do falecimento da Imperatriz Dona Maria Leopoldina...* Revista do Instituto Histórico e Geográfico Brasileiro, vol. 153, 1926.

FREITAS, Victor F. de. Os últimos anos da condessa de Iguaçu. O Estado de Minas, 17.jun.1962.

GALVÃO, Ramiz. *O púlpito no Brasil.* Revista do Instituto Histórico e Geográfico Brasileiro, vol. 92, 1922, pp 7-160.

LOPES, Claudio Fragata. *Leopoldina nos bastidores do grito.* Revista Galileu, ed. Globo, ano 8, nº 86 pp. 87-96, setembro de 1998.

OBERACKER Jr, Carlos H. *O grito do Ipiranga — Problema que desafia os historiadores. Certezas e dúvidas acerca de um acontecimento histórico.* Revista de História, FFLCH/USP, n. 92, pp. 411-464, 1972.

RAFFARD, Henri. *Apontamentos acerca de pessoas e coisas do Brasil.* Revista Trimensal do Instituto Histórico e Geográfico Brasileiro, tomo LXI, parte II, 1899.

REZZUTTI, Paulo. *As escapadas de d. Pedro II.* Revista Aventuras na História, ed. 135, outubro de 2014.

_______. *Leopoldina, a primeira governante do Brasil.* História Viva, ed. 114, abril de 2013.

_______. *A Versalhes brasileira: como Petrópolis se tornou uma das primeiras cidades planejadas do país.* Revista Aventuras na História, ed. 130, maio de 2014.

_______. *Os segredos da família imperial.* Carta Fundamental, ed. 47, abril de 2013.

WITTE, Cláudia Thomé. *Amélia e dom Pedro I, um casamento imperial há 180 anos.* Revista Ponto de Vista. Juiz de Fora, abril de 2010.

_______. *O doutor era inocente.* Revista de História da Biblioteca Nacional, ed. 101, fevereiro de 2014.

3. Artigos acadêmicos e teses

AMBIEL, Valdirene do Carmo. *Estudos de Arqueologia Forense aplicados aos remanescentes humanos dos primeiros imperadores do Brasil depositados no monumento à Independência.* 2013. Dissertação (Mestrado em Arqueologia) — Museu de Arqueologia e Etnologia, Universidade de São Paulo, São Paulo, 2013. Disponível em: <http://www.teses.usp.br/teses/disponiveis/71/71131/tde-27032013-173516/>. Acesso em: 2015-02-17.

DURAN, Marcos Henrique Coelho. “Comorbidade Epilepsia e TDAH: aspectos clínicos, eletrencefalográficos, comportamentais e psicossociais”. 2011. Tese de doutorado. Unicamp, 2011. Disponível em: <http://www.bibliotecadigital.unicamp.br/document/?code=000811680>. Acesso em: 2015-02-17.

GOMES, Marleide da Mota Gomes; CHALUB, Miguel Dom Pedro de Bragança. “Imperador do Brasil e rei de Portugal, pessoa com epilepsia e comportamento peculiar”. [S.d.] Instituto de Neurologia da UFRJ — Programa de Epilepsia. Disponível <http://www.epilepsia.pt/Imgs/articles/article_84/artigo-d-pedro-i-e-iv.pdf>. Acesso em: 17 fev. 2015.

LUSTOSA, Isabel. *O séjour de D. Pedro I em Paris e a imprensa francesa: familiaridade e exotismo*. História (São Paulo) vol. 31, n. 2, pp. 171-190, jul/dez de 2012.

4. Sites

D. Pedro IV. <http://www.dpedroiv.parquesdesintra.pt>. Acesso em: 25 jul. 2015.

5. Palestras/conferências

REZZUTTI, Paulo. *Da Áustria ao Brasil: as diversas faces de uma princesa*. Palestra. Seminário Internacional do Museu Histórico Nacional. D. Leopoldina e seu tempo: Sociedade, política, ciência e arte no século XIX. Rio de Janeiro, 14 a 17 de outubro de 2014.

6. Mídia digital

HORTA, Maria Lourdes Pereira (dir.). *Pedro I: um brasileiro*. Ministério da Cultura-IPHAN-Museu Imperial.

7. Noticiário Televisivo

RTP. Título: *Câmara Clara — A Morte de D. João VI*. Autoria: Inês Fonseca Santos. Ano: 2007.

Créditos das imagens

Página 8

SENDIM, Maurício José do Carmo. *S. M. I. o Senhor Dom Pedro, Duque de Bragança*. Gravura publicada na obra *Tributo português a memória do libertador* de Antônio Feliciano de Castilho, em 1836.

Página 37

SERRANO, F.A. Paço de Queluz: fachada do quarto em que falleceu S. M. I. o Duque de Bragança. Gravura publicada no Elogio Histórico do Rei D. Pedro IV, pelo Marquês de Resende, apresentado na Academia das Ciências de Lisboa em 1836 e publicado em 1867.r.

Página 43

VASCONCELOS, J. Manuel Leitão de. *Carlota Ioakina Brasiliae Princeps*, 1810. Litografia. Col. particular, Portugal.

Página 49

PIRES, Francisco Manuel. *D. Maria I. Rainha de Portugal*, Circa 1700. Litografia. Col. Particular.

Página 52

QUINTO, Antonio José. *D. João VI, Rey de Portugal, Brazil e Algarves*, 1817. Litografia. Col. particular, Rio de Janeiro.

Página 66

BARTOLOZZI, Francesco. *Departure of his R.H. the Prince Regent of Portugal for the Brazils: the 27.th November 1807*. 1807. Gravura em água-forte. Col. Particular

Página 80

DEBRET, Jean Baptiste: *Améliorations progressives du palais de St. Christophe, (Quinta de Boa Vista); depuis 1808, jusqu'en 1831* (detalhe: Palácio de São Cristóvão em 1831), [s.d.] Litografia. In DEBRET, Jean-Baptiste. *Voyage pittoresque et historique au Brésil*. Paris, Firmin Didot frères, 1834/1839.

Página 100
DEBRET, Jean Baptiste: *Embarquement des troupes a Prahia Grande, pour l'Expedition contre Monte-Video*, [s.d.] Litografia. In DEBRET, Jean-Baptiste. *Voyage pittoresque et historique au Brésil*. Paris, Firmin Didot frères, 1834/1839.9-Desembarque Leopoldina Taunay

Página 104
TAUNAY, Hippolyte: *Desembarque de S. A. a Princeza Real do Reino Unido, Portugal Brazil e Algarves na cidade do Rio* (detalhe); Rio de Janeiro, [1817]. Litografia. Col. Particular

Página 112
DEBRET, Jean-Baptiste: *Vue de l'extérieur de la galerie de l'acclamation: du Roi D. Jean VI*, [s.d.] Litografia. In DEBRET, Jean-Baptiste. *Voyage pittoresque et historique au Brésil*. Paris, Firmin Didot frères, 1834/1839.

Página 116
DEBRET, Jean-Baptiste: *Cortége du baptême de la Princesse royale Da. Maria da Gloria, (à Rio de Janeiro)*, [s.d.] Litografia. In DEBRET, Jean-Baptiste. *Voyage pittoresque et historique au Brésil*. Paris, Firmin Didot frères, 1834/1839.

Página 123
DEBRET, Jean-Baptiste: *Acceptation provisoire de la constitution de Lisbonne, à Rio de Janeiro, en 1821*, [s.d.] Litografia. In DEBRET, Jean-Baptiste. *Voyage pittoresque et historique au Brésil*. Paris, Firmin Didot frères, 1834/1839.

Página 138
SISSON, Sébastien Auguste. *José Bonifácio de Andrada e Silva*, [s.d.] Litografia. Col. do autor.

Página 170
DEBRET, Jean-Baptiste: *Acclamation de Don Pédro 1er Empereur du Brésil : au camp de Sta. Anna, à Rio de Janeiro*, [s.d.] Litografia. In DEBRET, Jean-Baptiste. *Voyage pittoresque et historique au Brésil*. Paris, Firmin Didot frères, 1834/1839.

Página 176
S.a. *Calendário perpétuo alegórico, dedicado a Sua Majestade Senhor Dom Pedro Primeiro, Imperador Constitucional & Defensor Perpétuo do Brasil*. S.l., circa 1826. Litografia. Col. Particular.

Página 187
GIANNI. *Alegoria ao juramento da Constituição*, 1825. Litografia. Publicado no livro *Textos e Pretextos*, de Alberto Rangel. Col. do autor.

Página 195
DEBRET, Jean-Baptiste. *Le roi don João VI. L'empereur don Pedro Ier. Grand costume* (detalhe: L'empereur don Pedro I), [s.d.] Litografia. In DEBRET, Jean-Baptiste. *Voyage pittoresque et historique au Brésil*. Paris, Firmin Didot frères, 1834/1839.

Página 210
SALES, José Vicente. *S. A. R. a Serenissima Senhora Infanta D. Isabel Maria* . S.l., 1826. Litografia. Col. Museu Imperial/Ibram/MinC.

Página 213
SEQUEIRA, Domingos António de. *Alegoria às Constituições do Brasil e de Portugal*. Paris, 1826. Litografia de Alois Senefelder. Col. Particular.

Página 227
CARMO, Antônio do. *Alegoria sobre a morte d. Leopoldina.* Rio de Janeiro [1826]. Litografia. Col. Particular.

Página 230
DEBRET, Jean-Baptiste. *Monument et convoi funèbres de l'Impératrice Léopoldine, à Rio de Janeiro,* [s.d.] Litografia. In DEBRET, Jean-Baptiste. *Voyage pittoresque et historique au Brésil.* Paris, Firmin Didot frères, 1834/1839.

Página 241
SISSON, Sébastien Auguste. *Felisberto Caldeira Brant Pontes de Oliveira Horta, marques de Barbacena,* [s.d.] Litografia. Col. do autor.

Página 246
FIDANZA, Raffaele, *S. M. Fidellissima D. Miguel I.* [Roma, circa 1830] Litografia de Battistelli. Col. Particular.

Página 251
S.a. D. Maria II. S.l, [s.d.] Col. Museu Imperial/Ibram/MinC.

Página 258
BRUNELLIÈRE, Prosper Aimée Marie. *Marquês de Barbacena pedindo a mão de S. A. R. Amelie Auguste Eugenie Napoleone em nome de S. M. dom Pedro Imperador do Brasil.* Litografia. S. l, [s.d.] Litografia. Col. Guilherme de Almeida.

Página 268
CASTRO, Manuel António de. *Dona Carlota Joaquina de Bourbon, Imperatriz do Brazil e Rainha de Portugal e Algarves.* Lisboa, 1827. Col. do autor

Página 285
DEBRET, Jean-Baptiste. *Acclamation de D. Pedro II : à Rio de Janeiro le 7 Avril, 1831,* [s.d.] Litografia. In DEBRET, Jean-Baptiste. *Voyage pittoresque et historique au Brésil.* Paris, Firmin Didot frères, 1834/1839.

Página 303
SENDIM, Maurício José do Carmo. *S.M. I. o Senhor D. Pedro, Duque de Bragança / Simplicio pintou do natural em 1830.* S.l., 1835. Litografia. Col. do autor.

Página 306
RIBEIRO, João Baptista. *Princesa Amélia.* Porto, 1833. Litografia. Col. Museu Imperial/Ibram/Minc.

Página 314
SERRANO, F.A. *Vista da praia do Arnosa de Pampelido, onde desembarcou D. Pedro á frente do exército libertador.* Gravura publicada no Elogio Histórico do Rei D. Pedro IV, pelo Marquês de Resende, apresentado na Academia das Ciências de Lisboa em 1836 e publicado em 1867.

Página 318
DEVERIA, Achille. *D. Pedro, Duque de Bragança,* 1832. Litografia. Col. Particular.

Página 327
PETIT, Henri. D. Pedro, 1832. (Porto). Paris, litografia de A. Godard, 1833. Col. do autor.

Página 334
LEGRAND, C. *D. Pedro.* S.l., [s.d.] Litografia. Col. do autor.

Página 348
SENDIM, Maurício José do Carmo. *Nil actum reputans, si quid superesset agendum / Sendim fecit.*. Lisboa, 1834. Litografia. Col. particular.

Página 354
GRADIL, J.A.F. *Heróe sem igual, da Patria libertador, Rei filosofo, general, capitão e soldado... : guerreiro sem ambição, igual ao camarada, ... : transmitte aos teus camaradas este abraço em signal de justa saudade....* S.l., 1837. Col. particular.

Página 357
SERRANO, F.A. *Vista da Igreja de São Vicente de Fora quando ali chegou o corpo do Senhor Dom Pedro.* Gravura publicada no Elogio Histórico do Rei D. Pedro IV, pelo Marquês de Resende, apresentado na Academia das Ciências de Lisboa em 1836 e publicado em 1867.

Página 375
S.a. *D. Isabel Maria, duquesa de Goiás*, fotografia, [s.d.] In RANGEL, Alberto. *Dom Pedro Primeiro e a marquesa de Santos.* Tours: Arrault e Companhia, 1928. Col. do autor.

Página 379
S.a. D. *Maria Isabel, condessa de Iguaçu*, fotografia, [s.d.] In RANGEL, Alberto. *Dom Pedro Primeiro e a marquesa de Santos.* Tours: Arrault e Companhia, 1928. Col. do autor

Página 385
S.a. Pedro Saisset. Paris, [s.d.]

Página 387
SENDIM, Maurício José do Carmo. *Retrato da Rainha D. Maria II com o Príncipe Herdeiro.* Lisboa, 1837 Litografia. Col. particular

Página 389
S.a. *D. Januária.* S.l. [s.d.]

Página 391
S.a. *D. Francisca.*S.l., [s.d.]

Página 394
SILVA, Francisco Augusto Nogueira da. *Estatua equestre do Imperador D. Pedro IV : monumento inaugurado na invicta cidade do Porto, no anno de 1866.* Lisboa: Typographia de Castro Irmão. [s.d.] Col. do autor.

Página 398
RENSBURG, Eduard. *Inauguração da estátua equestre de d. Pedro I*, S.l, [s.d.] Litografia, col. Museu Imperial/Ibram/MinC,

Página 402
SENDIM, Maurício José do Carmo. *24 de Setembro.* S.l., [s.d.] Litografia. Col. particular

Agradecimentos

À MINHA esposa paciente e companheira, Adriana Moura. À melhor amiga-pesquisadora-conselheira e *expert* na imperatriz Amélia que um escritor pode desejar: Cláudia Witte. À querida amiga e historiógrafa Viviane Tessitore, pelos valiosíssimos conselhos e informações a respeito de d. Leopoldina. À responsável pela maior aventura de minha vida até o presente momento, a arqueóloga Valdirene Ambiel e, por extensão, também ao "trio parada dura". À querida amiga Marfísia Lancelloti, pelo apoio constante e pelas traduções do francês. A Paulo Schmidt, pela leitura dos originais e críticas. A Regina Cascão, mãe judia-carioca que me franqueou a casa, a família, os amigos e o coração quando das pesquisas no Rio de Janeiro. Ao arquiteto Vitor Hugo Mori, pelas fotos de d. Pedro; às professoras Vera Cabana e Regina Wanderley, pelo carinhoso acolhimento; e à professora Maria Celi Chaves Vasconcelos, pelas orientações a respeito da educação formal da época de d. Pedro I. A Helton C. Wanderley, do Museu Paulista/USP. À equipe do Arquivo Nacional/RJ: Silvia Ninita de Moura Estevão, Sátiro Ferreira Nunes, Mariza Santana e Teresa Filiardo; à do Museu Histórico Nacional: Vera Lúcia Bottrel Tostes e Daniela Gomes dos Santos; e à sempre por mim louvável, mas nunca de maneira suficiente, equipe do professor Maurício Vicente Ferreira Jr., diretor do Museu Imperial: além do próprio professor, Ana Luísa Alonso de Camargo, Aline Maller Ribeiro, Neibe Machado, Thais Martins, Claudia Marcela Thimoteo, Carolina Knibel, Athos Barbosa e Adalberto José Malheiro.

Sobre o autor

PAULO REZZUTTI é escritor e pesquisador paulista, autor da série de sucesso "A história não contada", com cinco livros já publicados, dentre eles, *D. Pedro: o homem revelado por cartas e documentos inéditos* – vencedor do Prêmio Jabuti 2016 na categoria biografia –, *D. Leopoldina: a mulher que arquitetou a Independência do Brasil* e *D. Pedro II: o último imperador do Novo Mundo revelado por cartas e documentos inéditos*. Recentemente publicou também *O pássaro de fogo e outros contos de fadas russos*, em que nos apresenta uma seleção de contos do rico folclore russo, *Princesinhas e principezinhos do Brasil*, o seu primeiro livro para crianças, e *Os últimos czares*, o primeiro volume de sua nova série "Uma breve história não contada" que fala sobre a tragédia da família Romanov.

Este livro foi composto em Minion Pro,
corpo 11 pt, para a editora LeYa Brasil

D. Pedro D. Pedro D. Pedro D. Pedro
D. Pedro D. Pedro D. Pedro D. Pedro
D. Pedro D. Pedro D. Pedro D. Pedro
D. Pedro D. Pedro D. Pedro D. Pedro
D. Pedro D. Pedro D. Pedro D. Pedro
D. Pedro D. Pedro D. Pedro D. Pedro
D. Pedro D. Pedro D. Pedro D. Pedro
D. Pedro D. Pedro D. Pedro D. Pedro
D. Pedro D. Pedro D. Pedro D. Pedro
D. Pedro D. Pedro D. Pedro D. Pedro
D. Pedro D. Pedro D. Pedro D. Pedro
D. Pedro D. Pedro D. Pedro D. Pedro
D. Pedro D. Pedro D. Pedro D. Pedro
D. Pedro D. Pedro D. Pedro D. Pedro
D. Pedro D. Pedro D. Pedro D. Pedro
D. Pedro D. Pedro D. Pedro D. Pedro
D. Pedro D. Pedro D. Pedro D. Pedro
D. Pedro D. Pedro D. Pedro D. Pedro
D. Pedro D. Pedro D. Pedro D. Pedro

D. Pedro D. Pedro D. Pedro D. Pedro
D. Pedro D. Pedro D. Pedro D. Pedro
D. Pedro D. Pedro D. Pedro D. Pedro
D. Pedro D. Pedro D. Pedro D. Pedro
D. Pedro D. Pedro D. Pedro D. Pedro
D. Pedro D. Pedro D. Pedro D. Pedro
D. Pedro D. Pedro D. Pedro D. Pedro
D. Pedro D. Pedro D. Pedro D. Pedro
D. Pedro D. Pedro D. Pedro D. Pedro
D. Pedro D. Pedro D. Pedro D. Pedro
D. Pedro D. Pedro D. Pedro D. Pedro
D. Pedro D. Pedro D. Pedro D. Pedro
D. Pedro D. Pedro D. Pedro D. Pedro
D. Pedro D. Pedro D. Pedro D. Pedro
D. Pedro D. Pedro D. Pedro D. Pedro
D. Pedro D. Pedro D. Pedro D. Pedro
D. Pedro D. Pedro D. Pedro D. Pedro
D. Pedro D. Pedro D. Pedro D. Pedro
D. Pedro D. Pedro D. Pedro D. Pedro